HANNS RÜCKERT ZUM 65. GEBURTSTAG

ARBEITEN ZUR KIRCHENGESCHICHTE

Begründet von Karl Holl † und Hans Lietzmann †

Herausgegeben von Kurt Aland, Walther Eltester und Hanns Rückert

———————————— 38 ————————————

GEIST UND GESCHICHTE

DER REFORMATION

FESTGABE

HANNS RÜCKERT ZUM 65. GEBURTSTAG

DARGEBRACHT VON

FREUNDEN, KOLLEGEN UND SCHÜLERN

WALTER DE GRUYTER & CO.

vormals G. J. Göschen'sche Verlagshandlung · J. Guttentag, Verlagsbuchhandlung
Georg Reimer · Karl J. Trübner · Veit & Comp.

Berlin 1966

In Verbindung mit
Kurt Aland und Walther Eltester
herausgegeben von
Heinz Liebing und Klaus Scholder

16762

Archiv-Nr. 32 02 66 2
Alle Rechte, insbesondere das der Übersetzung in fremde Sprachen, vorbehalten.
Ohne ausdrückliche Genehmigung des Verlages ist es auch nicht gestattet, dieses Buch oder Teile
daraus auf photomechanischem Wege (Photokopie, Mikrokopie) zu vervielfältigen.
© 1966
by Walter de Gruyter & Co., Berlin 30
Printed in Germany
Satz und Druck: Thormann & Goetsch, Berlin 44

VORREDE

Hochverehrter, lieber Herr Professor!

Der Widerhall, den Ihre mehr als vierzigjährige akademische Lehrtätigkeit hervorgerufen hat, ist in einer Festschrift nur unvollkommen darzustellen. Die Weite Ihres Blickfeldes, die Ihren Hörern so eindrucksvoll gewesen ist und sie dazu angeleitet hat, in allen Epochen die Geschichte der einen Kirche zu sehen, kann in einem solchen Rahmen nicht ausgemessen werden. So hat das zentrale Thema, von dem Ihre Arbeiten in der Schule Karl Holls ausgegangen und dem sie immer verpflichtet geblieben sind, als Titel dieses Buches zugleich repräsentative, aber auch einschränkende Bedeutung. Die Konzentration auf die Erforschung und das Verständnis der Reformation, ihrer Geschichte und Umwelt, ihrer Voraussetzungen und Wirkungen, die dem Verlag und den Herausgebern erstrebenswert schien, führte zwangsläufig dazu, daß unter den Verfassern mancher Name fehlt, der eigentlich dazugehörte. Aber selbst die größte thematische Freizügigkeit hätte nicht alle die zu Worte kommen lassen können, die Ihnen persönlich und wissenschaftlich verbunden sind.

Ihre Wirkung ist weder auf bestimmte Sachgebiete noch auf eine Zunft von Historikern oder Kirchenhistorikern beschränkt geblieben. Als Lehrer der Kirchengeschichte haben Sie im Grunde stets „publice" gelesen. Darum stehen der Dank und die Verehrung, die mit diesem Band sichtbar werden sollen, nicht nur für den engeren Kreis ihrer Freunde, Kollegen und Schüler, sondern auch für Generationen von Theologiestudenten und darüber hinaus für viele, meist unbekannte „Hörer aller Fakultäten". Mögen Ihnen um dieser vielen willen noch lange Jahre öffentlichen Redens und Schreibens geschenkt sein.

Unser Dank gilt allen denen, die zum Gelingen dieser Festgabe beigetragen haben: dem Verlag und den Herren Mitherausgebern der „Arbeiten zur Kirchengeschichte" für die Aufnahme des Bandes in ihre Reihe, dem Evangelischen Oberkirchenrat in Stuttgart für einen Druckkostenzuschuß, den bereitwilligen Helfern beim Lesen der Korrekturen, vor allem Herrn Assistent Wilfried Brandt.

Tübingen, am 18. Sept. 1966   *Heinz Liebing*
                                               Klaus Scholder

INHALTSVERZEICHNIS

DIE LOGIK DES PAULINISCHEN GLAUBENS[1]

von Ernst Fuchs
(Marburg a. d. Lahn, Schückingstraße 15)

I.

Der Ort des Verstehens

Alles hat seine Zeit. Ebenso gehört ein Jedes an seinen Ort.

Gott zu danken, Ihn zu loben ist freilich allezeit und überall am Platz. Aber Gott wäre kein Vater in Barmherzigkeit, kein Gott voll Trost, wenn er uns nicht so danken und loben ließe, daß wir auch den inneren Anlaß für das Danken und Loben mitbekämen. Dieser Anlaß sind wir selber. Wir haben Gott zu danken und zu loben, weil er sich überhaupt um uns annimmt. So gilt: »Was Gott tut, das ist wohlgetan!« Wer das sagen kann, der befindet sich am Ort des Verstehens.

Ich bezog mich schon in diesen einleitenden Sätzen auf das Proömium des letzten Briefes, den Paulus nach Korinth geschrieben hat, 2. Kor 1, 3—11 — der ohnehin rhetorisch geprägte Text sei an einigen Stellen, die, wörtlich übersetzt, ohne störende Zwischenbemerkungen nicht gleich eingehen würden, leicht umstilisiert wiedergegeben:

3 Gelobt sei Gott,
Vater unseres Herrn Jesu Christi,
der Vater in Barmherzigkeit
und Gott voll Trost,

4 der uns tröstet in aller unserer Not,
sodaß ich trösten kann, wo immer Not (herrscht),
mit dem (gleichen) Trost, wie ich ihn selbst von Gott erfahre.

5 Denn wie Christi Leiden auf mich überströmen,
so strömt durch Christus auch mein Trost über —

[1] Diese Vorlesung entstand in meinem Kolleg des W.S. 1965/66, als ich über den 2. Korintherbrief zu lesen hatte, wurde am 10./11. Dezember 1965 in Basel und Zürich, am 21. Januar 1966 am Ostberliner Sprachen-Konvikt vorgetragen und sei HANNS RÜCKERT als ein Dankeszeichen dargebracht.

6   meine Not: sie dient zu eurem Trost und Heil;
    mein Trost: er dient zu eurem Trost und wirkt sich aus,
    wenn ihr für die gleichen Leiden, wie auch ich sie leide,
    Geduld aufbringt,

7   und meine Hoffnung steht für euch fest,
    weil ich weiß, daß mit den Leiden auch der Trost euch mit mir einigt.

8   Denn, Brüder, ich will euch nicht verbergen, was meine Not betrifft,
    die ich in der Asia erfuhr, daß da eine unvorstellbar schwere Last
    auf mir lag, sodaß ich keinen Ausweg mehr sah, wie ich mit dem
    Leben davonkäme.

9   Im Gegenteil, ich habe mir selbst das Todesurteil sprechen müssen,
    mit der Wirkung, mein Vertrauen überhaupt nicht mehr auf mich
    selbst zu setzen, sondern (allein) auf den Gott, der die Toten auf-
    erweckt:

10 Er hat mich aus solcher Todesnot herausgerissen und wird es wieder
    tun, Er, dem meine Hoffnung (immer) gilt, wird es erst recht tun,

11 wenn auch ihr im Gebet für mich mithelft, damit das Gnadenwerk
    von vielen Menschen auf mich (zukomme), wenn durch viele Dank
    erschallt für mich.

Man kann diesen ganzen Abschnitt unter das ein Plus, so etwas wie ein Überfließen, Überströmen ausdrückende Stichwort περισ-σεύειν rücken, sodaß V. 5 die Vorhand hat. Dafür spricht ja inhalt-lich die nicht beiläufige, sondern den Apostel durchweg beherr-schende Begründung seiner Existenz in der Herrlichkeit Jesu Christi, die sich auch durch die Gemeinde und daher in der Gemeinde über-legen, in einem Überströmen, durchsetzt:

»Denn wie Christi Leiden auf uns (d. h. mich) überströmen, so strömt durch Christus auch unser (in diesem Falle: mein) Trost über«, V. 5.

Gleich der nächste Satz hebt den Vorgang unmißverständlich in seine rettende Mitte:

»Meine Not: sie dient zu eurem Trost und Heil (σωτηρία),
mein Trost: er dient zu eurem Trost und wirkt sich aus,
wenn ihr für die gleichen Leiden, wie auch ich sie leide, Geduld aufbringt«,
V. 6;

V. 7 schließt ab:

»und meine Hoffnung steht für euch fest,
weil ich weiß,
daß mit den Leiden auch der Trost euch mit mir einigt.«

Wie die Christi Herrlichkeit ausdrückende Wendung »durch (den) Christus« klarstellt, vollzieht sich das Überströmen sowohl zwischen

Christus und Paulus, als auch zwischen Paulus und der Gemeinde Jesu Christi. Paulus kann von dem Trost, den er erfuhr, an die Gemeinde abgeben, wie er selber, ja, weil er selber von dem Leiden, das es um Christi willen gab, mehr als genug, ja übergenug abbekommen hat und auch in Zukunft abbekommen wird, sobald er von Korinth, zum letzten Mal, Abschied nimmt. In dem περισσεύειν steckt insofern der Gedanke einer Bilanz, einer Abrechnung. Man kann also fragen, was sich da ausgleicht. Diesmal: Leiden und Trost. Einem Plus im Minus, im Leiden, steht ein Plus im Plus, im Trost, wie doppelt gegenüber. Bestimmt man den Genitiv: Leiden »des Christus« als die zu Christus, auf Seine Seite, ins Soll gehörenden Leiden, dann werden die Leiden des Apostels wie von selbst auf Christus (zurück-)übertragen. Denn um seinetwillen entstehen sie ja, wie das aufregende Leben des Apostels fortwährend zeigt (2. Kor 11, 23—29 bzw. 33; 1 Kor 4, 9—13). Ja, die Leiden des Apostels sind geradezu die Waffen des Herrn (vgl. 2. Kor 6, 7; Röm 6, 13; 13, 12). Wer Christus kennt, der kennt die Kraft, die ihn auferstehen ließ, aus der entschlossenen Teilhabe an seinen Leiden (Phil 3, 10), um so, weil Er Knechtsgestalt annahm, in der Teilhabe an Seinem Tod, ebenfalls zur Auferweckung aus den Toten unterwegs zu sein (2. Kor 4, 7—15).

Was ist das für ein Geschehen? Ist das »Ein für allemal« des Heilsgeschehens, von dem Röm 6, 10 spricht, zurückzunehmen? Sicherlich nicht. Wenn Gott stirbt, so ist der Tod aufgehoben (Röm 8, 3 f.). So gehen die Leiden wohl auch von Christi Kreuz auf uns über, fließen aber eigentlich in der umgekehrten Richtung auf Ihn ab.

Er trägt sie, sodaß dagegen der Trost »durch Christus« auf uns zuströmt. Geht es hinab, so geht es hinauf. So verstanden sind zwei in entgegengesetzter Richtung fließende Strömungen miteinander zu vergleichen. Die homiletische Parallele zwischen Leiden und Trost hat ihr siegreiches Plus im Trost. Das ist darin begründet, daß Christus auf beiden Seiten, sowohl beim Leiden als auch im Trost, als der Herr gegenwärtig sein will, der in dem Umschlag vom Leiden in den Trost selber am Werk ist und so seine Herrschaft bei uns antritt und gewinnt (1. Kor 15, 26.57; 2. Kor 4, 7 ff.).

Das Plus, das alles überwiegt, liegt also bereits in der Parallele selbst. Sowohl im Leiden als auch im Trost ist Christus selbst das Plus, das sich in der Parallele, ja, *als* Parallele von Leiden und Trost *durchsetzt*. Diese Parallele schließt das Nacheinander von Leiden und Trost nicht aus, sondern von vornherein ein (1. Kor 15, 42 bis

44). Das Nacheinander erschien der Gemeinde zuerst am Apostel, an Paulus, und erscheint jetzt auch an der Gemeinde. Aber dieses Nacheinander von Leiden und Trost erscheint nur deshalb, weil das nicht anders sein kann, wenn von Christus die Rede sein soll. Wo Christus »überströmt«, also das Plus *ist,* da *wird* er auch zum Plus! »Gottes Sein ist im Werden« (E. JÜNGEL). Das heißt nicht, daß Gott unvollkommen wäre, sondern: *Wo* Gott ist, *da* wird er auch zum Gott, *da entspricht sich Gott* — in uns und euch, wie Paulus sagt (vgl. 2. Kor 3, 17 b). Das Nacheinander jener Parallele ist »in Christus« am Kreuz ereignete Futurität, weil der Herr als der Herr das die Parallele begründende Plus ist, nämlich göttliche Identität, welche bei allen Beteiligten Gemeinschaft stiftet, sobald sie sich als in Christus durch Christus geeinigt erfahren.

So kann Paulus wie in Phil 3, 10 oder in Röm 8, 17, so auch in 1. Kor 15, 42—44 die gleiche Parallele als Parallele zwischen Leiden und Herrlichkeit, Tod und Leben, Schwachheit und Stärke aussagen. Gemeint ist immer jene Gottes Sein als Sein im Werden bezeugende Identität, welche in 2. Kor 12, 10 zu der Aussage bevollmächtigt: »Denn wenn ich schwach bin, so bin ich stark«. Denn hier gilt: *Wie* ich schwach bin, *so* ist Er stark. Seine Stärke *erscheint* in meiner Schwäche (2. Kor 2, 15 f.).

Diese Epiphanie des Herrn ist für Paulus der *Ort des Verstehens, die* Gotteserkenntnis (2. Kor 4, 6; Gal 4, 9). Schon das bewußt übernommene Leiden bzw. die Schwachheit des irdenen Gefäßes (2. Kor 4, 7) sagt für Paulus den Inhalt, das Ganze aus: den Logos vom Kreuz, nämlich das Kreuz als Logos (1. Kor 1, 18; 2, 2). Dieser Logos darf nicht entleert, aber auch nicht falsch gefüllt werden (1. Kor 1, 17). Das Wie — So bleibt maßgebend (Röm 6, 4), weil es unsre Existenz, die sich jetzt vom Tod getrennt hat, ins Leben bringt (2. Kor 2, 16).

Am Ort des Leidens ist zu sagen, was nicht der Mensch, sondern was Gott tut (2. Kor 2, 17). Dementsprechend formuliert z. B. der Bekenntnissatz Röm 4, 25 als Aussage die Identität: »um unsrer Sünden willen hingegeben, um unsrer Rechtfertigung willen auferweckt«. In Christus geschah, und Er bleibt, die *Angabe* des *Ortes, wo* sich Gott, und in eins damit die Wahrheit, *daß* sich Gott als unser aller Gott ausgewiesen hat, um uns auf diesen Ausweis seiner selbst ein für allemal anzuweisen. Zum Deus futurus gehört der homo futurus (2. Kor 4, 14).

So wird der Mensch gemäß dem Willen *Gottes,* Seiner absoluten Freiheit, in Christus mitgesagt, und daher wird *wie* von Gott *so*

auch vom Menschen das Sein ausgesagt, das in Christus ein für alle-
mal wahr ist und wahr bleibt: Gott beim Menschen, der Mensch in
Gott. Wo das Eine geschieht, die der Welt nötige Hingabe an das
Wort, die Leiden, da geschieht unweigerlich auch das Andere, der
Trost, die Herrlichkeit des Glaubens, so wahr Christus der Herr ist.

Christus gehört also deshalb auf beide Seiten, weil die »Wahrheit
des Evangeliums« (Gal 2, 5.14) »in Christus« ihr Wo hat und behält (Röm 6, 11 usf.). (Das ist die gleiche Logik, wie wir sie formal
etwa in dem Wort Luk 17, 37 par. Matth 24, 28 ausgesprochen finden. Ich denke, das ist biblische Hermeneutik.)

Wenn also die παράκλησις bzw. die δύναμις τοῦ Χριστοῦ (2. Kor
12, 9; 4, 7 ff.) als *Glaube* (Röm 6, 11) an Christi und d. h. Gottes
Kraft gerade in Schwachheit wirksam ist bzw. der Schwachheit zuteil wird (2. Kor 13, 3—5), so besagt das 1., daß solche Schwachheit
um des Glaubens willen entsteht, und 2., daß derselbe Glaube, um
dessen willen die Schwachheit entsteht, die Schwachheit besteht.
Jenes περισσεύειν von 2. Kor 1, 5 ist ein Wesenszug der Glaubensbewegung, in welcher sich Gott durch unseren Herrn als *unser* Herr
durchsetzt (Röm 5, 1—11).

II.

Die Logik des Glaubens

Wir hörten: Gott setzt sich in der Glaubensbewegung, als unser
Herr, durch. Was tut denn der Glaube, wenn der Glaube ins Leiden gerät? Von dem angezogenen Text her ist zu sagen: Der Glaube
verläßt sich (πέποιθεν) auf Gottes δύναμις, auf Gottes Eingreifen
(2. Kor 1, 9). Im Blick auf das Kreuz Christi spricht 2. Kor 13, 4 f.
ebenfalls von Gottes Kraft. Und dort, in 2. Kor 13, 5, wird im
gleichen Zusammenhang auch ausdrücklich vom »Glauben« gesprochen.

Der Glaube weiß, daß Gott *alle* δύναμις vorzubehalten ist und
vorbehalten bleibt — das ist der Grund, warum sich gerade auch
der Glaubende mit einem irdenen, leicht zerschlagbaren Gefäß vergleicht (2. Kor 4, 7). Der Glaube maßt sich Gottes Kraft und Macht
keineswegs an (vgl. Phil 4, 13 mit 2, 12 f.). Daher unterscheidet
Paulus immer zwischen dem Glauben und dem Pneuma, das den
Glaubenden geleitet (Röm 8, 14). Dagegen Christus gehört auch in
dieser Blickrichtung auf beide Seiten, sowohl auf diejenige des Glau-

bens, nämlich durch Kreuz und Leiden, als auch auf diejenige des Pneuma, nämlich der δύναμις Gottes (Phil 3, 10; in Röm 8, 17 meint das σνν im Verb eben diese nur in Christus vollständige Einheit; in Röm 8, 9 f. spricht Paulus ausdrücklich vom Pneuma Christi, um den Vorbehalt Gottes gerade im Blick auf Christi Kreuz zu wahren). Gottes Herrlichkeit oder siegreiche Kraft ist mit der Schwachheit freilich allein in Christus, aber eben in Christus *eins*. Das besagt: *Auch von Christus* ist *nur* um des *Glaubens* willen zu reden! Denn der Glaube bezieht sich auf Gottes Kraft, er ist Gottes Tat (1. Kor 2, 5), *weil* Gott den Glauben in dem gekreuzigten Christus *anbietet*. Dieses Angebot macht Gott im *Wort* vom Kreuz (1. Kor 1, 18). Kein Wunder, daß dieser Logos der Menschenweisheit als Torheit erscheint (1. Kor 1, 21 ff.). Eben deshalb steht nun in dem Logos des Apostels eine Sicht zur Diskussion (Gal 3, 1). Diese Sicht erscheint im Apostel (Stichwort: γνῶσις in 2. Kor 2, 14; 4, 6).

Das Angebot des Glaubens geschieht ja öffentlich. Paulus »dient« seinem Herrn, indem er den Glauben *jedermann* anbietet. Das gilt für Paulus ohne Einschränkung (1. Kor 9, 19—22), unter allen Umständen. Deshalb wandelte unser Text in 2. Kor 1, 3 ff. das Proömium der Paulusbriefe eindringlich in der Blickrichtung auf den Apostel ab: »Gelobt sei Gott, (der) Vater unsres Herrn Jesu Christi, der Vater in Barmherzigkeit und Gott voll Trost, der uns tröstet in aller unsrer Not, sodaß ich trösten kann, wo immer Not (herrscht), mit dem (gleichen) Trost, wie ich ihn selbst von Gott erfahre«. Auch der Dank wird dann in V. 10 f. vom Ereignis her konkretisiert, indem Paulus die dankende Gemeinde in sein Gotteslob einbezieht: »Er hat mir aus solcher Todesnot herausgeholfen und wird es wieder tun, (11) wenn auch ihr im Gebet für mich mithelft, damit das Gnadenwerk von vielen Menschen auf mich (zukomme), wenn durch viele Dank erschallt für mich«. (Das ist's, was der nach Jerusalem aufbrechende Apostel von der Gemeinde in Korinth erwartet.) Hinter diesem Ereignis verschwinden alle charismatischen Differenzen.

Eben deshalb, weil er *alle* sammeln soll und will, ohne Unterschied auch der religiösen Begabung, predigt der Apostel *allein* den Glauben, also das, was der Römerbrief betont »Gottes Gerechtigkeit« nennt (Röm 1, 17; 3, 21), im Gegensatz zu den Werken des Gesetzes, die nicht als Werke, aber als Heilsweg verworfen werden (Röm 3, 28). Die Einheit der Gemeinde wird trotzdem sichtbar, eben in den Leiden! Jene παθήματα τοῦ Χριστοῦ von 2. Kor 1, 5 entsprechen dem sola fide von Röm 3, 28! Was einer positiv auf sich nehmen kann, bleibt zwar different. Aber sein Glaube muß »gewiß« sein (Röm 14, 4 f.). Weil und wie Christus am Kreuz, im Fleisch, in der Schwachheit auf Gottes Kraft angewiesen war, 2. Kor 13, 4, so ist auch der Glaube ganz auf Gottes Kraft angewiesen, wie Abrahams Beispiel in der Schrift zeigt (Röm 4, 19). Wenn sich Christus in die Situation der Schwachheit begab, so hat er das um unseretwillen getan, *damit* wir glauben (Röm 3, 23 f.; 4, 16; 8, 3). Wenn nun Paulus daraufhin Christi Kreuz und Auferstehung im Glaubensbekenntnis zusammenhält (1. Kor 15, 3 f.; Röm 4, 25 ff.; 8, 34), so deshalb, um an der Interzession Christi für die Sünder (Röm 8, 34; 5, 10) die *Konsequenz* des Glaubens einzuprägen. Mit diesem theologischen Schritt, also mit der von Paulus entworfenen Logik des Glaubens, ist in der Sache zugleich festgehalten, daß der historische Jesus Gott für den Sünder in Anspruch nahm.

Die Konsequenz oder also die *Logik* des paulinischen Glaubens besagt, daß sich Gott treu bleibt, indem er den Sünder *aus Gnade* erlöst (Röm 4, 16; 11, 6), d. h. daß Gott jetzt um des Kreuzes Jesu willen erhört (1. Kor 2, 2; Gal 3, 1), und das heißt eben, daß Gott in Wahrheit allein um des Glaubens willen erhört (Röm 4, 3 vgl. mit Psalm 69, 17 f.). Es widerspräche dieser auf den Glauben insistierenden Verkündigung, wenn sich der Glaube selber aufhöbe. Das würde geschehen, wenn man die Schwachheit, in welche der Glaube vorgerufen wird, doketisch behandelte, als sei uns Gottes Kraft in der Schwachheit *verfügbar.* Diese nicht selten anzutreffende doketische Anthropologie ist genauso wie eine doketische Christologie abzulehnen, wenn man auf Paulus hören will. Man muß deshalb nicht bloß mit dem Begriff der Heilsgeschichte, sofern diese einen Entwurf des Geschichtsablaufs impliziert, sondern auch mit der scheinbar so leicht auszuweisenden Rede von der »Personalbeziehung« zum auferstandenen Herrn sehr vorsichtig umgehen (vgl. 2. Kor 4, 5!). Alle diese Reden haben den Nachteil, daß sie uns dazu verführen, selbst die Weichen zu stellen, die doch nur Gott stellt. Das heißt nicht, daß es kein von Gott gesetztes Muß gäbe, ein Muß, mit welchem Gott alle unsre Einwände und Selbsthilfen vom Tisch wischt. Denn es steht ja so: Während die Schwachheit in Christus Gottes Liebe gegen uns anzeigt (Phil 2, 6—8; 2. Kor 5, 14; Röm 8, 39), zeigt uns Gottes Liebe *selber* des Gekreuzigten Stärke an. Warum? Weil auf Christi Kreuz Christi Auferstehung folgen *muß.* Dieses Kreuz ist ja *Christi* Kreuz — Er, er allein, ist Gottes εἰκών, die Person, in welcher sich Gott als πατήρ sichtbar gemacht hat (2. Kor 4, 4.6), der Sohn der Liebe (vgl. Kol 1, 13), sodaß Gott jetzt der Vater heißt, *weil* Christus der Herr geworden ist (1. Kor 8, 6; 2. Kor 5, 14 f.).

Oder um das Gleiche mit einem polemischen Unterton gegen meinen Kontrahenten KÜNNETH zu sagen: Die Auferstehung Jesu Christi ist selber schon ein »konsekutives« Ereignis! (Eben das könnte man von 1. Korinther 15, vgl. dort V. 35 ff., lernen.)

Von dieser Logik, die in Röm 5, 12—21 christologisch expliziert wird, auch da mit Hilfe jenes περισσεύειν, 5, 15—17, macht Paulus also auch in 2. Kor 12, 9 f. wie in 2. Kor 4, 7 ff., 1. Kor 1, 18 ff. Gebrauch. Weil Gott B sagt, wo er A gesagt hat, und das deshalb, um den Glanz seines B am A erscheinen zu lassen, Gal 4, 4—7, deshalb haben wir unsererseits an den Gekreuzigten zu glauben (Röm 3, 27), um des Pneuma Gottes im Glauben teilhaftig zu werden und damit der Gnade gewiß zu sein (Röm 8, 10). Wenn also Gott im verkündigten Christus B sagt, indem er uns allen den Glauben neu anbietet, so wird Gott auch sein A festgehalten haben, weil er den Glauben *als* Glauben bestätigt (Gal 3, 6 f.). So kommt Paulus zum Vergleich mit dem, was *vor* dem Apostel gesagt war (Röm 3, 1 ff.). Der Glaube, allein der Glaube, rettet Adam und seine Kinder, die Sünder (Röm 5). Genau *diese* heilsgeschichtliche, weil verheißene Bevorzugung des Glaubens ist in Christus erfüllt (Gal 3 f.).

Gott blieb niemand etwas schuldig. Aber gerade die Glaubenden sind nun Gott durch Christus die *Hoffnung* schuldig (2. Kor 1, 9 vgl. mit Röm 8, 12 und 8, 6; 5, 3 ff.). Denn wir gehen im Glauben nicht zwischen Christi Auferstehung und unsrer Auferstehung spazieren, als ob wir Gottes Zuschauer wären, sondern wir befinden uns im Glauben bereits bei den Folgen von Christi Kreuz, im neuen Leben, das Gott durch Christus durchsetzt (Röm 6, 5). Darin *bleibt* der Glaube als Glaube bestätigt (Röm 1, 17; 6, 11; 2. Kor 4, 16). Um des Kreuzes Jesu willen war also auch bei uns ein *Urteil* über Gott zu fällen (Röm 6, 11). Dieses Urteil wiederholt das Urteil der »Gerechtigkeit«: Gott ist nicht bloß barmherzig, sondern gnädig (Röm 3, 21 ff.)! Nur um dieses festzuhaltenden Urteils des Glaubens willen (2. Kor 5, 14) steht uns Gott mit der gleichen Kraft bei, wie er sie in Christus offenbar gemacht hat (Röm 4, 24). (Diese Kraft, das Pneuma, ist die göttliche Kraft der Liebe, sowohl in Gott als auch in Christus als auch in uns.)

Auf die einzelnen Textaussagen gesehen konkurrieren bei Paulus freilich *mehrere* Bestätigungen des Glaubens miteinander. Das ist einmal jenes Erleben, das sich in den Erscheinungen des Auferstandenen widerspiegelt, wie sie 1. Kor 15, 5—8 aufgezählt werden.

Dieses Erleben werden wir gleich nachher auf seinen sachlichen Grund zurückzubringen haben. Ferner ist der Glaube selbst zu nennen, weil und wenn er sich als Glaube durchhält, sofern er als Gehorsam in der Liebe wirksam ist (Gal 5, 6; Röm 13, 8—10). Dann ist jener Dank der Gemeinde zu nennen, wie er in 2. Kor 1, 11 u. 4, 15 als Ereignis ausgesagt wird. *Problematisch* sind für die Logik des Glaubens wohl nur jene Erscheinungen des Auferstandenen, solange man verkennt, daß Christi Auferstehung selber ein »konsekutives« Ereignis ist (Phil 2, 9). Man kann jene Erscheinungen des Herrn aber insofern Bestätigungen des Glaubens nennen, als jede folgende auf die vorhergehende zurückzuweisen scheint. Es galt also, vor allem jene erste Erscheinung vor Petrus (1. Kor 15, 5) recht zu verstehen. Mit ihr konkurriert bei Paulus die letzte, die Paulus selbst erlebt hat. Aber gerade auch Paulus versteht sein Erlebnis als *Sendung* (Gal 1, 16), und er setzt sein Erlebnis genau dadurch in Parallele zu demjenigen des Petrus (Gal 2, 8 f.). Der Oberbegriff heißt für beide die »Wahrheit des Evangeliums« (Gal 2, 5.14).

Die »Wahrheit des Evangeliums« ist als Glaube an Christus Jesus zu verkündigen (Gal 2, 16). Warum? Weil Christi Kreuz oder Gehorsam bei uns allein durch den Glauben gerechtfertigt wird (Röm 3, 4 f.; 5, 18 f.). Gerade Paulus verkündigt denn auch keineswegs jene Erscheinungen — das scheint eher petrinisch zu sein —, sondern Christi Kreuz (1. Kor 1, 18; Gal 3, 1). Christus ist des Gesetzes oder des Zornes Ende (Röm 10, 4), weil »der Glaube kam«, wie Paulus Gal 3, 25 schreibt. Das besagt: der Glaube macht durchaus auch besondere Erfahrungen. Aber er darf nicht in diese Erfahrungen aufgelöst werden. Der Glaube folgt nicht konsekutiv auf Christi Auferstehung, sondern »die« Auferstehung folgt konsekutiv auf Christi Kreuz. Der Glaube an dieses Kreuz als die rettende Heilstat Gottes ist und bleibt selber die *Parallele* zur Auferstehung Jesu Christi, wie denn der Glaube auch dem Pneuma parallel bleibt (Gal 4—6).

Das alles ist bei Paulus betont in den Begriff des Evangeliums einbehalten. Das Evangelium beherrscht zwar die Wirklichkeit, aber es ist in sich selbst mehr: die *Wahrheit Gottes* (Röm 3, 7). Das heißt: Das Evangelium ist und bleibt Aussage. Ohne diese Aussage wäre Christi Kreuz in der Tat entleert, wie neben 1. Kor 15 das erste Kapitel des 1. Korintherbriefes bis hin zum 3. Kapitel zeigt (1. Kor 3, 22 f.). Die Logik des Glaubens gründet allein in dem zu glaubenden *Wort*, das der Apostel — das ist sein »Dienst« — im Blick auf Christi Kreuz *als* Gottes Gerechtigkeit verkündigt (Röm 1, 14

bis 17; 10, 8—10; 1. Kor 1, 17; 2. Kor 3, 9). Indem der Glaube
den Gekreuzigten als auferstanden *aussagt*, bekennt er ja den Gekreuzigten als den Herrn über den Tod (1. Kor 15, 26.54 f.). Eben
damit fällt der Glaube seinerseits ein Urteil (2. Kor 5, 14). Das ist
das Urteil, das Gott selber »in Christus« durch das Kreuz als »Löse-
geld« für Sünder an den Tag brachte (Gal 4, 5) und deshalb unsererseits durch den Glauben an den Tag bringen will (Röm 3, 24—26).
Dieses Urteil besagt, daß wir *alle* Gottes gewiß sein sollen. Eben
das geschieht χωρὶς νόμου, extra legem, sodaß wir uns alle, nicht
etwa abgesehen vom Gesetz, nicht sine lege (gegen vg), sondern gerade im Horizont des Gesetzes Gottes (Röm 4, 15 f.), im Blick
auf das Kreuz Christi, allein auf Gnade berufen (Röm 3, 21 ff.).
Das Urteil Gottes muß uns als das von uns nachzusprechende Urteil »Gnade« ausdrücklich bewußt werden (Röm 6, 11 vgl. mit 4,
4 ff.). Und eben deshalb ist das Urteil Gottes das *Wort*, das Paulus
als Evangelium verkündigt (Röm 1, 14—17; 2. Kor 2, 17). Weil
alles nur um dieses Wort geht, das uns Gott durch Christi Kreuz
abverlangt, ist der Glaube jedermann einzig das Wort schuldig, das
den Gekreuzigten *als* den Herrn bekannt macht (Röm 10). Christliche Existenz hat einzig diesem Wort zu entsprechen, also »wort-
förmig« zu werden (Luther).

III.

Die Wahrheit des Evangeliums

Ein letzter Schritt ist zu tun, damit die Logik des Glaubens vollends einsichtig werde.

Der *Glaube* ist nicht erst die Folge aus dem Heilsereignis, sondern
der Glaube gehört selber zum Heilsereignis. Denn der Glaube wird
durch das Heilsereignis *als* Glaube bestätigt. Diesen Rang hat Paulus dem Wort Glaube verliehen, wie BULTMANN gezeigt hat. Das
ist eine theologische Erkenntnis des Paulus. Als die Gefahr drohte,
daß Jesus zur Beute der Apokalyptik werden könnte, während andererseits gnostisierende Spiritualisten einbrachen, da hat Paulus
dafür gesorgt, daß weder die Hoffnung noch die Verheißung um
ihr Recht kämen. Man sollte die nur äußerliche Konstatierung
einer Spannung zwischen dem »Noch nicht« und »Doch schon« (O.
CULLMANN) in der Tat zu überwinden versuchen. Paulus verstand:
*Unser Glaube ist im Geist die Analogie zur Auferstehung Jesu Chri-
sti aus dem Fleisch.* Eben deshalb erinnert der Geist im Glauben

an die Sendung Jesu Christi ins Fleisch, an Jesu Kreuz (1. Kor 11, 23—26). Wäre die Apokalyptik die »Mutter« der Theologie des Glaubens, so wäre die Theologie des Glaubens von einer Theologie vor dem Glauben abzuleiten. Eben das hat Paulus verhindert. Ordnet man die Christologie des Paulus falsch ein, so wird sie sofort doketisch, nämlich unbiblisch.

Weil nun aber gerade meine Gegner zwar den Doketismus ebenfalls vermieden wissen wollen, aber einer im 19. Jahrhundert modern gewordenen Begrifflichkeit »realistischer« Prägung verhaftet sind, möge die Auseinandersetzung mit ihnen noch mehr Licht in die Sache bringen. Jene ziehen es vor, an der Stelle, wo ich vom Heilsereignis sprach, von einer »Wirklichkeit« zu reden. So sei denn ausdrücklich darauf aufmerksam gemacht, daß die »Wahrheit« des Evangeliums, für die Paulus stritt, die »Wirklichkeit« erst bringt, um die es im Glauben geht. Grundsätzlich ist zu sagen:

1. *Wirklichkeit* bleibt immer anfechtbar, die *Wahrheit* dagegen nicht. Nicht umsonst hat Paulus jener Aufzählung der Erscheinungen des Herrn in 1. Kor 15, 3 f. eine Bekenntnisformulierung vorausgeschickt. Die Wirklichkeit war ja auch damals durchaus different! Das zeigt ja schon die Unterteilung der Mission zwischen den beiden *Juden* Petrus und Paulus (Gal 2, 7—9).

2. Spricht man von *Wirklichkeit,* so muß man den Beweis dafür antreten. Darauf hat sich auch Paulus polemisch eingelassen, als er mit Leuten zu streiten hatte, die sich selber eine neue Wirklichkeit zuschrieben, welche den Glauben überflüssig zu machen drohte. Der Glaube gilt aber weder dem Paulus noch anderen Personen, sondern der *Wahrheit* des Evangeliums.

3. Wer der *Wahrheit* des Evangeliums ein eindeutiges Faktum voransetzt, der zerstört den Wortcharakter des Evangeliums erst recht, weil er die Wahrheit des Evangeliums als »Wirklichkeit« von den Beweisen für dieses Faktum abhängig macht. (So liefert man das Evangelium nolens volens den Zweifeln der Historiker aus. Künneths Formel »pneumatisch-leibhafte Wirklichkeit« ist eine logisch unerlaubte contradictio in adiecto. Die Formel — das ist ihre Ironie — entzieht die Wahrheit des Evangeliums dem Glauben ja gerade insofern, als sie als »Wirklichkeit« dem Glauben zuvorkommen soll.)

Woran ist demgegenüber die Glauben fordernde Wahrheit des Evangeliums zu messen? Antwort: Die Wahrheit des Evangeliums muß streng am *Gesetz* gemessen werden, wie Römer 1, 18—3, 20 unterstreicht. Das Gesetz sagt: Der Sünder lügt. Das muß ihm

»angerechnet« werden (Röm 5, 12 ff.). (Das Ideal des sündigen Menschen ist deshalb die unwiderlegbare Lüge, auf welche man sich je und je zu einigen versucht.) Eben dagegen bleibt Paulus bei Gottes Wort und zeigt an der Schrift, in *welche* Wirklichkeit die Lüge führt, nämlich in die Verkehrung unseres Lebens (Röm 3, 10 bis 18). Warum? Antwort: Weil Gott die Lüge nicht durchläßt.

So stehen *Wirklichkeit und Lüge* in einem unauflösbaren Spannungsverhältnis. Warum soll ich einem Lügner glauben? Wenn doch gilt, daß jeder Mensch ein Lügner ist (Röm 3, 4)? Wieso kann ich dann das Heilsereignis auf Zeugenberichte *gründen* wollen? Zeugen können immer, absichtlich oder unabsichtlich, falsche Zeugen sein. Die Wahrheit des Evangeliums dagegen ist unwiderlegbar. Eben deshalb steht sie dem Anspruch der angeblich unwiderlegbaren Lüge direkt entgegen und fordert Glauben wie jene. Man wird sich entscheiden müssen.

Warum ist die Wahrheit des Evangeliums unwiderlegbar? Antwort: Weil die Wahrheit des *Evangeliums* »bloß« in einem *Urteil* besteht, das der ganzen Wirklichkeit des Menschen als der Lüge dadurch widerspricht, daß es die Lüge *in mir* aufhebt — Paulus sagt: ἐν ταῖς καρδίαις ἡμῶν. Also dort, wo wir anzutreffen sind, ereignet sich Gott. Dieses Urteil besagt, daß ich wie jedermann an Gottes Gnade nur glauben kann, indem *ich* gegen alle Hoffnung auf Gott hoffe (Röm 4, 18; 2. Kor 1, 9).

Nun könnte ein solcher Glaube bloß ein Prinzip sein. Aber der Glaube wird ja gefordert, weil Jesus gekreuzigt wurde! Jesu Kreuz verlangte schon durch sich selbst eine Stellungnahme. Es ist ein schwerer Fehler, an dieser Stelle sofort Mutmaßungen über die Erschütterung der Jünger, ihre Verzweiflung u. dgl. mehr anzustellen. Die Aporie des Kreuzes Jesu bestand und besteht vielmehr in der *Frage,* ob Gott *auch* in Jesu Kreuz anwesend war, so anwesend, daß gerade der Gekreuzigte Gott auf seiner Seite hatte, wie er das vorher von sich behauptet hatte. Wir bleiben bei Paulus. Der *Kontext des Kreuzes* war ja für Paulus nicht Jesu Verkündigung, sondern *das Gesetz* (Gal 3, 13). Jesu Kreuz mußte um des Gesetzes willen *ausgelegt* werden. Wie einschneidend *dieses* Muß war, erkennt man daran, daß jene österlichen bzw. nachösterlichen Erscheinungen für Paulus nicht genügten, um Jesu Kreuz »ein für allemal« eindeutig zu machen. Es bedurfte des Glaubens an den *Gekreuzigten,* wenn Klarheit geschaffen werden sollte (Gal 2).

Dazu war wegen des *Gesetzes* nötig, daß Gott nicht eines Selbstwiderspruchs oder der Willkür bezichtigt werden konnte. Paulus kennt dieses Problem (Röm 3, 5; cap. 9). Jesu Auferweckung durfte also nicht als Sonderfall verstanden werden. Jesus selbst mußte vielmehr in Gott verstanden werden — daher: Gott sandte seinen *Sohn* (Röm 8, 3). Also durfte gerade das Kreuz, sein Ärgernis, *nicht* beseitigt werden (Gal 5, 11). Und deshalb *mußte* zum Glauben gerufen werden. Sicher, ohne jene Erscheinungen wäre es später wohl nicht zum Glauben an das Kreuz gekommen, wie es denn ohne Jesus nicht Jesu Kreuz gäbe (Röm 8, 3). Aber, so *versteht* Paulus, das alles geschah allein um des *Glaubens* willen.

Wenn sich nun Gott an Jesu Kreuz *nicht* widersprach, mußte das *Urteil* gefällt werden, daß Gott Jesus ans Kreuz ließ, um der sich aus dem Gesetz ergebenden Verfluchung des Sünders ein Ende zu machen (Gal 3, 10 ff). Gott konnte die Sünde nicht ungeschehen machen, wenn sein Gesetz keine Illusion sein sollte — aber Paulus wehrt diesem Einwand (der Illusion) mit dem Hinweis auf das dem Gesetz analoge heidnische Gewissen (Röm 2, 14 f.). Was konnte Gott dann tun? Gott konnte die Sünde *nicht anrechnen* (2. Kor 5, 19). Und wenn Gott haben wollte, daß diese »Nichtanrechnung« der Sünde allen Menschen zugutekäme, dann war das nicht nur ein Akt des Erbarmens, sondern gerade im Blick auf das die Sünden »anrechnende« Gesetz die Offenbarung seiner Gnade. Also sollte Jesu Kreuz zu dem Urteil bewegen, daß Gott dem Sünder gnädig sei, dem gleichen Sünder, der Jesus dieses Kreuz antat. Das Urteil mußte aber Gottes Urteil bleiben. Also entsprach dem Gnadenurteil Gottes auf der Seite des Sünders nichts als nur dies, daß ihm das Gnadenurteil Gottes verkündigt werden mußte, damit er es glaube. Es gab jetzt keinen Widerspruch mehr in Gott selbst. Erkannte sich der Sünder im Gekreuzigten wieder, so befand er sich in der Hölle (1. Kor 9, 16 b).

Das Gnadenurteil konnte aber nur unanfechtbar sein, wenn es unanfechtbar blieb. Es blieb gerade angesichts des Gekreuzigten unanfechtbar, wenn es auch in Zukunft als Wort allein auf den Glauben daran gestellt wurde. Ein solches Wort ist z. B. 2. Kor 5, 21 als Glaubenssatz formuliert. Der gnädige Gott gibt sich uns an Jesu Kreuz als unser *extra nos* bekannt, wie das Gesetz das verlangt (Röm 3, 4), und begegnet uns aus Gnade durch das Evangelium in unseren Herzen, indem er uns durch dasselbe Kreuz zum Glauben an seine Gnade erweckt (2. Kor 3, 3; 4, 6). Der Glaube gewinnt dann in Jesu Gehorsam sein Vorbild (Röm 5, 19; 15, 3; Phil 2, 5; 2. Kor 10, 1). Der Glaube bleibt Forderung an alle.

Wer dagegen das Evangelium in die »Faktizität« *entläßt,* der hebt mit Jesu Kreuz auch das Alte Testament auf. Denn die Faktizität gehört als »Wirklichkeit« *unter* das Gesetz, damit die »Wahrheit« dem Evangelium der Gnade gehöre, so wahr wir selber jedenfalls für die Lüge nicht gutstehen können. Gerade der Glaube weiß, daß alle Menschen Lügner sind. Deshalb muß sich der Glaube an das unwiderlegbare Wort des Evangeliums der Gnade halten. Dann setzt sich die Wahrheit des Evangeliums in den Leiden und der Freude der Glaubenden fort und durch, wie sie aus dem Urteil der Glaubensgerechtigkeit entstehen und durch dasselbe Urteil bewältigt werden, weil Gott an Jesu Kreuz als unser gnädiger Richter gesprochen *hat* (2. Kor 5, 19). Nicht ein Prinzip, sondern Gott selbst ist die Hoffnung der Glaubenden.

Ich fasse zusammen:

Paulus versteht den Glauben als *Gottes* Gerechtigkeit, weil er zu sagen hat, daß sich Gott in Christus nicht widerspricht, sondern um des Glaubens willen gerade *entspricht.* Gott will von uns den Glauben haben, damit wir seinem Urteil in unsern Herzen *gerne* Recht geben, weil es uns zugutekommt. So tief hat sich Gott auf den Menschen eingelassen (2. Kor 5, 21). Deshalb begreift Paulus Gottes *Gerechtigkeit* als Logik des Glaubens (Röm 1, 17). Diese Logik begründete den Apostolat als den Dienst des Paulus. Ihr galt die reformatorische Entdeckung Luthers, die Theologen auch heute noch zu Freunden machen kann, weil sie froh zu machen vermag.

MEISTER ECKHARTS MEINUNG VOM GERECHTEN MENSCHEN[1]

von Reinhard Schwarz
(Tübingen, Calwer Straße 2)

Als schon einmal vor 40 Jahren in einer Festschrift »Meister Eckharts Lehre vom ›Gerechten‹« behandelt wurde[2], wollte die Verfasserin jener Abhandlung, HERMA PIESCH, aus der Aporie herausführen, in der sich HEINRICH DENIFLE am Ende des vorigen Jahrhunderts befand. DENIFLE, dem wir die Entdeckung der lateinischen Werke Meister Eckharts verdanken, hatte versucht, den damals zum ersten Male in der Person des deutschen Mystikers erkannten mittelalterlichen Schultheologen aus dem Blickwinkel des thomistischen Systems zu deuten. Aus dieser Perspektive konnte er am Ende jedoch bei Eckhart nur Verworrenheit und »intellektuelle Unzulänglichkeit« finden[3]. Dafür meinte HERMA PIESCH in ihrer religionspsychologischen Deutung Eckharts[4] »das Sinngesetz seiner Spekulation ganz allgemein nicht in dieser selbst, sondern vielmehr in seiner religiösen Erfahrung als Praktiker und Lehrer der Beschauung zu finden«[5].

Verglichen mit den Zeiten, in denen DENIFLE und PIESCH ihre Untersuchungen anstellten, bestehen heute erheblich bessere Voraussetzungen für ein Verstehen von Eckharts Theologie. In vorbildlicher Editionsarbeit haben die Herausgeber der großen, vor 30 Jahren begonnenen Gesamtausgabe bis jetzt in vier vollständigen und drei teilweise gedruckten Bänden den Hauptteil der deutschen und lateinischen Werke Eckharts erschlossen[6]. Außerdem hat die

---

[1] Probevorlesung vor der Evangelisch-Theologischen Fakultät der Universität Tübingen am 22. 2. 1966.

[2] H. PIESCH: Meister Eckharts Lehre vom »Gerechten«, in: Festschrift der Nationalbibliothek in Wien, 1926, S. 617—630.

[3] H. PIESCH a.a.O., S. 628 und 618 mit Bezug auf H. DENIFLE in: ALKGMA 2, 1886, S. 519 und 506.

[4] Vgl. H. PIESCH a.a.O., S. 627.

[5] H. PIESCH a.a.O., S. 629.

[6] Meister Eckhart, Die deutschen und lateinischen Werke, herausgegeben im Auftrage der Deutschen Forschungsgemeinschaft, 1936 ff (zitiert: DW = Deutsche Werke, LW = Lateinische Werke). Für den noch nicht in der Ge-

Forschung inzwischen zu dem allgemeinen Resultat geführt, daß
Meister Eckhart als ein theologischer Denker gewürdigt werden
kann, der den Vergleich mit anderen scholastischen Lehrern verträgt. Die tragfähigsten Erkenntnisse der letzten Jahrzehnte über
Eckharts Stellung in der Theologiegeschichte des Mittelalters verdanken wir JOSEF KOCH, einem der Mitherausgeber der erwähnten
Eckhart-Ausgabe[7]. In einem Aufsatz über die Analogielehre Meister
Eckharts[8] hat KOCH auch dessen »Rechtfertigungslehre« berührt,
um die es uns hier zu tun ist. An Eckharts Lehre von der Rechtfertigung möchte KOCH ebenso wie an dessen Schöpfungslehre zeigen,
daß der für Eckhart zentrale Analogiebegriff nicht im Sinne einer
Imputation zu deuten ist, wie es ÉTIENNE GILSON gemeint hat[9]. An
diesen Aufsatz von KOCH kann hier angeknüpft werden, da es
nun außer Zweifel ist, daß Eckhart weder in seiner Anschauung
von der Rechtfertigung noch im weiteren Umkreis seiner Theologie
eine Imputationslehre vertritt. Dabei kann man einerseits der Feststellung KOCHS beipflichten, Meister Eckhart befinde sich in seiner
»Rechtfertigungslehre« und in seiner Seinslehre überhaupt keineswegs mit Thomas von Aquin in Übereinstimmung. Wenn man den-

samtausgabe erschienenen Teil der Sapientia-Auslegung wird deren Edition
von G. THÉRY in: AHDL 3, 1928, S. 321—443 und 4, 1929, S. 233—394 herangezogen. Sofern bei der Rechtfertigungsschrift nicht auf Zitate im Kommentar der Gesamtausgabe zurückgegriffen werden kann, werden die beiden
Separatausgaben von A. DANIELS (in: BGPhMA 23, 5, 1923) und G. THÉRY
(in: AHDL 1, 1926, S. 129—268) benutzt.
[7] J. KOCH: Meister Eckhart und die jüdische Religionsphilosophie des Mittelalters, in: 101. Jahres-Bericht der Schlesischen Gesellschaft für vaterländische
Cultur 1928 (1929), S. 134—148. — Meister Eckhart, in: Die Kirche in der
Zeitwende, 1935, 2. A. 1936, S. 190—217. — Platonismus im Mittelalter,
Kölner Universitätsreden 4, 1948. — Augustinischer und dionysischer Neu-
platonismus und das Mittelalter, in: Kantstudien 48, 1956/57, S. 117—133.
— Kritische Studien zum Leben Meister Eckharts; 1. Teil: Von den Anfängen
bis zum Straßburger Aufenthalt einschließlich, in: AFP 29, 1959, S. 5—51;
2. Teil: Die Kölner Jahre, der Prozeß und die Verurteilung, ebd. 30, 1960,
S. 5—52. — Sinn und Struktur der Schriftauslegungen, in: Meister Eckhart
der Prediger, Festschrift zum Eckhart-Gedenkjahr 1960, S. 73—103. — Meister Eckharts Weiterwirken im deutsch-niederländischen Raum im 14. und
15. Jahrhundert, in: La Mystique Rhénane 1963, S. 133—156.
[8] J. KOCH: Zur Analogielehre Meister Eckharts, in: Mélanges offerts à Étienne
Gilson 1959, S. 327—350, nachgedruckt in: Altdeutsche und altniederländische
Mystik, hg. von K. Ruh = Wege der Forschung 23, 1964, S. 275—307 mit
zwei Nachträgen S. 307f. Zitiert wird nach den Seiten der Gilson-Festschrift,
die auch in »Wege der Forschung« vermerkt sind.
[9] Über Eckharts Rechtfertigungslehre J. KOCH a.a.O., S. 342—344; Gilsons
Meinung wird S. 337 A. 25 zitiert.

noch andrerseits behauptet, daß Luthers Rechtfertigungslehre nicht einfach mit dem Begriff der Imputation erfaßt werden kann, so sollen Meister Eckhart und Luther nicht gleich wieder einander angenähert werden. Koch hat den Meister Eckhart in einem seiner fundamentalen Lehrpunkte als einen selbständigen Denker ins Licht gerückt, den man weder mit Thomas von Aquin noch mit Luther in Einklang bringen darf, den man aber doch als einen überlegt denkenden Theologen und nicht bloß als Prediger einer mystischen Erfahrung zu würdigen hat. Gerade die Einsicht in die Eigenständigkeit und Denkkraft Meister Eckharts, die ihm eine eigene Position zwischen Thomas und Luther zuweist, läßt es geraten erscheinen, seine »Rechtfertigungslehre« im ganzen zu entwickeln, da Koch sie nur kurz und nur im Hinblick auf die Analogielehre angeschnitten hat. Eine eingehendere Analyse der Meinung Eckharts vom gerechten Menschen kann den Blick schärfen für die grundsätzliche und historische Beurteilung von Luthers Rechtfertigungslehre. Obgleich Eckhart nicht auf Luthers Front gegen die vorherrschende scholastische Lehre steht, wirft doch seine eigene Alternative zur Theologie der anerkannten »Lehrmeister« Licht auf Luthers Position und auf dessen Auseinandersetzung mit der kirchlich approbierten Tradition.

In erster Linie sollen die lateinischen Werke Eckharts berücksichtigt werden, weil er in ihnen am häufigsten thematisch die »Rechtfertigungslehre« berührt. Es wird auch weitgehend die Terminologie der lateinischen Schriften zugrunde gelegt. Beim Vergleich der lateinischen und der deutschen Terminologie Meister Eckharts drängt sich eine erste Beobachtung auf. In dem gleichen Sinne, in dem Eckhart im Lateinischen vom iustus und von der iustitia spricht, redet er im Deutschen vom »guten Menschen« und von der »Gutheit«. Das wird seine Ursache darin haben, daß er im Lateinischen mehr der theologischen Überlieferung verpflichtet ist, während er im Deutschen in geringerer Bindung an die Schulsprache die Begriffe »gut« und »Gutheit« vermutlich deshalb bevorzugt, weil sie eher als die Begriffe »gerecht« und »Gerechtigkeit« ein universales Prädikat der Vollkommenheit liefern[10]. In der lateinischen Schultheologie bezeichnet der in der Rechtfertigungslehre verwendete Begriff

[10] Ein ähnliches Verhältnis von deutscher und lateinischer Terminologie findet man bei Luther, der in seiner Schrift Von der Freiheit eines Christenmenschen § 3 das Wort »frum« für iustus einsetzt; WA 7, 21 = Cl 2, 11: eyn frum frey Christenmensch, WA 7, 50 = KlT 164, 6: iustus, liber, vereque Christianus.

der iustitia die umfassende Vollkommenheit des Menschen, in der er vor Gott bestehen kann und selber der gesamten Seinsordnung entspricht. Die Äquivalenz der Begriffe iustitia und »Gutheit« (bonitas) wird von Eckhart noch auf andere Begriffe geistlicher Vollkommenheit ausgedehnt. Nachdem er in seinem Buch der göttlichen Tröstung die Relationen zwischen dem guten Menschen und der Gutheit beschrieben hat, fährt er fort: »Alles, was ich nun von dem Guten und von der Gutheit gesagt habe, das ist auch gleich wahr von dem Wahren und der Wahrheit, von dem Gerechten und der Gerechtigkeit, von dem Weisen und der Weisheit«[11]. Wir sind also berechtigt, in deutschen Schriften begegnende Sätze Meister Eckharts über den Guten und die Gutheit auf die koordinierten Begriffe »iustus« und »iustitia« zu übertragen. Dadurch tritt der deutschsprachige Prediger und Seelsorger in das traditionelle Sprachmedium der Rechtfertigungslehre.

Die Begriffe der iustitia, bonitas, veritas, sapientia haben für Eckhart gleichen Rang wie die transzendentalen Begriffe esse, unum, verum, bonum und werden von ihm unter der Bezeichnung »perfectiones generales« oder »spirituales« zusammengefaßt[12]; es sind die Prädikate der allgemeinen geistlichen Vollkommenheit. Verschiedentlich kennzeichnet Eckhart ausdrücklich Ausführungen über den gerechten Menschen und die Gerechtigkeit als beispielhafte Erläuterung dessen, was von allen Transzendentalien gilt[13]. Die iustitia steht dann stellvertretend für alle perfektiven Prädikate spiritualen Seins.

Die geistlichen Perfektionen haben für Eckhart völlig andere Eigenart als die Akzidentien[14], die er generell accidentia corporalia nennt[15]. Damit hat Eckhart eine fundamentale Scheidung gegenüber

---

[11] DW 5, 10, 11—13.

[12] Prol. gen. n. 8 LW 1, 152, 9 f: de terminis generalibus, puta esse, unitate, veritate, sapientia, bonitate et similibus. In Eccli. n. 52 LW 2, 281, 1 ff: Ens autem sive esse et omnis perfectio, maxime generalis, puta esse, unum, verum, bonum, lux, iustitia et huiusmodi. Der Begriff perfectiones spirituales: in Sap. n. 41 LW 2, 362, 7 363, 4, n. 74 LW 2, 404, 5.

[13] Z. B. in Gen. II n. 147 LW 1, 616, 4 ff, in Sap. n. 42 LW 2, 364, 5.

[14] Prol. gen. n. 8 LW 1, 152, 9 ff: de terminis generalibus . . . nequaquam est imaginandum vel iudicandum secundum modum et naturam accidentium.

[15] In Sap. n. 41 LW 2, 362, 5 ff: omnino aliter ‹se habet› et opposito modo de accidentibus corporalibus, puta albedine, sapore et huiusmodi, et aliter de perfectionibus spiritualibus. Vgl. in Sap. n. 74 LW 2, 405, 4 den Ausdruck formae et perfectiones materiales. Sermo 35 n. 361 LW 4, 311, 4 f werden die terrena corporalia den spiritualia entgegengesetzt.

der vorherrschenden scholastischen Rechtfertigungslehre vollzogen, weil dort die iustitia kategorial als Akzidens, und zwar als Akzidens der Qualität, begriffen wird. Hauptmerkmal der Akzidentien ist es, daß sie ihr Sein von einem Träger, durch einen Träger und in einem Träger empfangen. Ihnen ist nur ein esse in aliquo eigen, so daß mit ihrem eigenen Sein schon immer das Sein ihres Trägers vorausgesetzt ist. Darum sind sie ihrer Natur nach später als ihr Träger. Und sobald der Träger von Akzidentien zugrunde geht, gehen auch dessen zufällige Eigenschaften zugrunde[16]. Die spiritualen Vollkommenheiten hingegen empfangen nach Eckharts Meinung ihr Sein in keiner Weise von ihren Trägern; sie sind ihrer Art nach früher als ihre Träger und gehen auch nicht mit ihnen zugrunde. Im eigentlichen Sinne sind die Transzendentalien nicht in ihren Trägern; man muß umgekehrt sagen, die tragenden Subjekte seien in den Transzendentalien, sofern sie an jenen Seinsperfektionen teilhaben und so als deren »Träger« in Betracht kommen. Denn das Subjekt empfängt sein eigenes transzendental bestimmtes Sein in den perfectiones, die der gebende und keineswegs der empfangende Teil sind[17]. Für die Rede von der Gerechtigkeit bedeutet das: Der Mensch ist ein iustus, sofern er Einkehr gefunden hat in die

---

[16] Prol. gen. n. 8 LW 1, 152, 11 ff: (accidentia) accipiunt esse in subiecto et per subiectum et per ipsius transmutationem et sunt posteriora ipso et inhaerendo esse accipiunt. Propter quod et numerum et divisionem accipiunt in ipso subiecto in tantum, ut subiectum cadat in diffinitione accidentium huiusmodi in ratione qua esse habent. In Sap. n. 41 LW 2, 362, 7 ff. Vgl. sermo 6 n. 62 LW 4, 60, 14 f. — Die ergänzenden Querverweise innerhalb der Werke Eckharts und die erläuternden Stellenangaben aus den Werken seiner Autoritäten, die in den Anmerkungen der Eckhart-Gesamtausgabe in reichem Maße geboten werden, sind bei der Deutung Eckharts verwendet worden, werden hier jedoch nicht immer im einzelnen angeführt.

[17] In Sap. n. 41 LW 2, 363, 4 ff: Spirituales autem perfectiones . . . omnino se habent opposito modo. Ipsae enim in nullo prorsus accipiunt esse a subiectis, et per consequens nec divisionem nec numerum nec desitionem . . . in nullo penitus accipiunt quidquam sui a subiecto, sed potius dant subiecto totum suum esse in quantum huiusmodi, ut patet in ipsa iustitia et iusto. Propter hoc huiusmodi sunt priora suis subiectis et anteriora subiectis nec sunt proprie in subiectis nec accipiunt esse in subiectis proprie, sed e converso subiecta sunt in ipsis, Eph. 3 [, 17]: »in caritate radicati et fundati«, et accipiunt esse, in quantum huiusmodi, in illis tamquam in prioribus. In Sap. n. 74 LW 2, 404, 5 ff: perfectiones spirituales . . . non accipiunt esse a subiectis, sed habent causam extra, efficiunt et dant esse formaliter ipsis subiectis suis, proprie non accedunt, nec accidunt, per consequens subiectis; sed potius e converso, subiecta formantur et informantur, accedendo ad perfectiones huismodi. Vgl. ebd. Z. 11 ff. Prol. gen. n. 8 LW 1, 152, 15 ff.

iustitia. Der Gerechte als solcher empfängt sein ganzes Gerechtsein von der Gerechtigkeit und in der Gerechtigkeit. Die spiritualen Vollkommenheiten sind nicht die Akzidentien der Seele, im Gegenteil: die Seele hat hier gewissermaßen den Charakter eines Akzidens; sie tritt zur Wahrheit, zur Weisheit, zur Gerechtigkeit, zur Liebe hinzu, um deren Sein zu empfangen. Wenn der Gerechte wieder von der Gerechtigkeit abfällt, so bleibt doch die Gerechtigkeit und geht nicht mit dem Gerechten zugrunde. Sie ist das Beständige, von dem der Mensch zehren kann, solange er in ihr bleibt. Eckhart kann bei dieser Ansicht den allgemein anerkannten theologischen Satz für sich auswerten, daß das Heil nicht dahinfällt, wenn sich der Mensch von ihm abwendet. Als biblische Belege zitiert er Is. 30,18 »exspectat vos dominus, ut misereatur vestri« und Sap. 1,15 »iustitia enim perpetua est et immortalis«[18].

Eckhart geht noch einen Schritt weiter und bestreitet, daß die Transzendentalien als vereinzelte Seinsformen ihren Trägern anhaften. Die traditionelle Lehre von den akzidentalen Qualitäten enthält, daß die Qualitäten in ihrer Eigenart als akzidentale Formen ihren Trägern inhärieren, in ihnen Wurzel schlagen, wie Meister Eckhart sagt, und entsprechend der Zahl der Träger sich vereinzeln. Dieses Merkmal der Verwurzelung im Träger und der Vereinzelung mit ihm läßt Eckhart nur für die körperlichen Akzidentien gelten. Die spiritualen Vollkommenheiten klammert er aus. Alle iusti verdanken einer einzigen iustitia ihr Gerechtsein. Denn nach dem hohepriesterlichen Gebet Jesu (Joh. 17) sind alle iusti als solche eins. Die eine Gerechtigkeit, von der sie alle ihr Gerechtsein haben, ist in ihrer Einheit noch über die numerische Einheit erhaben[19]. Wären die iusti

---

[18] Sermo 6 n. 62 LW 4, 60, 14 ff: in corporalibus albedo est in corpore, in spiritualibus e converso iustus est in ipsa iustitia ... Substantia ergo animae se habet respectu caritatis ut accidens: »accedite ad eum et illuminamini« [Ps. 33, 6]. Manet caritas, veritas, bonitas, anima accedit et recedit, secundum illud Is. 30 [, 18]: »exspectat, ut misereatur vestri«. In Joh. n. 172 LW 3, 141, 4 ff: iustus testatur de iustitia, quod ipsa est post se iustum manens, non desinens; manet enim semper iustitia, etiam postquam iustus cadit ab illa ... Rursus quomodo iustus, cadens a iustitia et desinens esse iustus, rediret ad iustitiam denuo, si ipso desinente esse iustus et ipsa iustitia desineret esse iustitia ...? Unde Sap. 1 [, 15] dicitur: »iustitia perpetua est et immortalis«.

[19] In Sap. n. 44 LW 2, 366, 1 ff: non est imaginandum, sicut plerique tardiores aestimant, quasi iustitia sit alia in pluribus iustis, divisa et numerata, fixa et radicem habens in ipsis iustis, sicut se habet ... de accidentibus corporalibus. Sed potius omnes iusti iusti sunt ab una numero iustitia, numero tamen sine numero et una sine unitate vel proprius loquendo una super unitatem. Quapropter omnes iusti, in quantum iusti, unum sunt, sicut manifeste docet

in je einer anderen Gerechtigkeit gerecht, so könnte man als gemeinsames Prinzip der individuellen Qualitäten der Gerechtigkeit nur eine Gerechtigkeit annehmen, die als univoke Ursache (causa univoca) wirksam ist, d. h. als eine Ursache, die selber nur das einheitliche Artprinzip ihrer vereinzelten Wirkungen bildet. Die einzelnen iusti, unter sich betrachtet, wären dann bloß im Sinne einer Namensgleichheit, also äquivok, gerecht. In dieser Weise haben die körperlichen Qualitäten eine univoke Ursache, die numerisch verschiedene Wirkungen hervorbringt, da die Wärme eines erwärmenden Subjektes numerisch verschieden ist von der Wärme eines erwärmten Subjektes. Und den einzelnen erwärmten Subjekten wird das Prädikat »erwärmt« in äquivoker Redeweise beigelegt. Anders verhält es sich bei der analogen Ursache. Bei ihr bleibt eine numerische Identität zwischen dem Wirkenden und dem Bewirkten[20]. Ja, man kann hier nicht mehr von Ursache und Wirkung, von causa und effectus reden. Hier walten die Beziehungen von Urbild und Abbild. Das Urbild teilt sich so mit, daß das erzeugte Abbild wohl in einem Identitätsverhältnis, aber in der Ableitung des Empfangenden am Sein des Urbildes teilhat. Es tritt keine numerische Differenz auf, da das Urbild und die Abbilder, wie viele es auch sein mögen, in ihrem Bild-Sein nicht in eine zahlenmäßige Vielheit zerfallen. Alle Abbilder haben als Abbilder ihr Sein von dem einen Urbild, in dem einen Urbild und durch das eine Urbild; sie sind nur Abbilder, sofern sie in dem einen Sein des Urbildes sind und bleiben. Und das Urbild hat sein einziges, unzerteiltes Sein in den Abbildern, in die es ausstrahlt, in denen es sich abbildet. So ist es bei den spiritualen Vollkommenheiten, den göttlichen Seinsprädikaten. Die iustitia Gottes ist eine, jenseits der numerischen Einheit; sie hat den Charakter einer analogen »Ursache«; sie bleibt eine einzige in ihren abbildhaften Werken und zerfällt nicht in ihre Werke.

Obwohl Eckhart leugnet, daß die spiritualen Perfektionen ihren Trägern als vereinzelte akzidentale Seinsformen anhaften, will er

---

salvator Joh. 17. Folgt Berufung auf Augustin conf. 3 c. 7 n. 13. 14; dasselbe Augustin-Zitat auch in Eccli n. 52, hier wie dort im Zusammenhang mit dem Analogie-Begriff. Vgl. P. COURCELLE, La pensée de Maître Eckhart sur les ›Confessions‹ Augustiniennes, in: Augustinianum 2, 1962, 351—355.

[20] In Sap. n. 44 LW 2, 366, 12 ff: Si enim alia et alia iustitia plures iusti essent iusti, aequivoce essent iusti, aut iustitia se haberet ad iustos univoce. Nunc autem se habet analogice, exemplariter et per prius, nec cadit sub numero sicut nec sub tempore. Et hoc est quid generale omnibus spiritualibus, divinis, secundum illud Psalmi [146, 5]: »sapientiae eius non est numerus«... »Omnis enim sapientia a domino deo est«, Eccli. 1 [, 1].

damit ausdrücklich nicht in Abrede stellen, daß dem Tugendhaften
die Habitus von Tugenden verliehen sind. Die geistlichen Vollkommenheiten teilen sich dem Menschen so mit, daß sie ihn mit Tugenden ausstatten. Der Mensch wird ihrer nur in der Gnade teilhaftig.
Es sind habitus infusi, Vollkommenheiten gnadenhafter, übernatür-
licher Herkunft und Art[21]. Mit der Anerkenntnis von habitualen
Tugenden bleibt Eckhart auf dem Boden der offiziellen kirchlichen
Lehre. Er erweist sich dabei als guter Thomist, für den die Tugenden
durch die Gnade eingegossen werden. Wenn Eckhart seine Meinung
über den gerechten Menschen äußert, so denkt er an den Menschen,
der im geistlichen Leben auf der Stufe der Tugend-Vollkommenheit
steht, was am ehesten beim Mönche der Fall ist. Nicht um die
Leugnung der habitualen Gnadentugenden ist es Eckhart zu tun,
sondern um ihre Deutung, um deren Verhältnis zum göttlichen Sein.
Wird der Mensch durch die habitualen Gnadentugenden zum iustus,
so ist die Frage, wie sich die Gott wesenseigene iustitia zu der iustitia
verhält, auf Grund deren der Gerechte ein Gerechter ist. Daß die
Tugend-Habitus als ruhende Qualitäten in ihrem Träger Wurzeln
schlagen, lehnt Eckhart ab. Dem spiritualen Charakter der Gnadentugenden wird man nach seiner Meinung nicht gerecht, wenn man
hier mit der aristotelischen Kategorie der akzidentalen Seinsform
operiert. Doch wie sollen die spiritualen Perfektionen gedeutet werden, wenn nicht nach Art der akzidentalen Qualitäten? Eckhart
konzentriert sich ganz darauf, von der Gerechtigkeit des Gerechten
anders zu lehren, als es in der aristotelisch geprägten Schultheologie
geschah. Es geht ihm wesentlich nur um die Frage nach der Prädikation des durch die Gnade Gerechtfertigten. Dadurch verlagert
sich bei ihm die Fragestellung in der »Rechtfertigungslehre« gegenüber den herrschenden Schulen. Denn in der Schultheologie steht der
Rechtfertigungsprozeß im Zentrum der Rechtfertigungslehre, wäh-

---

[21] In Sap. n. 45 LW 2, 367, 8 f: Nec tamen ... negamus habitus virtutum esse
in virtuosis. In Ioh. n. 172 LW 3, 142, 4 f: omnes iusti sive grati deo
sine suis propriis meritis sola dei gratia et gratis accipiunt quod iusti
sunt. Sermo 25 n. 264 LW 4, 241, 1 ff: perfectiones communes et gratia
dicuntur gratis dari, a deo dari, sine meritis dari scilicet, quia nihil creatum se habet ad huiusmodi active aut fortassis dispositive proprie. Hinc
est quod dicitur gratia esse supernaturalis. Pr. 11 DW 1, 177, 5 f. RS. II a.
51 (AHDL 1, 1926, S. 258) : (essentia animae) est castellum quod Jhesus in-
greditur quantum ad esse potius quam quantum ad operari, conferens animae esse divinum et deiforme per gratiam, quae essentiam respicit et esse,
secundum illud [1. Cor. 15, 10]: »gratia dei sum id quod sum«. Eckhart zitiert gerne 1. Cor. 15, 10.

rend die Frage nach der Prädikation des Gerechten nur am Rande
auftaucht, da es kaum anders denkbar erscheint, als daß die Gnadentugenden akzidentale Qualitäten sind. Der Prozeß des Gnadenempf-
fanges wird als das zentrale Problem empfunden. Daß Eckhart für
die Fragen der Gnadenmitteilung so wenig Interesse zeigt und den
Gnadencharakter der geistlichen Tugenden fast als Selbstverständlichkeit behandelt, mag auch darin begründet sein, daß er viel mehr
als die Schultheologie bemüht ist, die spirituale Wirklichkeit des
mönchischen Lebens zu deuten.

Wie interpretiert er die spirituale Wirklichkeit der gnadenhaften
Tugenden des Gerechtfertigten? Wie deutet er die Gerechtigkeit des
Gerechten? Indem Eckhart den habitualen Gnadentugenden den
Charakter von inhärenten Qualitäten abspricht, gibt er schon die
negative Auskunft, daß die empirische Wirklichkeit der Tugenden
nicht die ganze in der Gerechtsprechung prädizierte Wirklichkeit
des iustus ist. Die Tugenden transzendieren ihren Träger. Sie
sind, positiv gedeutet, »gewisse Gleichbildungen und Gleichgestaltungen mit der Gerechtigkeit und mit Gott selbst von dem sie stammen und dem sie uns gleichbilden und gleichgestalten«[22]. Nicht als
etwas immanent im Träger Verwurzeltes sind die Tugenden solche
Gleichgestaltungen (configurationes) mit Gottes Gerechtigkeit; sie
sind es in actu, in einem fortgesetzten fieri. Freilich kann dann nur
noch in paradoxer Weise von den Habitus der Tugenden die Rede
sein, da es eigentlich zu deren Wesen gehört, daß sie in ihrem Träger
ruhende, schwer bewegliche Qualitäten eines zuständlichen Seins
sind[23]. Doch für Eckhart sind sie nicht die in den Menschen einge-
senkten Wurzeln, die in den Tugendwerken ihre Blüten und Früchte
hervortreiben; vielmehr sind sie selber die Blüten und Früchte
des göttlichen Seins, jenes Seins, das im Menschen in einem unaufhörlichen Werden seinen Abglanz findet[24]. Sind die Gnadentugenden

---

[22] In Sap. n. 45 LW 2, 367, 8 ff: Nec tamen hoc dicendo, quod supra praemi-
simus, negamus habitus virtutum esse in virtuosis, sed hoc dicimus quod
sunt quaedam conformationes et configurationes ad iustitiam et ad ipsum
deum, a quo sunt et cui configurant et conformant. Oben im Text ist die
deutsche Übersetzung aus LW 2, 367 f übernommen worden. — Im Nachtrag zu seinem Aufsatz »Zur Analogielehre Meister Eckharts« nennt J. Koch
(in: Wege der Forschung 23, 1964, S. 307) Joh. Scotus (De div. nat. 1 c. 9
ML 122, 449 C) als Zeugen der neuplatonischen Tradition, von der Eckhart
hier abhängt.
[23] Vgl. Aristoteles, Kat. c. 8, 8 b 27 ff. Petrus Hispanus, Summulae logicales
3. 23 Bocheński.
[24] In Sap. 45 LW 2, 368, 4 ff: Virtutes enim, iustitia et huiusmodi, sunt potius.

Blüte, Abbild, Abglanz des göttlichen Seins, sind sie in einem fort-
laufenden Werden, so schließt das ein, daß das Wesen der rechtfertigenden Gerechtigkeit nur im Werden und in Relation zur göttlichen Gerechtigkeit begriffen werden kann, aber nie als die vereinzelte akzidentale Seinsform ihres Trägers. Mit dem Satz, daß die
Tugenden stets nur im Werden anwesend sind, wird lediglich eine
metaphysische Deutung der Tugenden geliefert. Denn es ist ein
Mensch vorausgesetzt, der die Vollkommenheit der Tugenden erlangt hat, der ein iustus ist und nicht erst aus einem iniustus zu
einem iustus wird.

  Wir sind ausgegangen von dem Einwand, den Eckhart gegen die
zu seiner Zeit herrschende Schultheologie vorbringt, indem er die
iustitia zu den Transzendentalien rechnet und mit ihnen den akzidentalen Qualitäten entgegensetzt. Eckharts bewußtes Festhalten
an der Gegebenheit von Tugenden hat uns sodann seine eigentliche
Intention darin erkennen lassen, daß er die Wirklichkeit der Gnadentugenden anders deuten will, als es in der aristotelisch geprägten
Scholastik geschah. Es hat sich auch schon eine Hauptlinie der von
Eckhart erstrebten Deutung des spiritualen Seins abgezeichnet, die
darauf hinausläuft, dieses Sein als ein unablässig aus Gott entsprin-
gendes Werden verständlich zu machen. Eckhart beruft sich für diesen allgemeinen Gedanken mit gutem Grund gerne auf Augustin[25],
der seinen Zeitgenossen die Augen dafür öffnen wollte, daß die von
Gott geforderte und im Raume der Kirche mögliche christlich tu-
gendhafte Lebensweise zu verstehen ist als eine Wirklichkeit der
Gnade, die in allen ihren Momenten ständig Gott selber, dem höchsten Gut, verdankt wird. Zugleich diente es Augustin zur Klärung
des Gottesbegriffes, wenn er mit Hilfe neuplatonischer Denkfor-
men in Gott den ewigen Grund der Gerechtigkeit, Weisheit, Wahrheit und aller Vollkommenheit aufzeigen konnte. Der so von Augustin zwischen dem göttlichen und dem menschlichen Sein ge-
spannte Bogen ließ jedoch noch so viel Raum offen, daß in ihn ohne
erhebliche Schwierigkeit die Konstruktion der Hochscholastik eingefügt werden konnte. Mit einem durch die scholastischen Fragestellungen geschärften Blick entfernt nun Eckhart diese scholastischen
Bauelemente und ersetzt sie durch andere, die dem augustinischen

---

quaedam actu configurationes quam quid figuratum immanens et habens
fixionem et radicem in virtuoso et sunt in continuo fieri, sicut splendor in
medio et imago in speculo. Propter quod flores dicuntur, Eccli. 24 [, 23]:
»flores mei fructus«.

[25] Vgl. LW 3, 13 A. 1, 15 A. 2, 104 A. 2, 141 A. 1; LW 2, 281 A. 5. 6, 366 A. 4.

Bauplan gemäßer scheinen mochten, zumal sie vorwiegend aus der neuplatonischen Überlieferung stammten, die selber inzwischen von Augustin bis zu Eckhart eine eigene, reiche Geschichte hinter sich gebracht hatte. Schon Eckharts strenge Scheidung zwischen den akzidentalen Qualitäten und den spiritualen Vollkommenheiten bedeutet etwas Neues gegenüber Augustin. Weitere charakteristische Einzelzüge in Eckharts Deutung der Gerechtigkeit des gerechten Menschen, die teilweise das augustinische System sprengen, müssen jetzt noch nachgezeichnet werden.

Um die Eigenart der spiritualen Vollkommenheiten verständlich zu machen, nimmt Eckhart die Lichttheorie zu Hilfe. Die unterschiedliche Weise, in der Licht und Wärme von der Luft aufgenommen werden, obwohl die Sonne gleichzeitig die Luft erleuchtet und erwärmt, zeigt nach Eckharts Verständnis die Diskrepanz zwischen den körperlichen Akzidentien und den spiritualen Perfektionen. Außer den bereits erwähnten Merkmalen tritt noch ein wesentlicher Unterschied hervor: Da die mitgeteilte Wärme dem Medium anhaftet, empfängt das Medium aktive Kraft zum Wärmen; dank der eingewurzelten Qualität ist es aktiv qualifiziert. Das erwärmte Subjekt wird, wie Eckhart sagt, ein Erbe der Wärmekraft, d. h. es vermag die Wärme aus eigener Kraft weiterzugeben; es wird selber zur sekundären Wärmequelle. Das eingestrahlte Licht hingegen läßt sich im Medium nicht als ruhende Qualität nieder, es bleibt im Werden, im Durchgang und wird nicht zum Eigentum seines Trägers, sondern ist immer nur etwas Geborgtes, das der Träger ständig von außen her (ab extra), von der ausstrahlenden Quelle empfangen muß. Das Licht ist stets gewissermaßen nur der Gast seines Trägers und begründet kein Erbschaftsverhältnis gegenüber der Lichtquelle. Es bleibt bei einer reinen Passivität; das erleuchtete Medium vermag nie — auch nicht in abgeleiteter Form — aktiv leuchtend zu sein. So ist das Licht im erleuchteten Medium per modum passionis et transeuntis et fieri[26]. Den gleichen Seinsmodus haben alle spiri-

---

[26] In Ioh. n. 70 f LW 3, 58, 12 ff: lux medium quidem illuminat, sed radices non mittit . . . non haeret lux in medio nec fit heres luminis, nec corpus luminosum facit medium heredem suae actionis, quae est illuminare. Communicat quidem ipsi medio quasi mutuo et in transitu per modum passionis et transeuntis et fieri, ut sit et dicatur illuminatum, non autem communicat ipsi medio lumen suum per modum radicati et haerentis passibilis qualitatis, ut scil. lux maneat et haereat et illuminet active, absente corpore luminoso. Secus omnino de calore simul generato cum lumine in medio. Hic enim radicem mittit in medio. Item haeret et manet absente corpore luminoso . . . medium recipit calorem non solum per modum fieri et traneuntis et passionis et mutui et hospitis, ut

tualen Vollkommenheiten; der Mensch hat sie nur »zu borge«, wie
Eckhart sagt, und nie »zu eigen«[27].

Da bei Eckhart die Lichttheorie das Verständnis der im Verhältnis von Gott und Schöpfung waltenden Seinszusammenhänge erschließt, ist KOCH berechtigt, anhand von Texten, die in diesen
Umkreis gehören, auf die Meinungsverschiedenheiten hinzuweisen,
die hier zwischen der Theologie des Thomas und der des Thomas-
schülers Eckhart aufbrechen. Für Thomas ist das geschöpfliche Sein
eine Schenkung, »die der Geschenkgeber jederzeit widerrufen
kann«; aber »trotz der Möglichkeit des Widerrufs wird ein Geschenk dem Empfänger zu eigen. Und so ist nach Thomas das Sein
dem Geschöpf irgendwie zu eigen«. Auf diese Weise hat Thomas,
nach einem Wort von ÉTIENNE GILSON, »›das ewige Weltall des Aristoteles‹ in sein geschaffenes Weltall aufgenommen«[28].

Was die Lichttheorie im allgemeinen für Eckharts Ontologie besagt, das trägt sie auch im speziellen für seine Meinung vom gerechten Menschen aus: der Mensch ist gerecht, sofern er teilhat an
der Gerechtigkeit Gottes, die im gerechten Menschen das gleiche Sein
hat wie das Licht im erleuchteten Medium. Die Konturen, die sich
abzeichneten, als Eckhart die spiritualen Perfektionen von den körperlichen Qualitäten abhob, treten nun noch schärfer hervor: der
gerechte Mensch erhält nicht eine akzidentale Form der Gerechtigkeit zu eigen, sondern wird von Gottes eigener iustitia gerecht
gemacht. Er empfängt Gottes Gerechtigkeit jedoch nur geborgt und
bleibt stets passiv der Empfangende. Die iustitia hat kein zuständ-
liches Sein im Menschen, sondern ein Sein im unablässigen Werden;
sie ist in einem unaufhörlichen transitus. Ihr beständiges Sein, ihre
Wurzeln hat die Gerechtigkeit in Gott, mit dessen Sein sie identisch
ist; sie wird nie zu einer selbständigen Seinsform außer Gott, wie
sie sich auch nicht in der Rechtfertigung der vielen Menschen in eine
Vielzahl zerteilt. Vielmehr hat jeder einzelne iustus seine Gerechtigkeit außer sich in der einen Gerechtigkeit Gottes. Der rechtferti-

---

dicatur et sit calefactum, sed per modum haerentis et heredis filii, cuius
est hereditas, ut dicatur et sit calefaciens, heres actionis calefacientis, quae
est calefacere active. BgT DW 5, 36, 17 ff; in Gen. II n. 23 f. 122 LW 1, 493,
5 ff 587, 6 ff; in Eccli. n. 46 LW 2, 274, 15 ff; Pr. 43 S. 148, 11 ff PFEIFFER.
Vgl. in Gen. I n. 160 LW 1, 307, 12 f; in Ioh. n. 182 LW 3, 150, 5 ff.

[27] BgT DW 5, 36, 14 ff; vgl. in Ioh. n. 70 f LW 3, 59, 6 60, 4.

[28] J. KOCH, Zur Analogielehre Meister Eckharts, a.a.O., S. 342. Koch beruft sich
auf ÉTIENNE GILSON (L'Être et l'Essence 1948, S. 96), den er zuvor S. 339 zitiert hat.

genden Gerechtigkeit eignet ein Sein extra nos, ein Sein außerhalb des als gerecht bezeichneten Menschen[29].

Nicht zuletzt um das »extra nos« der spiritualen Perfektionen zu fassen, führt Eckhart in diesen Zusammenhängen den Analogiebegriff ein. In dem Analogie-Verhältnis ist sowohl die Identität als auch die Differenz der von Gott und vom Menschen prädizierten Gerechtigkeit beschlossen. Es ist Gottes eigene Gerechtigkeit, die den Menschen rechtfertigt. Und jeder iustus ist in ein und derselben Gerechtigkeit Gottes gerecht. Der gerechte Mensch hat seine Gerechtigkeit totaliter ab aliquo extra, nämlich von Gott[30]. Im Menschen hat jedoch Gottes Gerechtigkeit einen andern Seinsmodus als in Gott; sie hat im Menschen nur ein Sein von Gott her und in Entsprechung zu Gott, ein analoges Sein, so daß ein und dieselbe Gerechtigkeit Gottes sich jeweils im Menschen ein Analogon, einen Abglanz, ein Abbild ihrer selbst verschafft. Im unausgesetzten Transitus tritt sie ein in die Zahl und in die Zeit und wird nie zu einer im Menschen wurzelnden Gegebenheit. Im steten Empfangen sind die iusti in ihrer Vielzahl und Zeitlichkeit durch die eine Gerechtigkeit Gottes gerecht. Dies analoge Seinsverhältnis wird ebenso bei allen anderen Transzendentalien angetroffen.

Auf der Gegenseite muß man beachten, daß keine Distanz zwischen Gott mit seiner Gerechtigkeit und der Seele des gerechtfertigten Menschen besteht. Gott ist der Seele zutiefst innerlich nahe, näher als irgend etwas Geschaffenes der Seele nahe sein kann, ja, näher als die Seele sich selber nahe sein kann. Wenngleich der Gerechte die Gerechtigkeit von Gott so empfängt wie der Spiegel das Spiegelbild von dem sich spiegelnden Gegenüber, so wäre dieser Vergleich mißbraucht, wollte man ihm ein objektives Gegenüber von Gott und der Seele des Menschen entnehmen[31].

Ob Eckhart betont, daß die Gerechtigkeit des homo iustus inner-

---

[29] Vgl. in Gen. II n. 22 f LW 1, 492, 8 ff 493, 8 ff.

[30] In Eccli n. 52 LW 2, 281, 1 ff: Ens autem sive esse et omnis perfectio, maxime generalis, puta esse, unum, verum, bonum, lux, iustitia et huiusmodi, dicuntur de deo et creaturis analogice. Ex quo sequitur quod bonitas et iustitia et similia bonitatem suam habent totaliter ab aliquo extra, ad quod analogantur, deus scilicet. — Zu Eckharts Analogie-Begriff vergleiche man den oben (A. 8) genannten Aufsatz von J. Koch, durch den auch die Arbeit von Hans Hof: Scintilla animae, 1952, eine Korrektur erfährt.

[31] In Ioh. n. 304 LW 3, 253, 5 ff n. 311 LW 3, 259, 11; in Sap. n. 60 LW 2, 388, 8 ff; sermo 9 n. 99 LW 4, 94, 3 ff; sermo 52 n. 522 LW 4, 437, 2 ff; sermo 45 n. 452 LW 4, 376, 6 ff; Pr. 6 DW 1, 113, 6 ff; Pr. 10 DW 1, 161, 8 ff; RS II a. 59 (AHDL 1, 1926, S. 267).

halb der Analogierelation außer ihm ist, oder ob er die tiefste Innerlichkeit Gottes im Seelengrunde des Begnadeten hervorhebt, immer ist ihm daran gelegen, daß es Gott selber ist, an dessen Gerechtigkeit der Mensch unvermittelt teilhat. Für seine Meinung, die Gerechtigkeit des Menschen gründe unmittelbar in Gottes Sein, beruft sich Eckhart auf die neuplatonische Rangordnung der Tugenden, die auch Thomas diskutiert, der er jedoch die Spitze abbricht, auf die es Meister Eckhart gerade ankommt. Nach der neuplatonischen Vorstellung gipfeln die Tugenden in den virtutes exemplares, die in Gottes Geist selber ihren Bestand haben[32].

In seinem Bemühen, das Wesen der Gerechtigkeit des homo perfectus von Gottes eigenem Sein abzuleiten, findet Eckhart in der Trinitätslehre eine Ausgangsbasis. Da Gottes Wesen trinitarisch ist, spiegeln sich in der Rechtfertigung des Sünders und in jeder Verwirklichung der Gerechtigkeit die trinitarischen Strukturen des göttlichen Seins[33]. Die ungeschaffene und ungeborene göttliche Gerechtigkeit, und zwar sie allein, gebiert den iustus, so daß Gottes iustitia der Vater und der iustus der Sohn ist. Der iustus ist aber nur als iustus der Sohn der ungeschaffenen iustitia, d. h. er ist es nur, sofern er als Gerechtfertigter an der göttlichen Gerechtigkeit teilhat und von ihr seine Prädikation empfängt. Diese Teilhabe und Prädikation ist indessen möglich, weil die ungeschaffene göttliche Gerechtigkeit in ihrem ewigen Sein zugleich gebärende und geborene Gerechtigkeit ist, also schon in sich das Sein des Vaters und das Sein des Sohnes umschließt. Die ungeschaffene Gerechtigkeit kommt als gebärende wie als geborene, als Gott-Vater wie als Gott-Sohn für die Rechtfertigung des Gottlosen in Betracht. Denn es ist die gebärende Gerechtigkeit, von welcher und gemäß welcher der Mensch sein Gerechtsein empfängt. Und es ist die geborene, gleichwohl ungeschaffene, göttliche Gerechtigkeit, in welcher und durch welche der iustus ein Sohn der Gerechtigkeit ist. Schließlich hat in der ungeschaffenen göttlichen Gerechtigkeit die Liebe ihr Wesen,

---

[32] In Sap. 8, 21 (AHDL 4, 1929, S. 302, 19 ff); in Sap. 15, 3 (ebd. S. 352, 7 ff); Pr. 15 DW 1, 247, 2 ff; Pr. 86, S. 278, 6 ff Pfeiffer; RS. § II 4 a. 3 (AHDL 1, 1926, S. 200); RS. II a. 44 (ebd. S. 249); vgl. RS. II a. 58 (ebd. S. 266). Thomas STh 1 II q. 61 a. 5 ad 2.

[33] In Sap. 5, 16 n. 64 LW 2, 392, 13 ff: in iustificatione impii, quin immo in quolibet actu iustitiae sive operatione est imago et expressio trinitatis. Vgl. ebd. n. 67 LW 2, 395, 1 ff: Patet ergo quod in omni actu sive opere iustitiae non solum in ipsa iustificatione impii relucet pater generans, filius genitus, et procedens spiritus sanctus, vel potius pater generat, filius generatur, et procedit amor spiritus sanctus.

die in der Person des heiligen Geistes als die wechselseitige Liebe
zwischen zeugendem Vater und geborenem Sohn von beiden ausgeht, so daß alle drei Personen in der Liebe eins sind[34].

Gott, der Vater, gibt dem Menschen die Prädikate seines Seins, und
zwar so, daß der Mensch in und durch Gott, dem Sohne, seine Prädikation erhält. Hier stoßen wir auf den Nerv der für Eckhart zentralen
Rede von dem Sohn und den Söhnen Gottes. Primär hat der homo
iustus als solcher das Sein des Sohnes Gottes, weil er aus Gott geboren
ist und nur in Passivität an der Gerechtigkeit Gottes teilhaben kann.
Als der aus Gott Geborene, von Gott Empfangende und in Liebe
nach Gott Verlangende ist der Gerechtfertigte stets der Sohn Gottes,
und seine Gerechtigkeit ist immer die iustitia Dei genita. Ihre Sohnschaft und damit ihre Gerechtigkeit empfangen alle Gerechtfertigten in dem eingeborenen Sohn Gottes. Die ewige Geburt des Sohnes ist der Realgrund für die geistliche Geburt vieler Söhne in der
geschöpflichen Analogie. Die Prädikate der spiritualen Vollkommenheit werden dem Menschen zuteil in dem Sohne, der von Gott
in Ewigkeit geboren wird. Da aber Gott als Vater und als Sohn in
seinem ungeschaffenen göttlichen Sein schlechthin eines (unum) ist,
da die gebärende und die geborene Gerechtigkeit doch die eine ungeschaffene Gerechtigkeit ist[35], bleibt es trotz der trinitarischen Differenzierung dabei, daß der gerechte Mensch in Gott und durch
Gott gerecht ist, daß die Gerechtigkeit Gottes und des homo iustus
ein und dieselbe Gerechtigkeit ist. Die Identität von ungezeugter
und gezeugter Gerechtigkeit ist nie gesprengt; sie sind ihrer Natur
nach schlechthin eines in dem ungeschaffenen göttlichen Sein. —
Durch die trinitätstheologische Verankerung der Rechtfertigungslehre ist gesichert, daß die Gerechtigkeit, die dem Menschen in Christus zuteil wird, die ewige Gerechtigkeit des göttlichen Seins ist und
nicht eine Gerechtigkeit, die erst aus dem Heilswerk Christi resul-
tiert und als spezielle übernatürliche, aber geschaffene Gnadenform
der Kirche zur heilsgeschichtlichen Vermittlung anvertraut ist.

Nachdem der christologische Ansatzpunkt in der trinitarischen
Struktur der Gerechtigkeit Gottes zutage getreten ist, muß Eckharts
christologische Entfaltung seiner Meinung vom gerechten Menschen
noch genauer betrachtet werden. In der Auslegung von Joh. 1, 14[36]

---

[34] In Sap. 5, 16 n. 64 LW 2, 392, 10 ff; BgT DW 5, 9, 6 ff.
[35] In Sap. n. 65 LW 2, 393, 6 ff. Vgl. RS § III 3 a. 2 (AHDL 1, 1926, S. 193).
[36] In Ioh. n. 117 LW 3, 101, 12 ff; vgl. n. 106 LW 3, 90, 11 ff n. 184 LW 3, 154,
2 ff. Der Begriff der gratia adoptionis auch RS § III 4 a. 1 E (AHDL 1, 1926,
S. 199) und RS II a. 24—27 (ebd. S. 231), vgl. ebd. a. 57, 59 (ebd. S. 265,

zergliedert Eckhart den Satz »Verbum caro factum est et habitavit
in nobis« so, daß der 1. Halbsatz »Verbum caro factum est« die
Inkarnation des Sohnes Gottes meint, während der 2. Halbsatz
»et habitavit in nobis« die Frucht der Menschwerdung nennt, daß
wir zu Söhnen Gottes angenommen werden. In Christus ist das
ewige Wort Gottes dem Menschen zugute (pro homine) Fleisch geworden, bleibt jedoch eine von mir geschiedene Person. Was Christus pro me in seiner Person ist, kommt mir erst zugute, wenn er
es auch in mir personaliter ist, wenn ich ebenfalls zum Sohne Gottes
werde, weil er in mir Wohnung nimmt. Christus ist Gottes Sohn
von Natur aus, per generationem; wir hingegen werden nur durch
die gratia adoptionis und per regenerationem zu Gottes Söhnen.
Gleichwohl ist es dasselbe ewige Verbum Dei, das in Christus Fleisch
geworden ist, und das uns durch die Gnade einwohnt. Auch in diesem Zusammenhang will Eckhart zweierlei zugleich hervorheben:
einmal daß für den eingeborenen Sohn Gottes und die gnadenweise
adoptierten Söhne Gottes eine Identität des prädizierten Seins besteht, sodann daß dieses identisch prädizierte Sein in unterschiedlicher Weise in Christus und in den Seinen angetroffen wird. Es ist
ein und derselbe Sohn Gottes, der in Christus Fleisch geworden ist,
und durch den und in dem alle Begnadeten Gottes Söhne sind und
heißen (1. Joh. 3, 1)[37]. Da der eingeborene Sohn Gottes einer ist
und unzerteilt bleibt, sind alle iusti durch einen Sohn Söhne, nicht
durch je einen anderen Sohn. Wer auch immer gerettet wird, der
wird durch den Sohn, durch das Sein des Sohnes (per filium, per
esse filii) gerettet. Dem Sein des Sohnes ist jenes Eins-Sein eigen,
das alle Transzendentalien auszeichnet. Und die Identität des Sohnes in allen Söhnen ist im Sinne der Analogielehre Eckharts die
Identität des Sohnes mit allen, die in Entsprechung an seinem
Sohn-Sein teilhaben[38]. Eckhart redet — das darf nicht übersehen

---

267) und Franz Pelster, Ein Gutachten aus dem Eckehart-Prozeß in Avig-
non, in: BGPhMA Suppl. 3, 2, 1935, S. 1117 f.

[37] In Ioh. n. 118 LW 3, 103, 3 ff; sermo 52 n. 522 LW 4, 437, 4; RS II a. 59
(AHDL 1, 1926, S. 268); Pr. 7 S. 38, 23 ff Pfeiffer.

[38] In Ioh. n. 119 LW 3, 104, 6 ff: Non enim est imaginandum falso quasi alio
filio sive imagine Christus sit filius dei, et alio quodam homo iustus et
deiformis sit filius dei. Sermo 42 n. 422 LW 4, 355, 14 ff: ... cum per idem
unicum sit Christus filius quo et nos filii sumus ... quia quotquot salvi
facti sunt post vel ante incarnationem, per filium, per esse filii salvati sunt.
Pr. 4 DW 1, 72, 14 ff; RS II a. 57 (AHDL 1, 1926, S. 265). RS II a. 59 (ebd.
S. 266 f): quod »inter unigenitum filium et animam non est aliqua distinctio« [cf. DW 1, 169, 3 f] ... verum est ... quamvis anima sancta unum sit

werden — immer von dem ewigen Sein des Sohnes, das ebenso zeitlos ist wie die Transzendentalien, und das keineswegs die Inkarnation von Ewigkeit an als einen Grundzug seines Seins in sich trägt. Die Menschwerdung hat ihren Sinn eigentlich darin, daß sie uns die ewige Geburt des Sohnes Gottes als den Grund unserer Sohnschaft zu erkennen gibt.

Für die unterschiedliche Weise, in der Christus Gottes Sohn ist und in der es die iusti sind, findet Eckhart mehrfachen Ausdruck. Daß Christus natürlicher Sohn ist und wir in der Gnade adoptierte Söhne sind, wurde bereits erwähnt. Häufiger markiert Eckhart den Unterschied mit biblischen Wendungen, indem er mit Paulus Christus den primogenitus in multis fratribus (Röm. 8, 29)[39] nennt und dabei nach dem Wortlaut des lateinischen Textes nicht nur an den Erstgeborenen vor oder unter vielen Brüdern denkt, sondern gerade auch an den Erstgeborenen in den vielen Brüdern. In demselben Vers des Römerbriefes (Röm. 8, 29) wird Christus außerdem die imago Gottes genannt, und von den Erwählten Gottes heißt es, ihnen sei es vorbestimmt, gleichförmig zu werden mit der imago Gottes, d. h. mit dem Sohne Gottes. Eine Parallele dazu sieht Eckhart in dem »transformari in eandem imaginem« von 2. Cor. 3, 18[40]; er deutet das so: während Christus selber Gottes imago ist, befinden sich die iusti stets nur in einem fieri, das auf die Gleichförmigkeit mit der imago Gottes gerichtet ist. Dasselbe Bild, das dem eingeborenen Sohn Gottes als ursprüngliche und beständige Seinsbestimmung eignet, ist für die Gerechten die Relationsbestimmung ihres Werdens. Sie sind Söhne ad imaginem (vgl. Gen. 1, 26 f)[41]. Der ein-

cum deo, secundum illud Ioh. 17. [, 21]: »ut et ipsi in nobis unum sint, sicut et nos unum sumus«, non tamen creatura est creator, nec homo iustus est deus. Nec putandum est quod alio et alio filio dei, iusti quique sint filii dei, sed sicut omnes boni ab una et eadem bonitate analogice boni sunt. Et sicut unus est deus in omnibus per essentiam, sic unus est filius deus in omnibus filiis adoptionis, et illi per ipsum et in ipso sunt filii analogice ... Non est ergo putandum quod alius sit filius quo Christus eius est filius, et alius quo nos nominamur et sumus filii dei [cf. 1. Ioh. 3, 1], sed id ipsum et is ipse, qui Christus filius est naturaliter genitus, nos filii dei sumus analogice, cui cohaerendo, utpote haerenti, coheredes sumus.

[39] In Ioh. n. 117. 120 LW 3, 102, 8 105, 9 f. RS. II a. 15. 24—27. 38. 57 (AHDL 1, 1926, S. 220. 231 f. 242. 265).

[40] In Ioh. n. 106. 155 LW 3, 91, 1 f 128, 3 f; in Sap. n. 45 LW 2, 368, 1 f; sermo 31 n. 326 LW 4, 285, 8 f; sermo 49 n. 508 LW 4, 423, 2 f; RS II a. 38. 57 (AHDL 1, 1926, S. 242. 265) und öfter.

[41] Eckhart zitiert Gen. 1, 26 f in Verbindung mit Col. 1, 15 in Ioh. n. 123 LW 3, 107, 13 f; RS § III 4 a. 6, RS II a. 39 (AHDL 1, 1926, S. 201. 244). In

geborene Sohn ist im innertrinitarischen Sein nur vom Vater gezeugt und ist die imago patris; wir hingegen sind als die Wiedergeborenen die imago totius trinitatis[42]. Wir sind, nach Röm. 8, 17, nur Miterben Christi; denn der Erbe ist der filius naturalis, der ewig in seines Vaters Hause ist und bleibt[43]. Dort, wo Eckhart mit den angeführten paulinischen Formeln die Differenz zwischen dem eingeborenen Sohn Gottes und den vielen wiedergeborenen Söhnen hervorkehrt, betont er nicht selten gleichzeitig auch die Identität des prädizierten Seins. Diese beiden aufeinanderbezogenen Aspekte kennzeichnen ebenso Eckharts Deutung des Gedankens vom geistlichen Leibe Christi. Haupt und Glieder dieses Leibes sind darin unterschieden, daß das Haupt der Ursprung alles Lebens des Leibes ist und die Glieder als einzelne nur mitgeteiltes und teilhabendes Leben besitzen. Dennoch erfüllt das eine Leben des Hauptes alle Glieder; in dem Haupt und durch das Haupt empfangen sie alle dessen Leben[44].

Daß die iusti im eingeborenen Sohn Gottes nicht nur den Namen der Söhne erhalten, sondern an der Sohnschaft des Gottessohnes teilhaben (1. Joh. 3, 1), verdanken sie der Einwohnung des Verbum Dei in ihnen oder, was dasselbe ist, dem Habitus der Gnadentugenden. Die geistlichen Vollkommenheiten zusammen mit den Akten des geistlichen Lebens — den Akten des göttlichen Erkennens, Liebens und Handelns, die aus der Gnade hervorgehen, — sind das Sein des Sohnes im gerechten Menschen. Dies ist das Leben der Wiedergeburt. Obwohl Eckhart die akzidentale Inhärenz (das akzidentale esse in aliquo) den spiritualen Vollkommenheiten abspricht, hält er doch an dem Grundsatz fest, daß für den Namen und das Sein einer Sache bestimmend ist, was die Sache in sich

---

der gleichen Akzentuierung wird Gen. 1, 26 öfter auch unabhängig von Col. 1, 15 zitiert.

[42] In Ioh. n. 123 LW 3, 107, 9 ff.

[43] RS § III 4 a. 1C, RS II a. 24—27. 57. 59 (AHDL 1, 1926, S. 199. 232. 265. 267).

[44] RS § II 4 a. 1 C. E, RS II a. 40. 57. 59 (AHDL 1, 1926, S. 198. 244. 265. 266). Vgl. K. G. KERTZ: Meister Eckharts teaching on the birth of the divine word in the soul, in: Traditio 15, 1959 (S. 327—363), S. 346. Die tiefste Intention in Eckharts Rede von der Sohnschaft (in diesem und im größeren Zusammenhang) ist allerdings nicht erfaßt, wenn KERTZ meint (S. 345), Eckhart sei daran gelegen, »to express, not a physical, but a moral identity and unity of the only-begotten Son with all His redeemed brethren«. Jenseits dieser Alternative liegt die von Eckhart konzipierte analoge Seinsidentität, in deren Sinn Eckhart auch den überlieferten Gedanken vom corpus Christi mysticum interpretiert.

(in se) hat. Darum verleiht noch nicht die Fleischwerdung des Wortes außer uns die Sohnschaft, sondern erst die Einwohnung des Sohnes Gottes in uns, durch die Gnade und ihr Tugendleben[45]. Dadurch hat Eckhart nicht den fundamentalen Unterschied zwischen den körperlichen Akzidentien und den spiritualen Vollkommenheiten aufgehoben. Denn das Sein des Sohnes Gottes im gerechten Menschen hat nicht die Seinsform einer akzidentalen Qualität. Es muß gerade als ein Sein des Menschen im Sohne Gottes verstanden werden.

Auf diese Interpretation dessen, was der gerechte Mensch ist, richtet Meister Eckhart seine ganze Aufmerksamkeit. Den gleichen Akzent darf man auch nicht bei seiner Lehre von der Gottesgeburt außer acht lassen; denn in seiner Rede von der Gottesgeburt in der Seele interpretiert Eckhart das geistliche Leben so, wie es seiner Anschauung vom gerechten Menschen entspricht. Vor allem in seinen Predigten, die er vor Angehörigen des Mönchsstandes gehalten hat, redet Eckhart von der Gottesgeburt, während er umgekehrt seine Meinung vom gerechten Menschen dann vorträgt, wenn er nicht predigt. Wir dürfen die Lehre von der Gottesgeburt als das homiletische Pendant zu seiner Lehre vom gerechten Menschen betrachten. Das Sein der Gnade lehrt Eckhart verstehen als Gottes eigene Wirklichkeit, an der der gerechte Mensch in einer unvermittelten Weise teilhat, wie sie Gott nur dem Menschen gewährt, ohne daß jedoch dessen Geschöpflichkeit dahingefallen wäre. Eckharts emphatische Predigt von der Gottesgeburt ist von der Absicht getragen, den Leuten des geistlichen Standes eine Deutung der spiritualen Wirklichkeit ihres Lebens zu bieten. Das korrespondiert dem Nachdruck, mit dem er in seiner Lehre vom gerechten Menschen den transzendentalen Charakter der iustitia wie der anderen geistlichen Vollkommenheiten der Eigenart akzidentaler Qualitäten entgegensetzt und sowohl die Identität als auch die modale Differenz von göttlichem und menschlichem Sein zur Geltung bringt. In der Predigt von der Gottesgeburt mag bei der starken Betonung der Einheit von Gottes ewiger und zeitlicher Geburt zu wenig Gewicht auf die Differenz zwischen beiden gefallen sein. Doch besteht diese Differenz hier genauso, wie sie Eckhart in seiner Belehrung über den gerechten Menschen aufweist. Und er hat mit Fug und Recht in seiner Rechtfertigungsschrift mit denselben differenzierenden Sätzen wie in seiner akademischen Unterweisung

---

[45] In Ioh. n. 118 LW 3, 103, 1 ff; vgl. n. 120 LW 3, 105, 5 ff.

3 Festschrift Rückert

gerade jene Seite der Gottesgeburt hervorgehoben, die in seinen
Predigten weniger stark betont gewesen war oder von den Hörern
und Nachschreibern seiner Predigten zu gering geachtet oder von
seinen Anklägern geflissentlich unterschlagen worden war.

Bei der in der akademischen Lehre vorgetragenen Meinung vom
gerechten Menschen muß man ebenso wie bei der Predigt von der
Gottesgeburt die monastische Geistigkeit als tragendes Element
berücksichtigen. Denn es sind gerade die sittlichen Forderungen
des Mönchsstandes, die Eckhart anführt, wenn er in seiner Rechtfertigungsschrift betont, seine Gedanken sollen die mores fördern[46].
Blickt man auf die großen Überlieferungsströme philosophischer
Denkweise, so folgt Eckhart sowohl in seiner Lehre vom gerechten
Menschen als auch in seiner Predigt von der Gottesgeburt älteren
Traditionen, die generell als neuplatonisch bezeichnet werden dürfen und zum größten Teil auch schon im einzelnen als das Erbe
vorzugsweise neuplatonisch denkender Theologen und Philosophen
nachgewiesen worden sind. Indem Eckhart sich auf diese Tradition
einläßt und mit ihr weiterdenkt, hat er unverkennbar das Bestreben, die aristotelische Denkweise mit ihrer Vereinzelung der Seinsformen zu überwinden und das Sein Gottes und des Menschen in
einem zu denken, ohne freilich die Seinsdifferenzen preiszugeben.
In der Antithese gegen die aristotelisch-scholastische Rechtfertigungslehre gewinnt Meister Eckharts Meinung vom gerechten Menschen neuplatonisches Gepräge. Eckhart hat die Möglichkeiten
fruchtbar gemacht, die sich zu seiner Zeit als Alternative zum
aristotelischen Schuldenken anboten. Daß sich dabei neuplatonisches Denken und monastische Spiritualität durchdrangen, darf
man als Auswirkung einer tiefsitzenden Affinität von Neuplato-
nismus und Mönchtum betrachten. Meister Eckharts Theologie
wurde dadurch nicht nur bereichert, sondern auch in Fesseln geschlagen: die monastische Spiritualität empfahl von Haus aus das
neuplatonische Denken, das nun zwar über gewisse Schwächen der
aristotelisch-scholastischen Theologie hinweghalf, aber an den Bindungen des mönchisch spiritualen Lebens festzuhalten, ein wesentliches Interesse hatte.

---

[46] RS § III 1 a. 4, 4 a. 2, RS II a. 3. 49. 50. 51. 53 (AHDL 1, 1926, S. 188.
200. 211. 252 f. 258 f).

ZUM BEGRIFF DER KONTINGENZ IM NOMINALISMUS

von Renate Steiger geb. Ackermann
(Tübingen-Derendingen, Primus-Truber-Straße 48)

Das Ineinander von Tradition und Neubeginn, Kontinuität und Diskontinuität zu entwirren, ist für den Historiker dort am reizvollsten und erregendsten, wo sich ein epochaler Bruch zwischen den im Kampfe liegenden Geistern aufgetan hat. Denn an solchen Bruchstellen sinkt zur äußeren Geschichtsbetrachtung herab, was sonst zum Verständnis hinreichen mag: die Frage, was einer explizit übernimmt und was er explizit kritisiert. Eigentliche Geschichtsbetrachtung fragt hier wirkungsgeschichtlich. Sie setzt in einem weitaus tieferen Sinn Verstehen voraus, da das Erfragte erfahrungsgemäß selten im Selbstverständnis der geschichtlichen Individuen seinen Niederschlag findet. Ja, es ist eine sich wiederholende Beobachtung, die man als Historiker macht, daß epochale Geister, indem sie ihre Vorläufer kritisieren, das Beste von ihnen übernehmen, um dann um so deutlicher vom Übrigen das Epochemachende abzuheben! Äußere Geschichtsbetrachtung verharrt hier ratlos im Beklagen der historischen Ungerechtigkeit dieser Kritik und müht sich mit dem aussichtslosen Verrechnungsversuch, inwieweit der Spätere den Früheren recht verstanden, seine Interessen geteilt oder nicht geteilt hat. Eine solche Interpretation verläuft nur in einer Richtung. Wir verdanken aber gerade den Späteren oft, daß wir Phänomene in der früheren Zeit als werdend oder problematisch entdecken, die wir ohne Kenntnis des Späteren in ihrer Bedeutung nicht erkennen, denen wir nicht in feinsinniger Interpretation nachgehen würden. So ist nicht nur das Studium der Scholastik von Wert für das Verständnis Luthers, sondern umgekehrt, über den epochalen Bruch hinweg, Luther für die rechte phänomenologische Beschreibung der Scholastik, speziell des Nominalismus. Deshalb ist der reformatorische Bruch, der sich genetisch nicht erklären, sondern nur beschreiben läßt, nicht nur das Trennende zwischen der Scholastik und Luther, sondern zugleich der Ort, von dem hier Licht sowohl auf die Scholastik als auf Luther fällt.

Wir untersuchen in diesem Aufsatz den nominalistischen Begriff der Kontingenz, weil er von Luther her bedeutsam ist. Vom *Be-*

griff ausgehend haben wir die *Sache* Luthers im Blick. Wir gehen zunächst traditionsgeschichtlich vor, um aus der Entwicklung, die der Begriff innerhalb des Nominalismus erfährt, seine theologische Intention abzulesen. Danach, in einem zweiten Teil, versuchen wir von dieser Seite des Bruchs her eine sachkritische Beurteilung.

I.

Das Problem der Kontingenz wird für Gabriel Biel thematisch in dist. 38 des ersten Sentenzenbuchs, die der Frage gewidmet ist: utrum deus habeat scientiam determinatam et necessariam omnium futurorum contingentium[1]. Art. 1 dient wie gewöhnlich der Begriffsbestimmung sowie der Behandlung der Fragen, ob es Kontingentes überhaupt gibt und was als Ursache der Kontingenz des Kontingenten anzusehen ist; art. 2 beantwortet die Titelfrage; art. 3 ergänzt und befestigt die vorgetragene Meinung durch Diskussion einer Anzahl von dubia. Biel hat seiner Untersuchung die entsprechende Quästion aus Occams Ordinatio zugrunde gelegt, deren wesentliche Partien in art. 2 erscheinen. Das Material der umrahmenden Artikel ist weitgehend Pierre d'Ailly und Gregor von Rimini entnommen. Darüber hinaus hat Biel die Ordinatio des Scotus, die ihm in der Fassung des Opus Oxoniense vorlag, herangezogen, wie einige kleine Abschnitte beweisen, die sich in Occams sonst ausführlichem Scotus-Referat nicht finden. Eine vollständige Analyse des Textes verbietet sich an diesem Ort; nur einige Züge möchte ich herausarbeiten, die Biels Interesse deutlich werden lassen.

Kontingentes wird eingangs bestimmt als etwas quod priusquam esset, potuit produci et non produci (a. 1 n. 1 A). Libertas contingentiae, die Freiheit Kontingentes hervorzubringen, ist daher (wie aus dem n. 2 folgenden Hinweis auf II d.25 erhellt) libertas ad utrumlibet, Wahlfreiheit, die allein dem Willen zukommt (a. 3 d. 4 P) und principium meriti et demeriti ist (a. 1 D). Entsprechend ist unter »contingens ad utrumlibet« das zu verstehen, was sein wird aber nicht sein könnte bzw. was nicht sein wird aber sein könnte und damit eine Spielart des Möglichen (n. 3 B im Anschluß an Ailly[2]). Das Kontingente ist also inbezug auf sein Sein oder

---

[1] Das Collectorium von Gabriel Biel wird nach der Erstausgabe Tübingen 1501 zitiert.

[2] Quaestiones magistri Petri de Alliaco Cardinalis Cameracensis super primum, tertium et quartum Sententiarum, o. J. [Paris um 1510], I q. 11 a. 1, fo 157v E: Contingens ad utrumlibet ... dicitur illud, quod erit et potest non fore vel quod non erit et potest fore, ... et ... est inferius ad possibile.

Nichtsein indeterminiert, d. h. es *ist* nicht notwendigerweise (n. 5 nach Ailly). Die Freiheit des kontingent kausierenden Willens besteht darin, daß dieser in jedem beliebigen Augenblick, ohne daß eine Veränderung an ihm selbst oder an seinem Objekt eingetreten wäre und ohne Abhängigkeit von einer mitlaufenden Ursache, von der begonnenen Handlung ablassen kann (n. 6 C mit Occam[3]). Im Übergang zum eigentlichen corpus der Quästion nennt Biel unter Bezugnahme auf Scotus seine Voraussetzung: »kontingent« bezeichnet wie sein Gegenbegriff »notwendig« eine Ureigenschaft des Seienden, die nicht a priori beweisbar und damit nicht definierbar ist[4]. Daß es Kontingenz gibt, lehrt die Erfahrung; denn wäre das Zukünftige determiniert, so erübrigte sich nach Aristoteles alles menschliche Überlegen und Besorgen. Daher, wie nach Avicenna die Bestreiter des Satzes vom Widerspruch zu schlagen und dem Feuer auszusetzen sind, bis sie zugeben möchten, daß es nicht dasselbe ist: verbranntwerden und nicht-verbranntwerden, so sollten diejenigen, die bestreiten, daß es kontingentes Sein gibt, gefoltert werden, quousque concedant quod possibile est eos non torqueri[5].

Nach diesen und einigen für unseren Zusammenhang unwichtigen Begriffserklärungen wendet sich Biel der Frage zu, quomodo et unde contingat contingentia in rebus, die er mit der conclusio beantwortet: Contingentia effectus praesupponit libertatem alicuius causae agentis. Denn natürliche, d. h. naturaliter wirkende Ursachen bringen mit Notwendigkeit (necessario) notwendige Wirkungen hervor (a. 1 pars 2 F). Hier schließt sich sogleich die Frage an, ob die Freiheit der causa secunda zur Behauptung der Kontingenz einer Wirkung genüge (ib. G). Es gibt da die Meinung, referiert Biel aus Occam[6], daß allein die Freiheit der prima causa innerweltliche Kontingenz verbürge, weil eine notwendig bewegte Zweitursache ihrerseits notwendig bewegt. Würde nun die Ersturache nicht kontingent sondern notwendig bewegen, so könnte die Zweit-

---

[3] Guillelmus de Occam, Super IV Libros Sententiarum, Lyon 1495, I d. 38 F: Voluntas . . . dicitur causare contingenter, quia libere sine omni variatione adveniente sibi vel alteri et non per cessationem alterius causae potest cessare ab actu in alio instanti.

[4] n. 9: Suppono, . . . quod illud disiunctum »necessarium vel contingens« est passio entis circumloquens passionem convertibilem cum ente et quod non possit demonstrari de ente a priori. Cf. Ioannis Duns Scoti Opera Omnia VI, ed. Carolus Balic, Civ. Vat. 1963, App. A, Ordinatio I d. 38 pars 2 et d. 39 q. 1—5 n. 13.

[5] Scot. ib.

[6] Ib. B; probatio cf. I d. 35 q. 2 C tertio.

ursache nicht nicht wirken und wäre somit in ihrem Wirken nicht frei. Es ist dies die Meinung des Scotus[7]. Ihre Begründung wird von Biel als ungenügend verworfen, vielmehr sei die Freiheit des geschaffenen Willens hinreichende Ursache der Kontingenz. Denn für die Kontingenz einer Wirkung genügt es, daß eine der erforderlichen causae frei wirkt. Nimmt man nun per impossibile an, daß die prima causa naturaliter et necessario kausierte, so wäre die Freiheit der mit Gott als Teilursachen zusammenwirkenden voluntates creatae Grund der Kontingenz der jeweiligen Effekte. Biel führt als Beispiel das Verhältnis von Erkenntnis- und Willensakt an: Auch der Wille ist dem ihm vom Intellekt dargebotenen Gegenstand gegenüber frei, wenngleich er nur gemeinsam mit dem natürlich und notwendig die Objekte präsentierenden Verstand in Aktion treten kann. Und selbst wenn im Willen etwa durch die Schönheit eines ergötzlichen Gegenstandes naturaliter ein Verlangen danach erweckt würde, so könnte dieser doch kraft seiner Freiheit dem Verlangen widerstehen, ja dem Gegenstand mit Abweisung begegnen. Biel fährt fort: Verum supposita fide, per quam credimus deum omnia extra se producere et ad omnia producenda se solo sufficere, non posset esse contingentia in effectibus, nisi in deo esset libertas. Si enim ipse naturaliter produceret, et cum sufficeret se solo producere, necessario omnia evenirent, licet etiam ad quorundam productionem humana voluntas non concurreret, ad quae tamen concurrere posset.

Wie ist dieser Abschnitt zu interpretieren? Fragen wir zunächst nach den verarbeiteten Vorlagen. Occam ist in I d. 38 an dem Problem nicht interessiert. Nach den Einleitungsargumenten (A) faßt er den bei Biel in n. 9[8] erscheinenden Scotus-Text, mit dem dieser seine eigene Lösung einführt, zusammen: Ad quaestionem dicitur, quod, quamvis non possit probari a priori aliquod esse futurum contingens, hoc tamen est tenendum[9], und fährt dann in wörtlichem Zitat fort: Dies vorausgesetzt, gilt, daß Kontingenz in den Dingen nur behauptet werden kann, wenn die erste Ursache, die durch Intellekt und Willen wirkt, kontingent kausiert. Die Ursache der Kontingenz ist also im göttlichen Intellekt oder im göttlichen Willen zu suchen. Nicht im göttlichen Intellekt, denn was dieser erkennt, erkennt er auf rein natürliche Weise; also im göttlichen Wil-

---

[7] Ib. n. 14, n. 12.
[8] S. o. S. 37.
[9] »futurum« hier von Occam eingefügt.

len[10]. Ausgehend von einer Beschreibung der menschlichen Willensfreiheit[11], erklärt Scotus dann, in welcher Weise der göttliche Wille letzte Ursache aller Kontingenz ist[12]. Occam gibt diesen Abschnitt ausführlich wieder[13], beschränkt sich in seiner Stellungnahme jedoch auf die Diskussion der Frage, worin formal die Freiheit des frei entscheidenden Willens besteht[14]. Was Scotus über den Gegenstand des göttlichen Willens ausführt, daß er sich nämlich notwendig nur auf das göttliche Wesen selbst richtet, sich zu allem außerhalb Liegenden aber kontingent verhält[15], bleibt dagegen bei ihm unkommentiert. Und das nicht zufällig. Die universale Kontingenz alles kreatürlichen Seins, für Scotus die Grundlage für seine Erklärung des göttlichen Vorherwissens[16], hat für Occam in diesem Zusammenhang keine Bedeutung. Biel sieht hier richtig: Er greift aus dem Scotus-Referat nur den oben zitierten Anfang heraus, mit dessen These sich der Doctor an anderer Stelle auseinander gesetzt hat. Der scotische Schluß von der innerweltlichen Kontingenz auf die Kontingenz in Gott scheint Occam unvollziehbar. In I d. 35 wendet er dagegen nur ein: Wäre das Argument richtig, so könnte man die Philosophen überzeugen, daß die erste Ursache kontingent wirkt; was ich nicht glaube[17]. In I d. 43[18] bemerkt er zu demselben Beweis ausführlicher: Causam secundam agere inquantum movetur a prima kann in dreifachem Sinn verstanden werden. Ist die Zweitursache ihrem Sein nach von der ersten abhängig, so ist der Schluß nicht zwingend, weil keine hervorbringende oder erhaltende Ursache die andere zum Wirken nötigt. Zur Veranschaulichung wird auf das

[10] Ib. B; bei Scot. ib. n. 14.

[11] Ib. n. 15s.

[12] Ib. n. 21.

[13] Ib. B/C.

[14] Ib. E/H. Die Abweichung von Scotus in diesem Punkt ist für unseren Zusammenhang von untergeordneter Bedeutung und braucht nicht im einzelnen vorgestellt zu werden. Was für Occam »voluntatem causare contingenter« heißt, ist bei Biel n. 6 wiedergegeben (s. o. S. 37) und erscheint noch einmal in drei Konklusionen expliziert in H.

[15] Ib. n. 22: Dico quod voluntas divina nihil aliud necessario respicit pro obiecto ab essentia sua; ad quodlibet ergo aliud contingenter se habet, ita quod posset esse opposti.

[16] Cf. H. Schwamm, Das göttliche Vorherwissen bei Duns Scotus und seinen ersten Anhängern (Philosophie und Grenzwissenschaften V 1./4. Heft), Innsbruck 1934, 24.

[17] q. 2 C. Forts.: Nec credo, quod per rationem posset hoc probari, quod prima causa contingenter causat.

[18] q. 1 H; bei Biel wiedergegeben I d. 43 q. 1 B.

Verhältnis von Erkennen und Wollen hingewiesen. Unterliegt die causa secunda dagegen irgendeinem Einfluß, kraft dessen sie wirkt, so trifft das nicht, weil der Wille selbst Prinzip seines Handelns ist. Die dritte Möglichkeit schließlich die Abhängigkeit zu verstehen wäre, daß die causa secunda nicht wirken kann nisi prima coagat. Auch so schließt das Argument offenkundig falsch, weil der Wille nichts ohne das Erkennen wirken kann, das Erkennen natürliche Ursache ist und doch der Wille frei wirkt. Diese letztgenannte Verständnismöglichkeit, movere = coagere, liegt der schärferen Aussage von Quodl. II q. 2 zugrunde, daß zur Erklärung der Kontingenz in der Welt die Freiheit der als Teilursachen mitwirkenden voluntates creatae genüge[19], deren sich Biel gegen Scotus bedient, ohne jedoch den Autor zu nennen[20].

E. HOCHSTETTER[21] sieht das Wesentliche an Occams Kritik in der Spaltung des scotischen Kontingenzbegriffs in zwei Teile: Occam »gibt die Tatsache der *innerweltlichen Kontingenz* des Einzelgeschehens nur soweit zu, als die Wirksamkeit der außerhalb des *natürlichen* Kausalzusammenhangs stehenden Einzelwillen reicht. Damit fällt für ihn die Rechtmäßigkeit des Schlusses auf die Kontingenz in Gott und damit auf die *universale Kontingenz.*« Er fährt fort: »Diese universale Kontingenz alles kreatürlichen Seins überhaupt, das Gegenstück zur *logischen* Notwendigkeit, ist ihm vielmehr letztlich eine Konsequenz aus einem Prinzip, das jenseits aller rationalen Beweisbarkeit liegt, aus dem Glaubensartikel: ,*Credo in deum patrem omnipotentem*' (Quodl. VI. q. 6).« Diese Interpretation durch HOCHSTETTER stimmt mit dem überein, was Biel im Sinne Occams der Kritik an Scotus anfügt[22]. Mit dem anhebenden »verum« markiert er die Wendung des Gedankenganges; es wird jetzt von einer neuen Ebene aus argumentiert: »supposita fide«, vorausgesetzt das Bekenntnis zu Gottes Allmacht[23]. Dieses Bekenntnis legt sich aus in dem Satz, daß Gott zu seinem Wirken der Zweitursachen nicht bedarf, sondern alles allein vermag[24]. In der An-

---

[19] Guillelmus de Occam, Quotlibeta Septem, Straßburg 1491.
[20] S. o. S. 38. Der Hinweis auf das Verhältnis von cognitio und volitio findet sich auch hier; dagegen ist das die Unterscheidung von amor amicitiae und amor commodi voraussetzende Beispiel von Biel selbst beigesteuert.
[21] E. HOCHSTETTER, Studien zur Metaphysik und Erkenntnislehre Wilhelms von Ockham, 1927, 15.
[22] S. o. S. 38.
[23] Cf. auch Occam Quodl. I q. 1: Non potest demonstrari, quod deus sit omnipotens, sed sola fide tenetur.
[24] Dieses Axiom ist auch bei Occam genannt (Quodl. VI q. 6): In illo articulo

erkennung dieses Satzes sind sich Occam und Biel mit Scotus einig. Es darf darum nicht als eine Inkonsequenz Biels verstanden werden, als ein Zurückfallen hinter Occam, wenn er mit dem Hinweis auf das Suffizienzaxiom nun doch die letzte Ursache der Kontingenz in Gottes Freiheit sieht. Desselben Arguments hatte sich zwar Scotus gegen Thomas bedient[25]. Die von Biel zuvor aus Quodl. II q. 2 übernommene Einschätzung der voluntates creatae darf jedoch mit der Position Thomas' in dieser Frage nicht verwechselt werden. Es geht Occam dort nicht darum zu zeigen, daß in einer Reihe geordneter causae jeweils die causa proxima für Notwendigkeit oder Kontingenz einer Wirkung bestimmend ist; er fragt nicht nach dem Zufälligen überhaupt, sondern danach, was der menschliche Wille vermag[26]. Auch Scotus ist die Doppelsinnigkeit des Begriffs »Kontingenz« nicht fremd. H. SCHWAMM weist darauf hin, daß er in der Reportatio Maior expressis verbis zwei Arten von Kontingenz unterscheidet, die alles Geschaffenen schlechthin und die des freien kreatürlichen Willensaktes[27]. Kontingenz im weiteren Sinn ist dem natürlichen und dem willentlichen Geschehen gemeinsam ex parte causae primae; darüber hinaus kommt dem menschlichen Willensakt eine zweite Kontingenz zu aufgrund seiner als causa secunda mitlaufenden Selbstbestimmung[28]. Bei der Erklärung des göttlichen Vorherwissens nimmt Scotus jedoch auf diese Begriffsunterscheidung keinen Bezug, ja im Opus Oxoniense ist sie ganz fallengelassen. Das theologische Interesse bzw. die Wirklichkeitserfahrung, die der Doppelung des Begriffs bei Occam und Biel zugrundeliegt, wird bei der Behandlung der Hauptfrage noch klar hervortreten.

Die Analyse des einleitenden Artikels hat vorläufig ergeben: Kontingenz ist eine primäre Seinsbeschaffenheit. Sie ist nicht ab-

---

[sc. »Credo in deum patrem omnipotentem«] fundatur illa propositio famosa theologorum: Quidquid deus producit mediantibus causis secundis, potest immediate sine illis producere et conservare.

[25] Ib. n. 12. Cf. dazu Thomas, Sent. I d. 38 q. 1 a. 5 in corp.; S. th. I q. 14 a. 13 ad 1.

[26] Diesen Unterschied veranschaulichen die Beispiele, die hier und dort gewählt werden. Occam verweist auf das Zusammenwirken von actus intelligendi und actus volendi bei der Willensbildung, Thomas auf einen Naturvorgang: Sicut germinatio plantae est contingens propter causam proximam contingentem, licet motus solis, qui est causa prima, sit necessarius (S. th. ib.).

[27] Ib. 51 f. Dort sind auch die einschlägigen Textabschnitte dieser nur handschriftlich vorliegenden Fassung wiedergegeben.

[28] SCHWAMM 53 f.

leitbar, gleichwohl kann sie nur innerhalb eines Zusammenhangs gedacht werden, nämlich als Wirkung einer frei wirkenden Ursache. Die allgemeine kausale Bedingtheit alles außergöttlichen Seienden ist das diskussionslos vorausgesetzte Kontinuum, in dem durch die Rede von Kontingenz in doppelter Hinsicht ein Bereich ausgespart wird: der Bereich des Möglichen und, diesem korrespondierend, der Bereich der Freiheit. Kontingent ist das, was Gott in seiner ordinatio nicht bestimmt sondern offengelassen hat, was außerhalb des natürlichen Kausalzusammenhangs steht. Kontingent ist andererseits gerade das, was Gott bestimmt hat, die aus keiner über ihm stehenden Gesetzmäßigkeit ableitbare ordinatio. Die Rede von der universalen Kontingenz der gegebenen Weltordnung impliziert daher das Bekenntnis zu Gott dem Allmächtigen (Möglichkeit) und dem Schöpfer (Freiheit). Wie beide Größen einander zugeordnet werden, wie Biel im Konflikt von Möglichkeit und Beschränkung, Offenheit und Gesetz theologisch entscheidet, wird im Fortgang der Distinktion deutlich.

Die bejahende Antwort auf die Titelfrage: »Deus certitudinaliter, infallibiliter et evidenter scit omnia futura contingentia« ist allgemein anerkannt und durch viele Schriftstellen zu belegen. Strittig dagegen ist, auf welche Weise dies geschieht[29]. Scotus distanziert sich hier sowohl von der (fälschlich Bonaventura zugeschriebenen) Lehrmeinung, daß Gott die Existenz der Dinge durch die Urbilder (ideae) im göttlichen Verstand erkenne, als auch von der Erklärung Thomas', daß der Ewigkeit Gottes alles Zeitliche gegenwärtig sei[30]. Biel gibt diese Diskussion fast vollständig und wortgetreu wieder[31]. Scotus selbst bietet zwei mögliche Antworten. Die erste stammt von Heinrich von Gent, dem sich Scotus hier, ohne ihn zu nennen, anschließt. Sie beschreibt den Vorgang der göttlichen Erkenntnis so: Intellectus divinus videndo determinationem voluntatis divinae, videt illud fore pro *a*, quia illa voluntas determinat fore pro eo; scit enim illam voluntatem esse immutabilem et non impedibilem[32]. Gegenüber dieser Lösung bleiben ihm jedoch Bedenken zurück, weil sie einen discursus im göttlichen Intellekt vorauszusetzen scheint; eine Erkenntnis aufgrund eines Schlußverfahrens aber wäre keine unmittelbare Erkenntnis. Er fügt daher die zweite, eigene Antwort hinzu: Potest poni aliter, quod intellectus divinus aut offert

[29] Biel ib. a. 2 c. 2 I.
[30] Ib. n. 7—10. Cf. die Darlegung bei Schwamm 8 ff, 91 ff.
[31] Ib. I/K; bei Occam fehlt dieses Referat.
[32] Scot. ib. n. 22. Cf. Henricus Gand., Quodl. VIII q. 2 in corp.

simplicia quorum unio est contingens in re, aut — si complexionem — offert eam sicut sibi neutram; et voluntas eligens unam
partem, scilicet coniunctionem istorum pro aliquo ›nunc‹ in re,
facit illud esse determinate verum: ›hoc erit pro a‹. Hoc autem
exsistente ›determinate vero‹, essentia est ratio intellectui divino
intelligendi istud verum[33]. Diese Darstellung unterscheidet sich von
der ersten nicht dadurch, daß die Rede von einem Nacheinander im
göttlichen Erkenntnisvorgang vermieden wäre. Entscheidend ist
vielmehr die Einführung der göttlichen Wesenheit als Erkenntnismedium. Sie gewährleistet, daß das Erkennen sich sowohl vor als
nach dem göttlichen Willensentscheid naturaliter vollzieht und daß
der Intellekt nicht vom Willen bzw. von den durch ihn bestimmten Wahrheiten zu seinem Akt bewegt wird[34]. Die Differenz bezieht sich also auf den innergöttlichen Vorgang als solchen. Beiden
Lösungen gemeinsam ist, daß das sichere Vorherwissen der kontingenten Dinge mit deren determinatio im unwandelbaren göttlichen Willen begründet wird.

Hier setzt die Kritik Occams an. Er zählt vier Gründe auf, die
gegen den scotischen Erklärungsversuch sprechen[35]. Das erste Argument stellt die Unverträglichkeit von kontingenter Determination
und sicherem, unfehlbarem Vorherwissen heraus. Evidenz kann
nicht aus einer Entscheidung gewonnen werden, die auch hätte
unterbleiben können[36]. SCHWAMM urteilt, dieses Argument bleibe
ziemlich an der Oberfläche, zumal Scotus selbst schon die Unver-
änderlichkeit des göttlichen Willensentschlusses betont habe[37]. Man
muß aber alle vier Argumente, in die sich Occams Kritik entfaltet,
zusammen vor Augen haben, um zu erkennen, wogegen er sich

[33] Ib. n. 23.
[34] Scotus veranschaulicht das durch das Beispiel vom menschlichen Auge, dem
verschiedene Farben bald notwendig, bald frei als Erkenntnisobjekt vorgelegt werden. Die verschiedenen Sehakte unterscheiden sich formal nicht voneinander. Was das Sehvermögen betrifft, würde das Auge beides naturaliter
wahrnehmen; ex parte obiecti aber käme dem einen Sehakt Notwendigkeit,
dem andern Kontingenz zu. Ib. n. 24.
[35] Ib. I/K.
[36] Quando aliquid determinatur contingenter, ita quod possibile est, quod numquam fuisset determinatum per talem determinationem, non potest haberi
evidentia certa et infallibilis. Sed voluntas divina ita determinatur, quod
adhuc possibile est numquam fuisse eam determinatam. Ergo evidentia certa
et infallibilis non potest haberi per talem determinationem, ex quo simpliciter
potest numquam fuisse. Et ita videtur, quod determinatio voluntatis divinae
si esset, parum faceret.
[37] SCHWAMM 128.

wendet. Es folgt nämlich der Einwand: Wenngleich die Sicherheit des Vorherwissens aufgrund eines Willensentscheids behauptet werden könnte inbezug auf alle direkten Wirkungen dieses Willens und sogar inbezug auf die Wirkungen aller natürlichen Ursachen, die der göttliche Wille begleitet, so scheint es doch nicht möglich, daß Sicherheit betreffs der zukünftigen Handlungen des geschaffenen Willens durch die genannte Determination verbürgt ist. Denn entweder folgt aus dieser determinatio notwendig die determinatio des geschaffenen Willens — dann würde der geschaffene Wille so natürlich d. h. notwendig handeln wie jede beliebige natürliche Ursache, und keine Handlung wäre ihm anzurechnen; oder dem Entscheid des göttlichen Willens folgt nicht notwendig die Festgelegtheit des geschaffenen Willens — folglich genügt die göttliche determinatio nicht, zu wissen, ob eine Wirkung eintreten wird oder nicht[38]. Das dritte Argument wiederholt die These des ersten, ausgeführt diesmal am Verhältnis von menschlichem Verstand und

[38] Praeterea: Qantumcumque posset salvari certitudo scientiae per determinationem voluntatis respectu omnium effectuum productorum a voluntate et etiam respectu omnium effectuum causarum naturalium, quibus voluntas divina coagit, (et) tamen non videtur, quod certitudo actuum futurorum ipsius voluntatis creatae possit per praedictam determinationem salvari. Quia si respectu omnium est voluntas divina determinata, quaero: Aut illam determinationem necessario sequitur determinatio vel productio voluntatis creatae, vel non. Si sic, ergo ita naturaliter agit voluntas creata sicut quaecumque causa naturalis. Quia sicut voluntate divina existente determinata ad unum oppositorum, non est in potestate causae naturalis cuiuscumque non coagere, et etiam ipsa non determinata, non coagit causa naturalis, ita voluntate divina existente determinata, voluntas creata coageret nec haberet in potestate sua non coagere. Et per consequens nullus actus voluntatis creatae esset ibi [= sibi] imputandus. Si autem determinationem voluntatis divinae non necessario sequitur determinatio voluntatis creatae, ergo ad sciendum, utrum effectus poneretur vel non poneretur, non sufficit determinatio voluntatis divinae.   Cf. das entsprechende Argument im Tractatus de pradestinatione dei et de praescientia dei et de futuris contingentibus, ed. PHILOTHEUS BOEHNER (Franc. Inst. Publ. No. 2), 1945, q. 1 supp. 6 P: Sed contra istam [sc. Scoti] opinionem: Quia non videtur salvare certitudinem scientiae Dei respectu futurorum, quae simpliciter dependent a voluntate creata; quia quaero, utrum illam determinationem voluntatis divinae necessario sequatur determinatio voluntatis creatae, aut non. Si sic, igitur voluntas necessario ageret sicut ignis, et ita tollitur meritum et demeritum. Si non, igitur ad sciendum determinate alteram partem contradictionis illorum requiritur determinatio voluntatis creatae, quia determinatio voluntatis increatae non sufficit, cum voluntas creata possit in oppositum illius determinationis. Igitur cum illa determinatio voluntatis non fuit ab aeterno, non habuit Deus certam notitiam reliquorum.

Willen. Es ist deshalb interessant, weil hier deutlicher hervortritt, was Occam mit der Betonung der Kontingenz einer Willensentscheidung sagen will: Mag der Wille zugunsten einer von zwei gegebenen Möglichkeiten entschieden haben und mag auch der Verstand diese Entscheidung sehen — weil aber der Wille von dieser Entscheidung abstehen und nicht-entschieden sein kann, hat der Verstand inbezug auf die gewählte Möglichkeit keine gewisse Kenntnis. Die visio determinationis voluntatis ist daher kein hinreichender Erkenntnisgrund[39].

Occam begegnet also — um hier kurz das Referat zu unterbrechen — in seinem ersten und dritten Argument der Lösung des Scotus mit dem Einwand: Von kontingenten Größen gibt es keine sichere Erkenntnis. Was bedeutet das in diesem Zusammenhang? Es zeigt, daß Occam aus der von Scotus behaupteten freien göttlichen Willensentscheidung inbezug auf mögliche Begriffsverbindungen nicht die Entschiedenheit des zukünftigen Geschehensverlaufs folgert. Zöge die Determination die Determiniertheit nach sich, so wäre ein sicheres Vorherwissen aufgrund dieser Determination sehr wohl möglich. Occam ist aber in diesen Argumenten nicht an der ontischen sondern an der noëtischen Seite des Problems interessiert, d. h. nicht die nach außen gerichtete Kausalität des göttlichen Willens und ihre Wirkungen sind im Blick, sondern das, was Gott bei sich selbst offen läßt. Freiheit seiner Willensentscheidung heißt aber nicht nur, daß er frei *war* so oder so zu entscheiden, sondern daß er inbezug auf seine determinatio jederzeit frei *ist:* Voluntas ... potest ab illa determinatione cessare et non determinari[40]. Was heißt das? Rechnet Occam im Gegensatz zu Scotus mit der Veränderlichkeit des göttlichen Willens? Zu diesem voreiligen Urteil Schwamms kann man nur kommen, wenn man das zweite Argument nicht zur Interpretation heranzieht. Denn hier richtet Occam sein Augenmerk auf den Begriff »determinatio« selbst.

---

[39] I d. 38 I: Praeterea: Quantumcumque voluntas creata sit determinata ad alteram partem et quantumcumque intellectus videat illam determinationem, quia tamen voluntas nostra potest ab illa determinatione cessare et non determinari, intellectus non habet certam notitiam de illa parte. Ergo visio determinationis voluntatis (quae voluntas potest non determinari ad illam partem) non sufficit ad notitiam certam illius partis.

[40] Man stoße sich nicht daran, daß dieser Satz des dritten Arguments vom geschaffenen Willen gesagt wird, der im Gegensatz zur voluntas divina veränderlich ist. Er geht zurück auf die rein formale Bestimmung dessen, was »voluntatem causare contingenter« heißt, die sowohl für den göttlichen als für den geschaffenen Willen gilt. Cf. Occam ib. F. S. o. S. 37.

Was geschieht durch Gottes Entscheid nach außen hin? Es wird durch ihn der gesetzmäßige Zusammenhang der geschaffenen Welt aufgerichtet. Inbezug auf diesen (nämlich die Wirkungen der natürlichen Ursachen) sowie inbezug auf alle direkten Wirkungen des göttlichen Willens kann ein sicheres Vorherwissen aufgrund der determinatio behauptet werden. Aber wie steht es mit den zukünftigen Akten des geschaffenen Willens? Wäre dieser durch die göttliche Determination in seinem Handeln festgelegt, so unterschiede er sich nicht von einer natürlichen Ursache, und es gäbe im Bereich des Geschaffenen keine Kontingenz. Wird dagegen die Freiheit der voluntas creata eingeräumt, so ist in dem ihr unterstellten Wirklichkeitsbereich die determinatio voluntatis divinae kein zureichender Erkenntnisgrund, denn es bleibt jeweils bis zur faktischen Entscheidung des menschlichen Willens offen, quae pars contradictionis erit vera et quae falsa[41]. Es erweist sich hier noch einmal deutlich die Richtigkeit der oben[42] zitierten These HOCHSTETTERS, daß Occam den scotischen Kontingenzbegriff in zwei Teile gespalten habe. Innerweltliche Kontingenz beschränkt sich für ihn auf den Bereich des Willentlichen, in dem es Lob und Tadel, meritum und demeritum gibt. Die Behauptung dieser Kontingenz gründet in dem Postulat, daß der Wille frei sein muß, wofern der Mensch für sein Handeln verantwortlich ist. Die Behauptung der universalen Kontingenz dagegen entspringt dem Bekenntnis zu Gottes Allmacht. Occams Kritik an Scotus' Erklärung des göttlichen Vorherwissens folgt aus seiner Kritik an dessen Schluß von der geschaffenen auf die ungeschaffene Kontingenz. Scotus vermischt die Bereiche und weiß nicht zwischen Seins- und Erkenntnisgrund zu unterscheiden. *Zwei* Einwände sind daher gegen ihn vorzubringen. Diese Doppelheit (erstes bzw. drittes und zweites Argument) wiederholt sich in Occams Antwort auf die Frage: utrum possibile est aliquem praedestinatum damnari et praescitum salvari. Concl. 1 lautet: Quicumque est praedestinatus, est contingenter praedestinatus, ita quod potest non praedestinari, et per consequens potest damnari, quia potest non salvari. Hoc patet, quia cuiuslibet salvatio dependet a voluntate

---

[41] Cf. auch Occam ib. M: Philosophus diceret, quod deus non scit evidenter et certitudinaliter aliqua futura contingentia, et hoc propter istam rationem: quia illud, quod non est in se verum, non potest sciri pro illo tempore quo non est in se verum ... Ista ratio non concludit secundum viam Philosophi nisi de his quae sunt in potestate voluntatis. In his autem, quae non sunt in potestate voluntatis sed dependent simpliciter a causis naturalibus, non concludit; sicut quod sol orietur, et sic de aliis. Siehe auch unten Anm. 61.

[42] S. o. S. 40.

divina contingenter causante. Ergo in potestate dei est conferre
cuicumque vitam aeternam vel non conferre. Ergo quicumque potest
non salvari. Daneben steht concl. 2: Nulli adulto confertur vita
aeterna nisi propter aliquod opus meritorium. Sed omne opus
meritorium est in potestate merentis; ergo talis potest non mereri et
per consequens potest non salvari[43]. Occams scharfe Trennung des
weiteren und des engeren Sinnes von »Kontingenz« zieht nach sich,
daß er schon in der Lehre vom Vorherwissen auf das Verhältnis
von göttlichem und kreatürlichem Willen zu sprechen kommt, das
bei Scotus erst später, in Praedestinations- und Konkurslehre, thematisch wird. Für Scotus ist der Gegenstand der göttlichen determinatio sowie des ihr folgenden Erkennens die Gesamtheit des kontingenten d. h. des geschaffenen Seins. In dieser Gesamtheit sind die
freien kreatürlichen Akte eingeschlossen[44]. Scotus räumt ihnen keine
besondere Art des Erkanntwerdens ein[45].

Der letzte Einwand Occams richtet sich gegen den von Scotus
behaupteten innergöttlichen *Vorgang*. In Gott ist kein Nacheinander, kein Widerspruch und keine Unvollkommenheit[46]. Dieses
der Lehre von der absoluten Simplizität Gottes entstammende
und die Ablehnung der scotischen distinctio formalis voraussetzende
Argument weist auf Occams eigene Antwort voraus. Auffallend
ist nur, daß es mit einem Vorwurf schließt, den Scotus selbst gegen-

---

[43] Occ. I d. 40 B.

[44] Cf. die Belege bei SCHWAMM 26 ff.

[45] Muß man deshalb behaupten, die Prädetermination des geschaffenen Willens
sei »die unmittelbare, unvermeidliche Konsequenz« der scotischen Lehre vom
göttlichen Vorherwissen? (SCHWAMM 82) Ich meine, nein — und verweise auf
die Kritik PANNENBERGS an SCHWAMM (W. PANNENBERG, Die Prädestinationslehre des Duns Skotus, 1954, 23 ff.). Scotus hält gegen Thomas an der
echten Zukünftigkeit der futura contingentia für Gott fest (cf. auch PH.
BOEHNER, Ockham's tractatus de praedestinatione et de praescientia dei et
de futuris contingentibus and its main problems (Collected Articles on
Ockham, Franc. Inst. Publ., Phil. Ser. No. 12, 1958, 439). Sein Interesse ist
gerade auf die Stützung der *Kontingenz* der Dinge gerichtet, die ihren Grund
letztlich in der Freiheit des göttlichen Willens hat. So hat ihn jedenfalls auch
Occam verstanden, wie das erste und dritte Argument seiner Widerlegung
zeigt.

[46] Occ. I d. 38 K: Praeterea: Quod dicit, quod in primo instanti intellectus
divinus offert simplicia et post voluntas divina eligit unam partem et post
hoc intellectus evidenter cognoscit illam partem, illud non videtur esse verum.
Quia non est talis processus nec talis proprietas nec talis contradictio in deo,
quod intellectus divinus pro aliquo instanti non cognoscat futura contingentia evidenter et pro aliquo cognoscat. Hoc enim esset imperfectionis, ponere,
quod intellectus divinus quamcumque perfectionem reciperet ab alio.

über der von ihm an erster Stelle vorgeschlagenen Lösung vorgebracht hat: daß es eine Herabsetzung des göttlichen Intellekts wäre,
wenn ihm in diesem Punkt die unmittelbare Erkenntnis abge-
sprochen würde[47]. Dies, und daß Occam in seiner Widerlegung die
spezifisch scotische Einführung der göttlichen Wesenheit als ratio
intelligendi übergeht, obgleich er zuvor beide Antworten Scotus'
in vollem Wortlaut referiert hat[48], läßt uns weiter nach dem movens
seiner Kritik fragen.

Vergegenwärtigen wir uns zunächst seine eigene Antwort auf
die Frage, wie sich mit der Kontingenz der zukünftigen Dinge die
Sicherheit des göttlichen Vorherwissens verträgt. *Daß* Gott sichere
und evidente Erkenntnis aller futura contingentia zuzusprechen ist,
steht für Occam außer Frage[49]. Diese Voraussetzung sei durch die
bekannten Schrift- und Väterstellen genügend gestützt, und der Beweis erübrige sich[50]. Wie dies jedoch zu erklären ist und auf welche
Weise es geschieht, ist dem menschlichen Verstand verborgen[51]:
modum exprimere nescio[52]. Man kann aber sagen, fährt Occam
fort, daß Gott selbst bzw. die göttliche Wesenheit intuitive Erkenntnis sowohl ihrer selbst als aller anderen Dinge, der möglichen und
der unmöglichen (factibilium et infactibilium), ist, und das in so
vollkommener und klarer Weise, daß sie Erkenntnis auch aller vergangenen, zukünftigen und gegenwärtigen Dinge ist, so daß — wie
aus der intuitiven Erkenntnis der Begriffe unser Verstand mit
Evidenz verschiedene zufällige Begriffsverbindungen erkennen
kann — ita ipsa divina essentia est quaedam cognitio et notitia, qua
non tantum scitur verum necessarium et contingens de praesenti
sed etiam scitur, quae pars contradictionis erit vera et quae erit
falsa. Und gegen Scotus gewendet: Et hoc forte non est propter
determinationem suae voluntatis. Denn selbst (per impossibile)
vorausgesetzt, daß bei gleicher Vollkommenheit der göttlichen cognitio er nicht causa effectiva (und zwar sowohl Total- als Partialursache) der kontingenten Wirkungen wäre, so gäbe es doch eine
notitia, ein Wissen Gottes darum, welche von zwei gegebenen Mög-

---

[47] Cf. Scot. ib. n. 23: non quidem quod illa vera moveant intellectum divinum
... ad apprehendendum talem veritatem (quia tunc intellectus divinus vi-
lesceret, quia pateretur ab alio ab essentia sua) ...
[48] Ib. D.
[49] Ib. L.
[50] Ib. N. Occam selbst zitiert in den Einleitungsargumenten nur ein Schriftwort:
Omnia sunt nuda et aperta oculis eius (Hebr. 4, 13). Ib. A quod sic primo.
[51] Ib. L.
[52] Ib. M.

lichkeiten Wirklichkeit erlangen wird[53]. Die etwas kürzere Antwort, die Occam im Tractatus de praedestinatione gibt, stimmt sachlich hiermit überein, nur folgt ein interessanter Zusatz. Occam macht sich den Einwand: Die beiden Aussagen »Ego sedebo cras«, »Ego non sedebo cras« können in gleicher Weise wahr sein. Also kommt keiner in höherem Maße Wahrheit zu. Folglich ist jetzt keine wahr oder beide. Beide Aussagen können nicht zugleich wahr sein, also ist keine wahr. Er gibt darauf die Antwort: Dico, quod una pars nunc determinate est vera, ita quod non falsa, quia Deus vult unam partem esse veram et aliam esse falsam, tamen contingenter vult. Et ideo potest non velle illam partem, et partem aliam potest velle, sicut pars alia potest evenire[54]. Wie ist diese Stelle zu interpretieren? Schließt sich Occam mit seinem Hinweis auf den göttlichen Willen schließlich doch der Lösung des Scotus an? Ph. Boehner weist diesen Verdacht in seiner der Edition beigegebenen Erklärung der Hauptthesen zurück. Es wäre die scotische Lösung, wenn dieser Willensakt der Grund des göttlichen Vorherwissens wäre. Aber Occam wolle etwas anderes sagen, nämlich: Eine Seite der Kontradiktion wird wahr sein, weil diese Tatsache dem göttlichen Willen als ihrer Erstursache, dem geschaffenen Willen nur als Zweitursache unterworfen ist. Gott ist die Ursache aller Dinge. Daß eine Aussage wahr, die andere falsch sein wird, hat ihren Grund in der kontingenten göttlichen Kausalität. Daher ist der Wille Gottes Ursache der *Wahrheit*, nicht Ursache des *Wissens*, das Gott von diesem kontingenten Tatbestand hat. Wahrheit folgt auf Sein, aber kein Sein ist ohne Gottes erste Ursächlichkeit. Das Wissen dagegen, das Gott davon hat, kann nur bezogen werden auf sein unendliches Wesen, das intuitive Erkenntnis ist[55]. So einleuchtend diese Gegenüberstellung erscheinen mag, ich muß Boehners Interpretation widersprechen bzw. sie ergänzen. Was heißt das: »It would be Scotus' solution if this act of will were the reason of God's prescience«? Ermöglichungsgrund des Vorherwissens ist der Wille auch für Occam (jedenfalls gerade an dieser Stelle des

---

[53] Occam fügt in Ablehnung der auch von Scotus bekämpften Meinungen an: Et hoc non esset, quia futura contingentia essent sibi praesentia, nec per ideas tamquam per rationes cognoscendi, sed per ipsammet divinam essentiam vel divinam cognitionem, quae est notitia, qua scitur quid est falsum et quid est verum et quid fuit verum et quid fuit falsum et quid erit falsum et quid erit verum. Cf. Anm. 45.

[54] Tract. de praedest. q. 1 supp. 6 P.

[55] Ib. 55 f. Cf. auch ders., The tractatus ... (Collect. Art.), 441.

Tractatus)! Und was sagt das: »Therefore the will of God is the
cause of the *truth* ...«? Auch für Scotus ist die determinatio voluntatis Ursache der kontingenten Wahrheit! Voluntas eligens unam
partem ... facit illud esse determinate verum: ›hoc erit pro a‹[56].
Die Glieder einer complexio contingens gehören nicht von sich aus
zusammen. Der göttliche Verstand hat daher vor dem Willensakt
nur eine unbestimmte Erkenntnis der möglichen Begriffsverbindungen, quia nihil est tunc per quod habeant determinatam veritatem[57].
Gerade das aber ist auch das Problem Occams an der fraglichen
Tractatus-Stelle: Wie kann das, was nicht von sich her wahr ist,
erkannt werden? Die Antwort lautet: Weil es zufällig wahr ist[58].
Erst dann wird eine Begründung für diese zufällige Wahrheit gesucht und auf den kontingenten Willensakt Gottes verwiesen.
BOEHNER hat also in seiner Interpretation weder dem Kontext, in
dem dieser Hinweis auf den göttlichen Willen bei Occam steht,
noch der Intention, der dieses Argument bei Aristoteles dient, dem

---

[56] Scot. ib. n. 23, wörtlich bei Occam I d. 38 D. Im Tractatus gibt Occam die
Meinung des Scotus so wieder: Posita autem determinatione voluntatis intellectus divinus videt ... evidenter alteram partem esse veram, illam scilicet
quam voluntas sua vult esse veram, certitudinaliter. Cf. auch die eindeutige
Formulierung Scotus' bei der Widerlegung der Einleitungsargumente (ib.
n. 30): Voluntas divina determinans ›fore‹ alicuius ostensi ab intellectu, facit
complexionem talem esse veram, et ideo intelligibilem. Der göttliche Verstand
kann daher erkennen oder auch nicht erkennen; aber das nicht aufgrund einer
in ihm selbst liegenden Kontingenz (denn Erkenntnis vollzieht sich mit Notwendigkeit), sed propter contingentiam ex parte obiecti, quod contingenter
est verum per actum voluntatis verificantis. Ebenso klar wie hier wird die
verifizierende Funktion des Willens in der Reportatio Maior herausgestellt:
Intellectus divinus non ideo cognoscit futura contingencia, quia videt com-
placenciam voluntatis sue omnipotentis, sed quia in illo instanti, in quo complacet sibi voluntas, est primo verum tale contingens sic factum et determinatum per voluntatem non impediblilem ad alteram partem contradic-
cionis et tunc cognoscet (bei SCHWAMM 42).

[57] Scot. ib. n. 23, bei Occam I d. 38 D, doch fehlt hier versehentlich das »nihil«.
Cf. die entsprechenden Ausführungen der Reportatio Maior (mitgeteilt bei
SCHWAMM 41): Termini ... futuri contingentis non includunt noticiam com-
plexionis contingentis, quia termini non sunt causa talis veritatis, quia tunc
esset immediata veritas, et ideo intellectus divinus de talibus terminis tantum
habet cognicionem neutram ante actum voluntatis. Und: Quelibet ... contingens est vera, quia veritas eius est primo causata per actum voluntatis
divine, et non quia vera, ideo voluntas vult eam esse veram, sed e contrario.

[58] Si dicatur, quod illud, quod non est in se verum, non potest sciri ab aliquo,
sed me sedere cras est huiusmodi — dico, quod est vera, ita quod non falsa,
tamen est contingenter vera, quia potest esse falsa. Cf. Aristoteles, I Poster.
c. 2.

es entnommen ist[59], noch auch dem genauen Wortlaut der im Tractatus nur sehr kurz (und dazu in der Zusammenziehung beider »Wege« unzutreffend) wiedergegebenen Lösung des Scotus Beachtung geschenkt. Daß sie causa veritatis ist, macht die determinatio voluntatis divinae für Scotus zum unerläßlichen Zwischenglied zwischen dem ersten, unbestimmten und dem zweiten, bestimmten Erkennen des göttlichen Verstandes. Für Occam dagegen ist die Begründung der kontingenten Wahrheit (und damit der Erkennbarkeit) durch den Hinweis auf die verifizierende Funktion des göttlichen Willens gar nicht charakteristisch. Im Sentenzenkommentar beantwortet er denselben Einwand ganz anders. BOEHNER hätte diesen Abschnitt berücksichtigen müssen (zumal er im Anhang den vollständigen Text von I d. 38 und 39 beigibt), bevor er so pointiert auslegt, denn hier verrät sich Occams Verständnis des Begriffs »Wahrheit«. Occam hält seiner Antwort auf die Titelfrage (daß es unzweifelhaft ist, daß Gott ein sicheres Vorherwissen von den zukünftigen Dingen hat, daß man aber die Art und Weise nicht zu erklären vermöchte[60]) eben diesen Einwand des Philosophen entgegen[61]: Gott erkennt das Zukünftige nicht, denn was nicht in sich wahr ist, kann man nicht erkennen, bevor es wahr ist. Von dieser Art sind die futura contingentia, denn sie sind schlechthin abhängig von einer potentia libera, weil es keinen Grund (ratio) dafür gibt, warum die eine oder die andere Seite einer Kontradiktion wahr sein wird. Also gibt es inbezug auf sie kein Vorherwissen. Occam erwidert: Ista ratio non concludit secundum viam Philosophi nisi de his quae sunt in potestate voluntatis. In his autem quae non sunt in potestate voluntatis, sed dependent simpliciter a causis naturalibus, non concludit, sicut quod sol orietur, et sic de aliis. Et hoc est, [quia] causa naturalis determinatur ad unam partem[62]. Occam fährt fort, daß dessen ungeachtet die Titelfrage bejaht werden müsse[63], und fügt dann seine uns schon be-

---

[59] Aristoteles, I De interpr. c. 9.

[60] Occ. I d. 38 L.

[61] Ib. M.

[62] Cf. Occam, Expositio super I. Librum Perihermenias, c. 9, ed. PH. BOEHNER in app. II zum Tract. de praedest., 111: Sciendum, quod nihil est contingens ad utrumlibet, de quo Philosophus hic loquitur, nisi quod est in potestate alicuius libere agentis vel dependet ab aliquo tali. Et ideo in puris naturalibus, hoc est in animatis anima sensitiva tantum et in inanimatis nulla est contingentia, nec etiam casus et fortuna, nisi aliquo modo dependeant ab agente libero. Sed in omnibus aliis est inevitabilitas et necessitas.

[63] Ista tamen ratione non obstante, tenendum est ... Cf. Super I. Periherm.:

kannte Erklärung dieses Vorherwissens an[64]. Er geht also auf den Einwand nicht in der Weise ein, daß er (gleichsam die Argumentationsebene wechselnd) auf die zwar kontingente aber im göttlichen Willen doch schon jetzt geltende Wahrheit verwiese (die dann Objekt des göttlichen Vorherwissens sein könnte), sondern er grenzt den Bereich ab, in dem (im Sinne des Philosophen) dieser Schluß Geltung hätte: Kontingent ist das dem freien Willen Unterworfene[65]. Wahrheit kommt in diesem Bereich dem zu, über das der Wille jeweils entschieden *hat*, d. h. was existiert. BOEHNERS Satz »Truth follows being«[66] ist daher mehrdeutig. Er wäre banal, wenn er ganz allgemein besagte, daß das Urteil »wahr« Seiendes voraussetzt, dem es gilt. In diesem Sinne sind ja beide Seiten der Kontradiktion auf Gott als Erstursache zurückzuführen. Er ist unklar als Beschreibung des von BOEHNER Gemeinten. Denn was ist das Sein eines determinate verum? Welche Aussage wahr sein wird, »Ego sedebo cras« oder »Ego non sedebo cras«, ist, wie im Sentenzenkommentar deutlich wird, meiner Entscheidung überlassen[67]. Einer von beiden Sätzen wird morgen durch mein Handeln verifiziert. »Truth follows being« heißt dann im Sinne Occams: Wahrheit setzt Existenz voraus. Die Charakterisierung BOEHNERS: Für Occam ist der göttliche Wille Ursache der Wahrheit, für Scotus Ursache der Erkenntnis dieser Wahrheit, ist also gerade in ihrer scheinbaren Prägnanz unzureichend, da sowohl der Begriff »Ursache« als auch der Begriff »Wahrheit« mehrdeutig sind und einer Interpretation bedürfen.

Occam ist mit Scotus darin einig, daß der Gegenstand des (bestimmten) göttlichen Vorherwissens ein determinate verum ist. Der Begriff wird nach zwei Seiten hin abgesichert. »Bestimmt wahr« heißt nicht «notwendig wahr«. Notwendigkeit kommt allein dem

---

Tamen secundum veritatem et theologos aliter est dicendum, quia dicendum est, quod Deus determinate scit alteram partem. Qualiter autem hoc sit, in theologia declarari debet.

[64] S. o. S. 48.

[65] S. o. S. 46, wo wir schon einmal auf diesen Abschnitt hinwiesen (Anm. 41). Daß »voluntas« hier auf den geschaffenen Willen gedeutet werden muß, folgt aus der Gegenüberstellung zu den natürlichen Ursachen, da ja dem göttlichen Willen auch der (im weiteren Sinn kontingente) natürliche Kausalzusammenhang untersteht.

[66] Tract. de praedest. 55.

[67] Es spricht für unsere Auslegung, daß Occam auch im Tractatus dieses Beispiel wählt. Bei Scotus erscheinen als Gegenstand des göttlichen Vorherwissens promiscue »A fore« und »me sessurum cras«.

göttlichen Wesen zu. Eine bestimmte Wahrheit ist, wie alles Geschaffene, kontingent. Dabei ist die Kontingenz der zukünftigen Dinge von besonderer Art. Veritas determinata inbezug auf Gegenwärtiges und Vergangenes ist entschiedene Wahrheit, Feststellung eines Tatbestandes. Eine Aussage über Zukünftiges dagegen ist für den erkennenden Verstand nur in der Weise bestimmt, daß es doch bis zu jenem zukünftigen Augenblick in der Macht der bewirkenden Ursache steht, anders zu handeln[68]. »Die Wahrheit des kontingent Zukünftigen ist ... inbezug auf seine Existenz noch unbestimmt: ob es existieren wird, ist noch nicht entschieden.«[69] Das impliziert aber nach der anderen Seite nicht etwa die Veränderlichkeit des göttlichen Vorherwissens. Daß eine wahre Aussage falsch, eine falsche wahr werden kann, hat seinen Grund in der Kontingenz des Gegenstandes. BOEHNER formuliert hier ganz treffend: Das Wissen ist eine Funktion einer kontingenten Tatsache[70]. Scotus und Occam setzen allerdings in dieser »Funktion« jeweils zwei verschiedene Größen zueinander ins Verhältnis. Scotus ist primär an der innergöttlichen Beziehung interessiert. Bei ihm ist das göttliche Erkennen eine Funktion des kontingent kausierenden göttlichen Willens. Er löst die Titelfrage durch den Hinweis auf die Ursache aller Kontingenz[71]. Bei Occam dagegen ist infolge seiner Spaltung des Kontingenzbegriffs das göttliche Erkennen mit der kontingenten Entscheidung des geschaffenen Willens zusammen-

---

[68] Scot. ib. n. 26, in Beantwortung des aristotelischen Einwands: In futuris contingentibus non est veritas determinata ... (I De interpr. c. 9): Non est similis veritas in illis de futuro, sicut in illis de praesenti et praeterito. In praesentibus quidem et praeteritis est veritas determinata, ita quod alterum extremum est positum, — et ut intelligitur positum, non est in potestate causae ut ponatur vel non ponatur ... Talis autem non est determinatio ex parte futuri, quia licet alicui intellectui sit una pars vera determinate..., non tamen ita quin in potestate causae est pro illo instanti ponere oppositum. Die Fortsetzung: Et ista indeterminatio sufficit ad consiliandum et negotiandum ... sowie der Wortlaut der Parallelstelle in der Reportatio Maior (pro instanti, in quo vel pro quo ponitur futurum, potest poni oppositum illius, quia non necessario ponitur in effectu ab aliqua causa aliqua pars contradictionis futuri contingentis), auf den PANNENBERG mit Recht hinweist (ib. 24), zeigen gegen SCHWAMM, daß Scotus nicht deterministisch ausgelegt werden muß. — Occams Erwiderung auf das aristotelische Argument lautet (I d. 38 P): Altera pars contradictionis est determinate vera, ita quod non est falsa. Est tamen contingenter vera, et ita est vera quod potest esse falsa et potest numquam fuisse vera.

[69] PANNENBERG ib. 25.

[70] Ib. 54.

[71] Cf. die Ordinatio-Stelle in Anm. 56.

gebracht. Da er die »göttliche Psychologie« (VIGNAUX)[72] des Scotus ablehnt, entfällt für ihn die Frage nach dem Erkenntnismedium. Gottes unendliches Wesen *ist* unmittelbares Umfassen und Erkennen alles Geschaffenen, wie es unmittelbare Ursache der geschaffenen Welt in jedem ihrer Teile ist. Die Ursächlichkeit kann aber nicht zur Erklärung dieser umfassenden Erkenntnis dienen[73]. Dies ist der Haupteinwand Occams gegen Scotus. Er kann daher den relativen Unterschied zwischen beiden von Scotus gebotenen Lösungen übergehen. Das göttliche Vorherwissen ist für ihn eine unmittelbare Funktion des kontingent Zukünftigen, d. h. des außergöttlichen Gewußten. Die scotische Einführung der essentia dei als ratio intelligendi dient jedoch nur der Sicherung einer innergöttlichen Unmittelbarkeit, ohne die zwischen Gott und kontingentem Weltgeschehen vermittelnde Stellung der verifizierenden determinatio voluntatis zu bestreiten. Wir werden nach dem sachlichen Zusammenhang zwischen dieser durch Kausalität vermittelten und der aufgrund von gewährter Freiheit unmittelbaren Kontingenz zu fragen haben.

Prüfen wir jedoch zuerst unsere Interpretation Occams an Biel. Gleich seine Wiedergabe der opinio Scoti zeigt eine auffällige Abweichung: der Unterschied beider »Wege« ist verwischt. Weder erscheint Scotus' Bedenken gegen einen innergöttlichen discursus, noch ist seine Einführung der göttlichen Wesenheit als ratio intelligendi erwähnt[74]. Ich möchte das nicht darauf zurückführen, daß zur Zeit Biels die original scotische Lösung bereits in Vergessenheit geraten war[75], lag ihm doch der Wortlaut sowohl bei Scotus selbst

---

[72] Art. »Occam« DThC XI/1, 881.

[73] Occ. I d. 38 M; s. o. S. 48.

[74] Ib. L: Dicit, quod voluntas divina, quae est prima regula contingentium, prius determinat contingentia, antequam illa intellectus divinus intelligat. Unde intellectus divinus videns determinationem divinae voluntatis videt illud fore pro A, quia voluntas determinat pro A. Scit enim voluntatem illam esse immutabilem et non impedibilem. Vel aliter hoc per tria signa claret: In primo instanti aut intellectus divinus offert terminos simplices, quorum unio est contingens in re ipsi voluntati, aut offert sibi quandam complexionem ut neutram, nec veram nec falsam. In secundo instanti voluntas divina talem complexionem ut neutram sibi ab intellectu praesentatam determinat ad alteram partem contradictionis, eligens hoc esse pro aliquo nunc in re. In tertio instanti intellectus divinus respiciens ad divinam voluntatem [!], videns determinationem voluntatis, cognoscit unam partem contradictionis evidenter esse veram.

[75] Cf. SCHWAMM 166, 185, 205.

als in den Referaten von Occam, Gregor[76] und Ailly[77] vor[78]. Vielmehr stellt er als das Charakteristische der scotischen Erklärung des göttlichen Vorherwissens das heraus, worauf sich seiner Meinung nach der Widerspruch seines Lehrers Occam bezieht: die determinatio voluntatis divinae als Erkenntnismedium. Gottes Erkenntnis bedarf keines Mittels. Biel erläutert die Lösung Occams, nachdem er sie wörtlich — eingeleitet durch das vierte und das erste gegen Scotus gerichtete Argument — wiedergegeben hat[79]: Deus non cognoscit aliqua per aliquid quasi per medium, nec proprie essentia repraesentat cognita quasi species, nec primo cognoscit essentiam suam et per illam quasi praecognitum medium cognoscit res alias (sicut beati cognoscunt creaturas relucentes in essentia cognitione rerum in Verbo). Sed ... deus est essentia divina et notitia intuitiva immediata omnium entium actualium et possibilium et iudicium veracissimum ac evidentissimum omnium verorum enuntiabilium. Et necessario est intuitio omnium possibilium existentium et non existentium, sed non necessario est iudicium sive notitia iudicativa omnium verorum contingentium. Et sic esse convenit sibi non mediante aliquo quasi specie vel medio cognoscendi, sed est talis cognitio ex propria sua natura et perfectione infinita, cuius nihil simile haberi potest in creatura[80]. Zwei Begriffe fallen in diesem Abschnitt auf, denen wir bei Occam nicht begegneten: »medium« und »iudicium«. Beide fand Biel bei Ailly, der sie seinerseits von Gregor übernahm. Scotus' Meinung ist nach diesen Autoren abzulehnen, »quia ponit aliquid esse medium et rationem cognoscendi intellectui divino«[81]. Und besonders, daß der Wille bzw. der Willensentscheid Erkenntnisgrund sein soll, muß bestritten werden, »quia si per impossibile deus non esset

---

[76] Gregorius Ariminensis Super primo et secundo Sententiarum, Venedig 1522, I d. 38 q. 2 a. 2, fo 152v I.

[77] I q. 11 a. 2, fo 165v D.

[78] Das entsprechende Referat in Occams Tractatus de praedestinatione (supp. 6 P) läßt dieselben Elemente vermissen; hier wird logischerweise gar nicht mehr zwischen zwei Lösungen unterschieden. Ich habe aber keine Anzeichen dafür entdecken können, daß Biel den Tractatus gekannt hat.

[79] Ib. L/M.

[80] Ib. a. 3 d. 8 DD.

[81] Ailly ib. E, bei Gregor ib. K. Damit ist Occams Kritik gleichsam auf einen Nenner gebracht, und Biel kann einem Mißverständnis vorbeugen, das in Analogie zu der Bonaventura zugeschriebenen Meinung (Verstand) und der des Scotus (Wille) die von Occam genannte Wesenheit Gottes als Erkenntnismittel versteht.

volens, tamen esset intelligens, et sicut futura essent futura, sic
propter excellentiam suae intelligentiae certissime cognosceret
futura«[82]. Hier ist der Gedanke der göttlichen Kausalität ganz
zurückgedrängt. Ging Occam in seinem entsprechenden Argument
noch insoweit auf die scotische Gedankenführung ein, daß er sagte:
Selbst wenn Gott per impossibile nicht Total- oder Partialursache
der kontingenten Wirkungen wäre, so hätte er doch ein sicheres
Wissen inbezug auf diese[83], so wird hier nur noch grundsätzlich an
die gegenseitige Unabhängigkeit von göttlichem Verstand und Willen erinnert, um dann deutlicher, als es bei Occam geschah, das göttliche Wissen als eine unmittelbare Funktion der futura contingentia
zu behaupten. Der Satz »futura essent futura« (gesprochen remota
voluntate bzw. causalitate dei) setzt eine ungeheure Verselbständi-
gung der causae secundae voraus. Trat für Scotus an dieser Stelle
hinter dem Gedanken der göttlichen Omnipotenz und Omniszienz
die Frage nach der kreatürlichen Freiheit ganz zurück[84], so ist bei
Ailly aus der doppelten Bestimmung des Kontingenzbegriffs durch
Occam die entscheidende Konsequenz gezogen, daß die Wahrheit
einer futurischen Aussage von einer außerhalb Gottes liegenden
Größe abhängig ist: »dependet ex aliquo ad extra«[85]. Für Scotus ist
das Vorherwissen inbezug auf alles Zukünftige kontingent »propter contingentiam ex parte obiecti, quod contingenter est verum
per actum voluntatis [divinae] verificantis«[86]. Ailly setzt die Kontingenz des göttlichen Vorherwissens in unmittelbare Relation zu
der erst vom freien kreatürlichen Willen zu verifizierenden Aussage[87]. Welcher Art ist diese Relation? Kann sie als ein Kausal-

---

[82] Ailly ib., bei Gregor ib. M.

[83] I d. 38 M; s. o. S. 48 f.

[84] S. o. Anm. 47.

[85] Ib. a. 3, fo 168r A.

[86] Ib. n. 30.

[87] Ib. fo 167v F/168r: Aliquod futurum contingens enuntiabile deus praescit
et ab aeterno praescivit, et tamen in potestate creaturae est facere aliquid
[= aliud]. Unde sequitur deum illud non praescire nec umquam praescivisse.
Patet, quia sit A aliquid quod potest creatura rationalis libere facere et tamen
non faciet. Tunc deus praescit et ab aeterno praescivit, quod A non eveniet,
et tamen in potestate creaturae est facere quod A eveniet et per consequens
quod deus scivit quod eveniet. Dieser Abschnitt mag an die Anm. 68 zitierten
Ausführungen Scotus' erinnern (sit una pars vera determinate, ... non tamen
ita quin in potestate causae est pro illo instanti ponere oppositum. ... quod
altera pars sit futura, dum tamen reliqua possit evenire.), jedoch ist die
Fragestellung nicht zu verwechseln. Scotus diskutiert die Folge der göttlichen
determinatio; ihm geht es um das Nichtfestgelegtsein des Zukünftigen. Ailly

verhältnis erklärt werden? Und in welcher Richtung: Weiß Gott das Zukünftige im Voraus, weil es geschehen wird, oder wird das Zukünftige sich ereignen, weil Gott es vorherweiß? Ailly folgt in der Beantwortung dieser Frage Gregor. Dieser hatte die zweite Möglichkeit ausgeschlossen, weil das Vorherwissen nicht Ursache, sondern nur ein Zeichen des zukünftigen Geschehens sei[88]. Der erste Satz dagegen (ideo deus praescit futura, quia illa futura sunt) lasse sich in doppeltem Sinn verstehen. Entweder bezeichnet er die zukünftigen Dinge als Ursachen des Vorherwissens, durch das Gott das Zukünftige vorherweiß, so wie ein farbiger Gegenstand Ursache meines Sehakts ist, durch den ich formaliter ein Sehender bin. In diesem Sinne ist der Satz falsch. Richtig ist er, wenn man ihn so versteht: Weil die Dinge geschehen werden, deshalb ist das Vorherwissen Gottes Vorherwissen, und die Begriffe »vorherwissend«, »Vorherwissen« lassen sich in Gott verifizieren, so daß die Aussage gilt: »Gott weiß das Zukünftige im voraus.«[89] Dem Vorherwissen geht logisch etwas vorauf[90]. Unser Satz beschreibt also ein Kausalverhältnis von der Art: Quia homo est animal, ideo haec est vera: ›Homo est animal‹[91]. »Causa« ist hier nicht im Sinne von Ursache sondern im Sinne von Grund verstanden. Die Übereinstimmung von Tatbestand und Aussage jedoch ist der Grund für die Wahrheit eines *Urteils*. So bezeichnet Gregor denn auch Gottes Vorherwissen inbezug auf kontingent Zukünftiges als notitia iudicialis sive iudicativa bzw. als iudicium[92].

dagegen begründet das Nichtnotwendigsein der göttlichen Präszienz mit diesem Hinweis auf die geschöpfliche Freiheit.

[88] Ib. a. 3 ad 3. princ., fo 155v O: Praescientia non est causa eventus futurorum sed signum tantummodo. Omne autem signum tantum quid ostendit, non vero efficit quod designat. Cf. Ailly ib. fo 170v F.

[89] Gregor ib. P; bis Anm. 91 cf. Ailly ib. G.

[90] Gregor ib. Q: Ut ergo ipse sit praescius, necessario requiritur, quod aliqua sint futura, et propterea, quia illa futura sunt et eius infinitae immensaeque scientiae repugnat quicquam nescire, ideo est praescius futurorum.

[91] Ib. Allgemein gesagt: Esse sic in re sicut propositio enuntiat est causa, quod illa sit vera. ib.

[92] Ib. fo 153r A: Praescientia dei de futuris potest dupliciter accipi: uno modo prout est simplex intuitio futurorum incomplexe significabilium sive entium; alio modo ut est notitia iudicialis sive iudicativa seu (quod idem est) ut est evidens et certum iudicium futurorum enuntiabilium sive complexe significabilium. Cf. Ailly ib. fo 167v E supp. 3: Scientia dei de futuris dupliciter potest accipi: Uno modo est simplex notitia vel apprehensio; alio modo est iudicium sive iudiciaria cognitio. Im Gegensatz zu der natürlich und notwendig sich vollziehenden notitia simplex, die sich auf alle inkomplexen und neutralen Begriffe richtet, ist das futura contingentia betreffende Urteil Got-

Es ist aufschlußreich, in welchem Zusammenhang dieser Begriff
bei Biel erstmalig auftaucht. Bei der Behandlung der Frage nämlich, ob es in der göttlichen Erkenntnis irgendeinen Wechsel (vicis-
situdo) gäbe, macht er sich gegen die verneinende Antwort den Einwand: Gott erkennt etwas neu (de novo) was er zuvor nicht erkannte, »quia deus aliquem prius reprobatum de novo approbat«.
Keine approbatio aber ist ohne Erkenntnis, und so schließt eine neue
approbatio eine neue Erkenntnis in sich[93]. Grundlage der solutio ist
die im Hinblick auf den Erkenntnisgegenstand vorzunehmende Unterscheidung von scientia simplicis notitiae und scienta iudicativa,
die Biel in terminologischer Anlehnung an Gregor und Ailly hier
einführt[94]. Daß Gott etwas de novo erkennt, ist inbezug auf seine
judikative Erkenntnis zuzugeben, denn »de novo iudicat proposi-
tionem veram, quae de novo est vera«. Aber das geschieht nicht
kraft eines neuen göttlichen Erkenntnisaktes, vielmehr erkennt Gott
von Ewigkeit her den Betreffenden für den Augenblick A als Un-
würdigen, für den Augenblick B als des ewigen Lebens Würdigen.
Und das beweist nicht eine Veränderung des göttlichen Wissens,
sondern eine Veränderung aufseiten des durch die Aussage bezeich-

tes kontingent. Gregor ib. fo 155v P/Q: Essentia divina est naturaliter et
necessario simplex notitia et apprehensio, entitatum enuntiabilium aut contingentium non necessario sed contingens est iudicium, et cuiuslibet futuri
contingentis est contingenter praescientia, quoniam quodlibet tale potest non
esse futurum, et per consequens deus cuiuslibet potest non esse praescius.
(Es folgt der Anm. 90 zitierte Satz.) Cf. Ailly ib. fo 171v F prop. 4: Deus
naturaliter et non libere est scientia vel praescientia futurorum. Tamen nul-
lius veri de futuro contingenti est naturaliter sive necessario, immo contingenter iudicium sive scientia iudicativa. Occam begnügt sich damit, im Hinblick auf den Gegenstand von einem weiteren und einem engeren Sinn von
»Wissen« zu sprechen. I d. 39 B: Sciendum, quod scire dupliciter accipitur
. . ., scilicet large et stricte. Primo modo idem est quod cognoscere secundum
quod cognoscere commune est ad omnia. Et isto modo deus scit hoc est cognoscit omnia, scilicet complexa et incomplexa, necessaria et contingentia,
vera et falsa, possibilia et impossibilia. Stricte scire idem est quod cognoscere
verum. Et sic nihil scitur nisi verum.

[93] Ib. a. 3 d. 5 X.

[94] Scientia dei licet in se sit una simplicissima essentia omnium cognoscibilium,
tamen in ordine ad cognita a quibusdam distinguitur in scientiam simplicis
notitiae et scientiam iudicativam enuntiabilium, quae est veritatis complexae
vel propositionaliter significatae, ut qua scit me legere, mereri vel peccare.
Scientia simplicis notitiae est scientia dei secundum quod est simplex apprehensio rerum, scientia autem enuntiabilium est eadem scientia secundum
quod est evidens iudicium eorum. Cf. Gregor I d. 39 q. 1, fo 156v I; cf.
Ailly a. 2 fo 166r B.

neten Sachverhalts[95]. Welches ist im gewählten Beispiel der Inhalt dieser neuen Aussage? Gott nimmt einen der zuvor verworfen war an, »quia deus peccatorem aliquem de novo iustificat infundendo ei primam gratiam. Sed omnem iustificatum approbat et carentem gratia reprobat. Nam approbare nihil aliud est quam aliquem iudicare dignum vita aeterna. Talis autem iudicatur omnis habens gratiam et indignus omnis carens ea, quod est reprobare.«[96]

II.

Wir brechen an dieser Stelle die Textanalyse ab und fragen, was für ein Begriff bzw. welche Erfahrung von Kontingenz sich in der vorgeführten Diskussion verrät. — Greifen wir zurück auf die erste, noch ganz formale Bestimmung, die die Betrachtung des Einleitungsartikels ergab: »Kontingent ist das, was Gott in seiner ordinatio nicht bestimmt sondern offengelassen hat, was außerhalb des natürlichen Kausalzusammenhangs steht. Kontingent ist andererseits gerade das, was Gott bestimmt hat, die aus keiner über ihm stehenden Gesetzmäßigkeit ableitbare ordinatio.«[97] Wir können jetzt präzisieren: Für Gott ist kontingent, was der Mensch entscheiden wird; für den Menschen ist kontingent, was Gott entschieden hat. Die Dimension, die dem Begriff durch das Beieinander von Gott und Mensch einerseits, von Futur und Perfekt andererseits verliehen wird, ist — das sei unsere These — der entscheidende begriffsgeschichtliche Beitrag des Nominalismus. Was hat er theologisch zu bedeuten?

Die starke Hervorhebung von Gottes potentia absoluta im Gegensatz zu seiner potentia ordinata durch Occam und seine Nachfolger ist den Interpreten von jeher als ein wichtiges Strukturelement im Denken dieser Theologen aufgefallen. Ich kann an diesem Ort darauf verzichten, die hieran sich knüpfende Geschichte der Occamauslegung und -kritik nachzuzeichnen. Seit PAUL VIGNAUX's Arbeiten dürfte für alle, denen sich aus historischer Einsicht von selbst verbietet, Erscheinungen des 14. und 15. Jahrhunderts mit nachtridentinischen Maßstäben zu messen, unbestritten sein, daß nicht nur die Absicht, den Konflikt mit der geltenden Kirchenlehre zu vermeiden, diese »skeptischen« Denker zur Anwendung des potentia-absoluta-Prinzips veranlaßt hat, daß dieses vielmehr eine positive theologische Funktion hat: Celle-ci consistait, en montrant la con-

[95] Biel ib.
[96] Ib.
[97] S. o. S. 42.

tingence de tout ordre de la nature et de la grâce, à rappeler la dé-
pendance de toutes choses à l'égard d'un Principe qui agit avec une
liberté, une gratuité souveraine[98]. In dieser Betonung der Freiheit
des göttlichen Willens ist Occam mit Scotus einig. Ja, wir können
heute so weit gehen zu behaupten, daß nicht ihre Entscheidung in
der Universalienfrage, d. h. ihre Erkenntnistheorie das Spezifikum
dieser unter dem Namen »Nominalismus« zusammengefaßten Bewegung ausmacht, daß vielmehr die Gotteslehre und der damit verbundene Offenbarungsbegriff ihr Herzstück ist und den Schlüssel
zum Verständnis des Ganzen bietet[99]. ERICH HOCHSTETTER hat in
seiner schon zitierten Untersuchung die Konsequenzen von Occams
metaphysischen Voraussetzungen für das Erkenntnisproblem herausgearbeitet. Seither wissen wir: Die Kontingenz der kraft göttlicher Allmacht aus der Fülle der Möglichkeiten in freiem Willensentscheid gewählten faktischen Weltordnung schließt jede natürliche Erkenntnis ihrer Vernunftmäßigkeit aus. Wo keine Denknot-
wendigkeit ist, gibt es keine Deduktion. Die Sinnfrage ist nicht immanent in rationalem Fortschreiten zu lösen, sondern jedem Ding
kommt seine relative Notwendigkeit unmittelbar von außen, d. h.
durch göttliche Setzung zu. Der ratio zeigt sich nur die Außenseite
der Phänomene. Dies ist von entscheidender Bedeutung für die
Frage der Erkennbarkeit einzelner Kausalbeziehungen. Nach dem
Grundsatz: »Omnis res absoluta distincta loco et subiecto ab alia
re potest per potentiam divinam existere alia re absoluta de-
structa«[100] ist »jede natürliche Wirkung nur ein *kontingentes* Pro-
dukt ihrer natürlichen Ursache, weil Gott jederzeit deren Wirken
verhindern kann«[101]. Es gibt also nur das auf Erfahrung be-
ruhende Urteil über die regelmäßige Aufeinanderfolge zweier Erscheinungen bei gleichen Begleitumständen sowie die Möglichkeit
des Experiments, durch Variation und wechselnde Isolation der Bedingungen die eine zu bestimmen, auf deren Gegebensein das erwar-

---

[98] P. VIGNAUX, Nominalisme au XIVᵉ Siècle, Paris 1948, 22.
[99] Cf. H. A. OBERMAN, Some Notes on the Theology of Nominalism (Harv.
Theol. Rev. 53), 1960, 50: I should like to suggest that Nominalistic theology
is not merely an automatic conclusion drawn out of its philosophy; but, on
the contrary, Nominalistic philosophy is the reflection and echo of its theology
and, in particular, of its concept of God's *potentia absoluta*. In turn the pre-
ponderance of its logic shows itself again and again in the way this basic
concept is applied and handled. Cf. auch L. GRANE, Gabriel Biels Lehre von
der Allmacht Gottes (ZThK 53), 1956, 62.
[100] Occ. Quodl. VI q. 6; Sent. prol. q. 1.
[101] HOCHSTETTER 149.

tete Folgeereignis eintritt[102], aber nie den Beweis einer gegenseitigen kausalen Abhängigkeit im natürlichen Bereich[103]. Die historische Bedeutung des Nominalismus für die Entwicklung der modernen Naturwissenschaft beruht auf seiner aus der metaphysischen Voraussetzung der Kontingenz der bestehenden Weltordnung folgenden Anwendung neuer wissenschaftlicher Methoden, auf der Anwendung von Induktion und Experiment. Die damit verbundene Umwandlung der Fragestellung vollzog sich zunächst auf dem Gebiet der Bewegungslehre[104]. Occams Ablehnung des aristotelischen Prinzips »Omne quod movetur ab alio movetur« hat jedoch nicht nur einen naturphilosophischen, sondern auch einen primär theologischen Aspekt, der sich an der Neufassung des Gottesbeweises durch Occam zeigt. Diesem letzteren Aspekt gilt unser Interesse.

Wir fragen: Was für eine Erfahrung findet ihren Ausdruck darin, daß bei Occam Gott der Natur gegenüber als Bewahrer gedacht wird? Was bedeutet die Nichterkennbarkeit des Kausalnexus? Was ist das für eine Allmacht, die durch den ständigen Hinweis auf die Kontingenz alles Ordinierten bekannt wird? Unsere These ist: Die Bezugnahme auf die göttliche ordinatio beweist, daß der Nominalismus Kontingenz nur als Kontingenz der Vergangenheit zu denken vermochte. Natur- und Heilsordnung sind bedingt durch einen einmal gesetzten Akt Gottes. Von diesem Gesetztsein her erscheint das Gesetzte als grenzbegrifflich kontingent, d. h. es kann als kontingent *erinnert* werden. Kontingenz ist nur im Vollzug der Ordination. Wenn daher auch theoretisch jederzeit mit einem direkten wunderbaren Eingriff Gottes in den kausal geordneten Naturverlauf gerechnet werden muß, so ist doch die Kontingenz des Gewordenseins in diesem Bereich inbezug auf mögliche Gotteserfahrung gleichsam eine Kontingenz des Unvermögens. Indem

---

[102] Cf. HOCHSTETTER 154.

[103] Cf. das bekannte Beispiel bei Occam, II q. 5 R: Non potest demonstrari, quod aliquis effectus producitur a causa secunda, quia, licet semper ad approximationem ignis ad combustibile sequatur combustio, cum hoc tamen potest stare quod ignis non sit eius causa. Quia deus potuit ordinasse, quod semper ad praesentiam ignis passo approximato ipse solus causaret combustionem, sicut ordinavit cum ecclesia, quod ad prolationem certorum verborum causetur gratia in anima.

[104] Man vergleiche dazu besonders die »Studien zur Naturphilosophie der Spätscholastik« von A. MAIER in der Reihe Storia e Letteratura: Die Vorläufer Galileis im 14. Jahrhundert; Zwei Grundprobleme scholastischer Naturphilosophie; An der Grenze von Scholastik und Naturwissenschaft; Metaphysische Hintergründe der spätscholastischen Naturphilosophie; Zwischen Philosophie und Mechanik. 5 Bde, 1949—1958.

Gottes Freiheit als Freiheit des Auch-anders-Könnens gedacht wird, ist sie außerhalb der ordinatio angesiedelt. Gottes Wirken innerhalb der ordinatio ist conservatio. Nur im Wunder, im Grenzfall greift er verändernd ein. Aber auch für diesen Fall bleibt der Kontingenzbegriff an den Kausalitätsbegriff gebunden, sofern nur ein *Wirken* Gottes (Veränderung eines Vorgegebenen) in den Blick kommt, kein *Handeln*. Der entscheidende Durchbruch vom wissenschaftlich-physikalischen (Qualifizieren eines Hypokeimenon) zum geschichtlichen Denken ist erst Luther gelungen; an die Stelle des Überführens, der Aufgliederung des Widersprüchlichen, tritt bei ihm das Paradox, die Antithese, an die Stelle der Kausalität die Kategorie des »coram«. Jedoch bewegen wir uns mit diesen Andeutungen schon auf einer anderen Ebene. Sie betreffen die Welt der Geschichte, die Luther von seinem Verständnis von Kontingenz her allererst entdeckte und der sein Interesse galt. Die aus der Freiheit des Nominalismus von der rationalistischen Metaphysik folgende Umwandlung der Naturbetrachtung wurde erst im Zuge der Aufklärung theologisch in Angriff genommen. Denn es kommt die im Bereich der Natur als ordinatio implizit enthaltene Frage des Nominalismus, die in der Reformation kein Gehör gefunden hat (cf. Luthers Ablehnung des Kopernikus!): inwiefern sie nämlich der Naturwissenschaft den Weg freigibt, als Problem erst von der Aufklärung her auf die reformatorische Theologie zu. Die Aufklärung denkt jedoch weiter in den Kategorien der Physik, die sich nun als naturwissenschaftliche Kategorien ausweisen müssen, und drängt deshalb Gott an die Grenze der Welt. Luther dagegen (sein Unvermögen inbezug auf die naturwissenschaftliche im Nominalismus sich meldende Frage eingeklammert) ist von der (traditionell gesprochen:) ordinatio her zum Geltenlassen und zur Freilegung der Phänomene der Welt gekommen gerade dadurch, daß die christliche Vernunft Schöpfung als Schöpfung sehen lernt und die weltliche Vernunft auf die phänomenale Wahrheit der Welt aufmerksam machen kann. Es ist ein wichtiges Ergebnis seiner Zwei-Reiche-Lehre, daß in der aus Gott entlassenen Welt Gott gegenwärtig ist. Der Bruch des Nominalismus kommt (durch einen neuen Bruch hindurch) bei Luther an dieser Stelle hervor: daß die christliche Vernunft die Weltphänomene nicht christlich interpretiert, sondern durch den christlichen Glauben zu sich selbst befreit. Wie ist aber der im Hinweis auf die ordinatio sich zeigende Bruch im Nominalismus selbst zu interpretieren? Gott und Welt sind nicht mehr durch stufenweise Kausalität miteinander verbunden, sie treten auseinander. Im Fernerrücken Gottes in die Funktion des Bewahrers spricht sich eine unableitbare Erfahrung aus. Wir haben zu fragen, ob dies eine Welterfahrung ist, die Gott in der Natur nicht mehr zu sehen vermag, also anthropologisch begründet wäre, oder ob die Gotteserfahrung, die sich um der Freiheit Gottes willen nicht mehr natürlich vermitteln läßt, die Phänomene der Welt freigibt[105]. Wir müssen diese Frage an dieser Stelle offenlassen, wenn wir nicht Erscheinungen, die sich eben erst anzeigen, überinterpretieren wollen, zumal der Nominalismus im Bereich der Naturbetrachtung nicht selbst ein zentrales Interesse entfaltet, sondern nur wirkungsgeschichtlich von Bedeutung ist. Gehen wir daher über zur Betrachtung der zweiten Ordination, in deren Bereich sich die Frage nach der Priorität der Erfahrungen entscheiden muß.

Zunächst können wir auch hier festhalten, daß die aus der Tatsache der Setzung folgende Kontingenz des Gesetzten, in diesem Fall des Heilsordo, eine Kontingenz der Vergangenheit ist. Die Inkarnation, die Einsetzung der Sakramente etc. werden als kontingent *erinnert*[106]. Fragen wir jedoch, wie Gott in seinem Heilswerk ge-

---

[105] So zu fragen wäre für Thomas, für den Gottes- und Welterfahrung zusammenfallen, unmöglich. Weil aber bei Occam Gott und Welt auseinandertreten, müssen wir so fragen! — Es scheint mir erwähnenswert, daß auch OBERMAN in seinem genannten Aufsatz das neue Verhältnis des Nominalisten zur natürlichen Welt hervorhebt. Er sieht in dem Gedanken der potentia absoluta den gemeinsamen Nenner der vier charakteristischen Züge: Allmacht Gottes, Unmittelbarkeit Gottes, sittliche Autonomie und Freiheit des Menschen, zur Säkularisation sich hinneigende skeptische Haltung (ib. 56). Zum zweiten Punkt bemerkt er: This quest for immediacy takes the shape of hunger for reality in respect to the created world: Nominalistic epistemology attacks the wall between perception and reality which seemed to devaluate reality as a reflection of the universals (ib. 62). Zum vierten Punkt: In his loneliness Nominalistic man is anxious to keep close to the reality of the world around him, an anxiety quite naturally accompanied by a secularization of his interests (ib. 68). Wenn ich auch OBERMANS Interpretation nicht ganz zustimmen kann, so bin ich doch in der Beobachtung des existentiellen Moments des Hungers nach Realität und Unvermitteltheit sowohl der Welt als auch Gott gegenüber mit ihm einig. Cf. auch HOCHSTETTER 25, der zum philosophischen Empirismus sowohl als auch zur Blickwendung zum Individuellen in Literatur und bildender Kunst des 13. Jahrhunderts bemerkt: »Das alles sind Ausdrucksformen eines einheitlichen neuen Erlebens.« Und weiter unten: Die Philosophie ist »auch nur *eine* Ausdrucksform des allem zugrunde liegenden Erlebens und kann nicht den Erklärungsgrund für die anderen Formen geben.«

[106] Auch bei OBERMAN erscheint die Kategorie des Historischen, die ich für angemessener halte als die gebräuchlichere wertende Rede von der positiven Heilsordnung bzw. (darauf sich beziehenden) Kirchenlehre. In The Harvest of

dacht wird als einer, der *jetzt* wirkt, fragen wir, wo möglicherweise
so etwas wie Geschichte in Sicht kommt («contingit« drückt ein Geschehen aus!), so wird klar, daß eine Kontingenz der Gegenwart
am Ort der Gnadenlehre erscheinen müßte. Denn die Gnadenlehre
ist gleichsam das Loch in der ordinatio, sofern hier am Menschen
etwas vorgeht und geschieht, was noch nicht geschehen ist, sofern
hier nämlich die Frage konkret wird, in welcher Weise ich ordiniert
bin. In der Gnadenlehre bricht die Dimension der *Zeit* auf. Erinnern wir uns an den letzten Abschnitt unserer Textanalyse: »Deus
peccatorem aliquem de novo iustificat infundendo ei primam gratiam.«[107] Dieses Beispiel hatte Biel gewählt, um den Selbsteinwand
zu bekräftigen, daß es in der göttlichen Erkenntnis einen Wechsel
geben müsse, und hatte dann, wie wir sahen, ein de novo-Erkennen
inbezug auf Gottes scientia iudicativa eingeräumt. Was bedeutet
das? Die Lehre vom Vorherwissen Gottes ist der Versuch der Scholastik, was in der Heilsgeschichte in der Zeit diskursiv als Geschehen auseinanderliegt, in Gott gleichzeitig zu sehen[108]. Denn
Gleichzeitigkeit ist als Widerspruchslosigkeit Kriterium der Wahrheit. Im Nominalismus nun ist zu beobachten, daß um der Zeit willen ein extra gesetzt wird, ein außerhalb Bedingendes[109]. Ailly, Gregor, Biel lassen um des Zukünftigen willen eine Lücke im Gleichzeitigen bei Gott (wie formal auch immer). Das ist der Sinn ihrer
Einführung des Begriffs »iudicium«: Man muß den Zeitpunkt ab-
warten, in dem das Urteil Gottes in die Zeit eingeht, wahr wird.
Dieses verifizierende extra wird auf den Menschen gedeutet. Das
iudicium Gottes gewinnt durch das facere des Menschen einen quasi
zeitlichen Charakter (Gott hält sein vorherwissendes Urteil zurück,
bis der Mensch faktisch entschieden hat). Das heißt: Das extra
bringt das Moment des Zeitlichen in den Kontingenzbegriff, jedoch
in der Weise, daß dieser bei Gott formal bleibt, weil als der geo-

---

Medieval Theology, 1963, neben der Bemerkung, daß der Begriff der misericordia dei für Biel zum Synonym für Gottes Freiheit und Kontingenz geworden ist, mit der er sich an eine bestimmte Ordnung band (44), heißt es:
God's gratuitous, self-giving love, expressed in the very fact that he chose
to commit himself at all, is not operative *actualiter* but *historice*; not existing
within the order chosen, but *in the fact that* he chose this particular order in
eternity (43, cf. 47).

[107] Biel I d. 38 a. 3 d. 5 X; s. o. S. 59.

[108] Mit Unterschieden im einzelnen natürlich; cf. den mediativ-psychologischen
Erklärungsversuch Scotus', den intuitiven Occams, den judikativen Biels etc.

[109] Ailly I q. 11 a. 3, fo 168r A: Veritas istius propositionis: »Deus scit hoc
contingenter« dependet ex aliquo ad extra. S. o. S. 56.

metrische Ort für die Zeit der Mensch angegeben wird. Fragen wir nun, wie sich die auf Seiten Gottes und die auf Seiten des Menschen behauptete Kontingenz zueinander verhalten, so läßt sich sagen, daß die formal angesetzte göttliche Kontingenz durch ihre den Haushalt von Gnade und Freiheit auf einen Punkt, nämlich die acceptatio, reduzierende Funktion sich allererst als ein Freisetzen des Menschen auswirkt. *Weil* Gott kontingent gedacht wird, wird der Mensch so tätig! Der am Rande der ordinatio sich haltende, das Faktische einklammernde Kontingenzbegriff, dem das Eindringen in die ordinatio nicht gelingt, wird virulent in der Gnadenlehre, in der das Faktische dem Menschen an die Hand gegeben ist. Die nominalistische Reduktion auf die acceptatio hebt die Auflösung der Aporie durch Augustin und Thomas, den Versuch des Überführens durch stufenweise Gnadenmitteilungen, auf. Die Betonung des facere quod in se est ist Ausdruck dieser Reduktion. Die Freiheit des Menschen wird nun zum Hypokeimenon für Gott; das facere quod in se est ist darauf aus, die Vorlage für die acceptatio Gottes zu schaffen. Hier erweist sich der grenzbegriffliche Charakter des iudicium. Zwar entspricht der Übergang vom Vorherwissen als Sehen zum Urteilen Gottes dem hermeneutisch wichtigen Wechsel von der visuellen Kategorie der infusio zur aktual gedachten imputatio; aber das Urteil Gottes ist nicht schöpferisch sondern bezieht sich auf Ontisches[110], es ist ein anerkennender Akt und nur darum kontingent, weil sein Vorgegebenes der kontingenten Entscheidung des Menschen anheimgestellt ist. Kontingenz wird also, so können wir aus dieser bedingenden Funktion des extra schließen, im Nominalismus primär im anthropologischen Bereich erfahren. Zeiterfahrung vollzieht sich als Selbsterfahrung des freien Willens.

Diese Einsicht überwindet die Verlegenheit, die das Verhältnis von Gotteslehre und Gnadenlehre den Interpreten des Nominalismus im allgemeinen bereitet. Es entspringt einem verflachenden Verständnis und wird dieser Theologie nicht gerecht, wenn man behauptet, es räche sich in der Gnadenlehre im Konservativen der ordinatio, daß in der Gotteslehre die Freiheit vor der ordinatio angesetzt wird. Hinter der Betonung des facere quod in se est steht vielmehr ein Pathos, das sich nicht aus der katholischen Sekundärfrömmigkeit ableiten läßt! Es ist nicht nur die (vom starken Ansatz der Gotteslehre her völlig unverständliche) Rückkehr zum Bestehenden,

---

[110] Und deshalb bleibt es dabei, daß die Kontingenz im Rahmen der Lehre vom Vorherwissen abgehandelt wird!

der Ursprung dieser eminenten menschlichen Aktivität ist nicht die katholische Vulgärfrömmigkeit, sondern die Tatsache, daß im Nominalismus die Erfahrung der Kontingenz durchbricht als Welterfahrung[111]. Von dieser Erfahrung her leuchtet das facere quod in se est neu auf. Aber nun wird diese Freiheit des Menschen ausgelegt als ordinatio. Daran, daß der Nominalismus nicht von der meritorischen Ordnung lassen kann, zeigt sich, daß die Kontingenz Gottes Kontingenz der Vergangenheit geblieben ist. Gottes Freiheit wirkt nicht gegenwärtig ordinierend, und so ist der Vorbehalt der acceptatio zu schwach, dem Pelagianismus in der Gnadenlehre[112] zu wehren, und es geht dann in praxi das facere doch wieder in die Vulgärfrömmigkeit über[113]. Hier hat die Kritik Luthers am Nominalis-

---

[111] Auch OBERMAN hebt hervor, daß die Betonung der menschlichen Autonomie ein eigenes Phänomen ist: This voluntaristic anthropology cannot be explained on the grounds of the doctrine of God. On the contrary, the sovereignty of God, as understood by the Nominalist, would lead to an absolute determinism. As Occam says himself, it is the experience of the contingent character of our world which »necessitates« the freedom of man (Some Notes . . . 64). Als Beleg führt OBERMAN allerdings einen Satz von Biel an: Contingentia effectus praesupponit libertatem alicuius causae agentis (I d. 38 a. 1 F), in dessen Ausführungen der Erfahrungsgrund für Kontingenz auch deutlicher hervortritt. Occam selbst verweist hier weniger auf die experientia als auf das traditionelle Argument: Hätte der menschliche Wille keine Entscheidungsfreiheit, so gäbe es keine Verantwortlichkeit, kein meritum und demeritum (cf. die gegen Scotus gerichteten Argumente I d. 38 I, Tract. de praedest. q. 1 supp. 6 P).

[112] Cf. meine Untersuchung: R. ACKERMANN, Buße und Rechtfertigung bei Gabriel Biel, Diss. theol. Tübingen 1962 [masch.].

[113] Ich muß GRANE anlasten, daß er in seinem Aufsatz über »Gabriel Biels Lehre von der Allmacht Gottes« über die Beobachtung einer zweifachen Kontingenz zu leicht hinweggegangen ist. Er weist auf die doppelte Begründung der Kontingenz der Prädestination bei Biel hin (sie entspricht genau den Konklusionen 1 und 2 von I d. 40 bei Occam, die wir oben S. 46 f. anführten) und bemerkt dazu: »Entscheidend ist hier, daß das Verhältnis zwischen Gott und Mensch durch diese Auffassung auf die personale Ebene verlegt ist« (66). Und später, bei der Feststellung, daß die Lehre von der Allmacht bei Biel dem scholastischen System eine neue Motivierung gegeben habe: Das »Denken in habitus und Qualitäten kann nicht länger das Zentrale sein, wenn der Gedanke von der Allmacht in den Vordergrund rückt; das Gewicht liegt jetzt auf dem Personalen, während der neutral-anonymen Sphäre, in der das ›habituelle‹ Denken sein Zuhause hat, nur ein untergeordneter Platz zuerkannt werden kann« (70 f). Die Kategorie des Personalen ist eine Eintragung, die der Text nicht rechtfertigt. Erst wenn wir dem effektiven Charakter der göttlichen und der menschlichen Kontingenz nachfragen, kommt die Interpretation an dieser Stelle über die formalia hinaus. W. JETTER sieht hier richtiger (Die Taufe beim jungen Luther, BHTh 18, 1954). Über Biels

mus angesetzt. Positiv, wirkungsgeschichtlich geht eine direkte Linie von Biel hinüber zu Luther. Was dieser bekämpft, ist die Verknüpfung von sich meldender Kontingenzerfahrung und Gnadenlehre.

Luther bewältigt das nominalistische extra des Offenen in einer Unterscheidung in Gott selbst. Er kann inbezug auf den verborgenen, den richtenden Gott am Determinismus festhalten und braucht nicht Gerechtigkeit und Gnade am gleichen Ort zu verrechnen, weil er die Freiheit hat, auf den deus revelatus zu verweisen. Durch diese Unterscheidung wird Gottes Handeln selber zeitlich, geschichtlich. An die Stelle des facere quod in se est kann die Passivität des Menschen inbezug auf sein Heil, das iustificari treten; denn das iudicium, die imputatio ist bei Luther ein schöpferischer Akt Gottes. Will man die nicht ableitbare Tat Luthers genetisch in einen Zusammenhang mit dem Nominalismus bringen, so kann man sagen: Luther hat die beiden geometrischen Örter der Kontingenz (bei Gott, im freien Willen) zum Treffen gebracht: Kein Wille ist so verloren frei wie der geknechtete — frei zum Sündigen. Kein Wille ist so allmächtig frei wie der Wille Gottes — frei zum Erbarmen. Damit ist erfülltes Geschehen, Kontingenz der Gegenwart allererst entdeckt, es kommt Geschichte in den Blick!

Von hier aus müssen wir die positive Beurteilung, die der potentia-absoluta-Gedanke Occams durch VIGNAUX erfährt, einschränken. Zwar ist abwertender thomistischer Kritik des Nominalismus gegenüber der unablässige Kampf um die Freiheit Gottes hochzuhalten. Sofern sich aber dieser Kampf als Ringen um den Begriff der Kontingenz vollzogen hat, ist er, wie wir sahen, nicht zu seinem Ende gekommen. Kontingenz Gottes bleibt erinnerte Kontingenz; gegenwärtig erfahren wird nur die Freiheit des Menschen. Und doch ist im Kontingenzbegriff des Nominalismus etwas in Bewegung, etwas im Werden, was, zwar nicht durch fortführende Entwicklung, aber durch den Bruch hindurch bei Luther zu Wesen und Erscheinung kommt.

Lösung in der Frage der Kausalität der Sakramente, die sich auch des Hinweises auf die Kontingenz bedient, urteilt er: »... der Ansatz wird nicht durchgeführt. Es kommt nicht zu einem immer neuen, echt geschichtlichen, persönlichen, dynamischen Begegnen mit dem personalen Heilshandeln Gottes in actu, Gott ist vielmehr ex pacto in quasi-naturhafter Statik, darin ... Echte personale Konsequenzen lassen sich eben im Schema der potentia ordinata nicht ziehen, denn diese hat unterhalb der potentia absoluta einen Raum gesicherter Verhältnisse ausgespart, in dem sich schließlich doch nur der Mensch immer höher erhebt« (84).

HANDSCHRIFTEN ZUM I. BUCH
VON GABRIEL BIELS COLLECTORIUM

von Wilfrid Werbeck
(Tübingen, Herrenbergerstraße 18)

Unter Leitung von Herrn Professor D. Dr. HANNS RÜCKERT wird seit einigen Jahren in Tübingen eine kritische Edition von GABRIEL BIELS »Collectorium circa quattuor libros Sententiarum« vorbereitet[1]. Weil die unmittelbare handschriftliche Vorlage der Editio princeps (Tübingen 1501; im folgenden: T) verloren ist[2], wird die Neuedition den Text von T unter Vergleich vor allem der Ausgaben Basel 1508 (Nachdruck 1965) und Lyon 1514 zugrunde legen. Sie wird aber selbstverständlich auch die noch vorhandenen Handschriften von BIELS Werk berücksichtigen und für die Textherstellung auswerten. Nachdem bereits FRIEDRICH STEGMÜLLER in seinem Aufsatz »Literargeschichtliches zu Gabriel Biel«[3] auf einige dieser Handschriften aufmerksam gemacht hat, sollen seine Mitteilungen hier für das I. Buch des Collectorium ergänzt und weitergeführt werden[4].

I.

1. Die Papierhandschrift der Tübinger Universitätsbibliothek Mc 194 vom Ende des 15. Jahrhunderts, deren Inhalt STEGMÜLLER kurz beschrieben hat[5], enthält in ihrem ersten Stück (fol. 1 r—97 v; im folgenden: X) die Abbreviatio BIELS zum I. Buch des Sentenzenkommentars von Wilhelm von Ockham. »Abbreviata Ockam primi Sententiarum« lautet auf fol. 1 r die Überschrift, und eine

---

[1] Vgl. dazu R. ACKERMANN, Buße und Rechtfertigung bei Gabriel Biel. Das Verhältnis von Buch IV dist. 14 q. 1 und 2 des Collectoriums zu seinen literarischen Vorlagen und zur scholastischen Tradition (Ev.-theol. Diss. Tübingen), 1962 (Masch.), 7 f.

[2] Vgl. K. STEIFF, Der erste Buchdruck in Tübingen (1498—1534), 1881, 71.

[3] In: Theologie in Geschichte und Gegenwart. M. Schmaus zum 60. Geburtstag, 1957, 309—316.

[4] Den Handschriftenabteilungen der Universitätsbibliotheken in Gießen und Tübingen sei auch an dieser Stelle für die Benutzung ihrer Bestände vielmals gedankt.

[5] AaO 312—314.

Schlußbemerkung (fol. 97 v) gibt Auskunft über den Verfasser und die Entstehungszeit: Expliciunt abbreviata primi Scripti Sententiarum Guilhelmi Ockam, extracta et elaborata per venerabilem Magistrum Gabrielem etc., sacrae theologiae licentiatus, 1486, tunc temporum almae universitatis Tuwingensis rectorem.

Derartige Mitteilungen sucht man im zweiten Stück der Handschrift (fol. 98 r—138 v; im folgenden: Y) vergeblich. Auf die Überschrift »Quaestio prima Prologi« folgt gleich der Satz: Venerabilis Guilhelmus Ockam Anglicus Scripto suo super primum Sententiarum prologum praemittit . . ., und die Handschrift endet unvermittelt und ohne Schlußbemerkung mit der Behandlung von d. 9 q. 1. Vom Inhalt her ist aber kein Zweifel möglich, daß Y ein weiteres Stadium der Arbeit BIELS an der Kommentierung des I. Sentenzenbuches darstellt. Das hat STEGMÜLLER leider übersehen, der das Stück als Werk eines Anonymus und unrichtig ebenfalls als eine Abbreviatio charakterisiert.

X und Y verwenden dasselbe Papier. Höhe und Breite der Seiten betragen 21,5 cm bzw. 15,5 cm; die entsprechenden Maße für den Schriftspiegel sind 16,0—16,5 cm und 9,5—10,0 cm. X besteht aus 7 Lagen zu je 12 Blatt und einer Lage mit 13 Blatt. Y hat nach 3 Lagen mit je 12 Blatt eine abschließende Lage mit 10 Blatt, von denen die ersten 5 beschrieben, die übrigen 5 aber, wie die Blattreste im Falz des Bandes erkennen lassen, erst nach dem Einbinden herausgerissen sind, vermutlich weil sie leer waren.

In X sind fol. 10 r (Ende des Prologs) und 43 v (auf fol. 43 r ist die Tinte mehrfach verwischt) nur zu einem Drittel, fol. 73 v (Ende von d. 29) und 97 v (Ende von X) zur Hälfte beschrieben. In Y ist fol. 117 v z. T. freigeblieben, weil auf fol. 118 r/v eine Figur zur Kennzeichnung der distinctio und indistinctio innerhalb der göttlichen Trinität mitsamt einigen Erläuterungen zum Verständnis der Figur folgt. Auf fol. 130 r und 133 v sind jeweils ca. 6 Zeilen unbenutzt; fol. 128 v und 129 r sind überhaupt leer. Die Folien waren ursprünglich nicht numeriert, erst in neuerer Zeit hat man den ganzen Band durchpaginiert. Zu Beginn der 3. Lage sind in X die beiden ersten Folien versehentlich vertauscht worden; darauf macht am Ende von fol. 36 v eine Notiz in Rotschrift aufmerksam: Hic est transpositio duorum folium sequentium; außerdem ist die richtige Reihenfolge auf fol. 37 r, 38 r und 39 r unten durch die Buchstaben b, a und c mit roter Tinte gekennzeichnet.

X und Y sind beide zum größten Teil von BIELS Schüler WENDELIN STEINBACH geschrieben worden. Das ergibt sich einwandfrei durch einen Vergleich mit den in der Tübinger Universitätsbibliothek vorhandenen Steinbach-Handschriften[6]. Von anderen Händen stammen m. E. nur fol. 25 r unten — 36 v (fast die ganze 2. Lage), fol. 56 v—60 v (die letzten 9 Seiten der 5. Lage), fol. 98 r—106 v (q. 1 des Prologs in Y) sowie fol. 122 v—123 v. Bei dem ersten und letzten dieser Stücke dürfte es sich um denselben Schreiber handeln. Die saubere, klare und kräftige Schrift STEINBACHS tritt auch dadurch hervor, daß sie, ohne unübersichtlich zu wirken, die Zeilenabstände gering hält; eine voll beschriebene Seite hat bei STEINBACH durchschnittlich 37—39 Zeilen, während es die von anderen Händen geschriebenen Partien höchstens auf 34 Zeilen bringen. In beiden Handschriften finden sich in unterschiedlicher Häufigkeit kleine Korrekturen, kürzere Zusätze, bisweilen auch etwas längere Nachträge an den inneren, oberen und unteren Rändern des Manuskripts. Diese Änderungen, die meistens durch Korrekturzeichen in den Text eingewiesen werden, sind in ihrer Mehrzahl wohl ebenfalls von STEINBACH nachgetragen worden.

2. Einen mit X weitgehend identischen, von BIEL selbst geschriebenen Text der Abbreviatio zu Ockhams Ordinatio konnte ich bei der Durchsicht einiger aus dem Butzbacher St. Markusstift stammenden Handschriften der Universitätsbibliothek in Gießen in dem Manuskript 756 ermitteln. Da die Handschrift bei ADRIAN[7] nur unvollständig beschrieben ist, sei zunächst ihr Inhalt mitgeteilt.

fol. 1r leer.

fol. 1v oben: kurzes Einteilungsschema zu den 4 Sentenzenbüchern (BIELS Hand).

fol. 2r: Einteilungsschema der vires und accidentia animae (BIELS Hand).

fol. 2v leer.

fol. 3r—50v: Petrus von Ailly, Tractatus de anima (gedruckt in Aillys Tractatus et Sermones, Straßburg 1490); fol. 3r—19v mit zahlreichen Interlinear- und Marginalnotizen von BIELS Hand, ab fol. 31v Mitte von BIEL selbst geschrieben.

fol. 51r—52v leer.

fol. 53r—78r oben: Kommentar zu Aillys Traktat (offenbar von BIEL stammend, jedenfalls ab fol. 55v von ihm geschrieben, vorher fol. 53r—55r Randnotizen von seiner Hand). — Inc.: Homo ad finem suum beatitudinem, qua secundum imaginis dei partes sibi increatas deum perfecte capiet, pervenire non

---

[6] JOH. HALLER (Die Anfänge der Universität Tübingen II, 1929, 70*) bezeichnet daher X fälschlich als »Steinbachs Auszug aus dem Sentenzenkommentar Ockham's«, ohne die oben S. 69 zitierte Schlußbemerkung auf fol. 97v zu beachten.

[7] J. V. ADRIAN, Catalogus codicum manuscriptorum bibliothecae academicae Gissensis, 1840, 227.

potest in patria, nisi ipsum recte colendo capiat in via. — Expl.: Infusae autem
sunt duae ad voluntatem pertinentes, scilicet spes et caritas, una ad intellectum,
quae est fides. De quibus alibi latius dicendum est. Amen.

fol. 78v—80v leer.

fol. 81r: Figur zur Trinitätslehre, mit Erläuterungen (BIELS Hand; identisch
mit der oben S. 69 erwähnten Figur in Y).

fol. 81v leer.

fol. 82r—86r: Gliederung und Inhaltsangabe von PETRUS LOMBARDUS, Sent. I
d. 1—48 (BIELS Hand; stimmt in der Formulierung bereits weitgehend überein
mit den Textsummarien zum I. Buch und ihren jeweils 3 Konklusionen in T).

fol. 86v leer.

fol. 87r—165r oben: (BIELS) Abbreviata Ockam I. Sententiarum. Inc.: In
Prologo quaerit de tribus principaliter: primo de theologia in se, secundo in
ordine ad unitatem, tertio in ordine ad obiectum. Circa primum investigat,
qualis notitia sit theologia, an scientia vel alia. — Expl.: siquidem negatio est
in re nihil, et ita non volitum neque a deo, cuius voluntas recta semper permanet
in saecula saeculorum. Amen.

fol. 165v—169v leer.

Die Handschrift (im folgenden: Z) besteht aus 17 Lagen mit unterschiedlicher Blattzahl. Den Beginn jeder neuen Lage hat offenbar
BIEL selbst jeweils auf der ersten Seite in der Mitte ganz unten durch
die Buchstaben a—r bezeichnet, die teilweise durch den Beschnitt
fortgefallen sind. Die 8 Lagen ab fol. 81r hatten zunächst eine
eigene Kennzeichnung, denn fol. 93—98 und 105—107 (jeweils
recto) begegnen am unteren rechten Rand die Kustoden b 1—6 bzw.
c 1—3. Höhe und Breite der Seiten betragen 21,7 cm bzw. 16,5 cm,
des Schriftspiegels 15,5—16,5 cm bzw. 10,5—11,0 cm. Die gegenüber X etwas größere Breite des Schriftspiegels, die im Vergleich zu
STEINBACH kleinere und gedrängtere Schrift BIELS und die Tatsache,
daß in Z mit Ausnahme von fol. 109 v (wo der Text nach 7 Zeilen
mit der Bemerkung »Nihil deficit« auf fol. 110 r übergeht) die Seiten voll beschrieben sind, erklären es, daß die Abbreviatio in Z nur
78 Folien gegenüber 97 Folien in X einnimmt.

II.

Von den Formalien wenden wir uns dem Text der Handschriften
zu und fragen zunächst nach dem Verhältnis von X und Z zueinander, die beide BIELS Abbreviatio zu allen 48 Distinktionen des
I. Sentenzenbuches enthalten. Leider läßt sich das zeitliche Nacheinander beider Manuskripte nicht ohne weiteres bestimmen, weil
Z keinerlei Datierung enthält. Zur Klärung einer gegenseitigen Abhängigkeit sind wir also auf innere Kriterien angewiesen, wobei die
Texte uns manche Rätsel aufgeben.

1. Gegen die Vermutung, X (überwiegend von STEINBACH geschrieben) sei eine unmittelbare Abschrift von Z (BIELS Hand), sprechen im wesentlichen drei Gründe.

a) Beide Stücke differieren nicht nur durch eine Vielzahl an sich nicht schwerwiegender Wortumstellungen, sondern auch durch zahlreiche verschiedene Lesarten[8] oder gar durch abweichenden Text[9].

b) An etwa 30 Stellen finden sich in Z Texterweiterungen, die in X fehlen, also kaum in der Vorlage von X gestanden haben können. Meist handelt es sich nur um einzelne Wörter, bisweilen aber auch um mehrere Worte[10].

c) Gegen eine direkte Abhängigkeit der Handschrift X von Z spricht vor allem, daß Z an 34 Stellen gegenüber X kleinere oder größere Textlücken aufweist, die ganz offensichtlich durch Homoioteleuton verursacht sind. Diese Lücken lassen natürlich den Sinnzusammenhang meistens unverständlich werden, und man kann sich nur darüber wundern, daß sich BIEL selbst so häufig eine solche

---

[8] Vgl. z. B. X (fol. 41r; d. 8 q. 5 a. 1 A): Notandum ergo: Definitio non data per additamentum (Z, fol. 118r: additum) dupliciter accipitur: Uno modo stricte pro definitione composita ex partibus alterius rationis, quarum una est determinans et alia determinabilis; in qua determinatio universaliter praedicatur de determinabili et non econverso (Z: qua est una determinans, altera determinabilis; in qua determinabile universaliter praedicatur de determinatione . . .). — X (fol. 53v; d. 17 q. 1 a. 1 not. 2 B): Et sic maior est complacentia respectu substantiae quam accidentis; Z (fol. 128r): Et sic magis complacet in substantia quam accidente. — X (fol. 54r; ebd.): Non autem sic est acceptus deo ante baptismum . . .; Z (fol. 128r): Non autem sic est acceptus deo puer non baptisatus . . .

[9] Vgl. z. B. X (fol. 7v; Prolog q. 10 a. 1 not. 2 B): Praxis secundum Eustratium accipitur large pro operatione cuiuscumque virtutis . . . Z (fol. 93r): Accipitur ergo praxis secundum Eustratium quadrupliciter: large operatio in genere; stricte cognitio vel praesupponens cognitionem; strictius operatio libera; strictissime operatio virtuosa. Large pro operatione cuiuscumque virtutis . . . — X (fol. 55v/56r; d. 17 q. 3 a. 2 concl. 2 C): Ex illo patet, quod aliter spiritus sanctus est causa actus caritative diligendi in nobis, ut scilicet cari simus deo, et aliter (erg.: causatur; fehlt in beiden Hss.) actus credendi et sperandi; quia illorum est causa sine speciali acceptatione, non sic actus diligendi, quo caritative diligimus deum et proximum. Z (fol. 129v): . . . non sic actus diligendi, quo caritatui.

[10] Vgl. z. B. X (fol. 15r; d. 2 q. 1 a. 1 not. 3 C): Nam pater non est filius, nec paternitas est filiatio, et tamen una singularis et simplicissima essentia est pater et filius, paternitas et filiatio, (T: generatio et spiratio activa). — X (fol. 25r; d. 3 q. 3 a. 2 concl. 2 C): Et si replicatur de conceptu veri, boni et entis, qui sint convertibiles et quidditativi convenientes deo, (Z: et tamen distinguuntur tamquam non synonymi) dicendum quod . . .

Nachlässigkeit hat zuschulden kommen lassen. Aber jedenfalls kann X, wo alle diese Lücken fehlen, nicht Z als Vorlage gehabt haben.

2. Der letzte Befund führt notwendig zu dem Schluß, daß die Handschrift Z ihrerseits eine Abschrift und nicht etwa BIELS Vorlesungskonzept oder die erste Ausarbeitung der Abbreviatio ist. Hierzu würde auch das äußere Schriftbild der Handschrift passen, die verhältnismäßig wenige Streichungen und so gut wie keine Randnachträge aufweist. Einige der Streichungen zeigen übrigens, daß der Schreiber auch an anderen Stellen mit dem Auge abgeirrt war, dann aber noch rechtzeitig den Fehler bemerkte und korrigierte[11]. Könnte nun das Abhängigkeitsverhältnis umgekehrt sein und Z auf X basieren? Diese Möglichkeit ist, was den jetzigen Zustand von X betrifft, von vornherein dadurch ausgeschlossen, daß die Mehrzahl (ca. 250) der Nachträge in X in Z fehlt; nur etwa 45 vorwiegend kurze Randkorrekturen von X stehen bereits im Text von Z[12]. Aber auch im nicht-korrigierten Stadium kann X nicht Vorlage von Z gewesen sein, wie sich einmal aus den oben unter 1 a) gemachten Feststellungen und ferner aus der Tatsache ergibt, daß in Z sehr häufig Worte, Satzteile oder gar einzelne Sätze fehlen, die in X im Text stehen und keineswegs nachgetragen sind. Schließlich sind hier noch drei Stellen anzuführen (fol. 123 v. 148 r. 162 r), an denen in Z eine Lücke für ein bzw. zwei Worte gelassen wird, die offenbar in der Vorlage unleserlich waren, in X aber deutlich geschrieben sind.

3. Machen unsere Beobachtungen die Annahme einer unmittelbaren Abhängigkeit von X und Z unmöglich oder zumindest zweifelhaft, so steht doch andererseits fest, daß die Grundlage von X eine Textform ist, die dem Text von Z sehr nahesteht, ja sogar mit ihm weitgehend identisch ist. Trotz aller bisher notierten Differen-

---

[11] So heißt es etwa fol. 91v (Prolog q. 8 a. 3 dub. 2 G): Solutio: Notitia principiorum est causa effectiva non conclusionis, sed notitiae conclusionis. Secundum patet, quia notitia sive assensus conclusionis acquiritur per notitiam principiorum. Primum patet, (quia notitia sive assensus conc) quia neque . . . Die eingeklammerten Worte sind gestrichen; der Blick des Schreibers war also vom zweiten zum ersten »patet« zurückgegangen. Ähnliche Fälle, die nur bei der Abschrift von einer Vorlage erklärlich sind, begegnen z. B. fol. 104v. 113v. 142r. 162r.

[12] Es ist vielleicht kein Zufall, daß 10 der 45 Nachträge, die in Z bereits vorhanden sind, in X auf fol. 57r—60v stehen, die nicht zu den von STEINBACH geschriebenen Partien von X gehören (vgl. o. S. 70). Allein bei drei dieser 10 Korrekturen dürfte der Ausfall zunächst durch Homoioteleuton zustande gekommen sein.

zen stimmen X und Z verglichen mit T in der Regel überein, nicht nur im Wortlaut, sondern vor allem auch hinsichtlich der anderen Abweichungen von T (s. darüber unten III 2 b—d). Die Identität des Textes von Z mit der Vorlage von X tritt besonders an den etwa 45 Stellen in Erscheinung, an denen X ihren ursprünglichen Wortlaut korrigiert. In d. 3 q. 5 a. 2 heißt die concl. 1 E in T, X und Z gleichlautend: Primum cognitum a nobis ab intellectu primitate generationis est singulare. Darauf folgte in X (fol. 26 r), übereinstimmend mit Z (fol. 108 r): Quia primum cognitum et ratio cognoscendi praecedunt potentiam (Z: praecedit potentia). Nachträglich wurden jedoch in X die Worte ab »primum« gestrichen und am Rand durch folgenden Text ersetzt: (Quia) illud, quod primo cognoscitur ab aliqua potentia sub aliqua ratione, sub illa ratione praecedit actum illius potentiae. Wie hier, so deckt sich auch in den meisten anderen dieser Fälle der Wortlaut von T mit der Korrektur von X. Doch lassen sich Variationen beobachten. So liest Z in d. 36 q. un. a. 1 concl. 3 D (fol. 158 r): Nihil quod (est realiter deus) continetur in deo virtualiter vel eminenter, est idem deo realiter. X streicht die eingeklammerten Worte, berücksichtigt aber die Fassung von Z durch die unmittelbar anschließende Randnotiz (fol. 89 r): vel: Nihil quod est realiter deus, continetur in eo virtualiter vel eminenter. T folgt an dieser Stelle dem ursprünglichen Wortlaut von X, ebenfalls ohne die eingeklammerten Worte. — Dagegen bietet T in d. 44 q. un. a. 2 concl. 1 D den Text von Z (fol. 163 v): deus potest facere mundum meliorem isto specie distinctum (Z: distincto) quantum ad partes substantiales. Hier streicht X die Worte »quantum ad partes substantiales« und fügt am Rande ein (fol. 95 v): ab illo, et maxime quoad aliquas res distinctas specie et quoad pluralitatem specierum. — Schließlich ein drittes Beispiel aus d. 17 q. 4 a. 2 concl. 3 B, wo der Text in Z lautet (fol. 129 v): Improprie forma suscipit magis et minus, ut valeat (X: valet) tantum: Una forma (est maior vel minor alia intensive. Et) ita praedicta concedenda est . . . X streicht die eingeklammerten Worte und schreibt statt dessen (fol. 56 r): (Una forma) est maior forma et una alia forma est minor forma. Et ita sub consimili intellectu illa praedicta . . . T berücksichtigt beide Fassungen und stellt sie, durch »vel« verbunden, nebeneinander!

4. Unsere bisherigen Ergebnisse, wonach X und Z nicht direkt voneinander abhängen, andererseits aber der Handschrift X ein mit Z überwiegend gleichlautender Text zugrunde liegt, lassen m. E. nur

den Schluß zu, daß beide von einer unbekannten dritten Handschrift abschreiben. Ungeklärt bleibt dabei freilich, woher die zahlreichen korrigierenden Nachträge in X stammen — die, wie gesagt, in ihrer Mehrzahl in Z fehlen, dagegen mit T übereinstimmen —, während manche kleineren Korrekturen von X bereits im Text von Z berücksichtigt sind. Hat sich etwa die weitere Arbeit BIELS an der Abbreviatio nur in jener unbekannten Handschrift niedergeschlagen und ist durch STEINBACH in Gestalt der Korrekturen nachträglich in seine Abschrift X übernommen worden? Dann müßte man wohl annehmen, daß X ursprünglich vor Z geschrieben worden ist, die Änderungen aber erst etwas später vorgenommen wurden, als Z schon bestand. Nach Ausweis der Schlußbemerkung (s. o. S. 69) ist X vor dem 1. Mai 1486 entstanden, da BIEL bis zu diesem Tage das Rektoramt bekleidete; Z ist dagegen nicht datiert. Doch läßt sich eine Stelle aus d. 44 q. un. a. 3 dub. 2 E als Beleg dafür anführen, daß auch Z erst in BIELS Tübinger Zeit gehört. Dort heißt es in Z (fol. 163 v): Sicut (T: Sic) duo ignes, unus in Roma (so auch T; X, fol. 96 r: Tuwingensi), alius in Tuwingensi (X: Porckenheim; T: Anglia) tenderent (X, T: tendunt) ad eundem locum non numero, sed specie (T: specie, sed non numero). Vielleicht läßt sich die Differenz bei den Ortsangaben folgendermaßen deuten: X bietet den Text der unbekannten Handschrift, bei der es sich um das Vorlesungsmanuskript BIELS handeln könnte. Daß dieser Text in der Zeit 1485/86 von »Tübingen« und »Pforzheim« spricht, ist leicht erklärlich, wenn man bedenkt, daß BIEL zusammen mit Reuchlin und Nauklerus im Jahre 1482 zum Gefolge des Grafen Eberhard im Barte auf dessen Romreise gehörte und daß Reuchlin nach seiner juristischen Promotion (1484/85) als Anwalt in Stuttgart, als Beisitzer am Hofgericht und als geheimer Rat Eberhards auch weiterhin in stetem Kontakt mit Tübingen und den dortigen Gelehrten blieb[13]. In Z hätte dann BIEL durch die Nennung von »Rom« und »Tübingen« das Lokalkolorit abgeschwächt und es später durch die Fassung von T ganz beseitigt zugunsten eines Verweises auf die Heimat Ockhams, der seinerseits von »Oxford« und »Paris« gesprochen hatte (I d. 44 F). Ist diese Deutung richtig, so würde sie die oben geäußerten Vermutungen der Abhängigkeit von X und Z von einer gemeinsamen Vorlage und der ursprünglichen Priorität von X stützen.

---

[13] Vgl. HALLER, aaO I, 1927, 239; STEGMÜLLER, aaO 310 Anm. 1; H. RUPPRICH, Johannes Reuchlin und seine Bedeutung im europäischen Humanismus (in: Johannes Reuchlin 1455—1522, hg. v. M. KREBS, 1955, 10—34), 13 f.

5. In welcher Weise man aber auch die durch das Nebeneinander von X und Z entstehenden Probleme zu lösen versucht, so steht doch fest, daß die Handschrift X in ihrer endgültigen Gestalt ein späteres Bearbeitungsstadium darstellt als Z und aufs Ganze gesehen denjenigen Text bietet, der dem Druck T am meisten entspricht oder angenähert ist. Dennoch vermittelt auch Z einen wichtigen Einblick in die Arbeit BIELS am I. Sentenzenbuch und ist für die Textherstellung der kritischen Edition schon deshalb bedeutsam, weil T vielfach Lesarten und Wortformen mit Z gegen X hat.

III.

Die Frage nach dem Inhalt von X und Z im Vergleich zu T haben wir bisher beiseite lassen können, weil beide Handschriften in dieser Hinsicht kaum verschieden sind. Es ist nun aber an der Zeit, auch die Handschrift Y in unsere Untersuchung einzubeziehen und nach dem inhaltlichen Verhältnis von X^{14} und Y und beider Stücke zu T zu fragen.

1. X behandelt sämtliche 48 Distinktionen des I. Sentenzenbuches und stimmt in der Anzahl und Formulierung der Quästionen mit T überein. Dagegen hat Y nur Ausführungen zu den Quästionen 1, 2, 7—12 des Prologs, ferner zu d. 1 q. 1, 3 und 5; d. 2 q. 1, 4, 6, 7 (aber nur kurze Inhaltsangabe), 8—10; d. 3 q. 2—6, 9; d. 4 q. 1; d. 5 q. 1—3; d. 8 q. 1, 2, 7; d. 9 q. 1. Es fehlen also Darlegungen zu q. 3—6 des Prologs; d. 1 q. 2, 4, 6; d. 2 q. 2, 3, 5, 11; d. 3 q. 1, 7, 8, 10; d. 4 q. 2; d. 6 q. un.; d. 7 q. 1—3; d. 8 q. 3—6. Allerdings wird zu d. 1 q. 2 bemerkt: Quaestio secunda satis clara est (fol. 111 v), und zu d. 1 q. 4: Quaestio quarta: Utrum solus deus sit obiectum fruitionis. Haec satis clara est (fol. 112 v). Auch das Fehlen von q. 3—6 des Prologs wird motiviert (fol. 107 v): Circa quaestionem tertiam notentur, quae de abstractis in abbreviatis sunt notata. De quaestione quarta, quinta et sexta quaere supra in abbreviatis. Hieraus sowie aus einigen weiteren Verweisen auf X innerhalb von Y^{15} ergibt sich, daß Y die Existenz von X voraussetzt und dort Gesagtes nicht wiederholen will. Wo daher bereits in X die ganze oder fast die ganze Quaestio im Umfang von T vorliegt (Prolog q. 3—6,

---

[14] Der Einfachheit halber wird im folgenden Z nur dort eigens erwähnt, wo die Handschrift nennenswert von X abweicht.

[15] Fol. 100r in einer Randnotiz; fol. 114r: Et de hoc latius in abbreviatis; ebd. letzte Zeile: Dicendum ut in abbreviatis ...; fol. 119r: Tractat opinionem tertiam, quam colligit ex dictis Scoti in diversis passibus, quae satis summata est in abbreviatis.

12; d. 2 q. 5; d. 4 q. 2; d. 7 q. 1; d. 8 q. 3, 5, 6), wird sie in Y nicht
noch einmal behandelt; eine Ausnahme bildet lediglich q. 12 des
Prologs, wo Y einen von X und T ganz abweichenden Abschnitt
über Gott als subiectum hat. Ein Vergleich der in X und Y gemeinsamen Quästionen zeigt vielmehr, daß Y die Ausführungen von X
ergänzt und weiterführt. In einigen Fällen ist diese Ergänzung
so weitgehend, daß X und Y zusammen den ganzen oder fast vollständigen Text von T ergeben. So entspricht q. 7 des Prologs in X
den Buchstaben A—D von T; die fehlenden Buchstaben E—H finden sich in Y. Die q. 9 des Prologs ist mit Ausnahme eines Teils des
Buchstabens A und des ganzen Buchstabens E bereits in X bezeugt;
beide Lücken werden von Y geschlossen. Von q. 11 des Prologs hat
X nur a. 1 not. 2—4 C—E sowie a. 2 concl. 1—5 F/G; alles übrige
steuert dann Y bei: a. 1 not. 1 A/B und a. 3 H—M. In derselben
Weise werden q. 8 und 10 des Prologs; d. 2 q. 8 und 9; d. 5 q. 3; d. 8
q. 2 und 7; d. 9 q. 1 von X und Y gemeinsam bezeugt. Nur einmal
(d. 8 q. 1) kommt es vor, daß sich eine Quaestio fast vollständig
allein in Y findet; hier begnügt sich X mit der Wiedergabe von vier
Konklusionen Ockhams, die in Y und T keine Entsprechung haben.
In allen übrigen Fällen wird X durch Y mehr oder weniger weitgehend ergänzt, ohne daß beide gemeinsam den Textbestand von T
erreichen. Auch hierfür einige Beispiele: X hat von d. 2 q. 6 a. 1
A/B und a. 2 concl. 1—4 C; Y ergänzt die Buchstaben D/E, es fehlen aber noch F—H. Zu d. 2 q. 10 bietet X den größten Teil von a. 1
not. 1 A sowie a. 2 concl. 1.2 E/F; bei Y kommt hinzu a. 1 not. 2
B—D und a. 2 concl. 3 G; während so a. 1 und 2 vollständig belegt
sind, fehlt a. 3 mit den dubia 1—3 H—M. Ähnlich steht es bei
d. 3 q. 2; X: a. 1 A (2. Teil); a. 2 concl. 1 C; concl. 2 D; concl. 3 F;
Y ergänzt a. 1 A (1. Teil). B; a. 2 concl. 2 E; a. 3 dub. 1.2 G—I;
nicht vorhanden sind dub. 3.4 K/L.

Dieser Sachverhalt beweist nicht nur die Bedeutung von Y für
die handschriftliche Bezeugung von Biels Collectorium zum I. Sentenzenbuch, sondern er vermittelt auch einen weiteren wichtigen
Einblick in die Entstehungsgeschichte des Werkes. Um so mehr muß
man es bedauern, daß Y schon bei d. 9 abbricht und dadurch die
zahlreichen Lücken von X nicht geschlossen werden. Über die schon
genannten Quästionen hinaus hat X nur noch folgende (nahezu)
vollständig im Umfang von T: d. 12 q. 2; d. 17 q. 2 und 5; d. 26
q. 2 und 3; d. 30 q. 1—5; d. 34 q. un.; d. 35 q. 4; d. 43 q. 2; d. 45 q.
un.; d. 47 q. un. Mit Ausnahme von d. 30 q. 4 handelt es sich dabei
durchweg um kürzere Quästionen.

2. a) Nun ist aber ferner zu beachten, daß die Partien in X und
Y zwar überwiegend mit dem Text von T identisch sind, daß es
aber auch eine ganze Reihe größerer oder kleinerer Abweichungen
gibt. In vielen Fällen hat offenbar BIEL den Text später weiter korrigiert und ausgefeilt, auch Querverweise innerhalb des Collectorium oder Hinweise auf Ockham und andere Quellen eingefügt, die
in X und Y noch fehlen.

b) An nicht wenigen Stellen ist der Text sogar mehr oder weniger
stark bearbeitet und neu formuliert worden. So heißt es z. B. in X
am Anfang von d. 1 q. 1 (fol. 10 v): Pro quo notandum, quod aliquid potest assumi in facultatem voluntatis vel propter se vel propter aliud. Propter se, quando aliquid assumitur in facultatem voluntatis, etiamsi nihil aliud praesentaretur voluntati per intellectum.
Dicitur autem aliquid assumi in facultatem voluntatis, quando voluntas circa ipsum habet aliquem actum tamquam circa obiectum,
actum dico velle vel nolle. Assumitur autem aliquid in facultatem
voluntatis propter aliud, quando cum sic assumpto voluntati aliud
ab intellectu conpraesentatur; quod si non praesentaretur, voluntas non haberet circa ipsum talem actum. Exemplum primi: ut
actus quo voluntas vult dulcem seu delectabilem potum quia delec-
tabilis, non referendo illud in sanitatem vel aliquid aliud; hunc enim
apprehendit voluntas, etiamsi nihil aliud ostendatur. Exemplum
secundi: velle potum amarum propter sanitatem. Hunc enim potum
vult voluntas, quem non vellet, nisi simul ostenderetur sibi sanitas
per eum acquirenda. — Dieser Abschnitt hat in T, etwas ergänzt
und umformuliert, folgendes Aussehen (d. 1 q. 1 a. 1 not. 2 B): Secundo notandum, quod aliquid assumere in facultatem voluntatis
potest intelligi dupliciter: vel propter se et sine relatione in aliud
vel propter aliud et cum relatione in aliud actu vel habitu. Secundum modum loquendi Gregorii dist. 1 q. 1 art. 1 assumere aliquid
in facultatem voluntatis est voluntatem circa ipsum habere actum
aliquem tamquam circa obiectum ipsum, scilicet acceptando vel
deacceptando, volendo vel nolendo. Assumere in facultatem voluntatis propter se et sine relatione in aliud est, quando aliquid assumitur in facultatem voluntatis, etiamsi nihil per intellectum praesentaretur voluntati. Sed assumere in facultatem voluntatis propter
aliud est, quando assumitur aliquid, alio coassumpto, quod nisi per
intellectum voluntati praesentatum fuisset aut praesentaretur, voluntas non haberet circa ipsum talem actum. Primus est non referens in aliud, secundus vero est referens. Exemplum primi: velle
libere delectantem potum et dulcem sine relatione ad sanitatem con-

sequendam. Exemplum secundi: velle huiusmodi potum praecise propter sanitatem, sive dulcis sit sive amarus, dum scilicet nollet potum talem, si non praesumeret se per eum consequi sanitatem.

Noch ein Beispiel sei zur Illustration solcher ergänzender und neu formulierender Bearbeitung angeführt. Das 1. und 3. Notabile von d. 1 q. 2 lauten in X (fol. 12 r): Notandum quod frui dicitur a fructu. Fructus autem est ultimum. Ergo frui est ultimus actus, sed actus voluntatis est ultimus. Est autem frui secundum beatum Augustinum 1. doctrina Christiana alicui amore inhaerere propter se. Et 10. De civitate dei[16]: Fruimur, ait, cognitis, in quibus voluntas delectata conquiescit. ... Tertio notandum, quod cum quaeritur, utrum frui sit actus solius voluntatis, non excluditur hic intellectus. Cum enim intellectus et voluntas sint omnino idem, quidquid est actus intellectus, etiam est actus voluntatis. Verum quod intelligere sive cognoscere et velle vel appetere sunt actus realiter distincti. Anima autem in ordine ad actus cognitivos dicitur intellectus, et eadem anima in se indistincta in ordine ad actus appetitivos vocatur voluntas. Unde quaestio nihil aliud quaerit nisi: Utrum frui sit actus cognitivus vel appetitivus. — Demgegenüber d. 1 q. 2 a. 1 not. 1.3 A in T: Quantum ad articulum primum notandum secundum Doctorem, quod frui dicitur a fructu; fructus autem est ultimum, quod exspectatur culto agro vel campo vel in alia re fructifera. Cum ergo actus voluntatis hominis sit ultimus et ab intellectu vel intellectione causatus, ergo frui erit ultimus actus, et ita voluntatis. Verum haec persuasio non cogit, et utendum est terminis sicut eis utuntur auctores, qui nominant frui esse actum voluntatis; ergo. Item: Actus voluntatis est quietativus. Sed fruitione voluntas delectata conquiescit. Unde Augustinus X. De trinitate: Fruimur cognitis, in quibus propter seipsa voluntas delectata conquiescit. Item: Frui est amore alicui inhaerere propter se. Sed ad solam voluntatem pertinet alicui inhaerere per amorem. ... Tertio notandum, quod cum quaeritur, utrum frui sit actus solius voluntatis, non excluditur intellectus, propter potentiarum identitatem. Verum cum intelligere et velle sunt actus realiter distincti, sicut etiam appetere et cognoscere, connotati per hos terminos »intellectus« et »voluntas«, qui licet pro eadem re supponantur, connotant tamen actus diversos, in quos potest anima, unde et diversa sortiuntur vocabula diversos actus connotantia: ideo potius sumuntur illa nomina pro connotato quam substrato. Unde quaerit quaestio, an frui sit actus

---

[16] Z (fol. 96v): 10. De trinitate c. 10.

cognitivus vel appetitivus seu an frui sit cognoscere vel velle. Posset enim de rigore concedi, quod frui est in intellectu quia est in voluntate, quae identificatur intellectui, licet frui non sit intelligere.

c) Bisweilen äußert sich die nachträgliche Bearbeitung in Form von Umstellungen oder anderer Einordnung. In q. 3 des Prologs z. B. bringt T beim Buchstaben B zunächst vier Konklusionen und danach die Frage, wie die passio von ihrem subiectum unterschieden werde, mit anschließender Antwort. Diese Frage steht in X (fol. 2 v) gleich nach den conclusiones 1 und 2. Es folgt (fol. 3 r) der Satz: »Omnis distinctio passionis et subiecti importantium res praesupponunt distinctionem rerum«, dem in T nichts entspricht[17]. Dann erst hat X die conclusiones 3 und 4, die aber erstens nicht als conclusiones bezeichnet sind und ferner in umgekehrter Reihenfolge stehen (4 vor 3); außerdem weicht der Wortlaut in X von dem der concl. 4 in T ab. In X folgen noch zwei kurze Absätze, die wiederum in T keine Entsprechung haben, und erst dann stimmen X und T mit Beginn des Buchstabens C bis zum Ende der Quaestio wieder überein. — Ähnlich setzt X (fol. 92 r) in d. 40 q. un. mit einem Notabile ein, das sich in T in a. 2 C als concl. 2 wiederfindet. Auch Y bietet Beispiele dieser Art: In q. 1 a. 3 des Prologs werden in Y im Anschluß an Ockham die ersten sieben der 10 dubia Ockhams (a. 6 RR—CCC) behandelt. T dagegen hat nur fünf dubia, von denen lediglich dub. 1 M und dub. 5 S den dubia 2 und 7 in Y entsprechen. Die dubia 1 und 3—6 von Y fehlen in T völlig. Die dubia 3 Q und 4 R von T aber finden sich in Y bereits im art. 2, wo sie natürlich nicht als dubia formuliert sind.

Ein besonders instruktives Beispiel dafür, was in einem Einzelfall die Umstellung eines Abschnitts und die Änderung der Reihenfolge veranlaßt hat, findet sich in d. 2 q. 1. Dort behandelt Biel in dem umfangreichen dubium 3 die Ansicht Ockhams zu der Frage, ob in der göttlichen Trinität die relatio von ihrem suppositum, also die paternitas vom Vater oder die filiatio vom Sohn, formaliter zu unterscheiden sei oder nicht. Es bereitet Biel offensichtlich Unbehagen und Schwierigkeiten, daß er sich für die von ihm selbst vertretene erste Alternative nicht auf eine klare Äußerung seines Meisters berufen kann, weil Ockham in dieser Frage keine eindeutige Entscheidung getroffen habe. Einige Stellen des Sentenzenkommentars und vor allem q. 3 von Ockhams Quodl. I sind

---

[17] Z bringt diesen Satz erst nach concl. 4 und vor concl. 3.

nach BIEL als Ablehnung einer distinctio formalis zwischen paternitas und pater zu verstehen (dub. 3 Q). Ihnen stehen jedoch zahlreiche Äußerungen in Sent. I entgegen, die das Gegenteil besagen
(dub. 3 R/S). Als Fazit seiner Darlegungen und Ockham-Zitate
ergibt sich für BIEL (dub. 3 T), daß einerseits Ockham im Sentenzenkommentar und in den Quodlibeta gegensätzliche Ansichten vertreten habe und andererseits seine Bestimmung der distinctio formalis in Sent. I d. 2 nicht ausreichend sei. BIEL betont zwar erneut,
daß die von ihm aus Ockham angeführten Gründe die distinctio
formalis notwendig machen[18]. Aber der scheinbare Widerspruch
bei Ockham läßt ihm doch keine Ruhe. Eine Lösung auf Grund
äußerer Kriterien, daß nämlich Ockham die in den Quodlibeta
vertretene Meinung im Sentenzenkommentar korrigiert hätte, ist
deswegen nicht möglich, weil die chronologische Reihenfolge der
beiden Werke die umgekehrte zu sein scheint — schon BIEL hat sich
also mit Fragen befaßt, die noch die moderne Ockhamforschung
beschäftigen[19]. BIEL löst nun den Widerspruch in der Weise auf, daß
er annimmt, Ockham habe in zwei verschiedenen Hinsichten über
die distinctio formalis gesprochen, und die eine Weise komme in
den Quodlibeta, die andere im Sentenzenkommentar zum Ausdruck. Diese Annahme, so fährt BIEL nach T (dub. 3 V) fort, wird
durch Ockham selbst in d. 28 gestützt, wo er ausdrücklich von
zwei Betrachtungsweisen der distinctio formalis von paternitas
und pater spreche. BIEL zitiert die betreffenden Sätze aus d. 28 und
faßt dann noch einmal zusammen: In Scripto itaque sequitur opinionem secundam tamquam doctorum dictis magis consonam. In Quodlibeto sequitur primam tamquam eam, quae rationibus improbari
non potest. Et per hoc sibiipsi contrarius non probatur. Abschließend
(dub. 3 X) wird der erneute Einwand kurz besprochen, daß dennoch die von Ockham in Sent. I d. 2 q. 1 gegebene Bestimmung der
distinctio formalis nicht mit dem Verhältnis von relatio und suppositum übereinstimme. BIEL gibt dem Einwand teilweise recht, weist

---

[18] An ergo diversa senserit (Occam) vel non, illud videtur omnino tenendum,
quod relatio, puta paternitas, formaliter distinguatur a patre ex rationibus
adductis ...

[19] Quid autem dicendum ad Auctorem? Si Quodlibetum praecessit Scriptum,
faciliter diceretur, quod dicta in Quodlibeto correxisset in Scripto. Si autem
Quodlibetum sequitur Scriptum, quod videtur ex eo posse sumi, quia in
prima quaestione primi Quodlibeti allegat Scriptum iuxta finem quaestionis,
potest dici ... Die letzten Worte ab »Quodlibetum sequitur« sind in Y (fol.
117r) am rechten Rand nachgetragen; zunächst lautete der Text nur: Sin
autem, potest dici ... !

aber darauf hin, daß eben Ockham an anderen Stellen weitere Gründe für die distinctio formalis aufzähle.

Aus Y wird nun ersichtlich, warum sich BIEL so sehr mit der Interpretation des scheinbaren Widerspruchs bei Ockham abgemüht und nicht von vornherein auf d. 28 hingewiesen hat: er hat nämlich diese Stelle zunächst gar nicht beachtet und ist erst nachträglich auf sie aufmerksam geworden. In Y schließt an dub. 3 T sofort der Abschnitt X an, der wie in T mit den Worten endet (fol. 117 r): Cui non placet haec defensio Auctoris (T fügt hinzu: profusa et prolixa satis), afferat aliam. Libens cedo sententiae saniori. Erst dann folgt der Abschnitt V, der in Y mit der Bemerkung beginnt (fol. 117 v): Haec scribens, non occurrebant ea, quae Auctor ponit dist. 28. Nam quaerens praescriptas allegationes, transilivi distinctionem 28, in qua clarius solvit dubium nostrum. Ibi enim expresse innuit duas opiniones... V ist allerdings in Y kein Nachtrag, wie es sicherlich in BIELS eigenem Konzept der Fall war. Später hat BIEL zwar den Text des dubium als solchen beibehalten und die Abschnitte R—T nicht gekürzt, aber er hat nun V vor X eingeordnet und den einleitenden Satz durch die Fassung von T ersetzt: Illud est de mente Occam dist. 28, in qua clarius solvit dubium istud.

d) Es wurde bereits erwähnt (s. o. S. 80), muß jetzt aber noch einmal eigens hervorgehoben werden, daß es sowohl in X als auch in Y Partien gibt, die in T fehlen, also offenbar in einem späteren Stadium der Arbeit gestrichen worden sind. Vielleicht hat BIEL diese Teile zuerst in stärkerer Anlehnung an Ockham formuliert, während er später, auch unter dem Einfluß anderer von ihm herangezogener Quellen, Ockhams Text gegenüber freier geworden ist und die Probleme etwas selbständiger darstellen konnte. So werden etwa in X zu d. 8 q. 1 im wesentlichen nur Ockhams vier Konklusionen (d. 8 q. 1 I—M) mit jeweils kurzer Begründung wiedergegeben. Dagegen ist Y, deren Text in dieser Quaestio bis auf kleine Abweichungen mit T identisch ist, nicht nur viel ausführlicher, sondern wendet sich auch gegen Ockhams mit der opinio communis übereinstimmende Ansicht, daß Gott in genere praedicamentali sei. BIEL stützt sich dabei in seiner Auseinandersetzung mit Ockham offenbar auf Gregor von Rimini und dessen Augustin- und Aristotelesinterpretation.

Außerdem wird hinsichtlich der Erweiterungen von X und Y gegenüber T von Fall zu Fall zu prüfen sein, ob diese Abschnitte immer ganz weggefallen sind oder nur an anderer Stelle und in anderer Formulierung in T auftauchen. STEGMÜLLER[20] hat als Beispiel einer Erweiterung in X auf den Beginn von d. 17 q. 3 hingewiesen, wo es heißt (fol. 55 v): Notandum quod caritas, quia abstractum huius nominis »carus«, idem est quod »complacens« vel »acceptus«. Et ideo proprie accipiendo significat quo aliquis est deo complacens vel acceptus, non qualicumque complacentia, sed propriissime dicta, scilicet ad vitam aeternam, modo supra exposito[21]. Et licet de facto spiritus sanctus nullum acceptet ad vitam aeternam, nisi cui infundit habitum caritatis, non tamen includit contradictionem acceptare sic aliquem sine omni dono creato, ut supra probatum[22] est. Sic ergo caritas dupliciter potest accipi. Uno modo pro illo, quo sic meritorie diligimus deum, quod sine illo nullus potest esse carus deo nec meritorium opus facere. Et illo modo caritas est gratuita dei voluntas, acceptans aliquem tamquam dignum vita aeterna. Et ita supponit pro divina voluntate, connotando aliquem ordinari vel dignificari per spiritum sanctum ad vitam aeternam. Alio modo accipitur pro illo, sine quo secundum legem dei[23] ordinatam nullus est acceptus ad vitam aeternam, nec opus aliquod meritorium. Et sic supponit pro habitu infuso, inclinante ad dilectionem dei et proximi. STEGMÜLLER bemerkt dazu, dieser ganze Passus fehle in T, und das ist insofern richtig, als ihm in q. 3 tatsächlich nichts entspricht. Aber in T verweist BIEL in q. 3 a. 1 not. 1 A u. a. auf q. 1 a. 3. Hier liest man am Anfang des dub. 4 K tatsächlich Ausführungen, die sich dem Sinne nach mit jenem Passus in X zumindest berühren: ... accipiendo caritatem absolute pro forma inhaerente et carus pro omni illo, cui praeparatur vita aeterna, sic de potentia dei absoluta potest aliquis esse carus sine caritate. Unde notandum, quod est caritas creata et increata. Sine caritate increata nemo potest esse carus deo. Sed sumendo pro caritate creata sumitur dupliciter, scilicet pro quodam habitu absolute infuso; et sic non est nomen connotativum, sed absolute significat illam qualitatem. Et sic iterum aliquis potest esse carus sine caritate. Alio modo sumitur pro termino connotativo, ut est abstractum illius concreti »carus« accepti ad sensum praefatum, ut scilicet connotat aliquem esse gratum deo. Et sic sine caritate nemo potest esse carus deo.

[20] AaO 314 f.
[21] STEGMÜLLER irrtümlich: expedito; Z (fol. 129r): modo supradicto vel exposito.
[22] STEGMÜLLER irrtümlich: positum.
[23] Dieses Wort ist in kleiner Schrift oberhalb der Zeile eingefügt; es fehlt in Z (fol. 129v) und bei STEGMÜLLER.

IV.

Wie schon erwähnt (s. o. S. 69), ist die Handschrift X auf das Jahr 1486 datiert; sie muß vor dem 1. Mai geschrieben worden sein, weil BIEL als »damaliger Rektor der Universität Tübingen« bezeichnet wird, und dieses Amt versah er vom 18. Oktober 1485 bis zum 1. Mai 1486. Seine Professur hatte er am 22. November 1484 angetreten. So wird STEGMÜLLER recht haben, wenn er meint, X enthalte »Biels Kommentar zum ersten Sentenzenbuch in einer Fassung, die 15 Jahre vor dem Erstdruck ... liegt, wahrscheinlich wie sie von Herbst 1484 bis Frühjahr 1486 in Tübingen vorgetragen wurde«[24]; an anderer Stelle spricht er von einer »Frühfassung von Biels Kommentar«[25]. Dagegen ist es angesichts unseres Vergleiches von X mit T zumindest mißverständlich, wenn STEGMÜLLER schreibt: »Nichts spricht dafür, daß Steinbach [vor der Drucklegung] in Biels Text inhaltliche Eingriffe gemacht hätte; vielmehr lag Biels Text für das I. Buch bereits 1486 ... ausformuliert vor«[26], und in seinem Artikel über BIEL im LThK[2] angibt[27]: »Beendete I Sent. vor 1. 5. 1486 ...« Auch die im Anschluß an STEGMÜLLERS Aufsatz formulierte Angabe von OBERMAN[28]: »Das erste Buch wurde vor oder im Jahre 1486 geschrieben ...« erweckt den Anschein, als gelte sie vom Text des ganzen I. Buches in der endgültigen Fassung von T.

Demgegenüber sind die Handschriften X und Z, wie sie selbst sagen, eine Abbreviatio[29], d. h. sie haben einen wesentlich geringeren Umfang als T. Gemessen an T enthalten sie, so wird man urteilen müssen, in der Regel nur den Grundbestand der einzelnen Quästionen; die Zitierung von und Auseinandersetzung mit anderen scholastischen Autoren fehlt noch fast völlig, und die notabilia und dubia sind bei weitem nicht so zahlreich wie in der Endfassung. In den mit T übereinstimmenden Teilen ist der Text zwar schon weitgehend identisch und ermöglicht insofern eine willkommene Kontrolle bei der Textherstellung für die kritische Edition. Aber an vielen Stellen sind doch Abweichungen, Neuformulierungen,

---

[24] AaO 314.
[25] AaO 315.
[26] AaO 316.
[27] LThK[2] II, 454.
[28] Gabrielis Biel Canonis Misse Expositio, ed. H. A. OBERMAN u. W. J. COURTENAY, I, 1963, IX. Vgl. auch H. A. OBERMAN, Spätscholastik und Reformation I, 1965, 23.
[29] Als »abbreviata« bezeichnet BIEL seine Erklärung des I. Sentenzenbuches auch später noch hin und wieder, z. B. in III d. 1 q. 1 a. 1 not. 3 G/H.

Änderungen in der Gedankenfolge, Umstellungen oder Kürzungen zu konstatieren.

Die leider unvollständige und undatierte, aber jedenfalls später als X geschriebene Handschrift Y bedeutet einen weiteren Schritt auf dem Wege zur Endfassung und läßt erkennen, in welcher Weise BIEL die Abbreviatio allmählich ausgebaut und seine Basis verbreitert hat. Aber auch Y ist noch nicht identisch mit T, so daß von ihr mutatis mutandis dasselbe gilt, was von X und Z gesagt wurde. Wir müssen daher annehmen, daß BIEL nach dem durch Y bezeugten Stadium weiter mit der Arbeit an der Kommentierung des I. Sentenzenbuches beschäftigt blieb. Dagegen scheint der Text der Bücher II und III des Collectorium, wie er von BIELS Hand in der Gießener Handschrift 734 vorliegt und dort auf den 25. März 1488 und den 13. August 1489 datiert ist[30], zum größten Teil mit T übereinzustimmen. Stichproben zeigen aber, daß auch hier noch einzelne Lücken bestehen. Die Bearbeitung des IV. Buches, die BIEL ja nicht mehr hat vollenden können, wird ihn bis zum Lebensende zu Nachträgen und Präzisierungen in den Büchern I—III veranlaßt haben.

---

[30] Wie schon OBERMAN (Canonis Misse Expositio, IX Anm. 9; Spätscholastik und Reformation, 22 mit Anm. 70) gezeigt hat, geht aus Sent. III d. 4 q. un. a. 3 dub. 1 not. 2 coroll. 6 H hervor, daß BIEL im Laufe des Jahres 1488 mit der Ausarbeitung des III. Buches beschäftigt war. Die Arbeit an Buch II hat er offenbar gleich nach Beendigung der Abbreviatio zu Buch I in Angriff genommen, also noch im Jahre 1486. Vgl. die in diesem Zusammenhang m. W. noch nicht beachtete Stelle Sent. II d. 2 q. 1 a. 2 concl. 7 M, die in der Gießener Hs. 734 (fol. 19 rb) lautet: Duratio angelorum usque ad (T: in) hodiernum diem (T fügt hinzu: die) 21. Octobris anni gratiae 1486 est 6600 annorum. Diese Datierung kann sich kaum auf den Zeitpunkt der Niederschrift der Gießener Hs. beziehen, die ja für Buch II erst am 25. 3. 1488 beendet war, sondern ist von BIEL sicherlich unverändert aus seinem Konzept übernommen worden.

DREI NEUJAHRS-SERMONE GABRIEL BIELS ALS BEISPIEL SPÄTMITTELALTERLICHER LEHRPREDIGT

von Werner Jetter
(Tübingen, Im Rotbad 42/1)

I.

Der »Herbst der mittelalterlichen Theologie« hat neuerdings durch HEIKO A. OBERMAN eine glänzende Darstellung gefunden. Gestalt und Werk des letzten großen nominalistischen Lehrers werden dort in ein neues Licht gerückt[1]. OBERMAN hat dabei nachdrücklich auf Biels Sermone hingewiesen. Sie belegen nicht nur die fromme Kirchlichkeit, auch die überraschend starke Marienfrömmigkeit Biels, sondern können neben seinen akademischen Werken als nicht minder gewichtige Quellen zur besseren Erfassung der Theologie Biels gelten[2].

Daß zu den Herbstfrüchten der mittelalterlichen Theologie und zum Vorabend der Reformation auch ein Aufschwung des Predigtwesens gehört, sowohl eine steigende theologische Hochschätzung der Predigt wie auch ein zunehmendes Interesse des gebildeten Teils der städtischen Bevölkerung an ihr, ist bekannt. Der spätmittelalterliche Prädikantengottesdienst wurde nicht nur institutionell, sondern auch personell für die Reformation hochbedeutsam: man konnte sich bei der Neuordnung des Gottesdienstes manchen Ortes an ihn anschließen, und in den Reichsstädten vor allem waren gerade die jungen, theologisch gebildeten Prädikanten für den Durchbruch der Reformation verantwortlich. Man hatte die Predigt im Mittelalter keineswegs vergessen, sondern ihre Theorie immer wieder bedacht und in Regeln niedergelegt[3]. Ihre volkserziehe-

[1] H. A. OBERMAN, »The Harvest of Medieval Theology — Gabriel Biel and Late Medieval Nominalism«, Cambridge/Mass. 1963. Deutsche Ausgabe »Spätscholastik und Reformation — der Herbst der mittelalterlichen Theologie«, Zürich 1965.

[2] AaO S. 263.

[3] Grundlegend: TH. M. CHARLAND: Artes Praedicandi. Contribution à l'Histoire de la Rhétorique au Moyen Age, Paris—Ottawa 1936.
Man denke an das oft genannte Abschlußwerk der spätmittelalterlichen Homiletik von JOHANN ULRICH SURGANT: Manuale Curatorum predican-

rische und politische Bedeutung war ebensowenig zu übersehen wie die Tatsache, daß sich in ihrer Hochschätzung oder Geringschätzung, in ihrer Pflege oder ihrer Wirkungslosigkeit immer auch der jeweilige Bildungsstand oder Bildungsnotstand des Klerus widerspiegelte, und natürlich auch der des Kirchenvolks. Es liegt aber in der Natur der Sache, daß sich in diesen Hinsichten das meiste der literarischen Dokumentation entzieht; die einschlägigen Quellen sind relativ spärlich und schwer zugänglich[4]. Auf alle Fälle gehören sowohl die Regeln wie die Früchte der mittelalterlichen Predigtkunst zu den selten betretenen Gefilden der Theologiegeschichte. So scheint es nicht abwegig zu sein, sich einmal an einem einzelnen Beispiel spätmittelalterlicher Predigt zu versuchen.

dis prebens modum tam latino quam vulgari passim quoque gallico sermone practice illuminatum. Cum certis aliis ad curam animarum pertinentibus. Omnibus curatis tam conducibilis quam salubris. Basel 1502. D. ROTH hat dieses Manuale des Plebans von St. Theodor in Basel auf dem Hintergrund der mittelalterlichen Predigttheorie dargestellt (Basler Beiträge zur Geschichtswissenschaft Band 58, Basel—Stuttgart 1956). Diese verdienstvolle historische Untersuchung regt sehr zu theologischer Vertiefung an. Sie setzt ein mit Augustins De doctrina christiana und mit der regula pastoralis Gregors d. Gr. und verfolgt dann die Linie der Predigttheorie über Guibertus de Novigento (1053—1114), der seinem Genesiskommentar ein Prooemium vorangeschickt hat »Quo ordine sermo fieri debeat«, und über Alanus ab Insulis (1200) mit seiner »Summa de Arte Praedicatoria« weiter. Die Handschriften und Drucke zur homiletischen Theorie tragen Titel wie »libellus seu tractatus de arte praedicandi« oder auch einfach »de modo praedicandi«. Ein andermal — bei Guillaume d'Auvergne — heißt es »Rhetorica divina sive ars oratoria eloquentie divine«. Noch ausführlicher nennt sich eine dem Albertus Magnus zugeschriebene Abhandlung »de arte intelligendi, docendi et praedicandi res spirituales invisibiles per res corporales et visibiles et e converso pulcra et utilissima«. Dem Aquinaten zugeschrieben wird ein »tractatus sollenis de arte et vero modo praedicandi«. Auch unter den Werken Bonaventuras findet man eine Ars praedicandi. D. ROTH läßt diesen ganzen Strom von Regeln einmünden in die große humanistische Homiletik des Erasmus von Rotterdam, seinen »Ecclesiastes sive Concionator Evangelicus« von 1535. Es wäre eine große Aufgabe, die Bedeutung der Rhetorik für die kirchliche Predigt historisch und grundsätzlich zu untersuchen!

[4] Predigten in der Volkssprache sind nur spärlich überliefert. In der stark missionarisch bestimmten Situation sind sie nicht anders vorstellbar. Im etablierten Gemeindegottesdienst mag der Priester je und je den Text aus dem lateinischen Lektionar übersetzt und mit vorbereiteten oder spontanen Anmerkungen und Anwendungen »gewürzt« haben. Erst spät konnten Predigtbücher als Vorlagen dienen. Die Erzählungen über die Wirkung der Predigt großer, manchmal auch unbekannter Gottesmänner sind meist legendär eingefärbt und lassen kaum Rückschlüsse zu (Beispiele über solche Triumphe geistlicher Beredsamkeit im Wettkampf mit heidnischen Rhetoren erzählt D. ROTH aaO S. 178 f.).

Wenn die Wahl dabei auf Gabriel Biel gefallen ist, so bedarf dies hier kaum ausführlicher Begründung, da er nicht nur für die Anfänge einer theologischen Fakultät in Tübingen, sondern auch für die Initia Lutheri zugegebenermaßen von erheblicher Bedeutung war. Bei ihm treffen die umsichtig gesammelten, selbständig bedachten und schulmäßig interpretierten Hauptfragen der Scholastik noch einmal zusammen mit starken Strömungen der Frömmigkeit im ausgehenden Mittelalter. Er vertritt ebenso die Via moderna wie die Devotio moderna. Auch kommt er vielfachen kirchlichen Verantwortungen nicht weniger getreu nach wie seinen wissenschaftlichen Interessen. Der Einfluß seines theologischen Vokabulars auf Luther ist unbestreitbar[5]. Die weitverbreitete Meinung, nach der im Lehrgebäude des spätmittelalterlichen Nominalismus dem Reformator ein Zerrbild katholischer Kirchenlehre gegenüberstand, wird sich schwerlich aufrecht erhalten lassen[6].

Wir nehmen nun ein solches Beispiel aus Biels Sermonen vor, von dem aus ein Blick auf vergleichbare Predigten Luthers möglich ist und interessant zu werden verspricht, auch wenn ein solcher Vergleich hier nicht mit vorgelegt werden kann. Die Frage nach möglichen Einflüssen der Predigt Biels auf die Predigt Luthers erforderte ja ohnehin eine viel breitere Untersuchung und die Kompetenz des Historikers. So beschränken wir uns hier darauf, die ausgewählten Sermone Biels nach ihrer formal-homiletischen Seite nachzuzeichnen und ihre theologischen Aussagen vorzustellen. Predigten sind nie nur typisch für die Epoche, in der sie gehalten werden, sondern immer auch für den Mann, der sie hält. Meist haben sie auch ihre atypischen Besonderheiten von Text und Casus her, gleichviel, wie es um die zeitüblichen oder individuellen Grundsätze in dieser Hinsicht bestellt gewesen sein mag. Zudem tragen sie neben den Stigmata der schwerlich mehr rekonstruierbaren Stunde auch die des jeweiligen Gelingens oder Mißlingens an sich. Eine exaktere Kennzeichnung des Bielschen Predigttyps innerhalb des mittelalterlichen Predigtwesens würde die entsprechende Durchsicht seiner

---

[5] Man übersieht m. E. Wichtiges im Werden der reformatorischen Theologie, wenn man in der Frage nach dem Wesen und Wirken der Gnade, nach der worthaften Präsenz des Heils den beim jungen Luther gegenüber der herrschenden Kirchenlehre eigenartig veränderten Stellenwert des Sakraments außer Betracht läßt. Vgl. W. JETTER, Die Taufe beim jungen Luther, Tübingen 1954, darin über Biel S. 79—108. OBERMANS Werk läßt nun Biels Positionen in viel umfassenderen Zusammenhängen erkennen.

[6] OBERMAN dürfte dies im ganzen nunmehr deutlich nachgewiesen haben.

sämtlichen Sermone voraussetzen; sie müßte sich wohl auch um die Originalmanuskripte bemühen, die vielleicht noch teilweise auffindbar sind[7]. Aber auch eine solche Fleißarbeit, zu der wir natürlich nicht in der Lage sind, würde für sich allein nicht recht befriedigen. Denn formale und materiale Homiletik sind unlösbar miteinander verzahnt, und man wird einer Predigt schwerlich gerecht, wenn man ihre wesentlichen theologischen Aussagen und ihren theologischen Impetus unentfaltet läßt. Erst darin bekommt man die Besonderheit einer Predigt wirklich zu Gesicht und mit der Eigenart des betreffenden Predigers wirklich zu schaffen. Da man den Predigten Biels unausweichlich unter dem Riesenschatten des Reformators begegnet, wird das Hauptinteresse erst recht gebieterisch auf die theologischen Aussagen gelenkt. Denn Luther ist gerade durch die leidenschaftliche Bemühung um die theologische Verantwortung der evangelischen Lehrsubstanz in der Predigt schier mit Naturgewalt zu einem auffälligen, souveränen Beiseiteschieben jeglicher artes praedicandi geführt worden, jedenfalls aber zum absoluten Primat des Inhaltlichen in der Predigt. Seine Invention der materia praedicationis erfolgte nicht mit Hilfe der Schulregeln, sondern ursprünglicher und polemischer zugleich. Er bedurfte dazu nicht der rhetorischen Schulhilfen, sondern nur des Textes und des Kairos, um in deren Zusammenprall beide aufzuschließen.

Biels Sermone sind wenig bekannt und dem Leser schwerlich zur Hand. Die vergleichbaren Luthertexte sind leichter greifbar. Darum wird man mit den wörtlichen Nachweisen aus Biels Predigten nicht allzu sparsam verfahren dürfen; wir haben sie jedoch zur Hauptsache in die Anmerkungen verwiesen, die dadurch freilich umfangreich geworden sind.

II.

Biels Sermone sind erst posthum im Druck erschienen. Die vollständige Ausgabe gliedert sie in vier Abteilungen: Predigten für die regulären Sonntage des Kirchenjahrs, die Christusfeste, die Marienfeste und die hauptsächlichen Heiligentage. Ein sermo historialis zur Passionsgeschichte, für den Biels Verfasserschaft allerdings nicht gesichert ist, ist ihnen als Anhang beigegeben[8].

[7] Mitteilung von Dr. W. Werbeck, Tübingen.

[8] Die Überschriften der vier Abteilungen lauten: 1. Sermones dominicales de tempore tam hyemales quam estivales divini verbi eximii concionatoris Gabriel Biel Spirensis (aus Speyer), sacre theologie Licentiati. Diese Abteilung beschließt ein Summarium dreier Predigten in Zeiten der Pest nebst

Aus den Predigten zu den Christusfesten greifen wir die drei
Sermone zum Neujahr heraus. Für heutiges Empfinden hat am
Neujahrstag der kalendarische Casus jedem anderen Thema den
Rang abgelaufen. Er pflegt predigtähnliche Betrachtungen über den
Zeitlauf und die Zeitläufte auszulösen, die man dann »von Weih-
nachten her« etwas mühsam in ein kerygmatisches Gefälle einbettet.
Biels Neujahrssermone haben davon natürlich nichts an sich. Sie
haben das sprödeste Thema zum Gegenstand und die kürzeste
Perikope zum Text, nämlich die Beschneidung und Namengebung
Jesu nach Lukas 2,21. Darauf war man im Kirchenjahreszyklus
zwischen Weihnachten und Epiphanias gewiesen. Auch Luther folgt
diesem Brauch; er verwahrt sich sogar ausdrücklich gegen die ihm
wohlbekannten Sitten und Unsitten, »das new iar außzuteylen
auff der Cantzel, als hett man sonst nit gnug nutzlichs, heylsams
dings zu predigen«[9]. Freilich ist das Heimweh nach dem traditionellen Text und Thema heute schwerlich mehr groß; unverzicht-

einer questio de fuga pestis, sowie ein tractatus de obedientia sedis apostolice
contra emulos suos — offenkundig jenes Defensorium obedientie apostolice,
mit dem Biel 1462 im Streit zwischen Mainz und der Kurie für die letztere
Stellung nahm. Dieser Pius II. gewidmete Traktat »annectitur sermonibus
prefatis quasi eorum robur et fulcimentum invincibile«. 2. Sermones de
festivitatibus Christi. Sie sind mit dem Untertitel versehen: »Sermones for-
males notabiles et magistrales de festivitatibus Christi spectabilis viri magistri
Gabrielis Biel, sacre theologie licentiati, olim ecclesie metropolitane sancti
martini Moguntiani etc. predicatoris ordinarii per ipsum ibidem et alibi ad
populum declamatorie predicati«. Biel war von 1460—1468 Dompropst in
Mainz. Der Untertitel verrät auch, daß Biels Predigten nicht erst für die
Gesamtausgabe zusammengestellt worden sind.   3. De festivitatibus glorio-
sissime Virginis marie sermones.   4. sermones de sanctis insignioribus. Diese
beiden Abteilungen weisen keine Untertitel auf. Als Anhang ist dem Ganzen
beigegeben ein sermo seu potius Tractatus notabilis atque preclarus dominice
passionis, mit einem Vorwort von Florentinus Diel aus Speyer, magister
artium und lic. theol. vom Mainzer Kollegium »zum Algesheimer«.
Die früheste Ausgabe der Predigten ist in Tübingen 1499 erschienen. Oberman zieht die Hagenauer Ausgabe von 1510 für die ersten drei Abteilungen
zusamt dem sermo historialis heran, für die sermones de sanctis eine Basler
Ausgabe von 1519. Uns lag die vom Oktober 1519 bis März 1520 in der
Granschen Offizin zu Hagenau gedruckte und vom archibibliopola Johannes
Ryn de Oringau verlegte zweite Auflage vor. Mit nennenswerten Text-
varianten hat man wohl nicht zu rechnen. In die Fragen der Datierung, der
mündlichen Gestalt und der literarischen Konzeption könnte erst ein Vergleich mit den Manuskripten Biels Licht bringen.

[9] WA 10/I, 504 — Kirchenpostille 1522. Dort auch ein Beispiel dieses Brauchs,
allerlei Wünsche kunstvoll oder vulgär an die Standespersonen der Gemeinde
zu adressieren.

bare und dringliche kerygmatische Impulse wird man kaum mehr
darin anerkennen, und auch die Symbolik der Namengebung, an
die sich die Neujahrslieder dann verständlicherweise lieber gehalten
haben, ist in den Hintergrund getreten. Aber unverkennbar gebot
die kirchenjahrsmäßige Neujahrsthematik christozentrische Predigt:
Daran, daß Jesus sich beschneiden ließ, war sowohl sein Recht auf
den heilverheissenden Namen wie auch das Verständnis seines heil-
bringenden Amtes zu erhellen. Und wenn er seine Unterwerfung
unter das alttestamentliche Gesetz gemäß Gal. 4,4[10] mit jenem
sakramentsähnlichsten Heilsmittel des alten Bundes dokumentierte,
dann mußte das eine soteriologische Entfaltung des Christuskeryg-
mas veranlassen. War es doch schon alte Gewohnheit, an Hand
der Beschneidung die Frage nach dem Heil der Menschen vor der
Erscheinung Christi zu erörtern, und das heißt für das mittelalterliche Heilsverständnis eo ipso: nach Heil verschaffenden Sakramenten in der Epoche der lex vetus und der lex naturae vor der
promulgatio der nova lex Ausschau zu halten. Daher kommt der
Beschneidung oft geradezu eine Schlüsselstellung in der Sakramentslehre zu, und unter diesem Thema sind in den Neujahrspredigten
Biels wie Luthers in der Tat instruktive Äußerungen über Sakrament und Rechtfertigung und eingehende Auseinandersetzung mit
der Überlieferung zu erwarten[11].

Die drei Neujahrssermone De Circumcisione Domini tragen im
2. Teil der Gesamtausgabe die laufenden Nummern 13, 14 und
15. Sermo 13 ist so lang wie die beiden anderen zusammen, die im
Register sogar als eine einzige Predigt erscheinen, dies aber durchaus nicht sind — jeder hat seine eigene Untergliederung, und der
dritte, kürzeste, hat auch sein eigenes Thema, nämlich Lk 2,21a,
während die beiden ersten Sermone jeweils Lk 2,21b zum Thema
machen. Sie haben auch alle unverkennbar je ihr eigenes Exordium,
das vom Prothema zum Thema und mit dem Suspirium — der Anrufung des göttlichen Beistands in Form eines Ave Maria — zur
Gliederung und damit zur Darlegung und Behandlung der materia
sermonis führt[12]. Sie stammen sicher aus drei verschiedenen Jahren.

---

[10] In unsern Sermonen wiederholt angeführt — zB. 13 D.

[11] Auch OBERMAN zitiert diese Sermone mehrfach — S. 50, 111, 131, 154,
253, 254, 260, 370, 377.

[12] Sermo 13 enthält die Abschnitte A—N, s. 14 A—K, s. 15 A—E (darunter C
und C¹; ist das Zählversehen und nachträgliche Korrektur, Einschub oder
redaktioneller Eingriff?). In der mittelalterlichen Predigttheorie bezeichnet
Prothema ein meist der Perikope, evtl. auch einem Nebentext, dem Fest oder

Die Bindung der Perikope an das Fest schließt es aus, daß darüber
auch am Sonntag vor oder nach Neujahr gepredigt worden sein
könnte. Falls man an Nachmittagsgottesdienste denken wollte,
konnte man natürlich zur selben Sache, aber wohl kaum zum selben
Text reden wie in der Messe am Vormittag. Den sachlichen Zu-
sammenklang der drei Predigten kann man selbstredend vor allem
in der Person und der schulgeprägten Position des Predigers gewährleistet finden. Auch wird man an ein relativ beständiges, auf
fortlaufende Belehrung bedachtes Auditorium, in Mainz etwa an
das Domkapitel und die Domscholaren, denken können. Für die
Kürze der dritten Predigt findet sich eine sehr natürliche Erklärung,
nämlich ein Hinweis auf gesundheits- oder altersbedingten Kräfte-
mangel[13]. An der Länge der ersten Predigt kann auch die Übung
beteiligt sein, die zitierten Autoritäten für den Druck zu ergänzen
oder auszuschreiben. Dennoch muß man ebenso sicher auch mit
stilistischen Eingriffen größerer oder kleinerer Art durch Bearbeiter
und Herausgeber rechnen, denen gewiß weniger an der Authen-
tizität und Vollständigkeit der einzelnen Sätze als an der sachlichen Abrundung und Vorbildlichkeit der verhandelten Lehre
und an der exemplarischen Brauchbarkeit dieser Sermone lag. Es
gibt deutliche Anzeichen literarischer Eingriffe, ebenso wie der
ausdrückliche Vermerk nicht fehlt, daß diese Sermone nicht an
ein und demselben Ort gepredigt worden sind[14].

dem Casus entnommenes Satzstück, das als Überschrift fungiert, sachlichen
Bezug auf das Gesamtthema haben soll und in jedem Fall das Thema der
Einleitung darstellt. Es muß den biblischen Wortlaut nicht diplomatisch getreu wiedergeben, sondern sinnvoll, kann also z. B. eine störende Praeposition
oder Copula und dgl. ruhig weglassen. Sermo 13 und 14 haben das gleiche Prothema: »Vocatum est nomen ejus Jesus«; im Sermo 15 heißt es: »Consum-
mati sunt dies octo, ut circumcideretur puer«. Das Suspirium lautet im s. 13:
»de quibus pro gratia impetranda dicatis Ave Maria«; im s. 14 einfach:
»de quibus etc. Avema.« und im s. 15: »pro gratia Avemaria«.

[13] 15 B: Multum ut intellexistis loquendi materiam sacramentum circumcisionis
domini nostri ministrat, sed facultatem et tempus et vires denegant. Ex multis ergo pauca consideremus. Auch der alternde Luther mußte des öfteren
von solchen Entschuldigungen Gebrauch machen. Die Wendung »ut intellexistis« kann sich auf die Angaben im Exordium beziehen, aber natürlich
auch auf frühere Predigten oder auf die kirchliche Informiertheit der Hörer.
Sie scheint ebenso mündlich vorstellbar wie als redaktionelle Stilisierung erklärlich zu sein.

[14] Vgl. Anm. 8: »ibidem et alibi«. Biel war nach seiner Mainzer Zeit Propst
in Butzbach, später in den Communitätshäusern der Devotio moderna in
Urach und in Einsiedel auf dem Schönbuch — während er gleichzeitig an
der Tübinger Universität lehrte und auch zweimal deren Rektor war. 1495

Im ganzen herrscht der Eindruck vor, daß man es mit wirklichen Predigten zu tun hat. Der Aufbau, der mit Prothema—Exordium—Thema (in unsrem Fall die Kurzperikope selber) — Suspirium—Divisio und Subdivisio den Schulregeln folgt, gibt ihnen freilich ein etwas schematisches Aussehen. Aber der Übergang vom Sermo zum Tractatus war wohl immer fließend, und gerade der etwas penetrante Schulschematismus dürfte für die gehaltenen wie für die gedruckten Predigten gleichermaßen kennzeichnend gewesen sein. Im übrigen hatte diese Rolle der rhetorischen Regeln in der mittelalterlichen Predigtkunst wohl überwiegend praktische Gründe. Es schlug sich da generationenlange Predigterfahrung und Predigterziehung nieder. Die antike Rhetorik hatte der Kirche weithin ihren Bildungsfundus und damit überhaupt die Voraussetzungen der kunstvollen öffentlichen Rede vermittelt. Ihre Regeln funktionierten als ganz formale Hilfen nicht nur zur Zubereitung, sondern auch schon und vor allem zur Auffindung des Predigtstoffs. Darum gaben sie auch den Sermonen ihre Gestalt, sofern man nicht vorzog, völlig kunstlos die einzelnen Textwendungen »postillenhaft« (post illa verba textus) vulgär oder gelehrt zu kommentieren. Darum treten sie vor allem in den Eingangspartien entgegen; denn dort findet kein Vorhutgeplänkel statt, sondern wird die Schlacht um die eigentliche inventio der Rede geschlagen.

Innerhalb dieses Schemas fehlt es nicht an den Stilmerkmalen lebendiger Rede. Häufig begegnet jenes »heute«, durch das das Festdatum mit Sache und Zeit der Verkündigung zusammengeschlossen wird und das von den Ursprüngen jeglicher Kult-Theologie, jeglicher Epiphanieerwartung eines numen praesens her die klassische Zeitangabe des kultischen Wortes ist[15]. Es ist natürlich,

ist er gestorben. Die gedruckten Sermone gehören vermutlich in ihrer Mehrheit der früheren Zeit seines Wirkens an. JEDIN, der für OBERMANS Arbeit über Biel ein Vorwort geschrieben hat, weist dort auf eine Untersuchung der Bielschen Sermone durch LUISE ABRAMOWSKI hin. Leider ist diese Arbeit, die uns vielleicht manche Vermutungen ersparen könnte, nicht publiziert worden.

[15] 13 A: Hodie .. aliquid mirabilius proponitur. 13 L: Ideo namque dominus hodie sanguinem primum in circumcisione fundere voluit. 14 A: Hodie in nati regis circumcisione .. In diesem Exordium wird die Gegenüberstellung des vergangenen und jetzigen Festtenors (Weihnachten und Neujahr) geradezu Prinzip: Mirabamur in illa die, summam maiestatem apparuisse in forma servi. miramur in ista, eundem deum verum de deo patre ac hominem verum de virgine matre (sine peccato) genitum tanquam peccatorem circumcidi. In illo die pro modulo nostro gratias egimus, amantes et laudantes, quod ad educendum vinctos de carcere venit redemptor in carcerem mundi huius.

daß man mit »dixi« auf schon Gesagtes Bezug nimmt[16] oder auch
auf »gestern« Ausgeführtes verweist[17] — wogegen ein Hinweis auf
die folgende Predigt doch wohl deutlich die Hand des Herausge-
bers erkennen läßt[18]. Auch der vorherrschende Wir-Stil paßt gut

> magnificamus tota devotione dominum hodie, quod catenas et vincula nostra
> suscepit et, ut reos absolveret, innoxias manus eorum catenis inseruit. In na-
> tivitate vidimus cum pastoribus verbum abbreviatum super terram parvulum
> . . . tenellum iacens in presepio, quo ad humilitatem imitandam admonemur.
> Hodie in eius circumcisione sub lege factum cognovimus, qui legem dedit,
> unde ad obedientiam nos, qui legi tenemur, aptius imitandam admonemur. Et
> sicut in illa die nativitatis sue exordio divinis humana sociavit, ut heri dic-
> tum est, Ita in hac circumcisio veritatem humane nature prophetat. Es ist
> freilich hier überall das Heute der *Predigt*, der Kanzel, nicht das des Kult-
> mysteriums am Altar; es ist das etwas abgeblaßte »heute« dankbarer Kennt-
> nisnahme und vorsätzlicher Nachahmung, wie sie durch die mittelalterliche
> Predigt angestrebt werden.

[16] 14 C.

[17] Siehe in Anm. 15: ut heri dictum est.

[18] Dies ist 13 N der Fall und sicherlich redaktionell: ecce audivimus modum
nostre liberationis . . . secundum membrum sequens sermo declarabit. Das
wiederholt sich am Ende dieses Abschnitts: deductionem huius membri vide
in sermone sequenti. Zuvor ist dort ein Augustinzitat mitten im Satz abge-
brochen; die letzten Sätze klingen so, als fange man doch noch an, zu explizieren, was man soeben aufzuschieben versprach . . . D. h. hier fehlt ganz
schlicht der Predigtschluß; es läßt sich nicht sagen, wie weit er noch in den
wenig geschickten redaktionellen Zwischensätzen steckt. Schwierig wird dann
auch bei näherer Überlegung ein sehr ursprünglich klingender Rückverweis
am Anfang des sermo 14 (B): De quo late hoc ipso die decurso anni circulo
memoro me locutum, ideo hoc membro dimisso aliud ad me converto. Der
Wortlaut legt nahe, an denselben Festtag nach Ablauf eines Jahres zu denken.
Man kann dann sinnvoll sagen: Ich erinnere mich, darüber vor Jahresfrist ausführlich gepredigt zu haben. Aber wenn der Prediger auch im Konzept des
Vorjahres nachgeblättert haben kann, so bleibt es doch kühn, dasselbe Auditorium und in diesem schlicht das gleich intensive Erinnerungsvermögen
vorauszusetzen. Oder soll man darin eine geschickt eingefügte, indirekte redaktionelle Aufforderung sehen, die Vorjahrspredigt nachzuschlagen? An
eine zweite Predigt am selben Neujahrstag zu denken wäre zwar sprachlich
nicht ganz unmöglich; die Fortführung der Disposition würde verständlich
und »memoro« könnte auch »ich erinnere euch« bedeuten — aber diese Annahme wird unmöglich durch das Exordium, das wie der sermo 13 wieder
ans Christfest, aber nicht an eine vorangegangene Neujahrspredigt anknüpft.
Dieses Exordium knüpft einerseits an das Christfest ante paucos dies an, beruft sich dann aber für eine präzise Aussage zum Inkarnationsgeschehen mit
der Wendung »ut heri dictum est« auf die gestrige Predigt (vielleicht am
Sonntag nach Weihnachten, der auf den 31. 12. fiel?)!
So oder so wird man redaktionelle Unausgeglichenheiten festzustellen haben,
bei denen entweder authentische Predigtwendungen stehen blieben oder Er-
satzwendungen mehr oder weniger geschickt eingefügt worden sind, um aus

zur ursprünglichen Rede-Situation; »laßt uns hören« oder »laßt uns sehen« hat man immer schon gern in der Predigt gesagt[19]. Daß Hörer oder Leser durch ein Pronomen possessivum — »Jesus unser Heiland« — in die Heilsgeschichte unmittelbar mit einbezogen werden, geht noch einen Schritt weiter und zeigt, wie nahe der Stil der Predigt dem Gebet und dem Bekenntnis verwandt ist[20]. Natürlich kommt derlei auch rein formelhaft in theologischen Traktaten vor, was dem Wesen der Theologie jedenfalls nicht zuwider ist[21]. Ecce-Sätze unterstreichen den Anrede-Charakter und heißen vor den Gefahren der Sünde fliehen[22]. Werden die Hörer unmittel-

faktisch getrennten, aber thematisch zusammengestellten Predigten so etwas wie ein weitergehendes Lehrganzes zu machen.

[19] 13 F: Audiamus, quam nobis dispositionem medicina hec conferat adquirende sanitatis. 13 G: Videamus, quid sit sacramentum.

[20] Es handelt sich um Wendungen wie »soli nostro parvulo« (13 C) — in Anspielung an das parvulus natus est nobis aus Jes. 9; »Jesus noster«, »Jesus noster dulcissimus«, »dominus noster Jesus Christus« (13 D); oder auch »dominus Jesus ac salvator noster« (13 L). Aus der Predigtsituation entspringt auch, wenn Biel 14 J nach einem korrekten Lobpreis der Güte, die Gott in der iustificatio impii diesem erweist, indem er dem Sünder nicht nur vergibt, sondern ihn auch in sein amicabile consortium aufnimmt und erneuert, ganz von selbst in die erste Person übergeht und Gott rühmt, weil er *uns* das adiutorium gratiae dazugibt, damit wir nicht bloß durch seine Vergebung in seine Freundschaft aufgenommen werden, sondern auch darin bleiben können. Dieser Passus, der uns hier zunächst nur stilistisch interessierte, ist zugleich eine instruktive Zusammenfassung des Bielschen Rechtfertigungsverständnisses: »In omnibus his, charissimi, magnificate et laudate domini nostri Jesu Christi magnificentiam ac misericordem bonitatem, quam in impii iustificatione ostendit. Posset utique peccatum remittere non imputando ad penam, absque hoc, ut in amicitiam assumeret, sicut communiter apud homines consuetum est fieri, sed modicum hoc reputavit, nisi etiam hunc, quo peccando dei amicitiam perdiderat, peccatum dimittendo in sui amicabilem consortium reformaret. Nec et illud satis visum est infinite misericordie salvatoris, nisi et adiutorium gratie tribueret, qua in sua amicitia facile remanere possemus, et per opera meritoria continue crescere et de suo munere daemonis insidias, carnis et mundi facile non sine magno futuri premii merito superare. Poterat haud dubie sine dono gratie creato et nos amicos facere, et opera nostra ad meritum acceptare, sed in amicitia sine gratie adiutorio quomodo manere potuissemus? Idcirco statuit, ut omni ad se convertenti et quod in se est facienti peccata remitteret et simul adiutricem gratiam infunderet, per quam et huiuscemodi in suam amicitiam resumeret, sicut scribitur Joh. 1: Gratia et Veritas per Jesum Christum facta est.«

[21] Man denke an die erste der 95 Thesen Luthers!

[22] 13 J: Ecce quanta et quam appreciata sit hec utilitas in sacramentis, quisquis proprie infirmitatis conscius satis noscit. 15 D: Ecce quantum nobis custodiendum est obedientia, quantum fugienda rebellio. 13 E: Ex illo considerare nobis expedit, quam gravia sint peccata et quam fugienda — worauf

bar angeredet, so heißen sie »charissimi«[23]. Es fehlt nicht an Ermahnungen — etwa zu verdienstlicher Dankbarkeit für die erwie-
sene Gnade[24] oder zu fleißigem Sakramentsempfang[25] —, und es ist
nur natürlich, daß sie in den Schlußabschnitten vermehrt auftreten.
Selbstredend werden auch rhetorische Fragen gestellt: »Wer würde
nicht alle seine Sorgen auf Gott werfen, der (ja) für uns sorgt?«[26]
Das ist ein unter mittelalterlichen Voraussetzungen selbstverständ-
liches, aber für viele Predigten typisch gebliebenes Vorgehen: Man
erinnert fragweise an einen biblischen Kernspruch, den man nicht
nur als allgemein bekannt, sondern auch als allgemein anerkannt
voraussetzt, und verwendet ihn unter der Hand als autoritatives
Argument. Wo die evangelischen Sätze Weisungen einer nova lex
sind, die auch öffentlich als die höchste legale Autorität angesehen
ist, kann man sie in der Tat als probate Autoritäten ins Feld
führen.

Menschlich nahe kommen uns diese Predigten, wenn sie nicht nur
auf die Kräfte des Predigers[27], sondern auch auf das kleine Fas-
sungsvermögen der Hörer, auf den »modulus« ihrer Aufnahme-
fähigkeit Rücksicht nehmen wollen[28]. Freilich dürfte dies eher in

sich ein Zitat aus Bernhard anschließt mit dem Hauptsatz: ex consideratione
remedii periculi mei estimo quantitatem ... Dann fährt Biel fort: Hanc
itaque gravitatem peccati considerantes, charissimi, caveamus simul et time-
amus benignissimum salvatorem nostrum offendere et eum, qui sanguinem
suum pro nobis largissime fudit, iterum crucifigere et ostentatui habere ...

[23] Z. B. 14 J (s. in Anm. 20); aber auch z. B. 13 L (s. in Anm. 25) und 13 E (s.
in Anm. 22).

[24] 14 D: Ut autem intelligamus, quam benigne nos dominus salvat in impii
iustificatione sive peccati dimissione, sicque intelligentes domini misericordiam, magis domino grati inveniamur, et ita per gratitudinem ad maiora dona
percipienda preparamur.

[25] 13 L: Et quod nefas est dictu, preciosissimam Christi humanitatem in sacramento eucharistie corporaliter presentem, per quam solam redempti sumus,
cuius merito opera nostra fiunt meritoria et non aliter, quem angeli adorant,
diaboli contremiscunt, ipsi diabolo peiores non modo genua non flectunt, sed
nec aspectu dignam putant. Nos autem, charissimi, has salutares sacramentorum medicinas gratissima mente suscipiamus, cum desiderio et humilitate
nobis applicemus, quatinus(?) salutis participes efficiamur, quam nobis
dominus Jesus ac salvator noster effusione sanguinis ordinavit.

[26] 15 A: Quis non speraret in domino, quis non in eum omnem sollicitudinem
proiiceret, tanquam in eum, cui cura est de nobis 1. Pt. 5?

[27] S. in Anm. 13.

[28] 14 A: pro modulo nostro — vgl. in Anm. 15. Vgl. ferner dazu auch den passus aus 14 J in Anm. 20, wonach Gott selber es mit seiner Gnade gegen uns
gerade nicht »modicum« machen will, während er sich daran gebunden hat,

einer theologischen als einer didaktischen Erwägung verankert sein und die Theologie des »facere quod in se est« zum Ausdruck bringen. Man muß sich aber überhaupt immer wieder nach dem mutmaßlichen Hörerkreis dieser Predigten fragen.

Der Untertitel zur zweiten Abteilung sagte ja, es habe sich um Predigten vor dem Volk gehandelt[29]. Unverkennbar sind sie um Einfachheit bemüht, etwa im Vergleich mit den Subtilitäten des Collectoriums. Auf den verschiedenen Lebensstationen Biels wechselten natürlich auch die Hörergemeinden. Gelegentlich — nicht allzu häufig, wie mir scheint — kommen Ermahnungen an einzelne Stände unter den Hörern wie Witwen, Frauen, Eheleute vor, die natürlich auch mit dem wechselnden Hörerkreis zusammenhängen können. Doch ist hier mit zu bedenken, daß diese Ermahnungen vor allem einen ganz gängigen Topos mittelalterlicher Predigt darstellen[30]. Sie lassen sich ja überhaupt als primitives Stilelement der Predigt (und des für sie konstitutiven Hörerbezugs) verständlich machen: das Bedürfnis liegt da immer nahe und ist bis heute nicht ausgestorben, daß man den Text abschnittweise durch adressierte Zwischenbemerkungen anzuwenden versucht[31]. Biels adhortationes ad status wirken eher distanziert als blutvoll; dieser Prediger war nicht ungestüm. Er kann dabei konkrete Hörer im Auge gehabt, aber ebensogut sie auch schon installierten oder angehenden Klerikern als Instruktion für Kanzel, Beichtstuhl und weitergehende cura animarum zugedacht haben. So wird das Urteil unsicher bleiben[32]. Schon durch ihre Stilform als »sermones magistrales«[33] stan-

---

von uns das zu akzeptieren, was wir nach unsrem Maß und so nach bestem Vermögen zuwege gebracht haben.

[29] S. in Anm. 8.

[30] Mehrere Beispiele dafür bei D. ROTH aaO.

[31] Solche Spezialapplikationen in der Predigt sind meist nur ein bescheidener Gewinn an wirklicher Konkretion. Viel eher sind sie das Eingeständnis, daß die Hauptsache selber nicht applikabel expliziert wurde; deshalb stellt sich das Bedürfnis nach solchen zusätzlichen und ausdrücklichen Spezialanwendungen ein.

[32] OBERMAN sagt aaO S. 19 f., es seien »wegen seines umfassenden Gebrauchs der Scholastiker manche Forscher zu der Ansicht gekommen, daß seine Predigten hauptsächlich ad clerum und nicht ad populum gerichtet waren«, und fährt dann fort: »Doch liegen zu viele an Laien gerichtete Ermahnungen vor, um diese Ansicht als korrekt anzusehen. Manchmal spricht er zu bestimmten Gruppen, wie etwa zu Witwen, die wegen ihres Verlustes nicht verzweifeln sollen, oder zu Frauen, die er wegen ihrer modischen Aufmachung, der Bemalung des Gesichtes und der künstlichen Locken beim Beichten kritisiert. Abgesehen von den weitläufigen Zitaten der Scholastiker sind Biels Predigten

den diese Predigten der Absicht, fürs Volk zu sein, gründlich im
Weg; sollten sie nicht exemplarisch sein für die kleineren Geister
im Klerus, Handreichung für deren Volkspredigt? Auf alle Fälle
setzten sie ja ein Auditorium voraus, das des Lateinischen mächtig
war. Wie weit mochte der Radius lateinischer Predigt im ausgehenden Mittelalter ins Volk hineinreichen? Sicherlich zog Biel nach
seiner Bildung, seiner kirchlichen Einstellung und seinen Ämtern
überall ein qualifiziertes Auditorium an, wie man es sich unter Klerikern, an der Universität oder noch besser in den Kommunitäten
der Devotio moderna vorstellen mag. Daß sie jedenfalls nicht *nur*
den Klerus im Sinne haben, sondern in öffentlicher Verantwortung
lehren wollen, dafür spricht auch als argumentum e silentio, daß
sie sich mustergültig an den gängigen Grundsatz halten, daß man
sich auf der Kanzel aller Kritik an kirchlichen Einrichtungen und
Personen enthalten und bei der Predigtvorbereitung vor Faulheit,
vor Privatmeinungen und vor gelehrter Überfracht hüten möge[34].

Auch die Predigtschlüsse scheinen mir typisch für wirklich gehaltene Predigten zu sein — abgesehen vom sermo 13, der, wie
erwähnt, auf die nachfolgende Predigt verweist. Sermo 14 z. B.
sucht die entfaltete Lehre zum guten Ende durch eine aus traditio-
nellem Material entweder fertig entlehnte oder ad hoc gebildete
Parabel einzuprägen[35]. Im übrigen münden hier wie auch sonst in
geistlichen Reden die zunehmenden Ermahnungen in Gebet oder
Doxologie aus[36].

ausgesprochen einfach«. Dieser Eindruck besteht sicher zu Recht. Aber muß
man nicht dagegen fragen, ob man wirklich von jenen weitläufigen Zitaten
absehen kann, die zwar üblich und gewissermaßen vorgeschrieben waren,
aber doch immerhin zwischen 30 und 50 % des Gesamtumfangs ausmachen?
Und kann man von der lateinischen Sprache absehen? Die »ständischen« Hinweise einschließlich des dritten, den OBERMAN noch nennt — Enthaltung vom
Geschlechtsverkehr vor der Kommunion — sind auch als Unterweisung für
Beichtväter denkbar.

[33] Nach Surgants Manuale, das ja seine zahlreichen Druckauflagen in denselben Jahren erlebte wie Biels Sermone, ist »sermo magistralis« terminus technicus für die schulmäßig aufgebaute und durchgegliederte und damit vorbild-
liche Predigt.

[34] OBERMAN zitiert diese Grundsätze aaO. S. 19 bei und in den Anmerkungen
50 und 51 aus der Kurzfassung der Expositio canonis missae.

[35] 14 K: Que ut facilius intelligantur, loquor metaphoram: si rex aliquis . . . Das
Fazit dieser ausführlichen, etwas verquält wirkenden Parabel lautet dann:
ecce talis est rex et salvator noster!

[36] Im Sermo 13 könnte sich ein wirklicher Predigtschluß etwa an den Appell
zum Sakrament angeschlossen haben, nachdem die Predigt immerhin zu der
Einsicht geführt hatte, wie sehr gerade die Sakramente als Ausfluß der gött-

So liegen uns Biels Sermone als Predigten von jenem magistralen Typ vor, wie er sich auch sonst zur Veröffentlichung empfahl. Bei ihrer Herausgabe, die gelegentlich unverkennbar eingriff, ging es keineswegs um eine lückenlose Dokumentation der Hinterlassenschaft des verehrten Lehrers, wenn möglich gar um einen Beleg seiner Rechtgläubigkeit, die unter den Zeitgenossen nie umstritten war. Als erbauliche Volkslesebücher konnte man sie schwerlich ansehen; dafür war dieser kostspielige Band nach Umfang und Sprache, nach geistiger Höhenlage und theologischer Beifracht längst nicht so geeignet wie manches andere, was sich leichter und gewinnbringender verlegen ließ. In erster Linie dürfte es um praktische Predigthilfe zu tun gewesen sein, sozusagen um das Angebot eines klassischen Predigtbuches aus der Via moderna. Ihre breite Verankerung in der Kirchenlehre machte diese Sermone in hohem Maße geeignet zur Vorbereitung eigener Predigt oder auch notfalls zum Ersatz einer solchen. Dafür brauchte jede mittelalterliche Predigt auf alle Fälle ein reiches Angebot aus den Scheunen der kirchlichen Lehrüberlieferung, auch wenn dann die Fülle des in den Zitaten Angebotenen in einer ausgesprochenen Volkspredigt nur mit Auswahl Platz finden mochte.

Doch damit ist bereits unsre nächste Frage dringlich geworden, die dem Verhältnis dieser Sermone zur Autorität der Tradition, der Heiligen Schrift und der kirchlichen Lehre gelten muß.

III.

Wenigstens fünfzig Prozent der Sermone bestehen aus Zitaten der Heiligen Schrift und der Kirchenväter. Die Abgrenzungen sind im einzelnen nicht immer sicher zu erkennen; inwieweit originalgetreu oder sekundär zitiert oder auch nur frei referiert wird, konnte nicht nachgeprüft werden. Vermutlich würde sich bei solcher Nachschau der Anteil des traditionellen Predigtmaterials noch beträchtlich erhöhen. Die zitierten Texte verteilen sich etwa im Verhältnis eins zu drei auf Bibel und Kirchenlehre. Etwas mehr als ein

lichen Liebe unsrer Schwachheit kongruent seien. Sermo 14 schließt nach der erwähnten Parabel (s. in Anm. 35) mit der Feststellung, daß unser salvator »congrue« Jesus genannt worden sei, eo quod ipse solus salvat populum suum per gratie sue donum. Quod nobis prestare dignetur in presenti et gloriam in futuro, Amen. Und sermo 15 endet ebenfalls bei der Angemessenheit der auf uns allegorisch übertragenen Beschneidung und bei der Hoffnung auf den Tag ihrer realen consummatio. »In eadem circumcidamur ab omni corruptione et defectu, assumendi cum domino ad gloriam, qui vivit et regnat etc.«

Achtel der drei Sermone besteht also aus wörtlich angeführter Heiliger Schrift, knappe drei Achtel stammen wortwörtlich aus der Feder altkirchlicher und scholastischer Theologen.

Beim Anteil der kirchlichen Tradition werden die Schulakzente einer maßvoll sichtenden Via moderna schon an den Gewährsmännern erkennbar. Augustin führt, 17mal zitiert, den Reigen an, gefolgt vom »Magister« Petrus Lombardus, der 11mal erscheint. Halb so oft wie Augustin, 8mal, wird der doctor subtilis, Duns Scotus, und 7mal wird der heilige Bernhard angeführt. Je 2mal findet man Origenes, Ambrosius, Anselms cur deus homo und — des Aristoteles Nikomachische Ethik. Einmal werden schließlich noch Stellen aus Hieronymus, Gregor, Beda, Hugo von St. Victor beigebracht, nur einmal auch wird der Aquinate angeführt, und einmal heißt es, viele doctores seien der betreffenden Ansicht. Unter sich verglichen geben die drei Sermone ein recht einheitliches Bild: Augustin und der Lombarde kommen in allen dreien vor, Bernhard fehlt im zweiten, Duns im dritten Sermon. 30 Väterzitate zählt man in der ersten, 17 in der zweiten und 10 in der dritten Predigt, was ziemlich genau ihrem jeweiligen Umfang entspricht[37].

Diese 57 Väterzitate werden durch 78 Bibelzitate sogar noch überboten, wenn man auch die bloßen Stellenangaben und die eindeutigen Anspielungen, die ohne Stellennachweis erfolgen, mitzählt. 37 Zitate finden sich im ersten, 24 im zweiten und 17 im dritten Sermon, was diesen, den kürzesten, sogar als besonders traditions-

---

[37] Väterzitate:

Autor	S. 13	S. 14	S. 15	opus
Origenes	1	1	—	serm. de nomine Christi
Hieronymus	—	1	—	zu Ps. 32
Ambrosius	1	—	1	sekundär aus Lombardus u. Augustin
Augustinus	6	9	2	de trin. c. Faust. ad Optat. c. Julian. ad Sixt. Enchir. de lib. arb. Enn. Ps. in ev. Joh., sowie sekundär aus Lomb.
Gregor	1	—	—	4. Moral.
Beda	—	—	1	sup. Lucam
Anselm	2	—	—	cur deus homo
Bernhard	5	—	2	serm. de circumc., de nativ., de pasca domini
Hugo v. St. Victor	1	—	—	de arrha animae
Petr. Lombardus	7	1	3	2, 27; 3, 3; 3, 15; 3, 18; 3, 25; 4, 1; 4, 4.
Thomas v. Aquin	—	—	1	s. theol. 3, 37
Duns Scotus	6	2	—	1, 17, 1; 2, 19, 1; 4, 1, 6; 4, 14, 4.
Aristoteles	—	2	—	Ethik
»secundum multos«	—	1	—	

gesättigt erscheinen läßt. Ob hier Zeit und Kräfte fast nur noch zum Zitieren reichten? Sieht man genauer zu, was nun alles aus der Bibel beigebracht wird, so begegnet man 30mal den Evangelien und der Apostelgeschichte — allein 13mal dem liturgisch höchstgeschätzten Johannesevangelium — und 27mal paulinischen Stellen aus dem Römerbrief, den beiden Korintherbriefen, dem Galater-, Epheser- und Philipperbrief sowie dem Titusbrief. Nur 4mal kommen die katholischen Briefe vor, einschließlich des damals ja für paulinisch gehaltenen Hebräerbriefes. Die 18 Zitate aus dem Alten Testament verteilen sich, dem besonderen Predigtthema entsprechend, auf die Gen. (7mal), Deut. 32 (2mal), Jes. 9 und Jes. 62 (zusammen 5mal), Psalm 32 und 84 (zusammen 3mal). Einmal wird auch die apokryphe Sapientia Salomonis angeführt. So ist nahezu der ganze biblische Kanon im Blick, ohne daß man auf Grund dieser schmalen Untersuchungsbasis zu weiteren Vermutungen berechtigt wäre[38].

[38] Bibelzitate und Stellenverweise:

Schriftstelle	s. 13	s. 14	s. 15	Inhalt
Gen. 4; 8; 14; 15; 17, 5.	5	1	1	Opfer des Abel, Noah, Melchis. u. Abr. Beschneidung
Deut. 32, 4	1	1	—	Dei opera perfecta sunt.
Jes. 9, 6 u. 62, 2	3	1	1	puer natus est nobis/ nomen novum
Ps. 32, 2 u. 84, 12	1	2	—	Bußpsalm: beatus vir, cui non imputat Dominus peccatum, zit. als »propheta« u.: gratiam et gloriam dabit Dominus.
Sap. 8	1	—	—	disponit omnia suaviter
Matth. 1, 21; 17, 26; 18, 6; 19, 7. 15. 17; c. 26	6	1	3	Der Jesuname; der Stater — kein Ärgernis für die Kleinen. Libellum repudii; Kindersegnung; serva mandata! Abendmahl — richtiger: Lk 22, 19 »hoc facite«.
Mc. 6, 13				unguebant aegros
Luk. 5, 21; 6, 5	—	1	1	Wer kann Sünden vergeben?/Herr des Sabbaths
Joh. 1, 17; 3, 5; 3, 13. 16. 34; c. 6	8	3	2	Gratia et Veritas per Christum; Wasser und Geist; niemand fährt gen Himmel; Also hat Gott .. spiritus non ad mensuram; Eucharistie
11, 9. 14; 15, 13. 15; 20, 24				Wer am Tag wandelt; Geist durch den Sohn; Leben für die Freunde. Schlüsselgewalt.
Acta 2, 1; 4, 17; 15, 11	3	1	—	Pfingsten; der heilsame Name; per gratiam Christi credimus salvari.
Röm. 3, 24; 4, 9; 5, 5, 17 ff.; 7, 24; 8, 3. 10. 32; 11, 6; 14, 6 ff.	2	4	5	iustificati gratis; Abr. Glaube; charitas diffusa; Adams delictum; gratia liberabit; similitudo carnis; corpus peccati mortuum; filii non pepercit;

Mehr als eine solche Statistik interessiert die Frage, ob eine bewußte Unterscheidung zwischen biblischer und kirchlicher Tradition
erkennbar wird. Man muß dabei auf zweierlei achten: einmal darauf, ob Schriftstellen mit größerem Gewicht vorgebracht werden
als Väterstellen, und zum andern darauf, ob die Predigt strukturell
ein besonderes Verhältnis zu ihrem Text hat oder anstrebt; ob und
wie sie sich darum bemüht, ihn auszulegen.

Die Bibel wird allerdings als das erste, grundlegende Stück der
tradierten Kirchenlehre angeführt und respektiert. Aber sie ist
eher der älteste Teil der Kirchenlehre als deren maßgeblicher Gegenstand. Es kommt nur darauf an, zu zeigen, daß die späteren
Lehrer der Kirche nichts anderes als die heiligen Schriften, aber auch,
daß diese selber nichts anderes als jene nachmaligen Weiterent-
wicklungen der Kirchenlehre unter dem Heil und der Gnade verstehen. *Die heiligen Schriften und die heiligen Lehrer verstehen unter der Gnade und unter der Liebe ein und dasselbe, auch wenn sie
zuweilen etwas der Gnade allein, zuweilen etwas der Liebe allein
zuschreiben«[39]. Alles liegt an ihrer gegenseitigen Übereinstimmung[40].
Man kann höchstens bedauern, daß die Bibel nicht schon sämtliche
Themen der späteren Kirchenlehre verbis expressis vorwegnimmt
und trägt. Das gilt besonders hinsichtlich der sieben Sakramente.
Denn diese sind ja für das Heil von so entscheidender Bedeutung,

				aus Gnade, nicht aus Werken; kein Ärger-nis um der Speise willen!
1. Kor. 8, 13; 12, 4 ff.; 13; 15, 10. 2. Kor. 3, 5; 12, 9	—	6	1	den Bruder nicht ärgern; die Charismen; ohne Liebe nichts; die Gabe über alle Ga-ben; gratia laboravit; nihil de nobis; gratia sufficit.
Gal. 4, 4; 6, 13	2	1	1	factus sub lege; sich für etwas halten?
Phil. 2, 8 u. 11	—	1	1	gehorsam zum Tod; der Name.
Eph. 2, 4	1	—	—	Gott, der da reich ist . . .
Kol. 2, 14	1	—	—	chirographus legis deletus.
Tit. 3, 7	—	1	—	Erben nach der Hoffnung
1. Petr. 5, 7	—	—	1	er sorgt
1. Joh. 1, 8	1	—	—	niemand ohne Sünde
Hebr. 6, 6; 10, 28 ff.	2	—	—	gebr. Bund und Gottes Eifer.

Offenkundig kannte Biel keinen Vorrang einzelner biblischer Schriftsteller.
Man zitierte, was immer als hergehörig in Erinnerung kam, mit theologisch
gleichem Gewicht.

[39] 14 G: Et ideo tam scripture sacre quam sancti idem intelligunt per gratiam
et charitatem et nunc soli gratie attribuunt, quod tum charitatis esse dicunt
et e converso. Das wird mit Paulus und mit Augustin belegt.

[40] Zu dem in voriger Anm. erwähnten Augustinzitat fügt Biel alsbald hinzu:
quod et ratione fundata in *scriptura* posset demonstrari.

daß man zur Vergewisserung über ihre Notwendigkeit und Wirksamkeit für sie alle eine nachweisbare biblische Einsetzung bräuchte. Im Fall der Firmung fehlt eine solche, was man ehrlicherweise eingestehen muß. Für sie muß man dann eben eine mündliche apostolische Tradition postulieren, wie dies auch einhellig geschieht. Das Fehlen eines ausdrücklichen Schriftbeweises stellt also nicht einen Mangel in der Begründung dieses Sakraments heraus, sondern lediglich eine Lücke in seiner Vergewisserung dar[41]. Es geht also auch hier nicht um eine schlechthin konstitutive Bedeutung der Schrift für die Kirche und ihr Tun und Lehren, sondern um die im Grund unerschütterliche Kongruenz zwischen Heiliger Schrift und kirchlicher Lehre. Ob man die erstere für qualitativ übergeordnet hält, ist dann eigentlich nur eine Frage der Betrachtungsweise. Ausschlaggebend ist, daß ihre Qualität sie nicht zum kritischen Gegenüber der Kirchenlehre macht. Soweit sie deren Quelle ist, ist sie es im rein historischen Sinn. Sie hat keine spezifische Gegenwärtigkeit für die Erschließung des Heils, keine theologische Aktualität; sie ist nicht die gegenwärtige Quelle seiner Selbsterschließung oder die Norm für seine Neuerfassung und dadurch Anhalt für fundamentale Kirchenkritik. Man muß und kann sie mitnehmen auf dem Weg der sich weiterentwickelnden Lehre, aber man muß und kann nicht zu ihr zurückkehren.

Liegt in diesen Predigten ein *spezifischer* Textbezug vor, etwa von der Art, daß sie nicht nur von einem Text ausgehen, sondern auch mit ihm umgehen und gerade so ihre wesentlichen Aussagen erreichen wollten? Die Heilige Schrift ragte und ragt immer bedeutsam heraus in der Christenheit; auch wenn sie nicht gleichzeitig

---

[41] 13 G werden die 7 Sakramente aufgezählt, jeweils mit dem locus classicus ihrer Einsetzung: Taufe: Joh. 3, 5; Eucharistie: diffuse Joh. 6, präzise Matth. 26; Buße: Joh. 20,24; letzte Ölung: Mc. 6, 13; Ordo: Matth. 26 (Abendmahl); Ehe: Matth. 19, 7. Vorher hatte Biel erörtert, daß nur der ein Sakrament einsetzen kann, der es auch wirksam zu machen vermag, und dabei in Sachen der Konfirmation sich wie auch im Collectorium der Meinung des Duns Scotus angeschlossen: nullus ... potest dare certitudinem alicui signo practico nisi in eius sit potestate posse causare signatum illius signi. Sed Christus vere deus et homo sacramenta instituit principaliter secundum naturam divinam, meritorie secundum naturam humanam. Quorum institutio ex euangeliis clare colligitur excepta confirmatione, quam sub ista materia et forma qua confertur a christo traditam non legitur, quamvis et ipsum per manus impositionem parvulos Mt. 19 et in flatu ac igneis linguis apostolos per spiritus sancti traditionem legitur confirmasse, sed ipsum sic instituisse ex traditione apostolorum verbali ecclesie sicut nonnulla alia sine ambiguitate creditur.

als Ordnungen für die Pedigttexte funktionieren, stellen die Lese-
ordnungen ihrer Gottesdienste in jedem Fall eine nicht mehr zu
überbietende liturgische Qualifizierung der Bibeltexte dar. Dar-
überhinaus ist die Beziehung auf biblische Texte beinahe immer
schon das nicht zu übersehende Kennzeichen der christlichen Predigt
gewesen, wenn man sie wohlweislich auch nur selten als ihre conditio
sine qua non ausgab. Homilien, die den Text in seinem eigenen
Duktus entfalten und die Hörer unmittelbar mit seinen Aussagen
identifizieren wollen, sind nicht zufällig von Anfang an die nächstliegenden Weisen institutionalisierten Predigens gewesen, zeitweise
ihre primitivste, heute meist ihre schwierigste Gestalt. Daß die mittelalterliche Theologie eine Lehre vom vierfachen Schriftsinn ausgebildet und sich mit ihrer Hilfe lange Zeit ein gutes exegetisches
Gewissen besorgt hat, ist gleichfalls ein beachtliches Bekenntnis zur
Autorität und zur Qualität der Bibel; bewußt oder unbewußt ging
die kirchliche Lehrentwicklung wohl immer mit Fortschritten oder
Veränderungen der Auslegungskunst Hand in Hand. Daß Biels
Predigten der Form des sermo magistralis folgen und also keine
Homilien sind, bedeutet noch nicht ohne weiteres, daß sie ihren
Text nicht auslegen wollten, wenngleich sie bei der Kürze unsrer
Perikope gerade in diesem Fall sehr leicht diesen Anschein erwek-
ken können — immerhin war es stehende Regel auch für den sermo,
daß sein Thema ein biblischer Text sein müsse. Aber freilich, was
heißt da auslegen? Wird da im Text das Evangelium gesucht als be-
freiendes Wort für bedrängende Not? Ist das Evangelium für dieses
Bibelverständnis nicht vielmehr vorhanden, eine gegebene Größe, in
erster Linie in den Evangelien; neues, geoffenbartes Gesetz der
Gnade, so wie zuvor das alte Sinaigesetz vorhanden war? Ist nicht
die Bibel gerade durch ihre Lesungen liturgisiert, gerade durch den
vierfachen Schriftsinn mystifiziert und in beiden Fällen als gehei-
ligter und geheimnisvoller Buchstabe des neuen, geoffenbarten, die
Kirche begründenden Gesetzes befestigt worden? Man mußte ge-
weiht sein, um sie verlesen zu dürfen, und man mußte eingeweiht
sein, um sie auslegen und verstehen zu können. Ihre Heiligkeit,
ihre Prägung durch die Offenbarung, kam weniger in ihrem Klartext
als in ihrem vielschichtigen Tiefsinn zum Ausdruck. Ziel und Kraft
ihrer Auslegung war nicht ihre Evidenz, sondern ihre Kongruenz
mit der kirchlichen Lehr- und Heilsverwaltung[42]. Man brauchte kein

---

[42] Das Problem der congruitas spielt in der scholastischen Theologie und Predigt eine große Rolle. Man bemüht sich um die congruitas der beiden Testa-
mente in der einen Schrift, der einen Schrift mit der Kirchenlehre, der Kir-

Verhältnis zu ihr selber herzustellen, außer dem des Respekts; wohl aber mußte man, mit oder ohne ihre Hilfe, in ein Verhältnis zum Schatz der kirchlichen Heilslehren und Heilsgüter gelangen.

Man darf also in den vielen Bibelzitaten dieser Predigten noch nicht das evangelische Schriftprinzip im Vormarsch vermuten. Dagegen wird man daran denken dürfen, daß die Bibel im Lauf der Zeit schon rein technisch, als Bildungsgut allgemeiner zugänglich wurde und dem Kirchenvolk nicht mehr ausschließlich in Liturgie und Predigt begegnete. Biblische Wendungen, die nicht aus liturgischem Gebrauchsgut bestanden oder als solche gekennzeichnet wurden, waren aber sicher nur einem qualifizierten Hörerkreis als solche erkennbar. Und war es Regel, daß das Thema des sermo ein biblischer Textsatz sein müsse, so fungierte dieser eben alsbald als — Thema[43]! Man konnte dann mit seiner Hilfe, aber auch bloß mit seiner Rückendeckung das von der Kirche verwaltete Heil erschließen. Und gerade der vierfache Schriftsinn machte es methodisch möglich, die zugänglicher und damit schwieriger gewordene Schrift zur congruitas mit sich selber zu bringen und in die formulierte Kirchenlehre einzubeziehen. Biels Neujahrspredigten gehen nicht ausdrücklich auf ihn, gehen überhaupt kaum auf ihren besonderen Text ein. Die ersten beiden kommen von dem Salvator-Namen aus, den Jesus bei der Beschneidung erhielt, auf die Gnadenmittel der Sakramente bzw. auf die rechtfertigende Gnade zu sprechen, und die dritte verdeutlicht dasselbe vom Beschneidungsakt und -ritus her. Die Schriftzitate sind mehr oder weniger hinzuassoziiert. Sie machen genau jene vorhin skizzierte Autorität der Schrift geltend, die in ihrer Tief- und Hintersinnigkeit besteht[44]

chenlehre mit der Ratio, der Macht Gottes mit seinen Setzungen. Siehe dazu in Anm. 36 die Predigtschlüsse von sermo 14 und 15; vgl. auch D. Roth aaO S. 70.

[43] 14 A: Vocatum est nomen eius Jesus — que fuere verba a principio *themaliter* assumpta. — Übrigens weist D. Roth einmal darauf hin, daß es im Mittelalter noch ein weiteres Predigtgenus gab, das sich zwar Homilie nannte, aber überhaupt keinen Text besaß oder auslegte, sondern völlig textfreie moralische Mahnrede war. Offenbar ist da der terminus Homilie einfach für eine im Vergleich mit dem Sermo völlig ungegliederte geistliche Rede verwendet worden; er drückte nicht mehr das Verhältnis zum Text, sondern nur mehr das Fehlen rhetorischer Künste aus.

[44] 13 A: . . . quod describens euangelista verbis brevibus in litera, ponderosis in sententia . . . Oder ibid. : hodie, ait Bernh., aliquid mirabilius proponitur. Oder 13 B, wiederum nach Bernh. im Anschluß an Jes. 9,6: in omnibus enim his appellationibus habetur (ait Bernh) unum nomen expressum: Jesus.

und gerade so von ihren Autoren heimlich beabsichtigt ist[45]. Ihre »subtilitas« ist das eigentliche Mysterium der Bibelautorität, so z. B., daß in der blutigen Beschneidung ein heimlicher Hinweis auf die soteriologische Kraft des Blutes Jesu steckt, das allein die Sakramente heilswirksam machen kann[46], oder dies, daß der achte Tag, an dem die Beschneidung stattfand, eine Allegorie der Vollendungszeit enthält[47]. Biel geht solchen Deutungen nicht ausführlich nach. Er will lediglich auch durch solchen Tiefsinn der ins Treffen geführten Schriftstellen die durch sie gestützte und illustrierte Sache als noch gewisser und glorreicher erscheinen lassen, zum Preis des großen Gottespakts, jener Setzung und Anordnung seiner Gnade, in der für das ewige Heil der Menschheit so vortrefflich gesorgt ist.

Vielleicht hat ein akademischer Lehrer vom Format Biels die biblischen und kirchlichen Überlieferungen besonders umfangreich und gründlich in seine Predigten eingearbeitet. Sicher lag das umso näher, wo wie hier der traditionell verstandene Text das Sakrament zum Thema der Predigt machte und wo von einem solchen magister nichts andres als ein sermo magistralis erwartet werden konnte. Aber der Gesamteindruck dürfte über diese mehr oder weniger zufälligen Beispiele hinaus gültig sein für die das Mittelalter beherrschende Predigtweise, sofern es sich nicht um Männer aus dem ausgeprägt mystischen Lager handelte. Mit dem Engagement in der Kirchenlehre geht eine Distanz gegenüber dem Kairos Hand in Hand, und die beinahe monoton wirkende Zeitlosigkeit dieses Predigens kennzeichnet das dahinterstehende Lehr-, Offenbarungs- und Heilsverständnis. In einem starken Geleitzug theologischer Autoritäten verschiedenster Herkunft, wenn auch ohne ausdrückliche

---

[45] 13 B: Der Name Jesus war so groß und seinem Werk so angemessen, daß er ihm nicht von Menschen, nicht einmal von einem Engel, sondern nur von Gott selbst beigelegt werden konnte. Der Engel war nur der Ansager, und der Evangelist wußte das wohl: quod etiam euangelista caute exprimens non dicit quod impositum est, sed quod vocatum est ab angelo. Innatum quippe est sibi hoc nomen ab eterno.

[46] 13 F: His (sc. sacramentis) efficaciam meruit sanguinis effusione. Hoc ni fallor *subtiliter* euangelista innuere voluit in hoc, quod Christum nomen Jesum accepisse ab hominibus asserit tum, cum sanguinem suum fudit.

[47] 15 A: Summariam perinde totius vite nostre eruditionem in benedicta sua circumcisione octava die facta designavit, ut sc. post regenerationem spiritualem baptismi, per septem dies ambulantes ad octavam diem circumcisionis sc. in quo omnis circumcidetur defectus perveniamus. Septem dies sunt septem virtutes, tres theologice, quattuor carnales. Siquidem illuminant rationem ad recte intelligendum, inflammant voluntatem ad virtuose agendum. Hi sunt dies, in quibus qui ambulat non offendit.

Bezugnahmen auf das Kirchenrecht und die Hierarchie, werden hier
die Hörer oder Leser gleichsam an Hand eines Modells durch die
große Kathedrale der kirchlichen Heilslehre geführt. Die Predigt
vertritt und interpretiert den unbezweifelten Heilsweg und die bestehenden kirchlichen Heilsanstalten. Sie hat ihre Wirkung erzielt,
wenn sie ihre Hörer zur frommen Bewunderung der Gaben Gottes
in seiner Kirche und zu deren eifrigem, demütigem, wenn möglich
verständnisvollem, aber in jedem Fall problemlos dankbarem Gebrauch gebracht hat.

IV.

Wir haben nun noch den theologischen Gedankengang der drei
Sermone in groben Zügen nachzuzeichnen.

Sermo 13:   Nach dem Jubel über die Geburt Christi bedenkt die
Kirche heute, angesichts der Beschneidung des menschgewordenen
Wortes, die staunenswerte Tiefe des sacramentum incarnationis.
Sie besteht darin, daß Jesus sich nicht nur zur Menschengestalt er-
niedrigte, sondern auch dem Los des Sünders unterzog[48]. Denn die
Beschneidung geschah um der Erbsünde willen. Sie bestätigte seiner-
zeit Abrahams Glauben und wurde ihm zum Bundeszeichen jener
Verheißung, die ihn zum Vater aller Glaubenden bestimmte. Weil
er mit ihr zusammen den neuen, größeren Namen empfing, blieb
die Sitte der Namengebung mit ihr bzw. mit der sie ablösenden
Taufe verbunden. Daß sich Jesus ihr, wiewohl sündlos, unterzog,
beschämt alle Verächter der gottverordneten Gnadenmittel[49]. Und
wenn er gerade dabei den Jesus-Namen, den Namen des Heilbrin-
gers erhielt, so stellt dies von allem Anfang an klar, daß es zur Erlösung der Menschheit seines Blutes bedurfte.
   Das Thema, d. h. der Vers, aus dem unsre Perikope besteht[50],
ist damit eingeführt[51]. Es wird nun aber mit Hilfe eines weiteren
biblischen Textes aus der Weihnachtsliturgie erst noch einmal näher-

---

[48] 13 A: non solum formam hominis sed formam acceperat peccatoris.
[49] Ibid.: Wir scheuten uns nicht schamloser Schuld, schämen uns aber der zuge-
     muteten Buße — peccatorum dolorosa remedia, vulnerum ligaturam seu
     satisfactionem. Umgekehrt Christus: qui peccatum non fecit, non dedignatus
     est, peccator reputari. Nos et esse volumus, et nolumus estimari. Alles nach
     Bernhard.
[50] Der Vers ist dreiteilig und lautet vollständig: postquam completi sunt dies
     octo ut circumcideretur puer, vocatum est nomen eius Jesus, quod vocatum
     est ab angelo priusquam in utero conciperetur.
[51] Introductio bzw. assumptio thematis lautet der terminus technicus dafür.

bestimmt. Der heilbringende Name, den schon Origenes omni cultu dignissimum genannt hat, war Jesus von Ewigkeit her angeboren als dem verbum consubstantiale patri, das schon im Anfang der Zeiten die guten Engel vor dem Fall bewahrte und nun am Ende der Zeiten den gefallenen Menschen so wiederhergestellt hat, daß er nicht länger liegen bleiben muß. Der Engel hat ihm jedenfalls diesen uranfänglichen und zugleich eschatologischen, »neuen« Namen nicht gegeben, sondern ihn nur verkündigt. Nur figuraliter, aber nicht secundum veritatem mögen auch andere vor ihm schon Jesus geheißen haben. In Wahrheit handelt nur er »wunderbar« an uns, indem er unsern Willen umwendet, als »guter Rat«, indem er uns mit seiner Weisheit erleuchtet, als »wahrer Gott«, indem er uns die Sünden vergibt, als »starker Held«, weil er die uns umdrohende Konkupiszenz bekämpft, als »Ewigvater«, weil er durch seine Auferstehung eine neue Welt erschließt[52] und als »Friedefürst«, weil er uns das Heil ohne Ende und Widerruf gewährt. So erfüllt er und er allein alle jene Heilsnamen, die Jesaja von dem parvulus natus nobis geweissagt hat.

Damit ist nun nicht nur der Text vorgestellt, sondern auch das Stichwort salvare hinreichend eingeschärft, und dieses wird jetzt mit einer wahrhaft magistralen, dreigliedrigen divisio angegangen[53], die der dogmatischen Werkstatt Biels entstammen dürfte und seine systematische Kraft sowie eine hohe formale Fertigkeit im Definieren verrät. Sie kombiniert nämlich die drei Zeiten der Heilsgeschichte mit den drei Hauptwirkungen und den drei Hauptmitteln der Erlösung, entfaltet also die Soteriologie im Takt von jeweils dreidimensionalen Schritten: Jesus hat die Rettung vollbracht, indem er das nötige Heilmittel beschafft und bereitgestellt hat in der Annahme der menschlichen Natur. Er vollbringt sie heute, indem er kraft seiner göttlichen Natur die menschliche Krankheit vertreibt. Er wird sie vollenden, indem er kraft der Vereinigung beider Na-

---

[52] »pater futuri seculi« heißt diese Jesajastelle nach der Vulgata. ut per eum ad immortalitatem resurgamus, qui per presentis seculi patrem generamur ad mortem, fügt Biel hinzu, wobei er wiederum Bernhards Auslegung referiert. Hec itaque in his sex nominibus expressa et in nomine Jesus inclusa que perfectum salvatorem constituunt, soli nostro parvulo, nulli alteri conveniunt — 13 C.

[53] Zweiteilung war möglich, aber nicht empfohlen. Die scholastische Theologie bevorzugt den entfaltenden Dreischritt von sic und non und conclusio, der dann die nicht gelösten dubia angehängt werden. Bestätigende und widersprechende Autoritäten ergaben die eigene Entscheidung des Lehrers und führten zur Erörterung ihrer Evidenz, Kongruenz und Problematik.

turen den Menschen die vollkommene Gesundheit gewährt und erhält[54].

Die Einheit der Sache widerstrebt dem trennenden Schema. Diese dem Ganzen übergeordnete Gliederung ist nur der Versuch, die Sache und also die Predigt vom erschienenen Gottesheil unter ihren verschiedenen Aspekten einigermaßen geordnet zu behandeln. Sermo 13 kann sich nur das erste Glied vornehmen; er schlägt dafür alsbald eine zweifache Subdivisio vor. Aber auch die Predigt dieses ersten Drittels ergibt als Predigt vom geschehenen Heil etwas Ganzes — in capitulo totum!

Diese subdivisio nun gewinnt Biel per analogiam entis. Die hier beschaffte Gnade kommt der Bereitstellung einer notwendigen Medizin gleich und hat darum, analog der Medizin, auch eine doppelte Wirkung: sie nimmt weg, was die Gesundheit hindert, und stellt damit einen Zustand her, der die Gesundheit wieder in den Körper einziehen läßt, so wie auch sonst nicht die Medizin, sondern die von ihr unterstützte Natur selbst die Heilung zuwegbringen muß[55]. Die Gnade hält also die Sünde nieder, die der Mensch nicht selbst beseitigen kann, und setzt ihn so instand, mit ihrer Hilfe das Heil wiederzugewinnen — der klassische Gedankengang eines semipelagianischen, gnadenhaften Synergismus!

Wieso kann Jesus die Fehlform unsrer Existenz, die uns ums Heil bringt, aufheben? Welche Medizin kann das tödliche, im Tod manifest werdende impedimentum sanitatis beseitigen, jene verfluchte Ursünde, die uns von aller Vergebung und Seligkeit trennt und jede Gnadenhilfe vereitelt? Es muß da doch wohl eine allgenugsame und allmächtige humilitas unsrer superbia, unsrer hochmütigen Eigenmächtigkeit schon von der Wurzel her den Weg verlegen! Muß da nicht ein opfervoller Gehorsam von solchem Wert dargebracht werden, daß er auch die Kränkung wieder aufwiegt, die der menschliche Ungehorsam Gott zugefügt hat? Eine Menschheit, die

---

[54] 13 C. Diese beispielhafte Disposition lautet wörtlich: Salvavit autem populum suum, salvat et salvabit. Salvavit medicinam preparando, salvat morbum expellendo, salvabit sanitatem perfectissimam conferendo et sine omni defectu perpetue conservando. Medicine preparatio pertinet ad naturam assumptam, morbi expulsio ad divinam, perfecta sanatio ad utramque.

[55] 13 D: Medicina autem duo operatur. Primo impedimentum sanitatis tollit. Secundo ad sanitatem recipiendam disponit, quam postea natura ipsa artis adiutorio introducit. Jesus noster dulcissimus (mystische Predigtsprache?) preciosam medicinam commiscuit, corpus s. sanguinem et animam, qua et impedimentum nostre sanitatis abstulit, et nobis necessarias ad salutis consecutionem dispositiones ministravit.

Gottes Liebe verscherzt hat, kann weder selbst zur ursprünglichen Liebe zurückfinden noch jene größere Liebe aufbringen, die den geschehenen Fall aufwiegen und die ausgebrochene Gottesfeindschaft aussöhnen könnte. Doch ist diese höchste Liebe unsrer dem Gesetz, der Sünde und dem Tod verhafteten Welt in unermeßlicher Geistesfülle mit dem Sohn erschienen, der kam, um sein Leben für Gottes Feinde hinzugeben und sie zu Gottes Freunden zu machen. Gott hat sein Opfer angenommen und die kirchlichen Heilsmittel (adiutoria) dazu bestimmt und befähigt, den Menschen von unterwegs nun in der Kraft jenes vollkommenen Gehorsams alles zukommen zu lassen, was sie der Sünde entreißen und ihr Tun verdienstlich machen kann — die Gnade und die Liebe. Wenn sie im Glauben zu Gliedern Christi werden, wird ihnen das ewige Leben zuteil.

An solcher Genugtuung, am heilenden Balsam dieses kostbaren Blutes erst können wir das bedrohliche Gewicht unsrer Sünde ablesen[56] und sie recht fürchten lernen. Indem Gott uns seine Liebe und seine Gerechtigkeit gerade in jenem vollkommenen Gehorsamsweg erfahren und uns nicht anders seiner heilvollen Gnade teilhaftig werden läßt, trifft er den gefallenen Menschen in seiner Verfallenheit erst wirklich an mit dem, was ihm allein heilsam werden kann. Die Passion Christi ist so zugleich die Wirklichkeit und die Vorbildlichkeit der erschienenen Gnade in der Welt; gerade so wird das Erbübel der menschlichen Existenz an der Wurzel gepackt und aufgehoben.

Wie bringt das Jesus zuwege? Antwort: indem er in seinem Leben die *Sakramente* eingesetzt und in seinem Sterben sie heilswirksam gemacht hat. Durch sie wird der Mensch befähigt, die Gnade zu empfangen, die sie ihm bringen und die die Gesundheit und das Leben seiner Seele werden soll[57]. Daß Jesus ausgerechnet bei der Beschneidung, dem alttestamentlichen Hauptsakrament, seinen »Namen« bekam, beweist, daß Gottes regulärer Heilsweg für uns über die Sakramente führen soll[58]. Gott ist freilich an und für sich weder auf den Inkarnations- und Passionsweg noch auf den

---

[56] 13 E: Agnosce, o homo, quam gravia sunt vulnera, pro quibus necesse est Christum dominum vulnerari. Das ist die Stimme Bernhards. Biel hat diesen Ansatz zu einer Blut- und Wundentheologie seinerseits nicht vertieft.

[57] 13 F: inveniemus sacramenta fore, quibus homo immediate disponitur ad gratie susceptionem, que sanitas est et anime vita. His efficaciam meruit sanguinis effusione.

[58] 13 F: Ac si aperte diceret (Lucas), Jesum fore salvatorem per sanguinis effusionem, ipsam quoque salutem participare nobis per sacramentorum susceptionem.

über die Sakramente angewiesen und hat auch seine Macht nicht schlechterdings daran gebunden. Aber er schlug ihn als den für uns angemessensten Weg ein[59] und brachte gerade so die Weisheit seiner Liebe zum Ausdruck. Dieser sakramentale Weg ist deshalb so angemessen für uns, weil er unter dem Primat der Gnade dennoch die menschliche Kooperationsfähigkeit ermöglicht und in Anspruch nimmt. Inkarnation und Passion begründen, die Sakramente jedoch erwecken und vermitteln unsre Dankbarkeit und Gottesliebe[60]. Sie sind gerade mit ihrer kognitiven Zeichengestalt und ihrer gleichwohl effektiven Potenz hervorragende Werkzeuge der fürsorglichen Gnade Gottes[61].

So sieht sich Biel veranlaßt, tiefer in die kirchlichen Lehrbücher hineinzugreifen und über das kirchliche Sakramentsverständnis gemeinverständlich Auskunft zu geben.

Den Sakramenten eignet wohl eine gewisse Sinnbildlichkeit, die das Wesen der Gnade überhaupt oder eine ihrer besonderen Wirkungen veranschaulichen kann[62]. Aber ihre Wirkung hängt ganz an ihrer Einsetzung. Denn nur wenn Gott kreatürliche Elemente und menschliche Handlungen ausdrücklich zu einer weit über den kontrollierbaren Vorgang als solchen hinausgehenden Wirkung gebrauchen will, kann man mit Gewißheit von ihnen derartige Wirkungen erwarten[63]. Christi Vollmacht hat sie in der Tat göttlich legitimiert; und seine Menschwerdung und Passion hat sie als wirksame Gnadenmittel in sein Heilswerk einbezogen. Darum ist ihre Verachtung oder ihr Nichtgebrauch ein Verstoß gegen Gottes Gebot, eine Sünde gegen ihn selber[64].

---

[59] Ibid.: disponit omnia suaviter, Sap. 8, hoc est secundum quod magis congruit rebus disponendis, et modi isti miserie nostre sanande plus congruunt.

[60] Ibid.: nec enim decet aliquem beatificari nisi et ipse sue saluti per gratitudinem et dei amorem pro suo modulo se disponendo cooperetur. Die Meinung ist: die Sakramente provozieren und garantieren das Mindestmaß menschlicher Mitverantwortlichkeit für das Heil und bringen so das facere, quod in se est, wirklich in Gang.

[61] 13 F: Ut ergo ex omni parte nostre infirmitati consuleret, etiam sensibilia signa instituit, quasi vasa gratie et medicinas efficaces, quibus nos homines carnales sensuali cognitione inherentes disponeremur ad gratie invisibilis cognitionem, appetitionem et consecutionem.

[62] 13 G: signum visibile habens naturalem similitudinem cum gratia.

[63] Die Einzelverweise zur Einsetzung der 7 Sakramente sind in Anm. 41 aufgeführt.

[64] Ibid.: cum igitur a deo sacramenta omnia sunt instituta, patet quantum illi delinquunt, qui salutaria dei dona spernunt, nam qui contemnit mandatum contemnit et mandantem.

Wenn man im Interesse ihres rechten Gebrauchs so stark auf die sie autorisierende Einsetzung zurückgreift, dann könnte dies zweifellos die Gedanken der Empfänger vom Sakramentsgeschehen zu dem sie autorisierenden Heilsgeschehen, zu dem mit ihrer Hilfe sein Christuswerk treibenden Gott selbst weiterführen. Das pactum dei, die Selbstbindung seiner potentia an das Fleischgewordene Wort, den Wortgewordenen Geist und die Kirchegewordene Gnade könnte als solches, als Statut, pactum, ordinatio, institutio, als bindend erklärte und zu seiner Zeit promulgierte promissio einen unausgesprochenen Primat des Wortes und der personalen Gottesbeziehung als Hintergrund des ganzen Heilsgeschehens aufrichten. Doch wird diese Spannung in den von Biel gebrauchten Begriffen nur gewissermaßen bereitgestellt, aber nicht durchgeklärt. Im Grund verlagert sich hier nur die Erklärung der Heilskraft der Sakramente aus dem vordergründigen Sakramentsgeschehen in ihre hintergründige Autorisierung, und umso autoritärer und positivistischer kann dann die Rolle bleiben, die die Sakramente weiterhin im Christenleben spielen. Das Interesse an ihrer vergewissernden Funktion, das mit dem an ihrer Einsetzung Hand in Hand geht und das in Biels Vokabular gleichfalls deutlich hervortritt, bleibt faktisch doch ganz im Schatten des herkömmlichen Interesses an der sicheren Sakramentswirkung.

Ihre einzigartige Würde, ihre utilitas liegt jedenfalls nicht so sehr darin, daß sie geboten sind oder etwas zu erkennen geben, als vielmehr darin, daß sie ex opere operato ihr Werk tun, überall, wo man ihnen nicht bewußt widerstrebt und hartnäckig, glaubenslos an vergangenen oder geplanten Todsünden festhält. Erst vorsätzlicher Widerstand vereitelt ihre Gnadenwirkung, aber nicht, daß die kindlichen Täuflinge nichts und die Büßenden in der Regel wenig genug, eine kümmerliche attritio, mitbringen[65]. Nur Ausnahmemenschen können ja kraft ihrer Reue allein das Heil erlangen[66]. Wer seiner eigenen Schwäche bewußt ist, der wird dankbar dafür sein, daß es den regulären Weg der widerstandslosen Bereitwilligkeit zum Sakramentsempfang gibt, der für Unmündige und für Erwachsene, für

[65] 13 H: sufficit quod suscipiens ea non ponat obicem infidelitatis contrarie voluntatis aut consensus in mortale peccatum commissum vel committendum. Qui enim tale in quot repugnans gratie in se haberet, gratiam accipere non posset, quoniam contraria et repugnantia simul stare non possunt. Viel Dogmatik für einen sermo ad populum!

[66] Immerhin kann Biel (im Anschluß an Duns) 13 J sagen: duas siquidem misericors dominus vias ad gratie consecutionem preparavit.

geistlich Geübte wie für noch sehr fleischliche und unvollkommene Christen gleichermaßen gangbar ist und ihnen allen gewiß die heilsame Gnade bringt.

Dieser Weg ist uns ja in vieler Hinsicht angemessen: die Symbolik der Sakramente belehrt, ihre Faktizität ermutigt und vergewissert uns[67]. Ihre Leibhaftigkeit kann uns demütigen, ihre kirchliche Verbindlichkeit mit konkreten kirchlichen Pflichten beladen und so dem Müßiggang oder dem Aufgehen in weltlichen Geschäften wehren. Auch sind sie — woran schon Augustin lag — nützliche Bekenntniszeichen der Kirche. Gerade in solcher vielfachen Kongruenz sind sie uns ein ermutigender und verpflichtender Spiegel der göttlichen Kondeszendenz[68].

So bleibt diese Sakramentslehre fast ganz traditionell. Allenfalls wird man, wie schon bei Duns, die vergewissernde Funktion der Sakramente etwas stärker herausgehoben und gegen die herrschende, bis zu einem gewissen Grad auch kirchlich gepflegte Heilsunsicherheit gestellt sehen können[69]. Aber man begegnet solcher Unsicherheit, nicht unähnlich den Ratschlägen, die Luther im Kloster erhielt, einfach mit dem Appell: serva mandata (Matth. 19, 17), mit dem — gewiß weder text- noch sachgemäß — schlicht die gottgebotene Kirchlichkeit eingeschärft wird[70]. Das Beispiel Christi, sagt Biel, ermuntert zu solcher devotio externa, in der wir alle nötige eruditio, humiliatio und exercitatio erfahren und die, weil demütiger, auch verläßlicher ist als jede devotio interna und jede Heilsbemühung aus eigener Phantasie und in einem trügerischen, frommen Selbstvertrauen, das sich über die Sünde erhaben dünkt und schließlich dann auch Christi leibhaftige Gegenwart im Altarsakrament keines Blickes mehr würdigt. Der reguläre, sakramentale Heilsweg bestand immer, auch als man weder die neutestamentlichen Sakramente besaß noch sich auf die vollbrachte Passion Christi berufen konnte. Er mußte bestehen, denn was wäre sonst aus den zu frommen Eigenleistungen nicht fähigen Kindern geworden[71]. Für Israel war die

---

[67] 13 K: ut . . . in specie visibili . . . ad invisibilem gratiam . . . certius cognoscendam mens erudiatur. Sie sind media, die den Mut auch der Ängstlichen entfachen und sie dessen versichern, daß man hier wirklich und sogar leicht zum Heil findet.

[68] Ibid.: qui usque adeo nostre condescendit infirmitati.

[69] Ibid.: ut sic omnis difficultas, omnis diffidentia perveniendi ad salutem tolleretur. Vgl. auch Anm. 67 und 71.

[70] 13 L.

[71] 13 M: de nullo autem actu alterius ad parvulum relato certum esse potuit ipsum sufficere parvulo, nisi ad hoc a deo fuisset institutum.

Beschneidung als vergewisserndes Bundeszeichen bestimmt, überall
sonst sah man sich wenigstens an irgendwelche Opfer verwiesen,
mit denen Abel, Noah, Melchisedek, aber auch der noch unbeschnit-
tene Abraham Gott wohlgefielen[72]. Was menschlicher Vorwitz sich
herausnimmt oder was bloß in der Innerlichkeit bleibt, gilt bei
Gott nichts[73]. Was immer aber vor ihm gilt, das galt und gilt ante
wie post Christum einzig um seinetwillen[74]. Christus hat also unsre
Erlösung damit bewirkt, daß er durch seine Opfertat das uns ver-
sperrte Heil wieder zugänglich gemacht hat und daß er uns mittels
der Sakramente, die seiner Liebe entstammen und unsrer Schwäche
entsprechen, auf den Weg dahin bringt[75]. Wir leben also im Geleit
seiner Sakramente. Doch von welcher Art ist das Leben, das sich
an diesem kirchlich-sakramentalen »Ort« abspielt? Wie wirkt es
sich negativ und positiv bei uns aus? Muß es nicht durch die Sündenvergebung zu einem Leben gegen die Sünde, durch die Gnaden-
zuwendung zu einem Leben für die Liebe kommen, wenn anders
Gottes Werk kein Stückwerk ist[76]? Diesem zweiten Gedankengang
gilt die nun folgende Predigt.

Sermo 14:   Das Prothema ist dasselbe wie in der ersten Predigt,
und auch das Exordium ähnelt dem vorigen[77]. Doch gilt auch hier,

---

[72] Ibid.: . . . quod utique non fuisset nisi ab ipso fuissent instituta!

[73] Ibid.: Gregor sagt »quod agit apud nos baptismus, hoc egit apud veteres vel
pro maioribus sola fides .. vel pro parvulis virtus sacrificii, vel pro his, qui
ex Abre stirpe prodierant, mysterium circumcisionis«. Biel kommentiert aber
die ›sola fides‹ rasch nach Duns und bindet solchen Glauben alsbald wieder
an eine sichtbare, bekenntnishafte Äußerung: non quidem interior tantum,
sed aliquo exteriori signo protestata!

[74] 13 N: passio Christi .. previsa ab eterno, exhibita in certo tempore, fuit adeo
trinitati accepta, quod pro ipsa etiam adhuc futura omnibus credentibus in
illam exhibendam in tempore remisit offensam et originalem et personalem,
dedit etiam gratiam, qua mereri possent beatitudinem. Lediglich die janua
regni blieb ihnen bis zur vollbrachten Passion Christi noch verschlossen; man
half sich mit dem limbus patrum. Daß man zu diesem reinen Postulat seine
Zuflucht nehmen mußte, ungeachtet der Absurditäten, die es mit sich bringt,
das macht doch wohl die Prämissen dieses sakramentalen Heilsverständnisses
fragwürdig!

[75] Ibid.: dispositiones immediate nos ad salutem disponentes kann Biel die
Sakramente nennen. Indem wir uns diesen Anordnungen einordnen, ordnen
wir uns selber der Gnade zu.

[76] Ibid.: Dei quippe perfecta sunt opera, Deut. 32. Non ergo imperfecte sanat
morbum solum expellendo, sed et sanitatem confert gratiam infundendo.

[77] Große Teile dieses Exordiums sind in Anm. 15 zitiert.

was man an vielen Predigteinleitungen sehen kann: in gewisser Weise hat man es da schon mit der geplanten Predigt in nuce zu tun[78]. Denn nun soll es nicht mehr um die Tatsache des erschienenen Heils, nicht mehr um die Tatsache der kraft dessen für uns bestimmten sakramentalen Heilsmittel gehen, sondern um die *Art,* wie hier dem in der Sünde gefangenen Menschen zur Freiheit geholfen wird; nicht so sehr darum, daß Gott als Mensch kommt, vorbildlich für unsre humilitas, sondern darum, wie im Sein und Wirken Jesu, in seiner wahrhaftigen Menschheit und seinem vorbildlichen völligen Gehorsam Gottes uns rettende Kraft erscheint. Denn weil es hier nicht um den Preis des erscheinenden Gottes, sondern um die Erfahrung seines von den Sünden befreienden Werkes geht, darum war es so angemessen — congruentius —, daß Christus gerade bei dieser alttestamentlichen Aktion gegen die Erbsünde seinen Retternamen empfing. Der rhetorische Aufbau ist der übliche[79]. Bei aller Breite und Materialfülle behält der sermo magistralis doch stets das Ziel seiner Darlegungen im Blick, wird nicht schwammig und entartet nicht zu beliebigen homiletischen Zwischenbemerkungen. Eher droht einem solchen Predigttyp bei kleineren Geistern eine spielerisch-formalistische Redeweise.

Man interessiert sich jetzt also nicht dafür, *wie* das Heil zu uns kommt, sondern *was* als ewiges Heil bei uns wirksam wird; nicht für die Mittel, sondern für das Wesen der Gnade; nicht für die via, sondern für die res salutis; für jene universale Rettung von den Sünden, für die der Name des salvator gutsteht. Drei Fragen sind da zu beantworten: Worin besteht die Beseitigung der Sünde durch die Macht Christi, was ist Wesen und Werk der hier erschienenen

---

[78] Man könnte, etwas hochgreifend, geradezu von der Gnade des guten Anfangs sprechen. Die Mühe um die rechte Einleitung und das Geschenk des guten Einfalls dafür fällt nicht selten mit dem Kampf um die rechte inventio für die Predigt überhaupt in eins. Der erste Wurf aus der Hand des Sämanns bestimmt den Acker, den er mit den folgenden Würfen bestellt.

[79] Prothema-exordium-suspirium-Text (Thema). Dieser wird aber nicht wieder im vollen Wortlaut angeführt, sondern erst von Vers 21 b an, was sich ebenso gut auf die tatsächliche Predigt wie auf die Überarbeitung für den Druck zurückführen läßt. Dagegen wird dann gleich (14 B) die Disposition des Ganzen aus dem sermo 13 wörtlich wiederholt. In sie werden jetzt nur drei zeitliche Näherbestimmungen eingefügt — salvavit jam, salvat cotidie, salvabit finaliter; denn jetzt ist es um den Schritt vom »jam« zum »cotidie« zu tun. »jam« ist die Einsetzung der »medicinalia sacramenta« erfolgt, wie es hier heißt. Nunmehr kommt hier die Entfaltung des »cotidie«, des zweiten Glieds. Deren subdivisio s. in der folgenden Anmerkung.

8*

Gnade, und wie kann uns ihr Wirken anziehender und besser verständlich werden[80]?

Zum ersten: Die Sünde wird zunächst schlicht damit vertrieben,
daß sie vergeben, d. h. nicht länger zur göttlichen Bestrafung vor-
gemerkt wird — durch ihre non-imputatio also. In der Sprache der
Bibel und der Väter gesagt: Gott bedeckt sie so, daß sie auch im
Gericht bedeckt bleibt; er sieht sie nicht an, sondern von ihr ab.
Das wäre freilich ein sehr unvollkommenes Verfahren und seiner
nicht würdig, wenn daraus nicht die Wiederherstellung heilvollen
Lebens würde. Was hülfe es uns, wenn unsre Glieder zwar nicht
mehr schmerzten, wir aber gelähmt und arbeitsunfähig blieben?
Die Gnade betäubt nicht, sondern heilt; streng genommen kann
man sie doch nur als positiv helfende Kraft verstehen, die Sünden
nicht nur vergibt, sondern verhindert!

Die Gnade ist Gottes Werk; Werk seiner schöpferischen Kraft.
Gratia esse non potest nisi per creationem. Nicht zufällig empfan-
den die Juden den Anspruch in Jesu Vergeben als gotteslästerlich.
Gewohnheitsmäßig, habituell kommen unsre moralischen Fähigkeiten zustande — ex operibus moralibus bonis frequentatis[81]. Aber
die Gnade bleibt ganz und gar Gottes: allein Gott kann vergeben
und deshalb auch allein Christus unser Sündersein aufheben.

Zum zweiten: Vergebung geschieht nie sozusagen allein. Sie ist
die infusio gratiae creatae, und darum heißt ihr positiver Aspekt
iustificatio impii[82], die als wirkliche Gerecht*machung* zu verstehen
ist. Denn die klassische Definition der rechtfertigenden Gnade lautet: est gratia ista ... donum a deo anime supernaturaliter infusum,
ipsam deo gratificans et ad meritorie dilectionis actum perfectum
inclinans[83]. Der Gnade geht es um fundamentale Belange. Sie ge-

---

[80] 14 B: tria in presenti sermone sunt notanda. Primum in quo consistit huius
  morbi expulsio, et quomodo Christo conveniat secundum naturam divinam.
  Secundo, quia ista fit per gratiam, videndum est, quid sit gratia descriptive
  et qui eius effectus. Tertio eliciende sunt alique veritates ad gratie commendationem, unde excitari poterimus ad divinam gratiam cognoscendam
  et extollendam.

[81] Für diese habitus-Definition wird die aristotelische Ethik zitiert und ihr die
  Gnadendefinition des Paulus aus Röm. 11,6 gegenübergestellt und auch von
  des Pelagius Meinung abgehoben, wonach der Mensch ex suis naturalibus die
  heilschaffende Gnade produzieren könne (14 C). In 14 G begegnet dann die
  habitus-Definition noch einmal etwas ausführlicher.

[82] 14 D: benigne nos dominus salvat in impii iustificatione sive peccati dimissione.

[83] Ibid.

hört einer tieferen Schicht an als die je und je den Menschen über-
natürlich geschenkten Charismen. Ihre Fülle läßt sich im Grund auf
drei Wirkungen reduzieren: sie macht uns Gott angenehm, in uns
selber gerecht und setzt uns zu verdienstlichem Handeln instand[84].
Sie ist gratia gratum faciens: indem sie dem Menschen inhäriert,
dekoriert sie ihn so, daß er nunmehr Gott gefällt. So hat Gott es
bestimmt. Die Gnade führt durch die remissio zur acceptatio, denn
Gott kann nur einen Akzeptablen akzeptieren. Ihretwegen sieht er
uns als seine Freunde an. Ihretwegen sind wir akzeptabel, des ewigen Lebens wert und nicht mehr ewiger Verdammnis schuldig. Wir
können dem Bösen zwar wieder verfallen, aber wir können nicht
zugleich wert und unwert sein. Die Gnade *macht* uns gerecht. Wo
sie zu einem käme, der schon im Stand der Gnade wäre (und deshalb schon verdienstlich handeln könnte), da ginge es nicht mehr
um ihren Empfang, sondern nur mehr um ihre Vermehrung, um
super-infusiones[85]. Diese Rechtfertigung aus Gnaden meine auch
Paulus in Römer 3, ist Biel überzeugt. Luther, der das Rechtferti-
gungsgeschehen mit demselben Vokabular reflektiert, steht freilich
auf dem entgegengesetzten Ufer: ihm ist das von Biel verworfene
simul genau die Situation, in der der Glaube nötig und wirklich
ist; die Situation, die recht eigentlich die Stärke und die Schwäche
des Glaubens ausmacht. Biels Position lehrt beispielhaft, daß sich
das sola gratia nur im sola fide durchhalten läßt; sonst verfällt es
in quantitierende Gnadenvorstellungen.

Biel weiß, daß zuerst Abel selbst Gottes Wohlgefallen fand und
erst darum und dann auch seine Gabe. Die Person kommt vor dem
Werk. Aber es genügt eben nicht, wenn die Person gottgefällig
ist, was sie um der mit ihr sozusagen koexistierenden Gnade willen
in der Tat ist[86]. Denn nun geht es darum, daß diese Person auch
handelt, und zwar verdienstlich in Richtung aufs ewige Leben;
daß sie sich nicht einfach mit der vorhandenen Gnade begnügt, sondern an ihr orientiert, ihren Impulsen folgt, und nicht den eigenen

---

[84] 14 E: habet autem gratia hec multos laudabiles effectus, qui tamen ad tres
reducuntur, qui sunt gratificare, iustificare, et opera, ad que inclinat, meritoria reddere, meritoria dico vite eterne gratie aut glorie.

[85] Ibid.: verum si infunderetur ei qui iniustus non esset, non iustificaret, sicut
olim factum est sanctis angelis, et fit cotidie rectis corde, qui operibus suis
virtuosis merentur ut preexistens gratia per nove superinfuse additionem
augetur.

[86] 14 F: et hoc quidem esse acceptum dat gratia ex sola sui coexistentia, ut
dictum est. Non tamen sufficit . . . .!

Regungen[87]. Was der Mensch, wiewohl im Gnadenstand, dann doch ex puris naturalibus tut, kann indifferent oder läßliche Sünde sein; selbst im besten Fall wird es mindestens nicht mit der Leichtigkeit und Vollkommenheit der Gnade geschehen und deshalb ohne verdienstlichen Wert bleiben. Nur bei Begnadeten gibt es Verdienste; nur im Zusammenwirken der Gnade mit dem Liberum arbitrium kommen sie zustande. Eben dies ist Gottes Ordnung in Sachen der Gnade, die keinen zwingt und die jeder wieder verlieren kann. Die Gnade ist wohl der Reiter und unser Wille das Pferd. Aber, so möchte man dieses traditionelle Bild sinngemäß weitermeditieren, das Pferd kann mit dem Reiter durchgehen oder ihn auch wieder abwerfen. Ist es dann aber ledig? Luther hat dieses Bild in eine viel schärfere Alternative hineingezogen!

Zum dritten: gratia infusa und charitas infusa sind auswechselbare Begriffe und werden auch von Schrift und Vätern so gebraucht[88]. Gott kann nicht seinem Feind gnädig sein, ohne ihn zu lieben, oder ihn lieben, ohne ihm gnädig zu sein. Der Unterschied liegt in der jeweils gemeinten Relation[89]. Gnade ist das schöpferische Verhältnis des liebenden Gottes zu uns, Liebe das uns geschenkte Verhältnis zum geliebten Gott; sie ist der uns mit der Gnade eingegossene habitus. Unser durch die Sünde verbogenes, auf uns selber bezogenes Vermögen wird durch die Gnade von sich gelöst; es wird ihm so leicht gemacht, dem Gesetz der göttlichen Liebe konform zu handeln[90]. Nicht der begehrlich glostende Keim der Konkupiszenz wird ausgelöscht, sondern unsre Widerstandskraft wird verstärkt; die Steine sind gleich schwer, aber die Flügel sind stärker, und darum kann man jetzt höher fliegen. So wird von der Gnade auch die Urstandsgerechtigkeit überboten. Denn sie war nichts als heile Geschöpflichkeit. Die Liebe aber ist höher als alle

[87] Ibid.: inclinat hec gratia ad diligendum deum super omnia et in omnibus, hoc est in omnibus operibus gloriam dei tanquam finem querere et ipsum finem ultimum seu deum sibi ipsi et omnibus preferre. Ideo que non ordinantur in deum virtualiter vel formaliter, non eliciuntur secundum gratie inclinationem, et ita non sunt meritoria vite eterne.

[88] 14 G: Darum sagt Paulus in 2 K 12,9, daß die Gnade, und in 1 K 13, daß nur die Liebe genüge. Siehe im übrigen in Anm. 39.

[89] Ibid.: differunt tamen relatione, secundum Scotum.

[90] Ibid.: ita gratia potentiam elevat supra se, que per peccatum male inclinata sive reflexa est ad se, ut possit meritorie contra legem carnis in deum tendere; inclinatque, facilitat ac dirigit, ut recte eliciat conformiter legi charitatis divine.

Gaben der Schöpfung; sie kann retten und macht uns zu Gottes
Freunden; in ihr schenkt sich uns die Trinität selber zu eigen.

So behandelt uns die Gnade nicht nach kümmerlichem Menschen-
maß, sondern nimmt uns durch Vergebung in die Gottesgemeinschaft auf[91] und leistet uns jede erdenkliche Hilfe, daß wir in ihr
bleiben, wachsen und Teufel, Welt und Fleisch überwinden können.
Gerade darum ist sie mehr als bloß eine vergangene Heilstat oder
eine gegenwärtige Heilsgesinnung Gottes; als donum creatum er-
greift sie von unsrem Leben Besitz. Und so macht das Wesen des
Heils seinen Weg verständlich: Gott hat es in seiner Gnade so geordnet, daß jeder, der sich zu ihm wendet und tut, was er kann,
gnädige Vergebung findet und gnädige Hilfe empfängt.

Das wird dann noch mit der reichlich konstruiert wirkenden Parabel von jenem König verdeutlicht, der jedem, der von der Feind-
schaft gegen ihn abließe, die goldene Kette der königlichen Familie umzulegen versprach und sie mit wertvollen Steinen von
großem Gewicht verschönerte, damit sie alle ansporne, immer besser zu seiner Ehre zu wirken und immer tapferer den Feindmächten
zu widerstehen. Er dekoriert uns also im voraus, aus seinem bloßen
Vorsatz, und auf unsern bloßen Vorsatz hin, damit wir uns dann
dessen würdig erweisen. Gerade in ihrer Künstlichkeit belehrt diese
Parabel über die Unbegreiflichkeit der Gnade Gottes und die Kontingenz seiner Verordnungen, über das Verständnis der Gnade als
decor animae und über den kirchlichen Offenbarungspositivismus,
der diese ganze Heilsauffassung kennzeichnet. Das Gewissen freilich vermag solche »Lehre« schwerlich zu treffen. Sie erläutert die
Bewandtnisse des Heils, fernab von Kampf und Anfechtung des
Glaubens.

Sermo 15:   Hier erscheint die Beschneidung Jesu am achten Tag
als neues Prothema[92]. Während zuvor vom Namen des Salvator
her die Soteriologie mit den Sakramenten als Gnadenmitteln und
der iustificatio impii als dem Gnadengeschehen entfaltet worden
war, wendet man sich jetzt der Signifikanz des Beschneidungsritus,
seiner geistlichen Bedeutung fürs Christenleben zu. Die Beschneidung Christi hat nämlich für uns eine geistliche, theologische und
praktische Bedeutung: sie tröstet uns, belehrt uns und unterweist
uns in der Gottesfurcht. So nimmt dieses Exordium nicht wie manch-

---

[91] 14 J: in sein amicabile consortium; s. in Anm. 20.
[92] S. Anm. 12

mal die dogmatischen Abhandlungen den Beschneidungsritus als solchen, sondern die im Text erzählte Geschichte in den Blick. Der Blick auf den Text hatte bei diesem Predigttyp ohnedies seinen Platz in der Einleitung, wobei es streng genommen nicht um ihn also solchen, als das verbum Dei scriptum geht; er gehört vielmehr zum Casus des Festes, zu seinem liturgischen De tempore, und wird mit diesem zusammen und eigentlich nur dessentwegen berücksichtigt.

Wir empfangen hier also geistlichen Trost aus dieser Geschichte, nämlich die Vergewisserung darüber, daß uns Sündern ein guter Weg zum ewigen Leben erschlossen ist[93]. Denn der für seine Person dem Gesetz nichts schuldig war, unterwarf sich ihm freiwillig und vergoß schon im kindlichsten Alter sein unschuldiges Blut für schuldverfallene Menschen. Damit sind wir vom schweren Joch eines Gesetzes frei, das uns nur bedrücken, aber nicht heilmachen kann, auch nicht durch sorgfältige Befolgung seiner Riten, und so können wir unsre Sorgen getrost auf den werfen, der sich so sehr um unsre Erlösung gekümmert hat.

Zum anderen werden wir hier über das Ziel und die Hoffnung unsres Lebens belehrt. Jetzt durchleben wir, in der Taufe geistlich wiedergeboren, die Siebentagewoche, in der die drei theologischen und die vier natürlichen Tugenden regieren[94]. Aber wir werden so zum achten Tag gelangen, zum Auferstehungstag, der die symbolische Beschneidung real erfüllen und uns von jeglichem Mangel befreien wird. Bis dahin erleuchten jene sieben Tugenden unsre Vernunft zur rechten Erkenntnis, entzünden unsern Willen zum rechten Verhalten gegen Gott, uns selber und unsern Nächsten, und machen uns schon dieses Leben zum Tag, an dem man ohne Anstoß wandeln kann (Joh. 11, 9 f.).

Und schließlich sehen wir uns hier auch in der Furcht Gottes unterwiesen[95]. Denn wenn unsre Erlösung Gottes geliebtem Sohn von Anfang an solche Schmerzen bereitet, was wird da Gottes Rebell mit seinen selbstverschuldeten Sünden zu erwarten haben, wenn er nicht in der Zeit dieser sieben Tage umkehrt und jenem Kinde Jesus gleich wird? Kann da einem, der in seinen Sünden alt geworden ist und diese Tage fruchtlos verstreichen ließ, etwas anderes

---

[93] Inbegriff geistlichen Trostes ist also ein Gewißwerden aus der vergewissernden Kraft des Zeichens, aus der geistlichen Bedeutung seiner similitudo!

[94] Virtutes carnales nennt sie Biel, 15 A; vgl. Anm. 47 und 36.

[95] Ibid.: timor non modicus divine iusticie ac severitatis ..

als jenes unerbittliche Gericht bevorstehen, das nicht seine Mängel
von ihm, sondern ihn selbst von der Seligkeit abschneidet?

Statt aber dies jetzt zu entfalten, will der Prediger es nach dem
alten Satz halten, daß uns die ganze Geschichte Jesu in allen ihren
Einzelzügen etwas für unser eigenes Verhalten lehren will, und
diesen Satz auch auf die Passion Christi (und die Beschneidung als
deren Vorspiel) ausdehnen und einige praktische Konsequenzen
daraus ziehen[96].

Man sieht: das Thema dieser Predigt ist einfach das sacramentum circumcisionis domini nostri, und die Predigt selber nimmt
sich vor, diese Geschichte als Sakrament und Exempel zu betrachten[97]. Damit nimmt diese dritte Predigt nun doch der Sache nach
in etwa das dritte Glied jener klassischen Disposition der ersten
Predigt auf. Dieses hatte ja vom Ziel des Heilswerkes gehandelt,
von der perfecta sanatio — und hier wird nun das Leben in dieser
Hoffnung, auf dieses Ziel hin, beschrieben; nach den Heilsmitteln
und dem Heilsgeschehen die Heilseinübung. Freilich ist der — übrigens nur zweiteilige — Aufbau und sind die Formeln dieser dritten
Predigt längst nicht so geschliffen; sie wirken eher eilig, stehen
unter dem Stichwort »breviter«; die Zeit drängt, die Kräfte fehlen,
vielleicht war es auch sehr kalt an diesem Neujahrsfest in der Kirche. Zugleich wiederholt dieser dritte Sermon viel schon früher
Gesagtes und kommt gedanklich nicht recht vom Fleck — obwohl
er der kürzeste ist, wirkt er am weitschweifigsten, was jeder Prediger und Hörer aus Erfahrung verstehen kann! Die angegebene
oder wenigstens angedeutete subdivisio, die wir mit sacramentum/
exemplum charakterisiert haben, wird dann auch nicht durchgeführt. Im Grund ist die ganze Betrachtung der Beschneidung Christi
gewissermaßen tropologisch (auf allegorischem Hintergrund) und
besteht aus einer Folge von Ermahnungen. Denn statt der vielen
traditionellen Kongruenzgründe für die Beschneidung Christi, die

---

[96] 15 B: si namque puer natus nobis datus est in signum, quis putabit puerum
circumcisum a significatione vacare? Si enim omnis Christi actio nostra est
instructio, quanto magis passio eius et sanguinis effusio?

[97] Der Ausdruck für diese Distinktion fehlt hier, sachlich aber geht es um nichts
anderes. Die Gliederung lautet wörtlich, in unmittelbarer Fortsetzung des in
der vorigen Anm. zitierten Satzes: Consideremus breviter, cur omnipotens
pater filium sibi tam dilectum, in quo sibi semper bene complacuit, in tener-
rima hac etate tanquam peccatorem circumcidi voluit, qui peccatum non
fecit, imo peccatorum purgationem facere venit. Deinde ex his exhortationem
quandam eliciamus pro nostra informatione.

man etwa beim Aquinaten nachlesen könnte, sollen uns hier, sagt Biel, drei (tropologische) Gründe genügen[98]:

Erstens: Wir werden da ermahnt, ja schier drohend verpflichtet, ohne Scheu zur Beichte zu gehen. Wir sollten uns lieber schämen, Sünden zu begehen, als sie zu bekennen. Man errötet da gern am falschen Platz, über die Verbände statt über die Wunden. Das Forum, von dessen Urteil wir uns abhängig wissen, scheint empfindlich durcheinandergeraten zu sein. Auch die Beschneidung Jesu war schmerzhaft; daß der Unverwundete sich verbinden ließ, ist sein paradoxer Angriff auf unsern perversen Hochmut. So werden auch wir schmerzhafte Buße auf uns nehmen müssen, und so wird gerade in der Beichte unsre humilitas kirchlich konkret[99].

Zweitens: Stärker als mit diesem schmerzhaften, ungezwungenen Gehorsam Christi kann uns wohl die Heilsnotwendigkeit unsres eigenen Gehorsams nicht mehr eingeschärft werden[100]. Der Ungehorsam macht die Sünde zur Sünde und ist ihr eigentliches Wesen. Er brachte den obersten Engel um den Himmel, Adam ums Paradies, Saul ums Reich, Ahab ums Leben; er bringt jeden Verdammten um die selige Freude. Der ungehorsame Eigensinn ist geradezu unsre eigene Hölle. Und umgekehrt, wo Gott es befiehlt, können die Kinder Israel ohne Sünde Fremdstämmige töten, die Ägypter ausplündern oder, wie die Patriarchen, polygam leben. Wenn uns das ganze Leben, Reden, Wirken und Leiden Christi den Gehorsam als den königlichen Weg lehrt und auch seine Zeugen ihn so verstanden haben[101], dann kann es auch für uns nur gut sein, wenn unser

---

[98] 15 C: sed ad propositum tres ille sufficient cause ad morum instructionem accomode. Prima ut a penitere desiderantibus superba verecundia damnaretur, secunda ut obedientia in et pre omnibus commendaretur, tertia ut scandali occasio tolleretur.

[99] Biel sagt hier mit seinen eigenen Worten nichts, was Bernhard, den er ausschreibt, nicht längst viel besser gesagt hätte. Höchstens darin könnte man einen eigenen Akzent vermuten, daß Biel meint, solche Verkehrtheit am falschen Platz sei nicht nur höchst unfromm, sondern auch ganz unvernünftig — omni obviat naturali rationi. Vgl. dazu Anm. 49.

[100] 15 D: unde quisquis se sine obedientia salvari posse existimat, miserabiliter se decipit et a via beatitudinis longe errat, dicente Augustino super psalmistam: sola obedientia tenet palmam, sola inobedientia invenit penam.

[101] 15 D werden angeführt Matth. 19,16 ff.: serva mandata, eine äußerst beliebte Stelle für den kirchlichen Offenbarungspositivismus in der Musterperikope für die Unterscheidung von Geboten und Räten; oder Joh. 6,38, Phil. 2,8 und Röm. 5,17 ff.; sein Gehorsam kam ihm, aber auch uns zugut. Ecce quantum nobis custodiendum est obedientia, quantum fugienda rebellio, cum ex illa tota salus, ex illa omnis pendet damnatio. Propter quam nobis eam dominus

eigener Wille, der immer ungehorsamer Wille ist, sich dem Gebot eines Oberen zu beugen hat[102].

Drittens: Christus ließ sich beschneiden aus Rücksicht auf das Volk des Gesetzes, um seine Predigt bei ihm nicht unanbringlich zu machen und ihm keinen Vorwand zu geben. Er hat also seine Rechte nicht geltend gemacht, um Ärgernis zu verhüten. Wieviel mehr müssen dann wir unrechte Worte und Taten, auch anstößige Sitten mit Kleidermoden und prunkendem Schmuck beiseitelassen, zumal in den Kirchen, und auch auf jeden falschen Stolz verzichten, wenn sie unsrem Nächsten zum Anstoß werden! Jesus hat das nicht nur durch seine Beschneidung praktiziert, sondern auch sonst durch Wort und Beispiel geboten, und Paulus ist ihm als sein getreuer Schüler darin gefolgt[103].

Nach einer so unverhohlenen Predigt praktischer imitatio Christi, an Hand der allegorischen Signifikanz seiner Beschneidung, an Hand vieler Weisungen des Evangeliums und im Einklang mit den kirchlichen Sakramenten, wissen wir genug darüber, daß und wie diese Beschneidung bei uns geistlich ihren Fortgang nehmen muß, solange es heute heißt, bis zu dem Tag, der solche Beschneidung und uns selber in der Herrlichkeit Gottes vollenden wird.

V.

Von *Luther* sind zu unsrem Text 8 Neujahrspredigten (und zwei ausführliche Predigtbearbeitungen in Postillen) auf uns gekommen. Die erste setzt mit demselben Prothema ein wie BIELS Sermo 15; sie wäre für einen Vergleich hinsichtlich der initia Lutheri natürlich am interessantesten[104]. Vielleicht wird es einmal an anderer Stelle

tam diligenter in suo ingressu in mundum, progressu et egressu doctrina et opere exemplavit.

[102] Ibid.: Est autem voluntas propria voluntas inobediens, que sibi inherens superioris subesse renuit voluntati.

[103] Bibelstellen dafür in 15 E: Matth. 17,26 (Stater), Röm. 14,6 und 15 bzw. 1 Kor. 8,13 (Götzenopferfleisch) und Matth. 18,6 (der Mühlstein).

[104] WA 1, 117—122. Die weiteren Predigten Luthers über diesen Neujahrstext sind aus den Jahren:

1521 — WA 9,544—546
1523 — WA 12,400—407
1525 — WA 17/I,1—4
1528 — WA 27,1—5
1530 — WA 32,1—4
1531 — WA 34/I,1—23 vorm.
      12—20 nachm.

Dazu Kirchenpostille 1522, WA 10/I,504—519

möglich, diese früheste Neujahrspredigt Luthers sorgfältig sowohl
mit seinen eigenen späteren Predigten als auch mit den drei Sermonen
Gabriel Biels zu vergleichen. Statt dessen schließen wir hier unsre
Darstellung der Bielschen Predigten zum Neujahr mit einer Beobachtung ab, die noch einmal unterstreichen soll, wie sehr auch
diese spätmittelalterlichen, schulgerechten Lehrpredigten Biels für
den Geist und die kirchliche Frömmigkeit des mittelalterlichen
Predigens überhaupt beispielhaft, ja wie sehr sie ihnen verhaftet
geblieben sind und ihrer Epoche als reife Früchte zugehören.

Im Mittelalter kam und stand die Kirche mit dem Reich. Hand
in Hand mit dem politischen Gefüge erreichte und behauptete sie
ihre große Ausdehnung. Wie ihre eigene, spezifisch missionarische
Erstpredigt durch diesen Zeitraum hin aussah — die Predigt etwa,
mit der sie in die germanischen Völkerschaften und ihre Wohnsitze
einbrach —, das wissen wir im einzelnen so wenig, wie man dies
von irgendeiner großen christlichen Epoche verbucht weiß. Christliche Mission wird nicht zuerst durch ihre Bekenntnisformeln überzeugend, sondern dadurch, daß im Glauben anders gelebt und anders
gehofft wird; daß dieser Glaube menschliches Leben beredt und
menschliche Rede belebt macht und Menschen versuchen läßt, jenes
Wort in ihre Worte zu fassen, das ihr Leben erfaßt hat. Aber
jedermann weiß — und gerade dies ist für das Mittelalter bezeichnend —, daß dort der Kirche früh schon ein denkbar weiter Gel-
tungsrahmen ihrer Predigt von der politischen Macht abgesteckt
und zugewiesen worden ist. Dieser legal gewährte Hörrahmen übertraf weit den Rahmen, den sie sich durch ihren eigenen Pioniergeist
hätte schaffen können. Nun hatte sie ihn nachträglich geistlich zu

Zur Festpostille 1527 vgl. WA 17/II, 355—358. Das Register der Lutherpredigten in WA 22 führt dort S. LIX noch eine weitere Predigt über die Beschneidung an, die WA 17/II, 359 ff. stehe. Aber das ist die Folge eines Druck-
fehlers. Diese Predigt hat Matth. 2, 1 ff. zum Text und gilt dem Erscheinungs-
fest. Es heißt aber dort S. 359 statt ›Erscheinung‹ versehentlich ›Beschneidung‹.
In der Hauspostille werden zwei Predigtbearbeitungen vorgelegt, die beide
von der Beschneidung Christi handeln, obwohl der Text der ersten »Predigt«
die Epistel Gal. 4,4 f. ist und nur die zweite unsrer Perikope gilt. Thematisch
gehören sie zusammen. Sie stehen WA 52,75—82 und 82—88.
Fast durchweg bieten sich auch Luther Beschneidung und Namengebung als
die beiden hauptsächlichen Themenkreise an. Fast überall findet sich bei ihm
ein unwirscher Seitenblick auf die heidnischen Neujahrsbräuche und ein ent-
schlossenes Ja zur christozentrischen Predigt über diesen kurzen Text und
über diesen anstößig-närrischen Ritus. Aufs Ganze sieht man ihn auch stärker als Biel von den Möglichkeiten und Überlieferungen allegorisch-geist-
licher Deutung unbefangen Gebrauch machen.

erfüllen. Daß ihr dies in so hohem Maße gelang, macht die Größe der mittelalterlichen Kirche aus. Es bedurfte aber vieler Jahrhunderte, um die Spannung zwischen Expansion und Effektivität, zwischen äußerer Macht und geistlicher Kraft auszugleichen. Die Rechtslage der Kirche hatte ihre geistige und geistliche Lage überflügelt. Daher bekam ihr Wirken, das der Sache nach weithin missionarisch sein mußte, in der Form alsbald volkspädagogische Gestalt und ihre Predigt den katechetischen Zug einer Entfaltung geltender Kirchenlehre auf Grund anerkannter Autoritäten. Die Mauern der Kirche waren mit den Grenzen des Reiches nahezu identisch, ihre Predigt daher vollständig intra muros engagiert. Dort also, wo der Glaube wenigstens als fides implicita Ordnungsbestandteil der öffentlichen Dinge, der assensus zur Kirchenlehre schon offiziell vorgegeben, ja vorgeschrieben war, obwohl er bei vielen Einzelnen durch christlichen Unterricht und kirchliche Erziehung überhaupt erst hergestellt und bei fast allen entschieden geistlich vertieft werden mußte. In diesem Rahmen wurde es zur selbstverständlichen Hauptaufgabe der Predigt, die gültige Kirchenlehre zu entfalten, ihre Übereinstimmung mit den Autoritäten der Kirchenväter, der doctores und der Apostel darzutun und etwaige Richtungsunterschiede unter dem Vorzeichen frommer praktizierender Kirchlichkeit miteinander zu versöhnen. Die zwei großen Säulen, auf die es bei solcher Predigt hinauskam, hießen fast zwangsläufig humilitas und oboedientia; weniger formal: Sakramentsverehrung und Imitatio-Frömmigkeit. Von daher muß man die große Lehrfracht dieser Predigten begreifen, die sich auch weit in die Straßenpredigt hinein erstreckte. Selbst die Ablaßpredigt brauchte ja ein großes lehrhaftes Hinterland, ein erhebliches scholastisches und kanonistisches Arsenal, damit die Pfennige in den Kasten und die Seelen aus dem Fegfeuer sprangen. Der theologische Traktat erreichte gerade dort in gröbster Popularisierung das Volk und seine Märkte, so wie in den sermones magistrales die Doktoren das fromme Gemüt der Gebildeten ergreifen und deren Nachdenklichkeit befriedigen konnten. Es war kein Wunder, daß eine Predigt, deren Charakter so sehr von Autorität und Rationalität bestimmt war, die mystischen Gegenstimmen, Ober- oder Untertöne geradezu hervorrufen mußte.

Die Reformation nun wurde, nach dem Präludium der mittelalterlichen Häresien, zum großen Einbruch in diese geprägte und widerstandsfähige Struktur von Kirchentum und Predigt. Denn wenn die Voraussetzung des Glaubens nicht mehr eindeutig zu machen und das Christliche jedenfalls nicht mehr einhellig in den öffentlichen Ordnungen mitverankert war, das abendländische Schisma vielmehr im konfessionellen Dissensus schicksalhafte Ausmaße für Kirchen und Völker erreichte, dann sah sich die Predigt unweigerlich in einen neuen Rahmen eingewiesen — vielleicht muß man besser sagen: in ihren alten, ursprünglichen Rahmen zurückverwiesen, nämlich in die Dimension elementarer Glaubensberufung und Glaubensentscheidung. Man versteht die völlige Verschiedenheit mittelalterlicher und reformatorischer Predigt historisch und theologisch nur von dieser Schwelle aus. Hatten bisher Predigt und Kirchenregiment ihre Lehren autoritativ zur Ausscheidung unerfreulicher Häresien handhaben und ebenso autoritativ in der Symbiose mit dem regnum mundi geltend machen können, so mußte jetzt die doctrina, Predigt wie Theologie, sich zwangsläufig polemisch unerhört intensivieren und auf den Gewinn und Erweis einer neuen dogmatischen Plerophorie von kirchenbauender, aber auch kirchentrennender Kraft ausgehen. Für sie mußte dann freilich noch einmal erst recht zu einer Lebensfrage werden, was die mittelalterliche Predigt bis auf Randerscheinungen vorweg in einer triumphalen Konzeption für beantwortet halten konnte: Wie das geistliche Reich solcher Predigt und solchen Glaubens sich verhalte zu den politischen Reichen der Welt, die nun, ratlos zunächst über der gespaltenen Christenheit, dann gerade an deren Spaltung größere Eigenständigkeit und neues Selbstbewußtsein gewannen. Würde der Glaube die Bürgerschaft in den zwei Reichen durchhalten, ohne sich selbst, seine Salzkraft, die Unruhe des Geistes und des Wortes zu verlieren? Oder würde aus seiner Verborgenheit vordergründige Bürgerlichkeit oder auch religiöse Innerlichkeit werden, bis dann wiederum humilitas und oboedientia zu den Säulen einer Christlichkeit geworden wären, die die Menschheit lieber mit der Ordnung eines frommen, Milde und Strenge verbindenden und mischenden Gesetzes beglücken als mit der Tiefe und Leidenschaft des Evangeliums und des aus ihm geborenen Glaubens beunruhigen wollte?

DAS VERSTÄNDNIS DER PASSION JESU IM AUSGEHENDEN MITTELALTER UND BEI LUTHER

von Martin Elze
(Tübingen, Im Schönblick 58)

Wenn es richtig ist, daß die reformatorische Theologie Luthers ihren »Sitz im Leben« in der mönchischen Christusfrömmigkeit des ausgehenden Mittelalters hatte und von ihr nachhaltig bestimmt worden ist, so bleibt doch die Frage bestehen, wodurch Luther denn in seinem theologischen Denken über diesen seinen historischen »Kontext« hinausgetrieben wurde. Da sich die Gemeinsamkeit mit ihm nicht nur auf die Atmosphäre im allgemeinen, sondern auch auf wichtige formale und inhaltliche Motive seiner Theologie erstreckt, die nur auf diesem Hintergrund historisch sachgemäß aufgefaßt werden können, muß Luther offenbar von bestimmten Tendenzen geleitet gewesen sein, die ihn von denjenigen der spätmittelalterlichen Frömmigkeit unterscheiden. An einer Gegenüberstellung der beiderseitigen Auffassungen der Passion Jesu, die ja im Zentrum der spätmittelalterlichen Frömmigkeit wie der Theologie Luthers steht, läßt sich diese Problematik vielleicht ein Stück weit klären[1].

I

Die Tendenzen der spätmittelalterlichen Passionsfrömmigkeit haben beispielhaft Ausdruck gefunden in dem Prolog des Augustinereremiten Jordan von Quedlinburg (gest. 1370 oder 1380) zu seiner Schrift De passione Domini[2]. Ludolf von Sachsen hat diese Schrift im wesentlichen unverändert in seine Vita Christi übernommen[3] und damit den Gedanken seines Zeitgenossen weitere Verbrei-

---

[1] Dieser Beitrag ist in Anknüpfung an eine im WS 1965/66 gemeinsam mit REINHARD SCHWARZ veranstaltete Seminarübung zum Thema »Passionsmeditation im späten Mittelalter und bei Luther« entstanden. Möge er dem Jubilar gerade als Frucht der Zusammenarbeit zweier Schüler willkommen sein!

[2] Über Jordan vgl. R. ARBESMANN — W. HÜMPFNER, Jordani de Saxonia OESA Liber Vitasfratrum, New York 1943, XI ff.; zu De passione bes. XXXV ff.

[3] MARY I. BODENSTEDT, The Vita Christi of Ludolphus the Carthusian, Washington 1944, verzeichnet diese Quelle Ludolfs nicht, sondern stellt ausdrücklich fest: »L. does not mention Jordanus« (p. 71).

tung verschafft. Dem Prolog, der auch hier als Einleitung zur
Leidensgeschichte fungiert, hat Ludolf lediglich einen feierlichen In-
troitus aus alttestamentlichen Bildworten vorangestellt. Noch im
gleichen Kapitel setzt er dann mit der Auslegung von Mt 26, 1 ff.
ein[4].

Jordan selbst beginnt mit dem Wort aus Ex 25, 40: Inspice et
fac secundum exemplar quod tibi in monte monstratum est. Mit
der Feststellung, daß die Heilige Schrift des öfteren von Christus
als von einem Berge spreche, weil er nicht nur der Gipfel der Vollkommenheit sei, sondern vor allem durch sein Leiden das Höchst-
maß des Verdienstes erworben habe, verschafft sich Jordan die
Berechtigung, auch dieses Wort auf Christus, den Gekreuzigten,
zu beziehen[5]. Er gibt damit zugleich zu erkennen, welch eine Christologie in seiner ganzen Betrachtung vorausgesetzt ist. Ferner will
beachtet sein, daß die Besinnung auf die Passion mit diesem Schriftwort unter einen göttlichen Imperativ gestellt wird. Sie ist damit
von vornherein auf eine vom Christen selbst zu erfüllende Aufgabe ausgerichtet. Und da der Vers eine doppelte Aufforderung
enthält, bringt er nach Jordan eine zweifache Bezugnahme des
Christen auf die Passion zum Ausdruck. Er glossiert den Text folgendermaßen: Inspice exemplar dominicae passionis, ipsam tibi
per intimam compassionem visceraliter incorporando, et fac secundum illud exemplar, ipsum efficaciter imitando. Jesu Leiden erfordert vom Christen — so stellt es sich für Jordan dar — zum
einen, daß er es zum Gegenstand der Betrachtung macht, daß er
sich in solcher Betrachtung zum innerlichsten Mitleiden aufschwingt
und daß er es sich dadurch selber zutiefst aneignet. Und es erfordert
zum andern, daß der Christ es sich in seinem eigenen Verhalten zum
Vorbild nimmt und es tatkräftig nachahmt. Dabei ist dies Zweite
offensichtlich an die Voraussetzung des Ersten gebunden.

Es ist deutlich, daß diese Konzeption einerseits von der Unter-
scheidung des inneren und des äußeren Menschen geleitet ist: Die
compassio ist die Weise, in der sich der innere Mensch zum Leiden
Christi in Beziehung setzt, die imitatio die Weise, in der der äußere
Mensch das tut. Andererseits liegt dieser ganzen Vorstellung die
Auffassung zugrunde, daß die Passion Jesu ein in sich abgeschlos-

---

[4] Vita Christi II 51, p. 570—571 der Pariser Folio-Ausgabe 1865. Da es eine
   moderne Ausgabe von Jordans Schrift nicht gibt, zitiere ich den Prolog in
   dieser leichter zugänglichen Fassung Ludolfs.
[5] Vor diese Bemerkung hat Ludolf eine entsprechende Feststellung über
   Christus als liber exemplaris eingetragen.

senes Geschehen der Vergangenheit ist es, so daß es eben Sache des einzelnen Christen wird, sich kraft eigener Anschauung in die Anteilnahme an diesem Geschehen zurückzuversetzen[6], um sich dann kraft eigenen Handelns dessen Verdienstlichkeit selber zuzuwenden. Der ganze Prolog Jordans dient der näheren Ausführung dieser beiden Gesichtspunkte. Dabei kann sinnvollerweise die Nachahmung der Passion Jesu nicht auf die unter den gegebenen Umständen allenfalls künstlich herbeizuführende Situation eigenen Martyriums beschränkt werden. Es muß nach Möglichkeit das ganze Christenleben als Bereich für die Leidensnachfolge ausgewiesen werden. So liegt es in der Konsequenz seines Ansatzes, daß Jordan in der Erörterung zum ersten Gesichtspunkt das ganze Leben Jesu als eine einzige Leidensgeschichte zur Anschauung bringt[7]. Das beginnt mit der Armut, von der Jesu Geburt zeugt, und geht über Verfolgung, Versuchung, Anfechtung und Mühsale jeglicher Art bis hin zum Übermaß der körperlichen Schmerzen, das in der von Jordan mit 5475 angegebenen Zahl der Wunden sprechenden Ausdruck findet[8]. Ist damit für Betrachtung und Mitleiden hinreichend Stoff geboten, so kann Jordan sich in der Erörterung zum zweiten Gesichtspunkt auf ein Wort Augustins berufen, wonach das ganze Leben Jesu zugleich als disciplina morum zu verstehen ist[9]. Demzufolge blättert Jordan nun vor dem Leser einen umfangreichen Katalog von Tugenden auf, um jeweils zu sagen, daß Jesus sie in vollkommenstem Maße geübt habe, vorbildhaft für alle seine Nachahmer. In diesen Zusammenhang bezieht Jordan auch das Wort aus 1. Kor 2, 2 ein: Non judicavi me aliquid scire inter vos nisi Jesum Christum et hunc crucifixum, und meint dazu: nempe quia hoc scire est omnia scire quae ad salutem spectant. So wird Paulus als Kronzeuge dafür angerufen, daß Jesus als Tu-

---

[6] Vgl. dazu ZThK 62, 1965, 386 f. mit Anm. 22; 400 Anm. 72. Die dort zitierten Sätze aus Ludolf II 58 sind der unter Bedas Namen überlieferten Schrift De meditatione passionis Christi per septem diei horas (PL 94, 561) entnommen. A. WILMART, Rev. Bén. 47, 1935, 269 f. vermutet als Verfasser einen Zisterzienser des 14. Jh.

[7] Vgl. schon Bonaventura, De perfectione vitae 6, 8 (Opp. Quar. VIII, 122 b); Vitis mystica 5, 2 (ib. 169 a).

[8] Ludolf hat diesen, die Zahl der Wunden Jesu betreffenden Abschnitt aus Jordans Prolog an dieser Stelle übergangen und erst in II 58 (p. 600 b) nachgeholt. Er selbst schließt sich allerdings einer anderen Auffassung an, die die Zahl mit 5490 angibt.

[9] Augustin, De vera relig. 16, 32. Ludolf zieht diese Stelle auch in seinem eigenen Proömium (p. 3 b) heran.

gendbeispiel aufzufassen und daß in der ihm nacheifernden Bewährung der Tugenden alles Heil beschlossen ist. Und ebenso erfährt die neutestamentliche Aussage, daß Jesus für uns gelitten hat, in diesem Rahmen keine andere Deutung als die, daß Jesus sein Leiden für solche Betrachtung uns vor Augen gestellt habe, während wir selbst uns seine Verdienstlichkeit durch inneren und äußeren Mit- und Nachvollzug erst zu eigen zu machen haben. Das geht aus der Art und Weise hervor, wie Jordan in genauer Entsprechung zu seiner Auslegung von Ex 25, 40 auch 1. Petr 2, 21 glossiert: Christus pro nobis passus est — ecce primum, quod est diligenter cordis oculo inspiciendum; vobis relinquens exemplum, ut sequamini vestigia eius — ecce secundum, quod est efficaciter in facto imitandum. Man muß dabei allerdings im Auge behalten, daß diese Form der Passionsbetrachtung bei Jordan wie bei Ludolf selbstverständlich eingebettet ist in die Lebensform des mönchischen Standes; daß also der satisfaktorische Charakter des »pro nobis« hier nicht zur Diskussion steht, weil er doch immer schon in bestimmtem Sinne vorausgesetzt ist. So schreibt Jordan auch wenige Zeilen später ohne weiteres über Jesu Beschneidung: jam sanguinem suum pro nobis fundere coepit. Das kann ja gewiß nicht so verstanden werden, als handle es sich hier ebenfalls um eine vom Christen zu betrachtende und nachzuvollziehende Tugendleistung Jesu. Aber was Jordan in seinem Prolog ausführt, ist nicht dieser Aspekt der biblischen Aussage des »pro nobis«, sondern eben jener andere, wonach Jesus mit seinem ganzen Leben und Verhalten als Vorbild vor uns hingetreten ist.

Durch die wörtliche Übernahme des Prologs von Jordan hat sich Ludolf mit dessen Auffassung von der doppelten Bezugnahme des Christen auf die Passion Jesu in compassio und imitatio identifiziert. Ludolf bringt sie in den wenigen Worten, die er seinerseits den Ausführungen Jordans vorangestellt hat, auf einen klaren begrifflichen Ausdruck, indem er schreibt: ... jam enim instat ut ad passionem Domini veniamus, quam et ex affectu inspicere et in effectu imitari debemus. Das hier auftretende Begriffspaar affectus — effectus kehrt in etwas anderer Nuancierung im Passionsteil der Vita Christi Ludolfs noch einmal wieder[10]. Es handelt sich um einen Abschnitt, der eine nähere Ausführung über die compassio enthält und wieder mit einer Aufforderung beginnt: Compatiaris igitur

---

[10] II 58 (p. 600 a). Es ist vorerst nicht gelungen, die Quelle dieses Abschnitts nachzuweisen.

salvatori nostro. Hier heißt es: Sed non solum corde, verum etiam corpore compatiendum est Christo. Und als biblischer Beleg dafür dient Hhld 8, 6. Dieser Vers wird folgendermaßen glossiert: Pone me ut signaculum super cor tuum — diligendo sc. me per affectum et mihi te conformando per affectionem dilectionis; et ut signaculum super brachium tuum — diligendo etiam me per effectum et mihi te conformando per amorem operationis...[11]. Die Begriffe affectus und effectus werden hier zur Unterscheidung einer zweifachen Form der Liebe zu Gott verwendet, die als Motiv für die vom Menschen zu leistende conformatio und weiterhin als Motiv für die compassio und damit für die Betrachtung der Passion Jesu angegeben wird. Die Begriffe dienen als Bezeichnung für die Sphären und Wirkungsweisen des inneren und des äußeren Menschen, insofern der affectus dem »Herzen« und der effectus dem »Arm«, d. h. dem Körper zugeordnet ist. Ludolf ist also ganz im Recht, wenn er Jordans Auffassung von der doppelten Bezugnahme auf die Passion Jesu, die ja ebenfalls an der Unterscheidung des inneren und äußeren Menschen orientiert ist, mit diesen Begriffen in Verbindung bringt. Nur dienen sie ihm dabei zur Kennzeichnung von compassio und imitatio, während sie in jener Glosse zu Hhld 8, 6 eine doppelte Form der compassio als einer conformatio des inneren und des äußeren Menschen bezeichnen. Jedenfalls aber wird gerade an dieser unterschiedlich nuancierten Anwendung des Begriffspaares klar, daß es sich um ein traditionelles Deutungsschema handeln muß.

Und tatsächlich findet es sich im Zusammenhang mit den Themen der Gottesliebe und der durch sie motivierten Christusmeditation schon in einem weit älteren Text. Es ist die Schrift De institutione inclusarum von Aelred von Rievaulx (gest. 1167)[12]. In ihren ersten beiden Teilen enthält sie konkrete Regeln für das Leben der Inklusen. Im dritten Teil aber gibt Aelred zum Abschluß eine ausführliche Anweisung zur Meditation der beneficia Christi und stellt sie als ein Mittel dar, um die Gottesliebe zu wecken und zu fördern. Hier schreibt er in der Einleitung: Ad Dei vero dilectionem duo pertinent, affectus mentis et effectus operis. Et opus hoc in virtutum exercitatione, affectus in spiritualis gustus dulcedine. Exercitatio virtutum in certo vivendi modo ... commendatur, affectus

---

[11] Eine entsprechende Auslegung bei Bonaventura, De perfectione vitae 6, 11 (VIII, 123 b).
[12] Ed. Ch. Dumont 1961 (Sources Chrétiennes 76).

salutari meditatione nutritur[13]. Hier ist also in Übereinstimmung mit Ludolfs Gewährsmann zu Hhld 8, 6 das Begriffspaar affectus — effectus zur Unterscheidung einer zweifachen Form der Liebe zu Gott verwendet, aber nur der affectus eindeutig mit der Meditation verbunden. Von dem effectus operis als einer Übung in den Tugenden hatte Aelred schon in dem vorangehenden Teil seiner Schrift gehandelt, ohne sie dabei ausdrücklich mit der Betrachtung der beneficia Christi in Beziehung zu setzen.

Aelreds Schrift und mit ihr auch diese Gedanken haben eine aufschlußreiche Nachgeschichte gehabt. Abgesehen von der Tatsache, daß die Schrift auch unter dem Namen Augustins verbreitet wurde[14], gibt es eine Sonderüberlieferung ihres dritten Teils im Rahmen der Anselm von Canterbury zugeschriebenen Meditationen[15]. Es ist einleuchtend, daß hier, wo jene zitierte Einleitungsbemerkung ihren Rückbezug auf die vorangehenden Regeln für die Inklusen verloren hatte, nun auch der effectus operis ebenso wie der affectus mentis unmittelbar auf die Meditation selbst bezogen werden mußte. Gerade in dieser Sonderüberlieferung sind Aelreds Meditationen eine wichtige Quelle für die spätere Erbauungsliteratur geworden, greifbar etwa bei Bonaventura[16] und bei Ludolf von Sachsen selbst[17]. Es liegt also ein durchlaufender Traditionszusammenhang vor, innerhalb dessen die Passion Jesu nach dem Schema affectus — effectus betrachtet worden ist. Letztlich geht das Schema jedoch auf Augustin zurück, der es mehrfach und in verschiedener Anwendung gebrauchte[18].

Daß der mit ihm bezeichneten zweifachen Betrachtungsweise für die ganze mittelalterliche Passionsmeditation eine grundsätz-

---

[13] SC 76, 116.

[14] Augustin, De vita eremitarum PL 32, 1451—1474.

[15] Anselm, Medit. 15—17 PL 158, 784—798.

[16] Bonaventura, Lignum vitae (Opp. Quar. VIII, 68 ff.), c. 3. 4. 8. 9. 15. Nur eine dieser Stellen ist im Apparat der Ausgabe nachgewiesen, aber daß es insgesamt fünf sind, hat schon DOM HOSTE erwähnt (Citeaux in de Nederlanden 9, 1958, 134 f.), ohne sie dort freilich anzugeben. — Daß es die pseudo-anselmische Überlieferung war, in der Bonaventura den Text Aelreds kannte, ist daraus zu schließen, daß er dort aufhört, ihn zu zitieren, wo ihm andere anselmische Meditationen zur Verfügung stehen, nämlich Med. 9 (= Eckbert von Schönau, Stimulus amoris) für c. 17—38 und Med. 2 für c. 42 und 47 f. und weitere Vorlagen hat er offenbar nicht benutzt.

[17] I 5 (p. 25 b). 9 (p. 44 b).; 13 (p. 66 a). 15 (p. 74 b) u. a. — überall mit dem Namen Anselms eingeführt.

[18] Z. B. De civitate Dei IX 5, XI 14, XVI 4. Weitere Stellen verzeichnet der Thesaurus Linguae Latinae V 2, 135, 6 ff.

liche Bedeutung zukommt[19], zeigt sich nicht zuletzt daran, in welchem Maße es sich auf die dabei angewendete Auslegungsmethode und infolgedessen auch auf die literarische Formgebung ausgewirkt hat. Der doppelten Ausrichtung auf die Passion Jesu entspricht unter selbstverständlicher Voraussetzung der Lehre vom vierfachen Schriftsinn eine Einschränkung auf eine zweifache Auslegung der evangelischen Passionsberichte. Dem Moment des affectus dient eine sorgfältige Ausarbeitung ihres Literalsinnes, verstärkt durch möglichst anschauliche Ausmalung der im Neuen Testament berichteten »gesta«. Unter dem Gesichtspunkt des effectus dagegen kommt es auf die Erhebung des tropologischen Sinnes der Passionsgeschichte an, denn hier geht es ja um die Frage »quid agas«. Daraus folgt dann häufig eine streng durchgeführte Zweiteilung der Darstellung. Das bahnt sich schon in Bonaventuras Lignum Vitae[20] an, insofern jede der einzelnen Betrachtungen, aus denen sich diese Schrift zusammensetzt, zunächst eine stark affektive Schilderung der jeweils ins Auge gefaßten Szene aus dem Leben Jesu und dann in einem zweiten Absatz eine Applikation für den Leser enthält. Jordans Lehrer Heinrich von Friemar (gest. 1340) hat eine »Passio Domini literaliter et moraliter explanata« verfaßt, und bei Jordan selbst ist jeder der 65 Artikel, in die er die Passion Jesu einteilt, so aufgebaut, daß auf ein einleitendes Gebet zunächst ebenfalls eine mehr oder weniger reich ausgestaltete Darstellung der betreffenden Szene und dann eine unterschiedliche Zahl von »documenta« folgt, die meist in der Form von Aufforderungen nach dem Schema »sicut Christus ..., sic et nos...« gehalten sind, nebst konkreten Anweisungen zur conformatio. Wie Jordan sich diese vorstellt, mag folgendes Beispiel zeigen: Ad conformandum se huic articulo (sc. alapizationis) poterit homo sibi ipsi dare alapam moderatam (!) ad repraesentandam alapam Christi... et orare...[21]. Ludolf, der auch solche Anweisungen getreulich in seine Vita Christi übernommen hat[22], hat angesichts der Vielschichtigkeit des von ihm zusammengetragenen Quellenmaterials die literarische Zweiteilung nicht

---

[19] Bernhards wohl einfach aus rhetorischen Kategorien gewonnenes Schema einer dreiteiligen Passionsbetrachtung nach opus, modus und causa passionis (Serm. in fer. 4 hebd. sanctae, n. 2 PL 183, 263 C) hat viel weniger Schule gemacht. Es liegt beispielsweise bei Gerhard Zerbolt von Zütphen, De reformatione interiori c. 28 und De spiritualibus ascensionibus c. 32 vor.

[20] Opp. Quar. VIII, 68 ff.

[21] Articulus 11.

[22] II 60 (p. 619 b).

durchführen können. Aber sonst bleibt sie vielfach die nächstliegende Form, auch und gerade in den Passionssermonen wie etwa demjenigen von Gabriel Biel, wie ja überhaupt der Predigt eine solche Zweiteilung in (buchstäbliche) Textauslegung und (tropologische) Applikation naheliegt. So ist es gerade die erbauliche Schriftbehandlung, die die Ausrichtung der Exegese auf den Literalsinn entschieden gefördert und darüber hinaus dann nur zur Ausarbeitung des tropologischen Sinnes angeregt hat.

Hier macht es sich noch einmal in besonderer Weise geltend, daß es dieser ganzen Frömmigkeitsrichtung bei der Betonung von affectus und effectus allein darauf ankommt, welches Verhältnis der Einzelne in der von ihm aufzubringenden compassio und imitatio zu Jesus und seinen Leiden gewinnt. Das läßt sich sehr schön wiederum am Prolog Jordans ablesen, an dessen Schluß in einem von Ludolf nicht übernommenen Passus die Form der Gebete erläutert wird, mit denen, wie erwähnt, die einzelnen Artikel jeweils eingeleitet sind: Et ut in recolendo istos articulos dominicae passionis devotio magis augeatur, omnia quae Christus passus est ita debent homini esse accepta et grata (!), ac si pro ipsius solummodo salute ea sit passus. Et propter hoc orationes istae omnes in singulari numero sunt formatae. Auch mit diesem Gedanken steht Jordan repräsentativ für die ganze spätmittelalterliche Passionsbetrachtung. Das lehrt z. B. eine entsprechende Äußerung bei Gerhard Zerbolt von Zütphen (gest. 1398): ... et hoc affectum tuum non modicum ad gratitudinem et amorem accenderet, si singula divina beneficia toti generi humano collata ita tibi attraheres, ac si tibi soli fuissent collata; verbi gratia, ac si pro te solo crucifixus esset et homo factus, propter te solum creasset coelum et terram[23]. Charakteristisch, daß Zerbolt dabei zuerst an Jesu Kreuzigung denkt! Jedenfalls ist offensichtlich in solchen Aussagen der Ursprung jener Umwandlung des biblischen »pro nobis« in das dann auch für Luther maßgebendere »pro me« faßbar.

II

Hinsichtlich der Texte Luthers, die nun ins Auge zu fassen sind, ist eine einleitende Bemerkung über ihre Datierung und ihren Charakter unerläßlich. Die frühesten zusammenhängenden Äußerungen Luthers zum Thema der Passion Christi bilden die beiden lateini-

[23] De ref. int. 25. Vgl. De spir. asc. 32.

schen Sermone[24], die zuerst V. E. Löscher in leider reichlich fehler-
hafter Abschrift nach einem auf das Jahr 1518 datierten Manuskript
veröffentlich hat. Diese Angabe Löschers, an deren Richtigkeit zu
zweifeln kein Anlaß besteht, besagt für die Datierung der beiden
Sermone zunächst nur, daß sie nicht später als 1518 angesetzt
werden dürfen; sie besagt nicht, daß sie ins Jahr 1518 selbst gehören müßten, wie man allgemein annimmt. Nur für den ersten
ergibt sich diese Datierung mit einiger Wahrscheinlichkeit aus
einer Parallelüberlieferung, nämlich dem zusammen mit dem Sermo de digna praeparatione cordis im Herbst 1518 gedruckten Pre-
digtauszug mit der Überschrift Quomodo Christi passio sit consideranda[25], und zwar unter der Voraussetzung, daß dieser Auszug
tatsächlich diejenige Predigt wiedergibt, die Luther am Ende des
Sermons De digna praeparatione angekündigt hat[26], und daß dieser
Sermon seinerseits demselben Jahr angehört, in welchem er gedruckt wurde. Für den zweiten Sermo de passione dagegen muß
mit der Möglichkeit gerechnet werden, daß er einem früheren
Jahr entstammt.

In Bezug auf die Überlieferungsform der Texte teilte man bisher
stets die in der Weimarer Ausgabe vertretene Meinung, daß es sich
um Predigtnachschriften handelt. Für den ersten Sermon kann das
aus zwei Gründen nicht zutreffen. Erstens enthält der Text ein
zehngliedriges Schema[27], wie wir es aus Luthers eigenen Aufzeichnungen vielfach kennen. Es kann in dieser Form nicht Wiedergabe
gesprochener Worte sein. Zweitens besteht in der Gedankenfolge
eine ganze Reihe von Abweichungen zwischen dem Sermo und
seiner gedruckten Kurzfassung, und zwar derart, daß die Disposition in der Kurzfassung folgerichtiger erscheint. Hat man diese
sicher mit Recht als knappe Wiedergabe der Predigt angesehen, so
kann der vorliegende Text des Sermo nicht auch auf die gehaltene
Predigt zurückgehen. Beide Argumente führen vielmehr zu der
Annahme, daß es sich um eine Abschrift von Luthers vorbereiten-
dem Konzept handelt. Dasselbe gilt dann aber wohl auch für den
zweiten Sermon. Demnach darf der Wortlaut beider Texte — nicht
aber derjenige der Kurzfassung des ersten — als authentisch gelten,
und es erklärt sich auch, warum die Texte nicht sorgfältig durch-

[24] WA 1, (335) 336—339. 340—345. Die Seitenzahlen in den folgenden Anmerkungen beziehen sich auf diesen Band.
[25] 339 f.
[26] 334, 3 ff.
[27] 337, 22 ff.

gearbeitet und straff gegliedert sind, sondern Unstimmigkeiten und Wiederholungen aufweisen.

Wir wenden uns zunächst dem zweiten Sermon zu. Ihm ist ein Wort aus Psalm 44 (45) zugrunde gelegt: Speciosus forma prae filiis hominum, diffusa est gratia in labiis tuis. Und es ist sogleich festzustellen, daß Luther in der ganzen Predigt lediglich auf die erste Vershälfte eingeht. Luther stellt der hier gepriesenen Schönheit, die er natürlich auf Christus bezieht, die in Jes 53, 2 vorausgesagte Ungestalt gegenüber. Das hat im Zusammenhang der Passionsbetrachtung auch schon Bonaventura in seiner Schrift Vitis mystica getan[28]. Luther faßt diesen Gegensatz mit demjenigen der fleischlichen und geistlichen Ausrichtung des Menschen zusammen zu der Aussage, daß Christi species et forma nur für das geistliche Auge sichtbar sind, während das fleischliche Auge lediglich die foeditas zu Gesicht bekommt[29]. Diesen Gedanken verfolgt Luther zunächst nicht weiter, sondern er fragt sich, was denn mit species und forma gemeint sei[30]. Er hält die Doppelung der Begriffe fest, und indem er sie den psychologischen Begriffen intellectus und affectus[31] zuordnet, legt er species als lux pro intellectu, d. h. als sapientia, und forma als omnis virtus pro affectu, d. h. wesentlich als caritas, aus. In den weiteren Überlegungen rückt das zweite Glied zunächst ganz in den Vordergrund. Der Begriff forma wird von Luther im traditionellen Sinn als forma omnium virtutum verstanden[32]. Und diesem Gesichtspunkt wird auch der Hinblick auf den Intellekt untergeordnet, insofern Luther die Bedeutung der Passion für ihn merkwürdigerweise darin sieht, daß sie zum leiblichen und geistlichen Nachvollzug Anlaß geben soll[33]. Jedenfalls aber ist nach Luthers Meinung unter allen Früchten der Passionsmeditation, für deren Aufzählung er auf Mauburnus verweist, die wichtigste diese: quod prae omnibus scriptura nos monet caritatem attendere in ista passione[34].

Wenn Luther bei dieser Aussage nun nicht nur an die von Jesus geübte Tugend der Liebe denkt, sondern sie betont auch auf die

[28] Bonaventura, Vitis mystica (VIII, 168 f.).
[29] 340, 28 ff.
[30] 340, 33 ff.
[31] Vgl. dazu zuletzt G. METZGER, Gelebter Glaube, 1964, 69 ff.
[32] 341, 29. (Übrigens ist Z. 17 vivis statt minimis zu lesen.)
[33] 341, 27 f.
[34] 341, 36 f. Zu dem Verweis auf Mauburnus vgl. ZThK 62, 1965, 383 f., 390 ff., 396 Anm. 53.

Erkenntnis der Liebe Gottes bezieht[35], so kündigt sich hier ein neues Thema an. Aber Luther kehrt sofort zu der alten Folgerung zurück, daß deshalb angesichts der Passion besonders der Affekt zu üben sei[36]. Und das Corollarium[37] besagt, daß die Vervollkommnung des Affektes in der Meditation das Vortrefflichste sei. Wiederum ist es traditionell, wenn Luther 1. Joh 2, 27 (unctio eius docet vos de omnibus), auf den Affekt ausgelegt, als biblischen Beleg anführt[38] und dahingehend erläutert: sed sic unctio paratur tanquam tibi soli haec fecerit[39]; und wenn er weiterhin neben Paulus Maria und Simeon als Vorbilder dafür nennt[40]. Auch in dem als Doctrina eingeführten Abschnitt[41] handelt es sich um nichts anderes als darum, Christus anzuschauen, sich in einen Affekt zu kleiden und ein Gefühl für die Liebe Gottes zu erwerben, d. h., es ist die Aufgabe des Betrachtenden, in sich eine derartige Wirkung der Passion hervorzurufen.

Aber in einem Neueinsatz des Gedankens[42] tritt das Thema der cognitio klarer hervor. Luther greift noch einmal auf das Schema von affectus und intellectus zurück und bezieht es nicht wie bisher auf das aus Psalm 44 gewonnene Begriffspaar species und forma, sondern auf den eingangs aus der Kombination von Psalm 44 und Jes 53 abgeleiteten Gegensatz von species formosa und foeditas. Dieser Gegensatz erscheint jetzt ausdrücklich als ein Gegensatz der Erkenntnis oder vielmehr der Erkenntnisgegenstände: Angesichts der species formosa Christi gelangt der Intellekt zur cognitio Dei in jenem Sinne der Erkenntnis der Liebe Gottes, angesichts der foeditas Christi aber zur cognitio sui. Species formosa und foeditas sind nun nicht mehr zwei Aspekte, die sich an der Passion Christi zeigen, je nach dem ob man sie mit geistlichem oder mit fleischlichem Auge ansieht, sondern species formosa ist die gottheit-

---

[35] 341, 37 ff.

[36] 342, 3 ff. (Z. 4 lies modis statt malis.)

[37] 342, 9 ff.

[38] Vgl. Ps. Bonaventura, Meditationes vitae Christi, prol. (Opp. ed. Peltier XII, 511 a); übernommen von Ludolf, Vita Chr., prooem. (p. 4 a); zitiert in ZThK 62, 1965, 386 Anm. 20.

[39] Vgl. oben S. 134.

[40] Vgl. Bernh. in Ct 43, 5 PL 183, 995 C.

[41] 342, 16 ff. (Z. 17 war »Joab« nicht in »Job«, sondern in »Raab« zu verbessern: Luther spielt auf Jos 2, 18 an. Statt des sinnlosen »camerae« lies vielleicht »coccina«. Für die Zitatreihe vgl. WA 3, 565, 32 ff. und 6, 117, 28 ff.).

[42] 342, 37 ff.

liche Verfassung Christi, durch die er den Menschen diese seine
Gottheit zu erkennen gibt, und seine foeditas ist unsere menschheitliche Verfassung, die er annahm, um uns das Seine dafür zu
geben. Durch sie zeigt er dem Menschen gleichsam in einem Spiegel,
wie er selbst zuinnerst, in seiner Seele, ist, nämlich entstellt und
zum Sterben gebracht durch die Sünden. Luther verweilt nun bei
diesem Zweiten: Nicht über Jesus und seine Leiden, sondern über
sich selbst zu weinen in der Erkenntnis der so gearteten eigenen
Verfassung, darauf kommt es an[43]. Luther möchte den, der die
Passion Jesu betrachtet, über eine distanzierte Betrachtung hinaus-
führen, die Jesus »absolute« ins Auge faßt, er möchte ihn vielmehr
in eine unmittelbare Beziehung zum Leiden Christi bringen, wonach er einerseits Gottes Liebe ermißt, andererseits zur Erkenntnis
seiner selbst gelangt. Doch steht dies alles noch unter dem Oberbegriff vom Leiden Christi als einem Beispiel, das wir uns zu
nehmen haben[44]. Damit ist die Tendenz doch wieder auf die vom
Menschen zu vollziehende Nachahmung gerichtet. Und es ist die
naheliegende Folge, daß Luther hier in den Grundgedanken des
ersten Teils zurücklenkt: Der Sinn der Passion besteht darin, daß
Christus uns zu Demut, Geduld und allen Tugenden »formiert«[45],
wobei er freilich im unüberbrückbaren Abstand des Unendlichen
vom Endlichen vor uns steht.

Nur im Vorübergehen stellt Luther fest, daß — nicht das fleischliche Auge, sondern — nur der Glaube zu solcher Selbsterkenntnis im Angesicht der Häßlichkeit des leidenden Christus gelangen
kann[46]. Aber der Glaube wird selbst nicht mit der Passion in innere
Verbindung gebracht. Vielmehr setzt sich schließlich auch hier die
Ausrichtung auf den Affekt mit der schon im Corollarium ver-
werteten Auslegung von 1. Joh 2, 27 durch[47]: Was Christus gelehrt (!) hatte, hat der Heilige Geist in Gestalt des Affekts darge-
reicht[48]. Christus ist Tugend, Weisheit, Wahrheit und Wort, der
Geist aber »läßt« uns Wort, Wahrheit, Weisheit »fühlen«. Denn
weil Christus dies in unendlichem Maße ist, bleibt der Intellekt
für sich allein unzureichend und ist der Affekt notwendig, um das

---

[43] 343, 8 ff.
[44] 343, 11. 22.
[45] 343, 17.
[46] 343, 23.
[47] 343, 28 ff. (Z. 31 lies dicitur.)
[48] Joh. 14, 26.

zu erfassen[49]. So ist das Thema der cognitio unversehens doch wieder verlassen. Stattdessen notiert Luther, daß der unendliche und unerreichbare Grad der Vollkommenheit, in welchem Christus uns alles dies vor Augen stellt, für den, der sich in seiner Tugendübung mit Christus, seinen Verdiensten und seinen Leiden vergleicht, Anlaß zu wahrhaftiger Demut gibt. Denn da ist alles, was der Mensch vermag, nichts[50].

An dieser Stelle kommt für Luther endlich noch einmal ein neuer Aspekt der Passion Christi zur Geltung: Die durch sie geleistete, ebenfalls unendliche Satisfaktion entzieht aller Verzweiflung des Menschen ihren Grund. Luther kleidet aber auch diesen Gedanken in eine ganz traditionelle Form, wenn er sagt, daß schon ein einziger Blutstropfen Jesu, ja der Teil eines Tropfens für alle Sünden Genüge getan haben würde[51], und wenn er seinem Vertrauen darauf mit Worten Ausdruck gibt, die er Augustinus in den Mund legt, die aber in Wirklichkeit von Bernhard von Clairvaux stammen[52] — übrigens ein bezeichnender Irrtum Luthers!

Damit ist zweifellos der Höhepunkt von Luthers Besinnung auf die Passion erreicht. Was in dem Text noch folgt, nämlich daß im Leiden Christi auch die Welt in ihrem Wesen erkannt werden kann[53] und daß Christus in seiner ganzen Passion den Menschen zugewandt war, um für sie Schmerzen zu tragen, sie zu bewegen und zu bewahren[54] — wofür dann vier verschiedene Argumente aufgeboten werden, mit deren Aufzählung der Text unvermittelt abbricht —, alles dies ist nicht als Zusammenfassung zu verstehen[55], sondern nur als weitere Überlegungen, die Luther im Rahmen der Predigtvorbereitung noch zu Papier gebracht hat. Auch hier liegt der traditionelle Charakter seiner Ausführungen auf der Hand, besonders an der Stelle, wo er davon spricht, daß es nötig sei, »die ganze Passion hindurch« — die also fortlaufend in ihren einzelnen Be-

---

[49] 343, 34—344, 10.

[50] 344, 11 ff.; hic latet radix totius verae humilitatis (344, 18).

[51] 344, 22 f. Vgl. z. B. Bonav., De perf. vitae 6, 6 (VIII, 122 b); Ludolf, Vita Chr. II 58 (p. 602 a); Biel, Sermo hist. de pass. dom. I pars 2 art. 3 (Basel 1519, fol. 14 rb).

[52] Bernh. in Ct 61, 3 PL 183, 1072 B.

[53] 344, 27 f.

[54] 344, 36 f.

[55] So G. Heintze, Luthers Predigt von Gesetz und Evangelium, 1958, 214 Anm. 10.

gebenheiten zum Gegenstand der Betrachtung gemacht werden soll!
— auf Christus zu achten, »wie er selbst immer auf uns«[56].

So zeigt sich Luther im Einzelnen wie in den Grundlinien dieses
Sermons ganz der herkömmlichen Weise der Passionsbetrachtung
verpflichtet. Nur in Ansätzen führt er über sie hinaus, einmal
dort, wo er die Gottes- und Selbsterkenntnis zum Thema der Passionsbetrachtung macht und den Glauben als Bedingung dafür
nennt, wobei er ausdrücklich die distanzierte Betrachtung der
Passion Jesu überwinden möchte; zum andern, wo er von dem
Vertrauen auf den satisfaktorischen Charakter der Passion Jesu
spricht angesichts aller Verzweiflung, in die gerade das Streben der
imitatio führen muß. Aber bei alledem zeigt sich Luther noch
völlig befangen in der Vorstellung, daß es bei der Passionsbetrachtung auf das Wecken und Fördern des Affektes einerseits und auf
die Wahrnehmung des exemplarischen Charakters von Jesu Leiden
andererseits ankommt, das in der nachahmenden Tugendübung
nachzuvollziehen ist.

Wenn man nicht bereit ist, aus dieser Einsicht den Schluß zu
ziehen, daß der Sermon nicht erst 1518 entstanden sein kann, sondern früher anzusetzen ist, so muß man sich zu der Folgerung bekennen, daß Luther jedenfalls an dieser Stelle, d. h. an einem zentralen Punkt seiner Christusanschauung, besonders nachhaltig und
andauernd von der traditionellen Frömmigkeit und ihren Tendenzen geprägt blieb[57]. Doch verliert diese Alternative an Wahrscheinlichkeit, wenn man den ersten Sermon daneben hält, der eine deutlich fortgeschrittene Auffassung zur Geltung bringt, so daß es un-
annehmbar erscheint, beide Texte in allzu große zeitliche Nähe
zueinander, womöglich noch auf denselben Tag[58], zu setzen.

Der erste Sermon zeigt freilich in Einzelheiten ebenfalls die Ge-
bundenheit Luthers an die traditionelle Form der Passionsbetrachtung. Das gilt besonders für das Exordium. Es zielt ganz auf die
Beteiligung des Affekts, wenn Luther seine Hörer vom Anschauen
Jesu nach dem Beispiel des Pilatus, dessen »Ecce homo« den Predigttext bildet, zu stupor, dolor und timor führen will[59]; wenn er

---

[56] 344, 37. Vgl. Ps. Bonav., Med. vitae Christi 18 (p. 541 ab, Peltier), zitiert
in ZThK 62, 1965, 387 Anm. 23.
[57] Aus 342, 19 ff. könnte man allenfalls schließen, Luther habe diese Predigt
für die Klostergemeinde ausgearbeitet und ihr gegenüber die Momente der
dort lebendigen Frömmigkeit stärker in den Vordergrund treten lassen.
[58] G. HEINTZE 214.
[59] 336, 10 f. Daß Joh 19,5 der Predigttext ist, hat G. HEINTZE richtig hervorgehoben.

Röm 12, 15 in diesen gedanklichen Zusammenhang einbezieht[60]; wenn er auf die in der mittelalterlichen Passionsmeditation so beliebte Szene nach Joh 19, 25 f. »Stabant autem iuxta crucem . . .« anspielt[61]; wenn er als notwendige Voraussetzung für eine fruchtbare Betrachtung des Leidens Christi ausdrücklich fordert, sich in den Affekt der compassio zu kleiden, wobei ihm sogar die so bezeichnende Formulierung »ac si sociatus Christo in passione« in die Feder fließt[62]. Dies alles bedeutet nun aber doch nur eine Hinführung zu dem eigentlichen Thema der Predigt. Es ist in konsequenter Weiterführung des schon im zweiten Sermon vorliegenden Ansatzes jetzt eindeutig die cognitio sui[63], wie sie durch den leidenden Christus zu gewinnen ist — wenngleich auch ihrerseits ausgerichtet auf das Ziel, den Affekt zu verstärken: Die Stichworte plorare, plangere durchziehen die ganze Aufzeichnung, und Luther zitiert dazu dieselben Schriftworte wie im zweiten Sermon[64].

In geringfügiger Abwandlung kehrt zum Thema der Selbsterkenntnis ein Gedanke wieder, den Luther schon in dem früheren Text verwendet hatte. Hieß es dort von der Passion Christi: Nam tales nos indicat esse intus in anima, qualia ipse foris sustinet in corpore[65], so jetzt: Christus nahm in seiner Passion unsere Person an, deshalb ist es unsere Sache, quod tales simus nos coram Deo, qualis ipse voluit apparere pro nobis coram hominibus[66]. Hier geht es nicht mehr um das, was von außen her auf Christus eindrang und was er erduldete, sondern darum, als wer er von sich aus für uns in Erscheinung treten wollte. Die neue Formulierung ist stärker personal bestimmt, die Entsprechung zwischen der Person Jesu und unserer Person genauer durchgeführt und eindeutig als von Christus selbst hergestellt beschrieben. Im zweiten Sermon hatte Luther sich

---

[60] 336, 22. Vgl. Bernh. in Ct 43, 2 PL 183, 994 B.

[61] 336, 25 ff. Joh. v. Paltz behandelt diese Szene in seiner Himmlischen Funtgrub im 4. »Stollen« der Predigt vom Leiden Christi unter der Bezeichnung »kleines Evangelium«; in der Celifodina (Erfurt 1502, C 4 vb bis D 6 ra) nennt er sie Margarita passionis vel Fasciculus myrrhae (zu diesem Ausdruck vgl. ZThK 62, 1965, 396 f.).

[62] 336, 26 ff. Vgl. zu der letzten Wendung und überhaupt zum Thema dieses Aufsatzes G. EBELING, Evang. Evangelienausl. (1942) ²1962, 229 ff.

[63] 336, 33 ff.

[64] Offb 1, 7 und Luk 23, 28: 337, 2. 338, 18 ff. (verbunden mit Sir 30, 24). 343, 9 f.

[65] 343, 2 f.

[66] 336, 34 ff. (Das Wort persona ist Konjektur, wohl im Blick auf die Parallelstelle 339, 31 f. Diese ist aber ihrerseits verderbt. Vielleicht ist einfach zu lesen: quoniam nostra gessit? Vgl. 343, 4). Ferner 337, 34 ff.

so ausgedrückt, daß dies an dem leidenden Christus exemplarisch
wie in einem Spiegel anschaulich wird, freilich nur für den Glauben. Demgegenüber führt er jetzt — gegen alle Tradition[67]! — zum
Verständnis des Gedankens das augustinische Begriffspaar sacramentum — exemplum ein und schreibt das Zustandekommen der
Selbsterkenntnis einer Wirkung der Passion im Sinne des sacramentum zu, die in der Überwindung unseres defectus besteht und als
solche erst eingetreten sein muß, ehe ein Nachvollziehen der Passion im Sinne des exemplum durch die Leidensnachfolge des Menschen überhaupt möglich wird[68]. Damit ist die gesamte traditionelle
Konzeption der Passionsbetrachtung aus den Angeln gehoben, die
an dem Begriffspaar affectus — effectus orientiert war, und es
ist lehrreich zu sehen, wie hier letztlich Augustinus gegen Augustinus aufgeboten wird!

Daß Luther gerade an der Auffassung der Passion im Sinne eines
sacramentum efficax gelegen ist, ist an seiner Formulierung dieses
Gedankens besonders deutlich abzulesen[69]. Zunächst schreibt er der
Passion als sacramentum die herkömmliche Funktion zu, daß nämlich Christus durch sie etwas »bezeichne«, und zwar durch seinen
leiblichen Tod unseren geistlichen Tod. Dann aber korrigiert Luther
sich gewissermaßen mit den Worten: immo et occidit et suscitat
— d. h. über die Wirkung eines bloßen Hinweiszeichens hinaus
wird von der Passion Christi das, worauf sie hinweist, nämlich
die Tötung des alten und die Auferweckung des neuen Menschen,
wirklich herbeigeführt. Bei aller Beibehaltung des Affektmomentes
zur wünschenswerten Einstimmung auf die Passion ist der effectus,
von dem Luther freilich expressis verbis hier nicht redet, nicht mehr
dem guten Werk des Menschen anheimgegeben, sondern Christus
und seiner Passion selbst. Und er besteht eben im Zustandekommen jener Selbsterkenntnis coram Deo.

So ist die Blickrichtung der Betrachtung gegenüber derjenigen
der traditionellen Frömmigkeit umgekehrt. Sie nimmt ihren Ausgang nicht beim Betrachter und faßt nicht ins Auge, was er angesichts der Passion Christi zu leisten hat, sondern sie setzt bei Christi
Passion selbst ein und konstatiert deren Wirksamkeit; d. h., man
kann sie im Grunde gar nicht mehr »absolute« zum Gegenstand der
Betrachtung machen, sondern man begegnet ihr immer schon in

---

[67] Mir ist jedenfalls in der mittelalterlichen Passionsliteratur kein Beispiel dafür begegnet.
[68] 337, 13 ff. 37 ff.
[69] 337, 15 f.

einem Bezug, der von Christus hergestellt ist, insofern er unsere Person angenommen hat. Damit entfällt schließlich auch die Nötigung, das ganze Leben Jesu als Leidensgeschichte zu interpretieren, wie es in der Tradition geschehen mußte.

Von diesem Ansatz aus kann Luther dann, so sehr er sich noch in der herkömmlichen Begrifflichkeit der compassio bewegt, wenn er sie nun auch in die Form der compassio sui überträgt[70], zu polemischen Wendungen kommen, securitas und fleischlichen Charakter der üblichen compassio anprangern[71] und stattdessen deren Vertiefung im Sinne des geschilderten personalen Verständnisses fordern: In Christi enim compassione personaliter agas[72]! Am Ende gibt er eine tropologische Auslegung der Passionsgeschichte[73], die ebenfalls auf eine Vertiefung der cognitio sui hinausläuft. Und wie im zweiten Sermon ist der Schlußgedanke der von der Überwindung der Verzweiflung durch Christus selbst[74]. Aber Luther leitet nun die Verzweiflung aus der Erkenntnis der eigenen Verfassung vor Gott ab und nicht mehr aus der Einsicht in die Unvollkommenheit der Tugendnachfolge, und so begründet er ihre Überwindung nicht mehr mit einer Erinnerung an den satisfaktorischen Charakter von Christi Leiden, sondern im Rückgriff auf die unter dem Stichwort sacramentum formulierte Auffassung mit dem Satz: ut semper te talem agnoscas qualem te format Christus[75]. Daß Christus den Menschen »formiert«, hatte Luther ebenfalls schon im zweiten Sermon sagen können. Dort stand er noch im Bann der Anschauung von Christus als der forma omnium virtutum und bezog diese Aussage darauf, daß Christus uns durch sein Vorbild zu Demut und Geduld führt. Jetzt aber meint Luther die Aufhebung unserer sündhaften Verfassung eben in der von Christus sacramentaliter gewirkten Selbsterkenntnis coram Deo. Und die Zuflucht zu Christus fort von sich selbst, wie Luther sagt, geschieht im Glauben, der damit, anders als im zweiten Sermon, in unmittelbare Verbindung mit der Passion Christi als seinem Grund gebracht ist.

Es mag noch erwähnt sein, daß das Thema dieses Sermons, die cognitio sui, durchaus auch innerhalb der zeitgenössischen mönchischen Frömmigkeit seinen festen Platz hatte. Doch zeigt sich

---

[70] So ausdrücklich 338, 15.
[71] 338, 15. 23. 26.
[72] 338, 15 f.
[73] 338, 36 ff.
[74] 339, 4 ff. Vgl. 340, 8 ff.
[75] 339, 12 f.

Luther in dieser Hinsicht wiederum von der dort vertretenen Auffassung charakteristisch unterschieden: Bei Gerhard Zerbolt, der als Beispiel dienen mag[76], gehört die Erkenntnis der gegenwärtigen Verfassung des Menschen zu den Exerzitien, die der Erneuerung der Seelenkräfte durch lectio, meditatio, oratio usw. vorangehen müssen. Sie ist vom Menschen selbst zu erwerben in täglicher Selbstprüfung, in der Berichtigung vonseiten anderer, in Widerstand und Kampf gegen die Laster, und sie schafft als ihre Frucht vor allem die Zerknirschung, die ja ihrerseits erst als Disposition für die Aufnahme in den Gnadenstand anzusehen ist. So bildet die cognitio sui hier das Stadium einer allerersten Vorbereitung des Menschen auf den Empfang des Heils und ist als solche gewirkt durch sein eigenes Wollen und Tun.

Aus der kurzgefaßten Nachschrift des ersten Sermons ergibt sich über das Konzept Luthers hinaus, daß Luther beim Vortrag der Predigt jenes augustinische Schema von sacramentum und exemplum mit 1. Petr 2, 21 belegt hat[77]. Es ist derselbe Vers, den Jordan auf compassio und imitatio im Sinne des Schemas von affectus und effectus bezogen hatte. Man kann daran ablesen, daß nun auch die in diesem Vers gegebene Aussage über das »pro nobis« des Leidens Christi ganz anders verstanden ist: Für Jordan konnte sie nur besagen, daß Christus in seinem Leiden vor uns hingetreten ist, damit wir ihn anschauen und in seinem Tun nachahmen. Für Luther heißt es, daß Christus in seinem Leiden als sacramentum für uns wirkt, insofern er uns zur Selbsterkenntnis vor Gott, zum Glauben bringt[78].

Nach alledem erübrigt es sich, auch noch den aus der Passionszeit des Jahres 1519 stammenden »Sermon von der Betrachtung des heiligen Leidens Christi«[79] genauer zu untersuchen. Schon darin, wie hier das Schema von sacramentum und exemplum geradezu zum Gliederungsprinzip gemacht ist[80], zeigt sich, daß Luther die im Sermo I de passione niedergelegten Einsichten konsequent ausgewertet hat. Eine Anlehnung an die traditionellen Formen der Frömmigkeit, so sehr sie in den ersten drei Abschnitten der Schrift bekämpft werden, ist nicht zu verkennen; aber wie in jenem Ser-

---

[76] Vgl. die Kapitelfolge seiner Schrift De reformatione interiori.
[77] 339, 18. Vgl. Scholion zu Hebr. 2, 3 WA 57, 114, 12 = BoA 5, 348, 16.
[78] Vgl. W. Jetter, Die Taufe beim jungen Luther, 1954, 145.
[79] WA 2, 136—142 = BoA 1, 154—160. Die Seitenzahlen in den folgenden Anmerkungen beziehen sich auf diese beiden Ausgaben.
[80] 141, 8 ff. = 159, 39 ff.

mon beschränkt sie sich vor allem auf die Hinführung zu dem eigentlichen Thema[81]. Und dieses ist auch hier die Selbsterkenntnis: »dan fast der nutz des leydens Christi gar daran gelegen ist, das der mensch zu seyns selb erkentnis kumme«[82]. Und es ist »das eygene naturlich werck des leydens Christi ..., das es yhm den menschen gleichformig mache ...«[83]. Es handelt sich dabei um eine »wesentliche Wandlung« des Menschen durch die Betrachtung des Leidens Christi, die Luther mit der Wirkung des Sakramentes der Taufe vergleichen kann[84]. Denn »yn seynem leyden macht er (Christus) unßer sund bekant und erwurget sie alßo, aber durch seyn aufferstehn macht er unß gerecht unnd loß von allen sunden, ßo wir anders dasselb gleuben«[85].

Es ist die Folge dieses sakramentalen Verständnisses des Leidens Christi, daß Luther im Schlußabschnitt[86], wo er — bezeichnenderweise nur noch kurz — darauf eingeht, daß »hynfurter das leyden Christi auch eyn exempell ... deynes gantzen lebens« sein soll, nun eben nicht mehr von einer wie immer gearteten Tugendübung spricht, sondern leibliche und geistliche Anfechtungen aufzählt: In ihnen sieht Luther die Exemplarität der Passion Christi gegeben, auf die hier wiederum ausschließlich Bezug genommen ist, ohne daß noch in jenem traditionellen Sinn das übrige Leben Jesu berücksichtigt wäre, und in ihnen sich zu üben, heißt Christi Leiden recht bedenken[87].

---

[81] Es handelt sich um die Abschnitte 4—7. — Es ist auch zu beachten, daß Luther demgegenüber durch den ganzen Sermon hindurch für sich in Anspruch nimmt, von der »rechten« Weise der Betrachtung des Leidens Christi, von dessen »rechtem« Werk, »rechter« Frucht und »rechtem« Nutzen zu reden.

[82] 138, 15 ff. = 157, 10 f.

[83] 138, 19 f. = 157, 13 f.

[84] 139, 14 f. = 158, 8 f.

[85] 140, 24 ff. = 159, 15 ff.

[86] 141, 8 ff. = 159, 39 ff.

[87] 141, 31 ff. = 160, 21 ff. Vgl. noch den Sermo de assumptione Beatae Mariae Virginis (WA 4, 645—650 = BoA 5, 428—434). Auch er handelt von der Christusmeditation und stellt neben die traditionelle Auffassung, für die eine in WA und BoA nicht verifizierte Anspielung auf Jordans Ausgangstext Ex 25, 40 (647, 14 ff. = 431, 8 ff.) kennzeichnend ist, konkurrierend die Anwendung auf die cognitio (Dei). Damit rückt er in die Nähe des Sermo II de passione, was weiterhin gegen VOGELSANGS Datierung auf das Jahr 1520 spricht (vgl. ZThK 62, 1965, 398 Anm. 66).

III

Woher rührt diese Umkehrung der Betrachtungsweise gegenüber der in der traditionellen Passionsfrömmigkeit sich ausprägenden Konzeption, die wir in Luthers Sermo II de passione erst in Ansätzen, im Sermo I de passione voll in Erscheinung getreten und im Sermon von der Betrachtung des heiligen Leidens Christi weiter gefestigt fanden? Sie ist mit der Übernahme des augustinischen Schemas von sacramentum und exemplum verbunden. Ist sie also auch nur aus diesem Rückgriff auf Augustin zu erklären? Diese Annahme wäre allzu kurzschlüssig, denn wir haben mit dieser Wandlung des Passionsverständnisses bei Luther nur ein Moment aufgefaßt, das sich in den Zeugnissen seines theologischen Werdens auch im Zusammenhang mit anderen Themen nachweisen läßt. Sie ist zweifellos verankert in der Wandlung im Verständnis des tropologischen Schriftsinnes, der bei Luther nicht mehr das »quid agas« meint, sondern — wenn man versuchsweise einmal so formulieren darf — ein »quid te agere facit Deus«[88]. Und sie ist nicht anders darin verankert als etwa auch die Wandlung im Verständnis der iustitia Dei, insofern es der Rückblick Luthers auf seine reformatorische Entdeckung in der Vorrede von 1545 doch mit ihr und nicht mit der um 1518 zweifellos noch einmal neu eingetretenen bedeutsamen Wandlung im Verständnis des Verhältnisses von Wort und Glauben, und d. h. des Evangeliums, zu tun hat[89].

Die von Luther geschilderte Entdeckung beruht ja auf der Erkenntnis der connexio verborum in Röm 1, 17[90] in dem Sinne, wie Luther sie an anderer Stelle beschreibt: »Da stand zuvor im text iustitia, da reumet ich das abstractum und concretum zusamen . . .«[91]. D. h., Luther lernt, was iustitia Dei ist, verstehen von dem her, was über den iustus ausgesagt wird. Und läßt sich die in der Vorrede von Luther zum Ausdruck dafür verwendete Begrifflichkeit von iustitia passiva und iustitia activa auch in den Zeugnissen der fraglichen Jahre nicht nachweisen, so daß man zu der Frage genötigt ist, in welcher anderen Begrifflichkeit Luther denn ursprünglich seine Einsicht aufgefaßt haben könnte — einer Begrifflichkeit, die er späterhin abgestreift haben muß, weil er sie

---

[88] Für alles Nähere ist auf G. EBELING, Die Anfänge von Luthers Hermeneutik, ZThK 48, 1961, (172—230) 227 ff. zu verweisen.

[89] Dazu E. BIZER, Fides ex auditu (1958) ³1966.

[90] WA 54, 186, 3 = BoA 4, 427, 36.

[91] WATR 5, 5518 = SCHEEL, Dokumente² Nr. 474 (Winter 1542/43). Vgl. WA 43, 537, 23 f. = SCHEEL Nr. 460 (Enarr. in Gen. 27, 38; Febr. 1542).

sonst doch auch in seinen Rückblicken verwendet haben würde —,
so gilt dies für die Begriffe abstractum und concretum ja nicht.
In der christologisch ausgerichteten Psalmenexegese der Dictata
verwendet Luther sie an einigen Stellen gerade als Kategorien der
tropologischen Auslegung. So schreibt Luther im Scholion zu Psalm
110 (111), 3 (confessio et magnificentia opus eius, wofür er nach
dem hebräischen Psalter die Worte »gloria et decor« einsetzt): Tercio
ut sit ipsa humanitas Christi, quae est gloria et decor. Gloria quia
in multis fidelibus clarificata et revelata, Decor autem quoad se
in suis dotibus. Nam secundum hanc ipse est objectum fidei et
causa et fons et caput glorie et decoris nostri, per ipsum enim
(id est fidem in ipsum) nos clarificamur et decori efficimur, sicut
omne concretum per suum abstractum[92]. Luther bezieht die Aussage des Psalms darüber, daß Herrlichkeit und Zier Christi Werk
sind, zunächst auf die Person Christi und seine menschheitliche (!)
Natur und bezeichnet diese dann sofort als Ursache und Quelle
für die uns verliehene Herrlichkeit und Zier, die darin begründet
ist, daß wir durch den Glauben an Christus wirksam verherr-
licht und geziert werden. Und dabei sieht er zwischen uns und
Christus dasselbe Verhältnis walten wie zwischen jedem concretum
und dem dazugehörigen abstractum. Dementsprechend kann
Luther in zwei nachträglichen Bemerkungen zu seinem Scholion
über Psalm 103 (104), 1, wo ebenfalls von »confessio« und »decor«
die Rede ist[93], die Formulierung gebrauchen, daß Christus unser
abstractum ist, weil wir sein concretum sind. In der zweiten dieser
Randbemerkungen ist das ausdrücklich auch am Begriff iustitia
exemplifiziert.

Diese Stellen aus der ersten Psalmenvorlesung weisen dieselbe
gedankliche Struktur auf wie Luthers Schilderung der reformatorischen Entdeckung, die also gewiß in diesen sachlichen und zeitlichen Zusammenhang hineingehört. Sie ist als Anwendung der
neu verstandenen, christologisch begründeten tropologischen Exegese auf Röm 1, 17 zu erklären. Und da Luther später die ganze
Theorie vom vierfachen Schriftsinn aufgegeben hat, hat er dies
auch in seinen Rückblicken so nicht mehr formuliert, sondern stattdessen die ihm inzwischen näherliegende Nomenklatur von iustitia activa und iustitia passiva verwendet. Zu der so viel disku-

---

[92] WA 4, 242, 6 ff. = BoA 5, 191, 28 ff.
[93] WA 4, 172, 26 ff. = BoA 5, 187, 22 ff. und WA 4, 173, 21 ff. = BoA 5,
188, 22 ff.

tierten Frage der Datierung sei hier nur noch ein Hinweis gegeben:
In einer Randbemerkung zu Gabriel Biels Collectorium hat Luther
in den Jahren 1515/16 zu einer Stelle, an der Biel das Begriffspaar abstractum — concretum verwendet, notiert: Iustus non est
in genere sed Iustitia[94]. Wenn Luther sich hier das Verhältnis von
abstractum und concretum ausgerechnet am Verhältnis von iustitia und iustus veranschaulicht, dann kann die Entdeckung der iustitia Dei, wie er sie später geschildert hat, wohl nicht erst danach stattgefunden haben!

Mit alledem haben wir die Wandlung des Passionsverständnisses
sozusagen als einen Spezialfall der Wandlung im Verständnis des
tropologischen Schriftsinnes zu begreifen versucht, dem als ein anderes Beispiel die Wandlung im Verständnis der iustitia Dei zur
Seite gestellt werden kann. Schon aus diesem Grunde kann sie nicht
auf den bloßen Einfluß des augustinischen Begriffspaars sacramentum — exemplum zurückgeführt werden. Es läßt sich vielmehr
zeigen, daß Luther sich dieses Begriffspaar von allem Anfang an
in einem Sinne zu eigen macht, der ebenfalls auf der Linie dieser
Wandlung liegt[95].

Es handelt sich um die Randbemerkungen, die Luther in seinem
Exemplar von Augustins Werk De trinitate zu jener Stelle IV 3
eingetragen hat, wo ihm dieses Begriffspaar zum ersten Mal begegnet ist[96]. Augustin hatte vom zweifachen Tod des Menschen gesprochen, vom (geistlichen, innerlichen) Tod der Seele um der Sünde
willen und vom (leiblichen, äußerlichen) Tod des Körpers um der
Strafe für die Sünde willen, und sagt nun, daß der Heiland an
diesen unseren zweifachen Tod seinen einen Tod gewendet hat,
ebenso wie er, um unsere zweifache Auferstehung zu bewerkstelligen, uns seine eine Auferstehung voran- und vor Augen gestellt
hat, nämlich »in sacramento et exemplo«[97]. Die Ausführung,
die Augustin diesem Gedanken dann gibt, vergegenwärtigt sich

---

[94] Luthers Randbemerkungen zu G. Biels Collectorium, hg. von H. DEGERING,
1933, 5. Es ist hier nicht der Raum, ausführlicher auf K. ALAND, Der Weg
zur Reformation (Theol. Exist. heute 123), 1965 und die auch dort vorgetragene Spätdatierung einzugehen.
[95] Einen ersten Hinweis darauf gibt E. ISERLOH, Sacramentum et exemplum —
Ein augustinisches Thema lutherischer Theologie; Reformata reformanda
(Festschrift für H. JEDIN) 1965, I (247—264) 251. Dort auch die weitere
Literatur.
[96] WA 9, 18, 19 ff. = BoA 5, 3, 30 ff.
[97] Zum richtigen Verständnis von Luthers Randbemerkungen ist der Text Augustins (PL 42, 891 f.) im vollen Umfang heranzuziehen.

Luther in einer ersten schematisch zusammenfassenden Notiz, die sich völlig im Rahmen der Begrifflichkeit Augustins hält. Luther hat dabei richtig festgehalten, daß sich die Kreuzigung Christi nach Augustin in beiderlei Hinsicht auf etwas bezieht, was der Mensch seinerseits erst zu leisten hat. Es liegt auf der Hand, daß dies der Fall ist, wo es sich um die Geltung des Kreuzestodes als Beispiel handelt: Hierfür erinnert Augustin an Mt 10, 28 (nolite timere eos qui occidunt corpus . . .) und faßt also — wie Luther nach ihm — das Martyrium ins Auge. Aber nicht anders ist es bei der Geltung des Kreuzestodes als Sakrament: Denn als solches bezeichnet er die Buße, in welcher sich das Absterben der Seele von der Sünde vollzieht. Die Buße wird deshalb eine crux genannt, d. h., sie ist Nachvollzug des Kreuzestodes. Deutlicher, als Luther es in seiner knappen Zusammenfassung wiedergibt, markiert Augustin selbst diese Ausrichtung auf die vom Menschen zu erbringende moralische Leistung, wenn er zu den Worten: Crucifixio quippe interioris hominis poenitentiae dolores intelliguntur, hinzusetzt: et continentiae quidam salubris cruciatus. So zielt die Kreuzigung Christi also in doppeltem Sinn auf ein entsprechendes Verhalten des Menschen, auf die Buße des homo interior und auf die Bereitschaft des homo exterior zum Einsatz seines Lebens im Martyrium um der Wahrheit willen.

Aber Luther hat sich nun nicht damit begnügt, sich in dieser Weise Rechenschaft darüber zu geben, was Augustin an jener Stelle sagen wollte. Ihn hat der Grundgedanke von der Beziehung des einen Geschicks Christi auf ein zweifaches Geschick des Menschen weiter beschäftigt, und er hat diesen Gedanken noch in einer anderen Richtung durchgedacht, die sich bei Augustin vor allem am Ende des Kapitels angedeutet findet[98]. Hier steht eine zweite Notiz Luthers, die ausdrücklich mit einem »alio modo« eingeführt ist. In ihr bezieht Luther den Kreuzestod Christi nicht auf eine vom Menschen zu vollbringende Leistung, sondern sagt von Jesu Tod, daß er selbst etwas vollbringt: Einerseits erlöst er die Seele vom (leiblichen) Tod — und so heißt es, daß Christus durch seinen Tod den Tod »gebissen« habe —, andererseits aber »macht« er es,

---

[98] Vgl. schon an der früheren Stelle: et ad *faciendam* utramque resuscitationem nostram . . . Der Schlußsatz lautet: Una ergo mors nostri salvatoris duabus mortibus nostris saluti fuit et una eius resurrectio duas nobis resurrectiones praestitit, cum corpus eius in utraque re, i. e. et in morte et in resurrectione, et sacramento interioris hominis nostri et exemplo exterioris, medicinali quadam convenientia ministratum est.

daß die Seele (geistlich) der Sünde stirbt — und bewirkt so, daß
wir nach den Worten des Paulus in Gal 6, 14 »der Welt gekreuzigt
sind und die Welt uns«. An dieser Weiterführung der Gedanken
Augustins ist auffallend, daß Luther wie Augustin nicht wieder
von der crucifixio Christi spricht, sondern einfach von mors Christi.
Der wesentliche Aspekt am Kreuzestod Christi ist hier also die
Tatsache des Gestorbenseins, nicht die besondere Art und Weise
des Sterbens, aus der sich für Augustin zunächst die Art und Weise
des erforderten menschlichen Leidensnachvollzuges ergeben hatte.
Ferner knüpft Luther jetzt nicht mehr an die Kategorien sacramentum und exemplum an. Christi Sterben »bezeichnet« weder ein
entsprechendes menschliches Verhalten, noch gibt es dafür ein »Bei-
spiel«, sondern es übt selbst eine Wirkung auf den Menschen und an
dem Menschen aus. Es tut das einerseits kraft seines einmaligen
Geschehenseins damals — momordit! — und andererseits in der
Form eines an uns Menschen sich in der Gegenwart erfüllenden
Geschehens: ut simus crucifixi. Der abschließende Satz der Randbemerkung bestätigt diesen wesentlichen Grundzug im Gedanken
Luthers, indem er noch einmal zu explizieren versucht, was Christi
Tod »macht«. Es ist nun aber dieses Verständnis, das sich bei Luther
überall dort wieder einstellt, wo er sich später des augustinischen
Begriffspaares sacramentum — exemplum erinnert, und das er ihm
dann jeweils unterlegt.

In welchem Unterschied Luther sich dabei zu der traditionellen
Konzeption der Passionsbetrachtung befindet, geht schließlich auch
noch daraus hervor, daß er Gal 6, 14 für sein Verständnis in Anspruch nimmt, einen Vers, der beispielsweise bei Ludolf in Übernahme einer Auslegung von Bernhard noch ganz im Sinne seines
affectus-effectus-Schemas interpretiert worden war: . . . in his Apo-
stoli verbis illud quoque non incongrue possit intelligi, crucifixum
ei mundum reputatione, ipsum vero mundo compassione; crucifixum enim, videbat mundum obligationibus vitiorum, et ipse cruci-
figebatur ei per compassionis affectum[99].

Mit diesen Beobachtungen sind wir in die ersten Anfänge von
Luthers Theologie zurückgeführt. Die Tendenz, die wir aufgrund
der Passionstexte als charakteristisch für sie herausarbeiten konnten, ist also schon vor der näheren Beschäftigung Luthers mit der
biblischen Hermeneutik faßbar. Zugleich zeigte sich hier wie überall

---

[99] Bernh., Serm. 7 in Quadrag., n. 3 PL 183, 184 D; Ludolf, Vita Chr. II 58
(p. 599 b—600 a).

ihre Verflochtenheit in die Christologie. So scheint also der Wandel im Verständnis der Passion bei Luther und die ganze Ausrichtung seiner theologischen Betrachtungsweise, für die er nur ein Beispiel ist, in einem letzten Sinne auf die Anschauung zurückzugehen, die Luther von Christus gewonnen hat — und zwar doch nun gerade im »Kontext« der Christusanschauung der Frömmigkeit des ausgehenden Mittelalters[100]!

[100] Es ist daran zu erinnern, daß Luther sich im Jahr 1509 und spätestens im Jahr 1513 auch intensiv mit dem pseudo-augustinischen und dem pseudo-anselmischen Schrifttum der nachbernhardinischen Frömmigkeit beschäftigt hat. Vgl. dazu den Inhalt der Bände, in denen seine Randbemerkungen eingetragen sind (WA 9, 4. 105 f.).

VORAUSSETZUNGEN UND METHODE VON LUTHERS BIBELÜBERSETZUNG[1]

von Siegfried Raeder
(Mössingen b. Tübingen, Lange Straße 85)

1. Die hermeneutische Grundlage von Luthers Bibelübersetzung

Daß Luther die Bibel übersetzte und vor allem wie er es tat, ist in seinem Verständnis von Wort Gottes und Sprache begründet, wie es sich schon in den frühesten Zeugnissen seines theologischen Denkens ankündigt.

In den 1509 und 1510 verfaßten *Randbemerkungen* zu Werken Augustins und Petrus Lombardus' bemerkt man, wie EBELING feststellt, eine »scharf antiphilosophische Haltung« und »entsprechend eine starke Hervorhebung der Autorität der Schrift und ihres Sprachgebrauchs«[2].

In seiner *ersten Psalmenvorlesung* (1513—1515) legt Luther den Text noch nach dem herkömmlichen Schema des vierfachen Schriftsinnes aus; doch macht er den sensus literalis propheticus, den in der Regel von Christus zeugenden buchstäblichen Sinn, zur Grundlage der Exegese[3]. Da Luther erkennt, daß der Literalsinn am klarsten in der ursprünglichen Textform zum Ausdruck kommt[4], begnügt er sich nicht mit dem Wortlaut der Vulgata, sondern versucht mit Hilfe aller ihm zu Gebote stehenden exegetischen und philologischen Mittel, dem Grundtext möglichst nahe zu kommen[5]. In seltenen

---

[1] Abkürzungen nach: »Die Religion in Geschichte und Gegenwart«, 3. Aufl., 1957 ff (= RGG³). Ferner: Gl = Glosse; PsH = Psalterium Hebraicum nach: Quincuplex Psalterium, Paris 1509; Vg = Vulgata. Zu weiteren Abkürzungen siehe Anm. 47. Zum historischen Verlauf von Luthers Bibelübersetzung siehe RGG³I, 1202—1207. Dort auch Literaturhinweise. Zählung der Pss nach mas. Text.

[2] RGG³ IV, 499.

[3] Vgl. RGG³ IV, 499 f.; G. EBELING, Die Anfänge von Luthers Hermeneutik, ZThK 48 (1951), 222. Zum Literalsinn als Christus-Sinn siehe: WA 55I, 1, 6, 1—3. 25—8, 1. 8; als Fundamentalsinn: WA 4, 305, 7. Zu Luthers Exegese siehe: K. HOLL, Luthers Bedeutung für den Fortschritt der Auslegungskunst (1920), HOLL I, 544—582.

[4] WA 3, 370, 40; 518, 17 f.

[5] Siehe: S. RAEDER, Das Hebräische bei Luther, untersucht bis zum Ende der ersten Psalmenvorlesung, 1961.

Fällen greift er sogar auf diesen selbst zurück, wie er ihm in Reuchlins Ausgabe der Bußpsalmen und vermutlich auch schon in einer hebräischen Vollbibel zur Verfügung stand[6]. Luther geht aber nicht so weit, daß er den Sinn des Hebraeus, dh. des Grundtextes bzw. der ihm genau entsprechenden Übersetzungen, für allein gültig erklärt. Bezogen auf den Hebraeus als Grundlage, haben auch die anders lautenden Lesarten des Septuaginta-Typus ihre Bedeutung. Was der Hebraeus secundum literam aussage, beschreibe die Vulgata, wo sie von den Septuaginta abhängig ist, velut ex consequenti secundum spiritum[7]. So kann Luther die unterschiedlichsten Lesarten unter dem Gesichtspunkt von spiritus et litera harmonisieren[8].

Durch die Schule der Paulus-Exegese (1515—1518) gegangen, betrachtet Luther in den *Operationes in Psalmos* (1519—1521) allein den Literalsinn als sensus legitimus[9]. Dieser Literalsinn ist es aber, von dem der Prophet (David) in spiritu rede und der in spiritu, dh. im Glauben, verstanden werden müsse[10]; denn eben der Literalsinn meint eine Wirklichkeit, die menschlichen Augen unerkennbar ist. Der Literalsinn bedarf also nicht einer Ergänzung durch den geistlichen Sinn, sondern ist selbst geistlicher Sinn. Der unicus sensus simplicissimus[11] der Schrift handle von nichts anderem als von Glaube, Liebe, Hoffnung und allen guten Werken[12]. Er ist auf streng philologischem Weg zu ermitteln: Primo grammatica videamus, verum ea Theologica[13]. Da die Heilige Schrift nur einen Sinn hat, kann auch nur eine Textform die Grundlage der Exegese bilden: der Originaltext selbst. Zwar benutzt Luther auch in den Operationes den Psalmentext der Vulgata; aber er läßt ihn als Grundlage der Exegese nur gelten, sofern er dem hebräischen Grundtext entspricht. Dies festzustellen, läßt Luther sich auf Schritt und Tritt angelegen sein. Die Fähigkeit dazu hat er sich vor allem in der Zeit zwischen den beiden Psalmenvorlesungen erworben[14].

---

[6] RAEDER, aaO., 175; 215.

[7] WA 3, 472, 32 f. Ferner: WA 3, 198, 15 f. 22 f. Siehe RAEDER, aaO., 12 ff.

[8] Näheres über dieses Begriffspaar bei Luther: RGG[3] II, 1293; IV, 500.

[9] WA 5, 22, 33—37. Zu den Operationes in Psalmos siehe: J. HILBURG, Luther und das Wort Gottes in seiner Exegese und Theologie dargestellt auf Grund seiner Operationes in Psalmos 1519/21 in Verbindung mit seinen frühen Vorlesungen (Diss. Marburg), 1948.

[10] WA 5, 42, 28—31. Ferner: 320, 33 f; 369, 18—21.

[11] WA 5, 645, 23 f.

[12] WA 5, 645, 27 f.

[13] WA 5, 27, 8.

[14] Hierüber gedenke ich demnächst eine Untersuchung zu veröffentlichen. Siehe

Der Grundsatz, daß zuerst das Sprachliche (grammatica) als das eigentlich Theologische zu erforschen sei, findet aber in zweifacher Hinsicht seine Begrenzung: Einmal betont Luther den Vorrang der Sache vor dem Wort. So muß zB das — wie Luther meint — grammatisch nicht eindeutige Wort כָּאֲרִי in Ps 22, 17 im Lichte der Geschichte von Christi Tod verstanden werden: »Wir erhellen nämlich nicht die Geschichte aus den Geheimnissen der Schriften, sondern die Geheimnisse der Schriften aus der Geschichte, das heißt: das Alte Testament durch das Evangelium und nicht umgekehrt«[15].

Seine zweite Grenze findet das Sprachliche am Wirken des Heiligen Geistes im Vollzug der Schriftauslegung. Bloße Kenntnis der Sprachen genügt nicht. Ein Lehrer der Heiligen Schrift, sagt Luther am Ende seiner zweiten Psalmenvorlesung, müsse beides haben: die Kenntnis der biblischen Grundsprachen und den Heiligen Geist; doch sei der Beistand des Geistes noch nötiger als sprachliches Wissen[16]. Indem Luther den Vorrang des Geistes vor den Sprachen betont, will er nicht zuletzt auch den philologisch bedingten Irrtümern, die ihm, wie er mit Recht befürchtet, in seiner zweiten Psalmenvorlesung unterlaufen sein könnten, den Charakter des für den Glauben Gefährlichen nehmen. Man könne den sensus legitimus verfehlen, aber dennoch Wahres sagen, was ja auch die philologisch oft unrichtige Exegese der Väter zeige[17]. Die Kenntnis der biblischen Grundsprachen ist also, wie Luther noch 1521 meint, für die Reinerhaltung des Evangeliums nicht schlechthin unentbehrlich, sondern nur höchst erwünscht.

Zu einer besseren Würdigung der Sprachen gelangt Luther in seiner 1524 erschienenen Schrift »*An die Ratsherrn aller Städte deutsches Lands, daß sie christliche Schulen aufrichten und halten sollen*«.

Im Blick auf die Wiederentdeckung des Evangeliums in der Reformation urteilt Luther: »Das konnen wir nicht leucken/ das/ wie wol das Euangelion allein durch den heyligen geyst ist komen/ vnd teglich kompt/ so ists doch durch mittel der sprachen komen/ vnd hat auch dadurch zugenomen/ mus auch da durch behalten

---

einstweilen WADB 10 II, 292 f. Den griechischen Text des NT benutzte Luther schon in der Römerbrief-Vorlesung (1515/16) nach Erscheinen der Erasmischen Ausgabe des Novum instrumentum cum Annotationibus, Basel 1516.
[15] WA 5, 633, 17—19.
[16] WA 5, 597, 25 f.
[17] WA 5, 597, 30 f. Vgl. Anm. 9.

werden«[18]. Luther erklärt unumwunden, daß er ohne die Kenntnis der biblischen Grundsprachen wohl hätte ein frommer Mann sein und in der Stille recht predigen können, aber nicht gewagt hätte, das Papsttum und seine theologischen Grundlagen anzugreifen[19]. Die der Sprachen unkundigen Väter hätten zwar nicht unrecht gelehrt, doch gehe ihre Auslegung oft am Text vorbei[20]. Der heilige Bernhard zB treibe mit der Schrift geradezu ein Spiel, wenn auch ein geistliches[21]. Jetzt sei, dank dem erneuerten Sprachstudium, das Evangelium »gar viel reyner/ denn es zur zeyt sanct Hieronymi odder Augustini (!) gewesen ist«[22]. Die Sophisten meinten zwar, die Heilige Schrift sei finster, sähen aber nicht, daß dieser Eindruck auf mangelnder Kenntnis der Sprachen beruhe; »sonst were nicht liechters yhe geredt/ denn Gottis wort/ wo wyr die sprachen verstünden«[23]. Geist, Wort und Sprache bilden also eine Einheit, in der jede der drei Größen ihre besondere Funktion hat, die sie nur ausübt in Verbindung mit den beiden anderen. Für Luther gehört das Wort Gottes so sehr mit seiner sprachlichen Gestalt zusammen, daß er im Blick auf Altes und Neues Testament in den grundtextlichen Fassungen geradezu von »vnsers Gottis sprach vnd wort«[24] reden kann. Wie das Evangelium infolge fehlender Sprachkenntnisse in den hohen Schulen und Klöstern verlernt wurde[25], so kann es nur durch die Sprachen gut erhalten werden: »Last vns das gesagt seyn/

---

[18] BoA 2, 450, 30—34.

[19] BoA 2, 455, 20—25.

[20] BoA 2, 453, 13—18.

[21] BoA 2, 454, 7 f.

[22] BoA 2, 452, 24 f.

[23] BoA 2, 454, 8—12. Die Anschauung von der Dunkelheit der Schrift wirkte sich auch als Hindernis für die Übersetzung der Bibel in Volkssprachen aus. Gregor VII. verweigerte »die Abhaltung der Liturgie in slawischer Sprache mit der Begründung, es habe dem allmächtigen Gott aus guten Gründen gefallen, die Bibel an einigen Stellen dunkel sein zu lassen, weil sie, wenn sie jedermann freistünde, verachtet werde oder, falsch verstanden, zu Irrtümern führen müsse. Weil also in der Liturgie biblische Abschnitte vorkommen, darf sie nicht in der Volkssprache gehalten werden. Danach würde er selbstverständlich deutsche Bibeln aufs schärfste verurteilt haben« (W. WALTHER, Luthers Deutsche Bibel, 1917, 13). Weiteres über: »Die Stellung der kirchlichen Behörden zu Bibeln in der Volkssprache« aaO, 13—16. Zur Lehre von der Dunkelheit der Schrift siehe Augustin, De doctrina christiana, II 7 u. 8 (CChr 32, 35 f); Vinzenz von Lerinum, Commonitorium, 2, 1—3 (MPL 50, 677, ff). Siehe ferner Anm. 64.

[24] BoA 2, 454, 26.

[25] BoA 2, 451, 31—37.

das wyr das Euangelion nicht wol werden erhallten/ on die sprachen«[26].

Die hebräische Sprache gilt Luther nicht etwa deshalb als heilig,
weil sie die dem göttlichen Wesen verwandtere Ursprache der
Menschheit wäre[27], sondern weil sie Gott im Alten Testament »zu
seynem wort erwelet hat fur allen andern«[28]. Ebenso ist die griechische Sprache heilig, weil sie von Gott »fur andern dazu erwelet
ist/ das das newe testament drinnen geschriben würde«[29]. Indem
die biblische Botschaft wie aus einem Brunnen in andere Sprachen
fließe, würden auch diese geheiligt[30]. Als Gefäße für Gottes Wort
sind also alle Sprachen von grundsätzlich gleichem Wert.

Auf diesem hermeneutischen Hintergrund wird deutlich, warum
Luther im Unterschied zu allen, die vor ihm die Bibel ins Deutsche
übertrugen, die Grundtexte zur Basis seiner Übersetzung machte[31];
ferner, warum er die deutsche Sprache in einer Freiheit gebrauchen
konnte, die auf viele seiner Zeitgenossen schockierend wirkte; und
schließlich, warum seine Verdeutschung nicht nur eine Übersetzung, sondern zugleich eine Deutung der Bibel ist, und zwar eine
bei aller Differenziertheit in sich zusammenhängende.

2. Luthers Methode der Bibelübersetzung

Wie Wenzeslaus Link in seiner Vorrede zum »Sendbrief vom
Dolmetschen« (1530) schreibt, machten die »feinde der warheit«
Luther den Vorwurf, er habe in seiner Bibelübersetzung den Text
»an vilen orten geendert/ odder auch verfelschet«. Diese schwere

---

[26] BoA 2, 451, 26 f.
[27] Eine solche Anschauung vertrat Johannes Reuchlin: Antiquum quippe accedit
aeuo: aeuum aeternitati propinquum est: et aeternitas deo uicina est: qui
supra aeternitatem regnat ... Ideoque barbara (was dasselbe bedeutet wie
antiqua) diuinitati cognatiora sunt ... Barbara uero dicuntur: hebraica uel
proxime inde deriuata. Flosculi namque sermonis et uenustas elegantiarum
post Hebrum et linguarum distinctionem a curiosis potius quam sinceris
hominibus est excogitata. Simplex autem sermo: purus: incorruptus: sanctus:
breuis et constans Hebraeorum est: quo deus cum homine: et homines cum
angelis locuti perhibentur coram et non per interpretem: facie ad faciem
(De verbo mirifico, 1494, c5 ab = Faksimile-Neudruck, 1964, 42 f). Zum
Hebräischen als Ursprache der Menschheit siehe P. MEINHOLD, Luthers Sprachphilosophie, 1958, 18; 55 u. Anm. 116.
[28] BoA 2, 451, 10 f.
[29] BoA 2, 451, 21 f.
[30] BoA 2, 451, 22—24.
[31] RGG[3]I, 1201.

Anklage versetzte viele einfältige Christen, auch Gelehrte, die keine Kenntnisse des Griechischen und Hebräischen besaßen, in Schrekken[32]. Nicht um sich vor den Papisten zu rechtfertigen[33], sondern um seine Anhänger zu informieren[34], äußert sich Luther in besagtem Sendbrief über seine Grundsätze des Dolmetschens. Er tut dies mit besonderer Berücksichtigung seiner heftig angegriffenen Wiedergabe von Röm 3, 28: »Wir halten/ das der mensch gerecht werde on des gesetzes werck/ *allein* durch den Glauben«[35]. Man wies darauf hin, daß im Text nicht sola stehe (bzw. solum, wie es nach Luthers Übersetzung eigentlich heißen müßte[36]). In bezug auf diese Stelle erklärt Luther:

a) warum er hier und anderswo nicht am Buchstaben des Grundtextes klebt[37];

b) warum er in einigen Fällen sogar gegen deutsches Sprachempfinden eine streng wörtliche Übersetzung bevorzugt[38];

c) wie die Meinung des Textes[39] und die Sache[40] selbst ein solches »allein« in Röm 3, 28 fordern.

Damit sind die drei methodischen Grundsätze genannt, nach denen sich Luther in dem gesamten Werk seiner Bibelübersetzung richtet:

a) Freiheit vom Buchstaben;

b) Bindung an den Buchstaben;

c) Deutlichster Ausdruck der Meinung und Sache des Textes.

a) Freiheit vom Buchstaben

Luther nennt die unwissenden Kritiker seiner Bibelübersetzung »Buchstabilisten«[41]. Nach der naiven Auffassung der Buchstabilisten wäre eine Sprache nur eine Inventarliste von Wörtern, denen jeweils eine bestimmte Sache entspräche. Das Übersetzen wäre demnach im wesentlichen ein Austausch von Bezeichnungen der einen Inventarliste gegen analoge Bezeichnungen der anderen. Luther führt im »Sendbrief vom Dolmetschen« an Hand von Bei-

[32] BoA 4, 179, 13—16.
[33] BoA 4, 180, 15—183, 18.
[34] BoA 4, 183, 19—190, 15.
[35] BoA 4, 180, 7 f.
[36] BoA 4, 183, 20.
[37] BoA 4, 184, 1—187, 19.
[38] BoA 4, 187, 20—34.
[39] BoA 4, 187, 35—189, 7.
[40] BoA 4, 189, 8—190, 15.
[41] BoA 4, 186, 16—22.

spielen aus, wie ein solches Übersetzen nach dem »Buchstaben« oft keinen oder gar einen falschen Sinn ergibt. So verhalte es sich auch mit der Anrede des Engels Gabriel an den Propheten Daniel. Gabriel nenne ihn Hamudoth (חֲמוּדוֹת, Dan 9, 23) und Isch Hamudoth אִישׁ־חֲמֻדוֹת Dan 10, 11.19), wofür in der Vulgata vir desideriorum stehe. Luther gibt es deutsch mit den Worten »du lieber Daniel« wieder. Nach Ansicht der Buchstabilisten hätte er übersetzen sollen: »Daniel du man der begirungen oder/ Daniel du man der lüste/ O das were schon deutsch/ Ein deutscher horet wol/ das Man/ Lüste/ oder begyrunge/ deutsche wort sind/ wie wol es nicht eytel reine deutsche wort sind/ sondern lust vnd begyr weren wol besser. Aber wenn sie so zusamen gefasset werden/ du man der begyrungen/ so weiß kein deutscher was gesagt ist/ denckt/ das Daniel villeicht vol böser lust stecke/ Das hiesse denn fein gedolmetzscht«[42].

»Begierung« hätte nämlich in der Anrede »Du Mann der Begierungen« vermutlich aktiven Sinn: Du Mann, der begehrt. Nach dem hebräischen חֲמוּדוֹת (eigentlich desiderata, desiderabilia, von חמד, desiderare) ist aber »Begierung« passiv zu verstehen: Du Mann, der begehrt wird[43].

Luther vermeidet es aber nicht nur, die syntaktische Verbindung von חֲמוּדוֹת im Deutschen nachzuahmen, er geht noch einen entscheidenden Schritt weiter: Er löst sich von der eigentlichen Bedeutung des hebräischen Wortes und greift zu einem ganz anderen deutschen Wort, nämlich »lieb«, weil er findet, daß in einer derartigen Situation »der deutsche man also spricht/ Du lieber Daniel«[44]. Dieses Wort scheint Luther für die deutsche Sprache sehr charakteristisch zu sein: »Wer Deutsch kan/ der weis wol/ welch ein hertzlich fein wort das ist/ die liebe Maria/ der lieb Gott/ der liebe Keiser/ der liebe fürst/ der lieb man/ das liebe kind. Vnd ich weis nicht/ ob man das wort liebe/ auch so hertzlich vnd gnugsam in

---

[42] BoA 4, 186, 11—12.

[43] Vgl. die folgenden Ausführungen Luthers zu dem ähnlichen Wort »Begierd«: »». . . Und sol komen Hembdath (וְחֶמְדַּת) aller Heiden‹ (Hag 2, 7), das ist Messia, aller Heiden begird, welches wir ›Trost‹ verdeutscht haben. Denn begird ist nicht verstendlich genug, weil es im Deudschen heisst: die innerliche lust und begird im hertzen, Actiue. Aber hie heisst es begird, das eusserliche, Passive, des ein hertz begerd . . . Aber den Heiden solt er Wilkomen heissen, als jres hertzen freude, lust, aller wundsch und begird« (WA 53, 480, 13—21; Von den Juden und ihren Lügen, 1543).

[44] BoA 4, 186, 25.

Lateinischer oder andern sprachen reden müg/ das also dringe vnd klinge ynns hertz/ durch alle sinne wie es thut in vnser sprache«[45].

Luthers Übersetzung der Danielstellen entspricht in der Tat genau dem Sinn der hebräischen Worte[46].

Um die sprachliche Leistung des Reformators gebührend zu würdigen, möchte ich zeigen, was hier in den anderen Übersetzungen zu lesen ist.

In den Septuaginta steht 9, 23: ὅτι ἐλεεινὸς εἶ, »denn du bist bemitleidenswert«, und 10, 11.19: ἄνθρωπος ἐλεεινός. Theodotion hat an allen drei Stellen ἀνὴρ ἐπιθυμιῶν. Ein von HANS VOLZ 1963 herausgegebenes Werk[47] bietet in diesem Falle auch die Möglichkeit, deutsche Übersetzungen des 14. bis 16. Jahrhunderts zum Vergleich heranzuziehen. C bei 9, 23; 10, 11: »man der begerunge.« Luthers Vermutung, man würde in diesem Fall im Deutschen den Genitiv als einen subjektiven auffassen, wird durch den Versuch einer freieren Übersetzung von C bei 10, 19 bestätigt. Dort heißt es: »gerende man«, dh: verlangender Mann. M: »Man der begerungen.« E: »man der begier.« W (= Z) 9, 23: »man hat eynn lust an dir«, 10,11: »eyn man an dem man lust hatt«, 10, 19: »O mann an dem man lust hat.« W erkennt also die passive Bedeutung von חֲמוּדֹות ahmt deshalb auch nicht die hebräische Konstruktion im Deutschen nach, übersetzt aber nicht in ein so reines und klares Deutsch wie Luther. Dieser schreibt bei 9, 23: »du bist lieb vnd werd«, gibt also das hebräische Wort mit zwei deutschen Ausdrücken wieder, 10, 11: »Du lieber Daniel« und 10, 19: »du lieber man.«

Ich möchte nun an einem grammatikalischen Beispiel zeigen, wie

---

[45] BoA 4, 186, 3—8.

[46] Nach LUDWIG KÖHLER, Lexicon in Veteris Testamenti libros, 1953, bedeutet das hebräische Wort an den genannten Stellen »liebenswert«.

[47] Vom Spätmittelhochdeutschen zum Frühneuhochdeutschen, Synoptischer Text des Propheten Daniel in sechs deutschen Übersetzungen des 14. bis 16. Jahrhunderts, 1963. Es handelt sich um folgende Übersetzungen (siehe ebda., 1):
C = Claus Crancs Prophetenübersetzung (ca. 1350),
M = Johann Mentelins Straßburger Bibeldrucke (ca. 1466),
W = Ludwig Hätzers und Hans Dencks Wormser Prophetenübersetzung (1527),
Z = Züricher Prophetenübersetzung (1529),
L = Martin Luthers Danielübersetzung (1530),
E = Johann Ecks Bibelübersetzung (1537). C, M und E fußen auf Vg; W, Z und L auf dem mas. Text. Zu Luthers Urteil über W siehe BoA 4, 187, 30 —34, hier zitiert S. 177 f. Luthers Übersetzung von 1530 ist mit den Bibeldrucken von 1532—1546 verglichen.

Luther, gerade um den Sinn des Textes möglichst deutlich wiederzugeben, frei übersetzt.

Nach der naiven Anschauung des Buchstabilismus gelten für alle Sprachen dieselben grammatischen Kategorien, die, wie man meint, einer objektiven Gliederung der Wirklichkeit entsprechen. Dies hat zur Folge, daß man fremde Sprachen durch die Brille der eigenen Grammatik betrachtet[48]. So überträgt Reuchlin zB auf das Hebräische ohne weiteres das lateinische Kasusschema einschließlich des Ablativs (!)[49] und ebenso das lateinische Tempusschema von Praeteritum, Praesens und Futurum[50]. Selbstverständlich gibt es nach Reuchlin im Hebräischen auch die drei Steigerungsstufen Positiv, Komparativ und Superlativ[51]. Natürlich weiß Reuchlin, wie auch die anderen mittelalterlichen Hebraisten, daß das Hebräische keine Flexionsformen der Steigerung besitzt, wie sie zB. das Lateinische kennt. Aber man zweifelt nicht daran, daß die »Umschreibungen«, die das Hebräische gebraucht, genau denselben Sinn haben wie die lateinischen Komparationsformen.

Die Deutung einer fremden Sprache nach den Kategorien der eigenen Grammatik muß sich gefährlich auf das Übersetzen auswirken. Luther wußte um diese Gefahr. Deshalb lehnte er es ab, sich das Verständnis hebräischer Texte durch Regeln einer fragwürdigen Grammatik verschließen zu lassen[52]. Er dachte über grammatische Phänomene insofern vorurteilslos, als er sie aus dem Text selbst zu

---

[48] Siehe hierzu A. Martinet, Grundzüge der Allgemeinen Sprachwissenschaft, 1963, 44 f.

[49] De rudimentis Hebraicis, Pforzheim, 1506, 556 f. u. ö.

[50] AaO, 585.

[51] AaO, 572 f. Als Beispiel für die Umschreibung des Komparativs durch יוֹתֵר (= plus, magis) und den Ablativ bildet Reuchlin folgenden Satz: suo proximo plus iustus Ioannes יוֹחָנָן צַדִּיק יוֹתֵר מֵרֵעֵהוּ. Das ist kein wirkliches Hebräisch, da in einem derartigen Satz das Wort יוֹתֵר gerade nicht stehen dürfte. Martinet schreibt: »Man darf nicht von Singular und Plural reden, wenn man eine Sprache behandelt, die keine von entsprechenden Singularformen formal unterschiedenen Plurale aufweist« (aaO, 44). Demgemäß darf man auch nicht von Positiv, Komparativ und Superlativ reden, wenn man eine Sprache behandelt, die dafür keine besonderen Formen besitzt. Siehe Anm. 57.

[52] Ego nullus sum Hebraeus grammatice et regulariter, quia nullis patior me vinculis constringi, sed libere versor (WATR 3, 244, 12—14). Non satis est nosse grammatica (m?), sed observare sensum (WATR 4, 608, 6 f). Allerdings war es auch Luthers Grundsatz, nicht gegen die Grammatik zu verstoßen (WATR 2, 439, 19 f).

verstehen versuchte. Dies tat er auch im Blick auf den sogenannten
Komparativ im Hebräischen.

Ps 118, 9 lautet im masoretischen Text:

טוֹב לַחֲסוֹת בַּיהוָה מִבְּטֹחַ בִּנְדִיבִים׃

Die Vulgata gibt diese Worte buchstabengetreu und unlateinisch
wie folgt wieder: Bonum est sperare in domino, quam sperare in
principibus. Nikolaus von Lyra, Kenner des Hebräischen, bemerkt,
man müsse hier bonum im Sinne von melius verstehen, weil das
Hebräische den Komparativ durch Positiv mit Ablativ (מִן) aus-
drücke[53]. Schon in seiner ersten Psalmenvorlesung war Luther mit
dieser Deutung nicht einverstanden. Denn sie setze voraus, daß es gut
sei, auf Fürsten zu vertrauen, wenn es auch besser sei, auf den Herrn
zu vertrauen. Diese Voraussetzung sei aber nicht im Sinne des Textes,
der vielmehr meine, daß es nicht gut sei, auf Fürsten zu vertrauen.
Deshalb sei die Konjunktion quam negativ zu verstehen[54]. Luther
hatte damals Ps 118, 9 sicher noch nicht im Grundtext gelesen und
verfügte nur über geringe Kenntnisse der hebräischen Grammatik.
Deshalb fiel es ihm auch leicht, in diesem Fall ganz seinen theologischen Erwägungen zu folgen, wie sie sich ihm aus dem Text ergaben.
In den folgenden Jahren befaßte sich Luther gründlicher mit dem Hebräischen und kam dabei auch stärker unter den Einfluß grammati-
kalischer Anschauungen, wie sie Reuchlin und Nikolaus von Lyra
vertraten. Daher übersetzte er in seiner Erstausgabe des Psalters
(1524)[55] obige Stelle ganz »wörtlich« wie folgt: »Es ist besser auff
den HERRN trawen, Denn sich verlassen auff fürsten.« Bei dieser Lesart blieb es auch in den späteren Ausgaben bis 1528. Erst
im Psalter von 1531, der überhaupt eine Tendenz zur freien, sinn-
gemäßen Verdeutschung zeigt, machte sich Luther auch an dieser
Stelle vom Einfluß der Schulgrammatik frei und übersetzte die
Worte so, wie er sie schon in seiner ersten Psalmenvorlesung ver-

---

[53] Zu Ps 139, 6 in: Biblia cum Glosa ordinaria, Nicolai de Lyra postilla,
moralitatibus eiusdem, Pauli Burgensis additionibus, Matthiae Thoring
(= Doering) replicis, 6 Bde, Basel, 1498—1502 (Basel, 1506—1508).
[54] WA 4, 275, 25—28. Siehe RAEDER, aaO, 53.
[55] WADB 10I, 492. Die erste deutsche Bibel, erstmalig gedruckt bei Johann
Mentelin in Straßburg, 1466, dann bis 1518 dreizehnmal nachgedruckt (siehe
RGG³ I, 1202; ferner: H. VOLZ, aaO, Anhang, 20), bietet in dem von W.
KURRELMEYER edierten Text die Lesart: »Besser ist sich zeuersehen an den
herrn: denn zeuersehen an die fürsten.« Im Varianten-Apparat ist für Z-Oa.
die Lesart »Gut« bezeugt. Doch behalten auch diese Drucke das Wort »denn«
(= Vg: quam) bei (W. KURRELMEYER, Die erste deutsche Bibel, 10 Bde, 1904
—1915; Bd. 7, 418).

standen hatte, nämlich: »Es ist gut auff den HERRN vertrawen, Vnd *nicht* sich verlassen auff Fürsten.«

Hat Luther den Sinn dieses Verses richtig wiedergegeben? Schaut man in neuere Übersetzungen und Kommentare[56], so ist man vielleicht geneigt, diese Frage verneinend zu beantworten. Denn diese verdeutschen die hebräische Konstruktion ebenso »wörtlich« wie Luther im Psalter von 1524—1528 mit dem Komparativ »besser«. Aber die Wörtlichkeit dieser Übersetzung ist nur eine scheinbare. Denn unser Komparativ bedeutet *nicht* dasselbe wie die hebräische Konstruktion mit מִן. Wir sehen beim Vergleich die qualitative Gleichheit und den quantitativen Unterschied. So ist »gut« in »besser« enthalten, »besser« bezeichnet ein Mehr an »gut«. Der Hebräer sieht dagegen nur den Unterschied[57]. Nach der in Ps 118, 9 vorliegenden hebräischen Ausdrucksweise ist eine Eigenschaft keiner graduellen Steigerung fähig. Es gibt hier nur die Alternative der Negation. Das eine Eigenschaft bezeichnende Urteil ist aber kein absolutes, sondern ein relatives, auf einen Standpunkt bezogenes, und zwar bezeichnet מִן den Standpunkt, von dem aus (nicht an dem!) eine Eigenschaft erkannt wird[58]. Die Aussage von Ps 118, 9 hat folglich nach ihrer grammatischen Struktur diesen Sinn: Wenn man weiß, was es bedeutet, auf Fürsten zu vertrauen, erkennt man, daß es gut ist, auf den Herrn zu vertrauen. Wie soll man aber diesen Vers übersetzen? Die sklavisch wörtliche Wiedergabe durch die Vulgata bonum ... quam ist eigentlich unverständlich, weil man so im Lateinischen nicht redet. Die schulmäßig wörtliche Übersetzung »besser ... als« ist mißverständlich, sofern sie dazu verführen könnte, zwischen dem Vertrauen auf den Herrn und dem Vertrauen auf Fürsten nur einen graduellen Unterschied hinsichtlich der Güte des Vertrauens zu erkennen. Also gibt es nur die Möglichkeit, nicht *Worte* zu übersetzen, sondern den *Sinn* der Worte aus einer schöpferischen Vergegenwärtigung der Situation, in der sie gesprochen wurden, frei und klar auszusprechen. Das meint Luther, wenn er

---

[56] Die HEILIGE Schrift, Zwingli-Verlag, Zürich, o. J. A. WEISER, ATD 14/15, 1954[4]. H. SCHMIDT, HAT I/15, 1934. H.-J. KRAUS, BK 15, 1960.

[57] CARL BROCKELMANN verwendet für das Hebräische mit Recht nicht den grammatikalischen Terminus Komparativ, sondern schreibt, מִן bezeichne nach Adjektiven und Verben den quantitativen oder qualitativen *Unterschied* (Hebräische Syntax, 1956, § 111 g, S. 110). Wenn man praktisch doch in vielen Fällen diese hebräische Konstruktion mit dem Komparativ wiedergibt, so ist das im Grunde ein Notbehelf.

[58] KÖHLER, Lexicon, 536 (a).

in der Schrift »Summarien über die Psalmen und Ursachen des Dolmetschens« (1530—1533) sagt: »Wer Deudsch reden will, der mus nicht der Ebreischen wort weise füren, sondern mus darauff sehen, wenn er den Ebreischen man verstehet, das er den *sinn* fasse und dencke also: Lieber, wie redet der Deudsche man jnn solchem *fall?* Wenn er nu die Deutsche wort hat, die hiezu dienen, so lasse er die Ebreischen wort faren und sprech frey den *sinn* eraus auffs beste Deudsch, so er kan«[59].

b) Bindung an den Buchstaben

Luther bekennt im »Sendbrief vom Dolmetschen«: »Ich hab mich des geflissen ym dolmetzschen/ das ich rein vnd klar teutsch geben möchte«[60]. Er weiß aber auch, welche Schwierigkeiten sich diesem Vorhaben in den Weg stellen. Bei der Übersetzung des Alten Testaments, so erzählt er, habe er mit seinen Helfern manchmal bis zu vier Wochen nach einem einzigen Wort gesucht und es zuweilen dennoch nicht gefunden[61]. In solchen Fällen sieht er sich gezwungen, wenn auch undeutsch, so doch wörtlich zu übersetzen. So habe er in Joh 6, 27, wo es heißt: »Disen hat Got der vatter versiegelt«, »ehe wöllen der deutschen sprache abbrechen/ denn von dem wort (scil. versiegeln) weichen«[62], und in den »Summarien über die Psalmen« sagt er, man müsse bisweilen »der Ebreischen sprachen raum lassen, wo sie es besser macht, den unser Deudsche thun kan«[63].

Nun ist ja bekannt, mit welcher Freiheit und Souveränität[64]

---

[59] WA 38, 11, 27—32.

[60] BoA 4, 183, 23 f.

[61] BoA 4, 183, 24—26.

[62] BoA 4, 187, 24. 26 f.

[63] WA 38, 13, 20 f.

[64] Hieronymus übersetzte das Alte Testament von 390—405 (siehe E. WÜRTH-WEIN, Der Text des Alten Testaments, 1963², 89). Um 394 (Datum nach: BKV, 2. Reihe, Bd. 18, 1937, S. 2) behauptete Hieronymus, er pflege die Heilige Schrift streng wörtlich zu übersetzen, weil sie voller Geheimnisse sei: ego enim non solum fateor, sed libera uoce profiteor me in interpretatione Graecorum absque scripturis sanctis, ubi et uerborum ordo mysterium est, non uerbum e uerbo, sed sensum exprimere de sensu (CSEL 54, 508, 9—13; ad Pammachium, ep. 57, 5). Später, in seinem um 403 (Datum nach MPL 22, 837, nota a) verfaßten Brief ad Sunniam et Fretelam, sprach sich Hieronymus gegen den Grundsatz wortwörtlicher Übersetzung der Schrift aus: ... hanc esse regulam boni interpretis, ut ἰδιώματα linguae alterius suae linguae primat proprietate (CSEL 55, 250, 3 f; ep. 106, 3). Etwas weiter unten im selben Brief betont Hieronymus wieder die Notwendigkeit freier Übersetzung, jedoch mit der Einschränkung, daß diese nicht sinnentstellend sein dürfe: eadem igitur interpretandi sequenda est regula, quam saepe diximus, ut,

Luther die deutsche Sprache in seiner Bibelübersetzung gebraucht.
Um so bedeutsamer ist es, wenn gerade er es in manchen Fällen
für nötig hält, um der in der Bibel gemeinten Sache willen die
undeutsche Ausdrucksweise des Grundtextes beizubehalten. Das
bedeutet doch, daß nach Luther zwischen der sprachlichen Form und
dem gedanklichen Inhalt der biblischen Botschaft nicht immer scharf
unterschieden werden kann[65]. Mit dieser Anschauung sind weitreichende sprachphilosophische und theologische Folgerungen verbunden, auf die hier nicht näher einzugehen ist.

Ich möchte nun das Vorkommen und die Bedeutung von Hebraismen (bzw Aramaismen) in Luthers deutscher Bibel an Hand seiner
Daniel-Übersetzung aufzeigen, zumal hier dank der oben erwähnten von Hans Volz[66] besorgten synoptischen Ausgabe ein Vergleich
mit fünf anderen deutschen Übersetzungen des 14. bis 16. Jahrhunderts möglich ist.

Semantisches. 4, 24 sagt Daniel zu Nebukadnezar nach L:
»... mache dich los von deinen sunden durch gerechtigkeit (בְּצִדְקָה)
vnd ledig von deiner missethat durch wolthat an den armen.«
Septuaginta und Theodotion haben für בְּצִדְקָה: ἐν ἐλεημοσύναις
Vg: eleemosynis. Demgemäß lesen hier die deutschen Übersetzungen mit Ausnahme von Z (»gerechtigkeit«): »almosen«. Diese Wiedergabe ist richtig, da צִדְקָה hier, wie der synonyme Parallelismus zeigt, soviel wie »Mildtätigkeit« bedeutet. Da das deutsche

---

ubi non fit damnum in sensu, linguae, in quam transferimus, εὐφωνία et
proprietas conseruetur (aaO, S. 275, 19—21; ep. 106, 55). Dieser Standpunkt
ist demjenigen Luthers ähnlich. Allerdings hat Hieronymus den Grundsatz
freier, sinngemäßer Übersetzung längst nicht so konsequent befolgt wie
Luther. Das Latein der Vulgata ist viel reicher an Hebraismen als Luthers
Bibeldeutsch. Zur Vulgata siehe RGG³I, 1196 f; E. WÜRTHWEIN, aaO, 88—93.

[65] In der Besprechung meiner Dissertation (siehe Anm. 5) vertritt THORLEIF
BOMAN den Standpunkt, »daß die biblische Botschaft an die hebräische Denk-
art nicht gebunden ist«, und fragt: »Ist Luther das klar gewesen?« (ThLZ 88,
1963, 914). Vgl. auch BOMANS Werk: Das hebräische Denken im Vergleich mit
dem Griechischen, 1959³, und die kritische, aber teilweise über das Ziel hinaus-
schießende Auseinandersetzung mit diesem Werk durch J. BARR, Bibelexegese
und moderne Semantik, 1965 (englische Ausgabe 1961). Ich vertrete den
Standpunkt, daß die Sprachen ein bestimmtes Weltbild implizieren. Dabei
stütze ich mich auf Sprachwissenschaftler wie WILHELM VON HUMBOLDT (Über
die Verschiedenheit des menschlichen Sprachbaues und ihren Einfluß auf die
geistige Entwickelung des Menschengeschlechts, 1836), EDWARD SAPIR (Die
Sprache, 1961, amerikanische Ausgabe 1921), BENJAMIN LEE WHORF (Sprache,
Denken, Wirklichkeit. Beiträge zur Metalinguistik und Sprachphilosophie,
1963) und LEO WEISGERBER (Das Menschheitsgesetz der Sprache, 1964²).

[66] Siehe Anm. 47.

Wort »Gerechtigkeit« eigentlich nicht diesen Sinn hat, muß man
sagen, daß Luther es hier dem Anwendungsbereich von צְדָקָה
(Gerechtigkeit, Mildtätigkeit) angleicht, sofern nämlich an dieser
Stelle »gerechtigkeit« nach dem Stilgesetz des synonymen Parallelismus membrorum, das Luther natürlich bekannt war[67], ungefähr dasselbe bedeutet wie »wolthat an den armen«. Luther wollte
auch mit seiner Übersetzung die Lesart der Vulgata keinesfalls als
unrichtig erweisen. Sonst hätte er nicht den Vulgata-Text der Disputation über Dan 4, 24 (26. 10.1535) zugrunde gelegt[68]. Wenn er
dennoch in seiner Übersetzung das Wort »Gerechtigkeit« und nicht
etwa »Almosen« wählte, so wollte er damit offenbar anzeigen, daß
die hier gemeinte Mildtätigkeit Ausdruck eines Größeren, Umfassenderen sei, eben der Gerechtigkeit, unter der er die Glaubensgerechtigkeit verstand: Eleemosynis fidem suam probat[69].

Es sei auch die Frage berührt, wie Luther das Wort צְדָקָה
übersetzt, wenn es in Beziehung auf Gott gebraucht wird und
soviel wie »Heil« bedeutet. Dies ist zB in Ps 24, 5 der Fall, wo
es vom Unschuldigen (נָקִי, V. 4) heißt: »Er wird Segen (בְּרָכָה)
davontragen von Jahwe und צְדָקָה von dem Gotte seiner Hilfe.«
Die Septuaginta geben hier צְדָקָה mit ἐλεημοσύνην, »Wohltat«,
wieder, offensichtlich deshalb, weil δικαιοσύνη, das sonst oft für
צְדָקָה steht, hier nicht den Sinn der hebräischen Vokabel trifft,
wenn man es nach griechischem Sprachgebrauch versteht. Auf Grund
der Septuaginta bietet hier die Vulgagta die Lesart: Hic accipiet . . .
misericordiam, und in der ersten deutschen Bibel, die auf der
Vulgata fußt, liest man: »Dirr entphecht . . . erbermbd (Druck P:
barmhertzigkeit)[70].« Felix von Prato[71] übersetzt zwar: Accipiet . . .
iustitiam, fügt aber zur Erläuterung von iustitiam die Glosse hinzu:
Gratiam uel elemosynam (sic!), quodnam gratis datur cum misericordia zedaca dicitur. Felix von Prato will also iustitia an dieser
Stelle nicht nach dem üblichen lateinischen Sprachgebrauch, sondern
nach der Bedeutung der hebräischen Vokabel verstanden wissen.

Luther übersetzt Ps 24, 5 wie folgt: »Der wird Segen vom
HERRn empfahen, Vnd Gerechtigkeit von dem Gott seines Heils[72].«
Es ist hier nicht der Ort, auf Luthers Verständnis von iustitia dei

[67] Siehe RAEDER, aaO, 287 f. Vgl. das Folgende über Ps 24, 5.
[68] WA 39 I, 64 f. 66—75.
[69] WA 39 I, 65, 17.
[70] Siehe Anm. 55.
[71] Siehe Anm. 104.
[72] WADB 10 I, 173 (1545).

näher einzugehen. Nur soviel ist deutlich: Die Wiedergabe von
צְדָקָה durch »Gerechtigkeit« in Ps 24, 5 (und anderen ähnlichen
Stellen)[73] ist ein Hebraismus, sofern hier »Gerechtfertigkeit« als
Parallelausdruck von »Segen« um eine Bedeutung bereichert wird,
die für die hebräische Vokabel צְדָקָה charakteristisch ist. Wie aus
den Operationes in Psalmos hervorgeht, war sich Luther sehr wohl
bewußt, daß dieser Sprachgebrauch von iustitia (dei) »verschieden
ist von der üblichen menschlichen Redeweise«[74]. Aber es kam ihm
darauf an, »daß wir uns gewöhnen, ›Gerechtigkeit Gottes‹ nach
der wahrhaft kanonischen Bedeutung zu verstehen«[75], und als Beleg für diesen biblischen Sinn von iustitia dei führt er auch Ps 24, 5
an, wobei er die Lesart der Vulgata ausdrücklich billigt, sofern sie
nämlich inhaltlich richtig sei: »Nicht unpassend hat man bei Ps 24,
5 übersetzt: Hic accipiet benedictionem a domino et misericordiam
a deo salutari suo, obwohl der hebräische (Text) für misericordia
iustitia hat, weil (nämlich) Gottes Segen und Gottes Gerechtigkeit
dasselbe sind, nämlich die uns in Christus verliehene Barmherzigkeit und Gnade Gottes selbst (ipsa misericordia et gratia dei)[76].«

4, 9 sagt Nebukadnezar von dem großen Baum, von dem ihm
träumte, nach L: »... alles fleisch (בִּשְׂרָא) neerete sich von yhm.«
Das Wort »Fleisch« haben hier auch M und E, während die übrigen
Übersetzungen diesen Aramaismus (bzw. Hebraismus) vermeiden.
W (= Z): »Creaturen«. C: »... alle lute vnd tyr.« Gemeint ist die
Tierwelt, was Luther auch wußte, wie seine Vorrede zum Buch
Daniel zeigt. Dort erwähnt er nämlich den »Bawm ..., der alle
Thier neeret[77].« Luther versteht unter »Fleisch« nach biblischem
Sprachgebrauch nicht einen bloßen, toten Stoff, aus dem die Lebe-
wesen geformt sind, sondern etwas Wirksames, die Lebewesen Prä-
gendes. Weil auch der Mensch »Fleisch« sei, sei er nackt, hungrig,
durstig oder sonstwie ganz gering. Deshalb bezeichnet Luther
»Fleisch« als *forma* ... in omnibus nobis communissima[78], nicht als
substantia, wie wir sagen würden.

---

[73] An den folgenden Stellen bedeutet צְדָקָה nach KÖHLER, Lexikon, »Heil«,
ist aber von Luther mit »Gerechtigkeit« wiedergegeben: Jes 46, 12; 51, 6;
54, 14; Ps 22, 32; 24, 4; 69, 28; 98, 2; 103, 17; Spr 8, 18; Hi 33, 26.
(1545, nach WADB).
[74] WA 5, 144, 17 f.
[75] WA 5, 144, 1 f.
[76] WA 5, 144, 13—16.
[77] WADB 11 II, 9, 23; orthographische Form nach Druck von 1545.
[78] WA 5, 270, 36—38.

Worte wie »Same«, »Arm«, »Hand« bezeichnen nicht nur die Dinge selbst, sondern auch ihre Eigenschaften, Wirkungen und Tätigkeiten, da diese zum Wesen der Dinge gehören.

11, 6 nach L: »... dazu (erg. wird) yhr (scil. der Tochter des Königs gegen Mittage) same (זַרְעוֹ)[79] auch nicht stehen bleiben.« Im Deutschen würde man hier etwa das Wort »Nachkommen« gebrauchen.

11, 15 nach L: »... vnd die Mittages arme (וּזְרֹעוֹת) werdens nicht konnen weren.« Dagegen M: »... die kreffte des landes mittemtag.« W (=Z): »... die macht deren von mittag.« 11, 22 nach L: »Vnd die Arm (וּזְרֹעוֹת) (die wie eine flut daher faren) werden fur yhm mit einer flut vberfallen vnd zerbrochen werden.« Dagegen M: »... die krefft des streytenden.« 11, 31 nach L: »Vnd es werden seine (scil. des Königs) Arme (וּזְרֹעִים) da selbest stehen/ die werden das heiligthum ynn der feste entweihen.« Dagegen W (=Z): »Gewaltige werden von jm bestellet.« An allen diesen Stellen bezeichnet das von Luther mit »Arm« wiedergegebene Wort »Streitkräfte«.

8, 7 heißt es von der Hand des Ziegenbockes: »... niemand kund den Widder von seiner hand (מִיָּדוֹ) erretten.« Dagegen C: »... von sinir gewalt.« W: »... aus seinem gewalt.« Z: »... vss sinem gewalt.«

Luthers deutsche Bibel, besonders der Psalter, ist reich an derartigen Hebraismen. Sie setzen ein funktionales Ding-Verständnis voraus: So ist »Arm« alles, was »armt« (sit venia verbo!), dh. was die Art und Wirkung des Armes hat. Deshalb *ist* eine Streitmacht »Arm«. »Hand« ist alles, was »handet«. Weil der Ziegenbock »handet«, dh. sich eines anderen bemächtigen kann, *hat* er eine »Hand«. Auch Luther erblickt das Sein einer Sache in ihrer Funktion oder Wirksamkeit. Das zeigt zB. die für sein Denken charakteristische Erklärung des Verbums »sein« durch »wesen odder ampt«[80]. Daß Luther das Sein einer Sache als ihr Wirksamsein versteht, bringt er auch in neuen Wortprägungen zum Ausdruck: Blut blutert, Fleisch fleischert, Honig honiget, Eisen eisert, Feuer feuert, Gott göttert[81]. Dieses funktionale Seinsverständnis scheint mir zu erklären, weshalb Luther Hebraismen, denen eine ähnliche Anschauung zugrunde

---

[79] Siehe BH, Apparat. Vg: semen eius.
[80] BoA 3, 362, 32 f. (Vom Abendmahl Christi, Bekenntnis, 1528).
[81] WA 33, 188, 22 f, Revisionsnachtrag.

liegt, in größerem Umfang beibehält als andere mittelalterliche, geschweige denn moderne Übersetzer[82].

Unpersönliches Subjekt. Im Hebräischen werden »leibliche und geistige Eindrücke meist mit dem empfindenden Körperteil als Subjekt ausgedrückt«[83]. Diese Redeweise findet man auch 11, 27 nach L: »... vnd beider Könige hertz wird dencken/ wie sie einander schaden thun.« Vg: Duorum quoque regum cor erit, ut malefaciant. W (= Z) ersetzt nach deutschem Sprachempfinden das unpersönliche Subjekt durch ein persönliches: »Dise beyd künig werden vnglück zustifften im sinn haben.« Wie Luther schon in seiner ersten Psalmenvorlesung genial ausführt, dient diese Redeweise dazu, »die Einheit der Seele in den vielen Gliedern auszudrücken ... Und deshalb ist die Seele, wenn sie ein Glied gebraucht, als ganze in jenem Glied ... und so werden alle Glieder in gewissem Sinne ein Glied, und folglich wird der ganze Mensch gleichsam jenes eine Glied, in das die Seele sich versetzt und, indem sie sich so versetzt, alles mit sich nimmt«[84]. Totus homo fit velut unum membrum. Das ist ein zutiefst geschichtliches Menschenverständnis.

Verbum absolutum[85]. Schon in seiner ersten Psalmenvorlesung beobachtet Luther, daß im Hebräischen öfter Verben begegnen, die absolut konstruiert sind, obwohl sie eigentlich mit einem Objekt verbunden sein müßten. Auch in Luthers Daniel-Übersetzung findet man solche Stellen. 3, 6 heißt es bezüglich des vorher erwähnten goldenen Bildes: »Wer aber als denn nicht nidderfellet vnd anbetet (וְיִסְגֻּד, Vg: adoraverit) ...«. סגד bedeutet »huldigen« und wird mit לְ verbunden. Hier wird ein pronominales Präpositionalobjekt weggelassen, weil der Gegenstand der Huldigung oder Anbetung in V. 5 genannt ist. M fügt hier ein Objekt ein, offenbar aus dem Gefühl, daß die deutsche Sprache ein solches erfordert: »Wann ob etlicher nit nider velt vnd sy (scil. die guldin seúl) anbett.« W (= Z) gebraucht ein intransitives Verb: »Welcher

---

[82] Natürlich gibt es auch im Deutschen ähnliche sprachliche Erscheinungen. Das Hebräische scheint mir aber in dieser Hinsicht über die Ausdrucksmöglichkeit der deutschen Sprache hinauszugehen. Vgl. Luthers Beobachtung: Hebrea (scil. lingua) est refertissima figuris et tropis (BoA 8, 287, 20, TR Nr. 5328). Ferner WA 5, 84, 29, 31. Siehe BOMAN, Das hebräische Denken, 74 f.

[83] BROCKELMANN, aaO, § 35 b, S. 32.

[84] WA 3, 296, 1—6. Siehe RAEDER, aaO, 294.

[85] RAEDER, aaO, 43—46. C. FRANKE, Grundzüge der Schriftsprache Luthers, Dritter Teil, 2. Aufl. 1922, S. 204, § 105. Freundlicher Hinweis von Herrn DR. H. GAESE.

... sich nit bucket.« 7, 7 nach L: »... das vierte thier ... frass vmb sich (אָכְלָה)[86] und zumalmet« (וּמַדְּקָה) (scil. mit den Zähnen, was es fraß). 11, 40 nach L: »... der König gegen Mitternacht ... wird ynn die lender fallen/ vnd verderben/ vnd durch zihen« וְשָׁטַף וְעָבָר, Vg: et conteret et pertransiet)[87]. Mit Ausnahme von E fügen die übrigen Übersetzungen ein oder zwei pronominale Objekte ein. C: »... in die lant vnd wirt di tretten vnd wirt si vbircyen.« M: »vnd zerknirscht sy vnd durchget sy.« W (=Z): »... er wirt ... sie vberfallen vnd durchstreyffen.«

In seiner ersten Psalmenvorlesung bemerkt Luther zu dieser Eigenart des Hebräischen: ... copiosa est semper talis et fecunda locutio, et etiam ideo sic indeterminate posita[88]. Sicher haben die so konstruierten Verben im Hebräischen einen ganz konkreten Sinn, der sich aus dem Zusammenhang ergibt; aber indem die Verbindung zwischen Verbum und Objekt anscheinend lockerer ist als im Lateinischen, Deutschen und verwandten Sprachen[89], liegt ein besonders starker Akzent auf der Tätigkeit als solcher. Wohl aus diesem Grunde behält Luther diese hebräische Spracheigentümlichkeit in größerem Umfang bei als andere Übersetzer[90]. In Luthers

---

[86] Vg: ... dentes ferreos habebat magnos, comedens atque comminuens. M bezieht magnos als Objekt auf die Partizipien und übersetzt: »... es asse die micheln vnd zermult sy«. Diese Fehldeutung erklärt sich vermutlich aus dem für deutsches Sprachempfinden charakteristischen Bestreben, hier ein Objekt anzugeben.

[87] Der revidierte Text der Luther-Bibel (1964) liest hier: »... in die Länder einfallen und *sie* überschwemmen und überfluten«, setzt also auch ein pronominales Objekt ein. שָׁטַף ist hier sicher ein transitives Verb, wie die ähnliche Aussage in Jer 47, 20 beweist.

[88] WA 55 II, 1, 61, 15 f.

[89] Siehe BOMAN, Das hebräische Denken, 24 f; WILHELM GESENIUS, Hebräische Grammatik, 1909[28], § 117, 4, S. 380; BROCKELMANN, aaO, § 127 b, S. 126.

[90] In den folgenden Beispielen zitiere ich zuerst Luther (Psalter 1545), dann die erste deutsche Bibel (siehe Anm. 55), zuletzt Vg nach dem Wittenberger Psalterdruck 1513 (siehe WA 55I, 1, 19 ff; Vorläufige Einleitung).
Ps 15, 3: Wer mit seiner Zungen nicht verleumbdet (רָגַל); der nit tet die triekeit in seiner zungen; non egit dolum.
Ps 18, 17: ER schicket (יִשְׁלַח) aus von der Höhe, vnd holet mich; Er sant von der höch vnd nam mich; Misit de summo.
Ps 22, 30: Alle Fetten auff Erden werden essen vnd anbeten (אָכְלוּ וַיִּשְׁתַּחֲווּ); manducaverunt et adoraverunt omnes pingues terrae.
Ps 38, 16: Du ... wirst erhören (תַעֲנֶה); du erhör es; exaudies me. Ist me in WA 3, 213, 24 fälschlich kursiv gesetzt? Alle Übersetzungen im Quincuplex Psalterium (siehe Anm. 1) mit Ausnahme des Psalterium conciliatum haben

Denken hat das Tun den Vorrang vor den Dingen. Ihm sind die Tätigkeitswörter recht eigentlich die Hauptwörter. Von diesem Gesichtspunkt läßt er sich auch in der Bibelauslegung leiten. In den Operationes in Psalmos sagt er, »in den Heiligen Schriften müsse man mehr auf die Verben als auf die Nomina achten, um den Geist zu verstehen«[91]. Das verbale Denken Luthers steht sicher in einer Beziehung zu dem verbalen, dynamischen Charakter der hebräischen Sprache.

c) Deutlichster Ausdruck der Meinung und Sache des Textes

Luther rechtfertigt den Gebrauch des Wortes »allein« in seiner Übersetzung von Röm 3, 28 nicht nur aus der Eigenart der deutschen Sprache; er zeigt auch, wie »der text vnd die meinung S. Pauli« es mit Gewalt erzwingen[92]. Doch selbst dieser Nachweis genügt Luther nicht. Darüber hinaus beweist er die sachliche Notwendigkeit des Wortes »allein« in Röm 3, 28 durch folgende systematische Erwägung: Christi Tod und Auferstehen ist weder unser noch irgendeines Gesetzes Werk. Allein Christi Tod und Auferstehen befreit uns von Sünden und macht uns fromm. Also kann das Werk, mit dem wir Christi Tod und Auferstehen fassen und halten, kein äußerliches Werk sein, sondern »allein der ewige glaube ym hertzen«[93]. Dies muß »auffs aller deutlichst vnd voligst«[94] gesagt wer-

---

exaudies absolut. Bei HANS VOLZ, Luthers Arbeit am lateinischen Psalter, ARG 48, 1957, 11—55 habe ich nichts über diese Lesart gefunden.

Ps 39, 7: Sie samlen (יִצְבֹּר), vnd wissen nicht wer es kriegen wird; Er schatzt vnd misskent wem er sy samet; Thesaurizat.

Ps 69, 33: DIe Elenden sehen (רָאוּ) vnd frewen sich; Die armen sehent; Videant.

Ps 75, 10: ICh aber wil verkündigen (אַגִּיד, siehe BH) ewiglich; Wann ich erkúnd in den werlten; annunciabo.

Ps 78, 6: Auff das die Nachkomen lerneten (יֵדְעוּ); das es er kenn daz ander geschlecht; cognoscat. verbum absolutum (WA 3, 551, 9).

Ps 89, 39: ABer nu verstössestu vnd verwirffest (וַתִּזְנַח וַתִּמְאָס),Vnd zürnest mit (עִם) deinem Gesalbeten; Wann du hast vertriben du hast verschmecht: du hast verunwirdigt deinen gesalbten; Tu vero repulisti et despexisti: distulisti Christum tuum.

Ps 97, 4: Das Erdreich siehet (רָאֲתָה) vnd erschrickt; er sach es vnd die erd ward bewegt; vidit.

Ps 114, 3: Das Meer sahe (רָאָה) vnd flohe; sach vnd floch; vidit.

[91] WA 5, 298, 12.
[92] BoA 4, 187, 37—188, 1.
[93] BoA 4, 189, 9—16.

den. Um das »allein« noch stärker zu betonen, hätte Luther im folgenden am liebsten ein »alle« hinzugefügt und übersetzt: »... on alle werck aller gesetz«[95]. Man sieht hier, wie Luthers Bibelübersetzung zugleich den Charakter einer *Erklärung* hat, die ebenso vom Verständnis des jeweiligen Einzeltextes wie vom Verständnis des Evangeliums als des eigentlichen Inhalts der biblischen Botschaft bestimmt ist[96].

Dieses *interpretierende* Übersetzen Luthers, das über die bloße Wiedergabe von Worten weit hinausgeht, möchte ich nun am Beispiel des 39. Psalms[97] verdeutlichen. Dabei wird sich zeigen, wie Luther bestrebt ist, *die Meinung und Sache dieses Textes* — wie *er* ihn versteht —, nämlich das scandalum felicitatis impiorum und seine Überwindung durch den Glauben, bis in alle Einzelheiten hinein *aufs deutlichste auszudrücken.*

Im Wittenberger Psalterdruck von 1513 ist Ps 39 folgendes Summarium vorangestellt: Soliloquium Christi in se et suis membris: de brevitate et vanitate vitae humanae[98]. Im Psalter-Revisionsprotokoll von 1531 bezeichnet Luther als argumentum des Psalms: scandalum felicitatis impiorum[99]. Der Bezug auf das Glück der Gottlosen ist gegenüber obigem Summarium ein neuer Gesichtspunkt. In den »Summarien über die Psalmen« (1530—1533) charakterisiert Luther Ps 39 wie folgt: »Ist ein Trostpsalm, und bettet auch daneben, das jn Gott nicht lasse murren und ungedultig werden uber die Gottlosen, die so sicher leben und güter samlen, als wurden sie nicht sterben, Dagegen aber die fromen jmer geplaget und umb jre Sunde gestrafft werden, Und begerd viel lieber, das jm Gott verleihe, zu dencken, wie kürtz und unsicher dis leben sey, denn das er mit den Gottlosen so sicher, ohn Sorge des todes geitzen und prangen solt.« Es sei zwar ein Ärgernis, daß die Gottlosen im Sause lebten, die Frommen dagegen elend und betrübt seien. »Aber am ende findet sichs, wie das aller beste sey, Vergebung

---

[94] BoA 4, 190, 9 f.

[95] BoA 4, 190, 10—12.

[96] Zu dem theologischen Charakter von Luthers Bibelübersetzung siehe KARL BRINKEL, Luthers Hermeneutik in seiner Übersetzung des Alten Testaments und die gegenwärtige Revision der Lutherbibel (Luthertum 24), 1960.

[97] WADB 10 I, 226—229. Andere Übersetzungen erwähne ich nur, wo mir dies zur Erklärung von Luthers Verdeutschung des 39. Psalms nötig scheint.

[98] WA 3, 218, 20 f.

[99] WADB 3, 35, 18 f.

der sunden, und gnedigen Gott haben, der aus allem elende hilfft, wie er hie sagt und bittet«[100].

Die letztgültige Gestalt von Ps 39 liegt schon so gut wie ganz im Psalter von 1531 vor. Was den Wortlaut betrifft, so hat Luther in der Ausgabe von 1545 gegenüber der von 1531 lediglich in V. 11 die Präposition »fur« durch »von« ersetzt. Was die Randbemerkungen angeht, so verweist Luther im Psalter von 1545, wie schon erstmalig im Psalter der Vollbibel von 1538[101], auf biblische Parallelstellen hin. Gegenüber der Ausgabe von 1531 ist im Psalter von 1545 die Disposition von Ps 39 durch Großdruck der ersten beiden Buchstaben eines jeden Abschnitts gekennzeichnet. Die Inhalte dieser Stücke könnte man auf Grund obigen Summariums (1530 ff.) im groben wie folgt bestimmen:
2—4: Das sichere Leben der Gottlosen und die Plage der Frommen;
5—7: die Kürze und Unsicherheit dieses Lebens;
8—12: Vergebung der Sünden;
13—14: Hilfe Gottes aus allem Elend.

V. 2: 1524 übersetzt Luther getreu dem hebräischen Text: »ICh sprach (אָמַרְתִּי), ich will meynen weg bewahren ...«. Aber schon in den Dictata erkennt er, daß dixi (Vg) hier ein innerliches Sprechen bezeichnet. Er erklärt es deshalb durch: firmiter proposui[102]. In diesem Sinn heißt es ab 1531: »ICh habe mir furgesetzt.« Die folgenden Worte lauten nach der Ausgabe von 1524: »... ich will meynen weg (דְרָכַי) bewaren, das ich nicht sundige mit meyner zungen.« Man spürt, daß in diesem Zusammenhang, wo von Zungensünden die Rede ist, ein Hinweis auf den »Weg«, dh. den Lebenswandel, störend wirkt. So ist sicher an dieser Stelle nach dem Korrekturvorschlag der BH דְּבָרִי, »meine Worte«, zu lesen. Luther versteht es, ohne Textkonjektur durch eine unbetonte, recht allgemeine Übersetzung von דְרָכַי den störenden Nebengedanken zu beseitigen. Er verdeutscht ab 1531: »... ich wil *mich* hüten, Das ich nicht ...«. 1524 heißt es weiter: »Ich will meynen mund bewahren mit eynem biss.« »Biß« bedeutet »Gebiß« oder »Zaum«. Das dafür stehende מַחְסוֹם gibt Luther im Revisionsprotokoll mit »maulkorb«[103] wieder. Das entspricht Reuchlins Erklärung: nomen cuiusdam claustri, quo

---

[100] WA 38, 32, 23—32.
[101] WADB 10 I, 107, Apparat.
[102] WA 3, 218, 23.
[103] WADB 3, 35, 17.

iumentis ora clauduntur. Felix Pratensis[104] übersetzt mit capistrum, »Zaumzeug«, bemerkt aber dazu: Fiscellam (=»Maulkorb«) uel clausuram. Wenn Luther hier die Bedeutung »zäumen« bevorzugt, so will er zum Ausdruck bringen, daß der Beter nicht nur seinen Mund verschließt, sondern stark gegen sich angehen muß, daß kein böses Wort gegen Gott über seine Lippen kommt: »Ich wil mein mund cohibere, refrenare, ein halffter anziehen, *gegen mich*«[105]. Die darauf folgenden Worte übersetzt Luther 1524: ». . . ob wol der gottlose gegen myr steht.« Wörtlich hieße es: ». . . solange der Gottlose vor mir steht.« Der Gottlose lauert anscheinend darauf, den Beter bei einem verfänglichen Wort zu erhaschen. So versteht es auch Luther in den Dictata: ›. . . cum consisteret peccator adversum me‹ me provocando vel captando vel accusando[106]. Ab 1531 lautet dieser Nebensatz jedoch folgendermaßen: ». . . Weil ich mus den Gottlosen so fur mir sehen«[107]. Die eigentliche Not liegt nicht darin, daß der Gottlose vor dem Beter steht, um ihn bei einem unbedachten Wort zu erhaschen, sondern daß die äußerlich glücklichen Lebensumstände des Gottlosen dem Frommen ein schier unerträglicher Anblick sind, weil sie seinen Glauben aufs schwerste bedrohen. Auf das äußerliche Glück des Gottlosen weist das Wort »so«, auf die innere Not des Beters das Wort »müssen« hin. Deutlicher führt Luther diesen Gedanken in der Glosse aus. Er bemerkt zu dem Ausdruck »Zeumen«: »Das ich nicht murre, weil es mir so vbel, vnd den Bösen so wol gehet.« Im Revisionsprotokoll heißt es hierzu: »Ego sol ein Got haben et non habeo. Econtra qui non habent, den thut er als guts, uns als leide«[108].

V. 3: Wie es dem Frommen ums Herz ist, zeigen auch die Worte: »Ich . . . schweige der freuden.« Noch deutlicher malt den inneren Zustand die Glosse aus: »Es ist mir nicht lecherlich«, dh. mir ist nicht zum Lachen zu Mute. Im Grundtext steht für »freuden« טוֹב, das eigentlich keinen Affekt bezeichnet. Bis 1531 übersetzt Luther auch

---

[104] Psalterium ex Hebraeo diligentissime ad verbum fere tralatum (!), Hagenau 1522 (unveränderter Neudruck der Ausgabe Venedig 1515). Siehe WADB 10 II, 303, Anm. 49.

[105] WADB 3, 35, 17 f.

[106] WA 3, 219, 3.

[107] »Weil« bedeutet nach GÖTZE, Frühneuhochdeutsches Glossar, 1960⁶: »solange (als), während, da doch, seitdem«. Dem Grundtext (בְּעֹד) würde die Bedeutung »solange« entsprechen. Siehe aber die Bedeutung von »weil« in der Glosse zu »Zeumen«.

[108] WADB 3, 35, 20—22.

wörtlich: »Ich . . . schweyge des guten.« Einen tiefen Einblick in die innere, schwere Not der Anfechtung gewähren auch die folgenden Worte: ». . . Vnd mus mein leid in mich fressen.« Bis 1531 heißt es: ». . . vnd meyn leyd schmertzet mich.«Wörtlich wäre zu übersetzen: »Und mein Schmerz wurde erregt.« Sogar in der Fassung von 1524 ff., die dem Grundtext noch näher steht als die von 1531 ff., ist mit dem Wort »leyd« stärker die innere Seite der Anfechtung betont. Die lateinischen Übersetzungen[109] und Reuchlin haben dafür dolor, was eigentlich »Schmerz« bedeutet. Zwischen Schmerz und Leid besteht aber ein Unterschied: Schmerz empfinden auch Tiere, wirklich leiden kann nur der Mensch.

V. 5: In seiner inneren Not wendet sich der Fromme an Gott und betet: »ABer HERR lere doch mich, das ein Ende mit mir haben mus, Vnd mein Leben ein ziel hat vnd ich dauon mus.« In wörtlicher Übersetzung lautet dieser Vers: »Laß mich, Jahwe, mein Ende erkennen, und das Maß meiner Tage, was es ist. Ich möchte wissen, wie vergänglich ich bin.« Bis 1531 übersetzt Luther: »HERR las mich wissen meyn ende, vnd wilchs sey das zil meyns lebens, das ich muge erkennen was myr feylet.« Nach der Vulgata lautet diese Stelle: notum fac mihi domine finem meum. Et numerum dierum meorum quis est: ut sciam quid desit mihi[110]. Schon in den Dictata verneint Luther, daß der Beter hier Zeit und Stunde seines Todes vorherwissen möchte. Vielmehr bitte er darum, das Ende seines Lebens als solches im Herzen klar zu erkennen[111]. Also nicht um die näheren Umstände, sondern um die Tatsache des Todes selbst geht es. Wahrscheinlich meint Luther dies auch, wenn er im Revisionsprotokoll zur Stelle bemerkt: duplicem sententiam habet: optantem vel deprecativam, quae sunt contrariae. Oportet sit deprecativa[112]. Denn die Bitte um ein *affektuales Erkennen des Sterbenmüssens* ist keinesfalls das Gegenteil von dem deprekativen Wunsch, *nicht* so zu leben, als gäbe es keinen Tod. Es kann also mit der von Luther zurückgewiesenen sententia optans nur der Wunsch nach Erkenntnis von Zeit und Umständen des Todes gemeint sein, und diesen Sinn hat Luther durch seine Übersetzung von 1531 ff. vollständig ausgeschlossen. Er erreicht es, indem er den Gegenstand

---

[109] Quincuplex Psalterium (siehe Anm. 1) und Psalterium Pratensis (siehe Anm. 104).
[110] Wittenberger Psalterdruck 1513.
[111] WA 3, 219, 24—28.
[112] WADB 3, 36, 5 f.

der göttlichen Belehrung nicht im Akkusativ, sondern durch einen mit »daß« eingeleiteten Nebensatz wiedergibt. Überdies wird die Unentrinnbarkeit des Todes durch das zweimalige »muß« betont: ». . . das ein Ende mit mir haben mus . . . vnd ich dauon mus.« Deprekativ ist diese Bitte insofern, als der Fromme nicht in die Lebensweise der Gottlosen verfallen möchte: »Das ich nicht so sicher lebe, wie die Gottlosen, die kein ander Leben hoffen« (Gl). Der Gegensatz gegen die Gottlosen kommt wahrscheinlich auch in der Endstellung des Pronomens »mich« zum Ausdruck, das sicher betont zu lesen ist: ». . . lere doch mích.« Im revidierten Luther-Text von 1964 ist zu lesen: ». . . léhre mich doch.« Diese Korrektur hängt sicher damit zusammen, daß Ps 39 nach dem Verständnis der Revisoren eben nicht von dem scandalum felicitatis impiorum handelt[113]. Ebenso drückt Luther den Gegensatz gegen das Glück der Gottlosen und das daraus erwachsende Ärgernis durch die adversative Konjunktion »aber« aus: »ABer HERR lere doch mich . . .«.

V. 6: 1524 übersetzt Luther: »Wie gantz eytel (הֶבֶל) sind alle menschen die da leben.« Ab 1531 heißt es: »Wie gar nichts sind alle Menschen, die doch so sicher leben.« Die Menschen sind nicht nur eitel, dh. nichtig, sie sind vielmehr ein reines Nichts. Dazu steht in merkwürdigem Gegensatz, daß sie *doch so sicher* leben.« Mit den eingesetzten Worten »doch so sicher« hat Luther etwas zu klarem Ausdruck gebracht, was im Grundtext höchstens anklingt: ». . . alle Menschen, die dastehen.«

V. 7: 1524 verdeutscht Luther: »Ja yderman wandelt wie eyn bilde« (בְּצֶלֶם). Ab 1531 hat Luther für »Bild« ein anderes Wort: »Sie gehen da her wie ein Schemen.« »Schemen« bedeutet »Schatten«, »Spiegelbild«[114]. Warum Luther dieses Wort statt »Bild« verwendet, geht aus dem Revisionsprotokoll hervor: »Sie gehen da her wie ein bild [scheme], ist zu stark, wie ein spiritus gehet, sind eitel larven«[115]. Dazu lautet eine Bemerkung aus der Zeit von 1539—1541: ›Schemen‹: quae representant aliquam umbram deli-

---

[113] Siehe Überschrift: »Bittruf angesichts der menschlichen Vergänglichkeit.« In V. 2 ist bezeichnenderweise »so« getilgt: ». . . solange ich den Gottlosen vor mir lesen muß.« V. 5 ist »aber« gestrichen, wodurch der Gegensatz gegen die Gottlosen wegfällt. In Normalstellung steht das unbetonte Personalpronomen vor »doch«. Vgl. z. B. Ps 80, 15: ». . . wende dich doch.« Ps 90, 13: ». . . kere dich doch«. (1545, WADB 10 I).

[114] Siehe Götze, aaO.

[115] WADB 36, 28 f.

neatam, ut sole oriente apparet umbra hominis, quae non est homo[116]. Die Bedeutung umbra steht in keiner der lateinischen Übersetzungen, auch Reuchlin nennt sie nicht. Felix Pratensis bemerkt hierzu zwar: cum umbra mortis ambulabit vir; doch meint er damit etwas anderes als Luther. Die folgenden Worte lauten in der Fassung von 1524: ».. . vnd (scil. yderman) ist vergeblich unrugig.« Ab 1531 bringt Luther zum Ausdruck, daß die Unruhe der Gottlosen sich gegen ihre Urheber richtet: ».. . vnd machen *jnen* viel vergeblicher vnruge.«

V. 8: 1524 übersetzt Luther: »Nu HERR was ist meyne hoffnung« (קִוִּיתִי). In den lateinischen Übersetzungen steht expecto, eine Bedeutung, die auch Reuchlin nennt. Sie entspricht dem hebräischen Wort. Ab 1531 gebraucht Luther dafür einen anderen Ausdruck: ».. . wes sol ich mich trösten?« Hoffnung schaut auf die zukünftige Errettung, Trost gibt es schon in der noch gegenwärtigen Not. Woraus der Beter in seinem Leid Trost schöpft, sagt Luther im Revisionsprotokoll: ».. . ich hab dein verbum, Ich weis, das ich mich nicht sol trosten, des sie mein adversarii trosten .. . Das ist mein troster, hette ich nur ein gnedigen Gott, non curarem Papistas, Venetos, der darff ich nicht«[117].

V. 10: In der Fassung von 1524 heißt es: »Ich byn verstummet vnd thu meynen mund nicht auff, Denn du hast es gemacht.« Im Grundtext stehen das erste und dritte Verbum des Verses im Perfekt, das zweite im Imperfekt. V. 10 ist demnach eine Beschreibung der gegenwärtigen Not des Beters, die er als Gottes Fügung betrachtet: ».. . du hast es gemacht.« Nach der Fassung ab 1531 richtet sich dieser Vers auf die Zukunft: »Ich wil schweigen vnd meinen mund nicht auffthun, Du wirsts wol machen.« Das Schweigen ist nun nicht mehr wie in den beiden ersten Versen ein mit großer Anstrengung erzwungenes, sondern ein bereitwilliges, zuversichtliches, weil der Beter weiß, daß Gott es gut machen wird. Zu »Schweigen« ist die Glosse gesetzt: »Ich will sie lassen faren vnd nicht murren wider dich.« Die Anfechtung ist im Gebet überwunden.

V. 13: Nach dem Grundtext ist hier zu lesen: »Denn ein Fremdling (גֵּר) bin ich bei dir und ein Metöke (תּוֹשָׁב) mit allen meinen Vätern.« Luther übersetzt 1524: »Denn ich byn eyn

---

[116] WADB 3, 538, 33—35.
[117] WADB 3, 37, 2—5.

frembdling bey dyr vnd eyn gast, wie alle meyne veter.« Vg und PsH haben hier das Begriffspaar advena ... et peregrinus, das Luthers Erstfassung etwa entspricht. Ab 1531 ist aber zu lesen: »Denn ich bin beide dein Pilgerim, vnd dein Burger.« Diese Übersetzung steht der des Felix Pratensis ziemlich nahe, welcher hier die Worte peregrinus und incola gebraucht. Auch Reuchlin bezeugt für גֵר die Bedeutung peregrinus. Das Verbum גּוּר, von dem גֵּר, wie er erkennt, abgeleitet ist, erklärt er wie folgt: Habitauit tanquam aduena seu inquilinus. גֵּר ist also der in der Fremde Wohnende. Dagegen ist das mit יָשַׁב bezeichnete Wohnen nach Reuchlin ein beständiges: Sedit. residentiam habuit. hoc est habitauit. Das Derivativum תּוֹשָׁב nennt Reuchlin nicht. Luther hat es aber, sicher auf Grund obiger Ausführungen Reuchlins, als Bezeichnung für den im Vaterland Wohnenden, dh. den Bürger, betrachtet. So weist Luthers Übersetzung an dieser Stelle in ihrer letztgültigen Fassung auf des Christen Heimat im Himmel und auf seinen vorübergehenden Aufenthalt auf Erden hin: »Bin dir pilgrim und dein burger in coelis, hie auff erden dein pilgrim et tamen ›nostrum politeuma est in celis‹« (Phil 3, 20)[118].

V. 14: Einen verhaltenen Hinweis auf das ewige Leben gibt auch der Schluß des Psalms in der letztgültigen Fassung: »Las ab von mir ..., Ehe denn ich hinfare, vnd nicht mehr *hie* sey« (וְאֵינֶנִּי), Bis 1531 heißt es: » ... vnd nicht mehr sey.« PsH liest: non subsistam, die übrigen lateinischen Übersetzungen haben: non ero. Reuchlin gibt das hebräische Wort mit non wieder.

Nach Luther erfordert die Aufgabe der Bibelübersetzung mehr als Kunst und Fleiß. Der Übersetzer muß das aus eigener Lebenserfahrung kennen, wovon die Heilige Schrift redet. Er muß selber Christ sein. Im »Sendbrief vom Dolmetschen« heißt es hierzu: »Ah es ist dolmetzschen ja nicht eines iglichen kunst/ wie die tollen Heiligen meinen/ Es gehöret dazu ein recht/ frum/ trew/vleissig/ forchtsam/ Christlich/ geleret/ erfarn/ geübet hertz/ Darumb halt ich/ das kein falscher Christ noch rottengeist trewlich dolmetzschen könne/ wie das wol scheinet inn den prophetenn zu Wormbs verdeutschet/ darinn doch warlich grosser vleis geschehen/ vnd meinem

---

[118] WADB 3, 37, 18—20.

deutschen fast nach gangen ist. Aber es sind Jüden da bey gewest/
die Christo nicht grosse hulde erzeigt haben/ sonst were kunst und
vleiß genug da«[119].

[119] BoA 4, 187, 27—34.

THESEN UND THESENANSCHLAG LUTHERS

Zur Frage des 31. Oktober 1517

von Heinrich Bornkamm
(Heidelberg, Zähringerstraße 18)

Die Überlieferung vom Thesenanschlag Luthers am 31. Oktober 1517 ist neuerdings in zweifacher Hinsicht in Zweifel gezogen worden: das Datum durch HANS VOLZ[1], das Faktum durch ERWIN ISERLOH und KLEMENS HONSELMANN[2]. Die sensationelle Wirkung, die diese Erschütterung eines der bekanntesten Grenzsteine der Weltgeschichte haben mußte[3], hat die Aufmerksamkeit ganz auf den umstrittenen Vorgang selbst gezogen, vor allem auf die selbstverständlich viel wichtigere Faktenfrage. Demgegenüber sind die Zusammenhänge, in die er hineingehört, zu wenig ins Blickfeld getreten. Die Frage, was Luther mit den 95 Thesen wollte, welchen Weg er für diese Auseinandersetzung gesucht hat und was aus ihr folgte, ist bedeutsamer als die, ob und wann er sie angeschlagen hat. Andererseits ist die Frage nach dem Geschehen am 31. Oktober nicht ohne das Bild, das der Ablauf der Ereignisse im ganzen bietet, zu beurteilen[4].

[1] HANS VOLZ, Martin Luthers Thesenanschlag und dessen Vorgeschichte, 1959 (im folgenden VOLZ). Die materialreiche Arbeit ist grundlegend für die gesamte Diskussion. Ergänzend dazu H. VOLZ, Erzbischof Albrecht von Mainz und Martin Luthers 95 Thesen, 1962. (Sonderdruck aus dem Jahrbuch der Hessischen Kirchengeschichtlichen Vereinigung, Bd. 13).

[2] ERWIN ISERLOH, Luthers Thesenanschlag, Tatsache oder Legende? 1962. KLEMENS HONSELMANN, Die Veröffentlichung der Ablaßthesen Luthers 1517. Theologie und Glaube 55, 1965, S. 1—23.

[3] Vgl. die auf der 26. Versammlung deutscher Historiker im Okt. 1964 gehaltenen Referate und die Berichte über die literarische und mündliche Diskussion in: Geschichte in Wissenschaft und Unterricht (im Folgenden GWU), 16, 1965, S. 661—699.

[4] Ich vertrete dabei eine Auffassung, die ich mir seit den Anfängen der Erörterung gebildet, aber weiter an ihr überprüft habe. Zustimmung und Kritik gegenüber anderen Autoren ergeben sich bei einem so eng begrenzten Feld von Texten selbstverständlich in zahlreichen Fällen. Ich mache sie nur dort sichtbar, wo sie mir für das Verständnis des Gesamtgeschehens wesentlich erscheinen. Zu der lebhaften, aber an Zufallsfragen entstandenen und äußerst unübersichtlich geführten Diskussion lassen sich neue Einzelheiten

I

Während sich überraschenderweise herausstellte, daß die traditionelle Aussage über den Thesenanschlag auf einer äußerst schmalen Quellenbasis beruht, sind wir über den Zusammenhang sehr viel zuverlässiger unterrichtet, und zwar durch die zeitlich nächsten Äußerungen Luthers selbst. Von ihnen muß ausgegangen werden[5]. Die Thesen werden zum ersten Male erwähnt in Luthers Brief an Erzbischof Albrecht von Magdeburg und Mainz vom 31. Oktober 1517, und zwar als Nachsatz nach dem abschließenden Amen und Datum: »Wenn es Dir, ehrwürdiger Vater, gefällt, kannst Du diese meine Disputationsthesen ansehen, um davon Kenntnis zu nehmen, wie zweifelhaft die Lehre vom Ablaß ist, welche jene als absolut sicher verbreiten[6].« Dieser Satz ist nicht etwa die geschickt verhüllte Hauptsache des Briefes und der Brief das Begleitschreiben zu den Thesen, sondern in der Tat nur ein Nachtrag. Der Brief selbst spricht den Erzbischof auf die doppelte Beziehung an, in der er zu dem unerfreulichen Ablaßhandel steht: 1. Unter seinem Namen werden von den Ablaßpredigern völlig verkehrte Anschauungen über den Ablaß im Volke verbreitet, die

kaum beitragen, sondern nur ein methodischer Versuch, das Ganze in seine Ordnung zu bringen. Einige Quellenstellen sind als ausdiskutiert zu betrachten und sollten nicht immer wieder in die Debatte geworfen werden. Dazu rechne ich auch die spätere Aufzeichnung von Luthers damaligem Famulus Agricola, die von ihrem früher angenommenen Augenzeugenwert ohnehin schon viel verloren hat (abgedr. Kl. Texte 142, s. u. Anm. 6, S. 14). Sie ist offenbar aus einer Bemerkung der Schutzschrift entstanden, die Melanchthon unter dem Pseudonym Didymus Faventinus 1521 für Luther schrieb: Lutherus ... proposuit quaedam de Indulgiis paradoxa, idque modeste, nihil statuens aut decernens, disputans tantum pro more scholarum. CR 1, 291. Werke, hrsg. von R. STUPPERICH 1, 61; modeste entnimmt Melanchthon vielleicht Luthers Widmungsbrief zu den Resolutionen vom 30. Mai 1518. WA 1; 526, 24.

[5] Das ist mit Recht von KONRAD REPGEN in der Diskussion auf dem Historikertag 1964 gefordert worden (GWU S. 696). Die späteren Zeugnisse sind zwar keineswegs immer wertlos, müssen aber in den Zusammenhang eingeordnet werden, der sich von den Anfängen her ergibt.

[6] Si t[uae] R[everendissimae] p[aternitati] placet, poterit has meas disputationes videre, ut intelligat, quam dubia res sit Indulgentiarum opinio, quam illi ut certissimam seminant. WA Br. 1; 112, 66 ff. Einen ähnlichen Brief schrieb Luther nach seinen wiederholten Angaben an seinen Ordinarius, Bischof Scultetus von Brandenburg. VOLZ S. 19 ff. Die wichtigsten Texte finden sich in dem Heft von KURT ALAND, Martin Luthers 95 Thesen nebst dem Sermon von Ablaß und Gnade 1517 (Kleine Texte 142), 1962; umfassender und übersetzt bei KURT ALAND, Martin Luthers 95 Thesen (Furche-Bücherei 211), 1965.

Luther mit acht wörtlich übernommenen Wendungen aus seinen Thesen belegt. Damit ist der Erzbischof in seiner Verantwortung für die Verkündung des Evangeliums in seinen Diözesen getroffen: »O lieber Gott, so werden die Deiner Sorge, teurer Vater, anvertrauten Seelen zum Tode unterwiesen. Und so erwächst Dir immer mehr eine schwere Verantwortung für sie alle ... Wie entsetzlich, wie gefährlich ist es für einen Bischof, wenn er das Evangelium verschweigt und nur den Ablaßlärm seinem Volke zu Ohren kommen läßt und sich darum mehr kümmert als um das Evangelium[7]!« 2. Dazu kommt, daß auch die im Namen des Erzbischofs erlassene Instruktion für die Ablaßkommissare ungeheuerliche Behauptungen enthält, von denen Luther annehmen möchte, daß sie ohne sein Wissen aufgestellt sind: durch den Ablaß werde der Mensch mit Gott versöhnt, die Fegefeuerstrafe ganz erlassen, und man bedürfe keiner Reue, um Seelen loszukaufen oder Beichtbriefe zu erwerben. Wenn der Erzbischof die Instruktion nicht völlig aufhebe und den Ablaßpredigern nicht eine andere Predigtanweisung gebe, sei zu besorgen, daß irgend jemand öffentlich gegen die Prediger und die Instruktion schreiben und das Ganze in eine große Schande für Albrecht auslaufen werde. Luther entsetzt sich noch davor, daß es dazu kommen könnte, aber es ist zu befürchten, wenn nicht schnell Abhilfe geschaffen wird[8]. Der Brief richtet sich genau auf die zwei Punkte, an denen der Erzbischof in seinem Amt berührt war: die Predigt der Ablaßkommissare und die Instruktion, also auf die Ablaß*praxis*, wie Luther sie nachweisen kann. Und hier läßt er es bei aller Höflichkeit an rückhaltlosem Ernst nicht fehlen. Demgegenüber ist es ein Akzidens, wenn er den Erzbischof durch Beifügung der 95 Thesen auch auf die Unsicherheit der Ablaß*lehre* aufmerksam machen will. Er denkt dabei nicht daran, sich seinem Urteil zu unterwerfen, und stellt es ihm frei, davon Kenntnis zu nehmen. Denn sie fallen für Luther gar nicht in die Zuständigkeit des Erzbischofs; über problematische theolo-

---

[7] O deus optime, sic erudiuntur animae tuis curis, optime pater, commissae ad mortem. Et fit atque crescit durissima ratio tibi reddenda super omnibus istis ... Quantus ergo horror est, quantum periculum episcopi, si tacito evangelio non nisi strepitus indulgentiarum permittat in populum suum et has plus curet quam evangelium! Br. 1; 111, 24 ff. Auch die wörtlichen Zitate aus den Thesen machen es unmöglich, den Brief nur als Einkleidung anzusehen. Sie beziehen sich auf die beiden Hauptpunkte des Briefes und demonstrieren damit seine selbständige Bedeutung. Zu einer bloßen Wiederholung hätte Luther keine Veranlassung gehabt.

[8] Br. 1; 111, 47—60.

gische Fragen zu disputieren, ist Recht und Pflicht der Universitäten.

Die Thesen haben also einen von dem Brief unabhängigen Sinn; welchen, das zeigen Luthers nächste Äußerungen aus dem Jahre 1518. Sie berichten übereinstimmend von einem abgestuften Geschehen, von dessen zweiter Stufe er auf den Anfang zurückblickt. So zuerst in dem Briefe an Bischof Hieronymus Scultetus von Brandenburg (vermutlich 13. Febr. 1518), in dem er eine Übersicht über die Ereignisse seit dem weit zurückliegenden Aufkommen der unerhörten Ablaßpredigt gibt[9] und sein eigenes Verhalten schildert: Da die Meinungen darüber heftig hin und her gegangen seien, habe er es für das beste gehalten, über eine so wichtige Sache zu disputieren. »Daher sandte ich Thesen zu einer Disputation aus, zu der ich öffentlich alle einlud und bat, privat aber besonders Gelehrte, soweit ich sie kannte, daß sie wenigstens brieflich ihre Meinung kundtun möchten[10].« Er habe »alle in diese Arena« gerufen, aber niemand sei gekommen, wohl aber seien seine Thesen weiter, als er gewollt habe, verbreitet und als feste Behauptungen, nicht als Disputationssätze, verstanden worden. »So bin ich wider Erwarten und Wünschen gezwungen worden, meine Unbeholfenheit und Unwissenheit der Öffentlichkeit kundzutun und meine Erläuterungen und Beweise zu publizieren[11].« Danach waren die Thesen für eine Disputation bestimmt, zu der jedermann eingeladen war und von bestimmten Gelehrten schriftliche Äußerungen erbeten wurden, genau wie der Einleitungssatz zu den 95 Thesen es bezeugt. Da sie nicht zustande kam, die Thesen aber weithin bekannt geworden waren, beginnt Luther jetzt mit der breiten Veröffentlichung seiner Thesen samt theologischen Erläuterungen, den

---

[9] Br. 1, 138 f. Zum Datum dort S. 135 ff., so auch Volz S. 87, Anm. 89.

[10] Visum est id optimum consilium utrisque neque consentire neque dissentire, sed interim de tanta re disputare, donec ecclesia sancta statueret, quid sentiendum foret. Itaque emisi disputationem invitans et rogans publice omnes, privatim vero ut novi quosque doctissimos, ut vel per literas suam sententiam aperirent. 138, 15 ff., vgl. auch u. S. 184, Anm. 14. Wie schon aus vel hervorgeht, bezieht sich ut ... aperirent nur auf die privat Eingeladenen. Gegen Honselmann S. 20, der den Satz mißversteht und mit seiner unhaltbaren Behauptung von einer späteren Umgestaltung der Thesen verbindet, vgl. u. S. 208 f.

[11] Igitur cum in hanc arenam vocarem omnes, veniret vero nullus, deinde viderem disputationes meas latius vagari quam volueram atque passim non ut disputabilia, sed asserta acciperentur, coactus sum praeter spem et votum meam infantiam et ignorantiam in vulgus mittere et declarationes ac probationes earum publicitus edere. 139, 46 ff.

Resolutiones disputationum de indulgentiarum virtute. Zu ihr erbittet er — das war nötig[12] — die Genehmigung des für ihn zuständigen Bischofs.

Diese Unterscheidung eines ersten Aktes, der Luthers eigener
Klärung durch eine Disputation unter Sachverständigen dienen
sollte, von dem Veröffentlichungsakt seit dem Februar 1518 bestätigen die anschließenden Äußerungen des Jahres 1518. Kurz
darauf beantwortet er Spalatin die Frage, die er an ihn und Karlstadt gerichtet hatte, was die Ablässe wert seien. »Diese Sache ist
noch unentschieden, und meine Disputation treibt auf den Wellen
von Verleumdungen dahin. Ich will aber zweierlei sagen, das Erste
Dir allein und meinen Freunden, bis die Sache veröffentlicht wird:
Ich kann in den Ablässen *heute* nichts anderes erblicken als eine
Täuschung der Seelen; die Ablässe nützen nur denen, die auf dem
Wege Christi schlafen und faulenzen.« Karlstadt sei zwar nicht
dieser Meinung, aber er halte wohl im Grunde auch nichts von
ihnen. »Um diese Täuschung zu zerreißen, habe ich mich aus Liebe
zur Wahrheit in das Labyrinth dieser gefährlichen Disputation ge-
stürzt und mir tausend Minotauren, ja Rhadamanthotauren und Ae-
akotauren auf den Hals gezogen.« Über das Zweite bestehe kein
Zweifel, wie auch seine Gegner und die ganze Kirche zugeben müßten: daß Werke der Liebe unvergleichlich besser seien als Ablaß.
»Aber mehr wirst du, so Gott will, erfahren, sobald ich die Beweise
für meine Thesen veröffentlicht habe.« Dazu zwängen ihn seine
wüsten Gegner, die ihn in ihren Predigten als Ketzer verschrieen
und seinetwegen die Universität Wittenberg als häretisch diffa-
mierten[13]. Luther ist also über seine vorsichtigere Auffassung vom

---

[12] Die vom 5. Laterankonzil approbierte Konstitution Leos X. Inter sollicitudines hatte außerhalb Roms den Bischöfen oder ihren Beauftragten und
den Inquisitoren der Diözesen die Bücherzensur übertragen. MIRBT, Quellen
zur Geschichte des Papsttums, 1924⁴, S. 251 f. Zu den von Erzbischof Albrecht ernannten Inquisitoren gehörten Luthers Erfurter Lehrer Trutfetter
und Tetzel, der sich in den Thesen gegen Luther mit seinem offiziellen Titel
als haereticae pravitatis inquisitor vorstellte (NIK. PAULUS, Johann Tetzel der
Ablaßprediger, 1899, S. 171).

[13] Haec res in dubio adhuc pendet et mea disputatio inter calumnias fluctuat.
Duo tamen dicam; primum tibi soli et amicis nostris, donec res publicetur:
Mihi in indulgentiis hodie videri non esse nisi animarum illusionem et nihil
prorsus utiles esse nisi stertentibus et pigris in via Christi ... Nam huius
illusionis sustollendae gratia ego veritatis amore in eum disputationis periculosae labyrinthum dedi meipsum et excitavi in me sexcentos Minotauros,
immo et Radamanthothauros et Aeacothauros ... Sed plura deo volente
videbis, ubi nostrarum positionum probationes edidero. Br. 1; 146, 52—72.

Ablaß, die er in den Thesen vertreten hatte, hinaus zu einer völligen Verwerfung fortgeschritten und verweist Spalatin auf die bevorstehende Publikation seiner Resolutiones. Die Thesen selbst setzt er bei ihm als bekannt voraus, er begründet ihm jetzt nur sein beabsichtigtes Hervortreten in eine breitere Öffentlichkeit mit der langen und unerquicklichen Geschichte, die abgelaufen ist, seit er sich in dieses Labyrinth gewagt hat.

Besonders genau beschreibt Luther bald darauf (am 5. März 1518) Christoph Scheurl in Nürnberg sein Verfahren, da dieser sich — bei seiner starken Anteilnahme an der Arbeit der Wittenberger Theologen nicht ohne Grund — darüber beklagt hatte, daß Luther ihm die Thesen nicht zugeschickt habe: »Es war nicht mein Plan und Wunsch, die Thesen zu publizieren, sondern mich zuerst mit wenigen, die bei uns und in unserer Nähe wohnten, darüber auszutauschen, damit sie so durch das Urteil vieler entweder verurteilt und vernichtet oder gebilligt und veröffentlicht würden[14].« So hatte er die Thesen zwar am 11. Nov. 1517 an Joh. Lang nach Erfurt, aber nicht nach Nürnberg geschickt. In den Asterisci (vor dem 19. Mai 1518) wiederholt er wörtlich: » . . . da ich sie nicht in deutscher Sprache herausgegeben und nicht weiter als in unserem Umkreise versandt, außerdem nur Gelehrten und sachkundigen Freunden vorgelegt hatte[15].« Der Sinn der mündlichen Disputation wie der schriftlichen Befragung war also für Luther, selbst ein Urteil über seine Sätze zu gewinnen und sie dann, wenn er Zustimmung fand, zu veröffentlichen. Dasselbe hat Luther in einem verlorenen Brief an seinen Lehrer Jodocus Trutfetter in Erfurt geschrieben und nochmals in einem Brief vom 9. Mai[16]. Darin verteidigt er leidenschaftlich sein öffentliches Vorgehen gegen den Ablaß durch den Sermon von Ablaß und Gnade (Ende März 1518), der Trutfetters besonderes Mißfallen erregt hatte. Es ist besser, selbst den gottlosen Be-

---

Luther kontaminiert hier grotesk-komisch den Minotaurus mit den Totenrichtern der griechischen Sage.

[14] Non fuit consilium neque votum eas [propositiones] evulgari, sed cum paucis apud et circum nos habitantibus primum super ipsis conferri, ut sic multorum iudicio vel damnatae abolerentur vel probatae ederentur. Br. 1; 152, 6 ff. Es handelt sich um die Thesen selbst, nicht um »Resultate« der Disputation (VOLZ S. 120). Scheurls Urteil über die Wittenberger s. u. S. 213.

[15] . . . cum ego non lingua vulgari ediderim nec latius quam circum nos emiserim, adde, solum doct[i]oribus obtulerim et amicis eruditioribus. WA 1; 311, 19 f.

[16] Br. 1; 170, 41 ff.

trug aufzudecken als zu warten, bis die Leute ihn durchschauen[17]. Als Motiv für diese nun beginnenden Publikationen erscheint zunächst nur die unerwartete Verbreitung der für eine weite Leserschaft ganz ungeeigneten 95 Thesen, die er darum für sie durch den gemeinverständlichen Sermon ersetzen wollte[18].

II

Mit diesem durch die zeitlich nächsten Zeugnisse gesicherten Ablauf von Luthers Einladung zu einer Disputation, die dann nicht zustande kam, bis zu seinem Entschluß, endlich selbst vor die schon vielfach informierte Öffentlichkeit zu treten, muß man die Äußerungen Luthers konfrontieren, in denen er das Schweigen der Bischöfe auf seine Eingaben als Anlaß seines Vorgehens nennt. Sie sind vor allem gegen den Thesenanschlag am 31. Oktober ins Feld geführt worden. Die Frage ist aber nicht nur, wie sie sich zum Akt des Anschlags, sondern zu dem gesamten Geschehen verhalten. Luther hat, wie man auch über den Anschlag denken mag, jedenfalls für die beabsichtigte Disputation eine Äußerung der beiden Bischöfe auf seine Briefe nicht abgewartet. Er brauchte das auch nicht zu tun, denn er hatte sie ihnen gar nicht zur Stellungnahme vorgelegt. Was er forderte und allein fordern konnte, war die Abstellung der üblen Ablaßpredigt und die Zurückziehung der Instruktion. Ob er über die Ablaßlehre disputieren wollte, war seine Sache.

Auf dieses Recht berief er sich ausdrücklich sowohl gegenüber den Bischöfen[19] wie in dem Brief an Papst Leo X., den er seinen Resolutiones voranstellte (undatiert, etwa gleichzeitig mit dem Widmungsbrief an Staupitz vom 30. Mai 1518): Kraft der päpstlichen Einsetzung in sein theologisches Lehramt »habe er das Recht,

[17] Br. 1; 170, 51 ff.

[18] An Scheurl (5. März) Br. 1; 152, 20 ff.

[19] Doctor S. Theologie vocatus in der Unterschrift an Albrecht Br. 1; 112, 70 f. Proinde mihi visum est rem hanc esse mei studii et officii, disputare s[cilicet] de rebus omnium dubiosissimis, sed simul, si falsae sint, periculosissimis assertu, quando hucusque licitum est scholasticis, de iis etiam rebus sacratissimis reverendisque disputare, quas per tot saecula nullus dubitavit christianus. Br. 1; 139, 32 ff. — Selbstverständlich konnte er sich einer Bitte seines Bischofs, eine Disputation zu verschieben, fügen, wie er es in dem gespannten Sommer 1518 aufgrund einer Intervention des Bischofs von Brandenburg mit einer beabsichtigten Disputation über den Bann tat (1, 633 ff. 10. Juli an Link Br. 1; 185, 39 ff. WA 39 II, X Nr. 6, XIII Nr. 19). Aber er hatte auch dazu nicht etwa die Thesen vorgelegt oder vorlegen wollen, sondern der Bischof war durch Sätze aus einer Predigt Luthers vom 16. Mai alarmiert worden, die von Gegnern thesenartig zusammengestellt und

an einer öffentlichen Hochschule nach der Gewohnheit aller Universitäten und der ganzen Kirche zu disputieren, nicht nur über den Ablaß, sondern auch über die Schlüsselgewalt, die Sündenvergebung und den Nachlaß Gottes, also über unvergleichlich höhere Dinge«[20]. Er berichtet dem Papst — ähnlich wie dem Brandenburger Bischof am 13. Febr. 1518 — ausführlich von den Anfängen der anstößigen Verkündigung des (1515 dem Erzbischof Albrecht bewilligten, seit Anfang 1517 vor allem von Tetzel vertriebenen) Jubiläumsablasses, vom Mißbrauch des päpstlichen Namens zur Unterdrückung jedes noch so leisen Widerspruchs und von den bösen Reden, die daraufhin über die Geldgier der Kirche unter den Leuten geführt wurden, »wie jeder in diesem Lande bezeugen kann«[21]. Die Sache habe ihn um Christi willen aufs äußerste erregt, aber er habe ja darin nichts anordnen und tun können. »Deshalb ermahnte ich privat einige Magnaten der Kirche. Dabei wurde ich von den einen angehört, andern erschien ich lächerlich, andern wieder anders. Denn der Schrecken vor Deinem Namen und die Drohung mit Kirchenstrafen beherrschten das Feld.«[22] Damit spielt Luther schwerlich nur auf die zwei Briefe an die Bischöfe vom 31. Oktober an. Denn er meint offenkundig eine größere Zahl, und die angedeuteten Erwiderungen passen nicht zu ihnen[23]. Albrecht antwortete ihm nicht, sondern zeigte ihn eilig in Rom an[24], und Bischof

---

weit verbreitet worden waren. (Vgl. an Staupitz 1. Sept. 1518, Br. 1; 194, 29 ff. Über die Aufregung, die sie auf dem Augsburger Reichstag hervorriefen, berichtet Spalatin Luther am 5. Sept. Br. 1; 201, 33 ff.).

[20] Indignantur me unum, auctoritate tua Apostolica Magistrum Theologiae, ius habere in publica schola disputandi more omnium universitatum et totius ecclesiae non modo de indulgentiis, verum etiam de potestate, remissione, indulgentiis divinis, incomparabiliter maioribus rebus. WA 1; 528, 28 ff.

[21] ut testis est vox totius huius terrae. 1; 528, 17.

[22] Proinde monui privatim aliquot Magnates Ecclesiarum. Hic ab aliis acceptabar, aliis ridiculum, aliis aliud videbar, praevalebat enim nominis tui terror et censurarum intentatio. 1; 528, 20 ff. Aus dem Begriff Magnates ist nichts Sicheres zu entnehmen. Er bedeutet kein bestimmtes Amt, sondern hohe Würdenträger sowohl im weltlichen wie im kirchlichen Bereich (»große Herren«, wie Spalatin auch für Kirchenpersonen übersetzt. Walch 19, 1007 zu WA 6; 169, 12). Luther kannte das Wort auch aus der Vulgata (Judith 5, 26. Ecclesiasticus 33, 19). Vgl. zum Sprachgebrauch die von VOLZ S. 86, Anm. 83 gesammelten Stellen (auch Br. 2; 152, 6 bezieht sich nicht nur auf Bischöfe).

[23] 1; 528, 20 ff. Aufgrund des — doch nicht unbedingt zwingenden — Anklangs an die »Privat«schreiben in dem ein halbes Jahr späteren Brief an den Kurfürsten (s. u. S. 189, Anm. 33) neigt VOLZ dazu (S. 24), darin nur

Scultetus riet ihm (nach einer späteren Erzählung Luthers), von der Sache zu lassen: »Ich griffe der Kirchen gewalt an und würde mir selbs mühe machen.«[25] Es muß sich um Bemühungen bei kirchlichen Oberen handeln, die sich über eine längere Dauer erstreckten, wie ja Luther auch schon seit langem öffentlich zur Sache Stellung genommen hatte. Er hatte bereits am 31. Okt. 1516 gegen den am Wittenberger Allerheiligenstift vertriebenen Portiuncula-Ablaß und am 24. Febr. 1517 gegen den Jubiläumsablaß gepredigt — das sind nur die uns erhaltenen Predigten — und auch sonst das Volk vom Ablaßkauf abzubringen versucht[26]. Aber man darf ja überhaupt Luthers Vorgehen gegen das Ablaßgeschäft 1517 nicht isolieren. Es war seit langem ein öffentlicher Skandal, den viele beklagten und kritisierten, besonders scharf z. B. in den Niederlanden, zu denen man in Wittenberg durch die dort studierenden Antwerpener Augustiner enge Beziehungen hatte[27]. Auch sonst wissen wir genug von dem Widerspruch, den das üble Treiben im 15. und am Anfang des 16. Jahrhunderts gefunden hat[28]. Daß Luther

eine Anspielung auf die zwei Briefe zu sehen (ebenso, nur uneingeschränkt, Iserloh S. 16). Dann muß man aber, wie Volz richtig empfindet, Luthers Formulierung als eine bewußte Übertreibung verstehen, die beim Papst den Eindruck erwecken sollte, »als ob es sich dabei um wesentlich mehr Persönlichkeiten, als es tatsächlich waren, gehandelt hätte« (S. 42). Ich halte diese Annahme für unnötig und glaube, daß die Annahme einer unbestimmten Anzahl von Briefen dem Text (Anm. 22) besser gerecht wird.

[24] Vgl. sein Schreiben an die Magdeburgischen Räte bei Ferd. Körner, Tezel, der Ablaßprediger, 1880, S. 148.

[25] Wider Hans Worst (1541) 51; 540, 21 f.

[26] Predigten: 31. Okt. 1516 (WA 1, 94—99, anderer Text 4, 670—674; dazu E. Hirsch, Lutherstudien II, 1954, S. 99 ff.) und 24. Febr. 1517 (1, 138—141). Über seine Warnungen vor dem Ablaß 51; 539, 6 ff. 54; 180, 7 ff. TR 5; 77, 16 f. Dazu Volz S. 13 f. mit den Anmerkungen. In seinen Vorlesungen hat Luther sich selten, aber schon früh mit Schärfe gegen die Ablaßpraxis (noch nicht gegen die Lehre) gewandt: Ps.-Vorl. 3; 416, 21 f. 424, 14—425, 2. Röm.-Vorl. 56; 417, 23—32 (indirekt S. 503, 21 ff.).

[27] Beispiele niederländischer Ablaßkritik vom Ende des 15., Anfang des 16. Jahrhunderts bei Paul Fredericq, La question des indulgences dans les Pays-Bas au commencement du XVIe siècle. Académie royale de Belgique, Bull. de la classe des lettres 1899, S. 40 ff. Otto Clemen, Das Antwerpener Augustinerkloster bei Beginn der Reformation (1513—1523). Monatsh. d. Comenius-Gesellschaft 10, 1901, S. 308 f. Die erfolgreiche Predigt der Antwerpener Augustiner gegen den Ablaß war wohl erst durch Luther angeregt.

[28] Nikolaus Paulus, Geschichte des Ablasses im Mittelalter III (1923), S. 470 ff., 516 ff. Recht kritisch, wenn auch nicht mit so weitreichenden Konsequenzen für die Bußlehre, hatte sich Staupitz schon in seinen Nürnberger Fastenpredigten 1517 über den Ablaß geäußert. Einige Formulierungen be-

sich an dieser Kritik an der Ablaßpraxis auch gegenüber den zuständigen Stellen mehr beteiligt hat, als die erhaltenen Quellen zeigen, ist sehr wohl möglich und scheint hier vorausgesetzt zu sein. Seine beiden Briefe vom 31. Oktober an die Bischöfe waren dann die stärkste Form seiner Bemühungen[29]. Das Besondere war jetzt sein Angriff auf die *Lehre* vom Ablaß, den er in den 95 Thesen und dem gleichzeitigen Tractatus de indulgentia[30] — zögernd genug — begann. Darin lag keine Illoyalität gegenüber den Bischöfen, da es die einzige Abhilfe war, zu der er von sich aus, in Wahrnehmung seines Lehramtes, greifen konnte. Er fährt in dem Brief an den Papst unmittelbar fort: »Schließlich, da ich nichts anderes tun konnte, schien es mir richtig, ihnen (den Ablaßpredigern) wenigstens ganz vorsichtig zu widerstreiten, d. h. ihre Lehren in Zweifel und in eine Disputation zu ziehen. Daher gab ich ein Disputationsblatt heraus und lud nur Gelehrte dazu ein, ob sie wohl mit mir darüber disputieren wollten, wie auch meinen Geg-

rühren sich wörtlich mit Luthers Thesen. Staupitz, Werke, hrsg. von KNAAKE I, 1867, S. 18. HANS VON SCHUBERT, Lazarus Spengler und die Reformation in Nürnberg, 1934, S. 153.

[29] Man braucht nicht so weit zu gehen wie H. BOEHMER, der den Passus aus dem Brief an den Papst nur auf den Sommer 1517 bezieht (Der junge Luther, 4. Aufl. 1951, S. 155). Es handelt sich um eine summarische Angabe, jedenfalls aber nicht bloß um eine Anspielung auf die zwei Briefe, von denen wir heute nur noch wissen.

[30] Der bisher zumeist als Predigt gedeutete Traktat (WA 1, 65—69, Br. 12, Nr. 4212a) ist in Wahrheit eine theologische Abhandlung, wie schon FRITZ HERMANN (ZKG 28, 1907, S. 370—373) und GUSTAV KRÜGER (Theol. Stud. Krit. 90, 1917, S. 507—520) erwiesen haben und VOLZ (S. 18, 84, 91 und: Erzbischof Albrecht von Mainz, 1962, S. 37) in Erinnerung gebracht hat. Aus dem allein zu benutzenden Abdruck von KRÜGER hat W. KÖHLER zwar den Text in die 2. Aufl. seiner Dokumente zum Ablaßstreit, 1934, S. 94—99 übernommen, aber leider nicht den kritischen Apparat und die Ergebnisse seiner Einleitung. Das interessante Stück gehört zu Luthers erstem Versuch einer umfassenden Auseinandersetzung mit dem Ablaß. Es ist eine unmittelbare Vorarbeit oder Ausarbeitung zu den Thesen, von denen 10 wörtlich anklingen, fast ausschließlich andere als im Brief an Albrecht. In den Resolutiones (zu Th. 26, WA 1; 580, 11 ff.) greift Luther deutlich auf den Traktat zurück. Der Traktat wurde mit den Thesen von den Magdeburgischen Räten an den Erzbischof gesandt und von diesem der Universität Mainz vorgelegt. (Vgl. seinen Brief an die Räte vom 13. Dez. 1517 bei FERD. KÖRNER, Tezel der Ablaßprediger, 1880, S. 148, dazu WA Br. 12, Nr. 4212 a). Luther erwähnt zwar in seinem Brief an Albrecht den Traktat neben den Thesen nicht. Aber die Räte können ihn nur aus seiner Sendung haben. Jedenfalls ist er eine Bestätigung dafür, wie gründlich Luther am 31. Oktober schon auf die beabsichtigte Disputation vorbereitet war.

nern aus dem Vorspruch zu dieser Disputation deutlich sein muß.«[31]
Er berichtet dann wie in den übrigen Zeugnissen, daß die unerwartete Verbreitung der Thesen ihn nun zwinge, die Erläuterungen zu
seinen Thesen zu veröffentlichen.

Völlig eindeutig werden die zwei Briefe an die Bischöfe im Zusammenhang mit dem Ablaßhandel in Luthers Brief an Kurfürst
Friedrich den Weisen vom (21. ?) November 1518 genannt, dem
letzten Originaldokument aus der Nähe des Thesenstreits; hier
aber zu besonderem Zweck. Es hatte ihn von Anfang an sehr bekümmert, daß man im Kurfürsten den Anstifter seiner Thesen vermutete. Schon Anfang Nov. 1517 hatte er in einem Brief an Spalatin
einen förmlichen Schwur geleistet, daß sie ohne Wissen Friedrichs
ausgegangen seien. Er habe ihn und den Hof absichtlich nicht unterrichtet, damit die, auf welche sie gemünzt waren, nicht annehmen
könnten, daß sie von ihm auf Befehl oder mit Erlaubnis des Kurfürsten gegen den Erzbischof von Magdeburg herausgegeben worden seien[32]. Als Luther ein Jahr später vom Kurfürsten aufgefordert wurde, sich zu einem Bericht Cajetans über die Augsburger
Verhandlungen zu äußern, wiederholte er in seinem ausführlichen,
zur Weitergabe an den Kardinal bestimmten Schreiben diese Beteuerung: Nicht einmal einer von seinen nächsten Freunden habe
von seiner Disputationsabsicht gewußt, sondern nur der Erzbischof
von Magdeburg und der Bischof von Brandenburg. »Sie habe ich,
da es ihre Aufgabe war, solche Ungeheuerlichkeiten zu verhindern,
in Privatbriefen, ehe ich die Disputationsthesen herausgab, demütig
und ehrerbietig ermahnt, über die Schafe Christi gegen diese Wölfe
zu wachen.« Er wisse wohl, daß solche Dinge zuerst vor die Bischöfe,
nicht vor die Fürsten als Laien zu bringen seien[33]. Luther will damit

[31] Tandem cum nihil possem aliud, visum est saltem leniuscule illis reluctari,
id est, eorum dogmata in dubium et disputationem vocare. Itaque schedulam
disputatoriam edidi, invitans tantum doctiores siqui vellent mecum disceptare, sicut manifestum esse etiam adversariis oportet ex praefatione eiusdem disceptationis. 1; 528, 22 ff.

[32] Br. 1; 118, 9 ff. s. dazu unten S. 193, Anm. 44.

[33] Sic enim et apud nos quidam sycophantae iactaverunt, tuae Celsitudinis
hortatu et consilio me ista disputasse: cum huius disputationis nullus etiam
intimorum amicorum fuerit conscius nisi Reverendissimus Dominus Archiepiscopus Magdeburgensis et Dominus Hieronymus Episcopus Brandenburgensis. Hos enim, sicut intererat eorum ista monstra prohibere, ita privatis
literis, antequam disputationem ederem, humiliter et reverenter monui, ut
super oves Christi vigilarent adversus lupos istos. Bene sciebam haec non
ad principes laicos, sed ad episcopos primum referenda. Br. 1; 245, 356 ff.

nochmals bekräftigen, daß er den Kurfürsten nicht von seinem Vorhaben informiert habe, sondern nur die beiden Bischöfe. Das heißt aber nicht, daß er ihnen die Thesen zur Genehmigung vorgelegt habe. Er hatte sie nur davon in Kenntnis gesetzt, als er sie ermahnte, gegen die Ablaßprediger einzuschreiten, wie es der Brief an Albrecht vom 31. Oktober 1517 zeigt. Daß das Scheitern seines Schrittes ihn zum Disputieren veranlaßt habe, davon steht in den Briefen an Spalatin und den Kurfürsten vom November 1517 und 1518 nichts. Es kam ihm in beiden nur darauf an, wahrheitsgemäß zu versichern, daß er den Kurfürsten nicht in die Sache hineingezogen habe.

Einen Zusammenhang zwischen seinen vergeblichen Bemühungen bei kirchlichen »Magnaten« und dem Disputationsentschluß stellt nur der Widmungsbrief an den Papst her. Er setzt damit einen Akzent, der in den anderen gleichzeitigen Quellen fehlt. Man braucht die gewisse historische Verschiebung, die darin liegt, nicht zu beschönigen, aber es geht zu weit, darin einfach eine Unwahrheit zu sehen. Auch abgesehen davon, daß die Briefe an die beiden Bischöfe offenbar nicht der Anfang von Luthers Warnungen vor dem Treiben der Ablaßprediger waren, gab ihm sein vorsichtiges, zunächst auf eine legitime Disputation beschränktes Vorgehen mit Recht das Bewußtsein, daß der Skandal vermieden worden wäre, wenn die Bischöfe auf seine Briefe hin gegen den Ablaßhandel eingeschritten wären. Eine inzwischen abgehaltene Disputation, mit der Luther ja keinerlei Wirkung in der kirchlichen Öffentlichkeit verfolgte, wäre dadurch in der Sache bestätigt, er selbst aber von der Notwendigkeit weitergehender Publikationen entbunden worden. Schuld an der ganzen Entwicklung, die er nicht beabsichtigt hatte, waren die Ablaßprediger und die Bischöfe, die nichts unternahmen. Das ist der wahre Kern seiner Darstellung, den er dem Papst gegenüber hervorhob. Diesen Vorwurf schon im Brief vom 13. Febr. 1518 seinem Bischof zu machen, hatte er keine Veranlassung. Denn Scultetus hatte ihm wenigstens freundlich geantwortet. Sein Fehler war die Ängstlichkeit, mit der er Luther riet, die Finger von der Sache zu lassen. Aber auch er hatte, obwohl er schließlich Luthers Resolutiones freigab, selbst nichts gegen den Ablaß getan[34]. Die Briefe an den Papst und an den Bischof sind, ohne jeweils etwas Falsches zu sagen, durch die Zeitdifferenz und ihr Gegenüber bestimmt. Wie man auch über den Brief an den

[34] Dazu s. u. S. 215 f.

Papst urteilen mag[35], so muß man sich doch darüber klar sein, daß
Luthers Aussagen nicht nur auf den umstrittenen Anschlag der
Thesen, sondern auf den durch alle Zeugnisse gesicherten gesamten
Disputationsplan zu beziehen sind. Ein genügender Zeitraum für
die von ihm geschilderte Reaktion der Kirchenoberen[36] und eine
etwa erst dadurch ausgelöste Einladung zur Disputation bleibt nach
den Briefen vom 31. Oktober auf keinen Fall[37].

III

Die 95 Thesen waren also nicht nur als »literarische Form«
gewählt, die es gestattete, neben festen Überzeugungen auch unsichere Meinungen und offene Fragen zur Diskussion zu stellen[38].
Das war ohnehin der Sinn aller Disputationsthesen. Sondern sie
waren für eine Universitätsdisputation bestimmt. Das zeigt nicht
nur die Überschrift, die — abgesehen von den aus dem besonderen
Anlaß gegebenen Unterschieden — der üblichen Form entspricht,
sondern auch der Brief an den Papst, in dem Luther sich so nachdrücklich auf sein Disputationsrecht beruft. Wollte man seine Absicht zu disputieren bezweifeln, so müßte man ihn dann an dieser
Stelle einer Unwahrheit bezichtigen. Es ist allerdings klar, daß

---

[35] Daß vor allem der Brief an den Papst vorsichtig abgewogen war, versteht
sich bei dem schicksalsvollen Schriftstück von selbst und zeigt anschaulich auch
ein eigenhändiges, von Luther völlig kassiertes Konzeptstück, das wesentlich schärfer gehalten war. 9, 173—175. Dazu VOLZ S. 111.

[36] S. o. S. 186.

[37] Die dem Papst gegebene Darstellung hat Luthers Erinnerung bestimmt. Das
ist nicht unbegreiflich, da der Brief für ihn das gewichtigste Dokument
darüber war und er die innere Motivation seines Vorgehens zutreffend
wiedergab. Dagegen differieren die zeitlichen Angaben. Während die Schilderung in der Schrift »Wider Hans Worst« (1541) ohne nähere Angaben
dem Brief folgt (51; 540, 15 ff.), bezieht sich Luther im Rückblick von 1545
nicht auf die bloße Aufstellung der Disputationsthesen, sondern auf seine
gesamten Veröffentlichungen zur Sache: Ego contemptus (von den beiden
Bischöfen) edidi disputationis schedulam simul et germanicam concionem
de indulgentiis (Sermon von Ablaß und Gnade), paulo post etiam Resolutiones (54; 180, 16 ff.). Daß Luther diese Schriften des Jahres 1518 ins
Jahr 1517 verlegt (ERNST STRACKE, Luthers großes Selbstzeugnis, 1926,
S. 24), ist nicht gesagt. CLEMEN (54, 180, Anm. 6) erwägt, ob Luther dabei an
eine umfassendere Versendung der Thesen im Frühjahr 1518 (natürlich nur
an Gelehrte) denkt, nachdem sie im November 1517 nur etwaigen Disputa-
tionsteilnehmern zugeschickt waren. Das ist möglich, da es von Anfang
an in Aussicht genommen war (s. o. S. 184, Anm. 14), aber, wie es sich bei
einer so späten Quelle versteht, nur Hypothese.

[38] ISERLOH S. 31 f.

die von ihm geplante Disputation nicht in die üblichen Schul-
disputationen hineinpaßt[39]. Die Einladung erging ohne festen Termin. Aber der Zweck, den er verfolgte, zeigt auch warum. Luther
lud außer den Wittenbergern einen Kreis von Gelehrten aus einer
begrenzten Umgebung ein, auf deren schriftliche Äußerung er
hoffte. So mußte er das Datum offenlassen. Das war nicht unmöglich. Auch Luthers Thesen gegen die scholastische Theologie
und Tetzels Gegenthesen gegen die 95 Thesen, beide für normale
Promotionen bestimmt, erschienen zunächst ohne Termin für die
geplante Disputation[40]. Auf jeden Fall läßt sich Luthers sicher
bezeugte Disputationsabsicht nicht mit Einwänden widerlegen, welche aus der von ihm gewählten Form genommen werden.

Was ergibt sich — zunächst wiederum nach den unmittelbarsten
Zeugnissen — über den Ablauf der Geschehnisse? Als frühestes
sicheres haben wir noch den Brief Luthers an seinen Freund Johann
Lang in Erfurt vom 11. Nov. 1517, dem er seine 95 Thesen zu-
schickt, wie er es schon im September mit seinen 97 Thesen Contra
scholasticam theologiam getan hatte. Er erbittet das Urteil der
Erfurter Ordensbrüder, fügt aber in Erinnerung an ihre damalige
heftige Kritik hinzu: Sie sollten nicht etwa daraus entnehmen, daß
er sich mit seinen Veröffentlichungen ihrer Zensur unterwerfen
wolle. Die Absicht des Briefes entspricht genau dem, was er am
5. März 1518 an Scheurl schreibt: zuerst eine klärende Verhand-
lung im engeren Kreise, dann gegebenenfalls eine umfassende Ver-

[39] ERNST WOLF, Zur wissenschaftlichen Bedeutung der Disputation an der Wittenberger Universität im 16. Jahrhundert. In: 450 Jahre Martin-Luther-
Universität I (1952), S. 336. Wiederabgedruckt in: Peregrinatio II (1965),
S. 39 f. VOLZ S. 38. ISERLOH S. 26 f. Zu der Darstellung, die Christoph Scheurl
1528 von dem Verlauf der Disputation gegeben hat (zuletzt abgedruckt bei
JOH. LUTHER, Vorbereitung und Verbreitung von Martin Luthers 95 Thesen,
1933, S. 5 f.), und den verfehlten Folgerungen, die J. LUTHER daraus gezogen
hat, vgl. die mannigfachen kritischen Bemerkungen von VOLZ (zusammengestellt bei ihm S. 54) und WOLF S. 39.

[40] Vgl. 1; 224, 5 und die Überschrift in dem von NIKOLAUS PAULUS wieder auf-
gefundenen und in seinem Buche: Johann Tetzel, der Ablaßprediger, 1899,
veröffentlichten Einblattdruck (S. 171). Auch abgesehen von einem solchen
Beispiel ist Luthers Vorgehen aus seiner Absicht verständlich. Die Leipziger
Disputation von 1519 ist nur cum grano salis als Vergleich für die geplante
Disputation zu nennen (WOLF, VOLZ). Sie stand zwar auch außerhalb des
gewöhnlichen Rahmens, unterschied sich aber von dem Plan der 95 Thesen
durch die umfassende öffentliche Vorbereitung (richtig ISERLOH GWU S.
681). Luther wollte gerade bei der heiklen Ablaßfrage nicht über eine ernsthafte Disputation unter Sachkennern, also eine Universitätsdisputation,
hinausgehen, für die er nur den Termin noch nicht ansetzen konnte.

öffentlichung der Thesen[41]. Warum Luther die Thesen, die er schon seinen Briefen vom 31. Oktober an die Bischöfe beilegte, erst am 11. November an Lang sandte, läßt sich heute nicht mehr sagen. Es konnte ja auch davon abhängen, wann er einen Boten hatte[42].

In die gleiche Zeit fällt ein eiliger, undatierter Brief an Spalatin[43]. Er setzt die Thesen bei Spalatin als bekannt voraus, ebenso auch beim Kurfürsten, — zu Luthers großem Bedauern: Er habe gewünscht, daß sie nicht in seine Hände oder die eines Hofangehörigen kämen, ehe sie nicht an die gelangten, welche darin getadelt würden, »damit sie nicht meinten, sie seien von ihm auf Geheiß oder mit Zustimmung des Kurfürsten gegen den Erzbischof von Magdeburg herausgegeben worden, wie ich viele von ihnen schon phantasieren höre. Aber es ist gut, auch jetzt noch zu schwören, daß sie ohne Wissen Herzog Friedrichs ausgegangen sind«.[44]

[41] S. o. S. 184.

[42] Infolgedessen ist der Vergleich mit der raschen Übersendung der Thesen gegen die scholastische Theologie vom September 1517 an Lang nicht stichhaltig. Damals war zufällig ein gemeinsamer Freund, Magister Otto Beckmann, in Wittenberg, der nach Erfurt reiste. Luther gab ihm die Thesen mit, ohne in der Eile einen Begleitbrief schreiben zu können; er sandte ihn einige Tage später nach. Br. 1; 103, 4 ff. (so mit Recht ALAND GWU S. 689 gegen ISERLOH, ebd. S. 678).

[43] O. CLEMEN datiert ihn auf Anfang November, Br. 1, 117 f.; ebenso ENDERS 1, 123 (vor 11. Nov.). Die Datierung ist durch zwei Notizen des Briefes gesichert, die nichts mit der Thesenfrage zu tun haben: 1. der Übersendung des Dialogs Julius exclusus, den sich Spalatin aufgrund des von Scheurl am 30. Sept. 1517 an ihn gerichteten Briefes von Luther ausgebeten hatte; 2. der Mahnung Luthers wegen der ihm vom Kurfürsten versprochenen Kutte, für die er sich am 11. Nov. 1517 durch Spalatin bedankt (1; 124, 4). Dadurch ist eine Verlegung in die Nähe der Briefe vom 15. und 22. Febr. 1518 nicht möglich, in denen Luther nochmals seine Betrübnis darüber ausspricht, daß der Kurfürst in die Sache hineingezogen wird. Sie zeigen auch deutlich den Fortschritt gegenüber dem November 1517. Damals ging es allein um die Thesen (1; 118, 9), jetzt um totum, quod ego ago (1; 146, 82), was sowohl die Disputationsangelegenheit wie die geplanten Veröffentlichungen einschließt. Daher die Spalatin anheimgestellte Überlegung, ob es ratsam sei, jetzt den Kurfürsten zu informieren; davon war damals noch nicht die Rede. Außerdem konkretisierte Luther eine Woche später seine Besorgnis auf einen etwaigen Racheakt des Kurfürsten von Brandenburg, von dem er gehört hatte. Er selbst sei wegen der bösen Reden über ihn und Kurfürst Friedrich nicht beunruhigt (1; 149, 4 ff.). — Auch C. STANGE, Erasmus und Julius II., 1937, S. 248—267, schließt sich der Datierung des Briefes auf Nov. 1517 an; er bezweifelt nur die Vermutung CLEMENS, daß Luther eine Abschrift, nicht einen Druck des Dialogs an Spalatin geschickt habe.

[44] Br. 1; 118, 9 ff.

Es ist aus der Rückschau auf den überraschenden Ablauf der Dinge natürlich eine berechtigte Frage, ob Luther bei einem Anschlag seiner Thesen damit rechnen konnte, daß sie dem Kurfürsten nicht so schnell bekannt werden würden. Offenbar hat er es aber getan. Die Einladung zu einer Disputation unter Gelehrten war ein normaler und häufiger Vorgang, bei dem ein bis an den Hof reichendes Aufsehen nicht zu erwarten war. Er hatte außerdem weitere Exemplare bis dahin noch kaum aus der Hand gegeben. Nimmt man an, daß er die Thesen zunächst nur an die Bischöfe gesandt und eine gewisse Zeit auf ihre Antwort gewartet habe, so ergibt sich die Gegenfrage, wie sie so schnell bekannt werden konnten, daß schon viele seiner Gegner den Kurfürsten zum Anstifter erklärten. Der Brief an Erzbischof Albrecht kam als Quelle noch nicht in Frage, da er nach dem Originalvermerk erst am 17. Nov. von den erzbischöflichen Räten in Calbe/Saale geöffnet und ihm dann nach Aschaffenburg nachgesandt wurde[45].

Noch aus dem November 1517 stammt ein weiteres eigentümliches Zeugnis für die Verbreitung der Thesen. Der herzogliche Rat Cäsar Pflug berichtet Herzog Georg am 27. Nov. von einem Gespräch mit Bischof Adolf von Merseburg, das neben anderen Punkten auch vom Ablaß handelte. Der Bischof wäre ihn ebenso wie der Herzog »gern los« und will gehört haben, daß er in Magdeburg beseitigt sei; er allein könne nicht dagegen vorgehen. »Es gefil aber s[einer] g[naden] auch wol, das die arme leute, die also zulifen und die gnade (den Ablaß) suchten, vor dem betrig Tetzels vorwarnt wurden und die conclusiones, die der Augustinermönch zu Wittenberg gemacht, an vil ortern angeslagen wurden; das wurde grosen abbruch der gnade thuen.«[46] Auffallend daran ist nicht, daß der Bischof die Thesen kennt und bei Herzog Georg

---

[45] Br. 1, 114. Faksimile bei VOLZ S. 33. Albrecht ersuchte, nachdem er die Sendung empfangen hatte, am 1. und 11. Dez. die Mainzer Universität um ein Gutachten und antwortete am 13. Dez. den Räten, daß er die Frage mit seinen Hofräten und anderen Gelehrten gründlich besprochen habe. Das wichtigste Ergebnis war die Anzeige in Rom, die er erstattete, ohne das vom 17. Dez. datierte Gutachten der Universität abzuwarten. Vgl. FERD. KÖRNER, Tezel, Der Ablaßprediger, 1880, S. 148. H. VOLZ, Erzbischof Albrecht von Mainz und Martin Luthers 95 Thesen, 1962, S. 38 f. Über das Gutachten s. S. 195, 197, Anm. 53.

[46] GESS, Akten und Briefe zur Kirchenpolitik Herzog Georgs von Sachsen I (1905); 29, 1 ff. Außer dem von GESS allein abgedruckten, geschlossenen Abschnitt enthält der Bericht noch fünf andere Punkte (freundliche Mitteilung von Herrn Dr. HEINZ SCHEIBLE nach Einsicht des Originals in Dresden).

offenbar als bekannt voraussetzt, sondern der Wunsch, daß sie
»an vil ortern« angeschlagen werden sollten. Das ist ohne Wissen
von einem vorangegangenen Anschlag der Thesen in Wittenberg
kaum zu denken[47]. Die anzuschlagenden Thesen konnten nur gedruckt sein, was doch wohl einen Rückschluß auf die Form erlaubt,
in der er sie kannte. Daß Luthers Thesen ganz selbstverständlich als
Disputationsthesen verstanden wurden, zeigt auch das Gutachten,
das die Mainzer Universität auf Anforderung Erzbischof Albrechts
am 17. Dez. 1517 erstattete: »Vor einiger Zeit haben wir einige
Schlußsätze oder Thesen, über die durch einen Magister der Theologie aus dem Orden der Eremiten des heiligen Augustin an der
vortrefflichen Universität Wittenberg nach Gewohnheit der Schule
und öffentlich disputiert worden ist und die durch Euer väterliche
Ehrwürden an uns gesandt wurden, mit gebührender Ehrerbietung
empfangen.«[48] Man nahm demnach an, daß die Disputation schon
stattgefunden habe.

Nach etwa einem Monat waren die 95 Thesen schon in ziem-
licher Anzahl verbreitet, ohne daß Luther selbst etwas Nennens-
wertes dafür getan hatte. Das geht nicht nur aus Luthers späteren
Erzählungen hervor, sondern auch aus den spärlichen Quellen,
die wir aus dieser Zeit haben[49]. Das spricht dafür, daß die Thesen
von Anfang an gedruckt waren, obwohl ein handschriftlicher An-

---

[47] Das gilt ebenso, wenn es sich um eine Anregung Herzog Georgs handeln
sollte. Er hatte sich längst über Tetzels Ablaßpredigt geärgert (vgl. den
Briefwechsel mit dem Leipziger Dominikanerkloster im April 1517, GESS
Nr. 10 und 14) und die Ablaßsache jetzt beim Bischof zur Sprache bringen
lassen. Auf jeden Fall ist der Satz als Vorschlag zu verstehen (so VOLZ
S. 89), nicht etwa als Bericht über eine Serie schon erfolgter Anschläge.

[48] Pridem nonnullas conclusiones seu positiones per quendam sacrae theologiae
magistrum ordinis Heremitarum divi Augustini in insigni universali gym-
nasio Wittenburgensi scolastice et publice disputatas et per vestram pater-
nitatem reverendissimam ad nos datas ea qua decuit humilitate accepavimus.
Abgedruckt von FRITZ HERRMANN (ZKG 23, 1902, S. 266 f.). Dort S. 265 f.
auch die beiden Aufforderungsbriefe Albrechts vom 1. und 11. Dez. 1517.
Das Gutachten erstatteten die Theologen und Kanonisten. FERD. KÖRNER,
Tezel, der Ablaßprediger, 1880, S. 148.

[49] VOLZ (S. 125) macht darauf aufmerksam, daß sich von Luthers privatem
Briefwechsel aus dem Jahre 1517 und dem Frühjahr 1518 wenig erhalten
hat, nur seine Schreiben an Spalatin, Johann Lang und Christoph Scheurl.
In den ersten zwei Monaten läßt sich etwa ein Dutzend von Besitzern der
Thesen nachweisen oder sicher vermuten (die zwei Bischöfe, Lang, Spalatin,
der Kurfürst, der Bischof von Merseburg, Herzog Georg, Tetzel, Ulrich
von Dinstedt, Scheurl, von Luthers Kollegen wohl Schurff, s. u. S. 196,
vermutlich auch andere, und der Dekan des Hamburger Domkapitels

schlag nicht absolut auszuschließen ist. Nachweislich sind die Thesen auch in Abschriften verbreitet worden. Etwa seit Jahresende setzte dann der Strom der Nachdrucke und der Übersetzungen ein[50].

Zu diesen ältesten Zeugnissen über das Geschehen nach dem 31. Oktober bringen Luthers spätere Erinnerungen fast nichts Neues hinzu. Von den im allgemeinen nur knappen und ungenauen Erwähnungen in den Tischreden berichtet nur eine über einen sonst nicht bekannten Vorgang. Er hat aber seine besondere Bedeutung, weil er weiter in die Anfänge zurückführt als die Briefnotizen aus dem November 1517. Am 2. Febr. 1538 erzählten sich Luther und sein Freund Amsdorf von ihren Studien in früherer Zeit. Anton Lauterbach schrieb mit, darunter auch das Folgende: »Wie gar [be]schwerlich ging es erstlich an, da wir anno [15]17 post Omnium Sanctorum gegen Kemberg zogen, als ich mir eben vorgenommen hatte, gegen die groben Irrtümer der Ablässe zu schreiben. Und Doktor Hieronymus Schurff widerstand mir: Wollt ihr gegen den Papst schreiben? Was wollt ihr machen? Man wird's nicht leiden! Ich sagte: Wenn man's [aber] müßte leiden! Bald darauf trat Sylvester [Prierias], der Magister des heiligen Palastes, in die Arena und donnerte gegen mich mit folgendem logischem Schluß: Wer an etwas, was die römische Kirche gesagt oder getan hat, zweifelt, ist ein Ketzer. Luther zweifelt an etwas, was die römische Kirche gesagt oder getan hat, also usw. Da gings an.«[51] Man miß-

---

Albert Krantz, der am 7. Dez. 1517 starb (s. RE³ 11, 81 Volz S. 140 f., Wilh. Jensen, Das Hamburger Domkapitel und die Reformation, 1961, S. 19 f.).

[50] Vgl. die eingehenden Nachweise bei Volz S. 127 ff. (Anm. 205—210).

[51] ...ubi ego primo proposueram scribere contra crassos errores indulgentiarum. Et Doctor Hieronymus Schurff restitit mihi: Vultis scribere contra papam? Was wollt ir machen? Man wirds nicht leiden! Ego dixi: Wen mans must leiden? Mox prodiit in arenam Syluester [Prierias], magister sacri palatii, fulminans contra me hoc syllogismo: Quicunque dubitat de dicto aut facto Romanae ecclesiae, est haereticus; Lutherus dubitat de dicto et facto Romanae ecclesiae, ergo etc. Do gings an. Nam papa tripliciter distinguit ecclesiam: essentialiter est ipsum corpus ecclesiae, repraesentative est collegium cardinalium, virtualiter est ipse papa; ibi nulla fit mentio concilii. Nam papa vult esse ecclesia virtualis supra scripturam et autoritatem concilii. Tischr. 3; 564, 13 ff. Das ungenaue Datum wird die Woche nach Allerheiligen bedeuten, das 1517 auf einen Sonntag fiel. — ubi ego primo proposueram ist Zeitangabe (nicht »wo ich«: Aland, Martin Luthers 95 Thesen S. 84) und im Rückblick aus dem Jahre 1538 gesprochen; scribere ist dabei nicht zu pressen. Damit bezeichnet Luther nach den Tischreden öfters seinen ganzen Kampf gegen den Ablaß (ebenso wie mit disputare),

versteht das Gespräch, wenn man darin eine erste Mitteilung Luthers an seinen Freund Schurff sieht, daß er beabsichtige, gegen den Ablaß vorzugehen[52]. Davon ist nichts gesagt. Vielmehr setzt das Gespräch eine Kenntnis der Absicht Luthers bei Schurff voraus. Dieser benutzt nur den langen gemeinsamen Weg, um Luther seine Sorgen vor den Konsequenzen, der Umdeutung in einen Angriff auf den Papst, auseinanderzusetzen. Daß der scharfsinnige Jurist damit etwas vorausgesehen hatte, was Luther selbst offenbar noch nicht sah, bekräftigt dieser durch den Hinweis auf die Gegenschrift des Prierias[53]. Da er nach seinen frühesten Briefen eine Disputation geplant hat, ist die Tischrede ein Zeugnis dafür, daß das einige Tage nach Allerheiligen bekannt war, während er es vor diesem Datum, wie er dem Kurfürsten versicherte, auch seinen nächsten Freunden noch nicht mitgeteilt hatte, sondern nur den Bischöfen[54]. Das läßt einen Akt der Ausführung in der Zwischenzeit vermuten. Jedenfalls aber hat Luther seinen Freund damals mit der Absicht, den Ablaß anzugreifen, nicht mehr überraschen **können.**

Schon diese in ihrer Lebendigkeit und Genauigkeit Vertrauen erweckende Erzählung führt dicht an »Allerheiligen« heran. Wich-

---

s. u. S. 198, Anm. 55. — Magister sacri Palatii (Palastmeister) war der Titel des führenden päpstlichen Hoftheologen und Konsultors (RE³ 12, 70 f.).

[52] So ISERLOH, der die Tischrede neben den schon vorher behandelten Quellen in die Diskussion eingeführt hat: Luther habe »unterwegs das Erschrecken seines Freundes, des Professors Hieronymus Schurff erregt, als er ihm von seinem Vorhaben berichtete, gegen die Ablässe zu schreiben. Luther konnte also noch nach Allerheiligen seinen Wittenberger Freund und Kollegen mit dieser Nachricht überraschen«. GWU S. 678, dagegen mit Recht VOLZ, ebenda S. 683⁵.

[53] Wie genau Schurff den gefährlichen Punkt traf, bezeugt das Gutachten der Mainzer Universität vom 17. Dez. 1517 für Erzbischof Albrecht. Sie erklärte sich für unzuständig, da es hier um die Vollmacht des Papstes und des apostolischen Stuhles gehe: Easdem vero conclusiones seu propositiones damnare nostrum non est, illasve approbare nusquam expedit. Obstat enim prohibitio Nicolai papae in canone: Nemini XVII q. IV [Causa 17, q. 4, c. 30] sonans, quod non licet alicui de summi pontificis potestate vel iudicio iudicare vel disputare. Die Mainzer Gutachter rieten dem Erzbischof darum, die Thesen an den heiligen Stuhl zu senden und an »der Quelle der Vollmacht und Weisheit prüfen zu lassen«, entsprechend dem Kanon: Sic omnes, dist. XIX [c. 2]: ubi cavetur, statutum papae reputandum acsi ab ore dei vel sancti Petri prolatum esset. FRITZ HERRMANN, ZKG 23, 1902, S. 267. Albrecht hatte sich schon vor Empfang des Gutachtens zur Einleitung des Prozesses entschlossen.

[54] S. o. S. 189.

tiger ist noch, daß Luthers spätere Erinnerungen, soweit sie eine genauere Zeitangabe machen, auf dieses Datum verweisen. Außer einer in mehreren Fassungen vorliegenden Tischrede[55] gibt es vor allem eine authentische Aussage Luthers in einem Brief an Amsdorf vom 1. Nov. 1527. Er ist datiert: »Wittenberg am Tage Allerheiligen, zehn Jahre nach der Vernichtung der Ablässe; in Erinnerung daran trinken wir zu dieser Stunde, in beiderlei Hinsicht getröstet. 1527.«[56] Wenn für Luther die aufrichtende Erinnerung an die »Vernichtung der Ablässe« an Allerheiligen hängt, so kann er damit nicht seine Briefe an die Bischöfe vom 31. Okt. 1517 meinen, sondern nur die durch die Thesen ausgelöste Lawine. Die Briefe an die Bischöfe hatten, wie er oft genug beklagt hat, gar nichts bewirkt. Dagegen hatten die Thesen und ihre Folgeschriften dem Kampf gegen den Ablaß in der weitesten Öffentlichkeit Widerhall verschafft. Die Thesen gehören also nach Luthers hier mit Nachdruck ausgesprochener Erinnerung mit »Allerheiligen« zusammen.

IV

Was bedeutet »Allerheiligen«? Aus den zuletzt angeführten Reminiszenzen Luthers hat H. Volz geschlossen, daß der Thesenanschlag am Allerheiligentage selbst, dem 1. Nov., stattgefunden haben müsse[57]. Dem ist entgegengehalten worden, daß Allerheiligen auch die Vigil einschließe, das traditionelle Datum 31. Okt. von daher also nicht bezweifelt zu werden brauche[58]. Nun besitzen wir

[55] Anno 17. in die omnium sanctorum incepi primum scribere contra papam et indulgentias. TR. 2, Nr. 2455ª (zwischen 22. Jan. und 28. März 1532, Variante in Nr. 2455ᵇ: in festo . . .).

[56] Witenbergae die omnium Sanctorum, Anno decimo Indulgentiarum concultatarum, quarum memoria hac hora bibimus utrinque consolati, M. D. XXVII. Die Erinnerung an die Überwindung der Ablässe tröstet Luther am Ende eines zunächst sehr niedergedrückten Briefes, der von eigenen Anfechtungen und der Sorge um viel Krankheit in seinem Hause und bei anderen berichtet. Das utrinque consolati bezieht sich auf die unmittelbar vorher erbetene Fürbitte, daß sie die Hand Gottes tapfer zu ertragen vermöchten et Satanae vim et dolum vincamus, sive per mortem sive per vitam. Br. 4; 275, 23 ff. Dazu Volz S. 32 f. Aus anno decimo ist nichts über den Tag des Thesenanschlags zu entnehmen (etwa: heute vor zehn Jahren, d. h. nicht am 31. Okt.). Luther meint die seit »Allerheiligen« 1517 verlaufene Zeitspanne.

[57] S. 28 ff. GWU S. 683.

[58] Von K. H. Mann, Deutsches Pfarrerblatt 1957, S. 575, K. Aland, ebd. 1958, S. 241 ff. und mir ebd. 1961, S. 508 f. Ich wiederhole im folgenden den wesentlichen Teil des kleinen Aufsatzes. Auch Iserloh erklärt zu

durch einen glücklichen Zufall zwei Äußerungen Luthers selbst, die zeigen, daß er auf doppelte Weise datieren kann, und zwar für das Allerheiligenfest des nächsten Jahres 1518. In einer durch mancherlei Angaben wertvollen Tischrede aus dem Sommer 1540 erzählt er über seine Rückkehr von den Verhandlungen mit Cajetan in Augsburg nach Wittenberg: »An Allerheiligen kam ich hierher von Kemberg und las noch eine Messe, so heilig war ich!«[59] Zugleich haben wir noch den Brief, den Luther nach seiner Heimkehr Dominica Vigilia omnium sanctorum, d. h. am 31. Oktober 1518, an Spalatin geschrieben hat[60]. Luther datiert also in seiner späteren Erzählung so, daß der Vortag, die Vigil, in die Angabe »an Allerheiligen« eingeschlossen ist. Die von VOLZ neben den beiden Lutherstellen herangezogene Mitteilung Karlstadts, daß er am Sonntag Misericordias Domini (26. April) 1517 seine 151 Thesen über die augustinische Theologie, die er neuerdings stürmisch vertrat, öffentlich angeschlagen habe[61], trägt für die verhandelte Frage nichts aus. Denn Misericordias Domini gehört nicht zu den Festen, die in der römischen Kirche eine Vigil, ein Vorfest, haben[62].

Das Ergebnis, das Luthers Datierungen zeigen, stimmt mit den liturgischen Gewohnheiten überein, über die sich für den konkreten Fall noch etwas mehr sagen läßt[63]. Zunächst ergibt sich schon aus der zitierten Tischrede von 1540, daß Luther, nachdem er am 31. Oktober von Kemberg nach Wittenberg gekommen war, dort noch eine Messe gelesen hat[64]. Es wird sich bei dieser offenbar erst zu späterer Stunde gehaltenen Messe vermutlich nicht um eine gewöhnliche Sonntagsmesse gehandelt haben, sondern um die an

---

Allerheiligen: »Das kann der Nachmittag des 31. X. so gut sein wie der 1. XI« (S. 19).

[59] Omnium Sanctorum huc veni a Camburgio et legi adhuc missam, tam sanctus eram! Tischr. Bd. 5, Nr. 5349, S. 78, 15.

[60] Die Rückkehr am 31. 10. bezeugt auch SCHEURL, Briefbuch II, 62.

[61] Brief an Spalatin vom 28. April 1517, abgedr. u. S. 211, Anm. 100. VOLZ S. 34. Zu Karlstadts Thesen s. u. S. 211 f.

[62] RIETSCHEL-GRAFF, Lehrbuch der Liturgik I, 2. Aufl. 1950, S. 170. Außerdem war der eigentliche Ausstellungstag der Montag. PAUL KALKOFF, Ablaß und Reliquienverehrung an der Schloßkirche zu Wittenberg, 1907, S. 10.

[63] Ich danke meinem Assistenten Dr. KURT-VICTOR SELGE, der mir auf meine Bitte einiges liturgische Material gesammelt hat.

[64] Aus der Satzfolge und dem adhuc ergibt sich, daß Luther die Messe in Wittenberg gehalten hat, nicht in Kemberg, wie KÖSTLIN-KAWERAU, M. Luther I, 5. Aufl., S. 215 und BOEHMER, Der junge Luther, 4. Aufl. 1951, S. 202 annehmen.

diesem Tage wichtigere Vigilmesse zu Allerheiligen, die noch nach
der Non (3 Uhr) gehalten werden konnte[65]. Aber wie man diese
Erinnerung Luthers an den 31. Oktober 1518 auch deuten möge,
sicher ist jedenfalls, daß an der Vigil von Allerheiligen Vigil-
messen gehalten wurden, die schon zum Fest gehörten. Der Tag
war außerdem dadurch ausgezeichnet, daß eines der noch heute
vorgeschriebenen Vigilfasten (CJC can. 1252 § 2) gehalten werden
mußte und daß er am Wittenberger Allerheiligenstift liturgisch
zu den Festen des Propstes gehörte[66]. Das bedeutete nicht nur, daß
dieser wie alle Prälaten und Kanoniker von der ersten Vesper
(der Vigil) bis zur zweiten (des Festtages) den Horen und Messen
beizuwohnen, sondern die wichtigsten Gottesdienste auch selbst zu
halten hatte: in jedem Falle die erste Vesper (31. Okt.), die Matu-
tin und das Hochamt; bei der zweiten Vesper (1. Nov.) — das
zeigt den Rang der ersten — durfte er sich vertreten lassen[67].
Ebenso wurde an der Vigil gepredigt. Einige Kanoniker der
Schloßkirche berichten in ihrem Brief an den Kurfürsten vom
4. Nov. 1521, daß der Propst Justus Jonas beide Predigten, am
Abend wie am Festtag, gehalten habe, und beschweren sich, er habe
dabei »widder den ablas spitzig geredt«[68].

Damit stoßen wir auf den wichtigsten Zusammenhang zwischen
der Allerheiligenvigil und den Thesen. Sie gehörte zu den großen
Beichttagen. Nach einer Schilderung aus dem Jahre 1507 hatte
der Propst acht Beichtväter zu bestimmen, die außer am Allerheiligenfest drei Tage vorher und drei Tage nachher Beichte zu
hören hatten[69]. Das erforderte eine genaue Einteilung. Darum
führen die altgläubigen Kanoniker in dem erwähnten Schreiben
auch Klage beim Kurfürsten, daß der Propst Jonas erst »am
Abend Allerheiligen«, d. h. der Vigil, und ohne ihr Wissen die
Beichtväter bestimmt habe[70]. Das hing natürlich zusammen mit
Jonas' Abneigung gegen den großen Ablaß, die weitbekannte und
Scharen von Gläubigen herbeiführende Hauptattraktion der

---

[65] RE³ 20; 633, 16.
[66] Vgl. die Ordnung der Schloßkirche von 1508 bei BARGE, Karlstadt II, 527.
[67] Vgl. BARGE II, 527 und die Statuten der Schloßkirche bei NIK. MÜLLER,
Die Wittenberger Bewegung, 2. Aufl. 1911, S. 60, Anm. 1.
[68] NIK. MÜLLER, S. 62 f.
[69] Andreas Meinhard, Dialogus illustrate urbis Albiorene vulgo Vittenberg
dicte Situm Amenitatem ac Illustrationem docens Tirocinia nobilium artium
iacientibus, abgedr. bei J. HAUSSLEITER, Die Universität Wittenberg vor dem
Eintritt Luthers, 2. Aufl., Leipzig 1903, S. 26.
[70] NIK. MÜLLER, S. 63.

Schloßkirche am Allerheiligenfest. Es handelte sich um einen ihr
1398 von Papst Bonifaz IX. verliehenen Portiuncula-Ablaß, über
den der Bericht von 1507 schreibt: »Am Allerheiligentage können
die, welche aufrichtig gebeichtet und bereut haben oder die gute
Meinung (dazu) besitzen, von der ersten Vesper (Nachm. des 31.
Okt.) bis zur zweiten (Nachm. des 1. Nov.) einschließlich mit ihren
Gebeten und Almosen dieselben Ablässe erwerben, die sie in Assisi
in Italien gewinnen könnten[71].« Durch die Bulle Julius II. »Pastoris
aeterni« vom 8. April 1510 war dieser begehrte Plenarablaß noch
auf zwei Tage vor und nach dem Fest erweitert worden[72].

Vergegenwärtigt man sich, daß am 31. Oktober das Fest mit
Messe und Predigt, Fasten, Festhoren und vor allem mit Beichte
und Ablaßerteilung (mit diesen schon seit zwei Tagen) in vollem
Gange war, so spricht — falls man an der Überlieferung vom
Anschlag der 95 Thesen festhält — alles dafür, daß Luther ihn
bereits an diesem Tage, nicht am eigentlichen Festtage, vorgenommen hat. Seine eigene Datierung »Allerheiligen« steht dem
nicht entgegen, sondern schließt wie üblich (vgl. z. B. in der zitierten Stelle aus dem Bericht von 1507) die Vigil ein[73].

V

Von dem bisherigen Ergebnis, daß Luther eine Disputation
führen wollte und daß seine Erinnerungen an den Beginn des
Thesenstreits auf »Allerheiligen« (vermutlich den 31. Oktober)
zurückführen, ist es nur noch ein Schritt zu der überlieferten Angabe, daß er die Thesen an diesem Tage an der Wittenberger
Schloßkirche angeschlagen habe. Allerdings, für diesen Schritt fehlt
die sichere Unterlage eines Quellenzeugnisses von Luther selbst.

---

[71] Ipso die omnium sanctorum vere confessi et contriti aut bonam intentionem
habentes a primis vesperis (Nachm. des 31. Okt.) usque ad secundas (Nachm.
des 1. Nov.) inclusive possunt mereri ipsas indulgentias suis orationibus et
elemosinis, quas possent in loco Italiae Assisis ... Meinhard bei HAUSSLEITER,
S. 26.

[72] P. KALKOFF, Ablaß und Reliquienverehrung an der Schloßkirche zu Wittenberg unter Friedrich dem Weisen, 1907, S. 94 f. NIK. MÜLLER, S. 25 Anm. 1.

[73] Die von VOLZ betonte Unterscheidung von liturgischer und kalendarischer
Datierung (S. 34) trifft gewiß für Briefe oder Akten zu, nicht aber für den
gewöhnlichen Sprachgebrauch, wie er in Luthers Tischreden vorliegt. Das
gilt zumal bei einem Kleriker und bei Aussagen, die es mit dem Kirchenfest
zu tun haben. Bei dem Brief vom 1. Nov. 1527 ist eine exakte Tagesangabe
für die »Vernichtung der Ablässe« sowieso nicht beabsichtigt (s. o. S. 198,
Anm. 56).

Es ist an sich nicht auffallend, daß Luther zwar öfters von dem sachlichen Geschehen, aber nicht genau von dem Akt als solchem berichtet hat. In dem reichen Erinnerungsschatz, den wir von ihm haben, finden sich nur relativ wenige exakte Daten, dagegen außerordentlich viele Gespräche, innere Erfahrungen, Eindrücke von Menschen, Büchern u. ä.

Erst Melanchthons kurze Würdigung Luthers, die er wenige Monate nach dessen Tode am 1. Juni 1546 dem zweiten Bande von Luthers Opera latina vorausschickte[74], bietet die Angaben über Datum und Faktum des Thesenanschlags, auf denen die spätere Forschung beruhte. Er war der erste, der an Luthers Leben aus der Rückschau des Historikers herantrat und war sich dieser Verantwortung bewußt. Er tat es gleichsam stellvertretend für Luther, der versprochen hatte, in der Einleitung zu diesem Bande über den Ablauf und die Kämpfe seines Lebens zu berichten. Daher erinnert Melanchthon, ehe er seine Erzählung beginnt, an Luthers eigene Sorgfalt, »mit der er seine Geschichte nach bestem Wissen erzählen würde. Es leben ja auch noch viele gute und kluge Leute, die, wie er wußte, den Gang der Dinge genau kannten, so daß es lächerlich gewesen wäre, eine andere Geschichte zusammenzufabulieren, wie es manchmal in Dichtungen geschieht. Aber weil sein Tod dem Erscheinen dieses Bandes zuvorkam, will ich von diesen Dingen das, was ich teils von ihm selbst gehört, teils mit eigenen Augen gesehen habe, so treu wie möglich berichten.«[75]

Trotz der guten Vorsätze, zu denen sich Melanchthon im Blick auf Luther selbst bekennt, hat er mit seinen Angaben eine schlechte Presse. Sie besteht freilich fast ausschließlich darin, daß ein Kritiker dem andern ein scharfes Urteil HEINRICH BOEHMERS über die Vorrede Melanchthons weitergibt, ohne es nachzuprüfen[76]. Nun war

---

[74] C R 6, 155—170. Der größere Teil deutsch bei ALAND, Martin Luthers 95 Thesen, 1965, S. 42—52.

[75] In ipso tantum gravitatis fuisse scimus, ut optima fide historiam recitaturus fuerit. Et multi boni et sapientes viri adhuc vivunt, quibus cum sciret seriem harum rerum notam esse, fuisset ridiculum, aliam historiam, ut fit interdum in poematis, comminisci. Sed quia editionem huius voluminis fatalis ipsius dies antevertit, nos iisdem de rebus ea, quae partim ex ipso audivimus, partim ipsi vidimus, bona fide recitaturi sumus. CR 6, 156.

[76] Eine Ausnahme bildet H. VOLZ, der S. 101, Anm. 143 die hauptsächlichen Beanstandungen an der Vorrede zusammenstellt (vgl. dazu u. S. 203, Anm. 78). Dort S. 36 das Zitat aus BOEHMER, Luthers Romfahrt, 1914, S. 8. SCHEEL hat in seiner Weise BOEHMERS Urteil vergröbert (II, 360, 488²), obwohl er selbst vielfachen Gebrauch von Melanchthons Mitteilungen macht.

Boehmer ein ausgezeichneter Gelehrter, aber seine Neigung zu
drastischen Formulierungen riß ihn nicht selten zu unrichtigen
Urteilen hin. Ein moderner Biograph wird immer an den ältesten
Darstellungen manches vermissen, worüber er gern unterrichtet
sein möchte. Das ist kein Maßstab, sie zu beurteilen. Es bedeutet
aber überhaupt eine optische Verzerrung, Melanchthons Ausführungen als Biographie zu klassifizieren[77]. Er verbindet in der lok-
keren Form einer Vorrede zwei Ziele: 1. will er etwas von dem,
was Luther nicht mehr leisten konnte, nachholen, und zwar gerade
für seine frühe Entwicklung, die Luther bei seiner erst mit dem
Thesenstreit beginnenden Selbstdarstellung im ersten Band der
Opera latina übersprungen hatte. 2. will er Luther gegen den Vorwurf willkürlicher Umstürzlerei in Schutz nehmen — in der Kirche
muß nach Melanchthon immer das Gebot Gottes allen menschlichen Rücksichten vorangehen — und ihn in den Gesamtzusam-
menhang der Kirchengeschichte einordnen. Auf dieses Hauptthema
hin ist schon das Bild der geistigen und seelischen Geschichte Luthers
im ersten Teil entworfen. Wenn darin manche Einzelfakten fehlen,
so besagt das nicht, daß Melanchthon sie nicht kannte oder aus
Flüchtigkeit vergaß. Es zählt nur, ob die Vorrede wesentliche Fehler
enthält. Sie ist, zumal angesichts ihrer Knappheit, reich an Einzelzügen, die sich noch heute in jeder Lutherbiographie finden. Was
Melanchthon über Luthers Klosterleben und innere Kämpfe, seine
Gaben, seine Lektüre von Klassikern, Kirchenvätern und Scholasti-
kern und die Anfänge seiner reformatorischen Theologie sagt, ist
in seiner gedrängten Kürze keine geringe Leistung und den anderen
frühen Lutherhistorien hoch überlegen. Er zeigt sich aufs Ganze gesehen wohlunterrichtet, mehrfach durch Erzählungen Luthers selbst.
Im Verhältnis dazu sind die Irrtümer in der gesamten Darstellung
bis zum Thesenstreit gering[78].

[77] Eine verständnisvolle Würdigung gibt GEORG ELLINGER, Philipp Melanchthon, 1902, S. 49 ff., kurze treffende Bemerkungen GUSTAV WOLF, Quel-
lenkunde der deutschen Reformationsgeschichte II 1, 1916, S. 218 f.

[78] Am schwersten wiegt die Behauptung, daß Friedrich d. W. Luther in Wittenberg habe predigen hören, bevor er ihm die Kosten für die Doktorpro-
motion bezahlt habe (CR 6, 160). Auch damit, daß Tetzel Luthers Thesen
verbrannt habe (CR 6, 162), ist Melanchthon wahrscheinlich einer Legende
aufgesessen, die wohl aus dem umgekehrten Akt der Wittenberger Studenten
vom März 1518 entstanden ist (vgl. zu ihm Br. 1; 155, 24 ff. 170, 59 ff.).
Die übrigen kleinen Ungenauigkeiten betreffen eine Zeit, die lange vor
Melanchthons Kommen nach Wittenberg lag: Luther habe 4 (statt 3) Jahre
in Eisenach zugebracht; was übrigens Luther selbst gelegentlich berichtet

Melanchthons Vorrede enthält zwei exakte Datierungen: den Tag von Luthers Geburt, den er, wie er erzählt, durch Erkundigungen bei Luthers Mutter und Bruder festgestellt hat, und den Tag und die Umstände des Thesenanschlags: Tetzel habe »in diesen Gegenden« käufliche Ablässe feilgeboten. »Durch seine gottlosen, abscheulichen Predigten erregt und vor frommem Eifer glühend, gab Luther die Thesen über den Ablaß, die im ersten Band seiner Werke enthalten sind, heraus und schlug sie am Vortage des Allerheiligenfestes im Jahre 1517 öffentlich an der Wittenberger Schloßkirche an[79].« Es bedürfte starker Gegenbeweise, um wahrscheinlich zu machen, daß Melanchthon bei diesem zweiten Datum in seiner so bewußt um Genauigkeit bemühten Darstellung weniger sorgfältig zu Werke gegangen wäre als beim ersten. Man hat darauf hingewiesen, daß Melanchthon sich damals noch in Tübingen be-

(TR 5; 76, 26). Er habe über die Physik (statt die Ethik) des Aristoteles gelesen (Luther plante 1517 einen Kommentar über die Physik, Br. 1; 88, 19, und hat vor 1519 zweimal im Kloster über sie gelesen, Br. 1; 359, 13). Daß Melanchthon die Romreise (wahrscheinlich Nov. 1510 bis April 1511) auf drei Jahre nach dem Antritt der Wittenberger Lehrtätigkeit (also 1511) ansetzt, ist doch wohl eine läßliche Sünde; Luthers eigene Angaben schwanken (neben 1510 auch 1509, TR 2, Nr. 2717). Die scharf monierte Angabe über die Reihenfolge von Luthers Vorlesungen ist, wie JOH. FICKER gegen Melanchthons »schulmeisterliche« Kritiker gezeigt hat, sogar richtig; die zweite, nach dem Römerkolleg liegende Psalmenvorlesung ist gemeint (Luther als Professor, 1928, S. 30, zit. bei VOLZ, S. 101). Ebenso trifft es, (gegen BOEHMER, Romfahrt S. 7) zu, daß Luther Augustins De spiritu et litera bereits relativ früh kannte (vgl. die Randbemerkungen zum Lombarden 1509/10 WA 9; 59, 34. 60, 26; im übrigen macht Melanchthon hier keine genauen Zeitangaben). Melanchthon besteht also das Examen nicht ganz so schlecht. Luther, der nicht einmal sein Geburtsjahr wußte, so daß Melanchthon ihn korrigieren mußte (TR 5; 138, 35), und mit seinen autobiographischen Bemerkungen manche Rätsel aufgibt, würde kaum besser abschneiden.

[79] In hoc cursu (exegetischen Studien) cum esset Lutherus, circumferuntur venales indulgentiae in his regionibus a Tecelio Dominicano impudentissimo sycophanta, cuius impiis et nefariis concionibus irritatus Lutherus, studio pietatis ardens, edidit propositiones de indulgentiis, quae in primo tomo monumentorum ipsius extant, et has publice templo, quod arci Witebergensi contiguum est, affixit pridie festi omnium Sanctorum anno 1517. CR 6, 161 f. — in his regionibus bedeutet nicht Wittenberg, sondern das benachbarte Erzstift Magdeburg (Jüterbog, Halle) und Anhalt (Zerbst), wo die Wittenberger sich Ablaß holten. Aus Melanchthons Formulierung von 1530, der Ablaß sei »in den sächsischen Ländern« gepredigt worden (Bekenntnisschriften der ev.-luth. Kirche S. 41, 28), ist ihm kein Vorwurf zu machen (ISERLOH S. 24). Luther drückt sich schon 1518 genau so aus: 2; 37, 33. Vgl. auch 7; 77, 17. 85, 20.

fand. Aber wichtiger als die anfängliche räumliche Entfernung ist seine zeitliche Nähe zu den Ereignissen. Er kam im August 1518 nach Wittenberg, genau in dem Augenblick, als der Thesenstreit seinem Höhepunkt zutrieb. Am 7. August hatte Luther die Zitation nach Rom erhalten. Er schickte sie am 8. an den auf dem Augsburger Reichstag weilenden Spalatin mit den Worten: »Jetzt brauche ich dringend deine Hilfe, lieber Spalatin; vielmehr braucht sie mit mir die Ehre unserer ganzen Universität.«[80] Er bat ihn, dahin zu wirken, daß der Kurfürst und der Kaiser beim Papst für ein Verhör auf deutschem Boden einträten. Zugleich erschienen in diesen Tagen Luthers Verteidigungsschriften, die Resolutiones und seine Antwort an Prierias, beide in ihrer direkten Zuwendung an Papst und Kurie und ihrer Ankündigung gegenüber dem Papst: Revocare non possum[81], aufregend genug. Ist es ernstlich denkbar, daß Melanchthon nicht spätestens jetzt, seit er das Geschehen mitzuerleben begann, Genaues über die Anfänge der Sache erfuhr? Er hat von da an fast 18 Jahre an Luthers Seite gelebt, ist Hunderte von Malen an der Schloßkirchentür vorübergegangen. Wenn er nicht wußte, was hier geschehen war, ist es nicht sehr wahrscheinlich, daß er es aus dem Datum des Briefes an Erzbischof Albrecht und der Form der Thesen erschlossen haben soll[82]. Nach dem Kontext der Vorrede bietet er hier wie sonst überall in ihr eine Tradition, die er empfangen hat. Man mag sie für falsch halten, aber als bloße Kombination läßt sie sich nicht erklären. Hat er die näheren Umstände nicht schon 1518 nach seiner Übersiedelung nach Wittenberg erfahren, so ist es das Nächstliegende, daß er sie in dem jahrzehntelangen Austausch von Luther selbst gehört hat[83].

---

[80] Opera tua, mi Spalatine, nunc quam maxime indigeo. Imo indiget fere totius nostrae mecum universitatis honor. Br. 1; 188, 4 f. Am 25. Sept. 1518 verwandte sich die Universität in einem offiziellen Bittschreiben an den Papst für Luther. Walch XV, S. 531 f.

[81] 1; 529, 3.

[82] So vermuten VOLZ (S. 35 f.) und ISERLOH (S. 32) bei der Begründung ihrer Zweifel an Melanchthons Bericht, die sich allerdings auf verschiedene Ziele (Datum und Faktum) richten.

[83] Allgemeine Angaben über den Ablauf des Streits machte Melanchthon schon in seiner Apologie für Luther von 1521 (s. o. S. 180, Anm. 4). Ohne den Thesenanschlag im einzelnen zu schildern, was dort nichts zu suchen hatte, gibt er die Hauptpunkte (Thesen, geplante Disputation, Sermon von Ablaß und Gnade, Resolutionen) richtig wieder. Mit der Möglichkeit der Unterrichtung durch Luther rechnet auch VOLZ S. 31; er bezweifelt sie nur wegen der von ihm angenommenen Datumsdifferenz. Luther berichtet selbst in Erinnerung an seine vielen Gespräche mit Melanchthon über Nativitäten:

An Melanchthons Bericht ist die Disputationsabsicht Luthers und
das Datum »Allerheiligen«, das den 31. Okt. einschließt, ander-
weitig hinreichend bezeugt. Wenn Luther aber disputieren wollte
und »alle dazu einlud«, mußte er seine Thesen durch Anschlag bekannt geben[84]. Es spricht also alle Wahrscheinlichkeit dafür, daß
auch diese von Melanchthon wiedergegebene Tradition richtig ist.

VI

Die historische Beurteilung der 95 Thesen würde sich ändern,
wenn sich nachweisen ließe, daß ihr uns vorliegender Wortlaut an
wesentlichen Stellen nicht mit dem übereinstimmt, den Luther am
31. Okt. 1517 an die Bischöfe sandte, sondern einer späteren Situation entstammt. Den Versuch dazu hat KLEMENS HONSELMANN
unternommen. Er geht von der schon von KNAAKE geäußerten Vermutung aus, daß die offizielle Gegenschrift des Kurientheologen
Silvester Prierias gegen die 95 Thesen den Text benutzt haben
müsse, den Erzbischof Albrecht bei seiner Anzeige gegen Luther
in Rom eingereicht hatte[85]. Daraus entwickelte HONSELMANN zwei
Hauptargumente: 1. Die Vorlage des Prierias — und damit der
ursprüngliche Wortlaut der Thesen — unterscheide sich in einigen
Punkten von dem uns bekannten. Und zwar: a) die einleitende
Ankündigung einer Disputation habe darin gefehlt. Nun hätte
das, wenn es richtig wäre, nichts weiter zu bedeuten. Denn warum
sollte Prierias bei seiner theologischen Widerlegung der Thesen
diese rein formale Einleitung wörtlich wiedergeben? Er überschreibt

Ego saepe de hac re sum cum Domino Philippo locutus et illi originem et
historiam totius vitae meae actae ordine recitavi. TR 5; 558, 11 f. (zit. bei
ALAND GWU 693).

[84] Gegen Melanchthons Mitteilung sind von ISERLOH S. 26 f. zwei auf die
Universitätsstatuten begründete Einwände erhoben worden: Disputationsthesen hätten auf Veranlassung des Dekans an den Türen aller Wittenberger
Kirchen (nicht nur der Schloßkirche) angeschlagen werden müssen, und zwar
durch den Pedell. Beides gilt für die normalen Disputationen, die Luther
aber nicht im Sinne hatte (s. o. S. 192). Die Schloßkirche hob sich für diese
Ablaßthesen hervor (sei es für Luthers Handeln, sei es in Melanchthons
Erinnerung) als der klassische Ort des Ablaßgeschäfts in Wittenberg und als
der Ort von Disputationen (BARGE, Karlstadt I, 1905, S. 480, zit. bei VOLZ
S. 104 f.). Und affixit braucht nicht zu heißen, daß Luther, der damals
Dekan war, selbst den Hammer ergriff. Im übrigen hat Karlstadt sich
beim Anschlag seiner 151 Thesen vom 26. April 1517 genau so ausgedrückt:
... publice affixi (Brief an Spalatin vom 28. April 1517. s. u. S. 211,
Anm. 100).

[85] Die Veröffentlichung der Ablaßthesen Martin Luthers 1517. Theologie und
Glaube 55, 1965, S. 1—23 (S. 8).

seine Erwiderung sinngemäß: Responsio Magistri Silvestri de Prierio, ordinis Praedicatorum, sacri Palatii Magistri, ad conclusiones Martini Lutheri. Im übrigen spielt er aber in dem Vorwort seines Dialogus deutlich auf die Aufforderung Luthers zu einer Disputation an: Er sei zwar seit längerer Zeit der literarischen Arbeit entwöhnt und seine Kräfte seien des Alters wegen schon ein wenig eingefroren. »Jedoch erregt und geradezu aufgestachelt durch deine Worte, mit denen du wie ein zweiter Dares von allen Seiten die Kämpfer zum Streit rufst, habe ich beschlossen, den fremd gewordenen Kampfplatz zum Schutz des Apostolischen Stuhls, ja der Wahrheit von neuem zu betreten.«[86] Das ist doch wohl ein Echo auf Luthers Einleitungssatz, mit dem er, »um die Wahrheit ans Licht zu bringen«, Anwesende und Abwesende aufforderte nobiscum disceptare[87]. — b) Die Thesen enthielten — nach HONSELMANN — in der Urform, in der sie Prierias vorlagen, keine Zählung; sie stammte wahrscheinlich von den Druckern[88]. Da wir weder Luthers Handschrift noch einen Wittenberger Druck der Thesen besitzen, ist nicht mit Sicherheit zu sagen, ob sie gezählt waren.

[86] ... tuis tamen verbis excitus ac paene impulsus, quibus undique athletas quasi alter Dares in certamina vocas, desuetas palaestras pro S. Apostolica sede, item pro veritate tuenda denuo aggredi statui. EA op. lat. v. a. 1, 345 f. Dares ist ein wegen seiner Kampflust gefürchteter Gefährte des Aeneas (Vergil Aen. 5, 367 ff.).

[87] HONSELMANN ist selbst so vorsichtig, den Rückschluß aus dem Dialog des Prierias für das Fehlen von Luthers Einleitung nicht als ausreichend anzusehen (S. 12) und kombiniert ihn daher mit der Behauptung: »Der Satz hatte bei der Sendung an die Bischöfe keinen Sinn« (S. 20). Das ist aber kein Beweis. Gegen HONSELMANN schon mit Recht ALAND, Martin Luthers 95 Thesen, 1965, S. 101 f. Dagegen scheint in der für die Mainzer Universität verfertigten Abschrift der zweite Satz des Titels (nicht der ganze) gefehlt zu haben. So jedenfalls erinnert sich der Mainzer Universitätshistoriker FRANZ ANTON DÜRR aus der Mitte des 18. Jahrhunderts, in dessen Nachlaß sich Abschriften der zu dem Gutachten führenden Aktenstücke befanden: si quis autem non velit mecum verbis certare, faciat in litteris in nomine domini nostri Jesu Christi, quae clausula autem deficit in copia manuscripta Moguntina. F. HERRMANN, ZKG 28, 1907, S. 371, Anm. 2. (Leider ist der Nachlaß Dürr mit anderen älteren Beständen des Hessischen Staatsarchivs in Darmstadt 1944 einem Luftangriff zum Opfer gefallen). Es handelt sich dabei nicht um das Albrecht durch seine Räte übersandte Exemplar. Er hatte den Text zurückbehalten und legte ihn, bevor er das Gutachten bekam, der Anzeige an den Papst bei. KÖRNER, Tezel, S. 148. Die entscheidende Frage, ob die Thesen für eine Disputation bestimmt waren, ist durch das Fehlen des Satzes nicht berührt. Die Mainzer Gutachter waren davon überzeugt (s. o. S. 195, Anm. 48).

[88] S. 19.

Nach den drei ältesten Nachdrucken ist es wahrscheinlich. Aber keinesfalls kann von einer späteren »Aufspaltung der Sätze in zählbare Thesen« die Rede sein. Prierias faßt zwar, wie es für einen Kritiker naheliegt, mehrfach eine kleine Thesengruppe in seiner Erwiderung zusammen. Daß es sich dabei um Einzelthesen handelt, zeigt ein paarmal ein kleiner rhetorischer Effekt; zu These 1—3: His verbis tres conclusiones, Luthere, comprehendis et verbaliter saltem quatuor falsitates, oder zu These 14/15: duas conclusiones et tres falsitates. In anderen Fällen geht aus Luthers Thesen selbst — namentlich wenn zwei einen Satz bilden (43/44, 73/74, 94/95) — ohne weiteres hervor, warum Prierias sie zusammenfaßt[89]. Es waren also ohne Zweifel »aufgespaltene« Sätze, wie es sich für eine Disputation gehört. — c) Schließlich meint HONSELMANN, daß die Thesen 92/93 in der Urform gefehlt haben müssen, da Prierias nichts dagegen sagt[90]. Aber wie sollte er gegen Th. 92, ein bekanntes Prophetenwort (Jer. 6, 14. 8, 11. Hes. 13, 10. 16), etwas sagen? Und Th. 93 (Bene agant omnes illi prophetae, qui dicunt populo Christi: ›Crux, crux‹, et non est crux) war ihm unverständlich — was er aber auch mit Genauigkeit als Grund, sie zu übergehen, notiert: »Das ist das, Martinus, was mir auf Deine Thesen zu antworten notwendig erschien, wobei ich am Schluß einiges Sinnlose, was Du sagst, beiseitegelassen habe.«[91] Die Thesen 92 und 93 haben also in der Vorlage des Prierias nicht gefehlt.

2. sucht HONSELMANN zu beweisen, daß Luther die 95 Thesen abgeändert habe, nachdem ihm die Wimpina-Tetzelschen Gegenthesen vorlagen. Ein erstes Argument liefert ihm schon die falsche Behauptung vom Fehlen der 92. und 93. These. Er meint, Luther habe sie erst aufgrund der Ausführungen in den Gegenthesen über pax und crux in seine Thesenreihe eingeschoben. Der Text ergibt die umgekehrte Reihenfolge[92]. Wimpina-Tetzel gehen ihrerseits auf

---

[89] Außerdem noch 63—66, die Prierias nur eine Schimpferei entlocken: Si mordere canum est proprium, vereor, ne tibi pater canis fuerit ... EA op. lat. v. a. 1, 370.

[90] S. 9 ff.

[91] Haec ergo sunt, Martine, quae ad conclusiones tuas respondenda occurrerunt, posthabitis in fine quibusdam vanis, quae loqueris. EA op. lat. v. a. 1, 377. Bei ALAND, der auf diesen Punkt schon hingewiesen hat, ist die Pointe leider durch einen Druckfehler entstellt (sanis statt vanis). Martin Luthers 95 Thesen, 1965, S. 102.

[92] Die Wimpina-Tetzelschen Thesen sind nach dem bei NIK. PAULUS, Joh. Tetzel, 1899, S. 170 ff. veröffentlichten Originaldruck abgedruckt in den

diese Thesen Luthers ein. Sie erklären: Wer gebeichtet, bereut und
Ablaß erlangt habe, besitze Frieden. Aber es seien wegen der ver-
bleibenden sündigen Neigungen heilende Strafen, ›Kreuz‹ und
Züchtigung nötig. »Wer also auf rechtmäßige Weise Ablaß erlangt
hat, besitzt ›Frieden, Frieden‹ für die vergangenen Sühnestrafen.
Aber es steht noch ›Kreuz, Kreuz‹ aus zur Vermeidung künftiger.
Wer das leugnet, versteht nichts von der Sache, sondern irrt und
hat keinen Verstand.«[93] Der Leugner ist Luther (›crux, crux‹ et non
est crux). Seine Thesen gehen also vorher[94]. — Außerdem glaubt
HONSELMANN (S. 17) eine Stütze bei Luther selbst für seine Meinung zu finden, daß Luther ihnen erst im Blick auf Wimpina-
Tetzels Gegenthesen die endgültige Gestalt gegeben habe. In einer
Erinnerung an das Ablaßgeschehen berichtet Luther 1541 über seine
erfolglosen Briefe an die beiden Bischöfe und fährt fort: »Also
giengen meine Propositiones aus wider des Detzels Artickel, wie
man im gedruckten wol sehen mag.« Diese »Artikel« sind aber
nicht, wie HONSELMANN meint, Tetzels Gegenthesen, sondern die
von Tetzel gepredigten »Artikel«, die Luther kurz vorher aufzählt[95].

HONSELMANNS Konstruktion, daß sich aus dem Dialog des Prierias eine andere Urform der 95 Thesen ergebe und daß Luther sie
erst Mitte Dezember aufgrund der Gegenthesen endgültig gestaltet
habe, entbehrt also jeder Grundlage. Die Thesen lauteten von
Anfang an so, wie wir sie heute kennen. Sie waren als Disputationsthesen gemeint und zu erkennen, wie es schon nach dem frühesten
Zeugnis, dem Brief Luthers an Erzbischof Albrecht vom 31. Okt.
1517 (Si t[uae] R[everendissimae] p[aternitati] placet, poterit
has meas disputationes videre) anzunehmen ist[96]. Mit aller Deut-

beiden Sammlungen von W. KÖHLER, Dokumente zum Ablaßstreit, 1902,
1934², vgl. S. 127 ff. und Luthers 95 Thesen, 1903.

[93] ... poenae medicativae, ›cruces‹ et castigationes. Est ergo rite venias (Ablaß)
nacto ›pax, pax‹ de poenis satisfactoriis praeteritis. Sed restat ›crux,
crux‹ de futuris cavendis — quisquis hoc negat, non intelligit, sed errat
et insanit. PAULUS S. 179 f. KÖHLER, Dokumente S. 143, 5 ff.

[94] Luther verwendet die Stelle (Hes. 13, 10) betont schon in einem seelsorger-
lichen Brief vom 23. Juni 1516. Br. 1; 47, 34 ff.

[95] Wider Hans Worst, WA 51; 540, 25. Die Artikel dort S. 539, 13 ff. Auf diese
Verwechslung hat auch VOLZ GWU S. 684 Anm. 6 schon hingewiesen.

[96] Br. 1; 112, 66. Hier muß selbst HONSELMANN zugeben: »Er mag damals
bereits die Absicht gehabt haben, eine Disputation darüber zu veranstalten«
(S. 20). Aber seine falschen Prierias-Interpretationen machen es ihm unmöglich, die Konsequenzen daraus zu ziehen. — Daß der Prierias-Text
die eine oder andere brauchbare Lesart zur Verbesserung der ältesten Nach-

lichkeit geht das vor allem aus dem oft übersehenen Gutachten der Mainzer Universität vom 17. Dez. 1517 hervor. Es bezeichnet die ihr von Erzbischof Albrecht am 1. Dez. übersandten Thesen Luthers als »schulmäßig und öffentlich disputiert«[97]. Daß Luther seinen Sätzen erst im Gegenzug gegen die Thesen von Wimpina-Tetzel Disputationsform gegeben habe, ist demnach ausgeschlossen.

VII

Den vollen Eindruck von dem Geschehen, das zu Luthers Ablaßthesen führte, und dem, das sie selbst dann auslösten, gewinnt man erst, wenn man sich in aller Kürze des Zusammenhangs erinnert, in dem sie standen. Er ist doppelter Art. Einmal sind die 95 Thesen ein Stück der Wittenberger Universitätsgeschichte und der damaligen Entwicklung der Theologischen Fakultät. Andererseits war ihre Wirkung davon bestimmt, wie die zunächst betroffenen kirchlichen Oberen auf sie reagierten.

Aktuelle theologische Fragen in Disputationen zu behandeln, war damals für Luther etwas ganz Natürliches. Die Ablaßthesen gehören zu einer Reihe von Disputationen, mit denen die Wittenberger Theologen — nicht Luther allein — seit einiger Zeit zur Offensive für ihre Theologie übergegangen waren. »Ihre Theologie« — im Gegensatz zu der herrschenden scholastischen — hieß für sie zugleich Theologie Augustins, wie Luther am 18. Mai 1517 voll Freude an Johann Lang geschrieben hatte: »Unsere Theologie und der heilige Augustinus gehen mit Gottes Hilfe glücklich voran und herrschen an unserer Universität[98].« Die über die positive Darlegung in den Vorlesungen hinausgehende, scharf polemische Auseinandersetzung begann am 25. Sept. 1516 mit den Thesen für die Promotion von Bartholomäus Bernhardi über das Vermögen und Wollen des Menschen ohne die Gnade; sie wandten sich gegen den Verdienstbegriff und die Anrufung der Heiligen. Ihr theologischer Gehalt stammte von Luther, das Material größtenteils aus seinem Römerbriefkolleg. Er sah in ihnen vor allem eine Attacke auf die Gabrielisten, die Anhänger Biels, sei es in Erfurt, sei es auch noch

---

drucke bieten könnte, betont VOLZ (vgl. Anm. 95) mit Recht. Aber es wird sich wenig Sicheres ergeben.

[97] Vgl. oben S. 195, Anm. 48.

[98] Theologia nostra et S. Augustinus prospere procedunt et regnant in nostra universitate Deo operante. Br. 1; 99, 8. Einen Überblick über die Disputationen der Wittenberger 1516/18 gibt KARL BAUER, Die Wittenberger Universitätstheologie und die Anfänge der deutschen Reformation, 1928, S. 44 ff. Über Luthers Disputationen vgl. WA 39 II, S. IX ff.

in Wittenberg, wie z. B. Karlstadt, den er dabei mit seinen Zweifeln an der Augustin zugeschriebenen Schrift De vera et falsa poenitentia unversöhnbar verletzt habe[99].

Und doch war es Karlstadt, der als nächster den Angriff fort-
führte. Er hatte inzwischen, von Staupitz und Luther angeregt,
eine dramatische Wendung zu dessen Augustinverständnis erlebt.
Die dadurch gewonnenen Erkenntnisse gab er in 151 (152) Thesen
bekannt, die er an Misericordias Domini, dem 26. April 1517,
öffentlich anschlug. Der Sonntag leitete die Ausstellung der Reli-
quien der Schloßkirche ein. Aber Karlstadt griff darin nicht etwa
die Reliquienverehrung und den Ablaß an, sonst hätte er seine
Thesen nicht als eine Ehrung des Kurfürsten ausgeben können,
dessen Lieblingsschöpfung der Reliquienschatz seines Allerheili-
genstifts war. Mit der Übersendung der Thesen an Spalatin ver-
band er die Bitte, dem Kurfürsten in diesem Sinne zu berichten,
ja ihm zu sagen: Es wäre ihm lieb, wenn der Kurfürst zu der beabsichtigten theologischen Auseinandersetzung einige Theologen aus
Kursachsen entsenden würde[100]. Wie Luthers spätere 95 Thesen sind
die Thesen Karlstadts sicher an der Schloßkirchentür angeschlagen
worden; ob an ihr allein, wissen wir nicht, die beabsichtigte Ehrung
des Kurfürsten legt es nahe. Ein Datum für die auf mehrere Tage
berechnete Disputation war nicht angegeben. Karlstadt hoffte auf
die Beteiligung auswärtiger Theologen. So wenig wie Luthers Ab-

---

[99] 1, 142—151. CARL STANGE, Die ältesten ethischen Disputationen Luthers,
1904, S. 1 ff. Luthers Werke, begr. von O. CLEMEN, Bd. 5 (ERICH VOGEL-
SANG, Der junge Luther 1933), S. 311 ff. Über das Verhältnis zur Römerbriefvorlesung E. HIRSCH, Randglossen zu Luther-Texten. Theol. Stud. Krit.
1918, S. 108 ff. Luther an Joh. Lang Mitte Okt. 1516. Br. 1; 65, 18—58.
Wohl um die gegen Luther gereizten Erfurter zu einer unbefangenen Prüfung der Thesen zu veranlassen, hatte Amsdorf, der selbst durch sie zum
Umdenken gebracht worden war, von dem übersandten Druck die Überschrift abgeschnitten. Karlstadt hat auch später an der Echtheit der pseudo-
augustinischen Schrift festgehalten. ERNST KÄHLER, Karlstadt und Augustin,
1952. S. 3.
[100] Brief Karlstadts an Spalatin vom 28. Apr. 1517: Quas nuper Dominica
Misericordia dieque sancta ostensionis venerabilium reliquiarum conclusiones centum quinquaginta duas publice affixi, tuae quoque R[everendae]
D[ominationi] mittere pollicebar, iam hilariter transmitto mente, humiliter
deprecans, quatinus tua Dominatio me apud illustrissimum nostrum Principem
commendare referreque dignetur, ob eius honorem id esse factum atque eas
certo imposterum per nonnullos dies tempore discutiendas. Mihi neque
adversari, immo placere, si sua Illustr. gratia certos ex sua provincia Saxonica
ad futurum certamen Theologicum destinare vellet. H. BARGE, Andreas
Bodenstein von Karlstadt, 1905, I, S. 463.

laßdisputation ist offenbar die Disputation Karlstadts zustande
gekommen[101]. Trotzdem waren seine Thesen, in denen er die neu
erworbene augustinische Theologie auf breiter Front gegen die
Hauptbastionen der herrschenden Scholastik (Anthropologie,
Sünde, Willensfreiheit, Taufe, Gesetz, Prädestination usw.) auf-
marschieren ließ, von großer Bedeutung für den Fortgang der
Wittenberger Theologie. Luther war von ihnen so entzückt, daß
er sofort eine Anzahl davon versandte. »Gott sei gelobt, der von
neuem das Licht aus der Finsternis hervorleuchten hieß!« schrieb
er am 6. Mai 1517 an Christoph Scheurl. Er nannte sie dem humanistischen Freunde gegenüber in Erinnerung an Ciceros Schrift
gegen Brutus Paradoxa und führte ihm ein ganzes Ballspiel mit diesem Begriff vor: Vielen würden sie nicht nur als paradoxa, sondern
als cacodoxa (später kacistodoxa) erscheinen, anderen als orthodoxa, den Kennern als eudoxa und calodoxa, ihm selbst als aristo-
doxa[102]. Paradoxa blieb ihm seitdem ein Synonym für die Art von
Thesen, welche er und seine Freunde vorlegten[103].

Als nächster folgte wieder Luther, der schon am 16. Juli 1517
an Lang melden konnte, er bereite 6 oder 7 Magistranden zum
Kampf gegen Aristoteles vor, dem er schnell so viele Feinde wie
möglich erwachsen lassen möchte[104]. Bei der ersten dieser geplanten
Disputationen für die Promotion von Franz Günther am 4. Sept.
1517 überbot er mit seinen 97 Thesen den kühnen Vorstoß Karlstadts. Sie brachten eine Generalabrechnung mit der scholastischen
Theologie. Wieder verschickte er die Thesen an eine Reihe von
Freunden, durch Scheurl auch an Eck, und erntete wie Karlstadt
von einigen süddeutschen Theologen, denen Scheurl sie gesandt
hatte, lebhafte Zustimmung. Außerdem erbot er sich — auch nach
der Promotion, für die sie bestimmt waren —, in der Universität
oder im Augustinerkloster in Erfurt darüber zu disputieren[105]. Im

---

[101] BARGE I, S. 83. KÄHLER S. 9*, Anm. 4.
[102] Br. 1; 94, 15—26, kacistodoxa S. 106, 37. Scheurl schickte einige Exemplare
an andere Freunde und berichtete am 3. Nov. 1517 Karlstadt über deren
Zustimmung. Vgl. dort Anm. 7, Scheurl, Briefbuch II, S. 37.
[103] Br. 1; 103, 7 f. über die Thesen gegen die scholastische Theologie; 121, 4
über die 95 Thesen.
[104] Br. 1; 100, 26 ff.
[105] Die später als Disputatio contra scholasticam theologiam bezeichneten Thesen in WA I, 224—228, mit Erläuterungen bei STANGE S. 35—50 und
VOGELSANG S. 320—326. An Joh. Lang in Erfurt 4. Sept. 1517 Br. 1; 103,
4 ff., bes. 12 ff. An Scheurl 11. Sept. 1517, Br. 1; 106, 35 ff. Das Echo ist
zusammengestellt bei BAUER S. 52.

September schickte auch Amsdorf Thesen an Scheurl, der sie am 1. Okt. 1517 mit einem hohen Lob für die tüchtigen Wittenberger beantwortete: »Gott gebe, daß nie jemand von euch vom Schlachtfelde weiche, und daß es erlaubt sein möge, ohne Aristoteles Theologie zu treiben, wie es die Wittenberger als wackere Vorkämpfer fleißig tun. Dieses Zeugnis geben ihnen viele Universitäten.«[106] Auch Amsdorfs Thesen schickte Scheurl sofort an Eck, um Freundschaft zwischen ihnen zu stiften.

Knapp zwei Monate später kamen die 95 Thesen über den Ablaß, die Luther dann, vor allem durch die Notwendigkeit, ausführliche Erläuterungen dazu zu schreiben, bis zum Frühjahr 1518 beschäftigten. Auch die Disputation, die er am 26. April 1518 auf dem Kapitel der deutschen Augustinerkongregation in Heidelberg zu halten hatte, gehört in die Reihe der Vorstöße der Wittenberger Theologie. Luthers Heidelberger Thesen folgte wiederum Karlstadt auf dem Fuße mit einer Riesenzahl von 406 Thesen, über die er im Sommer 1518 Disputationen abhalten wollte. Die erste fand schon am 14. Mai vor der Rückkehr Luthers statt[107]. Angeregt durch Ecks Obelisci gegen Luther nahm Karlstadt jetzt auch kurz zum Ablaß das Wort, über den er sich bisher nicht geäußert hatte, nun klar für Luther und gegen Tetzel und Wimpina[108]. Im Anschluß an seine Predigt vom 16. Mai über den Bann, die großen »Rumor« hervorgerufen hatte, plante Luther eine Disputation über dieses Thema, verschob sie aber auf Veranlassung des Bischofs von Brandenburg[109]. In das Frühjahr oder den Sommer 1518 fällt, ohne daß wir sie genau datieren könnten, noch eine Zirkulardisputation über remissio culpae und remissio poenae. Daß sie aus dem Thesenstreit entstanden ist, zeigt der auffallende seelsorgerliche Ton im Titel: »Zur Erforschung der Wahrheit und den furchtsamen Gewissen zum Trost« und der enge Zusammenhang mit den Resolutiones,

---

[106] Deus faxit, ne olim vestrum aliqui acie cedant liceatque theologari praeter Aristotelem, quod Wittenburgenses fideliter laborant tanquam antesignani strenui. Testantur hoc multae academiae. Scheurl, Briefbuch II, 1872, S. 27; nicht wie bei BAUER S. 60 nach dem fehlerhaften Text bei PRESSEL (1862) zu benutzen.

[107] Der Hauptteil (380 Thesen) war am 9. Mai abgeschlossen. BARGE I, S. 116 ff. BAUER S. 57 f.

[108] Th. 338. BARGE I, S. 124.

[109] Dazu s. o. S. 185, Anm. 19. Die Thesen dafür sind nicht erhalten (vgl. 39 II, X gegen Br. 1, S. 187, Anm. 8).

die ihnen offenbar vorangehen[110]. Das Eingreifen Ecks, die Antworten Luthers und Karlstadts und Ecks Erwiderung an diesen
gaben inzwischen der Auseinandersetzung weitere Dimensionen[111].
So trieb sie langsam dem großen Leipziger Streitgespräch entgegen.

Innerhalb dieser Wittenberger Disputationstätigkeit der Jahre
1516—1518 haben Luthers 95 Thesen ihren natürlichen Platz, noch
dazu einen bescheidenen. Karlstadt und er hatten bereits so viele
Themen von weit größerem dogmatischem Gewicht mit einer sich
steigernden Schärfe behandelt, daß er in der Tat bei dieser Frage
minderen theologischen Ranges ein Aufsehen, wie er es erregte,
nicht erwarten konnte. Er mußte erkennen, daß hier noch mehr
Sprengstoff vorlag, als er geahnt hatte, vor allem aber, daß die
kirchlichen Oberen nicht fähig oder bereit waren, auch nur erste
Schritte zu tun, um ihn zu beseitigen.

Damit berühren wir den anderen Zusammenhang, in dem Luthers Handeln mit den 95 Thesen gesehen werden muß: das Verhalten der kirchlichen Oberen gegenüber seinen Warnungen vor
den Wirkungen der Ablaßpraxis und seinem Bemühen, die Funda-
mente der Ablaßtheorie zur Diskussion zu stellen. ISERLOH hat
freimütig von dem »Mangel an religiöser Kraft und apostolisch-
seelsorgerlicher Verantwortung« bei den Bischöfen gesprochen, der
um so folgenschwerer war, »je größer 1517/18 noch die Möglichkeit war, den für die Ehre Gottes und das Heil der Seelen eifernden
Wittenberger Mönch an die Kirche zu binden und ihn ihr fruchtbar zu machen«[112]. In der Tat, diese Möglichkeit bestand noch. Es
hätte gewiß eines klaren Blickes und großen Mutes bedurft, sich
auf eine Untersuchung der unseligen Situation einzulassen. Aber
schon die ersten Versuche hätte Luther dankbar begrüßt, und sie
hätten dem Verlauf der Dinge eine andere Wendung gegeben. Daß
ihm nichts ferner lag, als einen Umsturz in der Kirche etwa im
Sinne der hussitischen Bewegung hervorzurufen, daß er nichts
gegen, sondern alles für seine Kirche sagte und tat, bezeugt jedes
Wort seiner Briefe aus dieser Zeit. Er kämpfte ja noch lange nicht
gegen »das Papsttum« und glaubte es sogar gegenüber dem Ablaß-
mißbrauch auf seiner Seite zu haben.

Es ist freilich ganz unbegründet, diese Einsicht in die Schuld

---

[110] Pro veritate inquirenda et timoratis conscientiis consolandis ... 1, 629 ff.
9, 781 f.

[111] 2, 153 ff.

[112] S. 43. HONSELMANN hat sich nachdrücklich im gleichen Sinne ausgesprochen.
Sein Schlußsatz: »Erst die Zustimmung der Massen hat den reformbegei-

der Bischöfe mit der Frage nach dem Anschlag der Thesen in Verbindung zu bringen, durch den Luther sie brüskiert habe. Luther tat damit nichts, was ihm nicht zustand, und unterrichtete sie sogar darüber, wozu er nicht verpflichtet war. Sie haben ihm darum auch nicht etwa die Verletzung ihres Zensurrechtes vorgeworfen, sondern auf andere Weise reagiert, und zwar ganz verschieden. Erzbischof Albrecht, der unrettbar in den großen Finanzhandel verstrickt war, holte zwar in Mainz ein Gutachten über die Thesen ein, erstattete aber sofort, ohne es abzuwarten, in Rom Anzeige. Nicht einmal über die Eröffnung des grundsätzlich von ihm beschlossenen processus inhibitorius gegen Luther entschied er selbst, sondern überließ es seinen Magdeburger Räten, ob sie den zuständigen Inquisitor Tetzel damit beauftragen wollten[113]. An eine Antwort an Luther selbst dachte er nicht. Er schob die Sache von sich ab. Und nur weil er vom Papst durch den Bischof von Reval die Rüge erhalten hatte, daß das Ablaßgeschäft zu kostspielig betrieben werde, und weil er von unziemlichem Auftreten der Kommissare in den Wirtshäusern gehört hatte, ließ er Tetzel darüber Vorhaltungen machen. Außerdem gab er Anweisungen, daß die dem Papst, ihm und den Fuggern zukommenden Gelder genau getrennt und ihm regelmäßig Abrechnungen geschickt werden sollten[114]. Darüber hinaus ging sein Interesse an der Sache nicht.

Dagegen hatte Bischof Hieronymus von Brandenburg bald ein schlechtes Gewissen dabei. Aber er war ein unentschlossener Mann. Zunächst dachte er nur daran, daß Luther sich in zu große Gefahr bringe[115]. Nachdem er von ihm korrekt das Manuskript der Resolutiones vorgelegt bekommen hatte, sandte er Mitte März 1518 den Abt von Lehnin zu ihm und bat ihn, die Veröffentlichung noch etwas zu verschieben, obwohl er, wie er schrieb, alles darin für katholisch halte und die »taktlosen Ablaßproklamationen« (»so

sterten Mönch Martin Luther zum Reformator gemacht« (S. 23), überschlägt freilich das erste Glied der Kette: das, was die Menschen damals gegen den Ablaßhandel aufbrachte, während es die Bischöfe ungerührt ließ.

[113] KÖRNER, Tezel, S. 148. THEODOR BRIEGER, Über den Prozeß des Erzbischofs Albrecht gegen Luther. In: Kleinere Beiträge zur Geschichte von Dozenten der Leipziger Hochschule, 1894, S. 191 ff. Offenbar hielten die Räte die Durchführung des Prozesses nicht für opportun, so daß Tetzel nicht als Inquisitor in Aktion trat. N. PAULUS, Joh. Tetzel, 1899, S. 47 f.

[114] Schreiben an die Magdeburger Räte, 13. Dez. 1517. KÖRNER, Tezel, S. 148 f.

[115] 51; 540, 21 ff. (s. o. S. 187, Anm. 25). Tischr. 6; 238, 31 ff.

nennen sie das«, fügte Luther hinzu) verurteile; er solle nur um
des Skandals willen die Sache noch etwas verzögern. »Ich aber«
— schreibt Luther tags darauf an Spalatin — »ganz verwirrt vor
Scham, daß ein so hoher Bischof einen so hohen Abt so demütig zu
mir sandte, und zwar allein um dieser Sache willen, sagte: Ich bin
einverstanden. Ich will lieber gehorchen als Wunder tun, selbst
wenn ich es könnte.«[116] Ein paar Wochen später gab der Bischof die
Veröffentlichung doch frei[117]. Aber gegen die Ablaßpredigt unter-
nahm er nichts, obwohl sie ihn weiterhin beschwerte. Das empfand
Luther, als der Bischof selbst im Febr. 1519 nach Wittenberg kam.
Inzwischen war ein Jahr heftiger öffentlicher Auseinandersetzungen um die Thesen vergangen. »Ich war beim hochwürdigen Bischof
von Brandenburg hier in Wittenberg, und er hat mich lebhaft,
doch freundschaftlich zur Rede gestellt, daß ich solche Dinge wagte.
Ich merke, daß die Bischöfe nun endlich begreifen, daß ihres Amtes
gewesen wäre, was sie mich haben tun sehen, und sich deshalb etwas
schämen. Sie nennen mich stolz und kühn, was ich beides nicht
leugnete. Aber sie sind nicht die Leute, die wüßten, was Gott ist
und was wir sind.«[118] Begreiflicherweise hat Luther das Versagen
der beiden Bischöfe in bitterer Erinnerung behalten. Aber er vergaß
dem Brandenburger seine freundliche Gesinnung nicht und betrachtete ihn nicht als den eigentlich Schuldigen. »Die ganze
Schuld hat der Mainzer. Seine Weisheit und Schläue hat ihn verführt, mit der er meine Lehre unterdrücken und sein Geld, das ihm
die Ablässe einbrachten, retten wollte.« Hätte er Tetzels Wüten
sofort, nachdem Luther ihn gewarnt hatte, gezähmt, so wäre es
nicht zu einem solchen Tumult gekommen[119].

---

[116] Br. 1; 162, 10 ff. Ego vero pudore confusus, quod tantum abbatem, deinde
tantus pontifex, tam humiliter ad me mitteret, et solius huius rei gratia,
dixi: Bene sum contentus, malo obedire quam miracula facere, etiam si possem. Z. 16 ff. ... damnaret illas indiscretes (ut vocant) proclamationes indulgentiarum. Z. 21.

[117] Luther an Spalatin, vor 4. Apr. 1518. Br. 1; 164, 3 f.

[118] Fui cum Reverendo Domino Episcopo Brandenburgensi Wittenbergae, et
multis mecum, familiariter tamen, expostulavit, quod tanta auderem. Intelligo episcopos nunc tandem sapere, sui fuisse scilicet officii, quod in me
vident praestitum, ideoque nonnihil pudere. Superbum me vocant et auda-
cem, quorum neutrum negavi; sed non sunt homines, qui sciant, quid vel
Deus vel ipsi simus. Luther an Spalatin, 12. Febr. 1519. Br. 1 327, 1 ff.

[119] Tota culpa est Moguntini, cuius sapientia et astutia eum fefellit, qua

Nicht erfreulicher als das Verhalten der Bischöfe war das der Universitäten. Etwa ein halbes Jahr später als die Mainzer Theologen und Kanonisten hatte Erzbischof Albrecht Ende Juni 1518 auch die Leipziger Theologische Fakultät zu einem Gutachten aufgefordert. Genau wie die Mainzer[120] zogen sich auch die Leipziger aus der Affäre, indem sie sich — sogar nur mündlich — für unzuständig erklärten, da es um eine Frage der päpstlichen Gewalt gehe. Außerdem konnten sie jetzt hinzufügen, der Streit sei schon so weit ins Volk gedrungen und »beyde teyl ires grundes vormeynten recht zu haben, sie wurden um unser ader unser schrift willen solchs gezenkes nicht abstellen«. Immerhin gaben sie über diese kühle Antwort hinaus Kurfürst Albrecht noch einen bemerkenswerten Rat: »Das s. kf. g. aus obirkeyt sinodaliter vorsammelte s. kf. g. underworfene suffraganeos und bischofe, sunderlich die, under welchen beyde part weren, samt andern bischofen, prelaten und umligenden universiteten, durch welcher vorstand, obirkeyt und gewalt dise sache mochte gnugsam vorhort und sinodaliter geendet und weggeleget werden. Dan wo das nicht geschege, besorgeten wir, mochte merglich ergernus doraus erwachsen.«[121] Der Gedanke einer Zusammenfassung der Kirchenprovinzen Albrechts zu einer Synode, der sich aus dem in der Zeit wiedererwachten synodalen Leben anbot, hätte vielleicht damals noch ein Ventil für die gefährlich aufgestauten Spannungen bilden können. Auf der späteren Stufe, dem Plan einer umfassenden deutschen Nationalsynode zur Lösung der Religionsfrage, der für 1524 ausgeschriebenen Speyrer Nationalversammlung, war er auf keinen Fall mehr zu verwirklichen[122]. Aber Albrecht war nicht der Mann, einen selbständigen Schritt auf eine Reform der Kirche hin zu tun, und sei es auch bei einem so offen zutage liegenden und vielbeklagten Mißstand.

---

voluit meam doctrinam compescere, et suam pecuniam, per indulgentias quaesitam, esse salvam. Vorrede zum 1. Band der Opera Latina (1545). 54; 185, 5 ff.

[120] S. o. S. 197, Anm. 53.

[121] Schreiben der Leipziger Theologischen Fakultät an Herzog Georg vom 26. Dez. 1518, in dem sie zugleich die Annahme eines Schiedsrichteramts für die geplante Leipziger Disputation ablehnte. F. GESS, Akten und Briefe zur Kirchenpolitik Herzog Georgs von Sachsen I, 1905, S. 49, 13 ff., 30 ff. 50, 5 ff.

[122] H. JEDIN, Geschichte des Konzils von Trient I, 1951, S. 121, 171 ff. KARL HOFMANN, Die Konzilsfrage auf den deutschen Reichstagen von 1521—1524. Diss. Theol. Heidelberg, 1932, S. 71 ff.

VIII

Zusammenfassung

1. Luther hat die 95 Thesen für eine Disputation bestimmt, nicht für eine Eingabe an die Bischöfe. So wurden sie von Anfang an verstanden, auch von den Gutachtern der Universität Mainz. Daß sie noch kein Datum trugen und daß die Disputation später nicht zustande kam, teilen sie mit anderen Thesen der Zeit.

2. Die Thesen sind nicht erst von Luther aufgrund der Gegenthesen Wimpina-Tetzels in Disputationsthesen umredigiert worden.

3. Luthers eigene Erinnerungen an den Akt, durch den der Ablaß überwunden wurde, führen auf »Allerheiligen«, was nach dem Sprachgebrauch die Vigil (31. Okt.) einschließt.

4. Da Luther nach seiner nur wenige Monate späteren Erklärung »öffentlich alle« zu der Disputation eingeladen hat, müssen die Thesen angeschlagen worden sein.

5. Melanchthons Mitteilungen über das Datum (31. Oktober) und den Ort des Thesenanschlags sind aller Wahrscheinlichkeit nach richtig. Aus seiner Vorrede von 1546 ergeben sich keine stichhaltigen Gründe, die Zuverlässigkeit seiner Angaben zu bezweifeln.

6. Die Einladung zu einer Disputation bedeutete keine Übergehung der Bischöfe und ist nicht als solche von ihnen betrachtet worden. Luther nahm damit nur seine Rechte und Pflichten als Universitätslehrer wahr.

7. Die 95 Thesen sind ein Glied aus der Kette von Disputationen, in denen die Wittenberger Theologen 1516—1518 eine große Zahl ihnen problematisch erscheinender scholastischer Lehrmeinungen angriffen.

8. Die unerwartete Verbreitung der Thesen und das Versagen der Bischöfe und Universitäten, insbesondere Erzbischof Albrechts, der die Sache sofort bei der Kurie anhängig machte, zwangen Luther schließlich zur literarischen Begründung seiner Auffassung.

LUTHER UND DAS FRATERHAUS IN HERFORD[1]

von Robert Stupperich
(Münster/Westf., Möllmannsweg 12)

1. Überlieferung

Der Briefwechsel der Wittenberger Reformatoren (Luther, Melanchthon und Bugenhagen) mit dem Fraterhause in Herford, vertreten durch seinen Rektor Gerhard Wiskamp gen. Xanthis und Jakob Montanus gen. Spirensis, ist, wie die Briefbände der WA ausweisen, bisher nur nach einem Überlieferungszweig zum Abdruck gebracht worden. Seitdem die sogenannte Handschrift Pagendarm (Abschriften des Predigers Pagendarm aus dem Anfang des 18. Jahrhunderts) nach Wittenberg gekommen war (zuerst im Besitz des Predigerseminars, jetzt der Lutherhalle in Wittenberg), ist diese für die Veröffentlichung ebenso in der EA wie in der WA herangezogen worden. Daß es in Westfalen eine ältere Überlieferung gab, war gar nicht bekannt geworden und ist bis heute noch nicht bekannt.

In dem jetzt in Privatbesitz befindlichen Archiv des Fraterhauses[2] liegen eine Reihe von Abschriften vor, die Gerhard Xanthis eigenhändig angefertigt hat. Diesen Stücken wird ein größeres

---

[1] Dieses Thema ist zwar in der Literatur schon des öfteren behandelt worden, zuletzt von WILLIAM M. LANDEEN, Martin Luther and the devotio moderna in Herford, in der Festschrift für Albert Hyma, The dawn of modern civilization. Studies in Renaissance, Reformation and other topics, ed. by KENNETH A. STRAND, Ann Arbor/Mich. 1962, S. 145—167. LANDEEN bezieht sich wie schon vor ihm R. KEKOW, Luther und die devotio moderna (Phil. Diss. Hamburg 1936), Düsseldorf 1937, auf die in WA Br 4—7 veröffentlichten Briefe, ohne sie voll auszuschöpfen. Durch Erweiterung der quellenmäßigen Basis hoffen wir dem Kern des Problems näher zu kommen. Ausgewertet wurden diese Texte teilweise bereits vom Verf. in seinem Beitrag »Die Herforder Fraterherrn als Vertreter spätmittelalterlicher Frömmigkeit«, in »Dona Westfalica«, Festgabe für Georg Schreiber, 1963, S. 339 ff.

[2] Die erhalten gebliebenen Schriften und Briefe aus dem Archiv des Fraterhauses in Herford werden von mir demnächst in den Veröffentlichungen der Historischen Kommission Westfalens herausgegeben werden. In einem zweiten Teil wird Staatsarchivrat DR. LEESCH ein Verzeichnis der Urkunden des Fraterhauses vorlegen und die wichtigsten im Wortlaut mitteilen.

Vertrauen entgegenzubringen sein als späteren Abschriften. Ein Vergleich dieser Texte mit dem in der WA wiedergegebenen Wortlaut zeigt, daß der WA-Text in einigen Fällen unzuverlässig ist, daß in die späten Abschriften sich nicht nur kleine Zusätze eingeschlichen haben, sondern daß ganze Sätze hinzugefügt wurden, ja, daß ein Brief überarbeitet bzw. aus verschiedenen Stücken zusammengesetzt zu sein scheint. In einer weiteren zeitgenössischen Abschrift liegt uns auch das Büchlein »Grunt des Fraterleuendes« vor, das im Jahre 1532 vermutlich von Xanthis aus den Consuetudines des Fraterhauses von 1437 zusammengefaßt und Luther zur Begutachtung vorgelegt worden ist. Dieses im Besitz des »Vereins für Geschichte und Altertumskunde Westfalens« in Münster befindliche Exemplar ist vermutlich vor 1540 geschrieben[3]. Es enthält den vollständigen Text des »Grunt des Fraterleuendes«, während das Ms Pagendarm nur einen verkürzten Wortlaut bietet. Einen Auszug daraus veröffentlichte BAXMANN in der »Zeitschrift für historische Theologie«, Bd. 31, 1861, S. 632—634. O. CLEMEN (WABr 6, 248) gibt fälschlich an, daß dort die ganze Schrift veröffentlicht wurde. Als Anhang bietet unser Exemplar zwölf der wichtigen in den Jahren 1532—1534 (bzw. 37) zwischen Herford und Wittenberg gewechselten Briefe. Diese sind freilich alle niederdeutsch wiedergegeben. Obwohl für Gerhard Xanthis das Niederdeutsche Muttersprache ist, sind seine Briefe an Luther in dieser Fassung nicht ursprünglich. Da schreibt er doch lateinisch. Trotzdem sind diese Übersetzungen nicht unwichtig. Wie alle Übersetzungen dieser Zeit sind sie sinngemäße Übertragungen und bieten somit gleichsam einen Kommentar zur Originalfassung. Im Wortlaut weichen sie freilich vom ursprünglichen Text oft sehr weit ab. In manchen Fällen sind sie so sehr komprimiert, daß der Eindruck entstehen muß, sie sollen nur die Grundgedanken festhalten. Immerhin sind sie nicht nur vom Sprachlichen, sondern auch von der Sache her interessant. Da es verhältnismäßig wenig zeitgenössisches Material in niederdeutscher Fassung gibt, wären diese Briefe der näheren Untersuchung wert.

Im Archiv des Fraterhauses befindet sich noch ein bemerkenswertes Schreiben. Es ist ein eigenhändig von Xanthis an Luther am 30. September 1534 geschriebener Brief (s. Anlage II). Seinem

---

[3] Dieses Exemplar, das wir mit M bezeichnen, befindet sich als Depositum des Vereins f. Gesch. u. Altert. Westfalens (Ms 436) im Staatsarchiv Münster. Eine Abschrift des 18. Jahrhunderts besitzt das Bischöfl. Priesterseminar in Hildesheim (Cod. Ps 10).

Inhalt nach entspricht er weithin der Fassung vom 9. Oktober 1534, die in WA Br 7, 106 ff. geboten wird. Da beide Fassungen zeitlich nahe beieinander liegen, könnte angenommen werden, die Handschrift vom 30. September sei ein Entwurf zum endgültigen Brief vom 9. Oktober gewesen. Nun liegt aber in unserem Manuskript M auch ein kürzerer Brief des Gerhard Xanthis an Luther vom 9. Oktober 1534 vor (s. Anlage III). Dieser entspricht inhaltlich teilweise dem überschießenden Stück des aus der Handschrift Pagendarm stammenden Briefes vom gleichen Tage. Es erhebt sich daher die Frage, ob die beiden kürzeren Briefe abgeschickt worden sind oder ob Xanthis selbst sie zu einem Brief zusammengefügt hat, wie wir ihn in WA Br 7, 106 ff. vor uns haben. Für die erste Annahme läßt sich geltend machen, daß das Autograph vom 30. September gefaltet ist und auf der Rückseite die Aufschrift trägt: Venerabili Doctori Martino Luther, Witemberge, patri suo in Christo. Dieses Argument allein ist nicht durchschlagend. Es ist daher auch auf die andere Tatsache hinzuweisen, daß die Sammlung in M nur die kurze Fassung des Briefes vom 9. Oktober 1534 bietet, während die Fassung von P dort nicht vertreten ist. Im Fraterhaus wird also zu Lebzeiten von Xanthis dieser als wichtig und entscheidend angesehen worden sein. Die gesamte Korrespondenz zwischen dem Fraterhaus in Herford und den Wittenberger Reformatoren aus den Jahren 1523—1534 besteht nach WA Br 3—7 aus 19 Stücken. Sie verteilen sich folgendermaßen:

    7 Briefe von Xanthis an Luther,
    8 Briefe von Luther an Xanthis,
    3 Briefe Luthers an Montanus,
    1 Brief Melanchthons an Montanus.

Dazu kommen einige Briefe der Reformatoren an die Stadt Herford und an die Äbtissin Anna von Limburg. Die meisten dieser Schriftstücke sind der Handschrift Pagendarm entnommen, einige sind nach Originalen wiedergegeben. Die neuaufgefundenen Handschriften bieten weitere Briefe des Rektors Gerhard Xanthis und Abschriften anderer Schriftstücke, darunter eines zusammenfassenden Berichtes an die Äbtissin. Auch die Inhaltsangabe des Briefes, den Jakob Montanus am 13. Januar 1532 an Luther geschrieben hat, befindet sich darunter. Sie ist allerdings nicht, wie O. CLEMEN WA Br 6, 248 schreibt, von Pagendarm, sondern von Xanthis selbst. Sein Autograph liegt vor.

Ein weiteres Suchen nach Lutherbriefen wird vermutlich in Westfalen zu keinen anderen Ergebnissen führen. Luther hatte zwar engere Beziehungen zu seinen Ordensbrüdern in den Konventen von Osnabrück, Lippstadt und Herford. Vor allem stand er im Briefwechsel mit dem ehemaligen Ordensprovinzial der Augustiner, Gerhard Hecker[4], der seine letzten Lebensjahre im Konvent von Osnabrück verlebte. Aber von diesem Briefwechsel ist nichts auf uns gekommen. Hamelmann, selbst Osnabrücker Kind, berichtet, daß nach Heckers Tode seine Ordensbrüder alle bei ihm gefundenen Lutherbriefe in die Hase geworfen hätten.

Im Archiv des Fraterhauses ist lediglich das Fragment eines Briefes des Rektors Bartholomeus Amelii in Herford an den Augustiner Preckel in Blomberg erhalten geblieben. Dieser Brief stammt aus dem Jahre 1521 und berichtet, offenbar nach Erzählungen Gerhard Heckers, über Luthers Auftreten auf dem Reichstag in Worms, über seine Rückreise, den Überfall bei Altenstein und sein Verschwinden. Bedauerlicherweise ist ein Streifen von diesem Brief abgerissen, so daß sich ein Textverlust von mehr als einem Drittel der Zeilen ergibt. Nach Hamelmann übte Gerhard Hecker in Herford starken Einfluß aus, nachdem er anscheinend durch Luther selbst für die Sache der Reformation gewonnen war. In dieser Zeit hatte er auf einige seiner Ordensbrüder wie auf Dr. Johannes Dreyer[5], den späteren Reformator Herfords, stark eingewirkt. Immerhin, das Fraterhaus hatte die Priorität. Für Herford zum mindesten bezeugt es Luther selbst, daß die Brüder als erste das Evangelium dort verkündet hätten. Ihr Wirkungskreis war freilich eng. Zu ihren Gottesdiensten und Kollationen kamen aus der Stadt nur wenige Zuhörer, so daß sich die Ausbreitung der lutherischen Verkündigung hier nur langsam vollziehen konnte.

Meist wird vermutet, Melanchthon hätte die Verbindung zwischen Wittenberg und Herford hergestellt. In Herford wirkte als Vorsteher des Schwesternhauses seit 1513 Jakob Montanus[6], gen. Spyr (Spirensis), aus Gernsbach gebürtig, einer speyerischen Enklave auf der rechten Rheinseite. Melanchthon nennt ihn daher seinen Landsmann (conterraneus). Von einem Briefwechsel dieser beiden aus den früheren Jahren besitzen wir freilich auch nichts.

Montanus hat die Briefe der Wittenberger Reformatoren, wie aus einem seiner Briefe an Pirkheimer hervorgeht, diesem übersandt,

---

[4] Vgl. TH. KOLDE. Die deutsche Augustinerkongregation, 1879, S. 402, und HAMELMANNS Geschichtliche Werke I, 3 hg. v. C. LÖFFLER, 1908, S. 204.

[5] HAMELMANN a.a.O. S. 227, und II, 1913, S. 308 ff.

[6] Vgl. R. STUPPERICH, Die Bedeutung der Lateinschule für die Ausbreitung der Reformation in Westfalen (Jb. d. Ver. f. westf. KG 44, 1951, S. 95 ff.).

aber wahrscheinlich nicht zurückerhalten[7]. Auch spätere Briefe sind bis auf einen nach seinem Tode verloren gegangen. Von seinen eigenen Briefen pflegte er keine Kopien zu behalten. Das bezeugt Gerhard Xanthis[8].

Möglicherweise sind auch persönliche Begegnungen in den zwanziger Jahren zwischen Vertretern der Herforder Brüder und Luther vorgekommen. Daß Jakob Montanus in der späteren Korrespondenz besonders herausgehoben wird, spricht nicht unbedingt dafür, daß eine persönliche Bekanntschaft vorgelegen haben müßte. Es konnte ebenso das Ansehen sein, das er in humanistischen Kreisen genoß und das ihn auch in Wittenberg bekannt machte. Nicht umsonst hatte er einige humanistische Lehrbücher verfaßt. Wir hören, daß Montanus der erste im Fraterhause zu Herford war[9], der sich für Luthers Lehre entschied und dann andere Brüder in diesem Sinne bestimmte, aber Zeugnisse seiner reformatorischen Gesinnung besitzen wir nicht. Insofern bleibt es ein Rätsel, wie aus dem Humanisten und Vertreter der Devotio moderna ein bewußter Vertreter reformatorischer Gesinnung geworden ist. Schon bei ihm deutet sich die entscheidende Frage an, ob zwischen der Welt, aus der er kam, und der Welt, in die er eintrat, eine Verbindung bestand. Diese Frage gilt aber ebenso allen anderen Fratres. Anders ausgedrückt: konnte die Reformation spätmittelalterliche Frömmigkeit gelten lassen oder mußte diese überwunden werden, ehe die Reformation Einzug halten konntc?

2. Die briefliche Verbindung

Aus dem Jahre 1523 liegt ein Brief Luthers an Montanus vor, der schon frühere Briefe voraussetzt. Da Luther ihn als ersten Anhänger der Reformation in Westfalen bezeichnet, muß damals die Lage im Augustinerkloster in Herford noch nicht geklärt gewesen sein. Der Prior Gottschalk Kropp, der im Jahre zuvor in Wittenberg zusammen mit Johann Westermann aus Lippstadt den Doktorgrad erhalten hatte, konnte sich offenbar noch nicht durchsetzen[10]. Es wird daher anzunehmen sein, daß der Augustinerkonvent diesen Schritt nicht schon getan hatte. Da der Bischof von Paderborn

---

[7] CL. LÖFFLER, Zwanzig Briefe des Herforder Fraterherren Jakob Montanus an Willibald Pirckheimer. (Westfälische Zeitschr. 72, 1914, S. 22 ff. bs. S. 35)

[8] Summaria copia Apologiae in dem Anm. 2 genannten Bande.

[9] WA Br 4, 243.

[10] Vgl. R. STUPPERICH, Glaube und Politik in der westfälischen Reformationsgeschichte (Jb. d. Ver. f. westf. KG 45/46, 1952/53, S. 97 f).

eingriff, zwei der Brüder gefangensetzen ließ und das Bruderhaus unter Druck setzte, daß sie ihre lutherische Haltung und Verkündigung aufgeben sollten[11], konnte in den Jahren 1525/26 der direkte Verkehr mit Wittenberg nicht fortgesetzt werden. Wenn ein solcher bestanden hat, dann nur persönlich; brieflichen Niederschlag hat er in diesen Jahren nicht gefunden. Auch die folgenden Briefe sind in aller Hast geschriebene Gelegenheitsschreiben, die ein eilender Bote mitnahm. Manche von diesen Briefen sind eher Billetts als Briefe zu nennen.

Nach dem Brief Luthers an Gerhard Xanthis vom 2. 9. 1527 zu urteilen, kennen Luther, Bugenhagen und ihre Frauen den Herforder Frater persönlich. In den folgenden Jahren werden die Beziehungen immer reger. Wir erfahren von vielen gewechselten Briefen, die verloren gegangen sind. So hören wir z. B., daß Xanthis von Luthers Anfechtungen im Oktober 1527 gehört und ihm daraufhin einen Trostbrief geschrieben hat. Das ist nur bei näherer Bekanntschaft anzunehmen. Auf dasselbe Thema der Anfechtungen geht auch Luthers folgender Brief ein: Kann der Christ sich rühmen »vixisse secundum Christum«, dann nur in dem Sinne, daß Christus sein Leben und seine Gerechtigkeit sei. »Ah, quam ardua (vita) et ignota carni, sc. in Deo abscondita[12]!«

Die Briefe der Herforder Fratres, auf die sich Luther und Bugenhagen in den Jahren 1528/29 beziehen, sind alle verloren. Nur aus den Antworten erfahren wir etwas von ihrem Inhalt. Bugenhagen dankt am 17. Oktober 1529 für einen Brief des Montanus[13], berichtet, daß er die Rückkehr Luthers vom Marburger Religionsgespräch erwarte und daß er sich anschicke, nach Braunschweig zu gehen. Es ist nicht ausgeschlossen, daß diese Briefe Dr. Johannes Dreyer, der sich damals in Wittenberg aufhielt, den Fraterherren in Herford zugestellt hat. Auch der Augustiner Koster aus Blomberg, der in Wittenberg 1528 studiert hat, kann sie mitgebracht haben.

Am intensivsten wird der Verkehr Luthers mit dem Fraterhause im Jahre 1532, als die inzwischen evangelisch gewordene Stadt Herford das Fraterhaus als »Kloster« aufheben und im Gebäude eine städtische Schule einrichten wollte, an der die Fratres weiter unterrichten sollten. Dieser Eingriff der städtischen Obrigkeit hätte das

---

[11] HAMELMANN II, 313.
[12] WA Br 4, 319.
[13] J. Bugenhagens Briefwechsel, hg. v. O. VOGT. 1888, S. 125.

Ende des Fraterhauses bedeutet. Der Rat stand auf dem Standpunkt, daß die Fratres Mönche seien, wie die in der Stadt vertretenen Franziskaner und Augustiner, die ihre Konvente aufgelöst
und der Stadt übergeben hatten. Dagegen müssen die Brüder vom
gemeinsamen Leben opponieren. Wie sollten sie sich aber gegen die
Stadt durchsetzen, zumal die Prediger auf seiten der Stadt gegen
sie auftraten?

Gerhard Wiskamp, seit 1528 Rektor des Hauses, unternimmt es
gemeinsam mit Montanus, seine persönlichen Beziehungen zu Luther
und Melanchthon auszunutzen, um ein Votum des Reformators für
das Fraterhaus zu bekommen. In dieser Angelegenheit sind im Jahre
1532 eine Reihe von Briefen zwischen Herford und Wittenberg gewechselt worden, von denen nur 12 erhalten sind. Darüber hinaus
liegen uns Aufzeichnungen vor, die Gerhard Wiskamp für das Archiv der Fraterherren geschrieben hat. Luther muß zwar über die
Einrichtung der Bruderschaft informiert gewesen sein; er kannte seit
seiner Frühzeit einige aus dem Kreise der Brüder hervorgegangene
erbaulichen Traktate, wie z. B. Gerhard Zerbolts von Zütphen
Tractatus De spiritualibus ascensionibus, den er in der Psalmen-
und Römerbriefvorlesung zitiert[14]. Aber in über 120 Jahren hatte
sich die Bruderschaft weiterentwickelt. Dazu kam, daß jedes einzelne Haus seinen eigenen Stil und seine Eigenart entfaltet hatte.
Nicht umsonst unterschieden sich die Statuten der Häuser bei einer
gewissen gemeinsamen Grundlage im Einzelnen nicht unerheblich.
Herford ragte in dieser Hinsicht besonders heraus und hatte insbesondere seit dem Beginn der Reformationszeit an der reformatorischen Verkündigung Anteil genommen.

Die Stadt hatte dem Fraterhaus kurzfristig mitgeteilt, welche
Absichten sie hatte. Es ist auch eine öffentliche Gemeindeversamm-
lung für den 18. Februar 1532 anberaumt worden, in der die Fraterherren ihren Standpunkt darlegen konnten. Die Angelegenheit
drängte. Daher schrieb am 13. Januar Wiskamp einen Eilbrief an
Luther[15]. Aus den Consuetudines des Hauses stellte er eine kürzere
Fassung »Grunt des Fraterleuendes« zusammen, die Luther beurteilen sollte. Zum Verständnis dieses Briefwechsels ist die genannte
Verteidigungsschrift unumgänglich nötig. Die Stadt hatte die Brüder
beschuldigt, ein mönchisches Leben zu führen. Der »Grunt des Fra-

---

[14] WA 3, 648 und 56, 313. Luther rühmt hier den Verfasser als sanus theo-
logus.
[15] S. Anl. I.

terleuendes« beginnt mit folgender Präambel: »So wy Fraters to
Heruorde in lutterkeit des christlichen louen, in einicheit der hilgen
gemeynen kerken und in christliker goddensticheit unde freyheit
uns vast hebn vorgesat und ane loffte frywillich in unsen herten
beslaten, na der gaue Godes keusch und int gemeyn eindrechtigen
tho leuende, van unsen arbeide, ane bedelye, in slichter kledinge, na
anwysinge der hilgen schrifft und tholatynge alles, wy unter beset-
tinge syn up eyn Testament huses und haues tho sulcken leuende
(donatione irrevocabili et ea quae dicitur inter umos) uns gegeuen
und bestediget, allet na forme des rechten, Is dit unses leuendes
grunt uth godliker schrifft.«

Wie in den 100 Jahre zuvor aufgestellten Consuetudines dieses Hauses wird auch jetzt[16] als Grundlage betont, »synt wy sampt
allen christgleubigen eyn mit Christo unsen heren durch den louen«.
Zweitens schreibt die Hausordnung vor »keusch na der gauen gades
tho leuende«. Dafür werden zahlreiche Belege aus dem Alten und
Neuen Testament gebracht. Auch für das einträchtige Zusammen-
leben bezieht man sich auf das Neue Testament und auf Augustin,
aber auch auf Melanchthon. Drittens weisen die Brüder auf ihre
alten Privilegien hin, zu denen auch das Parochialrecht gehört, und
betonen, daß sie die rechte Lehre nach dem Evangelium Jesu Christi
haben und die Sakramente einsetzungsgemäß gebrauchen. Für die
Wahl ihres Predigers berufen sie sich auf die Apologie. Sie erklären sich bereit, sich vor der Ortsgeistlichkeit zu verantworten.

Von der Lehre wird 1. das natürliche Gesetz, 2. das geschriebene
Gesetz, 3. das Gesetz des Geistes oder das Neue Testament betont.
Um ihr Pfarrecht zu erweisen, beziehen sie sich nicht nur auf die
alten Privilegien, sondern insbesondere auf die Hauskirchen in den
apostolischen Gemeinden und auf ihr Abendmahl. Dabei geht
diese Schrift gleich auf die Vorwürfe ein, die gegen die Brüder von
der Stadt erhoben werden, mit ihren 12 Insassen sei diese Gemeinschaft für ein Kirchspiel zu klein. Wieder berufen sie sich für das
rechte Wesen der Kirche auf die CA und Bugenhagens Auslegung
der Korintherbriefe. 4. Die besondere Kleidung wären sie bereit
gleich aufzugeben, wenn sie wüßten, daß sie mit ihr Gott Unehre
antäten. »Eyn recht Chrysten ergert sych nycht yn den vrygen dyngen der spyse edder cledinge.« Diese Auffassung bekräftigen sie mit
einem Zitat aus De civitate dei 19, cap. 19. 5. Alle Einzelheiten in
ihrem Hause werden durch die »gewonthe« (Consuetudines) gere-

[16] WA Br 6, 256.

gelt. »Und ys dyt kortlyck de summa unser Oeconomia, dat wy uns
yn der waerheyt also vor Gades ansychte eynes Chrystlyken leuendes beflytygen.« Aufgezählt werden aus der Hausordnung die
wichtigsten Punkte: »Des morgens van vyer uhren wente tho ses-
sen ghaen wy myt der hilligen schryfft umme, dorch recht tyde be-
denth, tungen redent, studerent. Tho sess uhren hebn wy an stedde
der Myssen uthleggent und wyssagent up de hillyge schryfft«. Was
unter Zungenreden und Weissagen verstanden wurde, ist nicht deutlich. Es ist nicht anzunehmen, daß es sich um ekstatische Erscheinungen handelte. Auch diesen Ausführungen sind viele Schriftbe-
lege beigegeben. Wie umfangreich die Belege sind, ist aus der Tatsache zu ersehen, daß das handgeschriebene Exemplar dieses »Fraterleuendes« 45 Seiten in 4° umfaßt, von denen der größte Teil
auf Zitate entfällt.

Am Schluß findet sich das bekannte Zeugnis Luthers: »Ich Martinus Luther bekenne mit dieser meiner Hand, das ich nichts Un-
christliches in diesem büchlein finde. Wolte Gott, das die Klöster alle
so ernstlich um Gottes Wort wollten leren und halten.«

Da die Schrift vor der Gemeinde von Herford verlesen werden
sollte, zog Xanthis dieses Zeugnis in die Schrift hinein und schloß
sie mit dem Satz ab: »Solcker gestalt mocht Martinus Luther beyde
closter und styfft woll leyden; alse he yn syner bekentnysse ante-
kent.«

Von der ausführlichen Fassung, die der Gemeinde Herford
vorgelesen wurde als Rechtfertigungsschrift vom »Grunt des Fraterleuendes«, ist die Kurzfassung, die »Summaria der Apologie«,
zu unterscheiden, die für Luther bestimmt war. Beide Schriften sind
unveröffentlicht geblieben. Wir besitzen von der letzteren ein von
Xanthis selbst geschriebenes Exemplar, und zwar eingeleitet durch
seinen Eilbrief[17] und den entsprechenden Brief des Jacob Montanus an Luther. Außerdem hat Gerhard Xanthis auch die ganzen
Verhandlungen mit den Hauptargumenten in einem besonderen
Protokoll festgehalten, so daß die Stimmen pro und contra in deutlicher Gegenüberstellung erscheinen.

Ich lasse es dahingestellt, ob der Brief vom 13. Januar 1532 das
Original ist, d. h. ob Xanthis in seiner Aufregung, die aus dem Brief
spricht, in seiner Muttersprache geschrieben hat statt wie sonst lateinisch. Er bittet um Korrekturen sachlicher Art, falls diese Fassung
vor der Schrift nicht bestünde, und um ein abschließendes Urteil.

[17] Ebda. 6, 249.

15*

Am 31. Januar hat Luther trotz seiner Krankheit die Antwort erteilt. An den Rat von Herford und an die beiden Bittsteller, Xanthis und Montanus, schreibt er selbst. Die uns vorliegende niederdeutsche Fassung weicht von dem von CLEMEN mitgeteilten Text der Berliner Autographensammlung nicht unwesentlich ab. Der letztere scheint bearbeitet und aus früheren Briefen ergänzt zu sein; das zeigt schon der Vergleich mit dem lateinischen Wortlaut[18]. Unsere Fassung hält sich dagegen recht genau ans Original Luthers, erklärt sich in diesen Briefen gegen die indisciplinati spiritus, oder, wie sie im niederdeutschen Text heißen, die Ropers (die Schreier).

Im April 1532 nahmen die Ereignisse in Herford ihren Fortgang. Wie erregt die Menschen waren, geht aus der Tatsache hervor, daß uns aus dieser Zeit 3 Briefe aus Herford und 4 Antwortschreiben aus Wittenberg vorliegen. Wenn die Brüder vom gemeinsamen Leben auch nicht den Mönchsorden zu vergleichen sind, da sie eine viel freiere Ordnung hatten und schon aus diesem Grunde leichter den Übergang zur Reformation fanden, so ist doch bemerkenswert, daß Luther auf Befragen und nach Prüfung ihrer Hausordnung sie in ihrer evangelischen Art anerkannte und in seinem berühmten am 31. 1. 1532 nach Herford gerichteten Briefe sich für die Erhaltung ihres Hauses einsetzte. Sein Brief sicherte dem Fraterhaus in Herford den Fortbestand trotz wiederholter weiterer Angriffe der evangelischen Stadt und ihres Rates, der im Hause der Brüder gern seine Schule untergebracht hätte.

Wie sollte nun der Fortbestand des Hauses gesichert werden? War es nicht offenkundig, daß der Nachwuchs aus der evangelischen Stadt und dem evangelisch gewordenen Hinterlande ausbleiben würde? Wir kennen die Kämpfe, die sich auch nach 1532, und zwar in den Jahren 1537 und 1540/42 in heftiger Weise in der Stadt abspielten, als die evangelischen Pastoren an der Neustädter Kirche gegen die Brüder und ihre kirchlichen Sitten auftraten, als die Brüder antworteten und es zur Disputation kommen lassen wollten.

Wie kommt Luther dazu, die Theologie der Brüder, wie sie in dieser Schrift zum Ausdruck kommt, gutzuheißen? Waren es etwa Erinnerungen an sein Klosterdasein, die ihn bestimmten, oder vielmehr an die Lektüre der spätmittelalterlichen Autoren Gerhard Zerbold, Johann von Wesel u. a., die seine frühe Auffassung nicht unbeeinflußt ließen?

Die Präambel im »Grunt des Fraterleuendes« ändert fast nichts

[18] Ebda. 6, 256.

an den Bestimmungen, die schon 1437 in Herford aufgestellt wurden und die mit den älteren niederländischen »Gewohnheiten« übereinstimmten. Vorausgesetzt wird, daß die Brüder »in Lauterkeit des christlichen Lebens und in der Einheit der heiligen Kirche« ihr Leben »keusch, einträchtig und insgemein« führen und sich von ihrer Hände Arbeit ernähren. — Die Brüder unterscheiden »nodige dynge der conscientien« und »vryge dynge der conscientien«. In den ersten wollen sie mit allen Christgläubigen eins sein. Diese Einheit kommt am Evangelium und im Sakramentsgebrauch zum Ausdruck. Dazu beruft der Verfasser sich auf CA VII (rechte lere), aber ebenso betont er auch das christliche Leben dabei: »In welken dreen stucken de einheit der gansen christlichen kerken besteit.« Das gemeinsame Leben gehört zu den »vryen dyngen«. Ihr Beispiel ist dabei Christus selbst und die Gläubigen in Jerusalem. Die Begründung wird aber nicht nur aus der Bibel, sondern auch aus Augustin und der älteren Geschichte der Domstifte und Collegien genommen.

Das enthaltsame Leben bedarf der Gnade Gottes. Wie der Glaube eine Gottesgabe ist, die geübt werden muß, so auch das keusche Leben. »Wy moten in allen dyngen streit hebn, sollen wy gekronet werden«. Und das ist ein gefährlicher Streit. Aus eigenem Vermögen ohne die Kraft Gottes vermag da niemand zu bestehen. Dazu beruft sich der Verfasser auch auf Melanchthon.

In solcher Gemeinschaft soll es auch recht sein, selbst den Pfarrer zu wählen, die Beichte zu hören und das Sakrament zu reichen, wie das in der AC art. 14 auch gesagt ist. Auf den Sakramentsempfang wird besonderer Wert gelegt, da dadurch »ewige Gerechtigkeit, der Heilige Geist und das ewige Leben gegeben werden«.

Wie Gott und sein Wort eins ist, so soll auch »das Leben aus dem Wort« eins sein und zur Einheit mit Christus führen (Joh 17). Dabei finden sich hier Begründungen, die ebenso bei Tauler oder einem anderen spätmittelalterlichen Erbauungsschriftsteller stehen könnten: »God ist alleyn de erste meister gewest in allen geretten, alse in den naturliken geschreuen und gnaden gesetten, und moth ok suluest dar mede by syn, schal de lere ynt herte gan.«

Diese Auffassung vom wirkenden Wort, bei dem Gott selbst »dabei« ist, sodaß das Wort »ins Herz« geht, mußte Luthers eigener Theologie entsprechen. Der Verfasser des »Fraterleuendes« zeigt auch einige Kenntnis Luthers, vor allem aber der Schriften Melanchthons. Wenn aber Christus wünscht, daß Gottes Wort »yn vollem swange« ginge, dann darf niemand an der Verkündigung gehindert werden. Es genügt nicht, daß Christus in einem Menschen wäre, es müssen da die zwei oder drei sein, die die Gemeinde bilden. Es braucht nicht befürchtet zu werden, daß sie in ihrer Hauskirche »de affgelachte mysse wedder anrichten«. Ihr Gottesdienst besteht in der Verkündigung und in der Abendmahlsfeier. »Is dyt nicht de rechte beschrywynge der apostelschen kerken ... so beschryue du se my anders!«

Wenn die Kleidung der Brüder beanstandet wird, dann können sie dazu nur sagen: »De wyle sick de werlt alle dage verandert, und noch nicht beslaten heft, war se by blyuen wil, konnen wy or yn nygen slage alle dage nicht volgen.« Und weiter heißt es: »Eyn recht christen argert sick nicht in den vragen dyngen der spyse edder cledynge«.

Nachdem der Verfasser die Angriffe der Prediger von Herford abgewehrt hat, wendet er sich an die Stadtgemeinde und betont, Gott hätte sie vor allem Menschendienst behütet, »up dat wy nicht knecht der menschen werden ... sunder in der christlicken vryheit bestonden«. Weder seien ihre Glaubensanschauungen irrig, noch hätten sie sich von der Gemeinde getrennt oder mit ihrem Leben Anstoß erregt.

Luther zweifelte nicht daran, daß die reine Lehre bei ihnen gewahrt sei. Ihre ratio vivendi, schreibt er am 31. Januar 1532 an Montanus und Xanthis, gefiele ihm miro modo (WA Br. 6, 255). Daher fordert er sie auf: State ergo in vestra forma et sub ista ratione vivendi euangelion (sicut facitis) gnaviter propagate. In der uns vorliegenden Fassung der niederdeutschen Übersetzung dieses Briefs fehlt der Zusatz, den O. CLEMEN a.a.O. Anm. 8 mitteilt.

Ob Luther wußte, daß Bugenhagen sich auf die andere Seite gestellt hatte, ist nicht zu ermitteln[19]. Den Brief Bugenhagens hat Xan-

---

[19] Die abweichende Stellungnahme Bugenhagens kommt in seinem Brief an das Fraterhaus zum Ausdruck; vgl. VOGT a. a. O. S. 125. Auch N. v. Amsdorf stand in diesem Falle gegen Luther. Sein an Dr. Johann Dreyer in Herford gerichteter Brief vom 23. 4. 1532, der in der Handschrift Pagendarm unter Nr. 18 (S. 62 f.) enthalten, aber noch nicht veröffentlicht ist, hat folgenden Wortlaut:

Nicolaus Amsdorf Johanni Dreyger S.
Rudolphus vester bonus et pius vir, ut adparet, voluit, ut ad te sententiam meam de vestris fratribus, qui propria communione uti volunt, perscriberem. Et quamvis id supervacanium esse arbitror propter Lutheri consilia, tamen suis precibus acquiescere volui propter fraternae caritatis debitum. Sic autem sentio: Si per Euangelion gratiae magni Dei persuaderi possunt fratres, ut crederent suo sensui, prout debent ad gloriam Euangelii, bene quidem. Neque id recusabunt, si euangelion ex corde diligunt. Si autem persuaderi non pos-

this zu widerlegen gesucht; auch Amsdorf sagt zwischen den Zeilen, daß er Luthers Urteil nicht teile.

Die ratio vivendi, nach der einst Bugenhagen noch von Treptow aus Luther gefragt, und die dieser damals mit dem Hinweis auf die libertas christiana beantwortet hatte, war dem Reformator ein Jahrzehnt später doch wichtiger geworden. Glauben und Leben, Rechtfertigung und Heiligung waren zwar in seiner Auffassung des articulus stantis et cadentis ecclesiae aufeinander bezogen und gleichsam eine Einheit, aber bei seinen Schülern doch nicht in demselben Maße verbunden.

Gehen wir die Briefe durch, die Luther im Zusammenhang mit seinem Urteil über das Fraterhaus geschrieben hat, dann fällt auf, daß er das Haus den Klöstern seiner Zeit gleichsam als Vorbild hinstellt. Wenn die Klöster so wären, d. h. wenn sie das Wort Gottes beachteten und in ihrem persönlichen Leben so ehrbar lebten wie dieses, dann wäre vieles anders. Luther begründet seine Bitte an den Rat von Herford, die Brüder unbehelligt zu lassen, damit, daß ihr Wirken in der Stadt nützlich und »besserlich« sei. Luther sieht sie als Leute an, die für sich aus dem Evangelium die nötigen Folgerungen gezogen haben. Luther weiß, daß es bei den Fraterherrn nicht immer so gewesen sei: Das Evangelium ist im Zuge der Reformation erst zu ihnen gelangt; man kann daher nicht sagen, daß sie die Reformation nicht nötig gehabt hätten. Aus dem gesetzlichen Wesen hatte erst die reformatorische Verkündigung sie in die evangelische Freiheit hinausgeführt. Immerhin haben vielleicht gerade diejenigen, die den Weg der spätmittelalterlichen Erbauungsfrömmigkeit gegangen waren, am stärksten die Nötigung verspürt, mit dem Evangelium Ernst zu machen.

Es ist durchaus bemerkenswert, daß Luther das Festhalten an gewissen alten Gewohnheiten für die Reformationsbewegung nicht für hinderlich hält[20], eher sogar für förderlich gegenüber maß- und zuchtlosen Menschen (genito evangelio multum iuvant...). Dieser Ansicht steht freilich die andere aus dem späteren Brief entgegen,

sunt, vestrum est cedere et illos suo sensui relinquere, modo ab officio pastoris abstineant, quo non utuntur in cives, hoc est confessiones non audiant, sacramenta civibus non porrigant, et inhibeatur id eis per senatum. Ita si volunt sua propria communione uti, ut utantur privatim ianuis clausis, non publice coram plebe, ne fiant sectae et schismata. Haec scribo, non ut ita faciatis, sed ut Lutherum patrem communem audiatis volo. Scripsi autem, ne non nihil scriberem. Vale.
Magdeburgae Diensdach post Jubilate 1532.

[20] WA Br 6, 297 f.

es seien »alte Personen, die man billig verschonen soll«, die daher lieber beim Altgewohnten bleiben wollten. Allerdings, so schließt Luther den Brief vom 22. April 1532, »hat Gott auch Leute unter ihnen, der er sich annimmt.«

Der gegen das Fraterhaus erhobene Vorwurf der Absonderung von der Gemeinde wurde nicht nur mit der Ehelosigkeit und besonderen Kleidung der Brüder begründet, sondern vor allem mit den eigenen Gottesdiensten und Abendmahlsfeiern. Auf die Rückfragen der Brüder schrieb Luther, die eigenen Gottesdienste könnten sie behalten, auf die Abendmahlsfeiern sollten sie, wenn sie sich dazu entschließen könnten, verzichten, um dadurch ein Beispiel zu geben. Dann würden vielleicht andere Fernstehende sich auch der Gemeinde anschließen.

Eine Äußerung Luthers im Brief an die Klosterherrn (Novem viri) in Herford hatte aber die Fratres vor allem in Verlegenheit gebracht. Luther schreibt darin: »Die Zeit selbst wird Rat finden«. In welchem Sinne dieser Satz gemeint war, wollten die Fratres wissen. Die Interpretation dieses Satzes bereitete Luther selbst Schwierigkeiten. Sollte dieser Satz heißen, daß nach einiger Zeit die Gemeinschaft der Fratres sich doch auflösen würde, daß diese Sondergemeinschaft nur in der Übergangszeit bestehen könnte, aber später keine Berechtigung mehr hätte? Oder meinte er, daß die Gegensätze sich mit der Zeit abschleifen würden?

Bei den Fraterherrn herrschte, wie aus ihren Rückfragen hervorgeht, Ratlosigkeit und Verstimmung. Einerseits war ihnen bescheinigt, daß sie in Lehre und Leben sich dem Evangelium gemäß verhielten, andererseits aber hieß es dann, daß sie um der christlichen Einheit willen ihre Sondergemeinschaft aufgeben sollten. Offenbar sah Luther in ihnen doch nicht die Leute, die »mit Ernst Christen sein wollten«. Von solchen hatte er wohl ein anderes Bild vor Augen. Luther hatte sich zwar weder in der Vorrede zur »Deutschen Messe« noch später dazu geäußert, wie dieses »ernsthafte Christsein« aussehe, das er sich vorstellte; vermutlich ging es nicht so sehr in der Richtung der eigenen Erbauung, der ausschließlich individuellen Frömmigkeit und Schrifterkenntnis. Ihm fehlte wohl hier gerade der starke Zusammenhalt mit der Gemeinde, ein Einwirken, Führen und Bestimmen des Volkes in der Kirche. Die Ethik, die die Brüder ihm vortrugen, genügte ihm durchaus, aber das Dienstbarwerden dem Nächsten gegenüber kam dabei nicht genug zum Ausdruck. Auch hat er wohl ein stärkeres sich Auswirken der christlichen Freiheit gewünscht.

Es wird nicht berichtet, ob der »Grunt des Fraterleuendes« wie angesetzt vor der ganzen Gemeinde öffentlich verlesen worden ist. Wenn die Klosterherrn den Brief Luthers vom 31.1.1532 dem Rat zur Kenntnis gaben und dieser die Zustände wie bisher beließ, so ist immerhin anzunehmen, daß die Fratres zu näherer Erklärung aufgefordert wurden, zumal der Ausspruch Luthers »Die Zeit selbst wird Rat finden« offenbar die Meinung aufkommen ließ, daß es sich um eine provisorische Regelung handelte.

Die Fratres schrieben daraufhin eine »Apologia des Fraterleuendes«[21], in der sie sich zuerst auf 1. Pt 3, 15 und 2. Cor 1 beriefen. Sodann lieferten sie aber ein zusätzliches Kapitel »Van der Junferschap und Closterleuende«. Während den Brüdern Gen 2 vorgehalten worden ist, antworten sie mit Matth 19 und 1. Cor 7. Es folgen zwei weitere Kapitel über Kleidung und Gottesdienstbesuch, die keine neuen Argumente bringen und sich lediglich auf einen Schriftbeweis beschränken.

Da die Brüder sich weiterhin beschwert und bedrängt fühlten, ihnen zugemutet wurde, die öffentliche Schule aus eigenen Mitteln zu unterhalten u. a., wandten sie sich erneut an Luther. Die Briefe vom 10. Oktober 1533 und 6. Januar 1534 bringen diese Klagen wieder vor. In den letzteren bezieht sich Xanthis auf die Consuetudines von 1437: »nullum votum ab aliquo recipere volumus, etiam si instanter rogaret«.

Es ging also doch um die Freiheit, ganz abgesehen davon, daß das Haus keine vorbereiteten Lehrkräfte besaß. Luther schrieb, wie aus seinem Brief an die Äbtissin Anna von Limburg hervorgeht[22], auch an den Prediger Dr. Johann Dreyer. Der Brief ist aber nicht erhalten. Die Gefahr sollte von den Brüdern unbedingt abgewandt werden. Dreyer sollte sich nicht schuldig machen und mit Leuten gemeinsame Sache machen, die nur gewaltsam vorgingen und die Interessen der Stadt rücksichtslos gegen die Brüder verfochten.

Im Oktober desselben Jahres sah sich Luther gezwungen, in derselben Sache wieder zwei Briefe nach Herford zu schreiben; dem Rat gegenüber setzte er sich für die Brüder ein und wiederholte sein Urteil über sie. Er wünschte, daß solcher Leute viel wären. Zugleich warnte er den Rat, durch ungerechte Maßnahmen ihre gute Stadt

[21] Die genannten Schriftstücke sind am Schluß der Handschrift M wiedergegeben. Als letztes Stück enthält sie das Anschreiben, mit dem die Handschrift der Äbtissin Anna von Limburg übersandt wurde. Zur Beurteilung des ganzen Streitfalles vgl. KÖSTLIN-KAWERAU, Martin Luther. Bd. 2, 1903, S. 274 f.

[22] WA Br 7, 12.

ins Gerede zu bringen[23]. Erst in diesem Brief gab Luther eine authentische Deutung seiner viel diskutierten und umstrittenen Äußerung. Er will damit gemeint haben: »daß mit der Zeit sich's wohl finden wird, ob sie also bleiben oder williglich sich ändern wollten.« Am selben Tage aber beruhigte er die Fratres[24], er wünschte sehr, daß ihr Haus erhalten bliebe, donec sub libertate et gratia Christi per charitatem multis servit et prodest.

Als nach Jahren der Streit um das Fraterhaus in Herford von neuem ausbrach, beschuldigten die Stadtpfarrer die Brüder, sie hätten Luther falsch informiert, sie verhielten sich »nicht alse, so van sick geschreuen«. Die Anklagen, die der Pfarrer Jost Deterding 1539 von der Kanzel erhob, wurden immer schärfer. Er beschuldigte die Brüder weiter, sie »verstünden die evangelische lere nicht«, »gyngen myt valscher lere umme« und widerstrebten der Wahrheit Gottes und der Einigkeit der Kirche.

Daß diese Vorwürfe nicht nur vom Pfarrer der Neustädtischen Kirche ausgingen, sondern von allen Pfarrern Herfords, an ihrer Spitze vom »oversten prediker« Herfords, Dr. Johannes Dreyer, gestützt wurden, geht aus der Tatsache hervor, daß 1540 eine Disputation angesetzt wurde, in der die beiden ehemaligen Augustiner und jetzigen Prediger Joh. Blomberch und Heinrich Vogelmann 10 Thesen, die fast ausnahmslos gegen die Brüder gerichtet waren, verteidigen wollten.

Die Anklage war hier so zugespitzt: Nicht die kirchenrechtlichen Fragen sind entscheidend, sondern die Glaubensfrage. Von der Rechtfertigung (Th 2) ist auszugehen. Daraus ist zu entnehmen, daß die in Wittenberg vorgebildeten ehemaligen Augustiner die Predigtweise der Brüder als nicht voll-evangelisch empfunden haben. Nicht nur im Beibehalten alter Bräuche, vor allem in der Verkündigung scheinen bei ihnen ältere Anschauungen zurückgeblieben zu sein. Der Ortspfarrer stellte ebenfalls 12 Punkte zusammen, die er den Brüdern brieflich mitteilte. Darin wird ihnen vorgehalten das Festhalten an »Olde herkomt« und nahegelegt, »ton prediken to gan«.

Da es sich um eine Polemik handelte und uns zur Beurteilung der Lehrweise der Brüder außer dem »Grunt des Fraterleuendes« und den Briefen hier nichts weiter zur Verfügung steht, ist die Frage, ob mittelalterliche Residuen tatsächlich in der Predigt der Fratres erhalten waren, schwer zu entscheiden.

[23] Ebda. 7, 114.
[24] Ebda. 7, 115.

Der Brief vom 9. Oktober 1534 (s. Anlage III) zeigt uns, daß die Fratres den Zusammenhang mit den anderen noch bestehenden Fraterhäusern in den Niederlanden, in Westfalen und am Rhein wahren wollten. Das heißt aber, daß sie nicht nur Unterstützung in personeller Hinsicht von dort erwarteten, sondern daß sie gleich jenen die überkommene Frömmigkeit weiterhin pflegen wollten und diese durchaus als evangeliumsgemäß ansahen. Leider besitzen wir außer dem »Grunt des Fraterleuendes« und den Briefen keine weiteren Schriftstücke, vor allem keine Predigten aus dieser Zeit, an denen der Charakter ihrer Frömmigkeit besser abgelesen werden könnte.

Die Hauptfrage bleibt schließlich die, ob Luther die Fratres richtig verstanden und eingeschätzt hat. Es ist nicht von vornherein auszuschließen, daß Luther ihren Anteil an der Devotio moderna übersehen und sie für evangelischer gehalten hat, als sie es wirklich waren. Es besteht durchaus der Eindruck, daß ihre Lebensweise in gewisser Weise Luther imponiert hat. Trotzdem ist Luther durchaus in der Lage gewesen, von ihrer Lebensform abzusehen und allein auf den Geist zu achten, der die Einzelnen und die Gemeinschaft bestimmte. Danach waren sie evangelisch, wenn auch in einer älteren Form, durch die Luther selbst hindurchgegangen war.

Anlage I

An Martino Luthero to Wittenberg

(Herford, 13. Januar 1532)

Gnade und frede! Werdige leue Doctor! a)

De noth vordert uns, dat wy unses leuendes grunt hebn moten brengen up dem breff. Und is dusse. Den werden wy vor der Stat lesen up den ersten sondach in der vasten b). So bidde ik Iw umme gades willen, gy en dorch sehn. Und war gy ermerkt, dat wy ym umwege wern c), uns tho wege wysen. Und dat sulnige dorch striken d), und wes Iw döcht, vor gade bestendich syn mach, laten stan, und ynt eynde e) Iw gericht dar up (so id Iw god ym lesende wert geuen) myt Juwer hantschryft underschryuen f),

Varet wal g). Gegeuen up octava Ephie ao 1532

Gerhardus Xanthis
ym fraterhuße tho Heruorde.

a) M + vader in Christo
b) P dom. Invocavit (= WA Br. 6, 249)
c) M uns im umwege merken
d) P cancelleren
e) M — und int eynede
f) P + Grotet my Iw leue Hußfrawe
g) M Gade beualen.

Anlage II

WA Br 7, 106 f.	*Handschrift Xanthis*
Gratiam et pacem per Christum! Multa, pater in Christo venerande, ab Euangelii renati tempore invenerunt nos mala, cum a papistis, tum ab Euangelicis dictis.	Gratiam et pacem per Christum. Multa ab Evangelii renati tempore, pater in Christo venerande, invenerunt nos mala, cum a papistis tum ab Euangelicis.
Nunc crudeliter capti graviterque mulctati, nunc a nostris fere conscripti, non uno in nos attentato exturbandi periculo, et nondum est finis. Quae omnia ut uni semper in nobis triumphanti Christo accepta ferimus, ita tuis orationibus et consiliis adiuvari rogamus. Imponitur nobis a Senatu cura scholae languentis gubernandae, recepimus, nos consensu Abbatissae dominae nostrae, penes quam ius scholae elocandae stat, atque consilio et auxilio fratrum nostrorum aliunde vocandorum ludi literarii adornandi et regendi expertorum (quando nos in personis deficimus) id oneris subituros aut alioqui pro nostra sorte rem scholasticam adiuturos. Sed neque huiusmodi nostrae responsionis, aliunde videlicet auxiliorum suppetias exigendi aut, quatenus nos sors contingit, subveniendi conditio, neque etiam consilii de continentia sine votis sese nobis sub libertate christiana adsociare cupientibus acceptandi nobis copia boni consulitur, idque tua potissimum autoritate e literis venata, qua posuisti: Die Zeit selb wird Rat finden. Angustiae igitur nobis sunt undique ab exactoribus laterum negantibus paleas. God wille doch/ dat erkennen und helpen! Juventuti ad imaginem Christi reformandae et nos et nostra sanctificata velimus successione christiana iam nobis concessa, eaque non impedita. Quin et collaboramus pro gloria Dei, bona spe educandi (corruentibus iam scholis et monasteriis et ne uno quidem viro cive, proh dolor! quod sciam sacrarum literarum studio dedicato), educandi in-	Nunc capti graviterque mulctati, nunc fere proscripti ac propemodum exturbandi.
	Que omnia ut uni Christo semper pro nobis triumphanti accepta ferimus, ita rogamus nos adiuvari tuis orationibus et consiliis.
	Proponitur nobis a Senatu cura schole languentis gubernande.
	Utinam tam foelicibus auspiciis quam speratis auctibus, Recepimus nos consensu Abbatisse domine nostre, penes quam ius schole elocande stat, Atque consilio et auxilio fratrum nostrorum aliunde vocandorum ludi literarii adornandi et regendi expertorum (quando nos in personis deficimus) id oneris suscepturos.
	Sed hec nostre responsionis conditio non placet, neque consilii de continentia
	capacibus seseque nobis sub libertate christiana sine votis sociare cupientibus dabitur copia nobis colligendi tua potissimum autoritate e litteris venata qua posuisti: De zeit wert selb rath vynden. Angustie igitur nobis sunt undique. Exiguntur lateres negatis paleis.
	Juventuti ad imaginem Christi reformande et nos et nostra sanctificata cupimus successione nobis ad hoc utili non impedita.
	Quin et laboramus pro gloria Dei, bona spe educandi aliis,

quam aliquos, quibus civitati nostrae in verbo Dei quandoque adesse poterimus. Interim sic Dei et Caesaris Christo propitio curamus, ut de fide, honore et tributo rogantibus respondeamus bene, et sileant, qui nos monstra sectarum alituros somniant.

Huic vero ultimae provinciae domesticae, videlicet scholae, utilius forsitan insudaremus, ni pueris iam facti peripsema, opprobrium hominum et abiectio plebis monastico nostro habitu tam simplici quam distincto. Accedit rei, quod et hebraicae et graecae literaturae simus ignari, et quod fere adhuc tot hic magistri ad manus sunt quot discipuli.

quibus ciuitati nostre in verbo dei adesse possemus, corruentibus iam scholis et monasteriis. Interim sic dei et nostra curantes ut fidei exploratoribus et Cesari responsuri de tributo honore fide, ut sileant, qui nos monstra sectarum alituros somniant.

Huic ultimae provinciae forsitan utilius insudaremus,

qui pueris iam facti peripsema, opprobrium hominum et abiectio plebis monastice nostra et habitu

et grecis et hebreis literis nos fugientibus.

Sunt praeterea qui putant omnino necessarium nobis etiam de necessitate salutis, ut vocant, nos vacare oportere pueris instituendis, tuis itidem scriptis ducti, ubi monasteria in scholas vertendas optas; quibus mihi tuo calamo responsum velim, quod vel Augustinus domi suae nec universalem nec particularem, sed plane domesticam tantum cum clericis suis habuerit scholam. Spero promissas tuo nomine literas per Philippum (te tunc alias occupato) diu expectatas me iam recepturum abs te super intellectu illius clausulae supradictae: Die Zeit selb wird Rat finden, qua nos toties tam proterve divexarunt quidam, nihil aeque atque nostri extinctionem et bonorum nostrorum successionem (vulgatissima utpote molari et plateali fama, quod res de bonis agatur cum Fratribus) expectantes. Det nobis Dominus per te bonum in Christo consilium. Saluta, obsecro, nomine meo Philippum et Pomeranum, uxoresque et proles omnium vestrum! Vale cum tota Wittenberga!

Det nobis Dominus per te consilium bonum. Amen.

Datum Dionysii a. 1534. [9. 10.]

Altera Michaelis anno 1534. [30. 9.]

Gerhardus Xanthis, tuus in Christo dilectus filius.

Gerhardus Xantis, tuus in Christo dilectus filius.

Anlage III

Gerhard Xanthis an Martin Luther

(Herford, 9. Oktober 1534)

Gnade und frede van Gade in Christo!
Werdige leve Doctor! De Scholesorge wert uns hard angelacht vam rade, de wy doch sehr weynich an personen syn, und nhu unser cleding haluen verechlyck. Und hefft sick dat uns vernemens dar hyn verorsaket, dat gy vaken[1] in juwen

---

[1] oft, häufig

schrifften setten, dat de closter scholen syn scholden und also wy ock yn unsen buchlin geseth hebn van unser husscholen. Uns wert dar van etliken so vast upgehalden, dat se meynen, wy konnen nicht selich werden, so wy nene scholemesters werden. Wy nemen solckes up unser gnedigen frouwen, by welcker dat scholrecht, und ock up unser oversten und fraterhuser Walbehach[2] an, in dem se uns dartho helpen und personen verlenen wolden. Suß hedden wy dat an den luden by uns nycht. Beden se uns des verleten[3], wy wolden na unsen antall gerne mede thor scholen helpen. So verleten se uns solckes nycht. Und wy reyseden tho Deventer, Emerich, Wesell, Monster umme radt und hulpe. Und do wy enen gekregen, de syck villicht dartho hedde bruken laten, den sangck men tho mothe[4], wy hedn enen Kuckkuck gehalet.

Schreff darna vor der scholen, men scholde den Esell nycht kleden myt der Leuwen huidt, dat wy up de ene sydt bedrengen, up de ande sydt bespottet werden. Godt kennet und rychte ydt tho syner tydt. Na dem wy den nycht darup fundert noch togelaten synt, alsth kentlyck tho Deuenter, Swoll, Embrick, dar de fraters der schole nycht hebn, und wy nu solkes nicht doen konnen, Beger yck, gy uns doch juwen verstant van den scholen, alse de closter syn scholden wyllen schryuen und wat de sproke, den gy geseth hebben. De tydt wert wal radth vynden, schal to beduden hebn.

Grotet uns Philippus, den gy aldo bekummert up ein ander tydt uns tho schrynende gelauet hadn. Gade beualen!

Datum Dionisii Anno 1534.

   Ms. M S. 64 f.

---

[2] Wohlbehagen, Zustimmung
[3] festsetzen, beschließen, vereinbaren.
[4] entgegensingen = höhnen.

ZUM BRIEFWECHSEL DES LUTHER- UND MELANCHTHONSCHÜLERS JOHANNES MATHESIUS

von Hans Volz
(Göttingen, Mittelberg 19)

Johannes Mathesius[1] (aus Rochlitz, 1504/65), ein markanter Vertreter des Deutschtums wie des Protestantismus im nördlichen Sudetenlande, der rund ein Drittel Jahrhundert (1532/65) zunächst als Schulrektor, dann (seit 1542) als Prediger und schließlich (seit 1545) als Pfarrer in der jungen erzgebirgischen Bergwerksstadt St. Joachimsthal wirkte und dessen Todestag (5. Oktober) im vergangenen Jahre zum 400. Male wiederkehrte, ist in dreifacher Hinsicht mit der deutschen Reformationsgeschichte eng verbunden. Als »Diszipel« Luthers und Melanchthons, zu deren Füßen er in Wittenberg in den Jahren 1529/30 und 1540/42 lernend saß, gehörte er — ebenso wie der Nürnberger Veit Dietrich — zu dem Kreise jüngerer evangelischer Theologen, die dem »Praeceptor Germaniae« besonders nahe standen und mit ihm zeitlebens einen sehr regen Briefwechsel führten, während er seiner tiefen Verehrung für den großen Reformator beredten Ausdruck verlieh in der ersten protestantischen Lutherbiographie, den von ihm in den Jahren 1562/65 vor seiner Bergwerksgemeinde gehaltenen und wenige Monate nach seinem eigenen Tod erstmals erschienenen siebzehn Predigten über Luthers Leben[2]; seitdem sehr oft wieder aufgelegt, haben sie das Lutherbild der folgenden Jahrhunderte in entscheidendem Maße mitgeprägt. Darüber hinaus bilden einen bedeutsamen Quellenbeitrag zu Luthers Leben und Gedankenwelt die von Mathesius im Sommer 1540 als Haus- und Tischgenosse des Reformators angefertigten sorgfältigen Nachschriften von dessen Tischreden — eine Sammlung, die er noch durch Kopien aus entsprechenden Aufzeichnungen anderer Nachschreiber aus früheren oder späteren Jahren ergänzte[3].

---

[1] Über ihn vgl. G. Loesche, Johannes Mathesius. Ein Lebens- und Sitten-Bild aus der Reformationszeit 2 Bde. (Gotha 1895); RGG³ Bd. 4 (1960), Sp. 808.

[2] Johannes Mathesius, Ausgewählte Werke Bd. 3: Luthers Leben in Predigten, hrsg. von G. Loesche (2. Aufl. Prag 1906); vgl. dazu H. Volz, Die Lutherpredigten des Johannes Mathesius (Leipzig 1930).

Angesichts dieser Bedeutung von Mathesius ist es durchaus gerechtfertigt, daß man seine umfangreichen Korrespondenzreste in
vollem Umfange veröffentlichte. Eine erste, insgesamt rund 275
Briefe von und an Mathesius umfassende Sammlung publizierte
sein Biograph GEORG LOESCHE 1895 und (meist aus Nürnberger
Beständen) 1904, wobei er die bereits früher (vor allem im Corpus
Reformatorum) gedruckten nur im Regest wiedergab[4]. Weitere
Einzelveröffentlichungen folgten seit 1905[5]; unter diesen hebt sich
durch seinen Umfang besonders mein rund 60 neue Stücke zählender,
aus einer bisher unbekannten Berliner Handschrift geschöpfter Beitrag[6] heraus. Die nunmehr im Folgenden vorgelegte, den Bibliothe-
ken in London, München und Erlangen sowie den Archiven in
Göttingen und Straßburg entstammende Nachlese, die bei Gelegenheit der Bearbeitung der drei Schlußbände 12 bis 14 des Luther-
briefwechsels im Rahmen der Weimarer Ausgabe erwuchs, umfaßt
fünf für die Biographie und Theologie von Mathesius nicht uninter-
essante Stücke sowie Nachträge zu zwei von mir bereits anderweit
veröffentlichten Briefen[7]. Für die Veröffentlichungsgenehmigung sei
allen beteiligten Stellen herzlich gedankt.

Nr. 1
Andreas Misenus[1] an Mathesius
[Altenburg, August] 1532.
Bericht über den Tod des sächsischen Kurfürsten Johann des Be-
ständigen.

Außer der Londoner Abschrift (Brit. Mus., Addit. 17913, Bl. 175[b]—176[a]), nach
der dieser Brief des Altenburger Schulmeisters mit ausführlichem Kommentar

[3] Vgl. G. LOESCHE, Analecta Lutherana et Melanthoniana. Tischreden Luthers
und Aussprüche Melanthons, hauptsächlich nach Aufzeichnungen des Johannes
Mathesius (Gotha 1892); E. KROKER, Luthers Tischreden in der Mathesischen
Sammlung. Aus einer Handschrift der Leipziger Stadtbibliothek (Leipzig
1903); WA Tischreden Bd. 4, S. XXVII—XLV.

[4] LOESCHE, Mathesius Bd. 2, S. 223—371 und Johannes Mathesius, Ausgewählte
Werke Bd. 4: Handsteine, hrsg. von G. LOESCHE (Prag 1904), S. 489—605
und 684—699.

[5] Vgl. die Zusammenstellung in ARG Bd. 24 (1927), S. 302 f. Anm. 3 und ebd.
S. 303—311 sowie »Heimat und Kirche«. Festschrift für ERICH WEHRENPFEN-
NIG (Heidelberg-Wien 1963), S. 131 f. und 137 f.

[6] ARG Bd. 29 (1932), S. 97—132. 260—284; Bd. 30 (1933), S. 37—66. 212—
246; Bd. 31 (1934), S. 42—60.

[7] In der Vorlage gestrichene Worte sind in unserm Abdruck in spitze Klam-
mern gesetzt.

erstmalig in der Festschrift für ERICH WEHRENPFENNIG »Heimat und Kirche«
(Heidelberg-Wien 1963), S. 131 f. und 137 f. veröffentlicht ist, findet sich eine
weitere, textlich bessere Kopie im Britischen Museum: Addit. 12059 (Cod. Clos-
sii), Bl. 66b—67a.
    Über diese seit 1841 im Besitz des Britischen Museums befindliche Handschrift
vgl. ARG Bd. 29 (1932), S. 108 und Anm. 2 (hier irrig als verschollen bezeichnet);
Catalogue of the library of Dr. Kloss (London 1835), S. 334—339 Nr. 4637
und Tafel 1; Serapeum Bd. 2 (1841), S. 371—377; Catalogue of Additions to the
Manuscripts in the British Museum in the years MDCCCXLI—MDCCCXLV
(London 1850), S. 30; K. HARTFELDER, Melanchthoniana paedagogica (Leipzig
1892), S. 228 f.; R. PRIEBSCH, Deutsche Handschriften in England Bd. 2: Das
British Museum (Erlangen 1901), S. 120 f. Nr. 140; ZKG Bd. 66 (1955), S. 78 f.
Anm. 24.
    Nach der zweiten Abschrift ist der Abdruck in der Wehrenpfennig-Festschrift,
S. 137 an folgenden Stellen zu berichtigen:
Adresse: Joanni Matthesio[2] suo Andreas Misenus S.P.D. *Zl. 9:* Suenitz *Zl. 10:*
Melanthon]*fehlt* *Zl. 13:* aegre oculis *Zl. 17:* luminis] + extinctus *Zl. 23:* con-
sule. 32 *(ohne Unterschrift)*. Bei den Varianten a—c bestätigt diese Abschrift
die im Abdruck vorgenommenen Textberichtigungen.

Nr. 2.
Mathesius an Georg Helt in Dessau
Joachimsthal, 20. April 1542.

Urschrift: Göttingen, Staatliches Archivlager, Gesamtarchiv An-
halt-Zerbst, Nr. 940.
    Clarissimo viro D. Georgio Forchemio[1] Magistro, domino et
amico suo maiori.
    S. P. In christo. Admonuit me Elbelius[2] de sua profectione ad

---

[1] Über Misenus vgl. WA Briefe Bd. 9, S. 363 Anm. 11 und Beiträge zur thü-
ringischen Kirchengeschichte Bd. 4 (1939), S. 315 f.
[2] Zur Namensform vgl. unten S. 242 Anm. 2.
[1] Georg Helt (ca. 1485—1545) aus Forchheim/Ofr., seit 1505 Magister, war
seit 1518 Mentor des Fürsten Georg von Anhalt (1507—1553) während
dessen Leipziger Universitätsaufenthaltes, empfing zusammen mit ihm am
9. April 1520 in Merseburg die Akolythenweihe (G. BUCHWALD, Die Matrikel
des Hochstifts Merseburg [Weimar 1926], S. 140, 27—31) und war ihm als
Berater fortan in engster Freundschaft verbunden (über Helt vgl. RGG[3]
Bd. 3, Sp. 217 und NDB Bd. 6 s. v.; unser Brief fehlt bei O. CLEMEN, Georg
Helts Briefwechsel [Leipzig 1907]). Von Mitte Dezember 1541 bis 19. März
1542 weilte Helt in Wittenberg (ARG Bd. 17 [1920], S. 184 und 256—259);
in dieser Zeit freundete er sich mit Mathesius an, der sich studienhalber seit
Mai 1540 in Wittenberg aufhielt, dort am 23. September desselben Jahres
zum Magister promovierte (ARG Bd. 31 [1934], S. 42—44) und am 29. März
1542 für das Predigtamt in Joachimsthal ordiniert wurde (WA Briefe Bd. 12,
Nr. 4330, 11). Über sonstige Beziehungen zwischen Mathesius und Helt ist
nichts bekannt.
[2] Vielleicht Johannes Elbel (1528—1592) aus Gefell (nördl. von Hof), im
Sommersemester 1551 in Leipzig immatrikuliert und am 7. Dezember 1552

Dessam. Quare volui esse in officio pro nostra nuper inita amicitia.
Nec diffido, quin sis humaniter accepturus, quicquid huius est offi-
cioli. Caeterum de Catalogo mearum rerum, quas collegi vitepergae,
iam nihil scribere possum. Nondum enim venit supellex mea[3]. Tu
vero, si quid habes aut si per occasionem potes, fac me doceas de tuis
materiis scriptis. Sic enim confirmabitur nostra familiaritas. Bene in
christo vale. Datum in vallibus Ioachimicis die Iouis post Quasi-
modogeniti Anno domini MDXLII.

T[uae] humanitatis

Ioan. Mathesius.

Nr. 3.
Mathesius an Caspar N[1]
[Joachimsthal] 1543.

Abschrift: London, Brit. Museum, Addit. 12059 (vgl. oben S. 241),
Bl. 430[b]—431[a].

Epistola Iohannis Matthesii[2] scripta ad amicum quendam.

in Wittenberg als Pfarrer für Mißlareuth ordiniert (seit 1562 in Reuth [beide
Orte liegen bei Plauen]); vgl. G. ERLER, Die Matrikel der Universität Leipzig 1409—1559 Bd. 1 (Leipzig 1895), S. 667; G. BUCHWALD, Wittenberger
Ordiniertenbuch Bd. 1 (Leipzig 1894), S. 83 Nr. 1329; R. GRÜNBERG, Sächsi-
sches Pfarrerbuch Bd. 2 (Freiberg 1940), S. 149.

[3] Mathesius war vermutlich am Vortage (19. April 1542) von Wittenberg nach
Joachimsthal zurückgekehrt (vgl. VOLZ, Die Lutherpredigten des Mathesius,
S. 7 Anm. 1).

[1] Als Adressat mit dem (im Brieftext dreimal genannten, aber in der Abschrift
nachträglich überall gestrichenen) Vornamen: »Caspar« kommt unter den
mit Mathesius befreundeten Trägern dieses Namens (vgl. ARG Bd. 29 [1932],
S. 125 f. Anm. 5) entweder der um 12 Jahre jüngere Caspar Heydenreich (aus
Freiberg, 1516—1586) oder der um 20 Jahre jüngere Caspar Eberhard (aus
Schneeberg, 1523—1575) in Betracht; auf alle Fälle handelte es sich wohl
um einen Wittenberger Studenten, wie der Hinweis auf den »praeceptor tuus«
oder den Wittenberger Diakonus Georg Rörer (im Briefeingang) und die
Erwähnung von »tua studia« (gegen Schluß) nahe legt. Heydenreich, 1540/
41 (als Nachfolger von Mathesius) Rektor in Joachimsthal, studierte 1541/
43 in Wittenberg (Magister am 15. September 1541), bis er dann dort am
24. Oktober 1543 für das Freiberger Hofpredigeramt ordiniert wurde (über
ihn vgl. WA Briefe Bd. 10, S. 372 f. Anm. 1). Eberhard, zuerst Unterlehrer
(Baccalaureus) in seiner Heimatstadt, wurde im Juni 1543 in Wittenberg
immatrikuliert (ob er aber damals schon zu Mathesius in Beziehungen stand,
ist nicht überliefert); 1545 wurde er dann zunächst Schulkollege und 1549
Rektor der Joachimsthaler Lateinschule (über ihn vgl. LOESCHE, Mathesius
Bd. 1, S. 185 Anm. 5; ARG Bd. 29 [1932], S. 100 Anm. 3; Album Academiae Vitebergensis Bd. 1 [Leipzig 1841], S. 207).

[2] Zu der (von Mathesius selbst nie gebrauchten) Namensform mit ›tt‹ vgl. ARG
Bd. 24 (1927), S. 306 Anm. 3.

Hortulanus sum, mi ⟨Caspar⟩, quod diu optaui. Sed olitor etiam interdum oportuna locutus. Quare pro tua petitione detraxi meis laboribus tantum ocii et tibi breuiter respondebo. Mallem autem, vt istic vel ex praeceptore tuo uel a Georgio Rorer[3] quaereres. 'Gratius ex ipso fonte bibuntur aquae'[4] aut ex proximis riuulis. Sed desino me purgare apud te. Quaeris, An lapsi iterum in eadem uitia ex infirmitate digne iterum accedant ad εὐχαριστίαν. Addo: si paenitentiam egerint. Nunc respondeo: Etiamsi in fide accedis ad Sacramentum et consequeris testimonium remissorum peccatorum, Et peccata vere remissa sunt paenitentibus et credentibus in Christum, tamen manet concupiscentia et infirmitas in sanctis. Illa exerit sese saepiuscule et pugnat contra spiritum. Igitur spiritus semper opus habet nouo auxilio. Ad mortificandam igitur illam concupiscentiam carnis semper opus est fide, opus est Sacramento, opus est pugna, qua confligimus cum carne. Et Christus nouit reliquias peccati in sanctis suis. Igitur semper iussit ORARE: 'Remitte nobis debita'[5] et proposuit nobis Sacramentum, Vt, quociescunque opus haberemus, erigeremus et confirmaremus fidem et spiritum. Igitur saepe licet accedere etiam lapsis in peccata, sed ex infirmitate. Quod vero distincte scribis: »In eadem vitia semper«, Vide, quid agas? Vitium est ipsa concupiscentia, quam non potes elicere, et vitium est factum aut crimen. Relabi in idem vitium, peccatum, facinus, crimen non decet Christianos. Et Christiani suggillant sua corpora more Pauli et frenant carnem et sentiunt se leuari flagitiis externis, etiamsi vetus Adam et concupiscentia non plane exuitur. Vide igitur, ne teipsum fallas et laxes frenum carni, imo sub te sit appetitus et tu domineris carni prorumpenti. Nam peccatum non dominatur piis, Sed reluctatur spiritui. Sed intelligo te de affectibus. Noui enim animum tuum pium et liberalem. Quod addis »eadem«, hoc durius est. Etiamsi verum est post graues luctus carnem infirmari saepe in Christianis, tamen et saepe mordet frenum et relabuntur nonnunquam pii in grauiora vitia, nedum in eadem, Vt Dauid fit adulter et homicida[6] et blasphemus post multas egregias victorias de carne, cum summa pacientia et fide vicisset Saulis insectationes. Et tu

---

[3] Über Georg Rörer (1492—1557) vgl. Zeitschrift für bayerische Kirchengeschichte Bd. 26 (1957), S. 113—145, über Mathesius' Beziehungen zu seinem »lieben Beichtvater« vgl. Volz, Die Lutherpredigten des Mathesius, S. 79 Anm. 7.

[4] Ovid, Ex Ponto 3, 5, 18.

[5] Matth. 6, 12.

[6] 2. Sam. 11, 2 ff.

addis: »Semper«. Semper autem in eadem vitia relabi non possunt concordare cum fide et spiritu sancto. Vbi enim est vera fides et spiritus sanctus, ibi purificatur cor, Vincitur caro aliquomodo, Roboratur spiritus noster, infirmatur caro, deteruntur vitia, expurgatur vetus fermentum, Crescit nouus homo et augescit. Proinde, mi fili ⟨Caspar⟩, doce me planius de tuo negotio. Interim sic cogitato et mihi credito lapsis non negari remissionem peccatorum nec lapsos arceri a Sacramento. Nam septuagies septies iussit Christus Petrum remittere peccata fratri[7]. Et totis viribus adoritor hostem, quem circumfers, idest oppugnato carnem fide filii Dei, oratione, suspiriis, bono proposito, lectione scripturarum et obserua, quibus vitiis maxime vexeris; contra ea parato tibi aliquot scripturae locos et exempla et in nomine Christi vtitor Caena Domini, senties remittere hostem, qui te exercet. Nec est, quod putes te plane cariturum esse omni peccato et concupiscentia. Velle esse iustum et id ex animo expetere summa iustitia est, quam nos non consequi possumus etiam adiuti spiritu sancto (Tantae molis est[8] Adami vincere carnem), Sed iustitia filii Dei, qua nos ornat gratis per fidem, quem pontificem implores. Nam vota viam inuenient aderitque vocatus Iesus, Cui committo tua studia et fidem et animam. Is te seruet, vt est seruator. Tu modo non succumbito in pugna et 'contra audentior ito'[9]. Ego tibi succenturiatus adero non ex insidiis[10] adoriens hostem Sathanam, Sed aperto Marte[11] prouolans et gemens contra illum pro te meo filio in Christo charissimo. Nam cum meam fidem labefactare non potuit nec me expugnare, quem hostiliter oppugnauit, nunc admouet suas technas et machinas ad meum filium in Christo ⟨... Casparum⟩. Sed re infecta cum dedecore adigetur. Haec pro tua petitione et mea in te pietate scribere volui, tu pro me vicissim suspires ad patrem liberatoris Christi, vt me seruet in meo ministerio et matrimonio[12] et ornet me suo spiritu et vera humilitate et patientia. Nam afflictorum animulorum suspiria die thuns, die durchdringen omnes caelos vnd thun dem teuffell das geprante

---

[7] Matth. 18, 22.

[8] Verg., Aen. 1, 33.

[9] Verg., Aen. 6, 95.

[10] = als Reserve; vgl. Ter., Phorm. 230.

[11] = in offener Feldschlacht.

[12] Am 29. März 1542 war Mathesius in Wittenberg für das Predigtamt in Joachimsthal ordiniert worden; am 4. Dezember desselben Jahres hatte er Sybilla Richter als seine Gattin heimgeführt (vgl. oben S. 241 Anm. 1 und LOESCHE, Mathesius Bd. 1, S. 114 f.).

leid[13], Etiamsi talia suspiria non magnifiunt a nobis, cum sumus in veris terroribus. Vale. Anno salutis 1543.

Matthesius Tuus.

Nr. 4

Melanchthon, Widmung an Mathesius. — Mathesius, Widmung an Franz Groß in Mittweida

[1549.]

Urschrift: Erlangen UB (Trew O 373 bei Cim. IV, 1) auf dem Titelblatt von: EPISTOLA | STANISLAI ORI = | chouuij[1] de celi = | batu. | 1549. |. 8° 10 Bl.

1. *Melanchthons Widmung:* Reuerendo Mathesio [*darunter:* φ. M. *von Mathesius' Hand*].

2. *Mathesius' Widmung:* Domino Francisco Grosen[2] d[ono] d[edit] Mathesius.

Nr. 5

Mathesius an Johann Marbach in Straßburg

Joachimsthal, 20. Juli 1556.

Urschrift: Straßburg, Stadtarchiv (Thomasarchiv), Nr. 159: Epistolae ad historiam ecclesiasticam saeculi XVI. pertinentes vol. VI (vgl. Inventaire des archives du Chapitre de St.-Thomas de Strasbourg [Straßburg 1937], Sp. 217).

Reuerendo viro pietate et doctrina praestanti Domino [mai]o-

---

[13] = bereiten die ärgste Qual.

[1] Der polnische Humanist und Theologe Stanislaus Orzechowski (Orichovius) (1513—1566) wurde nach einem Studium in Krakau, Wien, Wittenberg (aber nicht in der Matrikel), Bologna und Padua 1543 nach Rückkehr nach Polen Priester, bekämpfte aber seit 1548 literarisch den Zölibat (u. a. »De lege coelibatus« [Basel 1551]) und trat 1551 selbst in den Ehestand (Vermählung mit Magdalena Chelmska), worauf er vom Bischof von Przemysl Jan Dziaduski exkommuniziert und aus der Diözese verbannt wurde. Seit 1559 bekannte er sich wieder zum Katholizismus (u. a.: »Fidei catholicae confessio« [Köln 1563]). Über ihn vgl. LThK[2] Bd. 7, Sp. 1259.

[2] Franz Groß († 1571) aus Oschatz. Nach Studium (seit 1520) und Magisterpromotion (Dez. 1523) in Leipzig ließ er sich am 2. November 1528 in Wittenberg immatrikulieren, wo er mit Mathesius, der ihn unter seinen damaligen »Tafelbrüdern« aufführt, während dessen ersten Wittenberger Studienaufenthaltes (21. Mai 1529 — Sommer 1530) zusammentraf. Mathesius nannte 1559 Groß, der seit 1540 Diakon und seit 1555 Pfarrer in Mittweida war, seinen »lieben Praeceptor«, der ihn »in der heiligen [= hebräischen] Sprache erstlich zu Wittenberg unterweiset« hätte. Über ihn vgl. Volz, Die Lutherpredigten des Mathesius, S. 186 und Anm. 2; WA Briefe Bd. 9, S. 568.

ri Iohanni [Mar]bachio[1], Seruo [Eccle]siae dei apud Argentoratenses, suo in domino fratri carissimo.

S. D. Venerande domine doctor et amice carissime. Huic bono iuueni[2] isthuc eunti has meas literas dedi, vt probarem tibi meam erga te beneuolentiam et constantem ⟨mutuarum⟩ amorem, quo ego candide amplector omnes, qui sanam doctrinam profitentur et reuerenter habent ecclesiam et scholam vitepergensem, quarum me confiteor alumnum et discipulum. Non credis, quam pios animos moueat animorum dissensio et ecclesiarum distractiones[3]. Sed nos decet amplecti matrem nostram ac uereri praeceptores multis donis ornatos et, quae ex ipsorum pia traditione accepimus, sedulo et cum moderata prudentia propagare ad posteritatem. De tua voluntate non dubito et audio bona testimonia de tuis studiis. Faxit aeternus filius dei, vt vnum simus et vnum fateamur. Dominus Melanthon me ante paucos dies inuisit[4]. Eum virum lumen eccle-

---

[1] Johann Marbach (1521—1581) aus Lindau studierte nach dreijährigem Besuch (1536/39) des Straßburger Gymnasiums seit dem Sommer 1539 (bis 1541) in Wittenberg, wo er zusammen mit Mathesius Luthers Haus- und Tischgenosse war und gleichzeitig mit jenem am 23. September 1540 (vgl. oben S. 241 Anm. 1) zum Magister promovierte. Am 22. Juni 1541 zum Diakonus in Jena ordiniert, ging Marbach noch im gleichen Jahr nach Isny. Nachdem er am 20. Februar 1543 in Wittenberg den theologischen Doktorgrad erworben hatte (WA Bd. 39 II, S. 204—232; Briefe Bd. 10, S. 268—271), siedelte er 1545 von Isny, wo er seit 1543 als Nachfolger von Paul Fagius das Pfarramt bekleidete, nach Straßburg über; von 1545 bzw. 1547 bis 1558 amtierte er als Pfarrverweser bzw. als Pfarrer an der Nikolaikirche (1546 Kapitelsherr an St. Thomas). Nach dem Weggang Martin Bucers, dessen Nachfolger als Theologieprofessor am Gymnasium er wurde (1549), spielte er als strenger Lutheraner eine führende Rolle in Straßburg. 1552 wurde er (nach Kaspar Hedios Tod) Präsident des dortigen Kirchenkonventes. Im August/ September 1556 war er bei der endgültigen Einführung der Reformation in der Pfalz und der damaligen Kirchenvisitation maßgeblich beteiligt. 1559 wurde er Dekan des Thomaskapitels. Über Marbach vgl. RE³ Bd. 12, S. 245 bis 248; RGG³ Bd. 4, Sp. 733; J. Ficker und O. Winckelmann, Handschriftenproben des sechzehnten Jahrhunderts nach Straßburger Originalen Bd. 2 (Straßburg 1905), zu Tafel 89; H. Neu, Pfarrerbuch der evangelischen Kirche Badens von der Reformation bis zur Gegenwart Bd. 2 (Lahr 1939), S. 392; F. Hauss u. H. G. Zier, Die Kirchenordnungen von 1556 in der Kurpfalz usw. (Karlsruhe 1956), S. 126 f.; M. J. Bopp, Die evangelischen Geistlichen und Theologen in Elsaß und Lothringen (Neustadt/Aisch 1959), Nr. 3347.

[2] Der Briefüberbringer ist nicht zu ermitteln.

[3] Es handelt sich dabei vor allem um die flacianischen Streitigkeiten; vgl. ARG Bd. 30 (1933), S. 64—66 und 212 f.

[4] Im Juni 1556 in Karlsbad, wo Mathesius zur Kur weilte (ARG Bd. 30, S. 214 und Anm. 4).

siae seruet nobis deus noster. Nam ipso extincto homines calidi et amantes litium et rixae mouebunt acria certamina de rebus prudentia et moderatione sopitis. A talibus scandalis et contentionibus libera nos, domine Iesu christe. Et da, vt 'simpliciter ambulemus'[4a] contenti tuo solido verbo et *[halbe Zeile fehlt unten am Rand]* et sophisticen abige a bene fundatis ecclesiis. Haec, amice carissime, nunc senex ad condiscipulum meum scribo, cuius sermones mihi olim fuere valde grati[5]. Tu, si fieri potest, rescribe ad me[6] amanter et qui sit status vestrae ecclesiae in his accisis temporibus. id erit mihi vehementer gratum. Huic homini[2] aliquid boni propter me facias et d. Flinderum[7] meis verbis salutabis et omnes, qui fideliter seruiunt ecclesiae filii dei. Bene in Christo vale et tenax sis sanae doctrinae, quam accepisti a nostris. Datum in Sudetis xx Iulii MDLVI.

Mathesius
viduus[8] senex infirmus[9].

[4a] Spr. 10, 9; 11, 20, 28, 18.

[5] Auch in seinem Briefe an Marbach vom 1. September 1549 nahm Mathesius auf »nostra amicitia, quam Vitebergae constituimus et sanctissimis colloquiis ad biennium aluimus«, Bezug (LOESCHE, Mathesius Bd. 2, S. 270).

[6] Kein Brief Marbachs an Mathesius ist erhalten.

[7] Johann Flinner (Flinder) (1520—1578) aus Zeil bei Würzburg war seit 1539 Student am Straßburger Gymnasium und seit 1541 evangelischer Geistlicher in Augsburg; von dort wurde er erstmals am 28. August 1551 vertrieben, worauf ihn Melanchthon am 21. September an Mathesius empfahl (CR Bd. 7, Sp. 835 f. = LOESCHE a.a.O. Bd. 2, S. 285), und dann (nach seiner Rückkehr Mitte April 1552) endgültig am 25. August 1552. Nach einer Weile (schon 1554 bezeugt) wurde er Helfer an St. Aurelien in Straßburg, und 1555 erhielt er ein Kanonikat an St. Thomas. Nachdem der Rat ihn im Mai/Juni 1556 an die Spitalkirche nach Baden-Baden beurlaubt hatte, war er anschließend auf Wunsch des Pfälzer Kurfürsten (1556/59) Ottheinrich in den Jahren 1556/59 gastweise als Pfarrer an der Heidelberger Heiliggeistkirche und zugleich im August/September 1556 bei der Kirchenvisitation in der Kurpfalz (zusammen mit Johann Marbach [vgl. oben Anm. 1]) tätig. Seit 1559 wieder in Straßburg, wirkte er als Pfarrer an der Predigerkirche, seit 1561 am Münster und seit 1571 an St. Thomas. Über Flinner vgl. F. ROTH, Augsburgs Reformationsgeschichte Bd. 3 (München 1907), S. 540; Bd. 4 (ebd. 1911), S. 354 f. 463. 514; A. VON DRUFFEL, Beiträge zur Reichsgeschichte Bd. 3 (München 1882), S. 208, 211, 213; CR Bd. 7, Sp. 847; O. VOGT, Joh. Bugenhagens Briefwechsel (Stettin 1888), S. 504; T. W. RÖHRICH, Geschichte der Reformation im Elsaß Bd. 3 (Straßburg 1832), S. 94 f.; C. SCHMIDT, Der Antheil der Straßburger an der Reformation in Churpfalz (Straßburg 1856), S. IX—XI; FICKER-WINCKELMANN a.a.O. Bd. 2, zu Tafel 88; NEU a.a.O. Bd. 2, S. 167; HAUSS-ZIER, a.a.O. S. 126 f. und 137 Anm. 43; BOPP a.a.O., Nr. 1414.

Nr. 6
Caspar Peucer an Mathesius
Empfehlungsschreiben für den serbischen Diakon Demetrius.
[Wittenberg], 28. September [1559].

Die Urschrift des in ARG Bd. 24 (1927), S. 308 f. (vgl. dazu Bd. 29 [1932],
S. 116 Anm. 1) nach einer Pariser Kopie gedruckten Briefes befand sich bis 1945
(seitdem verschollen) auf der v. Wallenberg-Fenderlinschen Bibliothek in Landeshut, Hs. I, 2, Bl. 155 (vgl. TH. LANGNER, Katalog der von Wallenberg-Fenderlin'schen Bibliothek zu Landeshut i. Schl. [Landeshut 1881], S. 130). Laut † O.
CLEMENS Abschrift ist nach dem Landeshuter Original der Abdruck folgendermaßen zu korrigieren: S. 309 Zl. 4 f. lies: τῷ μεγαλόφρονι[1], Zl. 9: »vicinia«
(statt: »Bitinia«; vgl. auch CR Bd. 9, Sp. 953); S. 308 f. Anm. 2 ist als unzutreffend zu streichen.

Demetrius[2], nach Melanchthons Angabe (CR Bd. 9, Sp. 826 f.) drei Jahre
Diakon der Kirche zu Byzanz, traf am 16. oder 17. Mai 1559[3] mit einem
Empfehlungsbrief (vgl. unten Beilage) des Sigismund Gelous[4], des königlichen
Präfekten zu Eperies (Nordungarn), an seinen ehemaligen Lehrer Melanchthon
vom 16. März zu einem längeren Aufenthalt in Wittenberg ein und weilte dort
während des ganzen Sommers bis Ende September als Gast in Melanchthons
Haus (CR Bd. 9, Sp. 924 f. 953 [= 935]). Bei der Abreise gab ihm dieser für
den Patriarchen Joassaph II. von Konstantinopel einen griechischen Brief (ebd.
Sp. 922—925) nebst einem Exemplar der damals in Basel bei Johann Oporinus
erschienenen griechischen Übersetzung der Confessio Augustana mit (ebd. Sp. 948.

---

[8] Mathesius hatte seine Frau Sibylla, geb. Richter, die er am 4. Dezember 1542
geheiratet hatte (LOESCHE a.a.O. Bd. 1, S. 114 f.), am 23. Februar 1555 verloren (ebd. S. 205—207).

[9] Durch einen Sturz hatte Mathesius sich den rechten Arm verstaucht und dadurch eine dauernde Taubheit der Hand zugezogen, weswegen er zur Kur
nach Karlsbad gereist war (vgl. oben Anm. 4; LOESCHE a.a.O. Bd. 1, S. 220;
Bd. 2, S. 315. 319. 326; Mathesius, Handsteine, hrsg. von G. LOESCHE
[Prag 1904], S. 562, 2).

[1] So bezeichnet auch Gelous in seinem Empfehlungsbrief (vgl. unten) den
Demetrius.

[2] Über Demetrius vgl. die unten in der Beilage abgedruckten genauen Mitteilungen des Gelous, die die Ausführungen von BENZ a.a.O., S. 71—93
wesentlich ergänzen.

[3] Melanchthon an Chyträus (17. Mai 1559): »Heri literas a Sigismund. Geloo
. . . scriptas accepi« (CR Bd. 9, Sp. 818); ders. an Crato (18. Mai 1559):
»Heri epistolam a Sigismundo Geloo . . . accepi« (P. FLEMMING, Beiträge
zum Briefwechsel Melanchthons [Naumburg 1904], S. 64).

[4] Sigismund Torda aus Gyalu (Gilau) westl. Klausenburg (Siebenbürgen)
(daher latinisiert: Gelous) (ca. 1518/20—1569) hatte zuerst in Krakau, dann
1539/40—1544 in Wittenberg (Magister) sowie 1546—1549 in Padua (Dr.
med.) studiert und war seit 1556 königlicher Präfekt des nordungarischen
Komitats Saros (über ihn vgl. WA Briefe Bd. 10, S. 602 Anm. 9 und Bd. 11,
S. 305; ARG Bd. 55 [1964], S. 69 und Anm. 7).

953 [= 935]), ohne daß diese Sendung jedoch damals ihren Adressaten erreichte[5]. Melanchthons Schwiegersohn Caspar Peucer versah Demetrius außerdem noch mit Empfehlungsbriefen nach Joachimsthal — unserm Schreiben — und nach Nürnberg. Während nach dem von Regensburg aus am 15. Oktober an Melanchthon gerichteten griechischen Dankbrief des Demetrius (M. CRUSIUS, Turcograeciae libri octo [Basel 1584], S. 263 f.; fehlt in CR Bd. 9; in deutscher Übersetzung bei E. BENZ [s. u.], S. 69 f.) sein Empfang in Nürnberg trotz der »Briefe des weisen Mannes Caspar« (τὰς ἐπιστολὰς τοῦ σοφοῦ ἀνδρὸς γασπάρου) recht frostig ausfiel, nahm man ihn in Joachimsthal mit offenen Armen auf: ἐν τῇ γοῦν κλεισούρᾳ τῇ ἰωαχιμικῇ φιλοφρόνως ἐδέχθην σὺν τοῖς ἐμοῖς ὁδίταις ὑπὸ τοῦ ἀβραμιαίου μαθεσίου, παρὰ δὲ τῆς βουλῆς καὶ εἰς τὸν δεῖπνον ἐκλήθην μετάλλοις τε ἡμᾶς τοῖς ἐκεῖ εὑρισκομένοις ἔτισαν (»In Joachimsthal wenigstens wurde ich mit meinen Gefährten von Abraham [!] Mathesius freundlich aufgenommen, vom Rat aber sogar zum Mahl eingeladen, und man ehrte uns durch das Geschenk von dort gefundenen Handsteinen« [= Erzstufen; vgl. E. GÖPFERT, Die Bergmannssprache in der Sarepta des Johann Mathesius (Straßburg 1902), S. 42 s. v. Handstein und S. 62 s. v. Metall]). — In seinem Schreiben an Mathesius vom 20. Mai 1559 hat Melanchthon den Demetrius überhaupt nicht und in dem vom 25. September nur kurz erwähnt (CR Bd. 9, Sp. 823. 925 = LOESCHE, Mathesius Bd. 2, S. 346 f. 350 f.).

Zum Ganzen vgl. Theologische Literaturzeitung Bd. 66 (1941), Sp. 152 sowie vor allem die ausführliche Darstellung bei E. BENZ, Wittenberg und Byzanz (Marburg 1949), S. 59—93 (über die griechische Übersetzung der Confessio Augustana vgl. ebd. S. 94—128).

Beilage

Da das von Demetrius überbrachte Empfehlungsschreiben des Melanchthonschülers Gelous vom 16. März 1559 (Urschrift: Staatsbibl. München, Clm 10366 [Coll. Camerar. Bd. 16], Nr. 18), das wichtige biographische Mitteilungen über Demetrius enthält, an nur schwer zugänglicher Stelle (Magyar Protestáns Egyháztörténeti Adattár [= Mitteilungen zur ungarischen protestantischen Kirchengeschichte] Bd. 11 [1927], S. 82 f. Nr. 60) gedruckt ist, wiederholen wir hier (nach dem Original) den Text:

Clarissimo viro domino Philippo Melanchtoni, domino et praeceptori suo carissimo.

S. D. Credo equidem raritatem literarum mearum suspicionem tibi creauisse aut negligentiae aut animi alieni. Sed tibi persuadeas velim non tantum de amore erga te nihil diminutum esse meo, verum etiam cum maiore quodam desiderii incendio inflammatum, dum nec te video nec literarum tuarum voluptate fruor. Quae ergo, inquam, causa silentii fuit? Tanta me seruitus occupatum tenet, vt nulla pars temporis sit vacua, qua vel amicis officium reddere vel mihi ipse consulere possim. Neque enim itinera vllam largiuntur

---

[5] Vgl. BENZ a.a.O., S. 69. 71 f. 77 f. 90.

laborum recreationem neque domi datur requies curarum. Huc accedit, quod rationes administrati officii nunc apud consilium ἐξετάζονται. Quare veniam pro tua sapientia mihi dabis, iucundissime praeceptor. Cum Demetrius Megalophron iter istuc instituisset, expetiit a me commendationem, qua ad te sibi accessus facilior pararetur. Eam ego tanto ei libentius dedi, quod et veteris necessitudinis ius id postulabat. Viximus enim inter nos Patauii[1] coniunctissime et alioqui dignum eum mea commendatione tuoque fauore iudicabam. Is natus est in Pannonia inferiore Rascianis[2] parentibus, non diu tamen in Patria vixit. Contulerat enim se adolescens ad Radulum, Despoten Valachiae Transalpinae[3], cumque eo Byzantium erat profectus[4], vbi Graecae linguae rudimenta percepit[5] et vernaculum idioma, quod vulgus graecorum loquitur[6], est consecutus. Aliquot annis post in Italiam venit[7]. Ibi describendis Graecis authoribus multis honestis hominibus gratam et publice vtilem operam nauauit. Ex Italia Byzantium repetiit. In transcursu in insulam Chium deflexit Hermodori[8], doctissimi viri, visendi gratia. Vigent enim adhuc ibi literae, cum insula in potestate sit Reip[ublicae] Genuensis. Tandem cum filio Domini sui Raduli

---

[1] In den Jahren 1546/49, wo Gelous in Padua Medizin studierte (vgl. oben S. 248 Anm. 4).

[2] Über die »Raizen« (Rasciani) vgl. BENZ a.a.O., S. 77 und 262 Anm. 49. Es war ein damals bis in die Gegend von Sofia auf der rechten Donauseite siedelnder serbischer Volksstamm. Am 25. September 1559 bezeichnete Melanchthon den Demetrius auch als »Rascianus« (CR Bd. 9, Sp. 924 f.), während er ihn zunächst einen »Hungarus« nannte (ebd. Sp. 827).

[3] Radu VII. Paisie (ein ehemaliger Mönch aus Fürstengeschlecht) regierte von 1535 bis 1545 als Woiwode der Walachei (südl. Rumänien); vgl. N. JORGA, Geschichte des rumänischen Volkes im Rahmen seiner Staatsbildungen Bd. 1 (Gotha 1905), S. 383. Damals war Demetrius Sekretär des Woiwoden; vgl. BENZ a.a.O., S. 73 und 261 Anm. 33.

[4] Radu VII. wurde im März 1545 nach inneren Unruhen von seinem türkischen Oberherrn, der statt seiner Mircea Ciobanul (1545/54; 1558/59) einsetzte, nach Konstantinopel gerufen und von dort nach Ägypten (Kairo?) verschickt (vgl. JORGA a.a.O., S. 386); vgl. auch unten S. 251 f. — Über den damaligen (oder erst zweiten?) Aufenthalt des Demetrius in Konstantinopel vgl. BENZ a.a.O., S. 261 Anm. 32.

[5] Des Demetrius gute griechische Kenntnisse erwähnt auch Melanchthon: »Cumque Graecam linguam bene didicerit . . .« (CR Bd. 9, Sp. 925).

[6] Neugriechisch.

[7] Dieser Aufenthalt, bei dem er mit Gelous in Padua zusammenlebte (vgl. Anm. 1), fiel etwa in die Jahre zwischen 1546 bis 1549.

[8] Über seinen Lehrer Hermodoros Lestarchos vgl. BENZ a.a.O., S. 73; 252 Anm. 24; 261 Anm. 32. Über Chios vgl. auch CR Bd. 9, Sp. 925.

Petrasco[9] in Transalpinam, quae superior Mysia[10] est, rediit. Mortuo Petrasco variis fatis actus huc adpulit. Dum autem hic versatur, incessit eum cupido visendae istius Academiae[11] eo proposito, quo nullum potest esse honestius nec laudabilius, vt lampadem istic velut ex sole accensam Graecae nationi communicet[12]. Quocirca a te peto maiorem in modum, vt eum ames iisque, quibus poteris, officiis ornare ac promouere velis. Rerum nouarum nihil habeo in praesentia. Exhibebit tibi Demetrius epistolam cuiusdam[13] de statu christianorum inter Turcas. Magnum Turcam[14] hoc anno in Hungariam non venturum iam nos persuasum habemus. Vale meque amare perge. Eperies xvj die Martii Anno domini M.D.lviiij.

Sigismundus Gelous[15].

Einen weiteren Beitrag zur Kenntnis des Lebensweges des Demetrius liefert der dänische Theologieprofessor und Melanchthonschüler Niels Hemmingsen (1513—1600 [über ihn vgl. RE³ Bd. 7, S. 659—662; RGG³ Bd. 3, Sp. 218]). In seinen »Catechismi quaestiones concinnatae« (Kopenhagen 1560 [vorh. Wolfenbüttel, Herzog-August-Bibl.: 1164.118 Th.]), die gegen Ende dieses Jahres (4. Dezember) erschienen, schreibt er nämlich (S. 340; vgl. auch Crusius, Turcograecia, S. 264 [verdruckt: 364]; ThLZ Bd. 66 [1941], Sp. 152):

Ante triennium fuit hic vir senex et gravis, missus a Constantinopolitano Patriarcha[16], Demetrius nomine, natione Thessalonicensis, qui mihi multa de religione Christianorum degentium inter Turcas narravit. Et quia in nobilissima illa Aegipti civitate Cairo,

---

[9] Während Mircea Ciobanuls mehrjähriger Absetzung (vgl. oben S. 250 Anm. 4) regierte Radus VII. Sohn Petrascu († Ende 1557) die Walachei (vgl. Jorga a.a.O., S. 389).

[10] = Moesia superior (Serbien).

[11] Diese Angabe bestätigt die Vermutung von Benz (a.a.O., S. 74 f.), daß Demetrius nicht als Abgesandter des Byzanzer Patriarchen nach Wittenberg kam, zumal er nicht von Konstantinopel, sondern von Eperies aus seine Reise antrat.

[12] Über den Mißerfolg seines nach seiner Rückkehr aus Wittenberg unternommenen Versuches, unter den Orthodoxen in der Walachei im Sinne der evangelischen Lehre zu wirken, vgl. Benz a.a.O., S. 77 f. und 263 Anm. 52.

[13] Diesem (nicht erhaltenen) Briefe eines Anonymus entstammen die Mitteilungen, die Melanchthon damals mehrfach — z. T. wörtlich — als aus Gelous Brief stammend (»Haec Sigismundi verba sunt«; »Haec Sigismundus«) zitierte (CR Bd. 9, Sp. 820 f. 823—825; Flemming a.a.O., S. 64).

[14] = Sultan.

[15] Melanchthons Antwortschreiben vom 20. Mai 1559 (seinen einzigen erhaltenen Brief an Gelous) vgl. CR Bd. 9, Sp. 822 f. Demetrius wird dort nicht erwähnt.

[16] Joassaph II.

quae et Misrim dicitur[17], vixerat decennium, eius Ecclesiae ritum ex Arabia translatum in celebranda missa[18] mihi exposuit.

Danach hatte der hier genannte Demetrius, der wohl zweifellos mit dem unserigen identisch ist, vor drei Jahren (»ante triennium«), d. h. also 1557 oder 1558, bereits eine Reise nach Kopenhagen, wo er dann auch mit Hemmingsen zusammentraf, unternommen. Demetrius' Aufenthalt in Kairo dürfte wohl mit der Verbannung des Woiwoden Radu (vgl. oben S. 250 Anm. 4) in Verbindung stehen, sei es, daß er diesen dorthin begleitete und eine Zeitlang bei ihm blieb, sei es, daß er ihn später dort besuchte; auf alle Fälle dürfte aber die Angabe: »decennium« — wenn nicht fehlerhaft statt: »ante decennium« — übertrieben sein, da sie sich mit der Chronologie der Lebensschicksale des Demetrius nicht in Übereinstimmung bringen läßt.

Nr. 7
Mathesius an Kilian Rabentrost und Christoph Fux in Schlaggenwald[1]
Joachimsthal, 20. März 1561.

Abschrift: London, Brit. Museum, Addit. 12059 (vgl. oben S. 241), Bl. 270[b]—272[a].

Consilium de privata Confessione M. Ioannis Mathesii.

Venerandis viris pietate et prudentia praestantibus Domino Kiliano Rabentrost et Christophoro Fuxio, Pastori et Diacono Schlackenwaldensibus, vicinis suis.

S. D. Diuus Petrus[2] docet nos pastores, ne simus ἀλλοτριοεπίσκοποι. Et Paulus[3] nos iubet propria facere. Igitur limites meae Ecclesiae non temere transgredior, ne quid suam[4] mali meis ouiculis, quas chariores habeo quam corpus meum[5]. Sed pro iure vicinitatis et gloria Christi vobis a me petentibus consilium et meam operam nec denegare debeo nec possum. Proinde in nomine Filii Dei, Summi consiliarii nostri, dextre vobiscum communico dexterum consilium. Cum malum etiam bene conditum non temere sit mouendum[5a], Qui uos poteritis abrogare piam ceremoniam, quae vtilis est pueritiae et idiotis, quam hodie multae bonae constitutae Eccle-

---

[17] Masr el Kahira.
[18] Über die koptische Liturgie vgl. LThK[2] Bd. 6, Sp. 1088.
[1] Über den Pfarrer von Schlaggenwald (25 km südlich von Joachimsthal) Kilian Rabentrost vgl. LOESCHE, Mathesius Bd. 1, S. 127 und Anm. 3.
[2] 1. Petr. 4, 15.
[3] Vgl. 1. Kor. 12, 4 ff.; Röm. 12, 3 ff.
[4] Vgl. Terenz, Phorm. 491.
[5] Vgl. Joh. 10, 12.
[5a] Vgl. E. MARGALITS, Florilegium proverbiorum universae Latinitatis (Budapest 1895), S. 336.

siae vno consensu retinent et tuentur, Plures hodie etiam restituunt olim negligentia dissolutorum pastorum collapsam? Si quid restat disciplinae ex laudata uetustate in nostris Ecclesiis, hoc acceptum merito refertur 'verbo ueritatis'[6]: priuato examini et absolutioni et catechismo et excommunicationi, quam superioribus annis consensu Magistratus nostri prudentissimi reuocauimus in Ecclesiam nostram. Neminem enim notorie lapsum admittimus ad communionem, nisi prius a nobis omnibus absoluatur et publice in letaniis nominetur[7]. Si igitur boni et fideles serui filii Dei perhiberi, Et, quod in vobis est, aliquam disciplinam retinere cupitis, Non poteritis in hac causa deesse uestro offitio. Et metuo, ne ea res sit uobis et Ecclesiae fraudi futura. Cum enim piae et honestae ceremoniae sint tanquam patroni nostrae doctrinae apud vicinos, qui nos obseruant et aduertunt grauiter, quod uestri non censent, Quid putatis futurum esse, Si bene et vtiliter ordinata conuellitis et ad veterem dissolutionem et libertatem popularem uulgum reuocaueritis? Consuetudo non praescribit in malis. Et pueritiae et senibus maxime conducit examen priuatum. Conscientiis angustis nihil gratius absolutione et consolatione priuata, quam et Christus annunctiauit paralitico[8] et instituit etiam Lucae 17[9]. Rusticis autem inprimis necessaria est, de quibus etiam nobis reddenda grauis est ratio. Olim ad fines terrae[10] excurrebatur idolatriae ergo, nunc molestum est ire ad confessionem in vicina vrbe. Norici restituerunt priuatam absolutionem[11]. Et cogitate, quid moliantur, qui allegant abrogatos malos mores. Bona bonis sunt imitanda, non mala. Nos approbatione et suffragiis nostrae Ecclesiae hoc semestri restituimus ceremoniam de cruce praeferenda pompis funeralibus[12]. Et si quid praeterea superesset, quod prodesset ad conformitatem et Elegantiam ceremoniarum, qua re possemus inseruire nostrae curae commissis et explere animum iis, qui nobis indulgent nostram religionem, hoc

---

[6] Eph. 1, 13; Kol. 1, 5.

[7] Vgl. die Joachimsthaler Kirchenordnung von 1551 (vgl. LOESCHE a.a.O. Bd. 1, S. 274).

[8] Vgl. Matth. 9, 2 (Parr.).

[9] Luk. 17, 3 f.

[10] Etwa nach Jerusalem und Santiago di Compostella.

[11] Nachdem 1524/25 in Nürnberger Gottesdienstordnungen die Privatbeichte durch die Offene Schuld abgelöst worden war (vgl. E. SEHLING, Die evangelischen Kirchenordnungen des XVI. Jahrhunderts Bd. 11 [Tübingen 1961], S. 39 und 51), wurde sie in der Brandenburg-Nürnberger Kirchenordnung von 1533 wieder eingeführt (vgl. ebd. S. 186 f.).

[12] Am 29. September 1560 (LOESCHE a.a.O. Bd. 1, S. 289 und Anm. 2).

sponte et libenter faceremus, ne quid detrimenti in his sudetis acci-
peret Sana doctrina et pius vsus sacramentorum[13]. De reliquis non
altercamur cum quoquam. Quare, charissimi vicini, attendite gregi
uestro et prudenter et moderate agite uestra negotia, suppliciter
petite a uestris, vt cogitent de salute totius Ecclesiae uestrae et de
simplitium animulis. Non dubito de uestris, quae ipsorum in aliis
rebus est pietas cum prudentia coniuncta, quin facile acquiescent
piis monitionibus. Pro contione memineritis modestiae nec quen-
quam suggilletis, quos opinamini esse authores istorum immatu-
rorum consiliorum. Habetis patronum simplicibus et moderatis stu-
diosum, qui ipse 'mitis est et humilis corde'[14]. Simus nos clientes,
expetamus opem, et consilium ab ipso sic precando abibitis exo-
ratores. Lupis haec res grata erit, si pastorum et omnium animos
distrahent. Nam sathan texit longam telam, de qua coram plura,
et salutariter uos moneri poteratis. Filius Dei gubernet uos, vt caute
et accurate ambuletis[15], Et consilia uestra dirigatis ad gloriam
ipsius amplificandam et salutem vestrarum ouium; bene valete.
Ex valle Iberorum[16] XX. Martii. LXI.

Mathesius.

---

[13] Die lutherische Gemeinde in Joachimsthal blieb nach dem Schmalkaldischen
Krieg, durch den die Stadt ihre bisherige Freiheit verlor, durch ihren neuen
Oberherrn König Ferdinand unbehelligt; vgl. LOESCHE, Mathesius Bd. 1,
S. 167—171; H. LORENZ, Bilder aus Alt-Joachimsthal (Joachimsthal 1925),
S. 30.
[14] Matth. 11, 29.
[15] Vgl. Eph. 5, 15.
[16] Iberi = (bei Mathesius) Bergleute; vgl. ARG Bd. 24 (1927), S. 309 Anm. 1.

LUTHER UND DER POLITISCHE AUFTRAG EINES CHRISTEN

von Erwin Mülhaupt
(Wuppertal-Barmen, Kronenstraße 11)

Die Frage eines politischen Auftrags des Christen ist bekanntlich heute sowohl zwischen Nichtchristen und Christen wie auch zwischen Katholiken und Protestanten wie auch unter uns Protestanten selbst strittig. Jenseits der Berliner Mauer lehnt man einen politischen Auftrag der Christen pauschal ab und behält sich die Lösung der politischen Aufgaben selbst vor. In gewissem Sinn das entgegengesetzte Extrem hierzu vertritt die katholische Kirche, wenigstens theoretisch. So erklärte Pius XII., dessen Seligsprechung der gegenwärtige Papst Paul VI. betreibt, am 2. 11. 1954 vor den in Rom versammelten Kardinälen, Erzbischöfen und Bischöfen[1]: »Die Gewalt der Kirche ist keineswegs an die Grenzen der, wie sie es nennen, rein religiösen Angelegenheiten gebunden; vielmehr unterliegt ihrer Zuständigkeit auch der ganze Umfang des Naturgesetzes, dessen Festlegung, Ausdeutung und Anwendung, soweit deren sittlicher Charakter in Betracht kommt«. Insofern die politisch-christliche Aufgabe in den weit dehnbaren Bereich des Naturgesetzes fällt, ist daher nach katholischem Verständnis das höchste kirchliche Lehramt letztlich maßgebend, alle andern Instanzen und Gewalten haben demgegenüber nur »subsidiäre«, d. h. in gewissem Sinn subordinierte Bedeutung. In einer gewissen Nähe zu dieser katholischen Auffassung stehen unter uns Evangelischen diejenigen, die unter dem Gesichtspunkt der Königsherrschaft Christi über das Gesamtleben ebenfalls sehr weitreichende und konkrete politische Stellungnahmen vom evangelischen Christen fordern, freilich nicht im Namen eines höchsten kirchlichen Lehramts, aber doch im Namen des christlichen Glaubens, was praktisch bezüglich des Anspruchs der Verbindlichkeit ungefähr auf dasselbe hinauskommt; unter dem Namen der Bruderschaften ist diese Gruppe namentlich durch ihre Bekämpfung der atomaren Rüstung bekannt geworden. Daneben gibt es aber immer noch die große Mehrheit der evangelischen Chri-

---

[1] Herder-Korrespondenz IX, 3, Dezember 1954 S. 124.

sten, die zwar grundsätzlich den politischen Auftrag eines Christen
bejaht, aber in der Ausgabe konkreter politischer Tages- und
Kampfparolen zurückhaltend ist. Die neueste evangelische Denkschrift zu der brennendsten politischen Frage unseres Volkes ist
offensichtlich bemüht, einen Weg zwischen diesen beiden evangelischen Standpunkten zu finden, indem sie schreibt[2]: »Die Erfahrungen im Atomwaffenstreit nötigen aber dazu, einer Verabsolutie-
rung von Wahrheitsmomenten zu widersprechen und die ethische
Erwägung vor einem lebensfremden Doktrinarismus zu bewahren«.
Schließlich ist wahrscheinlich gerade unter uns Evangelischen auch
die Zahl derer nicht klein, die angesichts der heutigen politischen
Wirklichkeit und Problematik die politische Aufgabe eines Christen
überhaupt ablehnen und sich am liebsten in einen von solchen
Stürmen freien Raum christlicher Innerlichkeit zurückziehen
möchten, wie schon die alten Pietisten taten.

Bei solcher Vielfalt der Auffassungen geziemt es sich für einen
evangelischen Menschen, nicht an dem Manne vorüberzugehen,
der der Begründer evangelischen Christentums ist, an Martin Luther. Denn Luther ist für uns ja nicht irgendeiner, sondern wir verdanken seiner Bibelauslegung und seiner Deutung des christlichen
Glaubens bis zum heutigen Tage unendlich viel. GERHARD EBELING[3]
hat sich daher nicht ohne Grund das Ziel gesetzt, der Lutherverges-
senheit unter unseren Gebildeten abzuhelfen. Und er ist längst
nicht der erste und einzige Protestant des 20. Jahrhunderts, der das
Hören auf Luther in allen Fragen christlichen Denkens und Handelns für eine unerläßliche Voraussetzung und allezeit verheißungsvolle Bemühung eines evangelischen Christen hält. Es hat doch
gegenüber der Geschichtsverachtung unsrer Zeit, die schnell mit
dem Gemeinplatz arbeitet, Luther sei nun doch 400 Jahre tot und
könne uns in unsern modernen Nöten und Fragen wenig helfen,
sein eigenes Gewicht, wenn etwa in den Tagebüchern JOCHEN
KLEPPERS[4], der gewiß mehr von diesen Nöten und Fragen am
eigenen Leibe und Leben durchgemacht hat als tausend andre, so oft
zu lesen und zu spüren ist: »bei Paulus und Luther steht alles« oder
»wüßte ich nicht von Luther und Pascal, ich müßte vergehen«. Für
uns beide, den verehrten Jubilar und mich, ist es vor allen andern
unser gemeinsamer Lehrer KARL HOLL gewesen, der uns durch

---

[2] Die Lage der Vertriebenen und das Verhältnis des deutschen Volkes zu
  seinen östlichen Nachbarn. Eine evangelische Denkschrift, 1965 S. 32.
[3] GERHARD EBELING, Luther. Einführung in sein Denken, 1964.
[4] JOCHEN KLEPPER, Unter dem Schatten deiner Flügel, 1956 S. 417, 899.

seine berühmten Lutheraufsätze von dem zu überzeugen vermochte, was auf der ersten Seite derselben geschrieben steht[5]: Luther überragt »an ursprünglicher Schöpferkraft auch unser heutiges Geschlecht noch bei weitem«.

Mögen daher die folgenden Bemühungen, die bleibenden Grundgedanken Luthers über die politischen Aufgaben eines Christen in der Welt zu formulieren und festzuhalten, dem verehrten Jubilar und lieben Freund, dem dritten Nachfolger KARL HOLLS in der Präsidentenschaft der »Kommission zur Herausgabe der Werke M. Luthers«, nicht unwillkommen sein.

Die dreifache negative Abgrenzung der politischen Aufgabe

Erstens grenzt Luther die politische Aufgabe eines Christen ab gegen das Überangebot an christlich-kirchlicher Leitung der Welt und an politischem Einfluß der Kirche im Mittelalter, in dem der Papst die Lenkung der politischen Angelegenheiten, der Kriege, der Kaiserwahlen und der Reichsgesetzgebung für sich beanspruchte. Der Papst beanspruchte diese Lenkung, weil ihm aufgrund einer unsrer Meinung nach falschen Auslegung von Luk. 22, 38 die sogenannten zwei Schwerter übertragen seien und weil das Geistliche höher stehe als das Weltliche und daher die Geistlichkeit oder die Kirche über die Weltlichkeit oder den Staat herrschen müsse[6]. Innozenz III. beanspruchte daher, daß z. B. die Frage der deutschen Königswahl »principaliter et finaliter«, d. h. grundsätzlich und endgültig vor sein Forum gehöre[7]. Luther hat in diesem kirchlichen Anspruch eine heillose Vermengung der beiden Reiche, eine maßlose Überschätzung der geistlichen Kräfte und ein verhängnisvolles Mißverständnis des geistlichen Auftrags gesehen und daher geschrieben: »Petrus hat auch gewußt, daß das Geistliche über dem Weltlichen stehe; warum aber hat er trotzdem sich selbst und alle Menschen (laut 1.

---

[5] KARL HOLL, Gesammelte Aufsätze I, 1923 S. 1.
[6] Man vergleiche dafür den Brief Gregors VII. an Bischof Hermann von Metz, der ganz unter diesem Leitgedanken steht und mit ihm argumentiert (C. MIRBT, Quellen zur Geschichte des Papsttums und des römischen Katholizismus, 1924 S. 154—158). Dabei möge man beachten, daß noch Pius XII. am 11. 7. 1954 am Grabe Gregors VII. erklärte: »Kein Papst vielleicht hat mehr als er die Aufgabe der Kirche in der Welt und für die Welt erfaßt und mit glühendem Eifer sich ihr gewidmet« (Herder-Korrespondenz VIII, 12, Sept. 1954 S. 565).
[7] JOHANNES HALLER, Das Papsttum II, 2, 1939 S. 318 und 587 f.

Petr. 2, 13) den weltlichen Ordnungen oder Ordnungsmächten unterworfen?«[8].

In diesem Zusammenhang spielt auch Luthers These vom allgemeinen Priestertum der Gläubigen eine gewisse Rolle. Denn auch sie stellt eine Abgrenzung gegen den maßlosen Führungsanspruch der mittelalterlichen Hierarchie dar. Ebenso wie Luther die Ausdehnung geistlicher Vollmacht auf weltliche Macht und politische Führung bestritt, so bestritt er durch die Wiedergewinnung des neutestamentlichen Begriffs des Geistlichen auch den geistlichen Monopol- und Privileganspruch der Hierarchie. Daraus folgte: wenn schon weltlich-politische Aufgaben auch von Christen übernommen wurden, dann war dies nicht nur Sache des Papstes und seiner Hierarchie, sondern im Namen des allgemeinen Priestertums der Gläubigen Sache aller »Glieder des christlichen Körpers«[9], also auch der christlichen Laien oder Nicht-Theologen. Insofern gibt es eine politische Aufgabe des Christen, d. h. jedes, nicht nur des geweihten Christen, erst seit Luther, freilich mit der Einschränkung, daß Luther noch nicht an eine politische Verantwortung jedes Staatsbürgers dachte, sondern nur an die politische Verantwortung christlicher Fürsten, Staatsmänner und Stände. Aber der grundsätzliche Durchbruch durch das katholische Privileg der Hierarchie war durch Luther doch geschehen, und einer noch größeren Ausweitung der christlichen Verantwortung auf alle christlichen Volksgenossen stand seit Luther grundsätzlich nichts mehr im Wege.

Zweitens grenzt Luther die politische Aufgabe eines Christen gegen das täuferisch-sektiererisch-schwärmerische Desinteressement oder gegen eine grundsätzlich apolitische Einstellung ab, die von einer christlichen Beteiligung an weltlich-staatlichen Ämtern und Aufgaben überhaupt nichts wissen will bis hin zur Verweigerung des gerichtlichen Eides und zur Kriegsdienstverweigerung. Luther empfand solche Einstellung, grundsätzlich sicher mit Recht, als unbiblisch, blind, undankbar und lieblos. Unbiblisch, weil er in seiner Bibel nirgends fand, daß Christus oder seine Apostel vom Hauptmann von Kapernaum oder vom Hauptmann Cornelius oder vom Kerkermeister von Philippi oder von Pilatus Niederlegung ihrer Ämter und Berufe gefordert hätten. Blind und undankbar, weil die Vertreter solcher Anschauung nach Luthers Meinung nicht sehen und anerkennen wollen, daß sie alle tagtäglich von der Ordnung

---

[8] WA 2, 220, 34 (Resolutio Lutheriana super propositione XIII de potestate papae, 1519)
[9] WA 6, 413, 28 (An den christlichen Adel deutscher Nation . . . 1520).

und dem Frieden und dem Recht leben und zehren, die ihnen das weltliche Regiment gewährleistet. Lieblos, weil nach Luthers Meinung solche sektiererische Einstellung lediglich auf den Kreis der eigenen frommen Gesinnungsgenossen notwendig engstirnig und engherzig macht und unter die Kritik des Jesuswortes Matth. 5, 47 fällt: So ihr euch nur zu euern Brüdern freundlich tut, was tut ihr Sonderliches? Tun nicht die Zöllner auch also[10]?

Drittens aber grenzt sich Luther auch gegen die Nur-Politiker und ihre Übersteigerung und Überbewertung der politischen Aufgabe ab. Denn die politische Aufgabe ist nach Luther auf keinen Fall die oberste christliche Aufgabe, sie kann keine vollkommene Lösung der menschlichen Probleme bieten oder, wie Luther sich gerne ausdrückt, nicht fromm und selig machen, und sie ist schließlich unvermeidlich von viel Unklarheit und Problematik umgeben. Luthers Meinung ist also: Die politische Aufgabe ist vorhanden und darf nicht mißachtet noch gering geschätzt werden, aber die Seligkeit hängt nicht daran. Denn es heißt in der Schrift: Glaube an den Herrn Jesus, so wirst du und dein Haus selig, aber nicht: Treibe Politik, so wirst du und dein Haus selig. Und es heißt: Fürchte dich nicht, glaube nur, aber nicht: Fürchte dich nicht und treibe nur Politik! Diese Einschätzung der politischen Aufgabe bei Luther ergibt sich zwangsläufig aus seiner allgemeinen Regel[11]: »Bringt jemand etwas auf, so fanget damit an und sprecht: Mein Lieber, macht das einen Christen oder nicht? Wo nicht, so lasset es nicht das Hauptstück sein!«.

Daher vermahnt Luther unentwegt: Politische Arbeit und weltlicher Stand, Fürstenberuf, Soldatenberuf, Richterberuf sind alles notwendige und gottgewollte Stände und Berufe und in diesem Sinne »selige Stände«, aber das Hauptstück, die Garantie der Seligkeit und Ersatz für den Glauben sind sie nicht; denn es bleibt dabei, daß der Mensch gerechtfertigt werde allein durch den Glauben. Die politische Arbeit macht ebensowenig gerecht und selig wie die Arbeit überhaupt. Wie Luther für die Arbeit den Leitsatz aufgestellt hat[12]: »Wir sollen arbeiten und doch wissen: Unsre Arbeit tuts nicht«, so gilt auch für die politische Arbeit: Man muß sie anfassen und tun und doch wissen, sie allein tuts nicht, sie ist kein Ersatz für den Segen Gottes oder den Glauben.

---

[10] Vgl. meine Evangelienauslegung Luthers II, 125 (aus der Hebräer-Vorlesung 1517/18).

[11] WA 15, 394.

[12] Meine Evangelienauslegung Luthers V, 476.

Dieser christlichen Rangordnung der Werte: erst das Reich Gottes, dann alles andre (Matth. 6, 33), entspricht schließlich auch die Tatsache, daß die Bibel über das »Hauptstück« oder das Eine Notwendige, nämlich Christus, Glaube und Rechtfertigung völlig ausreichend klare und deutliche Auskunft gibt, während sie über politisch-weltliche Fragen viele Unklarheiten bestehen läßt und keine eindeutigen Weisungen erteilt oder sie menschlicher Verantwortung anheimstellt. Dementsprechend heißt es dann auch bei Luther: Recht, Gericht, Vergeltung, Gewaltübung, Über- und Unterordnung müssen in der Welt sein und sind in einem gewissen allgemeinen Sinne von Gott gewollt und anerkannt, sie sind Gottes Reich mit der linken Hand, aber genaue Vorschriften für diese politischen Aufgaben gibt Luther nicht, wenigstens nicht mit dem Nachdruck absoluter Verpflichtung, sondern nur in Form von Ratschlägen und Gewissensappellen.

Die positiven Grundzüge christlich-politischen Denkens bei Luther

Obwohl Luther aufgrund der Zurückhaltung Christi und des Neuen Testaments in politischen Dingen keine konkreten Einzelanweisungen gibt, kein politisches oder gesellschaftliches System entwickelt und kein höchstes Lehramt in diesen Dingen beansprucht, so heißt das doch nicht, daß er dem Christen für seine politische Aufgabe gar keine Hilfe und Weisung gäbe. Zwischen allem und nichts ist noch ein weites Feld, und weniger ist manchmal im Leben mehr als viel, ehrlicher als viel und segensreicher als viel. Soviel ich sehe, sind es vor allem 4 Gesichtspunkte und Richtlinien, die Luther dem Christen für seine Aufgabe im Reich dieser Welt gibt. Sie sind m. E. umfassend, wichtig und fruchtbar genug, so daß sie der Beachtung wert sind, und sie sind vor allem biblisch redlich und ehrlich, so daß man ein gutes Gewissen dabei haben kann.

Erstens hält Luther die Predigt für einen wertvollen Beitrag auch zur politischen Arbeit eines Christenmenschen. Denn er ist als Christ und Jünger Jesu tief davon überzeugt, daß, wenn uns Menschen in Christus durch Glauben aus Gnaden geholfen wird, der Segen davon hinausstrahlt in alle Not und Arbeit des Lebens. Darum ist Luther der Meinung: »Unter allen Gaben ist die Gabe des göttlichen Worts die allerherrlichste; wer sie wegnimmt, der nimmt die Sonne aus der Welt«[13] und also auch die Sonne, die Wärme, das Leben, die Kraft und die Weisheit aus der Erfüllung unsrer irdi-

---

[13] Meine Psalmenauslegung Luthers III, 1965 S. 464.

schen und politischen Aufgaben. Luther hat darum keinen Teil
an dem Überdruß an der schlichten treuen und sachgemäßen Predigt des biblischen Worts, der heutzutage auch bei manchen Christen verbreitet scheint, so daß sie ihn durch einen gesteigerten Aktu-
alismus und mehr oder weniger dramatische Politisierung der Predigt zu kompensieren suchen. Im Gegenteil, eben an das soeben
zitierte Wort schließt Luther ausdrücklich die Mahnung an[14]:
»Darum sehet zu, daß das Teufelsgift des Überdrusses am Wort und
der Verachtung des Worts nicht unter euch einreiße«.

Theologen sollten sich in solcher Einschätzung der Predigt nicht
von Angehörigen anderer Berufe übertreffen lassen. Wenn etwa
ein deutscher Justizminister erklärt, »der Politiker braucht auch die
Verkündigung des Wortes Gottes, er braucht die Predigt, ein klä-
rendes, lösendes, auch ein gewissenschärfendes Wort«, oder wenn
ein deutscher Kultusminister sagt, »ein isoliert privates Christentum des Kulturpolitikers trägt die Entscheidungen nicht, zu denen
er heute aufgerufen ist«[15], dann stünde es einem Theologen und
Christen schlecht an, wenn er im Gegensatz hierzu die Bedeutung
der einfachen biblischen Verkündigung als belanglos für die politische Aufgabe ansehen wollte. Denn wenn Christus biblisch verkündigt wird, dann fällt auch etwas und etwas Wesentliches ab
für die politische Arbeit eines Christen, so wahr Gottes universaler
Heils- und Segenswille hinter Christus steht, so wahr sein Wort
nicht leer zurückkommt und so wahr noch heute gilt: Trachtet
am ersten nach dem Reich Gottes, so wird euch alles andre zu-
fallen.

Zweitens steht die politische Arbeit eines Christen nach Luther
unter dem Gesichtspunkt der christlichen Liebe, nämlich der großzügigen, nicht sektiererisch-engen Liebe der Bergpredigt, die nicht
nur den Freunden und Gesinnungsgenossen dient, sondern auch
den Fremden, den Heiden, den Undankbaren, für die Gott seine
Sonne auch scheinen und regnen läßt. Diese Liebe dient und hilft
dem Recht und der staatlichen Gewalt, obwohl sie ganz genau
weiß, daß das Reich des Rechts und der Gewalt noch nicht das
Reich Gottes ist. Aber diese Liebe ist so nüchtern, daß sie einsieht,
daß zahllose Menschen unbedingt unter Recht und Gewalt gehalten
werden müssen, weil sonst alles drunter und drüber ginge. Diese

---

[14] A.a.O.
[15] WERNER SCHÜTZ, ehemaliger Kultusminister von Nordrhein-Westfalen, in
einem handschriftlich vervielfältigten Vortrag über das »Verhältnis von
Staat und Kirche in heutiger evangelischer Sicht« S. 12.

Liebe weiß, daß niemand von Recht und Gewalt allein fromm und christlich wird, aber sie liebt die Welt und freut sich mit ihr auch schon, wenns nur wenigstens einigermaßen menschlich und nicht gerade tierisch zugeht auf der Welt, wenn auch noch nicht christlich. Und die Ehre gesteht ja Luther dem weltlichen Regiment im allgemeinen zu, »daß es aus wilden Tieren Menschen macht und die Menschen so erhält, daß sie nicht wilde Tiere werden«[16]. Außerdem ist diese christliche Liebe auch so ehrlich, zuzugeben, daß auch die Christenmenschen noch einen unterchristlichen und manchmal sogar untermenschlichen alten Adam haben, der die Zuchtrute von Recht und Gewalt auch noch braucht. Und schließlich weiß und bedenkt diese christliche Liebe Luthers sowohl aufgrund religiöser Erfahrung im Umgang mit Gott wie auch aufgrund menschlich-ärztlicher Erfahrung, daß man manchmal wehtun, operieren und ein oder mehrere Glieder abhauen muß, um den Gesamtorganismus zu retten und das Leben zu erhalten. Und darum ist ihr das Einzelne nicht absolut und für alle Fälle lieber als das Ganze und das Leben nicht absolut und für alle Fälle lieber als das Recht. Trotzdem gibt sie für den einzelnen Fall keine absolut bindenden Vorschriften und Gesetze, denn nach Luther soll ja bekanntlich »die Liebe aller Gesetze Meisterin sein«[17]. Aber das allerdings, daß solche Liebe in allem mit dabei und darin und dahinter sei, das fordert Luther vom christlichen Politiker unbedingt im Namen Gottes.

Drittens fordert Luther vom christlichen Politiker unbedingt, daß er seine Arbeit unter den Gesichtspunkt des Dienstes stelle, des Dienstes am Nächsten, am Volk, an der Welt. Denn ein Christ kann und darf auch im politischen Bereich nicht vergessen, daß er ein Jünger dessen ist, der nicht gekommen ist, um sich dienen zu lassen, sondern um zu dienen. Einem Christen darf es sich demnach auch in der Politik nicht um Machtergreifung handeln, sondern um Antritt eines Dienstes. Wo die Macht als Macht gewollt wird, wo die Partei über alles geht, wo der Ehrgeiz das beherrschende Motiv ist, da ist demnach die christliche Linie verlassen. Man kann sagen, das sei doch ein sehr allgemeiner Gesichtspunkt. Aber man kann nicht sagen, daß er ohne Bedeutung sei. Denn es dürfte kein Zweifel daran sein, daß jeder christliche Politiker es bei sich selber ganz gut weiß und spürt, wenn er die unsichtbare Grenze zwischen Dienst und Selbstsucht, zwischen Dienst und Parteigeist, zwischen Dienst und Herrschsucht, zwischen Dienst

[16] WA 30 II, 555, 20.
[17] WA DB 8, 16 (Vorrede auf das Alte Testament).

und brutaler Gewalt überschreitet. Gerade heutzutage springt es einem allenthalben unangenehm in die Augen, wie sehr die Bereitschaft zum Dienst in unserm Volk auch unter Christen abgenommen hat. Der Notschrei, den unser Bundespräsident vor einiger Zeit ausgestoßen hat, »dienen, nicht nur verdienen!«, ist ein nur zu gut verständliches Wort. Niemand aber ist nach Luther so gewiß zum Dienst berufen als ein Christ, denn — so schreibt er in seiner berühmten Schrift »Von weltlicher Obrigkeit . . .«[18] — »es wäre gar unchristlich geredet, wenn es irgendeinen Dienst Gottes gäbe, den ein Christenmensch nicht tun sollte oder müßte, wo doch Dienst Gottes niemand so sehr angeht als Christen«. Dabei ist wohl zu beachten, daß der Begriff »Dienst Gottes« in der angeführten Stelle wie auch sonst bei Luther nie bloß etwa den Pfarrerberuf meint, sondern jede menschliche Arbeit, also auch die politische Arbeit eines Christen, wenn sie im Glauben getan wird.

Eine wichtige Seite solchen Dienstes ist bei Luther auch die, daß man dabei »das Große, Lange und Viele so gern tut als das Kleine, Kurze und Wenige, und alles mit fröhlichem Herzen«[19]. Wieviel würde wohl im weltlichen und christlichen Gemeinschaftsleben unsrer Zeit, wo man so sehr auf Repräsentation, Eindruck, Lebensstandard, Ehre und Erfolg aus ist, anders sein, wenn der altpreussische, aber auch gut christliche Geist des »Ich dien, gleichviel wann wo und wie« unter uns wieder zu Ehren käme. Man sollte sich der Zeiten nicht schämen, wo Dienst und Dienen Ehrenbegriffe in Staat, Politik, Wirtschaft und Kunst gewesen sind, vom König und obersten Minister eines Landes bis herunter zum geringsten Glied der Gesellschaft.

Viertens ist ein nie fehlendes Stück der politischen Anweisung Luthers die Warnung vor dem Machtrausch oder der Vermessenheit. Gerade weil es in der Politik unvermeidlich und unweigerlich immer auch um Macht geht und gehen muß, hält Luther es für einen unentbehrlichen christlichen Beitrag zur Politik, die Mächtigen immer wieder vor der Maßlosigkeit in Recht, Wirtschaft, Innen- und Außenpolitik zu warnen. Denn die Vermessenheit macht selbst das größte Recht zum Unrecht, das Glück zum Fluch, den Wohlstand zum Notstand. Die Vermessenheit hat selbst die mächtigsten Staaten und die größten Männer der Weltgeschichte zu Fall gebracht, wie es schon das alte Wort aus den Sprüchen Salomos (16, 18) sagt: Hochmut kommt vor dem Fall. Nach

[18] WA 11, 257, 33.
[19] WA 6, 207, 20 (Sermon von den guten Werken).

Luthers Meinung reichen nur die allerhöchsten göttlichen Antriebe selbst aus, um dieser Gefahr zu begegnen, denn »keine Gesetze und keine Strafen können diesem Fehler wehren, sondern allein die Stimme vom Himmel zerstreut diese Hoffart«[20]. Luther hat sich daher nicht gescheut, seinen eigenen Fürsten und »großen Hansen« die Warnung vor der Vermessenheit immer neu ins Stammbuch zu schreiben, er ist ja tatsächlich alles andre als ein »Tellerlecker der absoluten Monarchie«, als den ihn in Unkenntnis und parteiischem Haß die Sozialisten des 19. Jahrhunderts Engels und Mehring[21] hingestellt haben. Luther ist einer der nicht sehr zahlreichen furchtlosen Menschen, die sich weder von Fürsten noch von der Menge einschüchtern lassen, er hat an seinem Teil seiner Devise: »Das Predigtamt ist nicht ein Hofdiener oder Bauernknecht«[22], alle Ehre gemacht. In der Auslegung des Magnificat von 1521, die er seinem eigenen künftigen Landesherrn gewidmet hat, hat er besonders die Verse unterstrichen: Gott zerstreuet die hoffärtig sind in ihres Herzens Sinn, er stößt die Gewaltigen vom Stuhl und erhebt die Niedrigen (Luk. 1, 51 und 52), und wendet sich dabei unmittelbar an den sächsischen Fürsten mit den Worten: »Ich bitt und vermahn, E. F. G. wolle sich all ihr Lebtag vor keinem Ding auf Erden, ja auch vor der Hölle nicht so sehr fürchten als vor dem hoffärtigen Sinn«[23].

Wenn man Luthers Warnung vor der Vermessenheit in die moderne Sprache übersetzen will, dann ist es ganz einfach eine Warnung vor allen Formen des Totalitarismus und Absolutismus, vor aller Staats-, Kultur- und auch Kirchenomnipotenz[24]. Wenn daher heute verantwortungsvolle Staatsmänner von den evangelischen Christen erwarten und erbitten, sie in der Bekämpfung aller totalitären Gedanken und Systeme zu unterstützen, dann sind diese evangelischen Christen von Luther her wahrlich veranlaßt, solcher Erwartung zu entsprechen. Mit Recht hat der ehemalige nordrhein-westfälische Kultusminister SCHÜTZ[25] hierzu auch die Bekämpfung all der modernen Mythen und Ideologien

---

[20] WA 40 II, 297, 21.
[21] HEINRICH BORNKAMM, Luther im Spiegel der deutschen Geistesgeschichte, 1955 S. 268 und 270.
[22] WA 31 I, 198, 12.
[23] WA 7, 602, 19.
[24] Ich darf in diesem Zusammenhang vielleicht auf meinen Reformationsvortrag »Die Kulturbedeutung der Reformation und die Stadtgründung Karlsruhes«, Karlsruhe 1965, verweisen.
[25] A.a.O. S. 18.

gerechnet, die zur Begründung und Untermauerung totaler Systeme herangezogen werden. Dahin gehört z. B. der Mythus des Gehorsams und der Disziplin, der im Dritten Reich ja wahrhaftig eine satanische Rolle gespielt und Orgien gefeiert hat; allzusehr haben sich viele Protestanten durch diesen Mythus das protestantische Grund- und Leitwort »Man muß Gott mehr gehorchen als den Menschen« verdunkeln lassen, das nicht umsonst im Augsburger Glaubensbekenntnis Artikel 16 und 28 fest verankert ist. Aber auch Lebenswille und Lebensstandard können zu solchen Vermessenheitsmythen werden, wenn sie sich zu alles überragenden Leitmotiven und Maßstäben auswachsen. Auch der Begriff des Christlichen Abendlandes ist noch nicht ausreichend davor geschützt, zum Mythus eines totalitären Systems zu werden[26]. Es ist eine gute evangelische Mahnung und durchaus im Sinne Luthers, wenn WERNER SCHÜTZ in dem angeführten Vortrag wörtlich erklärt: »Jeden Mythus im säkularen Raum als Mythus zu erkennen und zu entlarven und zu vernichten stellt einen Beitrag der evangelischen Kirche zu einem ersten und festen Bollwerk gegen die Gefahr staatlicher Tyrannis dar«.

Ich fasse zusammen: Diese vier Gesichtspunkte sind m. E. noch heute brauchbare und unverlierbare Richtlinien für die Beteiligung eines Christen an der politischen Arbeit. Erstens: Stellt euch unter die Schrift und die biblische Predigt, die die Quelle evangelischer Kraft und Weisheit ist und bleibt. Zweitens: Behaltet den weiten großzügigen Horizont und den nüchternen Blick der christlichen Liebe. Drittens: Laßt euch den Begriff des Dienstes nicht madig und verächtlich machen, sondern bringt ihn durch die Tat wieder zu Ehren. Viertens: Steht bei euch selbst und in euerm Staat und natürlich auch in eurer Kirche und im Blick auf die päpstliche Kirche auf der Wacht, daß sich Vermessenheit, Maßlosigkeit und Absolutismus nicht einschleichen.

Reichen Luthers politische Anweisungen heute noch aus?

Sicher schon deshalb nicht, weil Luther keineswegs immer und überall auf der Höhe seiner besten Grundeinsichten gewesen und geblieben ist, die ich darzulegen versucht habe. Das Wort Goethes gilt natürlich auch für ihn: »Die größten Menschen hängen immer durch eine Schwachheit mit ihrem Jahrhundert zusammen«! Man

---

[26] Ich darf hierfür auf mein Heft »Evangelische Besinnung über das christliche Abendland«, Calwer Hefte Nr. 73, 1965, verweisen.

braucht nur an Luthers »Schwachheiten« in seinen Judenschriften
zu denken, an seine schließliche Stellungnahme zu den evangelischen Täufern und zum Fremdglauben, an seine Rolle bei Land-
graf Philipps Doppelehe und an sein Schweigen über die Bauern-
frage nach 1525. Dennoch hieße es, vor lauter Bäumen den Wald
nicht sehen und wäre die sträflichste Undankbarkeit und stünde
einem evangelischen Menschen schlecht an, wenn man verkennen
wollte, daß das politische Ethos, das Luther mit jenen vier Richtlinien dem Protestantismus eingepflanzt hat, und die Beseitigung
der heillosen mittelalterlichen Vermengung von Kirche und Welt,
Glaube und Politik, an deren Stelle er mit seiner Zweireichelehre
sozusagen das Programm einer redlichen Partnerschaft beider
Reiche gesetzt hat, unendlich segensreiche Wirkungen hervorgebracht hat und auch noch künftig hervorbringen könnte. Zu diesen
Wirkungen gehört z. B. die breitstirnige Tatsache, daß der hem-
mungslose Absolutismus, dieser Vorläufer moderner Totalitarismen
und Diktaturen, im Einflußbereich des Protestantismus nirgends
hat Fuß fassen können, weder in Preußen noch in Holland noch
in England noch in Amerika. Man darf auch ruhig an zahlreiche
protestantische Fürsten erinnern, die sich Luthers Warnung vor
dem hoffärtigen Sinn wirklich zu Herzen genommen haben, von
Johann dem Beständigen und Johann Friedrich dem Großmütigen
angefangen über Gustav Adolf und den Soldatenkönig bis zu
Kaiser Wilhelm I. Im gleichen Zusammenhang sollten auch die
zahlreichen lutherischen Hofprediger und andere Prediger nicht
vergessen werden, die ihr Warn-, Wächter- und Mahnamt an den
Großen dieser Welt nicht versäumt, sondern wahrgenommen haben, von Luther angefangen über Spener in Dresden, Hedinger in
Stuttgart, Schleiermacher und Kögel in Berlin, Harless in München
und Leipzig bis zu Wurm und Bodelschwingh im Dritten Reich.
Man denke an die freimütige Publizistik eines Luther und Ludwig
von Schlözer, vor der sich ihre Zeitalter in acht nehmen mußten,
oder an die undoktrinären, beweglichen und dennoch nicht gewis-
senlosen Politiker wie den Freiherrn vom Stein und Bismarck,
welch letzterem ein Politiker unsrer Zeit[27] mit Recht nachrühmt:
»Wenn die Kunst, Maß zu halten, den großen Menschen und vor
allem den großen Staatsmann ausmacht, dann ist Bismarck einer
der größten«.
Aber Luthers politische Weisungen reichen sicher nicht nur des-

---

[27] WERNER SCHÜTZ, Brennpunkte der Kulturpolitik, 1960 S. 50 f.

wegen nicht mehr aus, weil er selbst nicht immer auf der Höhe seiner besten Einsichten gewesen ist, sondern vor allem auch, weil wir uns politischen und gesellschaftlichen Situationen und Problemen gegenüber sehen, die so zu seiner Zeit noch nicht bestanden. Darum betont auch ein Lutheraner wie PAUL ALTHAUS in seinem neusten Buch über »Die Ethik Martin Luthers«[28], daß »Luthers Gedanken für die uns heute aufgetragene politische Ethik nicht mehr ausreichen«, freilich um sofort hinzuzufügen, dieses »Nicht mehr ausreichen« schließe nicht aus, sondern ein, daß »seine Grundgedanken auch für die heutige Welt gültig bleiben«. Wie gesund und notwendig die zuletzt von ALTHAUS gemachte Einschränkung ist, kann einem vielleicht gerade dann deutlich werden, wenn man gewisse Wesenszüge dieser unserer modernen, gegenüber Luther andersartigen Situation und Probleme ins Auge faßt.

Zwei der wesentlichsten Züge unsers Zeitalters sind zweifellos die, daß es ein industrielles und ein pluralistisches Zeitalter ist. Gerade auch in bezug auf das letztere Kennzeichen hebt ALTHAUS hervor[29]: »Der Abstand zwischen Luthers Gedanken und unsrer Lage in der pluralistischen Gesellschaft ist groß«. In der Tat konnte sich Luther zweifellos den religiösen, weltanschaulichen und kulturellen Pluralismus unsrer heutigen Welt nicht vorstellen, er, der schon das Nebeneinander zweier christlicher Konfessionen in einem kleinen deutschen Ländchen als untragbar empfand, weil es notwendig zu Aufruhr führen müsse. Ebenso fremd und unvorstellbar war für ihn unser industrielles Massenzeitalter, dessen unvermeidlich nivellierende besorgniserregende Folgen für das menschliche Einzel- und Gemeinschaftsleben HANS FREYER in seiner »Theorie des gegenwärtigen Zeitalters«[30] so hervorragend und sachlich geschildert hat. Dennoch kann eine nüchterne Sicht dieser beiden Aspekte, des pluralistischen wie des industriellen, in eigentümlicher Weise den Blick auf Luther zurücklenken und die von ihm genannten Richtlinien näherliegend, realistischer und brauchbarer erscheinen lassen, als man zunächst annehmen möchte.

Denn gerade angesichts des kulturellen und religiösen Pluralismus unsrer Zeit und der entpersönlichenden Herrschaft der sekundären Systeme, wie es HANS FREYER ausdrückt, des industriellen Massenzeitalters ist gar kein anderer christlich-politischer Einfluß mehr möglich als ein allgemein geistiger bzw. ausgesprochen

[28] PAUL ALTHAUS, Die Ethik Martin Luthers, 1965 S. 147.
[29] PAUL ALTHAUS, a.a.O. S. 130.
[30] HANS FREYER, Theorie des gegenwärtigen Zeitalters 1956.

persönlicher Einfluß. Luthers Verzicht auf eine gesetzmäßige Konsolidierung und Zementierung christlich-politischer Gedanken in der Weise des mittelalterlichen christlichen Abendlandes und seine Selbstbeschränkung auf einige allgemeine, fast blaß erscheinende Richtlinien, wie ich sie geschildert habe, und auf den Appell an das persönliche Gewissen des Christen, wobei die konkreten politischen Folgerungen, die dies Gewissen zieht, weithin offen und diskutabel bleiben, verraten eine merkwürdig gute Witterung für das künftig Mögliche. Es ist heute einfach unmöglich, mit Gesetz und Gewalt etwas Christliches absolut durchzudrücken, eine alle befriedigende Formel für die politische Aufgabe und Arbeit zu finden und staatspolitische Sicherungen für den christlichen Glauben zu schaffen. Und gerade deswegen ist Luthers Gewissensappell an Glaube, Liebe, Dienst und Bescheidenheit der Christen unendlich ehrlicher, segensreicher und auch realistischer, als wenn er die politischen Tages- und Parteiprogramme auch noch um ein bindendes evangelisches Programm und eine maßgebende evangelische Gesellschaftslehre vermehrt hätte. Nicht zufällig enden auch Männer wie HANS FREYER beim Appell zum persönlichen Widerstand, nicht zum reaktionären, sondern zum stützenden tragenden Widerstand, wie ihn die »Widerstände« an den gotischen Kathedralen leisten, und beim Appell an Erbe, Geschichte und Gewissen. Und Luther ist wahrlich nicht das schlechteste Stück unsres Erbes, unsrer Geschichte und des christlichen Gewissens. Erfreulicher- und beglückenderweise gibt es auch im katholischen Bereich hier und da eine Stimme, die zu ähnlichen Ergebnissen kommt, so FRIEDRICH HEER in seinem Buch »Koexistenz, Widerstand und Zusammenarbeit«. Auch er bekennt, daß es heutzutage nicht mehr damit getan sei, in alter Weise durch Gesetz, Gewalt und Systeme die christlichen Positionen zu sichern, und daß alle noch vorkommenden oder erstrebten Siege säkularer oder kirchlicher Systeme und Programme nur vorübergehende Pyrrhussiege sind, daß man darum auf das mittelalterliche Idol eines äußerlich und innerlich einheitlichen katholischen oder protestantischen Glaubensstaats verzichten müsse, daß aber auch der heutige Mensch sehr wohl noch ansprechbar und bewegbar sei »durch christliche Existenz, durch das Verstrahlen einer in Geist, Herz und Liebeskraft erschlossenen Persönlichkeit«[31]. Also auch hier wieder der Appell an die Person und das christliche Gewissen, nichts weiter. Und daß selbst das neueste katholische Konzil in seiner Erklärung über die Religions-

[31] FRIEDRICH HEER, Koexistenz, Widerstand und Zusammenarbeit, 1956 S. 167.

freiheit einen allerersten Schritt in dieser Richtung getan hat, scheint mir das denk- und dankwürdigste Geschehnis auf demselben. Wenn dies aber so ist, soll man es dann wirklich als Not und Mangel ansehen, wenn die Bibel und Luther für die politische Aufgabe eines Christen nicht mehr bieten, nicht Programme und Gesellschaftslehren und politische Handbücher, sondern nur einige allgemeine Richtlinien? Ich finde eher, man sollte aus dieser angeblichen Not und diesem angeblichen Mangel der Bibel und Luthers in allem Ernst eine rechte christliche Tugend machen, indem man alles aus ihnen entnimmt, was sie herzugeben vermögen.

Was man m. E. aus ihnen entnehmen kann, darf ich zum Schluß vielleicht noch einmal mit einigen Sätzen zusammenfassen, die ich vor einigen Jahren im Zusammenhang meiner »95 Thesen, hauptsächlich zur Bruderschaftstheologie«[32] unter der Überschrift: Was sind Christen dem Staat schuldig? formuliert habe:

1. Christen sind dem Staat Dank schuldig. Dies steht auch in der 5. Barmer These: »Die Schrift sagt uns, daß der Staat nach göttlicher Anordnung die Aufgabe hat, in der noch nicht erlösten Welt nach dem Maß menschlicher Einsicht und menschlichen Vermögens unter Androhung und Ausübung von Gewalt für Recht und Frieden zu sorgen. Die Kirche erkennt in Dank und Ehrfurcht gegen Gott die Wohltat dieser seiner Anordnung an«.

2. Christen sind dem Staat die Fürbitte schuldig. Denn sie wissen: Je mehr Macht einem Menschen gegeben ist, desto mehr droht er in Vermessenheit zu verfallen. Sie wissen auch, daß jede staatliche Ordnung immer noch besser ist als Anarchie. Sie wissen schließlich auch, daß der erfolgreiche Gang christlicher Verkündigung nicht unabhängig davon ist, ob Friede und Ordnung im Land herrschen oder nicht.

3. Christen sind dem Staat Dienst und Mitarbeit schuldig. Denn »es wäre gar unchristlich geredet, wenn es irgend einen Dienst Gottes gäbe, den ein Christenmensch nicht tun sollte«.

4. Christen sind dem Staat Loyalität schuldig. Die freimütig furchtlose Kritik am Staat, zu der sie wie alle Bürger berechtigt sind, kann bei ihnen nur mit grundsätzlicher Staatsbejahung und Staatsdankbarkeit verbunden sein. Solche Loyalität ist das Gegenteil von pharisäisch-sektiererischer Arroganz, die anderer Leute Arbeit geringschätzt und die Sünden der Welt mit strengerem Maß mißt als die eigenen.

[32] Meine »95 Thesen, hauptsächlich zur Bruderschaftstheologie«, Deutsches Pfarrerblatt 1961 Nr. 2 S. 33 ff.

5. Christen sind dem Staat schuldig, für die Freiheit der religiösen und politischen Überzeugung einzutreten, aber gleichzeitig auch vor dem Mißbrauch dieser Freiheit zu Frechheit, Faulheit, Zügellosigkeit und Unmenschlichkeit zu warnen.

6. Christen sind dem Staat ein klares Nein schuldig, wo der Staat das christliche Bekenntnis kritisiert und angreift, die kirchliche Existenz des Christen behindert und wo er offenbares Unrecht tut.

7. Christen können kein grundsätzliches Revolutionsrecht vertreten. Das Wagnis der Revolution kann der christliche Revolutionär nur auf sein eigenes persönliches Gewissen nehmen, es aber nicht zu einem allgemeinen Grundsatz machen. Auch die Christen unter den Männern des 20. Juli 1944 haben nicht anders gehandelt.

8. Christen sind dem Staat durch die Predigt die Verkündigung des Evangeliums an jedermann schuldig.

9. Christen sind dem Staat durch die Predigt die Verkündigung schuldig, daß der Staat nicht Selbstzweck und seine Macht nicht um der Macht, sondern um des Dienstes willen an Volk und Menschheit da ist, und daß er sie daher immer neu durch die Bemühung um Recht und Frieden rechtfertigen muß.

10. Christen sind dem Staat durch die Predigt die Verkündigung schuldig, daß Christus nicht allein das Schicksal der Kirche, sondern auch das Schicksal der Welt und aller weltlichen Mächte ist: »Wer nicht unter ihm sein will mit Gnaden, der muß unter ihm sein mit Ungnaden; wer nicht mit ihm regieren will, der muß seiner Füße Schemel sein, er ist Richter über Lebendige und Tote«[33].

11. Christen sind dem Staat die ständige Warnung vor der Vermessenheit, dem Machtrausch, Machtmißbrauch, Totalitarismus und allen Arten von Omnipotenz schuldig, weil die Vermessenheit selbst das beste Recht zum Unrecht macht und der Untergang von Menschen und Völkern ist.

12. Christen sind namentlich dem modernen Staat gegenüber schuldig, erstens dessen Tendenzen zur Ausweitung seiner Befugnisse auf Geist, Seele und Gesinnung zu bremsen,

13. zweitens ständig vor der Überschätzung von Organisation und Bürokratie zu warnen und an die entscheidende Bedeutung der Menschlichkeit und des Geistes, in dem Organisation und Bürokratie arbeiten, zu erinnern und

14. drittens aller politischen Religion, Staatstheologie, Kreuzzugsideologie und christlichen Etikettierung politischer Zwecke zu widerstehen.

[33] WA 54, 37, 30.

COGNITIO DEI ET HOMINIS

von Gerhard Ebeling
(Zürich, Nägelistraße 5)

I

Die reformatorische Theologie hat das Ganze der christlichen Lehre mehrfach an hervorragender Stelle in die Formel zwiefältiger Erkenntnis gefaßt: der Gotteserkenntnis und der Selbsterkenntnis des Menschen.

In der bekannten Bestimmung des subiectum theologiae — in der Enarratio des 51. Psalms von 1532 — formuliert Luther: Cognitio dei et hominis est sapientia divina et proprie theologica, Et ita cognitio dei et hominis, ut referatur tandem ad deum iustificantem et hominem peccatorem, ut proprie sit subiectum Theologiae homo reus et perditus et deus iustificans vel salvator[1].

Am Anfang des Commentarius de vera et falsa religione von 1525 entnimmt Zwingli dem Begriff der Religion die Struktur jener zwiefachen Erkenntnis: Cum deus sit, in quem tendit religio, homo vero, qui religione tendit in eum, fieri nequit, ut rite de religione tractetur, nisi ante omnia deum agnoveris, hominem vero cognoveris[2].

Calvin hat die Institutio Christianae religionis 1536 mit dem monumentalen Satz eröffnet, den er auch in den späteren tief eingreifenden Neubearbeitungen des Werkes mit nur geringen Änderungen stehen ließ: Summa fere sacrae doctrinae duabus his partibus constat: Cognitione Dei ac nostri[3].

Auf den ersten Blick scheint dies nur eine fundamentale Gemeinsamkeit reformatorischer Theologie zu bestätigen. Schaut man dagegen näher hin, so gerät man in weite Problemzusammenhänge und Interpretationsaufgaben.

---

[1] WA 40, 2; 327, 11—328, 2.

[2] H. Zwinglis Sämtl. Werke III (CR 90); 640, 23—26.

[3] I. Calvini op. sel. I; 37, 8 f. Seit 1539 lautet der Satz Calvini Opera I (CR 29); 279, 5—7: Tota fere sapientiae nostrae summa, quae vera demum ac solida sapientia censeri debeat, duabus partibus constat: cognitione Dei, et nostri. In der Bearbeitung von 1559 wird die Wortstellung am Schluß geändert in: Dei cognitione et nostri, op. sel. III; 31, 6—8. S. u. S. 289.

Was das Verhältnis zur Tradition betrifft, so gelangt man schnell zu zwei vorläufigen und grobschlächtigen Feststellungen. Die Scholastik hat die Frage nach dem subiectum theologiae m. W. nie mit dem Doppelaspekt der cognitio Dei et hominis beantwortet. Aber auch darüber hinaus hat das Beieinander dieser zwiefachen Erkenntnis, jedenfalls terminologisch, in der theologischen Scholastik keine bedeutsame Rolle gespielt. Von daher legt sich das Urteil nahe, die festgestellte Übereinstimmung verrate eine charakteristische Besonderheit reformatorischer Theologie gegenüber der Tradition. Bei weiterer Umschau jedoch zeigt sich, daß wir es hier mit einem Motiv zu tun haben, das schon in der antiken Philosophie anklingt und dessen Spuren in weiter Streuung von der alten Kirche bis zum Humanismus und zur Devotio moderna hin begegnen. Es wäre eine lohnende, aber auch schwierige Aufgabe, diesem Überlieferungsstrang im einzelnen nachzugehen, die Wandlungen im Verständnis zu untersuchen und die Beziehungen zur reformatorischen Verwendung der Formel herzustellen. Das müßte nicht die Vermutung widerlegen, daß hier eine Besonderheit reformatorischer Theologie in Erscheinung trete, könnte aber helfen, diese zu präzisieren und zu differenzieren, je nachdem, wo die verschiedenen Ausprägungen reformatorischer Theologie jenes Motiv der Tradition entnommen und wie sie es sich angeeignet haben.

Der Eindruck einer frappierenden Gemeinsamkeit erfährt eine Korrektur, je genauer man sich den erwähnten Texten zuwendet. Freilich ist die Tatsache jener Übereinstimmung umso bemerkenswerter, als sie sich nicht oder nur beschränkt aus einer Abhängigkeit der Texte untereinander herleiten läßt. Auch wenn man die Untersuchung, wie es erforderlich wäre, auf das gesamte Schrifttum der Reformatoren ausdehnte, um entsprechende Paralleltexte zu entdecken und den Vergleich historisch und sachlich auf breiter Basis anzustellen, würde sich daran kaum etwas ändern, daß das Vorkommen bei Luther und Zwingli voneinander unabhängig ist und nur für Calvin an diesem Punkt eine gewisse Abhängigkeit von Zwingli zur Diskussion steht[4]. Dieser Sachverhalt macht die Frage nach dem gemeinsamen Traditionshintergrund besonders interessant und dringend und läßt etwaige Verschiedenheiten der Konzeption Ausdruck einer unbeabsichtigten Differenz sein, in der sich unterschiedliche Denkweisen reformatorischer Theologie auswirken.

---

[4] S. u. S. 281 f.

Nun weichen tatsächlich die Weisen, wie Luther, Zwingli und Calvin den Gesichtspunkt der cognitio dei et hominis verwenden, stark voneinander ab. Es scheint mir deshalb berechtigt, aus dem Gesamtbereich der umrissenen historischen Aufgabe, der eine Monographie erforderte — ganz zu schweigen von den implizierten Beziehungen zur heutigen systematisch-theologischen Problemsituation —, eine bescheidene Teilaufgabe und Vorarbeit herauszugreifen, nämlich die anfangs zitierten Texte in ihrem unmittelbaren Kontext zu interpretieren und dadurch die Tatsache ihrer Verschiedenheit zu verdeutlichen. Ich nehme Zwingli und Calvin vorweg, weil hier mit der Möglichkeit eines direkten Zusammenhangs zu rechnen ist. Luther stelle ich an den Schluß, da es instruktiv ist, ihn mit diesen beiden und zugleich auch mit der traditionellen Bestimmung des subiectum theologiae zu konfrontieren.

II

De vera et falsa religione ist eine Franz I. gewidmete Apologie evangelischer Lehre[5]. Sie handelt allein von der christlichen Religion[6] und erörtert deren wahres und falsches Verständnis[7]. Trotzdem geht Zwingli von einem allgemeinen Religionsbegriff aus. Er bezieht sich mit Zustimmung auf Ciceros etymologische Herleitung der Vokabel »religio«[8] und verweist ferner auf die bipolare, Gott und Mensch umspannende Struktur von Religion überhaupt[9]. Das Erste ist eine unbedeutende humanistische Verzierung, mit dem Zweiten werden jedoch die Weichen für das Folgende gestellt.

Dem Verdacht, der christliche Glaube werde hier in einen vorausgesetzten »humanistischen« Religionsbegriff gezwängt, ist freilich vorgebeugt. Zwingli faßt von vornherein die Tatsache widergöttlicher Verfälschung der Religion durch die humana sapientia ins Auge[10]. Seine »fidei ratio« dagegen sei nicht aus den Pfützen

[5] Vgl. das Widmungsschreiben: H. Zwinglis Sämtl. Werke III; 628—637.

[6] 639, 15—17: Nos enim »religionem« hic accipimus pro ea ratione, quae pietatem totam Christianorum, puta: fidem, vitam, leges, ritus, sacramenta, complectitur.

[7] 638, 18: Scripturo de vera falsaque religione Christianorum ... Vgl. ferner S. 274 Anm. 11.

[8] 639, 12—14. Zwingli zitiert frei Cicero, De nat. deorum II, 28, 72. Ohne die Herleitung von relegere weiter auszunützen, begnügt er sich mit der Feststellung, daß dieser Wortsinn auch zu seiner Verwendung von religio im Sinne von pietas tota Christianorum passe.

[9] 640, 20—26: Inter quos constet religio. Vgl. o. S. 271 und u. S. 274 Anm. 13.

[10] 638, 25—639, 3: Über die Religion habe es immer Zwiespalt gegeben. Qui vero contra suo iudicio sapientes erant, fortes, divites, de deo statuerunt,

menschlicher Weisheit, sondern aus dem Regen des göttlichen Geistes, dem Worte Gottes, geschöpft[11]. Sie stamme also nicht »von
unten«, sondern »von oben«.

Trotzdem könnte der kurze Abschnitt Bedenken erregen, in dem
Zwingli den Doppelgesichtspunkt der Erkenntnis Gottes und des
Menschen als konstitutiv für die Religion einführt[12]. Religion wird
als eine Bewegung gekennzeichnet, die vom Menschen her auf
Gott gerichtet ist. Der Mensch ist hier — so scheint es — als
(tätiges) »Subjekt« und Gott als (empfangendes) »Objekt«[13], Religion also nun doch als Bewegung »von unten nach oben« verstanden, als menschliches Werk und, soweit Sache der Erkenntnis,
als eine vom Menschen inaugurierte Erkenntnisbewegung. Gottes-
und Menschenerkenntnis wären dann gleichermaßen durch den
Menschen getätigte Erkenntnis, also sapientia humana. Es ist fraglich, ob dem gegenüber schon der leichten Variierung des Ausdrucks
zwischen *agnoscere deum* und *cognoscere hominem*[14] ein Hinweis

> quod eis visum esset; ac ne impii existimarentur, quibus visum est obse
> quiis demeruerunt, non quibus ille gaudet. Unde paulatim factum est, ut
> multi eam demum religionem amplexi simus, quam humanae sapientiae
> dolus fingere promulgareque fuit ausus, quae tam abest, ut »religio« vocari
> iuste possit, ut hypocrisis rectius »impietas et superstitio« nuncupari debeat.
> Die Unterscheidung zwischen religio und superstitio wird auch von Cicero
> aaO behandelt.

[11] 639, 3—6: Facillimum igitur nobis est de vera falsaque Christianorum religione scribere, ac veluti rationem fidei nostrae reddere, quam non ex humanae sapientiae lacunis, sed ex divini spiritus imbre, qui verbum dei est,
hausimus.

[12] 640, 21—26: Quandoquidem autem religio fines duos complectitur (CR
fälschlich: complicitur), alterum: in quem tendit religio, alterum: qui religione tendit in alterum, proximum esse oportebit, ut de utroque extremo
dicamus. Hoc est: ... (Forts. s. o. S. 271).

[13] W. Köhler (in: Ulrich Zwingli. Eine Auswahl aus seinen Schriften, hg. von
G. Finsler, W. Köhler und A. Rüegg, 1918, 490) gibt dem Abschnitt
(Inter quos constet religio) die Überschrift »Subjekt und Objekt der Religion«
und übersetzt frei: »Die Religion bewegt sich zwischen zwei Polen: Objekt,
das heißt: derjenige, auf den sich die Religion richtet, und Subjekt, das
heißt: derjenige, der in der Religion sich auf einen anderen hinrichtet ...
Das Objekt ist Gott, das Subjekt der Mensch ...« F. Blanke (in: Zwingli,
Hauptschriften, bearb. von F. Blanke, O. Farner, R. Pfister. Zwingli,
der Theologe I. Teil, 1941, 20) hat in der Übersetzung zwar diese nicht unbedenkliche Terminologie vermieden, aber die Überschrift »Subjekt und
Objekt der Religion« beibehalten.

[14] Von der Statistik des Wortgebrauchs in den beiden Abschnitten De Deo und
De homine her (640—665) läßt sich die Frage nicht sicher entscheiden. In
bezug auf Gott als Objekt wird stets agnoscere, nie cognoscere, aber meist

auf das entschiedene Prae Gottes als des Anerkennung Fordernden, weil Erkenntnis Gebenden, entnommen werden darf.

Ein zweites Bedenken hängt mit dem ebenfalls nicht eindeutigen Sinn von »ante omnia« zusammen. Ist diese Wendung (nur) zeitlich oder (auch) sachlich zu verstehen[15]? Ist also, um von der christlichen Religion recht zu handeln, in bloßen Prolegomena von einer vorauszusetzenden Erkenntnis dessen auszugehen, was Gott und was der Mensch ist? Oder macht diese Doppelerkenntnis selbst den Hauptinhalt der Erörterung über den christlichen Glauben aus? Zwingli läßt sofort zwei umfangreiche Abschnitte De Deo[16] und De homine[17] folgen, um erst danach schrittweise von der Religion überhaupt zur christlichen Religion und dann zum Evangelium als deren Kern vorzudringen[18]. Dieses Verfahren spricht für die erste Möglichkeit, also für eine allgemeine theologische und anthropologische »Vorgabe«.

Der Grundtenor der an die Spitze gestellten Ausführungen über cognitio Dei und cognitio hominis[19] ist freilich eindeutig der: Der Mensch ist zur Gotteserkenntnis ebenso wie zur Selbsterkenntnis

cognitio und nur ausnahmsweise agnitio verwendet; in bezug auf den Menschen als Objekt meist cognoscere, seltener agnoscere, jedoch stets cognitio, nie agnitio. Während also der substantivistische Sprachgebrauch praktisch der gleiche ist, könnte der verbale Befund vermuten lassen, daß der Wechsel der Ausdrucksweise nicht bloß dem Bedürfnis nach stilistischer Variation entspringt. Auch die adversative Formulierung 640, 25 f.: nisi ante omnia deum agnoveris, hominem vero cognoveris, könnte darauf hindeuten. Ebenso Zwinglis Wahl von agnoscere in Rm 1, 21 gegen cognoscere in Vulg. und ohne Vorbild bei Erasmus. In den Fällen, in denen der Mensch bzw. seine malicia Objekt von agnoscere ist, geht es zumeist darum, ob der Mensch wahrhaben will, wer er ist. Jedoch schließt agnoscere nicht notwendig den vollen Sinn von anerkennen in sich, vgl. 641, 6 f. F. BLANKE differenziert in der Übersetzung folgendermaßen: » . . . du *erkennest* denn zuvor Gott und *kennest* den Menschen.«

[15] 640, 25 f.: . . . fieri nequit, ut rite de religione tractetur, nisi ante omnia deum agnoveris, hominem vero cognoveris. W. KÖHLER übersetzt »vor allem«, F. BLANKE »zuvor«.

[16] 640, 27—654, 26.

[17] 654, 27—665, 6.

[18] Auf De homine folgen die Abschnitte De religione, De religione Christiana, Euangelium usw. Vgl. besonders 665, 8 f.: Redeundum nunc est ad religionem, quam tantisper omisimus, donec de iis, inter quos constat religio, diceremus, quantum dominus dedit.

[19] Wir können uns dieser Formulierung mit Rücksicht vor allem auf 654, 26 656, 1 f. und 661, 19 bedienen.

18*

ganz und gar auf Gott angewiesen[20]. Gemäß traditioneller Distinktion ist zwar eine generelle Erkenntnis, *quod* Deus sit, zu konze-
dieren[21], obschon auch diese letztlich nur als Folge göttlicher Offenbarung[22]. Eine aus dem Menschen selbst stammende Erkenntnis,
quid Deus sit, ist jedoch schlechterdings zu bestreiten. Von uns
aus wissen wir noch weniger, was Gott sei, als ein Käfer, was der
Mensch sei[23]. So steht fest: a solo deo discendum, quid ipse sit[24].
Der Beitrag der Philosophie dazu kann nur täuschende Schminke
und religio falsa sein, obschon auch hier Zwingli nicht ohne eine
Einschränkung auskommt: Es befindet sich darunter doch auch
manches Wahre, von Gott unter die Heiden gestreute Samenkörner.
Aber die Christen sind darauf nicht angewiesen[25].

Daß Gotteserkenntnis nicht vom Menschen, sondern allein von
Gott her, also nur durch Offenbarung ermöglicht wird, hat seinen
Grund in dem Inhalt der Gotteserkenntnis. Gottes Wesen ist
Aseität. Er ist der Ursprung alles Seienden und als das einzige
wahrhaft Gute die andauernde providentia aller Dinge. Er ist,
was er ist, nicht für sich selbst, ist vielmehr von Natur gütig und
freigebig. So hat er sich vollends in Jesus Christus offenbart[26]. Um
des unendlichen Abstandes Gottes als des Schöpfers vom Menschen
als der Kreatur willen und deshalb um der Alleinwirksamkeit

---

[20] 661, 3 f.: .., ut homo sese agnoscat, paulo minus opus esse deo magistro,
quam in eius ipsius cognitione ...

[21] 640, 28—642, 11.

[22] 641, 14—18: (zu Rm 1, 19) Videmus hic aperte, quod dei est ea, quam nos
naturae nescio cui ferimus acceptam, de deo notitia ... Et natura quid
aliud est, quam continens perpetuaque dei operatio, rerumque omnium
dispositio? Et mens nostra unde nam est, quam ab eo, qui operatur omnia
in omnibus? Auch die Gläubigen haben die Gotteserkenntnis selbstverständlich nicht aus eigener Kraft (642, 17 f.: nam quod ad ingenium et naturam
hominis adtinet, nihil differt pius ab impio), auch nicht einfach aus dem
Wort (642, 33 f.: Nam si verbum hoc posset, omnes redderentur pii. Si vero
mens nostra, nemo audiens esset impius), sondern durch Gottes Wirken
allein (642, 34—37: Fit manifestum, quod fideles hinc credunt deum esse, et
mundum opus eius esse, et reliqua, quod a deo hoc docti sunt: solius ergo
dei est et ut credas deum esse, et eo fidas).

[23] 643, 1—5: ... quid deus sit, tam ex nobis ipsis ignoramus, quam ignorat
scarabeus, quid sit homo. Imo divinum hoc infinitum et aeternum longe
magis ab homine distat, quam homo a scarabeo, quod creaturarum quarum-
libet inter se comparatio rectius constet, quam si quamlibet creatori conferas.

[24] 643, 14.

[25] 643, 20—27. Vgl. 646, 30—34.

[26] Damit ist die Gedankenbewegung 643, 35—650, 15 nur andeutungsweise
skizziert.

Gottes in der Beziehung von Gott und Mensch willen[27] kann
Gotteserkenntnis nur Gottes Gabe sein.

Man könnte meinen, darin sei im Grunde auch schon alles impliziert, was über die cognitio hominis zu sagen ist. Das ist jedoch
nicht der Fall. Gotteserkenntnis und Erkenntnis des Menschen selbst
ereignen sich zwar gleichermaßen allein von Gott her. Aber die
Gründe des Angewiesenseins auf Gott sind in beiden Fällen verschieden[28]. Die Gotteserkenntnis als solche schließt noch nicht notwendig die ganze Erkenntnis dessen in sich, was der Mensch ist.
Von der cognitio hominis muß noch gesondert die Rede sein, weil
hier Erkenntnisinhalte und Erkenntnisschwierigkeiten eigener Art
auftauchen. Bei der cognitio Dei ist der Mensch insofern allerdings
schon mit dabei, als er ja der Erkennende, richtiger: der Empfänger
geschenkter Gotteserkenntnis ist und deshalb selbst in Hinsicht
darauf in den Blick kommt, daß er von sich aus zum Erkennen
Gottes unfähig ist. In Sachen der Gotteserkenntnis liegen die Ursache der Schwierigkeit und der Grund für das Angewiesensein
auf Gottes Selbstoffenbarung in der Schwäche des menschlichen
Verstandes gegenüber der blendenden Helle Gottes. In Sachen der
menschlichen Selbsterkenntnis hingegen ist die Ursache der Unfähigkeit des Menschen eine andere, nämlich seine aktive Selbst-
vernebelung, also ein Defekt nicht des Verstandes, sondern des
Willens. Der Mensch will sich gar nicht erkennen. In leichtfertiger
Frechheit verstellt er sich, auch und gerade vor sich selbst. Den
Menschen zu erkennen ist so mühsam, wie einen Tintenfisch zu
fangen[29]. Das meint nicht nur, daß der Mensch sich der Erkenntnis
durch den Mitmenschen entzieht[30]. Infolge seiner Eigenliebe verbaut er sich auch den Zugang zur Selbsterkenntnis[31].

So eindrücklich diese Gedankenführung ist, läßt sie doch auf
gewisse Mängel in Zwinglis Entfaltung des Themas der cognitio
Dei et hominis stoßen[32]. Zunächst: Was hat das Zustandekommen

---

[27] In diesem Zusammenhang findet sich die offensichtlich gegen Erasmus ge-
wandte Bemerkung 649, 25: Quid hic dicent liberi arbitrii adsertores?

[28] 656, 1—5: A domino igitur deo hominis conditore hominis cognitio non
minus petenda est, quam eius ipsius cognitio, quamvis diversis causis. Dei
enim cognitio nostrae intelligentiae negatur propter eius imbecillitatem et
illius splendorem et claritatem; hominis autem propter inficiandi fingendique
tum audaciam, tum promptitudinem . . .

[29] 654, 28.

[30] 655, 12—14. 24.

[31] 655, 25 f.

[32] Auf die wichtige Frage, ob und wieweit es sich nur um Grenzen dieses

der Selbsterkenntnis mit der Gotteserkenntnis zu tun? Zwingli
erklärt zwar ganz deutlich: Gott als der Schöpfer des Menschen
vermag allein auch das unerforschliche Herz des Menschen zu
erforschen. Deshalb vermag er auch als einziger die Erkenntnis
dessen zu vermitteln, was der Mensch ist[33]. Aber wie geschieht
dies? Durch das Wort Gottes, die biblischen Zeugnisse[34]. Daneben
führt Zwingli auch Erfahrungsargumente an[35] und sogar eine Äußerung Ciceros über die Ruhmsucht[36]. Problematisch ist nicht dies,
sondern daß sich Zwingli über den inneren Bezug von Schrift-
zeugnis und Erfahrungsargument nicht hinreichend Rechenschaft
gibt. Noch unbefriedigender als das bloße Nebeneinander von
beidem[37] ist dies, daß Zwingli vor der Frage, wie sich das Schriftwort Geltung verschafft, in einen Glaubensbegriff ausweicht, der
zwischen biblizistischer Hinnahme und spiritualistischer, dem Wort
gegenüber verselbständigter Erfahrung schillert[38].

Textes oder um Eigentümlichkeiten von Zwinglis Theologie überhaupt handelt, kann ich hier nicht eingehen. Im übrigen erweist sich der Text gerade
dadurch, daß er auf Probleme stoßen läßt, als außerordentlich fruchtbar.
[33] 655, 8—11. 15—21. 30—34: Zitierung von Jer 17, 9 f. 655, 27—30: Nullo
igitur magistro alio aut duce unquam dabitur humani cordis arcana videre,
quam solo hominis architecto deo. Is enim, ut hominem condidit, ita omnes
versutiarum eius scaturigines, ac, unde illae ipsae exordium coeperint, novit.
[34] 655, 2—11 656, 6—657, 11 657, 36—660, 17.
[35] Vor allem zur Erläuterung dessen, was mors peccati ist, 657, 12—35.
[36] 662, 3—664, 28.
[37] 657, 36 f.: Sed praestat divini oris testimoniis rem probari quam argumentis,
quamvis et illa fundamentum habeant in verbo dei.
[38] 660, 23—25: Qui (sc. Christus), ut eum latere quicquam potest, ita totum
nobis hominem sic exponit, ut si saltem eius verbo credimus, liquido videamus hominem natura malum esse ... Aber der Glaube, durch den der
Inhalt der Schriftworte erst zur Erfahrung kommt, tritt als ein selbständiger Faktor zu diesem hinzu. Schon in dem Teil De Deo hatte Zwingli die
Darlegung auf Grund der Schriftzeugnisse relativiert durch den Hinweis
auf die Notwendigkeit der fides, die in diesem Zusammenhang als eine
unmittelbare Gotteserfahrung erscheint. 653, 23—654, 17: Veruntamen qur
pluribus ageremus de cognitione dei, qum ea ipsa, quae ex ore ipsius attulimus, apud eum, qui impius sit, haud pluris aestimentur, quam ut dicitur
ultronea merx? ... Contra vero, qui pii sunt, notiorem ac familiariorem
domi habent deum, quam ut his nostris eis aliquid accedat cognitionis. Iis
enim deus omnia est: esse, vita, lux, robur, thesaurus et sufficientia rerum
omnium ac prorsus θάσσος ἀγαθῶν. Quod sancti dei homines experti, abus-
que mundo condito deum variis nominibus adpellaverunt, ut videre licet
passim per utrunque instrumentum, nunc »dominum«, nunc »deum, vitam,
consistentiam, patrem, fortem, lucem, omnipotentem, omnisufficientem« vo-
cantes; quae tamen omnia nomina illi ex interna fide imposuerunt, nempe,

Der unzureichenden hermeneutischen Reflexion korrespondiert eine Unklarheit in bezug auf den Inhalt der cognitio hominis. Die Antwort scheint zwar ganz eindeutig zu sein: Dieser Erkenntnisinhalt ist die Sündhaftigkeit des Menschen[39]. Die Ursache dessen, warum sich der Mensch von sich aus nicht erkennt, deckt sich mit dem, als was sich der Mensch durch Gott erkennt. Weil der Mensch Sünder ist, kann er sich nicht als solchen erkennen. Der amor sui als Inbegriff der Sünde verhindert die Anerkennung des Sünderseins[40]. Es wird nun aber nicht klar genug herausgearbeitet, daß die Selbstverdunkelung des Menschen sich bereits Gott gegenüber vollzieht. Die Unfähigkeit des Menschen zur Selbsterkenntnis setzt als solche schon das Thema der Gotteserkenntnis voraus[41]. Dieses

qum domi sic de deo sentirent, quod ipse robur eorum esset, vita, esse, pater et reliqua. Iam ex ea fide, qua illi acceptum ferebant robur, vitam, reliqua, sic illi postmodum nomen dederunt fortitudini, domino, vitae, robori. Constat igitur ociosa esse, quae hactenus de dei cognitione attulimus, nisi fides accedat. Unde nemo sic obiicere potest, quasi humanis persuasionibus nixi cognitionem dei docuerimus. Primum enim divinis solummodo fulti sumus oraculis; deinde palam ostendimus non humanarum virium esse, ut in dei cognitionem adorationemque deveniamus ... Unter Rückverweis darauf erklärt Zwingli auch die cognitio hominis als Sache des Glaubens und meint damit offenbar eine zum Schriftwort hinzukommende unmittelbare Erfahrung. 661, 6—19: Deo igitur urinatore opus atque eo solo habemus, ut hominem pernoscamus. Et, quod supra diximus, ipsam dei agnitionem ex eius verbis sperari non debere, nisi fides adsit; nam ea si desit, fabula videbitur, quicquid de illo attuleris. Idem in hominis consideratione verum est. Nisi enim fides adsit, qua homo credat omnem vocem a deo prolatam veram esse, tam longe aberit a sui cognitione, quantum inter spiritum carnemque interest. »Per legem enim cognitio peccati.« Est autem lex spiritualis, nos autem carnales. Nisi ergo spiritus se nobis ingerat, perpetuo carnales erimus ... At quamdiu carnales sumus, nosipsos non agnoscimus. Caro enim se ipsam nullo pacto abiicit, semper apud se magna est et magnifica, imo deus quoque. Tam ergo necessaria est fides homini ad sui cognitionem quam ad dei.

[39] Vgl. die zusammenfassende Schlußwendung in dem Abschnitt De homine 665, 5 f.: ... hominem esse undequaque pessimum, omnia sui amore consulere et facere.

[40] 655, 25 f. Vgl. 657, 21—32.

[41] Gewiß wird z. B. im Anschluß an Rm 6, 16 auch betont, daß der amor sui pervertierte Gottesbeziehung ist, 659, 31—35: Peccatum vero tunc est, qum neglecta creatoris lege se ipsum homo sequi maluit, quam signa ducis ac domini sui. Eius ergo servus est, ad quem descivit. Descivit autem ab amore dei per amorem sui ad se ipsum. Sui ergo ipsius servus est, se magis amat quam deum, quam etiam quemquam. Es kommt jedoch nicht ebenso deutlich heraus, daß die hypocrisis des Menschen (654, 30) primär im Verhältnis zu Gott ihren Ort hat.

tritt nicht etwa nur zwecks Ermöglichung der cognitio hominis
hinzu. Der amor sui impliziert die Gottesbeziehung, wenn auch als
pervertierte.

Der Sachverhalt ist deshalb differenzierter, als es die sukzessive
Abhandlung De Deo und De homine erscheinen läßt. Wie in dem
Abschnitt De Deo auch vom Menschen schon die Rede war, so ist
in dem Abschnitt De homine auch von Gott noch die Rede. Trotzdem ist ein Fortschreiten des Gedankens zu verzeichnen. In den
Darlegungen De Deo wird von der Gotteserkenntnis unter Absehen von der Sünde des Menschen und deshalb allein im Hinblick
auf die Kreatürlichkeit des Menschen gesprochen. In den Darlegungen De homine dagegen kommt so gut wie ausschließlich[42] die
Sündhaftigkeit des Menschen zur Sprache und die Gotteserkenntnis
als deren Erkenntnisgrund. Aber dies bleibt im Zwielicht. Wie ist
die Gotteserkenntnis Erkenntnisgrund der Sündhaftigkeit des Menschen? Was unter De Deo ausgeführt war, ist nun stillschweigend
vorausgesetzt, und es werden nur noch *Äußerungen* Gottes über
den Menschen hinzugefügt. Dabei bleibt unerörtert, wie der
Mensch als Sünder Gott so erkennt, daß er die testimonia über
das eigene Sündersein als Wort Gottes und sich selbst als Sünder
vor Gott versteht.

Die Schwierigkeit rührt daher, daß Zwingli von cognitio Dei
und cognitio hominis jeweils unter anderen Bedingungen handelt:
von der cognitio Dei, jedenfalls primär, »supralapsarisch«, obwohl
er hier bereits auch auf die Offenbarung in Jesus Christus[43] als den
deutlichsten Beweis der liberalitas Gottes zu sprechen kommt[44];
von der cognitio hominis dagegen »infralapsarisch«, ohne darauf
einzugehen, wie sich durch den Fall die Situation in bezug auf die
cognitio Dei, und zwar was deren Inhalt und Zustandekommen betrifft, gewandelt hat. Es wäre problematisch — und ist wohl auch
gar nicht Zwinglis Meinung —, die Sünde nur als Grund der Unfähigkeit des Menschen zur Selbsterkenntnis und nicht zugleich auch
als Grund für dessen Nichterkenntnis Gottes geltend zu machen, also
das Angewiesensein auf Gott für die cognitio Dei und für die
cognitio hominis verschieden motiviert sein zu lassen[45]. Die Un-

---

[42] Abgesehen von dem kurzen einleitenden Hinweis auf den Urstand, 656,
6—12.

[43] 652, 7—653, 15: In diesem Zusammenhang wird dann selbstverständlich
auch die Sünde vorausgesetzt.

[44] 653, 7f.: An potuit liberalitatem misericordiae suae manifestius nobis probare?

[45] S. o. S. 277 Anm. 28.

klarheit in dieser Hinsicht hat zur Folge, daß die Frage der cognitio
Dei sich zum Teil ablöst von der Existenzsituation des Menschen
und deshalb, trotz Zwinglis gegenteiliger Versicherung, weithin
doch eine philosophische und nur nachträglich biblisch unterbaute
Beantwortung erfährt[46]. Und weil der innere Zusammenhang zwischen cognitio Dei und cognitio hominis nicht scharf genug durch-
reflektiert ist, besteht zunächst in der Tat die Absicht, beides als
bloße Prolegomena vorauszuschicken, während nachher deutlich
wird, daß es das Ganze der christlichen Religion selbst ausmacht[47].

III

Die Frage, ob Zwinglis De vera et falsa religione commentarius
Calvin zu dem Einleitungssatz seiner Institutio angeregt hat, ist
u. a. von P. Wernle[48], A. Lang[49] und F. Blanke[50] bejaht worden.
Während die Herausgeber der Auflage von 1559 in den Opera
selecta einen Beleg aus Klemens Alexandrinus[51] anführen, der
keinesfalls als unmittelbare Quelle für Calvin in Betracht kommt,
hat J. Bohatec, ohne sich mit der Herleitung von Zwingli auseinanderzusetzen, jenen Einleitungssatz auf Guillaume Budé zu-

---

[46] Das müßte eine Analyse des Abschnittes de Deo im einzelnen zeigen. Vgl.
nur die jeweils angehängten Schriftbeweise, 648, 21 f.: Tempus nunc est,
ut omnium, quae hactenus de sapientia providentiaque dei dicta sunt, testimonia verbi ipsius adducamus. 651, 3: Sequntur nunc praedictorum testimonia.

[47] Vgl. 668, 23—33: Pietas ergo, sive religio haec est: Exponit deus hominem
sibi, ut inobedientiam, proditionem ac miseriam suam non minus agnoscat,
quam Adam. Quo fit, ut de se penitus desperet, sed simul exponit liberali-
tatis suae sinus et amplitudinem, ut qui iam apud se desperaverat, videat
sibi superesse gratiam apud creatorem parentemque suum tam certam ac
paratam, ut ab eo, in cuius gratiam nititur, avelli nulla ratione possit. Ea
igitur adhesio ... pietas est, religio est. Vgl. ferner 669, 9—11.

[48] P. Wernle, Der evangelische Glaube nach den Hauptschriften der Reformatoren III, Calvin. 1919, 3.

[49] A. Lang, Die Quellen der Institutio von 1536. Ev. Th. 3, 1936, 100—112,
bes. 107.

[50] Zwingli Hauptschriften. Zwingli, der Theologe I. Teil, 1941, VIII: » ... es
darf heute als so gut wie sicher gelten, daß der berühmte erste Satz der
›Institutio‹ ... von Zwinglis kurzem Kapitel ›Subjekt und Objekt der
Religion‹ abhängig ist.«

[51] I. Calvini op. sel. III, 1928, 31 Anm. 1: Clem. Alex., Paed. III, 1. Die Stelle
lautet: Ἦν ἄρα, ὡς ἔοικεν, πάντων μέγιστον μαθημάτων τὸ γνῶναι αὐτόν ·
ἑαυτὸν γάρ τις ἐὰν γνῷ, θεὸν εἴσεται, θεὸν δὲ εἰδὼς ἐξομοιωθήσεται θεῷ.
GCS 12 (opp. Clem. 1), 235, 20—22.

rückgeführt[52]. Dieser Hinweis ist für die Erhellung der Traditions-
geschichte der Formel cognitio Dei et hominis außerordentlich wert-
voll. Aber es erscheint mir als ungereimt, daß Calvin den entscheidenden Anstoß von einer ziemlich entlegenen Bemerkung seines
Gegners empfangen haben sollte, während in Zwinglis Schrift, die
er bei Abfassung der Institutio kannte[53], der Gesichtspunkt der
cognitio Dei et hominis bereits eine Rechenschaft über den christlichen Glauben im reformatorischen Verständnis als Leitgedanke
eröffnete[54]. Wenn also überhaupt neben der Tatsache eines breiteren
Traditionshintergrundes ein bestimmter Autor als Vermittler zu
Calvin hin namhaft gemacht werden darf, kommt kaum ein anderer
als Zwingli in Frage. In jedem Falle aber bietet er in sachlicher Hinsicht den nächstliegenden Vergleichstext.

Der Befund erhält bei Calvin dadurch eine besondere Note,
daß jener berühmte Einleitungssatz zwar durch alle Auflagen
hindurch mit nur unbedeutenden Abweichungen an der Spitze des
Werkes stehen bleibt, dieses selbst sich aber der äußeren Gestalt
nach gewaltig wandelt und auch in sachlicher Hinsicht Veränderungen erfährt. Das weist darauf hin, wie tief der Gesichtspunkt,
von dem Calvin ausgeht, in seinem Denken und in der Konzeption der Institutio verankert ist. Anderseits bleibt zu prüfen, ob

---

[52] J. BOHATEC, Budé und Calvin. Studien zur Gedankenwelt des französischen
Frühhumanismus. 1950, 30: »Die Formulierung der Begriffsbestimmung der
Philosophie als cognitio Dei et nostri stammt von Budé.« 241: »Bereits der
erste grundlegende Satz der Institutio ... entstammt dem christlichen
französischen Humanismus. Er gibt den Gedanken Budés wieder ...« Der
Hauptbeleg entstammt Budés Schrift De transitu Hellenismi ad Christianismum von 1534, in der es gegen Ende in einem Nebensatz heißt: Deus autem
omni genere doctrinae ad cognitionem sui ac nostri condocefactos nos
volens ...« (Gesamtausg. der Werke Budés Basel 1557, 239).

[53] Von den durch W. NIESEL (Calvins Lehre vom Abendmahl, 1935², 31 f.)
angeführten Belegen ist vor allem die kritische Bezugnahme Calvins auf
Zwinglis Meinung, daß die Sakramente den Glauben nicht stärkten, zwingend. Zwingli (Sämtl. Werke III, 761, 27 f.): Fides enim est, qua nitimur
misericordiae dei inconcusse, firmiter et indistracte ... Calvin (op. sel. I,
120, 8—11): Aiunt alii: meliorem fidem nostram fieri non posse, si bona
est; non enim esse fidem, nisi quae inconcusse, firmiter, indistracte, Dei misericordiae innititur. Vgl. auch op. sel. I, 120 Anm. 29. Der von A. LANG
(s. o. S. 281 Anm. 49) beigebrachte weitere Beleg (Zwingli aaO 710, 22 f. —
Calvin aaO 62 f.) ist weniger überzeugend.

[54] Daß Calvins Institutio ebenso wie Zwinglis De vera et falsa religione
commentarius Franz I. gewidmet ist, fällt in diesem Zusammenhang nicht
als Argument ins Gewicht, weil das Gleiche, wenn auch in anderer Tendenz,
auch von Budés Schrift De transitu Hellenismi ad Christianismum gilt.

sich das Verhältnis des Einleitungssatzes zum Folgenden verschiebt
und infolgedessen gewisse Nuancen in dem Verständnis der zwiefachen cognitio zu verzeichnen sind.

Wenn Calvin 1536 die cognitio Dei ac nostri als die zwei Teile
der summa sacrae doctrinae bezeichnet, so will er damit nicht den
Aufbau seiner Institutio Christianae religionis angeben. Dieser
folgt vielmehr den Hauptstücken von Luthers Katechismus und ergänzt sie durch je ein Kapitel De falsis sacramentis und De libertate christiana. Calvin geht es vielmehr darum, an den Anfang
seines Werkes eine Summe des Ganzen zu stellen, nicht als kurz-
gefaßte Inhaltsübersicht, auch nicht als bloße Prolegomena, sondern um den Kern der Sache, das Wesen dessen zu formulieren,
worum es in jedem Kapitel, jeweils in anderer Hinsicht, geht. Diese
Summe ist selbst schon durch das Stichwort cognitio Dei ac nostri
formuliert, d. h. durch Nennung ihrer beiden »Teile«, und läßt
sich anscheinend nicht noch elementarer angeben durch ein anderes,
übergeordnetes Stichwort, das die Zweiheit in einer Einheit aufhöbe. Es handelt sich deshalb offenbar nicht um zwei selbständige
Summanden, sondern um ein Spannungsverhältnis, das als solches
eine Einheit bildet. Diese Einheit ist darum nur durch Nennung
der beiden Spannungsfaktoren fixierbar.

Calvin verrät jedoch nicht Erwägungen solcher Art. Im Unterschied zu Zwingli, der die Zweiheit der Erkenntnisgegenstände
aus dem Begriff der Religion deduziert, begnügt er sich damit, sie
einfach zu statuieren. Sofort geht er dazu über — darin dem
weiteren Verfahren Zwinglis entsprechend —, die thetisch eingeführten beiden »partes« näher zu explizieren, und zwar, ohne
ausdrückliche Reflexion, in derselben Reihenfolge wie bei Zwingli,
zunächst »de Deo«[55], dann wesentlich breiter über die cognitio
nostri[56] bzw. »de homine«, wie man diesen Teil, zumindest dem
ersten Eindruck nach, auch überschreiben könnte. Insofern hat das
Reden von »zwei Teilen« doch den Charakter einer Gliederungs-
vorschau, nämlich für die einleitende Darlegung der summa sacrae
doctrinae.

Was darin über die Erkenntnis Gottes zu sagen ist, faßt Calvin knapp in vier Punkte zusammen[57]: Gott ist Fülle und Ursprung alles Guten. Seine Ehre ist das, wozu die Schöpfung bestimmt ist. Er ist strenger Richter gegenüber allen, die ihm nicht

---

[55] Op. sel. I; 37, 8—30.
[56] 37, 31—41, 23.
[57] S. o. Anm. 55.

gehorchen. Er ist barmherzig allen, die zu seiner Güte Zuflucht nehmen. Im Unterschied zu diesem einfachen und klaren Aufriß, wie
er sich aus dem Gegenüber von Schöpfer und Geschöpf ergibt, fehlt
dem umfangreicheren Teil über die cognitio nostri eine äußere
Markierung des Aufbaus. Das hängt damit zusammen, daß Calvin
hier heilsgeschichtlich erzählend vorgeht. Bei Adam einsetzend
spricht er vom Urstand und vom Fall samt dessen Folgen, von
dem Weiterströmen der Sünde zu uns, von ihrer Radikalität und
Verborgenheit sowie von unsrer Unentschuldbarkeit und Verfallenheit an den ewigen Tod[58]. Um die Menschen dessen bewußt zu
machen, hat Gott allen als ins Herz geschriebenes Gesetz das Gewissen gegeben und, da dieses gegen die Verblendung des Menschen
nicht aufkommt, das geschriebene Gesetz, samt Verheißungen und
Drohungen, erlassen als Lehre von der vollkommenen Gerechtigkeit, die uns zeigt, wie weit wir vom rechten Wege entfernt sind[59].
Als nachdrückliche Bezeugung des natürlichen Gesetzes ist das
geschriebene Gesetz der Spiegel unserer Sünden. Denn nun liegt es
am Tage, was aus dem Gesetz zu lernen ist, nämlich — und jetzt
folgen andeutungsweise noch einmal die vier Gesichtspunkte des
Abschnittes De Deo — daß Gott der Schöpfer ist und wir ihm Ehre
schulden, aber dem Gerichte verfallen und auf Vergebung angewiesen sind[60]. Das Gesetz zielt also darauf, daß wir an uns selbst
verzweifeln und um Hilfe flehen. Auf die Demütigung folgt dann,
daß Gott sich uns freundlich erweist[61]. Und zwar in doppelter
Weise: Er vergibt die Sünde und verleiht uns ein neues Herz. Und
das alles um Jesu Christi willen in Hinsicht auf dessen Menschwerdung und Tod sowie auf den Reichtum der durch ihn ausge-
gossenen Gaben des Geistes[62]. Zuteil wird uns das alles allein durch
den Glauben, in welchem wir anerkennen, daß wir in uns selbst
nichts sind und unser ganzes Heil in Christus liegt[63]. Darum kommt
auch beides, die cognitio nostri als zur Buße führende Erkenntnis
unserer Sünde und die fides als Hoffnung weckende Erkenntnis der
Barmherzigkeit Gottes, nicht aus uns selbst, sondern ist von Gott
zu erbitten[64].

[58] 38, 1—43.
[59] 38, 44—39, 34.
[60] 39, 35—40, 6.
[61] 40, 6—13.
[62] 40, 14—39.
[63] 40, 40—41, 12.
[64] 41, 12—23.

An dieser Explikation der cognitio Dei ac nostri fällt, im Vergleich mit Zwingli, folgendes auf. In den Aussagen De Deo tritt der philosophische Einfluß ganz zurück. Sie konzentrieren sich auf das Wirken Gottes, und auch hier wieder auf die Relation zum Menschen, so daß sie auf die Situation des Sünders vor Gott abzielen. Der Skopus dieses »Teiles« der summa sacrae doctrinae deckt sich also völlig mit dem Skopus des anderen »Teiles«. Man könnte in gewisser Weise sogar sagen, die Ausführungen über die cognitio Dei seien ihrerseits wiederum eine knappe Summa der Ausführungen über die cognitio nostri.

Wenn man von dem Zwingli-Text herkommt, liegt eine andere Beobachtung freilich noch näher. Die Frage Zwinglis nach der Fähigkeit des Menschen zur Erkenntnis Gottes und des Menschen und nach der Ermöglichung dieser cognitiones trotz der völligen Unfähigkeit des Menschen bildet für Calvin jedenfalls nicht die Leitfrage. Nicht daß er der These Zwinglis nicht zustimmen könnte, Erkenntnis Gottes wie des Menschen sei nicht vom Menschen, sondern nur von Gott her möglich. Aber in dem Teil De Deo erörtert Calvin überhaupt nicht, wie die cognitio Dei zustandekommt. Er verweilt ausschließlich bei ihrem Gegenstand. Beim Übergang zu den Ausführungen über den Menschen stellt sich dann freilich sofort die Frage ein, wie wir zur certa nostri notitia gelangen[65]. Aber die Sünde des Menschen wird zunächst nicht in Hinsicht auf die Unfähigkeit zur Selbsterkenntnis, sondern als ignorantia Dei[66] erläutert. Erst dann stellt sich — als Überleitung zur Lehre vom Gesetz — die Frage, wie der Mensch sich als Sünder erkennen lernt[67]. Und nachdem darüber hinaus auch die Lehre von der Gnade skizziert ist, schließt Calvin diesen ganzen Teil mit der ausdrücklichen Feststellung ab, daß die cognitio nostri ebenso wie der Glaube als Erkenntnis der göttlichen Barmherzigkeit in Christus nicht aus uns selbst stammen. Sie müssen von Gott gewirkt werden und sind von ihm zu erbitten[68]. Auch in den Ausführungen über

---

[65] 37, 31.

[66] Vgl. bes. 38, 13. 17.

[67] 39, 7 f.: Horum ne ignorantes homines essent, legem in omnium cordibus Dominus inscripsit ... 39, 13—17: Quoniam autem homo adhuc arrogantia et ambitione sic turgidus et sui amore excaecatus est, ut se perspicere non possit et velut in se descendere, quo se deiicere et submittere discat suamque miseriam fateri, Dominus legem nobis scriptam posuit ...

[68] 41, 12—22: Et quando haec nostri, nostraeque inopiae et calamitatis cognitio, qua nosmetipsos humiliare ac deiicere coram Deo eiusque misericordiam quaerere docemur ..., simul fides ista quae nobis gustum praebet

die cognitio nostri überwiegt also die Darlegung des Erkenntnisinhalts.

Eine weitere Verschiedenheit gegenüber dem Vorgehen Zwinglis
tritt an der Ausweitung des Teils über die cognitio nostri in Erscheinung. Zwingli hatte in dem Kapitel De homine vom Menschen
nur als Sünder gehandelt, der so sehr dem amor sui verfallen ist,
daß er allein durch Belehrung von Gott her sich als solchen erkennt.
Calvin zieht jedoch den bei Adam einsetzenden heilsgeschichtlichen
Duktus über den Sündenfall und das Gesetz bis hin zu Christus
und zu der durch ihn eröffneten aeterna beatitudo durch. Nun
wäre es freilich ein grobes Mißverständnis, als fiele für Calvin
auch alles, was über die Gnade zu sagen ist, unter den Gesichtspunkt der cognitio hominis, so daß diese wiederum in zwei Teilen
sich entfaltete: als Erkenntnis des Sünders und des Begnadigten,
des alten und des neuen Menschen. Hält man sich pedantisch an
Calvins Programm, die cognitio Dei ac nostri als die zwei Teile
der summa sacrae doctrinae darzulegen und entsprechend zunächst
de Deo und dann anscheinend de homine zu handeln, so baut er
allerdings diesen den Menschen betreffenden Teil zu einem vollständigen Abriß der Soteriologie aus, spricht also hier vom Menschen nicht nur als Sünder, sondern verfolgt dessen Geschichte vom
status integritatis über den status peccati und status gratiae bis
— zumindest andeutungsweise — zum status gloriae. Aber so berechtigt es wäre, dieses Ganze unter den Gesichtspunkt zu stellen,
daß es hier durchweg um den Menschen als Betroffenen geht, so
irreführend wäre es, alles unter cognitio bzw. notitia nostri zu
subsumieren. Auch für Calvin ist cognitio nostri bzw. hominis in
Unterscheidung von der cognitio Dei allein die Erkenntnis des
Menschen als Sünders. Daran gemessen, überschreitet er im zweiten
Teil sein ursprüngliches Programm, indem er nicht nur von der
cognitio nostri, sondern in einem Zuge damit auch von dem Glauben an die Gnade Gottes in Christus handelt. Die fides, die er
ausdrücklich von der cognitio nostri unterscheidet[69], ist also nicht
einfach eine gegenüber der Sündenerkenntnis veränderte cognitio

---

divinae bonitatis ac misericordiae, qua nobiscum in Christo suo agit, non
ex nobis sunt, aut in facultate nostra positae: rogandus Deus, ut non simulata poenitentia in illam nostri, et certa fide in hanc suae mansuetudinis
notitiam nos adducat, et suavitatis, quam exhibet in Christo suo, ut ipso
duce in aeternam beatitudinem perducamur, qui unica est via, qua ad
patrem pervenitur ...

[69] S. o. Anm. 68.

nostri. Calvin könnte zwar ebenso wie Zwingli sagen, auch die
Erkenntnis des Menschen als Sünders sei letztlich nur im Glauben
möglich. Aber das darf die terminologische Unterscheidung, die
Calvin zwischen cognitio nostri und fides macht, nicht verwischen.
Die cognitio nostri als Erkenntnis des Sünderseins verdankt sich
zwar der fides, hat aber dann ihren Erkenntnisgegenstand an dem,
was der Mensch in sich selbst ist und wie er sich selbst bis zu einem
gewissen Grade nun doch zur Erfahrung kommt. Fides im strengen
Sinne dagegen ist cognitio Dei, sie hat ihren Erkenntnisgegenstand
nicht an dem, was der Mensch in sich selbst ist, sondern an dem,
was ihn von Gott her in Christus erwartet.

Dieses Vorgehen Calvins ist durch die Tatsache bestimmt, daß
er nicht Prolegomena über das, was Gott und was der Mensch ist,
der Darlegung der religio christiana vorausschicken, sondern
gleich zu Beginn die summa sacrae doctrinae angeben will. Im
ersten Falle wäre die Vorstellung noch verständlich, man könne dies
in zwei aufeinanderfolgenden Teilen tun, da man sich ja auf bloße
Voraussetzungen beschränke, also bei einer allgemeinen Gotteslehre
und beim Verständnis des Menschen als Sünders Halt mache, um von
da aus erst zur Darlegung der religio christiana weiter vorzustoßen.
Daß solche Zweiteilung dann trotzdem auf innere Schwierigkeiten
stößt, wurde an der Analyse des Zwingli-Textes deutlich. Im zweiten Fall dagegen wird notwendig das Schema cognitio Dei ac nostri
gesprengt, wenn es als zweiteiliges Darstellungsschema für das
Ganze christlicher Lehre Verwendung finden soll. Dann muß sich
viel schärfer, als es sich schon bei Zwingli bemerkbar machte, die
gegenseitige Verquickung beider Aspekte aufdrängen.

In dem Teil De Deo scheint dies gegenüber Zwingli keine wesentliche Änderung zur Folge zu haben. Indem sich Calvin expressis
verbis auf das Thema der cognitio Dei beschränkt, sind bereits
entsprechende Aussagen über den Menschen impliziert. So war es
auch bei Zwingli. Aber doch mit einer charakteristischen Verschiedenheit. Bei Zwingli war das Thema der cognitio hominis vornehmlich deshalb impliziert, weil der Hauptton auf der Frage nach
dem Zustandekommen der cognitio Dei lag und somit der Mensch
bereits hier als von sich aus zur cognitio Dei unfähig zur Sprache
kam. Calvin dagegen läßt die Frage, wie es zur cognitio Dei
kommt, unberücksichtigt. Stattdessen kommt der Mensch als Geschöpf und Adressat Gottes in den Blick, und zwar so, daß damit
bereits die Grundweisen der Beziehung Gottes zum Menschen und
so in gewisser Weise schon die Summa des Teils über die cognitio

hominis im Voraus angegeben ist. Der Teil De Deo ist also bei
Calvin — konsequenter als bei Zwingli — im Rahmen einer
Gotteslehre schon beides miteinander: cognitio Dei et hominis.

Ausdrücklicher geraten die beiden Aspekte in dem zweiten Teil
ineinander, von dem man eigentlich nur die cognitio nostri erwartet. Nachdem bereits im Rahmen der Gotteslehre cum grano salis
vom Ganzen die Rede war, wird nun nochmals in ausdrücklichem
Hinblick auf den Menschen und dessen Geschichte als Heilsgeschichte das Ganze zum Thema. Dann können die Ausführungen
aber nicht auf die cognitio nostri beschränkt bleiben. Es darf nicht
bloß davon die Rede sein, daß und wie sich der Mensch als Sünder
erkennt — nämlich durch das Gesetz —, sondern es muß nun auch
von dem die Rede sein, wie der Sünder gerettet, wie ihm also die
heilsame cognitio Dei, die fides zuteil wird. Denn daß die cognitio
Dei fides ist, das hatte Calvin gleich zu Anfang zum Ausdruck
gebracht, indem er alles, was über die Erkenntnis Gottes zu sagen
ist, unter den Obersatz stellte: ut certa fide constitutum habeamus[70].

Der Grund, warum bei Calvin das Ineinanderverwobensein von
cognitio Dei ac nostri sich so stark geltend macht, daß in den beiden getrennt dafür vorgesehenen Abschnitten dennoch jeweils beides miteinander erörtert wird, ist m. E. noch nicht erschöpfend
damit angegeben, daß er in jenem Schema die summa sacrae doctrinae zum Ausdruck bringen will. Man muß noch das besondere
Verständnis berücksichtigen, das ihn bei der Formulierung der
Summa leitete. Und das hängt mit der Verankerung im Ganzen der
Institutio zusammen.

Die Ausführungen über die summa sacrae doctrinae sind Vorspruch zum Ganzen und zugleich als Bestandteil des ersten Kapitels
Einführung in die Lehre vom Gesetz. Es war nicht nur ein äußerlicher Anschluß an Luther, wenn Calvin dem Aufbau von dessen
Katechismus folgte. In der Reihenfolge der Lehrstücke De lege
und De fide[71] kam auch nach der Interpretation Calvins in der

---

[70] 37, 9—30.

[71] Vgl. die Einleitung zu Kapitel 2 De fide 68, 21—33: Iam satis ex proxima
disputatione intelligi potest, quae nobis per legem agenda Dominus praescribat, quorum si qua in parte lapsi fuerimus, iram et terribile mortis aeternae
iudicium edicit; rursum, quam non modo arduum, sed prorsus supra vires,
extraque omnem nostram facultatem sit, legem implere ut exigit. Quare si
nos duntaxat ipsos intuemur, quidque nobis dignum sit cogitamus, nihil est
bonae spei reliquum, sed a Deo abiectos mors et certissima confusio nos
manet. Id etiam explicatum fuit, unam esse effugiendae huius calamitatis

Institutio von 1536 der Kern christlicher Lehre zum Ausdruck: die Antithetik von Sünde und Gnade, von vernichtender Erkenntnis des eigenen Versagens und rettendem Erfassen der göttlichen Zusage, von poenitentia und fides. Danach wäre cognitio nostri Erkenntnis unter dem Gesetz und fides Erkenntnis unter dem Evangelium. Die vorangestellte summa sacrae doctrinae hatte die Einordnung des Gesetzes als des ersten zu behandelnden Lehrstücks in das Ganze christlicher Lehre zu vollziehen. Die Unterscheidung von cognitio Dei und cognitio hominis war dafür ein geeignetes Schema, sofern man letztere mit der cognitio peccati, erstere mit der fides identifizierte. Aber dieses Schema hatte zugleich ein Eigengewicht, wenn man es in systematischem Interesse zur Strukturierung der summa sacrae doctrinae verwandte. Denn zuerst muß doch offenbar von Gott die Rede sein, bevor vom Menschen die Rede ist. Dann taucht aber, wenn man diesen Gesichtspunkt dogmatischer Tradition mit dem reformatorischen Gesichtspunkt der Unterscheidung von Gesetz und Evangelium kombiniert, die cognitio Dei an zwei Stellen auf: in Hinsicht auf die allgemeine Gotteslehre, von der die summa sacrae doctrinae ausgeht, und in Hinsicht auf das in Christus eröffnete Heil, auf das die Summa in der Wendung von der cognitio peccati zur fides abzielt.

Man könnte auch sagen: In der Behandlung, die Calvin in der Erstauflage der Institutio dem Thema cognitio Dei ac nostri gegeben hat, kreuzt sich die Verwendung dieser Unterscheidung, wie sie bei Zwingli vorlag, mit der an Luther orientierten Interpretation der paulinischen Unterscheidung von lex und fides.

IV

Die Neubearbeitung der Institutio vom Jahre 1539 berührt unser Problem an wesentlichen Punkten. Die Veränderungen am Einleitungssatz[72] fallen dabei am wenigsten ins Gewicht. Immerhin mögen die stilistischen Korrekturen indirekte Auswirkungen einer Kontextveränderung sein. Dies gilt, wie mir scheint, besonders von der einzigen bedeutsamen Variante, der Ersetzung von sacra doctrina durch sapientia nostra, wodurch zugleich deren nähere Bestimmung als wahre und echte sapientia zur Abgrenzung gegen sapientia humana nötig wurde. Im Unterschied zu der ersten Auf-

---

rationem, quaeque nos in melius restituat, nempe Domini misericordiam, quam certissime experiemur, si eam solida fide accipiemus, inque ea secure acquiescemus. Hoc nunc superest, qualis esse haec fides debeat ...

[72] S. o. S. 271 Anm. 3.

lage, die den Hauptakzent auf den Erkenntnisinhalt legte und die
Frage des Erkenntnisvorgangs nur am Rande berührte, so daß sich
der Terminus sacra doctrina nahelegte, verbindet sich nun mit
dem Thema cognitio Dei et nostri ausdrücklich die Frage, wie diese
im Verstehen des Menschen miteinander zusammenhängen. Dafür
empfahl sich der Rückgriff auf den habitualen Terminus sapientia,
dessen Begriffsgeschichte überdies sowohl mit der Frage der Zwiefalt der cognitio als auch mit der Bestimmung des Theologiever-
ständnisses eng verknüpft ist[73].

Daß die Institutio nun von sechs auf siebzehn Kapitel ange-
wachsen ist, darf nicht darüber hinwegtäuschen, daß der Aufbau
in den wesentlichen Zügen der gleiche geblieben ist. Das Kapitel
De fide ist um vier weitere, sachlich dazu gehörige Kapitel ergänzt
worden[74]. Desgleichen ist die Behandlung der Sakramente auf drei
Kapitel verteilt[75]. Die beiden ursprünglichen Schlußkapitel sind
nun in ihrer Reihenfolge vertauscht, wobei die 1536 zu Kapitel 6
hinzugehörenden Themen De potestate ecclesiastica und De politica
administratione zu besonderen Kapiteln wurden[76]. Am Schluß ist
noch ein Kapitel De vita hominis Christiani angefügt[77]. Und endlich
sind vor das einst erste Kapitel De lege die beiden Kapitel De
cognitione Dei[78] und De cognitione hominis et libero arbitrio[79] gestellt. Die Ausführungen über die summa sacrae doctrinae von 1536
sind jetzt also verselbständigt und dem Umfang nach etwa auf das

---

[73] Die in der Scholastik häufig zitierte stoische Definition lautet: Sapientia est
divinarum humanarumque rerum cognitio. Z. B. Seneca Ep. 89, 5 und Cicero,
De officiis II, 2, 5. Augustin will dagegen zwischen sapientia und scientia
entsprechend der Ausrichtung auf Ewiges und Zeitliches unterscheiden, vgl.
besonders De Trin. XII, 14 XIII, 1 XIV, 1. In der scholastischen Auseinandersetzung darüber, ob die Theologie letztlich als scientia oder als sapientia
zu verstehen sei, vertrat Duns Scotus, mit dessen Kenntnis man bei Calvin
vornehmlich zu rechnen hat, die zweite Auffassung.

[74] Calv. op. I (CR 29), 453 ff.: De fide. 685 ff.: De poenitentia. 737 ff.: De
iustificatione fidei et meritis operum. 801 ff.: De similitudine ac differentia
Veteris et Novi Testamenti. 861 ff.: De praedestinatione et providentia Dei.
Dann folgt 901 ff.: De oratione.

[75] 937 ff.: De sacramentis. 957 ff.: De baptismo. 991 ff.: De coena Domini.

[76] 1039: De libertate christiana (später vorgerückt zwischen De similitudine
ac differentia Veteris et Novi Testamenti und De praedestinatione et providentia Dei, 829 ff.). 1039 ff.: De potestate ecclesiastica. 1099 ff.: De politica
administratione. 1065 ff.: De quinque falso nominatis sacramentis (in den
späteren Auflagen vor De politica administratione).

[77] 1123 ff.

[78] 279—304.

[79] 305—372.

Dreißigfache angeschwollen. Dem äußeren Eindruck nach hat sich
die Verwandtschaft mit Zwinglis Werk verstärkt. Wie dieses handelt
nun auch die Institutio zu Beginn ausführlich über Gott und über
den Menschen als Grundlegung des Folgenden.

Eine zunächst ebenfalls äußere Rückwirkung dieses Umbaus am
Anfang besteht darin, daß die These des einleitenden Satzes samt
der nun veränderten Erläuterung dazu nicht mehr Bestandteil des
Kapitels De lege ist, sondern das Kapitel De cognitione Dei eröffnet[80]. Da die beiden Weisen von cognitio nun jeweils umfassend
thematisch erörtert werden, genügt bei der Einführung der Unterscheidung eine allererste kurze Erläuterung beider[81]. In bezug auf
die cognitio Dei[82] werden die vier Gesichtspunkte von 1536 auf
den Skopus zusammengezogen, daß Gott in universalem Sinne der
Fordernde und Gebende ist. Auch in dieser Kurzform gilt noch,
daß darin eigentlich schon eine die cognitio nostri mitumspan-
nende Summe des Ganzen geboten ist. Viel einschneidender ist die
Verkürzung der einleitenden Erläuterung zur cognitio nostri[83]. Die
heilsgeschichtliche Entfaltung ist völlig entfallen, darum aber auch
die Linie nicht mehr bis in die status gratiae und gloriae ausge-
zogen[84]. Die kurze Bemerkung beschränkt sich ganz auf die cognitio
nostri im strengen Sinne, d. h. auf die cognitio peccati, mit der sie
auch 1536 gleichgesetzt war. Als solche hat sie eine doppelte Wirkung: Sie treibt uns zum odium nostri und entzündet in uns das
desiderium Dei.

Völlig neu tritt nun aber eine Reflexion über die Reihenfolge der beiden cognitiones hinzu[85]. Bei Zwingli war dies kein
Problem. Da es für ihn feststand, daß der Mensch zu beidem in
gleicher Weise unfähig und für beides auf Gott angewiesen sei,
ergab sich der Beginn mit den Ausführungen De Deo von selbst.
Im übrigen war bei ihm das Problem der Beziehungen beider cognitiones zueinander ohnehin nicht scharf erkannt. Calvin hatte
1536 ebenfalls mit Selbstverständlichkeit bei der cognitio Dei eingesetzt. Bei der Durchführung trat aber, wie wir sahen, die sachliche Verflechtung beider cognitiones schon viel deutlicher in Er-

---

[80] 279, 5—282, 2.

[81] 279, 5—21.

[82] 279, 8—14.

[83] 279, 15—21.

[84] Das gilt cum grano salis auch von dem entsprechenden Cap. II De cognitione hominis et libero arbitrio, 305—372.

[85] 279, 22—282, 2.

19*

scheinung, ohne daß jedoch die Reihenfolge fraglich wurde. Wie die
Ordnung der Teile cognitio Dei — cognitio nostri feststand, so
wiederum innerhalb der Ausführungen zum zweiten Teil die Reihenfolge cognitio nostri als cognitio peccati und fides als cognitio
Dei im strikten Sinne, entsprechend der Unterscheidung von Gesetz
und Evangelium. So vollzog die Darlegung der summa sacrae doctrinae 1536 aufs Ganze gesehen eine Bewegung von der cognitio
Dei (im allgemeinen Sinne) über die cognitio nostri zur cognitio Dei
(im strikten Sinne). In der Instruction et confession de foy von
1537[86], die im Aufbau und im einzelnen starke Berührungen mit
der Institutio von 1536 aufweist[87], werden die Ausführungen über
die Selbsterkenntnis des Menschen ausdrücklich mit der Bemerkung geschlossen, durch diese sei der Zugang zur wahren Gotteserkenntnis eröffnet[88]. Das ist eine frühe direkte Spur der Fragestellung, die Calvin 1539 neu in die Institutio einführt: Utra
autem alteram praecedat ac ex se pariat.

Im Unterschied zu 1537 erscheint ihm nun aber die Frage
schwer beantwortbar[89]. Zugleich hat sich die Fragehinsicht geändert. Ging es 1537 — noch ganz im Rahmen der Ausführungen
von 1536 über die cognitio nostri — um die Feststellung, daß die
Erkenntnis der Sünde und Verlorenheit die Erkenntnis der Gnade
vorbereite, so hat sich nun 1539 das Interesse der Frage zugewandt,
wie es mit dem Verhältnis zwischen jener allgemeinen cognitio
Dei und der cognitio nostri steht, genauer: nicht wie es von der
Erkenntnis der Sünde zur Erkenntnis der Gnade kommt, sondern
wie es überhaupt zur Erkenntnis Gottes kommt und welche Rolle
dabei die Selbsterkenntnis des Menschen spielt, und umgekehrt:
wie man überhaupt zu wahrer Selbsterkenntnis gelangt und welche

---

[86] Op. sel. I, 378—417.
[87] Dazu ist noch die Beziehung zu Zwinglis De vera et falsa religione commentarius zu beachten, die Calvins Abhängigkeit von ihm in bezug auf
die Verwendung der Unterscheidung von cognitio Dei et hominis bestätigt. Die ersten Abschnitte tragen folgende Überschriften: Que tous hom-
mes sont nez pour cognoistre Dieu. Quelle difference il y a entre vraye et
faulse religion. Que cest quil nous fault cognoistre de Dieu. De lhomme.
Du liberal arbitre. Du peche et de la mort. Comment nous sommes restituez
a salut et vie. Dann folgen die Ausführungen über das Gesetz. Die zuvor
aufgeführten Abschnitte entsprechen der Einleitung der Institutio von 1536,
op. sel. I; 37, 8—41, 23.
[88] Op. sel. I; 382, 22—25: Par ceste cognoissance de nous, laquelle nous
monstre nostre neant, si a bon esciant elle est entree en noz cueurs, nous est
faict facile accez a voir la vraye cognoissance de Dieu.
[89] Calv. op. I (CR 29); 279, 23: . . . non facile est discernere.

Rolle dabei der Gotteserkenntnis zukommt. Diese Fragestellung bewegt sich in dem durch Zwingli abgesteckten Rahmen, insofern sie sich auf das Verhältnis der Erkenntnis Gottes und des Menschen in fundamentaltheologischer Hinsicht beschränkt, also nur dasjenige auf seine Beziehungen untereinander untersucht, was bei Zwingli in den beiden Abschnitten De Deo und De homine zur Sprache gekommen war.

Im Sinne Calvins kann man sagen: Die gesamte Erörterung über cognitio Dei ac nostri ist nun beschränkt auf eine Darlegung dessen, was im Gesetz gefordert ist. In diesem Sinne resümiert er selbst die beiden ersten Kapitel am Beginn des dritten, das vom Gesetz handelt[90]. Da die Linie von der cognitio hominis als cognitio peccati nicht mehr — wie das 1536 der Fall war — bis zur fides als cognitio Dei im strikten Sinne durchgezogen ist[91], erscheint cognitio Dei nur noch im allgemeinen Sinne als Erkenntnis von Gottes Majestät. Streng genommen ist nun mit der Formel cognitio Dei ac nostri nicht mehr das Ganze der christlichen Lehre, sofern man darunter die Beziehung von Gesetz und Evangelium versteht, umschrieben, sondern nur noch der Inhalt des Gesetzes.

Das Verhältnis zum Kapitel De lege hat sich also gegenüber 1536 geändert. Dort hatte die vorangestellte summa sacrae doctrinae den Ort der Lehre vom Gesetz im Ganzen der christlichen Lehre bestimmt. Jetzt dagegen dienen die an den Anfang gestellten Darlegungen über die summa sapientiae nostrae nur dazu, in den Inhalt des Gesetzes oder richtiger: in die Situation des Menschen unter dem Gesetz einzuführen. Diese Darlegungen sind nun im Unterschied zu 1536 zweistufig aufgebaut. Auf der ersten Stufe[92] ist die Charakterisierung von cognitio Dei und cognitio hominis stark verkürzt, aber um die neu hinzugekommene Reflexion über die

---

[90] 371, 18—37: Inter explicandam eorum summam quae in vera Dei notitia requiruntur, docuimus non posse ipsum pro sua magnitudine a nobis concipi, quin statim occurrat, eum unum esse cuius maiestati summus cultus debeatur. In cognitione nostri hoc praecipuum posuimus, ut propriae virtutis opinione vacui, propriae iustitiae fiducia exuti, contra egestatis conscientia fracti et contusi, solidam humilitatem discamus ac nostri deiectionem. Utrumque in lege sua Dominus exsequitur, ubi primum, vindicata sibi legitima imperandi potestate, ad numinis sui reverentiam nos vocat, atque in quo sita ea sit et constituta praescribit; deinde, promulgata iustitiae suae regula ... tum impotentiae nos, tum iniustitiae arguit. Quare, ipsa argumenti ab initio instituti series huc nos ducit, ut de lege Domini nunc agamus.

[91] S. o. S. 286 und 288.

[92] 279, 5—282, 2.

Reihenfolge beider erweitert. Auf der zweiten Stufe[93] sind sie zu
einer breiten Behandlung von cognitio Dei und cognitio hominis
in zwei Einleitungskapiteln ausgebaut. Auf dieser zweiten Stufe
versehen sie nach wie vor die Hinführung auf die Ausführungen
De lege, nun aber mit dem veränderten Skopus: als Einführung in
die Situation unter dem Gesetz. Auf der ersten Stufe jedoch dienen
sie als Einleitung zum Thema cognitio Dei. Was 1536 ohne jeden
Anflug von Problematik thematisch dargelegt worden war, nämlich die cognitio Dei, wird nun Anlaß zu einleitenden Überlegungen über deren Zustandekommen in der Wechselbeziehung mit der
cognitio nostri. Auch in dieser Hinsicht steht Calvin jetzt näher
bei Zwingli, insofern die Aufmerksamkeit der Frage nach dem
Zustandekommen beider cognitiones zugewandt ist. Allerdings mit
dem tiefen Unterschied: Für Zwingli war dies keine Frage, sondern
eindeutig und sonnenklar. Calvin dagegen begnügt sich nicht einfach mit der entschiedenen Bestreitung der eigenen Fähigkeit des
Menschen zur Gottes- und Selbsterkenntnis. Er tastet sich medi-
tierend und differenzierend in die hier zu bedenkenden Sachzu-
sammenhänge vor. Dabei treffen sich dann aber schließlich doch
die Intentionen der zweigestuften Darlegungen: Die Einführung
in das Kapitel De cognitione Dei deckt sich der Intention nach
letztlich mit der Hinführung auf das Kapitel De lege. Denn die
Situation der cognitio Dei (in ihrer Verflochtenheit in die cognitio
nostri) ist die Situation des Menschen unter dem Gesetz.

Calvin geht davon aus, wie sich der Mensch in der Welt vor-
findet[94]. Ebenso selbstverständlich, wie dabei vorausgesetzt ist,
daß der Mensch sich selbst in bestimmter Weise erfährt und von
sich und der Welt eine Auffassung hat, nimmt Calvin an, daß der
Mensch nicht zufrieden sein kann, und daß er darum nach anderem
Ausschau halten muß. Und zwar steht ihm diese generelle Selbsterfahrung des Menschen in der präziseren Gestalt fest, daß der
Mensch mit sich selbst nicht zufrieden sein und zur Ruhe kommen
kann, daß also eine Welt des Elends im Menschen selber anzutreffen
ist und daß das darüber hinaus treibende Verlangen nach wahrer
Würde, Weisheit, Wahrheit, Gerechtigkeit und Reinheit — wir
könnten also interpretierend sagen: nicht nach äußerem Glück, son-

---

[93] 282, 3—372, 13.

[94] 279, 23—280, 9: Nam ut in homine reperitur quidam omnium miseriarum
mundus, intueri nos recte non possumus, quin propriae infelicitatis conscientia feriamur ac pungamur: quo statim ad Dominum tollamus oculos, ac
in aliquam saltem eius notitiam veniamus . . .

dern nach Erfüllung wahrer Menschlichkeit — den Menschen notwendig auf Gott ausrichtet. Es ist ein seltsamer Gottesbeweis, der
hier geführt wird, wenn anders man ihn so nennen darf. Er beruht
nicht auf der theoretischen Weltbetrachtung, sondern auf der geschichtlichen Selbsterfahrung in der Welt, und zwar e contrario:
malis nostris ad Dei bona consideranda excitamur[95]. Das Mißfallen
des Menschen an sich selbst ist die conditio sine qua non dessen,
daß man sich ernsthaft Gott nähert. Anderseits kann der Mensch
nur so lange mit sich zufrieden sein, wie er sich nicht kennt. Selbsterkenntnis treibt also nicht nur dazu an, Gott zu suchen, sondern
leitet auch dazu an, ihn zu finden, wenigstens zu einer gewissen
Gottesvorstellung zu gelangen.

Doch nun schlägt die Argumentation um[96]. Der Mensch kommt
niemals von sich aus zu ungeschminkter Selbsterkenntnis. Dazu
muß man den Blick auf Gottes Angesicht richten. Nur daran hat
das Urteil über den Menschen sein wahres Maß. Die Heuchelei des
Menschen und seine falsche Selbsteinschätzung entspringen daraus,
daß er sich an seinesgleichen und am Irdischen mißt, während vor
Gott der falsche Schein entlarvt und der Mensch nahezu zunichte
wird. Allein angesichts der göttlichen Majestät wird der Mensch
von der Erkenntnis seiner eigenen Niedrigkeit getroffen und bewegt[97]. So muß die zuerst beschriebene aufsteigende Bewegung von
der Selbsterfahrung zur Gottesvorstellung sich umkehren in die
Bewegung von der Erkenntnis Gottes in seiner Majestät hinunter
zur wahren Selbsterkenntnis.

Der Ertrag dieses Reflexionsganges ist nicht etwa der, daß
die alternative Ausgangsfrage, utra cognitio alteram praecedat ac
ex se pariat, einlinig beantwortet wird. Er bestätigt zunächst nur,
wie eng cognitio Dei und cognitio nostri miteinander zusammenhängen. Die Bewegung von der Selbsterfahrung zu einer gewissen
Gotteserkenntnis ist nicht widerlegt durch die Feststellung, daß der
Mensch von sich aus nicht zu wahrer Selbsterkenntnis gelangt. Die
Bewegung von der Erkenntnis Gottes in seiner Majestät zur völligen Selbsterkenntnis des Menschen macht die Frage nicht überflüssig, was es denn mit diesem Ausgangspunkt »Gott« auf sich

---

[95] 279, 33.
[96] 280, 10—281, 51: Rursum, hominem in puram sui notitiam nunquam pervenire constat, nisi prius Dei faciem sit contemplatus, atque ex illius consideratione ad se ipsum inspiciendum descendat ...
[97] 281, 28—30: colligendum est, hominem humilitatis suae agnitione nunquam
satis tangi et affici, nisi postquam se ad Dei maiestatem comparavit.

hat. Es sind also auch nicht Möglichkeiten zur Auswahl gestellt; vielmehr ist auf eine Vielgestalt der Erfahrung hingewiesen, die ein Ganzes bildet. Deswegen ist, jedenfalls was das Leben selbst betrifft, die Frage nach der Reihenfolge der cognitiones im Grunde falsch gestellt. Calvin geht es, näher besehen, gar nicht um ein Schema des Erlebens, sondern um den Aufweis des unauflöslichen inneren Sachzusammenhanges.

In einer Hinsicht jedoch fällt er auf Grund dieser Überlegungen eine klare Entscheidung: Der ordo recte dicendi, also die Folge der Darstellung, hat bei der cognitio Dei zu beginnen, um danach von dort zur cognitio nostri herabzusteigen[98]. Die Darlegung muß nun einmal jenes Geflecht in ein Nacheinander zerlegen. Und sie muß sich dafür an den normativen Sachverhalten orientieren: an der divina puritas[99] und der pura hominis notitia[100]. Trotzdem war auch für die Aufgabe der theologischen Darstellung der vorangeschickte Reflexionsgang nicht überflüssig. Er erbrachte nicht nur die begründete Entscheidung über das weitere Vorgehen. Er gehört vielmehr als wesentlicher Bestandteil bleibend dazu. Denn um in dieser Weise begründet mit Gott beginnen zu können, muß man sich grundsätzlich auf die allgemeine Selbsterfahrung des Menschen in der Welt einlassen, also in gewisser Weise gerade darum doch mit der cognitio nostri beginnen.

Dies wird bestätigt durch das Vorgehen in den beiden Kapiteln De cognitione Dei und De cognitione hominis. In beiden Fällen setzt Calvin mit dem Hinweis auf die Selbsterfahrung des Menschen wieder ein: das eine Mal, indem er im menschlichen Geist die Existenz eines Gefühls für das Göttliche außer Diskussion stellt[101], das andere Mal durch Anknüpfung an die Wahrheit des alten Sprichworts, das zur Selbsterkenntnis ermahnt[102].

---

[98] 281, 51—282, 2: Utcunque tamen Dei nostrique notitia mutuo inter se nexu sint colligatae, ordo recte dicendi (von 1550 an: docendi) postulat ut de illa priore disseramus loco, tum ad hanc tractandam postea descendamus.

[99] 281, 20.

[100] 280, 10.

[101] 282, 3—5: Quendam inesse humanae menti, naturali instinctu, divinitatis sensum, extra controversiam ponimus . . .

[102] 305, 6—19: Non sine causa veteri proverbio tantopere homini commendata semper fuit cognitio sui ipsius . . . Calvin arbeitet jedoch sofort den Gegensatz der Intentionen philosophischer und christlicher Selbsterkenntnis heraus. Vgl. besonders 305, 26—30: Neque me latet quanto plausibilior sit illa sententia, quae ad recognoscenda nostra bona potius nos invitat, quam ad pauperiem, ignominiam, turpitudinem, imbecillitatem inspiciendam.

V

Bei dem völligen Neubau der Institutio in der Auflage von 1559
ist der Einleitungsabschnitt zwar stehen geblieben. Er bildet nun
das erste Kapitel des ersten Buches[103]. Aber an seiner inneren
Struktur und vor allem an seinem Verhältnis zum Folgenden sind
Veränderungen eingetreten.

Die Änderungen am Text der Einleitung selbst sind unabhängig
vom Umbau des Gesamtwerkes. Sieht man von der Reihe stilistischer Korrekturen im einzelnen ab, so sind nur zwei Eingriffe
bemerkenswert. Gegenüber der Fassung von 1539 vollzieht Calvin eine weitere Straffung. Hatte er dort im Vergleich zu 1536 mit
Rücksicht auf die neu hinzugefügten umfangreichen Kapitel De
cognitione Dei und De cognitione hominis et libero arbitrio die
Charakterisierung beider cognitiones im unmittelbaren Anschluß
an den Einleitungssatz stark verkürzt[104], so läßt er nun auch diesen
Rest einer summarischen Kennzeichnung ganz fort. Dem Einleitungssatz folgt sofort die 1539 neu hinzugekommene Erörterung
über die Reihenfolge beider cognitiones. Die Verbindung ist durch
einen knappen Nebensatz hergestellt, der die enge Verflochtenheit
beider cognitiones aussagt[105], also die Bemerkung vorwegnimmt,
die 1539 erst am Schluß der Reflexion über das Problem der Reihenfolge ausgesprochen war[106] und 1559 ebenfalls an dieser Stelle
noch einmal wiederholt wird[107]. Von der gesamten Einleitung des
Jahres 1536 ist nun also nur noch der erste Satz, und auch dieser
in der veränderten Fassung von 1539, übrig geblieben.

Im übrigen besteht die einzige sachlich belangvolle Änderung
darin, daß der Einsatz bei der menschlichen Selbstbetrachtung sogleich generell mit dem Urteil verbunden ist, sie habe notwendig
die Wendung zu Gott zur Folge[108], und daß Calvin nun bei der
Erfahrung des Beschenktseins[109] und somit bei der Einsicht beginnt,
daß das Menschsein in Gott seine Subsistenz hat, also kein Selb-

---

[103] Op. sel. III; 31, 4—34, 3.

[104] S. o. S. 291.

[105] 31, 8 f.: Caeterum quum multis inter se vinculis connexae sint . . .

[106] Calv. op. I (CR 29); 281, 51—53.

[107] Op. sel. III; 33, 38—34, 1.

[108] 31, 10—12: . . . se nemo aspicere potest quin ad Dei in quo vivit et movetur,
intuitum sensus suos protinus convertat . . .

[109] 31, 12—18. Dieser Zusatz gegenüber 1539 entspricht dem, daß 1559 auch
sonst von einer duplex cognitio nostri die Rede ist, vgl. u. Anm. 120 und 133.
Insofern könnte er doch indirekt durch den Umbau des Gesamtwerkes verursacht sein.

ständigsein im strengen Sinne ist[110]. Erst von der Erfahrung der
göttlichen Güte schreitet Calvin weiter zu derjenigen Wendung
zu Gott, die aus der Erfahrung des menschlichen Elends als der
Folge des Falls entspringt[111] und mit der er 1539 gleich begonnen
hatte[112]. Calvin erweitert auf diese Weise den Horizont, innerhalb
dessen der Zusammenhang von cognitio Dei et nostri bedacht wird.
Aber es ändert sich damit nichts an deren Verständnis und Beziehung zueinander.

Das zweite Kapitel entspricht genau dem Schlußsatz des ersten.
Wie es der ordo recte docendi erfordert, wird nun mit der Erörterung der Gotteserkenntnis begonnen, und zwar zunächst in Hinsicht auf ihr Wesen und Ziel[113]. Trotzdem hat sich das Verhältnis
des Einleitungsabschnittes zum Folgenden geändert. War er 1539
Bestandteil des ersten Kapitels, das unter der Überschrift De cognitione Dei stand, so eröffnet er nun als erstes Kapitel das erste
Buch, das als ganzes zwar ebenfalls von der cognitio Dei handelt,
aber eingeschränkt auf die cognitio Dei creatoris, während im
zweiten Buch das Thema der Gotteserkenntnis nach der Seite der
cognitio Dei redemptoris hin ergänzt wird. Erwartet man nach der
Erwähnung der zwei Teile der summa sapientiae nostrae im ersten
Satz der Institutio und gemäß dem in Aussicht gestellten ordo
recte docendi, nach der Behandlung der cognitio Dei werde, wie
dies 1539 der Fall war, die cognitio hominis an die Reihe kommen,
so sieht man sich getäuscht, sofern man sich an den Aufbau im
Großen hält. Denn obwohl mit dem dritten Buch[114] eine betonte
Wendung zum Menschen hin vollzogen wird[115], geht es doch dort
und erst recht im vierten Buch[116] um ganz anderes als um das

---

[110] 31, 13—15: imo ne id quidem ipsum quod sumus, aliud esse quam in uno
Deo subsistentiam.

[111] 31, 18 ff.

[112] Calv. op. I (CR 29); 279, 23 ff.

[113] Op. sel. III; 34, 4 f.: Quid sit Deum cognoscere, et in quem finem tendat
eius cognitio.

[114] De modo percipiendae Christi gratiae, et qui inde fructus proveniant, et qui
effectus consequantur.

[115] Op. sel. IV; 1, 8—14: Nunc videndum quomodo ad nos perveniant, quae
Pater Filio unigenito contulit bona, non in privatum usum, sed ut inopes
egenosque locupletaret. Ac primo habendum est, quandiu extra nos est
Christus, et ab eo sumus separati, quicquid in salutem humani generis
passus est ac fecit, nobis esse inutile nulliusque momenti. Ergo ut nobiscum
quae a Patre accepit communicet, nostrum fieri et in nobis habitare oportet.

[116] De externis mediis vel adminiculis, quibus Deus in Christi societatem nos
invitat et in ea retinet.

Thema der cognitio hominis. Die Tatsache, daß anstelle des ein-
stigen Aufbaus nach den Katechismusstücken nun zumindest die
ersten drei Bücher der heilsgeschichtlichen Ordnung bzw. den drei
Artikeln des Apostolikum folgen, hat anscheinend dies bewirkt,
daß eine Vorauserörterung der cognitio Dei und der cognitio
hominis als Hinführung auf die Lehre vom Gesetz fortgefallen ist.
Damit hätte die Bemerkung über den ordo recte docendi, nämlich
daß mit der cognitio Dei zu beginnen und von dort hinabzustei-
gen sei zur cognitio hominis, den Sinn eingebüßt, der sich 1539 in
der Reihenfolge der ersten beiden Kapitel realisierte. Jetzt folgt
die Behandlung der cognitio hominis jedenfalls nicht erst nach Abschluß der cognitio Dei. Der ordo recte docendi hat in seiner
Ausführung eine Differenzierung erfahren.

Dies ist die Folge dessen, daß Calvin bei Beginn der Behandlung der cognitio Dei die Unterscheidung einer duplex cognitio
Dei — zunächst einfach als Schöpfer, dann in Christus als Erlöser — einführt[117]. Als Gliederungsgesichtspunkt für das Folgende
gewinnt sie den Vorrang vor der Unterscheidung der duplex cognitio überhaupt, nämlich der cognitio Dei ac nostri. Er zieht nun
den Umkreis dessen, was er unter dem Stichwort cognitio Dei behandelt, viel weiter als es 1536 in dem Einleitungsabschnitt und
1539 ebenfalls dort sowie in dem ganzen ersten Kapitel der Fall
gewesen war. Das ist kein sachlicher Gegensatz, sondern hängt mit
dem anderen Vorgehen zusammen. Bei dieser umfassenden Konzeption von cognitio Dei wäre es unsinnig, erst nach deren Gesamt-
behandlung die cognitio hominis zum Thema zu machen.

Statt dessen läßt Calvin innerhalb des ersten Buches, das zwar
als ganzes die Überschrift De cognitione Dei creatoris trägt, den
ordo recte docendi in der Weise zur Geltung kommen, daß er in
die Lehre von Gott dem Schöpfer die Lehre vom Menschen als
Geschöpf einbezieht. Man kann freilich, streng genommen, nicht
sagen, Calvin baue das erste Buch nach dem Schema jenes ordo auf.
Denn der Mensch wird nur im Kapitel 15 zum Thema[118]. Immerhin nimmt Calvin am Anfang des Kapitels ausdrücklich auf jene
Einleitungsbemerkung über den Zusammenhang von cognitio Dei

---

[117] Op. sel. III; 34, 21—25: Quia ergo Dominus primum simpliciter creator tam
in mundi opificio, quam in generali Scripturae doctrina, deinde in Christi
facie redemptor apparet: hinc duplex emergit eius cognitio: quarum nunc
prior tractanda est, altera deinde suo ordine sequetur.

[118] 173, 24—26: Qualis homo sit creatus: ubi de animae facultatibus, de imagine
Dei, libero arbitrio, et prima naturae integritate disseritur.

ac nostri Bezug[119]. Hier ist also der Punkt, wo das Ergebnis der Einleitung für den Aufbau relevant wird. Zwar betont Calvin sofort, entsprechend dem Beginn der Gotteslehre, daß man es ebenfalls mit einer duplex cognitio nostri zu tun habe, nämlich nach Urstand und Fall. Wie er sich zunächst auf die cognitio Dei creatoris beschränkt hat, läßt er es gleichfalls vorerst bei einer descriptio integrae naturae bewenden[120]. Das läßt erwarten, daß man auch im zweiten Buch noch einmal der Unterscheidung von cognitio Dei ac nostri begegnen wird.

Durch die Verwendung im Rahmen des ersten Buchs wandelt sich nun aber der Skopus des Schemas cognitio Dei ac nostri nicht unerheblich im Vergleich zur Einleitung. Es wechselt plötzlich die Blickrichtung. In der im wesentlichen von 1539 übernommenen Einleitung führte die Bewegung von einer vorläufigen Selbsterkenntnis des Menschen zu einer vorläufigen Gotteserkenntnis, um dann von der reinen Gotteserkenntnis zur wahren Selbsterkenntnis zu gelangen. Im ersten Teil dieses Reflexionsganges richtete sich das Interesse auf die Frage nach dem Zustandekommen von Gotteserkenntnis, im zweiten Teil auf die einzig mögliche Realisierung wahrer Selbsterkenntnis von der Gotteserkenntnis her[121]. Und auf diesem Zweiten lag so sehr das Übergewicht, daß es — trotz des sehr verwickelten Beieinanders beider cognitiones — den Ausschlag gab für den ordo recte docendi. Nun aber taucht ein völlig neuer Gesichtspunkt auf: Zu wahrer Gotteserkenntnis ist erforderlich, daß die entsprechende Selbsterkenntnis hinzutritt[122]. Hier wird also die Verflechtung von Gottes- und Selbsterkenntnis nicht im Hinblick auf das Zustandekommen vorläufiger Gotteserkenntnis oder wahrer Selbsterkenntnis bedacht, sondern als Wesensmoment und Kri-

[119] 173, 27—31: Iam de hominis creatione dicendum: non modo quia inter omnia Dei opera nobilissimum ac maxime spectabile est iustitiae eius, et sapientiae, et bonitatis specimen: sed quia, ut initio diximus, non potest liquido et solide cognosci Deus a nobis nisi accedat mutua nostri cognitio.

[120] 173, 31—37 (im Anschluß an den Text der vorigen Anm.): Etsi autem ea duplex est: nempe ut sciamus quales nos prima origine simus conditi, et qualis nostra conditio esse coeperit post Adae lapsum ... nunc tamen integrae naturae descriptione contenti erimus.

[121] Vgl. besonders 32, 10—12: Rursum, hominem in puram sui notitiam nunquam pervenire constat nisi prius Dei faciem sit contemplatus, atque ex illius intuitu ad seipsum inspiciendum descendat. 33, 18—20: colligendum inde est, hominem humilitatis suae agnitione nunquam satis tangi et affici, nisi postquam se ad Dei maiestatem comparavit.

[122] Vgl. den Schluß des Zitats in Anm. 119.

terium echter Gotteserkenntnis ins Feld geführt. Davon war in den
einleitenden Ausführungen über das Verhältnis beider cognitiones
zueinander mit keinem Wort die Rede[123]. Wohl aber steht am
Beginn der Gotteslehre neben jenem Gesichtspunkt der duplex
cognitio Dei der andere: Gotteserkenntnis erschöpft sich nicht in
dem bloßen (neutralen) Gedanken des Seins Gottes, sie schließt
vielmehr das Erfassen dessen mit ein, daß das Wissen von Gott
uns angeht und zwar in dem Sinne, daß es zu Gottes Verherrlichung
dient und schließlich auch uns zugutekommt[124]. Gotteserkenntnis
im eigentlichen Sinne ist nur da, wo Gottesverehrung ist, wo also
der Mensch durch Gott und für Gott in Anspruch genommen ist
und er zugleich Gott als Quelle aller Güter in Anspruch nimmt[125].
Dieser Bezug auf den Menschen ist Kriterium rechter Lehre von
Gott: Auf der bloßen Frage, quid sit Deus, zu insistieren, ist ein
Spielen mit neutralen Spekulationen. Uns geht viel mehr dies an,
zu wissen, qualis (Deus) sit und was seinem Wesen entspricht[126].
Ein Erkennen Gottes hat überhaupt nur Sinn, wenn wir auch mit
Gott zu tun haben[127]. Darum kann Gott einem überhaupt nicht in
den Sinn kommen, ohne daß man sofort zugleich über sich selbst
nachsinnt[128]. Der Rückbezug von Kapitel 15 her auf das anfänglich

[123] O. WEBER gibt in seiner Übersetzung von Calvins Institutio (1936) dem
1. Abschnitt des 1. Kapitels (= op. sel. III; 31, 6—32, 9) die Überschrift:
»Ohne Selbsterkenntnis keine Gotteserkenntnis.« Das entspricht zwar sehr
gut der zutreffenden Überschrift des 2. Abschnitts (»Ohne Gotteserkenntnis
keine Selbsterkenntnis« = op. sel. III; 32, 10—33, 12) sowie dem Gedankengang des 2. Kapitels (vgl. u. Anm. 124) und dem Rückverweis am Beginn
des 15. Kapitels (s. o. Anm. 119), trifft aber nicht den Skopus des Abschnitts.
Es müßte richtiger heißen: Selbsterkenntnis führt in gewissem Maße zu
Gotteserkenntnis.

[124] Op. sel. III; 34, 6—9: Iam vero Dei notitiam intelligo, qua non modo
concipimus aliquem esse Deum, sed etiam tenemus quod de eo scire nostra
refert, quod utile est in eius gloriam, quod denique expedit.

[125] 34, 9 f.: Neque enim Deum, proprie loquendo, cognosci dicemus ubi nulla
est religio nec pietas. 34, 25—30: Quanquam autem Deum apprehendere
mens nostra non potest quin illi cultum aliquem tribuat: non tamen simpliciter tenere sufficiet illum esse unum quem ab omnibus oporteat coli et
adorari: nisi etiam persuasi simus fontem omnium bonorum esse: nequid
alibi quam in ipso quaeramus.

[126] 35, 11—14: Itaque frigidis tantum speculationibus ludunt quibus in hac
quaestione insistere propositum est, quid sit Deus: quum intersit nostra
potius, qualis sit, et quid eius naturae conveniat scire.

[127] 35, 16 f.: Quid denique iuvat Deum cognoscere quocum nihil sit nobis
negotii?

[128] 35, 20—24: Quomodo enim mentem tuam subire queat Dei cogitatio, quin

schon über das Verhältnis von cognitio Dei ac nostri Gesagte, gilt also gar nicht jenem Einleitungskapitel[129], sondern dem zweiten Kapitel.

Es ist durchaus verständlich, daß innerhalb einer Lehre von der Gottes- und Selbsterkenntnis, die an der Situation des Urstandes orientiert ist, sich die Fragestellung gegenüber einer entsprechenden Erörterung, die an der Situation nach dem Fall und unter dem Gesetz orientiert war[130], in dieser Weise verschiebt. Denn nun ist cognitio nostri nicht die cognitio peccati und darum nicht die eo ipso problematische Erkenntnis, die vor die Frage nach ihrem Zustandekommen stellt. Dafür ist jetzt aber die cognitio Dei, die als cognitio creatoris ausdrücklich den Charakter einer allgemeinen Gotteserkenntnis trägt und auf die — für den gegenwärtigen Menschen hypothetische — Situation des Urstandes beschränkt ist[131], der Gefahr der Verfälschung in eine spekulative metaphysische Gotteslehre ausgesetzt[132]. Deshalb bedarf es hier zur Sicherung wahrer Gotteserkenntnis der Einschärfung dessen, daß die Beziehung zur cognitio nostri notwendig dazu gehört.

Anders verhält es sich im Themenkreis De cognitione Dei redemptoris in Christo im zweiten Buch. Auch hier treffen wir das Zusammenspiel von cognitio Dei ac nostri an. Aber man ginge wiederum fehl mit der Erwartung, hier nun in reinerer Form als im ersten Buch jenen ordo recte docendi anzutreffen. Im Gegenteil, die Reihenfolge wird hier gerade umgekehrt. Das zweite Buch beginnt — zunächst im wesentlichen dem zweiten Kapitel von 1539

simul extemplo cogites, te, quum figmentum illius sis, eiusdem imperio esse ipso creationis iure addictum et mancipatum? vitam tuam illi deberi? quicquid instituis, quicquid agis, ad illum referri oportere?

[129] Dagegen: op. sel. III, 173 Anm. 1. Es ist freilich die Frage, ob Calvin sich dieser Differenz des Skopus in der Behandlung des Verhältnisses von cognitio Dei und cognitio nostri im ersten und zweiten Kapitel bewußt war.

[130] S. o. S. 288 f. und 293 f.

[131] 34, 10—21: ... hic nondum attingo eam notitiae speciem qua homines in se perditi ac maledicti Deum redemptorem in Christo mediatore apprehendunt; sed tantum de prima illa et simplici loquor, ad quam nos deduceret genuinus naturae ordo si integer stetisset Adam. Nam etsi nemo iam in hac humani generis ruina Deum vel patrem, vel salutis authorem, vel ullo modo propitium sentiet donec ad eum nobis pacificandum medius occurat Christus: aliud tamen est sentire Deum fictorem nostrum sua nos potentia fulcire, providentia regere, bonitate fovere, omnique benedictionum genere prosequi: aliud vero, gratiam reconciliationis in Christo nobis propositam amplecti. Forts. s. o. Anm. 117.

[132] S. o. Anm. 126.

(De cognitione hominis et libero arbitrio) folgend — mit der Erkenntnis des Menschen als Sünders[133], um von da zur cognitio Dei
redemptoris zu führen. Diese Umkehrung ist völlig sachgemäß.
Denn im zweiten Buch geht es ja nicht um diejenige cognitio Dei,
die nach dem Einleitungskapitel zu wahrer cognitio nostri erforderlich ist und mit der darum der Anfang gemacht werden muß. Von
dieser cognitio Dei war vielmehr schon im ersten Buch die Rede.
Und so erfüllt sich das Programm des ordo recte docendi, wie es
im Einleitungskapitel aufgestellt war, am Beginn des zweiten Buches mit dem faktischen Übergang zur cognitio hominis unter den
Bedingungen der gefallenen Menschheit. Diesem Duktus entspricht
es auch, daß dann im zweiten Buch zunächst — der Abfolge von
1539 entsprechend: Cap. II De cognitione hominis, Cap. III De
lege — vom Gesetz gehandelt wird[134], als Hinführung auf die
cognitio Dei redemptoris[135] (1539: Cap. IV De fide). Daß die cognitio Dei, die in Christus eröffnet und im strengen Sinne fides ist,
auf die cognitio hominis (strikt verstanden als cognitio peccatoris)
folgt und nicht umgekehrt, ist ein Sachverhalt, der in die anfänglichen Überlegungen zur Reihenfolge der cognitiones gar nicht
einbezogen war. Denn dort bewegte sich die Fragestellung allein

---

[133] Der Anfang vom zweiten Buch (228, 9—20) stimmt nahezu wörtlich mit dem
Anfang des 2. Kapitels von 1539 (Calv. op. I [CR 29], 305, 6—19; vgl. o.
Anm. 102) überein. Neu ist dann die Fortsetzung 228, 20 ff.: Nostri autem
cognitio primum in eo sita est, ut reputantes quid nobis in creatione datum
sit, et quam benigne suam erga nos gratiam continuet Deus, sciamus quanta
sit naturae nostrae excellentia, siquidem integra maneret: simul tamen cogi-
temus, nihil nobis inesse proprium, sed precario nos tenere quicquid in nos
Deus contulit, ut semper ab ipso pendeamus. Diese Doppelung der cognitio nostri nimmt die Feststellung von Buch I Kapitel 15 (s. o. Anm. 120)
wieder auf.

[134] 343, 24—398, 7: Legis moralis explicatio (c. 8). Die Einordnung der Lehre
vom Gesetz hat sich zwar gegenüber 1539 dadurch etwas verändert, daß
durch das vorausgehende c. 7 (326, 19—343, 23: Legem fuisse datam, non
quae populum veterem in se retineret, sed quae foveret spem salutis in
Christo usque ad eius adventum) die heilsgeschichtliche Bedeutung des mo-
saischen Gesetzes unterstrichen wird.

[135] Buch II c. 9—17. Vgl. schon c. 6, 320, 3—326, 18: Homini perdito quaeren-
dam in Christo redemptionem esse. Hier wird ausdrücklich noch einmal auf
den Unterschied der beiden cognitiones (vgl. o. Anm. 117) Bezug genommen.
320, 10—13: . . . postquam excidimus a vita in mortem, inutilis esset tota
illa Dei creatoris, de qua disseruimus, cognitio nisi succederet etiam fides,
Deum in Christo Patrem nobis proponens. 320, 37 f.: Certe post lapsum
primi hominis nulla ad salutem valuit Dei cognitio absque Mediatore.

im Horizont der Situation unter dem Gesetz[136]. Anders war es in den Ausführungen der Einleitung zur Institutio von 1536. Da verlief die Bewegung von der allgemeinen cognitio Dei über die cognitio nostri nach dem Fall zur cognitio Dei in Christus[137]. Diesem Schema entspricht nun der Gesamtaufbau der ersten beiden Bücher der Institutio.

Die Institutio von 1559 ist nicht ein Werk aus einem Guß. Sie trägt die Spuren ihrer Vorstufen an sich. Das wurde bei der Analyse der Verwendung der Formel cognitio Dei ac nostri deutlich spürbar. Man könnte den diesbezüglichen Befund in der Auflage von 1559 gar nicht befriedigend erklären ohne Berücksichtigung der Vorgeschichte. Die Einleitung paßt jetzt nicht mehr uneingeschränkt zum Folgenden. Es überlagern sich verschiedene Aspekte. Geht man dem im einzelnen nach, so kann man allerdings nicht eigentlich von sachlichen Unstimmigkeiten reden. Dafür ist die innere Kohärenz von Calvins theologischem Denken viel zu stark. Man ist eher zur Dankbarkeit geneigt, daß durch den Einblick in die historisch bedingte Schichtung die Einsicht in die Beziehungen von cognitio Dei und cognitio nostri Bereicherung erfährt. Auf vier Relationen sind wir dabei gestoßen: 1. Die cognitio nostri führt zu einer, wenn auch fragwürdigen, cognitio Dei. 2. Die rechte cognitio Dei ermöglicht allein wahre cognitio nostri. 3. Die cognitio nostri (als cognitio peccati) ist Vorbedingung wahrer cognitio Dei (als fides in Christum). 4. Die cognitio Dei (überhaupt) wird erst wahr in der cognitio nostri. Diese verschiedenen Beziehungen haben, in angemessener Interpretation und an ihrem Ort, je ihr Recht. Sie unterstreichen damit die Grundeinsicht Calvins: wie sehr beide cognitiones ineinander verwoben sind. Die Frage nach ihrer Reihenfolge hat nur bedingtes Recht und ist nicht nur auf eine Weise zu beantworten.

Trotzdem bleibt die Frage, wie die vier formulierten Relationen untereinander in Beziehung zu setzen sind. Geht man der Nötigung zu dieser Vielfalt, aber auch deren innerer Problematik auf den Grund, so stößt man auf ein fundamentales Spannungsmoment, das quer zu der Unterscheidung von cognitio Dei ac nostri verläuft und jeweils beide betrifft, genauer: auf ein doppeltes Spannungsfeld. Das eine ist durch das Verhältnis von Gesetz und Evangelium bestimmt, das andere durch das Verhältnis von Schöpfung und Erlösung. In den Auflagen von 1536 und 1539 domi-

---

[136] S. o. S. 292 ff.
[137] Vgl. a. S. 283 f. und 292.

nierte, was die Interpretation von cognitio Dei ac nostri betrifft, das erstere, in der Auflage von 1559 das letztere. Deshalb redet Calvin 1559 ausdrücklich von der duplex cognitio Dei[138], macht sie zum Aufbauprinzip und ordnet dem jeweils eine duplex cognitio nostri[139] ein. Die Spannung von Gesetz und Evangelium ist in die eine Seite dieser Duplizität verwiesen: in die cognitio Dei redemptoris, deren innere Voraussetzung die cognitio hominis peccatoris ist. Das Problem spitzt sich darauf zu: Wie verhält sich diejenige cognitio Dei ac nostri, die die andere Seite jener Duplizität ausmacht, nämlich die cognitio Dei creatoris samt der ihr entsprechenden cognitio nostri, zur Situation des Menschen unter dem Gesetz? Es hat nun den Anschein (wenn auch die Durchführung sich weitgehend davon freimacht), daß Calvin, wie wir es bei Zwingli feststellten[140], die cognitio Dei, sofern sie nicht cognitio redemptoris ist, vorwiegend »supralapsarisch«, aus der Situation des Urstandes heraus, darlegt, die cognitio nostri dagegen vorwiegend »infralapsarisch«, im Hinblick auf die Situation nach dem Fall. Calvin macht sich selbst den Einwand, daß die Orientierung an der Situation des Urstandes hypothetischen Charakter hat und insofern abstrakt ist. Als Grund dafür, daß er trotzdem so verfährt, gibt er dies an, daß die beiden Weisen der Gotteserkenntnis keineswegs bloß heilsgeschichtlich aufeinander folgen und einander ablösen. Vielmehr tritt daran eine bleibende Zweiseitigkeit der Gotteserkenntnis in Erscheinung: ein allgemeiner Gottesglaube und ein spezieller, in Christus gründender Versöhnungsglaube[141]. Es ist in der Tat eine fundamentale Aufgabe der Theologie, sich über diese innere Zwiefalt des christlichen Glaubens klar zu werden. Indem Calvin sich dafür entschieden hat, diese Frage nicht in dem Spannungsfeld von Gesetz und Evangelium, sondern in dem Spannungsfeld von creatio und redemptio zu erörtern, hat er den Anschluß an die klassische dogmatische Tradition vollzogen. Fraglich ist jedoch, ob der Ansatz bei der cognitio Dei et nostri es eigentlich erlaubt, an irgendeiner Stelle von der faktischen Situation des Erkennenden zu abstrahieren, d. h. die cognitio Dei anders als post lapsum und ihr Unterschiedensein in allgemeine cognitio Dei und in cognitio Dei in Christus anders als in der Unterscheidung von Gesetz und Evangelium zu erfassen.

[138] S. o. S. 299 und Anm. 117.
[139] S. o. S. 300 und Anm. 120.
[140] S. o. S. 280.
[141] S. o. Anm. 131.

VI

Im Unterschied zu Zwingli und Calvin, die mit dem Gesichtspunkt der zwiefältigen Erkenntnis eine systematische Gesamtdarstellung des christlichen Glaubens beginnen, findet sich die in erster Linie vergleichbare Erörterung Luthers darüber in einem exegetischen Zusammenhang[142]. Diesem Vorkommen haftet der Anschein des Zufälligen an. Luther erhebt zwar diese Ausführung über cognitio Dei et hominis in den Rang einer hochsystematischen fundamentaltheologischen Erklärung, indem er sie zusammenfassend als Antwort auf die Frage nach dem subiectum theologiae formuliert[143]. Doch wer erwartet schon eine Belehrung über das, was in die Einleitungsquaestio einer summa theologiae gehört[144], bei der Auslegung eines Psalmtitulus mit historischer Situationsangabe?

Luther ist in zweifacher Hinsicht bemüht, diesen Bußpsalm von einengenden Schranken zu befreien und ins Universale hinein zu interpretieren. Es geht hier nicht bloß um David, sondern um jeden Menschen ohne Ausnahme. Aus dem, was David widerfahren ist, ist eine geistliche Unterweisung des ganzen Volkes Gottes geworden[145]. Und es geht hier nicht bloß um bestimmte Tatsünden, wie der Psalmtitulus zu suggerieren droht[146], sondern um das peccatum radicale[147], die natura corrupta des Menschen[148], welcher schon

---

[142] Von der Enarratio Psalmi LI., WA 40, 2; 313—470, kommt vor allem die Interpretation des v. 2 (319—329) in Betracht. Die Thematik durchzieht aber die Auslegung des ganzen Psalms.

[143] 328, 1 f.

[144] Z. B. Thomas v. Aquin, S. th. I q. 1 a. 7: Utrum Deus sit subiectum huius scientiae. Heinrich von Gent, Summae quaestionum ordinariarum I a. 19 q. 1: De quo est theologia ut de subiecto: utrum de deo an de aliquo alio.

[145] 318, 4—7: Videtur mihi David voluisse hoc psalmo reliquisse post se veram sapientiam spiritualis doctrinae, ut haberet populus sana verba et haberet veram cognitionem peccati et gratiae. 326, 5—8: Non ergo solum propheta tractat suum exemplum, sed ultra hoc tradit dotrinam religionis spiritualis, ut agnoscamus vera cognitione deum, peccatum, nosipsos, gratiam, poenitentiam, iustificationem, ut sit generalis instructio Totius populi dei ... 343, 16—18: ... non solum videndum privati hominis Exemplum, Sed psalmus est generalis doctrina, quae pertinet ad omnem hominem nullo excepto. 344, 2—4: David hat mher auff einen bissen gefasset quam suam historiam, sed Totius generis humani vitam, seu potius mortem, propter se non cecinit nec fecit hunc psalmum nec indiguit. 364, 12: Psalmus loquitur in persona omnium Sanctorum ...

[146] 318, 12 f.: forte iste titulus causa fuit, ut istum psalmum traherent ad opera vel actualia peccata tantum vel ipsum David solum ...

[147] 319, 7—10: ... sed dicimus, psalmum ultra loqui de toto peccato et radice. Ipsi solum de fructibus peccati interpretati, nos de arbore ... 365, 11—

vor seiner Geburt Sünder ist[149]. Dennoch erzielt Luther diese Gene-
ralisierung und Radikalisierung keineswegs durch Abstreifen des
Historischen. Der Fall Davids selbst demonstriert die Ketten-
reaktion des Sündigens — aus der Übertretung eines Gebotes
folgt die Übertretung aller[150] — und zeigt ferner, daß sogar ein
Erwählter und Geweihter so tief stürzen kann[151]. Darüber hinaus
hilft die Orientierung an der konkreten Situation dazu, die Lehre
dieses Psalms auf die Grundsituation des Menschen und damit das
Wort auf die Erfahrung zu beziehen. Das exegetische Verfahren
hat vor dem systematischen nicht automatisch den Vorteil eines
engeren Kontaktes mit der Erfahrung. Luther freilich versteht den
Vorsprung zu nutzen, der sich daraus ergibt, daß der bestimmte
Einzeltext die Beziehung des Schriftwortes zur Situation und damit
zur Erfahrung in viel höherem Maße mit sich bringt und der

366, 4: ... Ut non de actuali intelligas, sed de universali ... Et velim
istam exclusivam [›tibi soli peccavi‹] in universalem ...

[148] Vgl. 322, 6—323, 8 die Polemik gegen nominalistische Spitzensätze wie:
naturalia sunt integra; der Mensch könne se naturaliter conformare dictamini
rectae rationis und quoad substantiam facti alle Gebote erfüllen, es mangele
nur an dem zusätzlichen »vestitus« gemäß der göttlichen, über den Dekalog
hinausgehenden Forderung, ut fiat decalogus in gratia. 323, 8—326, 5: Contra dicimus: Naturalia sunt corrupta. Obwohl Luther sogar eine Minderung
der Sinnesvermögen des Menschen nach dem Fall annimmt, ist doch das
Verständnis der natura corrupta eindeutig an der Beziehung zu Gott orientiert. ... homo amisit rectum iudicium, bonam voluntatem erga deum,
nihil recte statuit de deo, sed omnia perverse. Quando in tentatione sumus,
fingit cor nostrum deum iratum, statuit Iudicem, tyrannum, persecutorem;
quando est laetus et in peccatis, persequitur verbum ... Ibi naturalia erga
deum plane corrupta ... Das heist naturaliter peccare ... Vera ratio peccatoris est haec, quod simpliciter sumus aversi a deo ... omnia incurvata,
ich such an Gott, an allen creaturn, quod mihi placet ... peccatum est
voluntatis aversio, corruptio omnium virium hominis intrinsecus et extrin-
secus, quod nulla pars hominis suum officium facit; Est deum non cognoscere ... et postea inquietudo cordis ... Est caecitas ... Ferner 326, 6—10.

[149] Zu v. 7 (›in iniquitatibus conceptus sum‹) 380, 1—381, 18: Das heist dem
vas den boden ausgeschlagen ... Non dicit: occidi Uriam, feci multa mala,
sed haurit totam naturam uno verbo: ›Conceptus‹. ... antequam nascimur,
sumus homines, — sumus peccatores. ... peccatores sumus ..., non
quia occidimus ..., sed ideo ista facimus, quia sumus peccatores. Der Grund
ist wiederum 381,18: ibi non cognitio dei.

[150] 319, 12—320, 12: ... Das heist rumort per praecepta 10 ... Filii Amon,
cum ceciderunt Israelitae, dixerunt: Deus Israel nihil est. Das hat deus da
von mussen haben ...

[151] 319, 12—321, 5: ... Unus ex maximis viris in orbe ... et labitur in tot
monstra peccatorum ...

20*

Theologie zu vermitteln vermag als die auf dogmatische Lehren
hin summierte Ganzheit der Schrift.

Der Begriff des cognoscere selbst impliziert nach Luther die
Dimension der Erfahrung. Das steht nicht im Widerspruch dazu,
daß das cognoscere in Sachen der Theologie scharf gegen ein Verstehen nach dem Urteil der menschlichen ratio abzugrenzen ist[152].
Die cognitio peccati ist nicht minder Sache des Glaubens[153] als die
cognitio gratiae und cognitio Dei[154]. Das Hängenbleiben an äußeren Symptomen wie den peccata actualia oder bestimmten satisfaktorischen Werken hat nur den Schein einer stärkeren Fundie-
rung in der Erfahrung. Deshalb tobt der weltweite Streit um das
Verständnis von poenitentia und iustificatio, diese loci principales
in religione Christiana[155]. Hier steht das Wesen von Theologie auf
dem Spiel: die cognitio Dei et hominis proprie theologica[156] im

[152] 316, 2 f.: . . . cognoscere enim peccatum, gratiam et veram poenitentiam
non est humanae rationis, sapientiae nec nascitur in nostris cordibus, sed
divinitus datur.

[153] 369, 6—10: Cum ergo hoc peccatum incognitum toto orbi terrarum, necesse
revelari per legem et promissionem, quae utraque arguit peccata, quae nos
non intelligimus, credimus peccata esse. Das heist verbo divino declarari
peccatum et solo verbo divino revelatur. Aristoteles non docet de isto
peccato . . . 373, 1 f.: Tu dicis me peccatorem ex promissionibus tuis, quod
indigeam tua salute, ergo credo me damnatum. 376, 5 f.: . . . spiritu crede
te peccatorem, et talem, quem deus velit iustificare . . .

[154] Zum Urteil der ratio über Gott 372, 4—7: deus secundum humanam Regulam: quando homo [facit, quod] in se [est], tum infalliter placet deo.
Da heist se statuere in locum dei, se iustificare, dicere se iustum: habemus
bonam voluntatem, deus contra non. 376, 12—14: Si in nostra potestate,
crearemus deum illum, qui diceret: Tu ieiunasti, legisti; propter hoc nunquam tui obliviscar. 377, 5: Sic faciunt cum deo nundinam iustitiam. Nach
dieser Logik sagt man dann 336, 16—337, 10: Ego sum peccator, ergo so
mus (= darf) ich nicht betten . . . Das ist Satan, adiutus nostra sapientia,
natura, religione, quae nobis innata, et Sophistica et theologia scholastica
et idolatria da zu. Sed si sentis te peccatorem, tum maxime debes orare.
Petrus in navi: ›Exi a me domine, quia‹ etc. Was war das fur ein nar, Vult
dominum fugere, quia est peccator.

[155] 315, 11 f. . . . iam maxima controversia est in orbe terrarum de poenitentia,
iustificatione etc., qui sunt loci principales in religione Christiana. 385,
8—10: Iste fere fuit locus [sc. de confessione istius originalis vel cognati
nobiscum peccati] difficilis et obscurus in hoc psalmo et est principalis locus
nostrae Theologiae, sine quo impossibile est, Sacram scripturam intelligere.
419, 6—8: Iustificationis locus est talis doctrina, quae in hac vita non potest
edisci; qui putat se ausgeleret, nunquam incepit.

[156] 327, 7 f.: Cognitio peccati, peccatoris Theologice, Iusti, Iusticiae theologice.
327, 11: Cognitio dei et hominis est sapientia divina et proprie theologica.
Die Druckbearbeitung streicht dies gut heraus 327, 35—37: Hae sunt istae

Gegensatz zu einer verweltlichten Theologie[157]. Diese gerade verfehlt den Ort der Erfahrung des Menschen als Menschen. Sie
verfällt in Moralisierung und Spekulation und läßt die afflicta
conscientia im Stich[158].

Cognoscere bedeutet seinem biblischen Verständnis nach »fühlen«, »erfahren«[159]. Es geht hier nicht um ein distanziertes Disputieren, sondern um das Betroffensein in seinem eigenen Sein, also
um das »se cognoscere peccatorem«, um Erfahrung der Situation
des eigenen Selbst, nämlich »daß es einen drückt«, daß man »es
nicht aus den Augen tun« und »nicht entlaufen kann«, daß man
»zunichte wird«[160]. Der peccator insensatus muß zum peccator sentiens werden[161]. Dieser verus sensus legis et irae dei wird in seiner
Schwere gemäß Vers 10 ganz buchstäblich in den Gebeinen erfahren: »das einem die hende sincken et peine, ut non ghen et
sthen konnen. In morte fulen sie fein, das yhn die hend et bein
verlamen«[162]. Wenn Gott dann dieser cognitio peccati die cognitio

duae Theologicae cognitiones, quas David in hoc Psalmo tradit, ut sit
argumentum Psalmi de cognitione hominis Theologica et de cognitione Dei
etiam Theologica ... Vgl. auch die großartige Uminterpration des scholastischen terminus »virtus theologica« 339, 9—340, 5: Vivacissimum suspirium
ghet toto tempore vitae etc.: Ich wolt doch gern from sein. Hanc naturam
vincere, ist Theologica virtus. Vber dein peccatum sprich ein ›Miserere‹
druber. Est comprehensa et conclusa vita nostra in complexum et sinum dei.
Vnser leben sol heissen: ›Miserere‹, quia sumus ›Mei‹ i. e. peccatores. Ergo
Christianus discat, quod sua vita sit coram deo mera gratia.

[157] 317, 4 f.: ... ista sunt signa Ignoratae poenitentiae, peccati, gratiae dei,
et theologia facta mere mundana, Civilis.

[158] 317, 1 f.: qui ... non intelligunt peccatum, gratiam et misericordiam,
iustitiam, neminem consolari possunt. 317, 9 f.: Cum laboravit conscientia
afflicta in Papatu, nemo potuit verbum consolationis et erectionis dicere,
ibi secuta desperatio. Doch vgl. die Erinnerung an den Trost, den er durch
den Novizenmeister erfahren hat: 411, 14—412, 1. 463, 8—11: (zu v. 19)
Hec est theologia incognita, quam didicit experientia; non intrat in cor
inexpertum, sed est pro pauperibus, ut sciant se in gratia tum, quando
maxime sentiunt iram ...

[159] 326, 10 f.: Es gilt nicht disputirn. ›Agnosco‹ significat proprie: ›fülen‹. Zu
v. 5, wo das cognoscere im Vulg. Text verankert ist, 360, 1 f.: ... in
Ebraeo est amplum vocabulum. Non est simpliciter ›cognoscere‹, sed: er
erferts, fults.

[160] 326, 11—327, 1.

[161] 348, 5—7: Hi vero sunt Sancti, quando efficiuntur ex peccatoribus insen-
satis sensati, quando agnoscunt se et deum ... 334, 4—8: ... peccator
sentiens is est, qui sentit iram et terretur a facie dei ... Ibi ghet die gulden
kunst an: Deus, quando irascitur peccatoribus, tum irascitur duris et insen-
satis. Sed sentientibus peccatum heist der text so: › Beneplacitum est ‹ etc.

[162] 415, 1—4.

gratiae entgegensetzt, so ist auch hier das Moment der Erfahrung keineswegs ausgeschaltet[163]. Gerade das Angewiesensein auf das Wort allein[164] bestimmt den Erfahrungsmodus der iustificatio als an der anhaltenden tentatio[165] sich bewährende consolatio[166].

Im Vergleich mit Zwingli und Calvin fällt vor allem die Ausschließlichkeit auf, in der Luther die Unterscheidung von cognitio peccati und cognitio gratiae mit der Unterscheidung von cognitio hominis und cognitio Dei identifiziert[167] und darin *das* Thema der Theologie sieht. In dieser Fassung kann allerdings nicht die Erörterung über cognitio Dei et hominis als bloße Vorerörterung zur Darlegung der religio Christiana aufgefaßt werden, wie Zwingli dies zumindest intendiert hatte[168]. Aber auch als Formel für das Ganze christlicher Lehre ist sie bei Luther anders nuanciert als bei Calvin. Als *summa* sacrae doctrinae bzw. sapientiae nostrae konnte sie Calvin — unbeschadet der Einsicht in die vielfache Problemverflechtung — genau genommen nur gedoppelt verwenden: einerseits als cognitio Dei und cognitio nostri im Horizont einer allgemeinen Gotteslehre (als Spannung zwischen göttlicher Majestät und

---

[163] 327, 2—5: Ibi ultra hanc cognitionem peccati opponit deus cognitionem gratiae et iusticiae. Ibi erigitur cor iterum et incipit etiam sentire: si etiam peccator, in deum fido, qui non mentitur. Die Druckbearbeitung grenzt in beiden Fällen die cognitio gegen speculatio ab. 326, 34—36: . . . haec cognitio peccati non est speculatio aliqua seu cogitatio, quam animus sibi fingit, sed est verus sensus, vera experientia et gravissimum certamen cordis . . . 327, 26—28: Haec cum in animo sentiuntur, tunc debet sequi altera pars cognitionis, quae quoque non speculativa, sed tota practica et sensitiva esse debet . . .

[164] 409, 4—414, 7. Vgl. bes. 412, 5—9: Doctrina Iustificationis hec est, quod iustificatio non donatur nisi credenti verbo. Quando audis absolutionem, distingue inter tuam contritionem, sine terram esse i. e. infimum; verbum absolutionis sit celum, ipsum deum. Sis certus, quod nihil valeat tua contritio; de absolutione nihil dubites. 346, 10—12: Conscientia non potest constituere peccatorem coram deo favente, ignoscente et condonante peccata et quae fiunt, — hoc spiritus sancti donum.

[165] 435, 18 f.: Coram deo iustificatus est versatus in purgatorio.

[166] 415, 9 f.: Omnis consolatio in verbo, Extra verbum nihil omnino consolatio.

[167] Man beachte, daß Luther zunächst die Unterscheidung cognitio peccati — cognitio gratiae verwendet (316, 2 317, 1 318, 2. 6 f.) und dann zur Unterscheidung cognitio nostri et dei (326, 9) bzw. cognitio dei et hominis (327, 11 f.) übergeht, die er dann im Wechsel mit der ersten verwendet (327, 2 f. 7 f.). Den Übergang bildet eine chiastische Formulierung (die natürlich auch eine Ungenauigkeit der Nachschrift sein kann) 326, 6 f.: . . . ut agnoscamus vera cognitione deum, peccatum, nosipsos, gratiam, poenitentiam, iustificationem . . .

[168] S. o. S. 275 und 281.

Sünde des Menschen), anderseits als cognitio nostri und cognitio Dei im Horizont der Erlösungslehre (als Spannung von Sünde und Gnade)[169]. Dabei lag jedoch der Schwerpunkt im ersten Gebrauch. Denn obwohl Calvin in der Institutio von 1559 mit aller Deutlichkeit eine duplex cognitio Dei unterscheidet und davon die Aufteilung in die beiden ersten Bücher bestimmt sein läßt, ist doch das Thema der cognitio Dei et nostri, wie es im ersten Kapitel formuliert ist, primär auf das ausgerichtet, was im ersten Buch (als cognitio Dei creatoris) und am Anfang des zweiten (als cognitio hominis peccatoris) zur Ausführung kommt, nicht dagegen, jedenfalls nur indirekt, auf den Schritt, der im zweiten Buch von der cognitio peccati zur cognitio Dei redemptoris vollzogen wird. Für Calvin ist also die Formel cognitio Dei et nostri in erster Linie in *dem* theologischen Bereich zu Hause, der in den Auflagen von 1536 und 1539 im Zeichen des Gesetzes, in der Auflage von 1559 im Zeichen der Schöpfung steht. Luther dagegen loziert die Formel cognitio Dei et hominis nicht etwa bloß überwiegend, sondern ausschließlich in der Beziehung von Gesetz und Evangelium, also — cum grano salis — in dem Themenbereich des zweiten Buchs der Institutio von 1559.

Diese verschiedene Verwendungsweise muß sich natürlich auf die Frage der Reihenfolge beider cognitiones auswirken. Vornehmlich an ihr hat Calvin seit 1539 deren Verhältnis zueinander diskutiert[170]. Innerhalb der Verflechtung beider cognitiones hat zwar sowohl die eine wie die andere Reihenfolge ihr Recht. Aber dem ordo recte docendi nach gebührt der cognitio Dei die Priorität, weil es nur von daher zu wahrer cognitio nostri kommen kann. So sehr auch die Frage Calvin beschäftigt, wie Gotteserkenntnis überhaupt zustande kommt bzw. wie ihre allgemeine Gegebenheit in der Selbst- und Welterfahrung des Menschen verwurzelt ist, ist doch das dominierende theologische Thema im Hinblick auf das Verhältnis von cognitio Dei et nostri die Frage, wie wahre Selbsterkenntnis des Menschen entsteht, bzw. die Darlegung, daß diese cognitio nostri cognitio peccati ist. Selbstverständlich zielt dies auf die cognitio Dei redemptoris und damit auf die fides iustificans als das eigentliche theologische Hauptthema ab. Doch das liegt außerhalb des Rahmens, in dem Calvin die Frage der Reihenfolge beider cognitiones erörtert. Allein dort aber, in dem Umkreis der

[169] Vgl. o. S. 295 und 302 f.
[170] Vgl. o. S. 291 ff.

Rechtfertigungslehre, kann sich für Luther, wenn überhaupt, die
Frage nach der Reihenfolge der beiden cognitiones stellen, weil
diese für ihn allein da ihren Ort haben.

Die Frage der Reihenfolge wird ihm allerdings gar nicht zum
Problem. Zwar kann er sie in der Formulierung ganz unpedantisch
wechseln[171]. Hebt er sie aber ausdrücklich hervor, so ergibt sich
aus der Sache selbst die Folge: cognitio hominis — cognitio Dei[172].
Für Luther ist es weniger eine Frage des ordo recte docendi, als
vielmehr eine Frage des ordo rei selbst[173], den man nicht beliebig
ändern kann: der unumkehrbaren Bewegungsrichtung von der
Sünde zur Rechtfertigung, vom Unglauben zum Glauben, vom
Tod zum Leben. Das ist die theologische Sachordnung: Die Rechtfertigung setzt den Sünder, das wahre Leben den Tod voraus. Die
Umkehrung der natürlichen Folge von Leben und Tod in die Folge
Tod und Leben ist prägnanter Ausdruck des christlichen Glaubens.
Darüber hat die Theologie zu wachen. Darum geht es Luther bei
der Unterscheidung von Gesetz und Evangelium: die dem natürlichen (genauer: dem Gott gegenüber korrupten) Denken widersprechende Sachlogik des Evangeliums festzuhalten und im gesamten theologischen Denken zur Geltung zu bringen.

Man darf daraus selbstverständlich ebenso wenig ein starres
äußeres Predigtschema machen, wie es sich um ein chronologisch
fixierbares biographisches Schema handelt. Die Anweisung zu rechtem theologischen Sachverständnis durch die Unterscheidung von
Sünde und Gnade, Buße und Glaube, Gesetz und Evangelium,
Tod und Leben — und zwar in diesem unumkehrbaren Richtungs-
sinn — spiegelt sich zwar auch in bestimmten Erfahrungsabläufen
und Sprachvorgängen wider, ist aber mit diesen nicht identisch,
sondern bleibt ihnen überlegen als das unverrückbare und eindeutige

---

[171] S. o. Anm. 167 und den Haupttext o. S. 271. Die Druckbearbeitung stellt
überall die normale Reihenfolge her, vgl. 327, 36 f. mit 327, 10 f.

[172] 326, 8—10: spiritus sanctus loquitur in Davide, erudiens nos ad cognitionem nostri et dei, hoc utrumque tractat magnifice. Si cognitio dei ist nicht
dabey, sequitur desperatio. 327, 2 f. heißt es dann nach der Behandlung
der cognitio peccati: Ibi ultra hanc cognitionem peccati opponit deus cognitionem gratiae et iusticiae.

[173] Vgl. WA 39, 1; 347, 1—6 (1. Thesenreihe gegen die Antinomer, 1537):
Ordo rei est, quod mors et peccatum est in natura ante vitam et iustitiam.
Non enim iusti aut vivi sumus, peccato aut morti tradendi, sed peccatores
iam, et mortui per Adam, iustificandi et vivificandi per Christum. Quare
prior docendus est Adam (id est, peccatum et mors), qui forma est futuri
Christi postea docendi.

Sachkriterium gegenüber der Komplexität der Umstände, als der Inbegriff der Lehre gegenüber der Verschlungenheit und Vielfalt des Lebens. Jener ordo rei ist nicht innerhalb des Lebens als eine separate Erfahrung zur Darstellung zu bringen[174]. Vielmehr ist ihm gemäß alle Erfahrung des Lebens der Konfrontation mit dem Worte Gottes auszusetzen. Die Reihenfolge cognitio hominis — cognitio Dei muß also im Einklang mit dem simul iustus — simul peccator als Interpretation des Lebens als ganzen in dessen einmaliger, unumkehrbarer Bewegung auf den Tod hin verstanden werden, damit die Gesamtbewegung dieses Lebens als eines Lebens in der Taufe zur Einübung des Lebens aus dem Tode wird. So bleibt der Sache der Theologie die eschatologische Ausrichtung erhalten. Und so besteht völlige Übereinstimmung damit, daß Luther in der Explikation zugleich stets die Rangordnung Gott — Mensch einhält, um zum Ausdruck zu bringen: Dieses Geschehen ist nicht durch ein opus hominis bedingt, sondern ist und bleibt ganz und gar opus Dei[175].

Die Verschiedenheit, die zwischen Calvin und Luther an der Frage der Reihenfolge der beiden cognitiones in Erscheinung tritt, ist die Folge einer Kontextverschiedenheit. Sie darf deshalb nicht zu unmittelbarer Konfrontation mißbraucht werden. Anderseits verschwindet sie damit nicht völlig, sondern ist in eine tiefere Schicht hinein zu verfolgen, in der die Ursache jener Kontextver-

---

[174] WA 40, 2; 421, 16—422, 14: Deus non abit donatis suis donis et relinquit nos solos ... Sed creare est continuo conservare, fortificare. Sic spiritus sanctus adest praesens et operatur in nobis suum donum ... Postquam iam sum iustificatus, agnosco, per gratiam remissa mihi peccata sine meritis meis. Nunc opus, ut incipiam sentire, ut aliquo modo comprehendam. Ideo dicit: ›Cor mundum‹ [v. 12]. Ne putes significare subitaneum operari dei sed continuatum. Imer new; perfice quod cepisti ... Gratia est continua operatio, qua exercitamur per spiritum facientes, loquentes placentia deo. Spiritus non res mortua sed vivax. Vita nostra, dum adest corpus, semper digerit, bibit, laborat, dormiendo somniat, Sic cor, pulsus, Crescit quotidie. Sic spiritus sanctus non iacet quietus.

[175] Vgl. WA 18; 614, 9—18 (De servo arb., 1525): Nam si ignoravero, quid, quatenus et quantum ego possum et faciam erga Deum, pariter incertum et ignotum mihi erit, quid, quatenus et quantum Deus in me potest et faciat, cum Deus operetur omnia in omnibus. Ignoratis vero operibus et potentia Dei, Deum ipsum ignoro. Ignorato Deo, colere, laudare, gratias agere, servire Deo non possum, dum nescio, quantum mihi tribuere, quantum Deo debeo. Oportet igitur certissimam distinctionem habere inter virtutem Dei et nostram, inter opus Dei et nostrum, si volumus pie vivere. Ita vides, hoc problema esse partem alteram totius summae Christianarum rerum, in quo pendet et periclitatur cognitio suiipsius, cognitio et gloria Dei.

schiedenheit und damit eine instruktive Akzentverschiedenheit auf
der Basis weitgehender theologischer Gemeinsamkeit deutlich wird.

Wie behutsam man beim Vergleich verfahren muß, zeigt sich
schon am Verständnis der beiden Hauptttermini. Die drei Reformatoren sind sich darin völlig einig, daß die cognitio hominis im
strikten Sinne cognitio peccati[176] und als solche cognitio coram Deo,
also von Gott her eröffnete Erkenntnis ist. Aber während Zwingli
und Calvin dies in der Weise zur Geltung bringen, daß sie cognitio
Dei und cognitio hominis in die rechte Beziehung zueinander setzen, geht Luther von der cognitio hominis *als* cognitio coram Deo
aus. Das heißt: Was Zwingli und Calvin mit Hilfe jener Formel
zwiefältiger Erkenntnis erörtern, ist von Luther bereits in dem
Terminus cognitio hominis begriffen. Cognitio hominis im Sinne
Luthers ist das, was Zwingli und Calvin als cognitio Dei et hominis
auseinanderfalten bzw. zusammenfügen. Nur eine grobe Fehlinter-
pretation könnte daraus den Gegensatz konstruieren: Luther be-
gänne anthropologisch, Zwingli und Calvin dagegen theologisch.

Im Gegenteil, diese beiden setzen zunächst bei dem Phänomen
einer auf sich selbst beschränkten Selbsterkenntnis des Menschen
ein, um freilich alsbald zu betonen: Sie kommt als solche gar nicht
zum Ziel, ist also in Wahrheit gar nicht das, was sie zu sein behauptet, vielmehr faktische Nichterkenntnis seiner selbst (so im
wesentlichen Zwingli); oder: Sie treibt notwendig über sich selbst
hinaus und weist so zu der Quelle hin, aus der wahre Selbsterkenntnis entspringt, wie sie im Verharren bei sich selbst gerade nicht zustandekommen kann (so Calvin). Beide erweisen sich darin als vom
Humanismus berührt, daß sie primär an einer reflexiven, philosophischen Selbstbetrachtung des Menschen orientiert sind, diese dann
allerdings auch mit aller Schärfe in die Schranken weisen: Der
Mensch ist in bezug auf sich selbst am allerwenigsten autark[177].
Selbsterkenntnis ist insofern eine Paradoxie, als sie nur möglich
ist, wenn der Mensch *nicht* bei sich selbst bleibt, um gerade so, von
Gott her, zu sich selbst zu kommen, dann aber erst recht mit Ab-
scheu sich von sich selbst weg zu Gott zu kehren.

Indem nun aber, dem humanistischen Hintergrund entsprechend,

---

[176] Daß Calvin von cognitio hominis auch in Hinsicht auf den Urstand sprechen kann (s. o. Anm. 117—120), hebt nicht auf, daß auch für ihn cognitio
hominis im strikten Sinne cognitio peccati ist. Cognitio nostri kann auf
jeden Fall nur diese sein.

[177] Nicht zufällig ist mit der Bestreitung der Fähigkeit des Menschen zu wahrer Selbsterkenntnis bei beiden die Polemik gegen die Lehre vom liberum
arbitrium verbunden.

die cognitio hominis zunächst als vom Menschen ausgehende und auf ihn selbst beschränkte in Ansatz gebracht ist, gilt Entsprechendes auch von der cognitio Dei. Bei Zwingli ist dies in der Weise der Fall, daß er in gewissem Maße eine philosophische Gotteserkenntnis zum Ausgangspunkt nimmt, die für ihn freilich problemlos mit der biblischen verschmilzt. Calvin denkt hier viel kritischer. Insofern ist er aber ebenfalls von der Konzeption einer Erkenntnis Gottes an und für sich bestimmt, als er einerseits um das Problem des Atheismus weiß[178] und darum die Frage nach dem Zustandekommen von Gotteserkenntnis zumindest streift[179], anderseits sich scharf gegen eine neutrale Gotteserkenntnis abzugrenzen genötigt sieht[180]. Die Eindringlichkeit, in der er sich mit der innigen Zusammengehörigkeit von cognitio Dei et nostri beschäftigt, verrät, daß dies gegen gewisse Widerstände klargestellt werden muß.

Man ist geneigt, es einfach auf das Konto des Verhaftetseins an mittelalterliche Selbstverständlichkeiten zu setzen, daß Luther Gotteserkenntnis im allgemeinen Sinne so wenig für besonderer Erörterung bedürftig hält, daß er sie als stillschweigende Voraussetzung in der cognitio hominis impliziert sein läßt und den Begriff der cognitio Dei überhaupt für die Erkenntnis der Gnade Gottes in Christus, also für die rettende Gotteserkenntnis, für die Soteriologie reserviert. An solcher Erklärung ist geistesgeschichtlich zweifellos etwas Richtiges. Aber sie trifft nicht den Kern der Sache. Das zeigt sich schon daran, daß die Behauptung der Befangenheit in traditionellen Selbstverständlichkeiten sich hier zu verbinden pflegt mit dem Vorwurf willkürlicher Verengung des theologischen Themas auf die Frage der Rechtfertigung. Die Frage ist aber, ob Luthers Konzentration des theologischen Themas auf den homo reus et perditus und den deus iustificans vel salvator sich einfach auf der traditionellen Gotteslehre aufbaut, so daß er sich von daher gleichsam den Luxus jener Engführung leisten konnte, oder ob von seiner Bestimmung des subiectum theologiae her auch die allgemeine Gotteslehre in ein anderes Licht rückt.

Was Luther als subiectum theologiae angibt, nämlich die cognitio Dei et hominis im Sinne der Konzentration auf den deus iustificans und den homo peccator, hat nach seinem Verständnis

---

[178] Der berühmte Satz op. sel. III, 37, 16—18: Quandam inesse humanae menti, et quidem naturali instinctu, divinitatis sensum, extra controversiam ponimus, bestätigt dies nur.

[179] S. o. S. 292.

[180] S. o. S. 301.

die Relevanz eines Kriteriums aller theologischen Aussagen. Es
scheidet sich daran die Theologie von den übrigen Wissenschaften[181].
Diese haben es mit dem Menschen in Hinsicht auf Teilaspekte seines Daseins zu tun. Die Theologie betrifft dagegen das Dasein des
Menschen selbst in dessen Grundsituation als homo peccator, also
nicht das, was an Teilfaktoren in die Klammer dieses Lebens gehört, sondern was als entscheidendes Vorzeichen vor dieser Klammer steht[182]. An jenem Kriterium scheidet sich aber darüber hinaus
vor allem rechte Theologie von schlechter Theologie. Denn was
nicht von jenem Grundthema bestimmt ist, ist eitler Wahn, auch
wenn es sich als Theologie ausgibt[183]. Mit dem Reden von Gott
ist noch nicht dessen theologischer Charakter gegeben. Nicht nur
in bezug auf das Reden vom Menschen — sogar von ihm als Sünder — ist darauf zu achten, ob dies im strikten Sinne theologisch
geschieht. Auch die cognitio Dei ist nicht ohne weiteres cognitio
proprie theologica[184]. Selbst frommes Reden von Gott kann gott-
los sein, Ausdruck der natura corrupta, die eo ipso des rechten
Urteils über Gott entbehrt[185]. Das über alles entscheidende theologische Kriterium ist nach Luther das Wissen um die Situation des
Menschen vor Gott, und zwar in der Hinsicht, ob dieses Wissen
um die Situation coram Deo die Weise aller theologischen Aussagen bestimmt.

Man geht also völlig fehl, wenn man die Konzentration auf das
Thema der iustificatio als willkürliche Bevorzugung eines theologischen Einzelthemas versteht. Wenn man so urteilt, ist man von
der sehr fraglichen Konzeption eines additiven Zusammenhangs

---

[181] 328, 4—8: ... non expectamus in sacris literis possessiones, sanitates cor-
porum vel politicarum rerum, quae omnia tradita sunt in manus nostras
et creata. Sed ubi Adam factus dominus, possessor rerum Et Medicus et
Iurista, et lapsus suasu diaboli in peccatum et mortem, da ghet Theologia
an et revocat hominem e lapsu et potestate diaboli etc. Vgl. 326, 13 f.

[182] 328, 8—11: Ideo Theologia non pertinet ad hanc vitam, sed est alterius vitae,
quam habet Adam. ›Dominamini‹ etc., ›subiicite eam‹ etc., das ghet ad
hanc vitam. Huc pertinet generatio et proles, sed theologia agit de deo sal-
vante et homine sic lapso etc. Es ist deutlich, daß Luther nicht behauptet,
die Theologie sei beziehungslos zu diesem Leben. Er will mit dem »est
alterius vitae« gerade ihren Bezug zu diesem Leben präzisieren.

[183] 328, 2 f.: quicquid extra istud argumentum vel subiectum quaeritur, hoc
plane est error et vanitas in Theologia. Vgl. 388, 15—389, 1: Quicquid est
religionum praeter hanc unam, extra confessionem peccatorum et glorifica-
tionem dei, quicquid praeterea geritur, est hypocrisis.

[184] S. o. Anm. 156.

[185] S. o. Anm. 148.

theologischer Aussagen geleitet. Luther versteht unter dem Thema
der iustificatio aber nicht einen beliebigen theologischen Locus neben anderen, sondern sozusagen den »Locus« theologischen Redens
überhaupt, d. h. den Ort, an dem sich der Mensch als von Gott
Redender befindet, nämlich *vor* Gott. Und es ist zweifellos sachgemäß, die Wort*situation* Kriterium des Wortes sein zu lassen, zumal bei dem Reden von Gott, bei dem es nicht um eine beliebige,
sondern um *die* Situation des Menschen geht. Die Konstellation,
mit der es die Rechtfertigungslehre zu tun hat, nämlich die Relation
des homo reus et perditus und des deus iustificans vel salvator,
hat also fundamentaltheologische Relevanz. Sie ist nicht ein Spe-
zialaspekt innerhalb eines umgreifenden Allgemeinen, sondern sie
ist — gewiß als das concretissimum — das schlechterdings Allgemeine, von dem aus die verschiedenen theologischen Aspekte, auch
wenn sie für sich genommen, weil noch unbestimmt, allgemeiner
Art sind wie z. B. eine allgemeine Gotteslehre oder eine allgemeine
Anthropologie, erst ihre spezifisch theologische Bestimmung erhalten und damit zu speziellen Hinsichten innerhalb des theologischen
Grundthemas werden.

Die Ausführungen Luthers und Calvins (und darin ist auch
Zwingli mit inbegriffen) treffen sich darin, daß die cognitio Dei die
Situation der Neutralität ausschließt. Denn Gott ist geradezu der
Inbegriff dessen, was den Menschen nicht in der Situation der Neutralität sein läßt. Dem schlechterdings Bestimmenden gegenüber
kann man sich nicht unbestimmt verhalten, sich nicht alle Möglichkeiten vorbehalten. Luther wie Calvin vollziehen in diesem Zusammenhang die Abgrenzung gegen eine metaphysische Gotteserkenntnis und beide beziehen sich dabei auf den Deus maiestatis,
jedoch in verschiedener Weise. Calvin wirft den frigidae specu-
lationes einer metaphysischen Gotteslehre in dem Sinne Situationsvergessenheit vor, daß der Bezug zum Menschen außer Acht gelassen ist. Deshalb muß die cognitio nostri hinzutreten, damit es
echte cognitio Dei sei[186]. Die situationsgerechte, d. h. der Zeit nach
dem Fall angemessene cognitio nostri ist die cognitio peccatoris,
wie sie aus der Konfrontation mit der maiestas dei entsteht[187].
Luther setzt die Akzente anders. Auch und gerade die zum Himmel sich emporschwingenden Spekulationen über Gott haben es mit
Gott in seiner Majestät zu tun[188]. Man muß ihnen gegenüber nicht

---

[186] S. o. Anm. 126, 127, 119.
[187] S. o. Anm. 97.
[188] 329, 5—320, 3: ... observa, quod loquatur cum deo non ut homines idolatrae,

erst die maiestas Gottes ins Feld führen. Gewiß ist der Vorwurf der Situationsvergessenheit zu erheben. Solches Reden von Gott ist mit praesumptio gepaart, einer Vermessenheit, die die wirkliche Sachlage völlig verkennt: nämlich daß hier der nudus deus und der nudus homo aufeinander treffen[189]. Man interpretiert dann zwar den nudus deus als den neutralen Gott und den nudus homo als den neutralen Menschen. In Wahrheit ist aber der nudus deus der unmenschliche Gott und der nudus homo der gottlose Mensch.

Nun kann man sich zwar fragen, wie dem in solcher praesumptio Befangenen diese Wahrheit aufgeht, wie er also von der maiestas Gottes so getroffen wird, daß er sich selbst in seiner eigenen Niedrigkeit erkennt. Aber diese Frage, in der für Calvin der Schwerpunkt der Thematik cognitio Dei ac nostri liegt[190], ist für Luther eigentümlich relativiert. Philosophische Spekulation über Gott ist nur ein Sonderfall dessen, was sich an Spekulation über Gott auch in aller Religion vollzieht[191], sofern man nicht sich an Christus hält. Den Gesichtspunkt der religio als Einbeziehung des Menschen in die Gotteserkenntnis geltend zu machen[192] und den ausdrücklichen Hinweis auf die maiestas Gottes aufzubieten[193], ist sicher gegenüber bestimmten Erscheinungsweisen von Situationsvergessenheit, die immer Selbstvergessenheit des Menschen und Gottvergessenheit in einem sind, angebracht. Aber damit verändert sich zunächst nur die Erscheinungsweise von Situationsvergessenheit. Die praesumptio in religiöser Gestalt kann viel hartnäckiger sein. Und selbst wenn sie umschlägt in desperatio — und solcher Zusammen-

---

sectae etc., sed loquitur cum deo patrum suorum, cum deo promissore, das Christus mit drinen sey, quia non habuit deum, ut fingunt eum hypocritae, Mahometistae etc., qui speculationibus suis ascendunt in coelum et speculantur de deo creatore etc. Cum isto deo sey vnuerborren; qui vult salvus fieri, relinquat deum in Maiestate, quia iste et humana creatura sunt inimici. Sed illum deum apprehendas, quem David, qui est vestitus suis promissionibus ... Den Gott mus man haben, Ne sit nudus deus da cum nudo homine. Cum Papa et Mahomete est praesumptio, donec ad mortis horam, da ghet desperatio er nach.

[189] S. vorige Anm.

[190] S. o. Anm. 97.

[191] S. o. Anm. 188. Vgl. 387, 5 f.: Ideo videndum, ne amittendus Christus prae nimia religione.

[192] S. o. Anm. 125.

[193] S. o. Anm. 97. Selbstverständlich fassen Calvin und Luther auch den Begriff maiestas Dei verschieden. Luther würde nicht die Wendung gebrauchen können: se ad Dei maiestatem comparare.

bruch kann jederzeit und überall sich ereignen —, ist ja damit nichts grundsätzlich geändert. Denn auch die desperatio ist Situationsvergessenheit. Sie ist zwar nacktes Entsetzen über das Ausgeliefertsein des nackten Menschen an den nackten Gott. Aber sie irrt darin, daß sie dieser Situation, die das Gebilde des eigenen Herzens ist[194], Glauben schenkt, als könnte man in ihr überhaupt *sein*. Allerdings ist die Situation der desperatio, ebenso wie die der praesumptio, Wirklichkeit. Und darum ist auch die Vorstellung vom zornigen Gott voll von Wirklichkeit. Aber sie trifft den Gott des selbstvergessenen, des insensatus peccator[195]. Der peccator sentiens schreit »Miserere mei« und hat sich damit schon abgekehrt von dem Deus in maiestate[196], von dem Trugbild des zornigen Gottes[197] hin zu dem ins Wort seiner Verheißungen gekleideten Gott[198], von dem Gott, zu dem der Satan hetzt[199], zu dem Gott, zu dem Christus führt.

Was bei Luther zunächst nach traditioneller Selbstverständlichkeit der Gottesvorstellung aussieht, gibt den Blick in ungewohnte Dimensionen frei. Einerseits kann er von der cognitio hominis in einer Breite der Erfahrungsweisen reden, die alle Religionen und Philosophien umspannt und darum auch das Phänomen einer als Atheismus sich gebärdenden Gottlosigkeit durchaus nicht grundsätzlich ausschließt. Das alles sind Erscheinungsweisen des Menschen unter dem Gesetz, sozusagen die Verkrümmungen des Menschen auf der Suche nach sich selbst[200] als der Flucht vor Gott. Anderseits kann er in dieser Breite von dem Sein des Menschen unter dem Gesetz nur von dem Worte Gottes her reden, das die

---

[194] 324, 3—5: Quando in tentatione sumus, fingit cor nostrum deum iratum, statuit Iudicem, tyrannum, persecutorem . . .

[195] 333, 11 f.: Ad peccatorem non sentientem zihe hin alle dicta irae . . .

[196] 333, 1—4: . . . est infernale, non velle ante currere ad deum, nisi sensero me purum a peccatis. Ideo mus ich das medium treffen, ut dicam: In medio mari peccatorum volo currere. Sol ich nicht eher ›Miserere mei‹ sprechen, Ich sey denn fromm, tum non opus habebo ›Miserere‹. 379, 10 f.: Qui dicit se peccasse soli deo, habet iam iustificantem peccatorem.

[197] 343, 1—4: Ideo sequitur effectus maxime ad cogitationes nostras. Sicut de deo cogito, ita fit mihi. Si ista cogitatio de irato deo est falsa, et tamen fit, quanquam falsa. Si econtra [sc. cogitatio, quod Deus faveat peccatoribus sentientibus sua peccata, cf. 343, 20 f.], est opinio vera et fit. Vgl. Anm. 194.

[198] 330, 4 f.: Non scimus alium deum quam istum, qui vestitus est suis promissionibus. Vgl. o. Anm. 188.

[199] 330, 7 f.: . . . Satan satagit, ut opponat nos in occursum maiestatis.

[200] Vgl. 325, 7 f.: . . . omnia incurvata, ich such an Gott, an allen creaturn, quod mihi placet.

wahre cognitio Dei, nämlich die Erkenntnis des rechtfertigenden
Gottes gewährt[201] und von daher zu unterscheiden vermag zwischen
Sünder und Sünder, ja zwischen Gott und Gott[202]. Was unter das
Stichwort cognitio hominis fällt, ist also nicht einfach die Selbst-
auslegung des peccator insensatus, aber auch nicht einfach ein ihm
entgegengehaltenes Gesetz, sondern die Identifikation als peccator,
das Urteil des peccator sentiens über den peccator insensatus. Die
Identifikation als peccator ist also zugleich eine Unterscheidung
zwischen peccator und peccator und ist darum gar nicht als Zustand
fixierbar, sondern kann nur als die Kehre von dem Gott, der dem
peccator insensatus zürnt, zu dem Gott, der den peccator sentiens
liebt[203], beschrieben werden. Dieses Verständnis von cognitio hominis bewirkt die denkbar stärkste Durchdringung von allgemeiner
menschlicher Selbsterfahrung und christlicher Gotteserkenntnis. Die
Unterscheidung von cognitio hominis und cognitio Dei ist darum
im Sinne Luthers zugleich das Vereinen von Sünder und Gott[204]
und das Unterscheiden von Sünder und Gott[205]; zugleich das Unterscheiden zwischen Sünder und Sünder, Gott und Gott[206] sowie die
Identifikation von Sünder und Sünder, Gott und Gott[207].

Die Duplizität, auf die wir hier stoßen, ist wiederum anders
akzentuiert als bei Calvin. Dort ist von einer duplex cognitio Dei

---

[201] 396, 6—9: ... sunt verba non peccatoris sed Sanctissimi viri, quia agnoscit
peccatum suum. Veraces Sancti, qui habent veritatem in abscondito, sic
loquuntur: ›Propicius mihi peccatori‹. Et nisi haberent iam propicium deum
et remissionem peccatorum, non possent hec verba dicere, ...

[202] 342, 13—15: Discendum ex hoc versu (v. 3), ut distinguas inter peccatum
et peccatum, peccatorem et peccatorem et deum et deum. 335, 11 f.: distingue de peccatore: aut est sensitivus, aut insensitivus. Vgl. 333, 7 f. 351, 4 f.
358, 15 f. 360, 3 f.

[203] 335, 12—14: ... omnia, quae de ira dicuntur, pertinent ad irrationales ...
Et wieder vmb: Deus non odit peccatores sentientes, sed maxime diligit ...

[204] 332, 4—6: Ideo novissima sapientia, quae contrahit deum et peccatorem,
hostem peccati et eum, qui amat peccatum, — quomodo concordat? Das ist
sapientia supra decalogum ... 336, 3 f.: Et haec est huius prophetae theologia. Reimts fluchs zw hauff, videlicet se et deum, qui irascitur peccatoribus,
et se, qui meruit iram ... 356, 9 f.: Sophistae ista duo non possunt concordare.

[205] 342, 5—11: Et vbers ›Mei‹, peccator, qui sentit iram dei, sol er so fortem
distinctionem machen inter peccatorem et propicium deum. Das ist non
theologia rationis, sed supernaturalis, quod peccator nihil videat quam
misericordiam, et tamen ibi sentit iram dei, quia, si non sentiret, Non diceret,
›Miserere‹; ergo significat se sub ira et dignum ira, et tamen sic pugnat, ut
abigat spectaculum irae et misericordiae apprehendat. Das ist Theologia.

[206] S. o. Anm. 202.

[207] Vgl. mein Buch: Luther. Einführung in sein Denken. 1964, 276 f.

und einer duplex cognitio hominis in der heilsgeschichtlichen Stufung von creatio und redemptio bzw. von Urstand und Fall die Rede[208]. Bei Luther ist die Duplizität ganz in die gegenwärtige Spannung zwischen peccatum und gratia verlegt. Dementsprechend könnte man geneigt sein, zu sagen: Was er cognitio hominis nennt, ist eine bestimmte Weise von cognitio Dei et hominis, nämlich unter dem Gesetz; und was er cognitio Dei nennt, ist ebenfalls eine bestimmte Weise von cognitio Dei et hominis, nämlich unter dem Evangelium. Aber das würde schon systematisierend von einander zu trennen drohen, was in der Bewegung des Lebens und des Glaubens untrennbar beieinander ist. Es hat seinen Grund, daß Luther im ersten Fall nur ›cognitio hominis‹ sagt, obwohl darin nach Luther in irgendeiner Weise stets cognitio Dei mit dabei ist. Doch kann das Urteil des Sünders über Gott nie wahre cognitio Dei sein. Umgekehrt ist das, was Luther cognitio Dei nennt, mit Recht nur *so* benannt. Denn wer Gott wahrhaft erkennt, wendet sich ihm allein zu und von sich selbst ab[209]. Aber trotzdem konstituiert das, was in dieser Weise als cognitio hominis und cognitio Dei unterschieden ist, unscheidbar miteinander die Grundsituation des Menschen, die gleichsam eine Situation zwischen den Mühlsteinen ist, aber gerade so eine wunderbar verheißungsvolle Situation[210].

Gegenüber der scholastischen Bestimmung, daß Gott das subiectum theologiae sei, erscheint es als eine — je nachdem wie man es beurteilt — zu begrüßende oder verdächtige Neuerung der Reformatoren, wenn sie die Doppelbestimmung cognitio Dei et hominis für die Theologie maßgebend sein lassen. Was dazu auch immer in weiter ausholender und differenzierender Untersuchung zu sagen sein mag, — eine Erkenntnis wird dadurch nur bestätigt werden können: Auch für die scholastische Theologie ist die Zusammengehörigkeit des Redens von Gott und vom Menschen unbestreitbares Traditionselement. Nur im Rahmen dieser Voraussetzung können überhaupt theologische Differenzen aufbrechen und ausgetragen werden.

[208] S. o. Anm. 117 und 120.

[209] 341, 14—342, 5: Ibi vides veram theologiam. Non solum drehet sich a iusticia propria, sed etiam ab ira dei. Sic amovere sensum irae ad insensatos peccatores. Et nullum aliud obiectum statuit quam faventem, gaudentem super me deum . . . hoc spectrum est vivificum et consolatorium.

[210] 361, 1—5 (in allegorischer Interpretation von 5. Mos. 24, 6): Allegorice, quod timor, lex, cognitio peccati ist der superior lapis, der rumpelt, Inferior stat confidenter et sustinet tumultum et vim, et sic inter istos duos lapides

Was in der reformatorischen Theologie als verstärkte Betonung des Menschen erscheint, hat, recht verstanden, die Tendenz, die in der scholastischen Theologie Gott gegenüber allzu selbständig ausgebaute Rolle des Menschen wieder in das rechte theologische Maß zu bringen. Nicht zufällig trafen sich katholische Theologie und humanistisches Denken in dem Vorwurf, die reformatorische Theologie lasse den Menschen zu kurz kommen. Die Lehre vom servum arbitrium und von der streng gefaßten Omnipotenz und Prädestination Gottes samt den in die gleiche Richtung weisenden particulae exclusivae (einschließlich des sola fide!) seien Symptom einer unmenschlichen Theologie, einer verwirrenden Überbetonung dessen, daß Gott Thema der Theologie ist.

Die reformatorische Einschätzung des Menschen bewirkt freilich keine quantitativ zu messende Verdrängung aus der Sache der Theologie. Es ändert sich die Art und Weise, *wie* der Mensch zum Thema der Theologie gehört. Nicht obwohl, sondern weil Gott das subiectum der Theologie ist, gehört der Mensch dazu, — das gilt auch von der scholastischen Theologie. Darum muß aber die reformatorische Theologie, die das »Gott allein«[211] geltend macht, umso mehr den Menschen ausdrücklich in das subiectum theologiae einbezogen sein lassen: als homo peccator, an dem sich Gott, weil als iustificans, als Gott erweist.

Darin sind sich die Reformatoren einig. Ihre Akzentverschiedenheiten setzen bei der theologischen Durchführung ein: nämlich in welchem Ausmaß von der iustificatio sola fide her das ganze theologische Denken durchformt wird, und zwar bis in die Gotteslehre hinein. Luther ist darin zweifellos am weitesten gegangen, von dem Verständnis der iustificatio her die Grundsituation des Menschen vor Gott fundamentaltheologisch sich auswirken zu lassen und in allen theologischen Aussagen aus dieser Grundsituation heraus und auf sie hin zu reden. Vielleicht hat das damit zu tun, daß er keine Dogmatik schrieb. Jedenfalls gibt seine Behandlung des Themas cognitio Dei et hominis uns bei der Aufgabe systematischer Theologie heute am meisten zu denken.

teritur frumentum. Sic deus non vult, ut sit in corde nostro trepidatio mera, das wer nur superior lapis. Sed vult etiam inferiorem etc.

[211] 367, 7—12: ... omnis homo, mundus debet esse reus, ut solus deus intelligatur iustus et iustificans. Das man hin ein reis in misterium verbi, ut possit praedicari iustitia dei solius et sola. Sic ghes fein her, quod deus solus invenitur iustus et nos omnes peccatores. Si hoc, ergo non aliunde, ratione alia iustificamur nisi per iustificantem, qui solus est iustus, cum nos omnes confitemur peccata.

DIE »EXTRA«-DIMENSION
IN DER THEOLOGIE CALVINS

von H e i k o A. O b e r m a n
(Dußlingen b. Tübingen, Pulvermühle)

Das Vorhaben, den Empfänger dieser Dankesgabe zu ehren im
Weiterverfolgen eines Untersuchungsweges, der von ihm angeregt
oder doch entscheidend beeinflußt worden ist, bedeutet, aus einer
eindrucksvollen Vielfalt von Möglichkeiten auswählen zu können:
in bezug auf den Gegenstand der Untersuchung die ganze Reichweite von Bewegungen, welche gewöhnlich mit Reformation und
Gegenreformation in Zusammenhang gebracht werden; in bezug
auf das wissenschaftliche Format das ganze Spektrum von der sorgfältigen und minutiösen Textedition bis zu eindringlichen Auf-
sätzen über die Geschichte christlichen Denkens und westlicher Zivilisation. Obgleich in einem neueren Exemplum des letztgenannten
Typs die Behauptung vertreten wurde, daß die Vorwegnahme der
Eigenarten modernen Denkens durch die Reformation »nur bei
Luther«[1] entdeckt werden könne, so kann diese Beobachtung doch
durchaus nicht als eine konfessionelle Behauptung abgetan werden,
sondern sie sollte gelesen und gewürdigt werden als eines der
herausforderndsten Ergebnisse einer jahrzehntelangen Forschungs-
arbeit, welche weit über die Grenzen des Corpus von Luthers
Werken hinausgriff. Es kommt kein Restbestand protestantischen
Triumphalismus in der Feststellung zum Ausdruck, daß die Reformation — sei es in der Auflösung des Mittelalters oder in der Geburt modernen Denkens — »mehr verzögernd als beschleunigend
gewirkt« habe[2]. Man wird auch keine Spur lutherischer Apologetik
in der These finden können, daß die Auffassung vom Staat in den
reformierten Ländern einen betont »fortschrittlichen« Ausdruck
hat[3] im Gegensatz zu den vorwiegend lutherischen Gegenden.
    Was für einen Wert auch immer es haben mag, »fortschrittlich«

---

[1] HANNS RÜCKERT, Die geistesgeschichtliche Einordnung der Reformation,
ZThK 52 (1955), S. 55; engl. Übersetzung: Reformation — Medieval or
Modern, Journal for Theology and the Church 2 (1965), S. 11.
[2] Art. cit., S. 50; Übers. S. 7.
[3] Ibid.

zu sein, so macht die Lektüre von Calvins wichtigen Predigten über
II. Samuel[4] mehr als irgendein anderer Teil seines Werkes deutlich,
in welchem Maße die Auffassung vom Staat und vom regnum Dei
zusammenhängt mit einem Aspekt seines Denkens, der wohl kaum
als ausgesprochen »modern« zu bezeichnen ist, nämlich mit dem
sogenannten *Extra calvinisticum*. Wir wollen zunächst eingehen
auf diese Beziehung zwischen dem Extra calvinisticum und der
gubernatio divina per politicum et ecclesiasticum ordinem. Wir
werden allerdings von dort aus weitergeführt werden zu einer
Untersuchung der »Extra«-Dimension des Denkens Calvins in einer
Reihe von Zusammenhängen und zu einer Bestimmung des ursprünglichen Ortes dieser Dimension in den früheren Schichten von
Calvins Werk.

I
Etiam extra ecclesiam

Das verhältnismäßig fortschrittlichere Element in der reformierten Auffassung vom Staat kann vielleicht erklärt werden
unter Hinweis auf Luthers Haltung der sozialen und politischen
Wirklichkeit seiner Zeit gegenüber: »Die Reformation war, soziolo-
gisch gesehen, eine Bewegung von Bürgern, was der fürstentreue
Luther verhängnisvoll übersehen, der Demokrat Zwingli klar erkannt und bewußt verwertet hat; der Jurist Calvin wiederum
durchschaut mit Weitblick die kommende Entwicklung: er ist der
erste, der ›den Staat‹ und ›die Kirche‹ zu trennen beginnt...«[5]

Eine andere, augenfälligere Überlegung ist biographisch orientiert. Die beiden Reformatoren der ersten Generation, die sich im

---

[4] Supplementa Calviniana I: Sermones de altero libro Regum, edidit Hanns
   Rückert, Neukirchen 1936—61 (im folgenden abgekürzt SC I).
[5] Gottfried W. Locher, Staat und Politik in der Lehre der Reformatoren,
   Reformatio 1 (1952), S. 202—213; Zitat S. 204; eine ausgezeichnete kurze
   Zusammenfassung von Luthers Zweireichelehre auf S. 206—208. Im Lichte
   von Bernd Moellers wichtiger Untersuchung »Reichsstadt und Reformation«
   (Gütersloh 1962) ist es wohl begründet, die Kontinuität zwischen dem reformierten Begriff des christlichen (Stadt-)Staates und dem mittelalterlichen des
   Corpus christianum (civitas christiana!) zu betonen (op. cit. S. 29, 33, 52;
   vgl. besonders das caveat auf S. 48) und auf der anderen Seite entsprechend die Diskontinuität mit dem Mittelalter in Luthers Auffassung der
   Beziehung von Kirche und Staat zu unterstreichen: »In der Konsequenz
   mußte Luthers Anschauung die Stadtgemeinde zersprengen«, S. 37. Es bleibt
   die Frage: a) ob dies »mußte« nicht eher »sollte« heißen sollte; b) ob damit
   nicht die spätmittelalterliche civitas christiana zurückgeführt wurde auf die
   Stufe des früheren Mittelalters, die regio christiana.

Jahr 1529 in Marburg als Antipoden erweisen sollten, unterschieden sich sowohl hinsichtlich ihrer Ausbildung als auch ihres Amtes. Luther erfreute sich als vereidigter Doktor der Heiligen Schrift — ungeachtet des Interesses und der zeitweiligen Sorge seines Gönners Friedrichs des Weisen — der akademischen Freiheit, und er konnte von seinem Lehrstuhl und den Druckereien in Wittenberg aus sich in Kampfschriften, Abhandlungen und offenen Briefen an die Kirche im Ganzen wenden.

Zwingli, vom Rat der Stadt Zürich als Prediger ans Großmünster berufen, entwarf die ersten Skizzen für die Reformation in Zürich in Form von »Ratschlägen«, d. h. Richtlinien für die Stadtbehörden. Wenn auch Luther sagen kann: »nihil aliud quaerimus quam salutem Germaniae«[6], so hat dies Heil für Zwingli doch entschieden die Beibedeutung von iustitia civilis, wenn er als Motiv für die Abfassung seiner »Ein gottlich Vermanung« (Mai 1522) angibt: »uß Forcht Gottes und Liebe einer ersamen Eygnoschafft«[7]. Von seinem ersten Auftreten an bis zu seinem Tod bei Kappel ist die res christiana für Zwingli immer zugleich die res publica christiana. Es mag wohl ein starkes Element Humanismus mit seiner (für die spätmittelalterliche Stadt so kongenialen) begeisterten Neueinschätzung der republikanischen Epoche in der römischen Geschichte darin liegen, wenn Kaspar Hedio im Jahr 1519 Zwingli nicht nur mit dem Beinamen »tuba evangelii« schmückt (in der Überlieferung für einen der vier Evangelisten vorbehalten!), sondern ihm auch das Epitheton »publica patriae salus« zuspricht[8].

---

[6] WA 44, 346, 39.

[7] Zwinglis Hauptschriften VII: Zwingli der Staatsmann, bearbeitet von RUDOLF PFISTER, Zürich 1942, S. 6. Vgl. Corpus Reformatorum, Huldreich Zwinglis Sämtliche Werke (im folgenden: ZW), I, 167, 2.

[8] Basel, 6. Nov. 1519. ZW VII, 214, 10. Wir können uns hier nicht im einzelnen mit der Behauptung neuerer Erforscher des linken Flügels der Reformation auseinandersetzen, daß im Herbst 1523 ein Wandel in Zwinglis Haltung gegenüber dem Verhältnis von Kirche und Staat eingetreten sei. So etwa HAROLD S. BENDER, Conrad Grebel c. 1498—1526. The Founder of the Swiss Brethren sometimes called Anabaptists, Goshen/Ind. 1950, S. 97 ff.; JOHN H. YODER, The Turning Point in the Zwinglian Reformation, Mennonite Quarterly Review 32 (1958), S. 128—140, meint sogar zwei Wandlungen entdecken zu können: S. 136, 138. GEORGE H. WILLIAMS, The Radical Reformation, Philadelphia 1963, zitiert BENDER zwar nicht, folgt ihm aber fast wörtlich auf S. 90 (cf. BENDER, op. cit. S. 253).

Es sollte beachtet werden, daß in Zwinglis Brief vom 29. Dez. 1521 an Berchtold Haller († 1536), den Reformator von Bern, deutlich ausgesprochen ist, daß Durchführung und Zeitplan der Reformation örtlichen Verhält-

In Calvins Predigten über das zweite Buch Samuel, welche er drei Jahre nach Abschluß der endgültigen lateinischen Ausgabe der Institutio hielt und mit denen er zwei Jahre vor seinem Tod (27. Mai 1564) begann, sehen wir, daß der episcopus von Genf als Hirte einer Gemeinde in der Diaspora über die nationalen Gren-

nissen angepaßt werden sollten: »Nec ... apud tuos sic agere convenit, ut apud nostros ...«, ZW VII, 486, 29 f. Hier finden wir auch ein Eintreten für Toleranz mit den Schwachen, ausgedrückt in dem Gedanken von der Milch, die der festen Nahrung vorausgeht und für sie vorbereitet (ibid. 487, 6; cf. 1. Kor. 3, 2), was YODER nahezu zwei Jahre später datiert, indem er es als eine Konzession aus dem Jahre 1523 der zivilen Autorität gegenüber versteht (art. cit., S. 137). Wir sollten uns davor hüten, etwas als einen Wandel in den Prinzipien anzusehen, was de facto Unterschiede in bezug auf Zeit und Feststellung der günstigen Gelegenheiten für die Reformation sind, immer dazu gedacht, einen Aufruhr zu vermeiden.

Der Gegensatz, den WILLIAMS zwischen Zwinglis »erasmischem Pazifismus« im Juli 1520 und Zwinglis Anschauung von der angemessenen Beziehung zwischen Gemeinde und Stadtrat in Zürich im Okt. 1523 herstellt, ist künstlich. Die Täuschung, der seine Interpretation erlegen ist, ist teilweise eine Folge der Tatsache (s. op. cit., S. 89), daß WILLIAMS nicht gesehen hat, daß er aus einem Abschnitt aus Zwinglis Brief an Myconius (24. Juli 1520) zitiert (die irrtümliche Stellenangabe müßte heißen: ZW VII, 343, 19—30; eine Zusammenstellung von Zitaten ist als ein einzelner Absatz dargestellt), welcher eindeutig eine Antwort auf Myconius' Brief vom 10. Juni ist (ZW VII, 322, 9 ff.): »... admodum timeo Helvetiae nostrae«. Wichtiger für sein ganzes Buch, insofern als dadurch der tendenziöse Charakter seiner Prägung und Anwendung des Ausdrucks »Magisterial Reformation« zum Vorschein kommt, ist die Tatsache, daß Zwingli, und nicht die ungeduldige, radikale Partei in Zürich, sich einem Zwang gegenüber den »doctrinally underprivileged« sowohl 1523 als auch schon 1520 widersetzt. WILLIAMS' modernisierende Voraussetzung, daß Widerstand gegen coercio und Verfechtung der Toleranz die Trennung von Kirche und Staat zur Vorbedingung habe, schließt ein Verständnis dessen, was er »Magisterial Reformation« nennt, aus.

Im Lichte nicht nur der Münsterischen Ereignisse, sondern auch des Planes Konrad Grebels, einen »christlichen« Magistrat in Zürich zu bilden (s. ZW VI, 32—34; vgl. FRITZ BLANKE, Brüder in Christo, Zürich 1955, S. 10 f.), ist es sachgemäßer, statt zwischen »Radical« und »Magisterial« Reformation zwischen »eigenständiger« und »kirchlicher« Reformation zu unterscheiden. Was den Zusammenhang zwischen der modernen Trennung von Kirche und Staat und der eigenständigen Reformation anbetrifft, ist Calvins tiefsichtige Analyse zu beachten, nach der gerade die »Anabaptisti« die zwei Ordnungen nicht zu unterscheiden wissen; daher warnt er: »ne ... haec simul duo imprudenter permisceamus, quae diversam prorsus rationem habent ...; spirituale Christi regnum et civilem ordinationem res esse plurimum sepositas.« (Inst. IV, 20, 1; OS V, 472, 5 f. 16 f.). In dieser Hinsicht ist Calvins Theokratie bis in die modernste Literatur als kirchliche Diktatur falsch verstanden worden. So noch SALO W. BARON in Harry A. Wolfson, Jubilee Volume

zen und die Besonderheiten lokaler Situationen hinausblickt in der Applikation des Reiches Davids auf das Reich Christi. Während er zu seiner Genfer Gemeinde spricht, befaßt er sich mit der Verantwortung von Staat, Magistrat und Fürst als ein Mann, der offenkundig die Situation überall in Europa, in England, Polen und in der Pfalz vor Augen hat. In diesen Jahren weist Calvins beliebter Refrain im Gebet am Ende nahezu aller Predigten auf die universale Reichweite von Gottes Majestät und Gnade hin: »Que non seulement il nous face ceste grace, mais aussi a tous peuples et nations de la terre...«

Der Unterschied gegenüber Luther kann an vielen Punkten festgestellt werden, aber an keinem so grundsätzlich wie in Calvins Verständnis Gottes als »legislateur et roy«. Demgegenüber hat einer der tiefblickendsten Gegenreformatoren, Ambrosius Catharinus Politus O. P., es als den Kern des »lutherischen Irrtums« bezeichnet zu leugnen, daß Christus zugleich redemptor *et* legislator sei[9]. Calvins durchgängiges Thema ist die Regierung Gottes, der Christus zum König, zu seinem vice-roy eingesetzt hat; Reformation bedeutet die Neuordnung des Lebens der Gläubigen; Verwirrung und Zerstreuung ist das Untergraben der gottgewollten Ordnung durch Satan und seine Werkzeuge des Übels. Durch Gottes Gnade und Macht ist diese Ordnung nun hier und dort in örtlichen Kirchen und auch im öffentlichen Leben einiger Städte und Gegenden wiederhergestellt worden. Die wahre Wiederherstellung und Wiederversammlung und die abschließende Aufrichtung von Gesetz und Ordnung muß freilich von den Gläubigen in Geduld als eschatologisches Handeln Gottes erwartet werden.

In seiner Predigt über 2. Sam. 5, 4 — »David regierte vierzig Jahre« — stellt Calvin fest, daß dies keineswegs eine unerschütterte und ununterbrochene Herrschaft gewesen sei: »ce n'a pas esté

on the Occasion of his 75th Birthday, ed. SAUL LIEBERMANN, Vol. I, Jerusalem 1965, »John Calvin and the Jews«, S. 141—163. BARON nennt Calvin »the Geneva dictator« (S. 161) und Calvins Amtsführung »his despotic regime« (S. 160); darum stößt er auf ein Paradox, nämlich auf die »paradoxical (were) Calvinist influences on the rise of Western democracy and the separation of state and church« (S. 162). Vgl. demgegenüber die noch immer wichtigen Seiten KARL HOLLS in »Johannes Calvin«, Gesammelte Aufsätze III: Der Westen, Tübingen 1928, S. 276—278.

[9] CT (Concilium Tridentinum. Diariorum, actorum, epistularum, tractatuum nova collectio, ed. Societas Goerresiana, Bd. 1—13, 1901—61) V, 572. Cf. meinen Aufsatz »Iustitia Christi and Iustitia Dei. Luther and the Scholastic Doctrines of Justification«, HThR 59 (1966), S. 1—26; S. 18.

du premier coup en perfection.«[10] Dann fährt er fort (»c'est pour
nous, que cecy est ecrit«) mit der Anwendung dieses Textes auf
die gegenwärtige Herrschaft Gottes und legt darin sein religiöses
Testament nieder, welches bezeichnenderweise zugleich eine politische Eschatologie enthält:

»... Wir wissen zwar, daß Gott herrscht; aber da unser Herr
Jesus Christus verborgen ist in Ihm und seine vollkommene
Herrschaft verborgen ist in dieser Welt, hat sie keinen Glanz,
sondern ist nur wenig geschätzt, ja sogar verworfen von der
Mehrheit. Daher sollten wir es keineswegs seltsam finden, daß
unser Herr Jesus Christus, obwohl er von Gott seinem Vater zum
König eingesetzt worden ist, jetzt noch nicht die Autorität unter
den Menschen hat, die ihm eigentlich zustünde. Weiterhin ist uns
heute noch kein gewisser, endgültiger Zeitpunkt bezeichnet worden (»terme« = Kairos). Wir sehen, daß die Herrschaft unseres
Herrn Jesus Christus begrenzt ist, da es nur eine Handvoll
Menschen gibt, die ihn angenommen haben, und da jeder einzelnen Stadt, welche das Evangelium empfangen hat, große Länder
gegenüberstehen, wo Götzendienst herrscht.

Wenn wir daher sehen, daß die Herrschaft Jesu Christi so
klein und nach den Maßstäben der Welt verachtet ist, so laßt
uns den Blick auf dies Beispiel heften, das uns hier [in der Herrschaft Davids] gegeben ist, und laßt uns auf das Ende (»terme«)
warten, welches Gott kennt; denn für uns ist es verborgen.

Ich sage, laßt uns warten in Geduld, bis sein Königreich in
Vollkommenheit aufgerichtet ist und Gott jene sammelt, die zerstreut sind, wiederherstellt, was vernichtet ist, und in Ordnung
bringt, was verworren ist.«[11] »... Laßt uns nicht aufhören, soweit es an uns liegt, Gott zu bitten, daß er fortschreite und [sein
Königreich] vergrößere, und daß jeder sich darauf ausrichte mit
all seiner Kraft; und laßt uns selbst dem stattgeben, daß wir von

[10] SC I, 104, 34 f.; vgl. SC V: Sermones de libro Michaeae, ed. JEAN DANIEL
BENOÎT, Neukirchen 1964, 120, 1—9; 121, 37—41.
   Ungeachtet der Tatsache, daß am Ende Christus sein regnum dem Vater
übergeben muß (für Calvin ist dies ein Beispiel, um die communicatio idiomatum zu erläutern, cf. Calvini Opera Selecta, ed. BARTH-NIESEL, im folgenden abgekürzt als OS, III, 461, 13—462, 9), ist doch die leibliche Auferstehung der endgültige »terme«; s. H. QUISTORP, Die letzten Dinge im
Zeugnis Calvins, Gütersloh 1941, S. 172 ff. und SIMON VAN DER LINDE, De
leer van den Heiligen Geest bij Calvijn. Bijdrage tot de Kennis der reformatorische theologie, Wageningen 1943, bes. S. 202 f.
[11] SC I, 104, 42—105, 10.

ihm in einer Weise regiert werden, daß er allezeit in uns verherr-
licht wird, sowohl im Leben als auch im Tod.«[12]

Wir haben hier weit mehr vor uns als den bloßen Gebrauch einer
politischen Bildsprache: Calvin betrachtet Gott als den »Dieu des
armees«, den Christen ganz wesentlich als einen homo politicus,
gerufen in den Dienst Gottes, in dessen Armee er durch den Geist
des Königs Christus aufgenommen ist, nicht als Sklave, sondern als
commiles — durch Christus den Mittler.

Die Funktion des Königs reicht über die des Mittlers insofern
hinaus, als auch die Majestät und Macht Gottes über die iustificatio
impii hinausreicht; Gottes Sorge erschöpft sich nicht im Lenken der
Herzen der Gläubigen, sondern sie schließt in weiterem Blickwinkel
die Regierung der ganzen Erde ein[13]. Es liegt hier nicht nur eine
politische Eschatologie, sondern auch ein politisches Programm vor;
denn Glaube an Gott heißt Vertrauen »a ses promesses non seulement de la vie avenir, mais de la vie presente.«[14]

Es besteht eine Kontinuität zwischen dem »kleinen« Königreich
hier und jetzt und der zukünftigen Aufrichtung »in Vollkommenheit«. Aber für unseren Gedankengang hier ist die Diskontinuität
zwischen dem »kleinen« und dem vollkommenen Königreich von
größerer Wichtigkeit. Gott läßt sein Königreich »voranschreiten«
und »wachsen«; es besteht eine Entwicklung. Der Höhepunkt
freilich wird nicht erreicht allein durch innerkirchliche Evolution,
sondern ebenso durch Gottes außerkirchliches Leiten und Eingreifen.
In diesem Licht müssen wir Calvins Ruf zu geduldiger Erwartung
verstehen. In der Himmelfahrt besteigt Christus der Mittler den
königlichen Thron und nimmt die Herrschaft über seine Kirche in
Wort und Geist in Besitz. Aber als die »aeterna sapientia dei, per

---

[12] Ibid. 105, 34—36. Cf. 113, 9—18.

[13] »...nous avons a retenir, ... quand il a pleu a Dieu de se manifester a
nous en la personne de son filz unique, que c'est a fin qu'il soit glorifié...«
SC I, 685, 35 f. Schon seit der frühesten Zeit ist die Herrlichkeit Gottes ein
ebenso wichtiges Thema für Luther wie für Calvin (vgl. Schol. Ps.1, 1; WA
55 II, 1, 3, 8, ed. HANNS RÜCKERT u. a., Weimar 1963). Den Unterschied
könnte man — um Calvins beliebten Ausdruck zu verwenden — »forma
docendi« dahingehend formulieren, daß für Luther der Ort der gloria dei
die iustificatio impii, für Calvin die iustificatio iusti ist. Dies ist m. E. das
theologische Motiv für die verschiedene Einschätzung der Funktion des
Staates.

[14] SC I, 127, 4 f.

[15] Corpus Reformatorum, Calvini Opera (im folgenden: CO) XL, 592.

quam reges regnant«[15] hatte der Sohn Gottes die Welt schon vom
Beginn der Schöpfung an regiert.

In seiner ausgezeichneten Monographie »Das Wirken des Heiligen Geistes nach Calvin« betont WERNER KRUSCHE, daß das regnum
Christi richtig nur als die Herrschaft Christi über seine Kirche zu
verstehen sei, mit dem Hinweis: »sicut in ecclesia regnat Christus,
ita Satan extra ecclesiam.«[16] Aber seit dem Fall Adams regiert der
ewige Sohn Gottes das Königreich Satans als einen Teil seines
verborgenen und nicht wahrnehmbaren Reiches: »Nous voyons
donc, comment Dieu a une façon secrete et qui nous est incompre-
hensible, pour admener toutes ses oeuvres a fin, et qu'en cela il se
sert des meschans et les applicque a ce quil luy plaist.«[17] Calvin
möchte ganz deutlich machen, daß in diesem Sinne die Herrschaft
Christi »etiam extra ecclesiam« gilt.

Was in unserer gegenwärtigen theologischen Diskussion die »Öff-
nung der Kirche zur Welt hin« genannt wird, findet in Calvins
Denken durch einander entsprechende Aspekte von Kirchengeschichte und Universalgeschichte seinen Ausdruck. »Ie main tien-
dray«, der Leitspruch im Wappen des Hauses Oranien, lautet
vollständiger: »Ie maintiendray vostre parti[18]«, nicht nur in der
Erhaltung der Gläubigen durch Wort und Sakramente, sondern
ebenso durch Lenkung des Laufes der Geschichte zu ihrem unmittelbaren und endgültigen Wohle. Diese Vision von dem universellen
Handeln Gottes als »Dieu des armees« »etiam extra ecclesiam«
ist es, welche den Unterschied zu dem Thema der militia Christi
ausmacht, wie es von Thomas à Kempis in De imitatione Christi,
von Johannes Mauburnus in seinem Rosetum Exercitiorum, von
Erasmus in seinem Enchiridion und von Zwingli in seinem Interesse
an Christus als dux oder Hauptmann[19] zum Ausdruck gebracht
worden ist.

---

[16] Berlin 1957, S. 336; Zitat aus CO XLIX, 381.
[17] SC I, 81, 15—17. Das duplex regnum ist systematisch bezogen auf die duplex
voluntas Gottes, pro nobis und pro se. Der Ausgangspunkt bleibt in jedem
Falle der gleiche: »... la volonté de Dieu est tousiours reiglee en toute
perfection et droicture.« (SC I, 605, 20 f.) Aber dies schließt Gottes Willen
etiam extra legem nicht aus: »Or Dieu a deux facons de commander. Il y en
a l'une qui est pour nostre reigle quant a nous et a nostre esgard, l'autre
pour executer ses iugemens secretz et pour accomplir ce quil a determiné en
son conseil, et pour donner cours a sa providence. Quant est de la premiere
facon de commander, elle est contenue en la Loy.« (SC I, 473, 7—10)
[18] SC I, 437, 17.
[19] Vgl. GOTTFRIED W. LOCHER, Christus unser Hauptmann. Ein Stück der Ver-

II

Etiam extra coenam

Diese beiden Aspekte von »Gottes Erhaltungsordnung«, welche sich in der Wechselbeziehung von Kirche und Staat und in der Diskontinuität zwischen Kirche und Königreich widerspiegeln, haben ihre christologische oder vielmehr trinitarische Grundlage in dem sogenannten Extra calvinisticum, der später üblichen Formel für die Lehre, daß die zweite Person der Trinität ihre Herrschaft während der Inkarnation fortsetzt »etiam extra carnem«. Die ergebnislosen und allerdings enttäuschenden Colloquia von Maulbronn (1564) und Montbéliard (1586) ebneten nicht nur den Weg für den Ausdruck »Extra calvinisticum«, sondern brachten ihn im Denken von Zeitgenossen und späteren Auslegern in Zusammenhang mit nestorianischer Ketzerei, mit einer spiritualisierenden Kritik gewisser Elemente in Luthers Abendmahlslehre (manducatio oralis, manducatio indignorum, ubiquitas) und mit einem eigentümlichen, materialistischen Begriff vom Himmel.

In bezug auf diesen letzten Punkt war Calvin schon von Joachim Westphal († 1574) im Nachgang zum Consensus Tigurinus zur Rechenschaft gezogen worden. Ein weiterer Nachhall findet sich in der Anklage des Lutheraners Jakob Andreä († 1590), daß der für Calvin gewonnene Caspar Olevian († 1587) und seine Gesinnungsgenossen aus der Pfalz eine »türkische oder jüdische« Auffassung vom Himmel hätten[20]. Moderne Ausleger haben nicht sehr viel freundlicher über Calvin und seine Nachfolger in Deutschland geurteilt auf Grund von augenscheinlichem Rationalismus oder Biblizismus, den sie zu finden meinten. Man wird sich kaum streiten wollen über diese Bewertung, soweit sie die Form der sessio-Lehre betrifft; sie reicht allerdings nicht zu als befriedigende Erklärung der Funktion dieser Lehre. Wie wir oben sahen, wird die Verborgenheit der Herrschaft Christi in der Welt von Calvin in Zusammenhang gebracht mit der Verborgenheit Christi in Gott, wo er regiert ad dexteram dei. Der anschauliche Realismus dessen, was wir

---

kündigung Huldrych Zwinglis in seinem kulturgeschichtlichen Zusammenhang, Zwingliana 9 (1950), S. 121—138; S. 125. Dies bedeutet freilich nicht, daß Calvin seinerseits niemals so von Christus spräche; s. SC V, 112, 24: » . . . nous ne demandions sinon que d'estre enrollez par nostre maistre et capitaine Jesus Christ.« Für Erasmus siehe LB (Leiden edition) V, 2 A—E; 1297—1298; 1301 A—D; LB VII, 162 D.

[20] ERNST BIZER, Studien zur Geschichte des Abendmahlsstreites im 16. Jahrhundert, Gütersloh 1940, S. 357.

eine politische Eschatologie genannt haben, stellt sich als ein be-
zeichnendes Motiv für das Beharren auf dem »historischen Jesus«
in der Lehre von der sessio heraus. Die Lokalisierung des historischen Jesus im Himmel zeigt allerdings alle Kennzeichen einer
(rationalistisch oder biblizistisch) mythologischen Ausmalung des
Himmels nach Maßgabe irdischer Kategorien[21]. Aber wenn es zutrifft, daß man eine causa formalis nur einschätzen kann, wenn
man zugleich die zugehörige causa finalis mit erfaßt, so müssen wir
mit in Betracht ziehen, in welcher Weise die sessio der inneren Übereinstimmung der beiden Äonen Rechnung trägt, der Übereinstimmung zwischen dieser geschaffenen Ordnung und dem »neuen
Himmel und der neuen Erde«. Die evolutionäre Kontinuität zwischen dem regnum Christi in ecclesia und seiner endgültigen Voll-
endung, welche ihren Ausdruck findet im Voranschreiten dieses
Königreiches »magis et magis in dies« und welche sich beim einzelnen Christen widerspiegelt in der iustificatio iusti und in seiner
zunehmenden Heiligung, steht der Diskontinuität in Form der
Beendigung (terme) und Klimax der verborgenen Herrschaft Christi
etiam extra ecclesiam gegenüber, welche sich für den einzelnen
Christen in der Erwartung niederschlägt: »caro nostra particeps
erit gloriae Dei ...«[22]

[21] Ich betrachte es als eine begreifliche, aber doch modernisierende Tendenz
reformierter Historiker zu behaupten, das »ad dexteram Dei« habe keine örtlichen Implikationen für Calvin, sondern bringe vielmehr die völlig über-
legene Art der Herrschaft Christi zum Ausdruck, welche alle irdischen Kategorien übersteigt. So W. NIESEL, Calvins Lehre vom Abendmahl, München
1935, S. 76 f.; W. F. DANKBAAR, De Sakramentsleer van Calvijn, Amsterdam 1941, S. 184 (vgl. die noch viel weitergehende Äußerung DANKBAARS auf
S. 194, wo er aus eben diesem Grunde der lutherischen Theologie die Verwendung von zu räumlichen Kategorien vorwirft). Obwohl GRASS mehr
Einfühlungsvermögen für Luther als für Calvin aufbringt und nicht versucht,
die Funktion der sessio zu bestimmen, scheint mir doch seine Bewertung der
causa formalis völlig richtig zu sein: » ... die Vorstellung von einem lokal
im Himmel befindlichen Leib, mit dem wir durch die Vermittlung des Heiligen Geistes Verbindung bekommen, ist monströser als die lutherische Vorstellung der Multipräsenz des verklärten Leibes ...«, s. HANS GRASS, Die
Abendmahlslehre bei Luther und Calvin, Gütersloh 1954, S. 266. Vgl. BIZER,
op. cit., S. 357. Man sollte allerdings beachten, daß Calvin die Betonung der
Lokalität in der sessio abzuschwächen versucht hat, indem er 1543 in der
betreffenden zentralen Formulierung »spatio« statt »loco« schreibt: »Atqui
haec est propria corporis veritas, ut spatio contineatur ...«, Inst. IV, 17, 29;
OS V, 386,9 f. In der letzten Fassung der Institutio, in der französischen
Übersetzung von 1560, ist der ganze Satz weggelassen.
[22] CO XLIX, 560.

Obwohl nur der letzte der fünf Tage der Disputation in Maulbronn dem Abendmahl gewidmet war, ist doch dieses Sakrament für das Gegenüber von Calvinismus und Luthertum von hervorragender Bedeutung gewesen und bis heute geblieben. Die Beziehung zwischen der sessio Christi und seiner praesentia realis nötigt uns, auf die Abendmahlskontroverse einzugehen. Dieser Aspekt der Lehre von der sessio ist, viel stärker als ihre eschatologische Bedeutung, für die Ausleger von zentralem Interesse geblieben um seiner offenkundigen ökumenischen Tragweite willen. Wir werden uns hier auf eine Untersuchung von Calvins Predigten über II. Samuel beschränken, da sie bisher in der Forschung noch keine Rolle gespielt haben. In ihnen faßt Calvin, ein Jahr nach dem Ende der Auseinandersetzung mit Westphal und Hesshus und zwei Jahre vor der Disputation in Maulbronn, seine frühere Position in straffer Form zusammen.

Die »päpstliche« Position, nach der der Leib Christi als »enserré en une prison«[23] gedacht ist, wird ausdrücklich verworfen. Zugleich wird betont, daß den Gläubigen beim Abendmahl die wahre Substanz Christi gereicht wird[24], allerdings ohne daß dazu der »historische Jesus« wiederum zur Erde herabstiege: »Obwohl unser Herr Jesus Christus am Ort ewiger Herrlichkeit weilt, hat er uns durch die Taufe mit seinem Mal gezeichnet, wir kennen ihn durch sein Wort ... und wir werden im Abendmahl durch seine eigene Substanz genährt; kurz, er wohnt in uns (habite en nous) durch den Glauben ...«[25]

An einer Stelle freilich geht Calvin über die bloße Zusammenfassung hinaus; ja nach unserer Meinung läßt er frühere Positionen hinter sich — wenigstens gemessen am heutigen allgemeinen Verständnis — und bewegt sich in eine Richtung, welche ihn nicht nur deutlich von der Haltung Zwinglis oder Bullingers unterscheidet, sondern welche auch eine wesentlich günstigere Ausgangsposition für die Maulbronner Disputation, wenn auch sicher nicht eine formula

---

[23] SC I, 440, 15; 136, 37.

[24] »... pour monstrer que non seulement il est avec nous, mais qu'il habite en nous et que nous sommes uniz en luy, voire iusques a estre nourriz de sa propre substance«, SC I, 439, 42 f.

[25] SC I, 137, 28—31. Für Parallelen vgl. HANS GRASS, op. cit., S. 246—254. GRASS macht darauf aufmerksam, daß dieser »Substantialismus« cum grano salis zu verstehen sei (S. 253). Wir messen der Tatsache einiges Gewicht zu, daß unsere Quelle eine Genfer Predigt und nicht eine der späteren, für die internationale Öffentlichkeit bestimmten Abhandlungen ist, die gewöhnlich (zu sehr) verharmlost worden sind als »pacificationis causa« geschrieben.

concordiae, hätte darstellen können. In der Auslegung zu 2. Sam.
6, 2 (»Dieu des armees habitant entre cherubins«) wendet Calvin
den Text auf Taufe und Abendmahl an: »Wir sollten diese Zeichen
nicht nur als bloße sichtbare Dinge auffassen, als Symbole, die
unsere geistigen Sinne nähren, sondern wir müssen wissen, daß
Gott hier seine Macht und seine Wahrheit verbindet: beides, die
res (»chose«) und der effectus (»effect«) sind bei dem Symbol; niemand soll scheiden, was Gott zusammengefügt hat.«[26] Wenn unsere
Folgerung richtig ist, daß mit dem Symbol oder dem sakramentalen
Vorgang (sacramentum tantum) nicht nur das sichtbare Element[27],
sondern auch die res sacramenti oder der effectus gegeben ist[28],
dann scheint unvermeidlich auch eine manducatio oralis mit eingeschlossen zu sein[29]. Christus »habite en nous par foy«[30]; aber wenn

[26] »Il ne faut pas donc que nous prenions ces signes comme choses visibles et
figures qui soyent pour paistre noz sens spirituelz, mais que nous sachions
que Dieu y conioinct sa vertu et sa verité, et la chose et l'effect est avec la
figure; il ne faut point separer ce que Dieu a conioinct«, SC I, 137, 5—8.

[27] Die nächstliegende Interpretation von »la chose«, nämlich im Lichte der
Defensio de sacramentis, veröffentlicht im Januar 1555, ist »res signata«.
Wir finden hier die Wiederholung von Artikel 9 des Consensus Tigurinus:
». . . nos inter signa et res signatas distinguendo, non tamen *disiungere* a
signis veritatem . . .«, OS II, 272, 33 f. Im Zusammenhang unseres Zitates
folgt »chose« dem Gebrauch von »choses«, die ausdrücklich bestimmt sind als
»choses visibles«; wir verstehen daher im folgenden »la chose« als »la chose
visible« oder als das Element Wasser, Wein oder Brot, wenn wir uns auch
darüber im klaren sind, daß diese Interpretation sich nur auf eine sehr
schmale Textgrundlage berufen kann und zudem das Gewicht der gesamten
früheren Aussagen Calvins gegen sich hat. Vgl. besonders die Defensio . . .
de sacramentis, CO IX, 30: »Huius rei non fallacem oculis proponi figuram
dicimus, sed pignus nobis porrigi, cui *res ipsa et veritas* coniuncta est:
quod scilicet Christi carne et sanguine animae nostrae pascantur.«

[28] Sacramentum tantum ist der äußerlich sichtbare Aspekt. Zu unserer Übersetzung von »effect« als »res sacramenti« vgl. JOH. ALTENSTAIG, Vocabu-
larius Theologie, Hagenau 1517, fol. 224 r—v s. v. »sacramentum« : »Illud
vero quod significatur, i. e. effectus ille quem deus invisibiliter operatur,
scil. gratia vel gratuitus effectus, dicitur res sacramenti sive effectus sacramentalis.« Vgl. Thomas, ST III q. 63 art. 6 ob. 3; q. 66 art. 1 c. a. Calvin
kennt sich gut aus in dieser Terminologie; cf. in bezug auf die Beichte: Inst.
IV, 19, 15; OS V, 449, 19—25.

[29] Vgl. HELMUT GOLLWITZER: »Hier wird die Beharrung beim Proprium des
Sakraments sinnvoll.« »Die spiritualis manducatio bezieht sich, sich gründend,
auf die manducatio sacramentalis [i. e. oralis]: Damit ist das Verhältnis
der beiden Empfangsarten beschrieben. Die geistliche Weise ist nur effectus,
nicht causa des Sakraments.« Coena Domini, München 1937, S. 212; S. 217.
Angesichts der Formulierungen Calvins ein Jahr vorher in seiner Dilucida
explicatio gegen Tielemann Hesshus (s. CO IX, 474) ist die unmittelbare

wir ihn im Sakrament empfangen, so ist dies nicht der effectus fidei, sondern der effectus sacramenti, der von Gott unlöslich mit dem Sakrament verbunden worden ist. Die Grenzlinie zwischen dem objektiven Akt Gottes und dem subjektiven Akt des Glaubens verläuft zwischen manducatio und inhabitatio und nicht zwischen exhibitio und receptio, wie der junge Calvin, die Pfälzer Theologen in Maulbronn und, wie wir hinzufügen können, all jene gelehrt haben, die sich später auf Calvins Autorität beriefen.

Schon in der Ausgabe der Institutio von 1536 hatte Calvin die Wendung »vere et efficaciter exhiberi« gebraucht[31]; aber nach Artikel 13 des Consensus Tigurinus muß dies verstanden werden als von Gottes Wohlgefallen bestimmt (»ubi visum est...«)[32] und darf daher nicht als eine Verpflichtung Gottes oder im scotistisch-nominalistischen Sinne als ein pactum Dei cum ecclesia aufgefaßt werden. Darüber hinaus scheidet Artikel 16 sacramentum und res sacramenti in der Weise, daß zwar alle das erste, aber nur die Gläubigen, d. h. die Erwählten die res sacramenti empfangen[33]. In der letzten Fassung der Institutio stellt Calvin allerdings fest, daß Leib und Blut Christi »non minus vere dari indignis quam electis Dei fidelibus«[34]; aber diese Aussage weicht noch nicht unbedingt vom Consensus Tigurinus ab, da sie im Lichte dessen verstanden werden muß, was wenige Zeilen vorher gesagt wird: »Aliud tamen est offerri, aliud recipi«[35], mit der darin enthaltenen Trennung von »chose« und »effect«.

Es erscheint hilfreich, sich hier der traditionellen vierfachen

Parallele zu diesem Abschnitt in den Predigten über 2. Sam. in dem angefügten Traktat Optima ineundae concordiae ratio (1561) zu finden; vgl. OS II, 291, 18: »... ideoque ex parte ipsius Dei non proponi vacua signa, sed veritatem et efficaciam simul coniunctam esse.« Die Fassung von 1562 sollte eher als eine neue »dilucida explicatio« betrachtet werden denn als eine Änderung. Calvin berührt diese Frage zum letzten Mal in seinem Brief an Friedrich III. vom 23. Juli 1563, freilich ohne weitere Ausarbeitung (CO XX, 72—79). S. auch W. Nijenhuis, Calvinus Oecumenicus, 's-Gravenhage 1959, S. 199.

[30] SC I, 137, 31.

[31] OS I, 142, 41.

[32] »Organa quidem sunt, quibus efficaciter, ubi visum est, agit Deus...« OS II, 250, 10 f. Vgl. OS I, 142, 34 f.

[33] OS II, 250, 24—29; cf. 251, 5: »Omnibus offeruntur Dei dona, fideles duntaxat percipiunt.«

[34] IV, 17, 33 (OS V, 393, 37).

[35] Ibid. 393, 20.

Unterscheidung zu bedienen[36]: (I) *manducare sacramentum et non sacramentaliter,* was sich auf anima bruta, infideles oder Häretiker bezieht und daher am besten die manducatio impiorum genannt werden kann. Diese Gottlosen empfangen zwar die geweihte Hostie und daher auch Christus, aber nicht die res sacramenti, die Wirkung der Gnade; (II) *manducare sacramentaliter,* was auf die Kommunion aller Gläubigen bezogen ist, welche nicht boni sein müssen, sondern auch mali sein können, was daher die manducatio indignorum genarnt werden kann; (III) *manducare sacramentum spiritualiter,* bezogen auf all die, welche digne accedunt und Christo adhaerunt in fide, spe et caritate. Es ist das Charakteristikum dieses geistlichen Essens, im Gegensatz zum sakramentalen Essen, daß es Wirkung des Glaubens ist, nicht der fides informis, sondern der fides caritate formata; (IV) *manducare corpus Christi,* was keineswegs notwendig das Kommunizieren einschließen muß, obwohl die Wirkung genau dieselbe ist wie im Fall des geistlichen Essens, nämlich die communio mit Christus; hier ist credere gleich manducare. Wenn wir die verschiedenen Aussagen Calvins über das Abendmahl von 1536 bis 1561 überblicken, so ist deutlich, daß sich für ihn die Auseinandersetzung auf die dritte Kategorie, die manducatio spiritualis konzentriert. Sie bezeichnet, wie Calvin wiederholt erwähnt, einen Mittelweg zwischen der lutherischen Position in Kategorie II, welche für Calvins Verständnis von der Kategorie I nicht zu unterscheiden ist[37], und der Position der »sacramentarii« in Kategorie IV.

In diesen Zusammenhang gehört auch die Folgerung KRUSCHES:

---

[36] Für die veteres doctores s. Lomb. Sent. IV d. 9 c. 1 (PL 192, 858); Alex. Summa IV q. 11 m. 1 art. 3, par. 2 und 3; Thomas, IV Sent. d. 9 q. 1 art. 2 quaestiunc. 2—5; ST III q. 80 art. 2—3; Scotus Oxon. IV d. 8 q. 3 n. 2 (Vivès, XXVII, 75); Rep. IV d. 8 q. 3 n. 2 (Vivès, XXIV, 27 f). Für die moderni s. die Zitate bei ALTENSTAIG, op. cit. fol. 139ᵛ, 140ʳ, s. v. »manducatio«.

Inst. IV, 19, 16 bezeichnet seit 1536 mit »manducatio duplex« die Kategorien II und III. Die Formel wird hier als ein »absurdes« Argument gegen die mittelalterliche Bußlehre verwandt und damit implizit verworfen: »Ut in Eucharistia duplicem manducationem statuunt, Sacramentalem, quae bonis aeque ac malis communis est: spiritualem, quae bonorum tantum est propria: cur non et absolutionem bifariam percipi fingerent?« OS V, 450, 19—22.

[37] Inst. IV, 17, 5 OS V, 346, 26: »Porro nobis hic duo cavenda sunt vitia...« Vgl. CO IX, 162 f.: »Nos etiam in sacramento Christum non nisi spiritualiter manducari asserimus, quia ab illa crassa ingluvie, quam commenti sunt papistae, Westphalus autem nimis cupide ab illis haurit, pietatis ab-

»Die eigentliche *Gabe* des Abendmahls: die Gemeinschaft mit Christus, ist bei ihm [Calvin] gerade keine spezifische Gabe des *Abendmahls*.«[38] Bei der Auslegung muß man genau beachten, daß die gleiche Bezeichnung, nämlich »manducatio spiritualis«, sowohl auf Kategorie III wie auf Kategorie IV bezogen werden kann, und daß beide nach dem übereinstimmenden Zeugnis aller mittelalterlichen Theologen dieselbe Wirkung hervorbringen, nämlich die inhabitatio Christi. Sonst würde nahezu unvermeidlich der Unterschied zwischen den beiden Kategorien übersehen und man würde sich wundern, warum auch in der scholastischen Theologie das Sakrament des Abendmahls überhaupt nötig ist.

Calvin behielt die manducatio spiritualis nach Kategorie IV bei im Zusammenhang der Predigt des Wortes und des Lebens in der Heiligung, wie es im Buch III der Institutio dargestellt ist. Sie steht für das »etiam extra coenam«, wo Gott, ubi visum est, die Seele der Gläubigen nährt durch die Vereinigung mit Christus[39]. Im Zusammenhang der Kategorien III und IV hat manducatio immer die prägnante Bedeutung von communio, inhabitatio, unio. Wenn Calvin allerdings 1562 »chose« und »effect« als durch Gott unlöslich miteinander verbunden versteht, wird Kategorie III ausgeweitet, so daß sie Kategorie II mitumfaßt, da manducatio nun nicht mehr prägnant als inhabitatio verstanden wird und daher nicht mehr ein effectus fidei, sondern die Folge von Gottes Verpflichtung ist. Weil die Unterscheidung von fides informis und fides caritate formata verworfen wird[40], schließt die manducatio in Kategorie II, im Gegensatz zur mittelalterlichen Tradition, nun ein, daß der indignus

horret sensus. . . . Sacramentalis, ut dixi, nihil aliud est, quam carnis Christi in ventrem ingurgitatio.«

Siehe die augustinische These von credere = manducare bei Cornelius Hoen, Epistola christiana, ZW IV, 512, 21 f. und bei Zwingli, De vera et falsa religione commentarius, ZW III, 818, 8. Zwingli verwirft hier die Zweiheit von Glauben, informis und formata, welche den Unterschied zwischen Kategorie II und III bestimmt; ibid. 819, 8—10. Auch dies ganze Kapitel im Commentarius kann nur im Lichte der angegebenen Kategorien verstanden werden. Über den Parallelismus von credere = manducare und est (»hoc est corpus meum«) = significat siehe WALTHER KÖHLER, Zwingli und Luther I, Leipzig 1924, S. 61 ff. und II, Gütersloh 1953, S. 92 ff.

[38] Op. cit. S. 272.

[39] Dennoch: »Etsi autem extra sacramenti usum spiritualiter Christo communicant fideles, aperte tamen testamur, Christum, qui coenam instituit, efficaciter per eam operari«, CO IX, 162.

[40] ». . . in scholis volitat nugatoria fidei formatae et informis distinctio.« III, 2, 8 OS IV, 16, 38 — 17, 1.

sich selber zum Gericht ißt. Der entscheidende Punkt ist, daß Gott
»chose« und »effect« so eng und unlösbar verbunden hat, daß die
Verbindung zwischen manducatio und inhabitatio, die in Kategorie
III bestanden hatte, sich löst und damit der Weg frei ist für eine
manducatio indignorum. Dadurch ist eine direkte Parallele hergestellt zwischen der Wirkung der Eucharistie und der des gepredigten
Wortes[41]: Gottes Verheißung ist so mit ihm verknüpft, daß es niemals ohne Wirkung bleibt: »un glaive trenchant des deux costez«[42].

III
Etiam extra carnem

Obwohl die Formel von 1562 weitgehend die lutherische Furcht
hätte besänftigen können, daß die Gewißheit des Empfanges von
Leib und Blut Christi abhängig gemacht würde von der Gewißheit
des Glaubens — der contentio de fide[43] —, so hätte sie doch sicherlich nicht zu einer formula concordiae in Maulbronn ausgereicht.
Das sursum corda bleibt bis zum Schluß Calvins Hauptthema:
»... so daß wir nicht für einen Augenblick uns vorstellen, Jesus
Christus käme vom Himmel herunter und verließe jene Herrlichkeit, in die er einmal aufgenommen worden war ...«[44]. Wenn auch
Calvin zu einem Entgegenkommen in Richtung auf eine manducatio
indignorum hin bereit gewesen sein mag, so wird doch die wahre
Gegenwart Christi weiterhin im Zusammenhang der sessio-Lehre
gesehen, formuliert in Ausdrücken, welche die ganze Tropus-Aus-
einandersetzung wieder eröffnen[45].

Ein typisches Beispiel ist Calvins Aussage: »Wenn wir das Wasser der Taufe empfangen, so ist es, als ob (c'est autant comme si)
das Blut unseres Herrn Jesus Christus von Himmel herabflösse ...;
wenn wir Brot und Wein im Abendmahl empfangen, so ist es, als

---

[41] Vgl. meinen Aufsatz: »Reformation, Preaching and ex opere operato«, in:
Christianity Divided, ed. D. CALLAHAN u. a., New York 1961, S. 223—240;
S. 233. Obwohl die Vocatio mit dem Wort verbunden ist, kann sie doch
etiam extra praedicationem stattfinden: »... Spiritus illuminatione, nulla
intercedente praedicatione, vera sui cognitione donavit.« IV, 16, 19 OS V,

[42] SC I, 684, 38; vgl. SC V, 163, 18 f.

[43] BIZER, op. cit., S. 59; vgl. S. 127, 361.

[44] »... afin que nous ne pensions point que Iesus Christ descende du ciel et
qu'il quicte ceste gloire ...« SC I, 181, 23 f.

[45] Über die Vorgeschichte des Tropus-Begriffs siehe HANNS RÜCKERT, Das Eindringen der Tropuslehre in die schweizerische Auffassung vom Abendmahl,
ARG 37 (1940), S. 199—221.

ob (c'est autant comme si) Jesus Christus vom Himmel herabstiege und unsere Nahrung würde...«[46]

Man kann wohl die Meinung vertreten, daß dies »comme si« Calvins sakramentalen Realismus nicht notwendig gefährden muß, weil ja Christus als die wahre Materie und der Geist als die Wirkursache der *heilsamen* communio (das »quis« und das »qua« der sakramentalen communio) nicht in Konkurrenz miteinander stehen. Sie müssen vielmehr als miteinander verbunden angesehen werden im Lichte eines grundlegenden systematischen Prinzips, das keiner übergehen kann, der Calvin e mente auctoris interpretieren möchte: »nostrae tum purgationis tum regenerationis in Patre causam, in Filio materiam, in Spiritu effectum consequimur.«[47] Wenn jedoch das »comme si« den Gedanken nahelegt, daß Christus nach seiner Göttlichkeit auf Erden sein kann, während er seiner Menschlichkeit nach im Himmel bleibt, kann Calvin dann eine wirkliche Inkarnation lehren, ist seine Christologie dann nicht nestorianisch? Das lateinische Äquivalent »quasi« erscheint im Mittelpunkt von Calvins christologischer Darstellung: er erklärt, daß Christus »in seipsum recipit« die Merkmale menschlicher Natur »quasi mediatoris personae conveniant«[48]. In historischer und systematischer Hinsicht führt uns die Diskussion über die wirkliche Gegenwart in Fragen der Christologie, und in diesem Zusammenhang wurde auch die Bezeichnung Extra calvinisticum geprägt[49].

Der Vorwurf des Nestorianismus rührt schon aus den ersten Stadien der Debatte zwischen lutherischen und calvinistischen Theologen her und wird von der Frage 48 des 18. Sonntags im Heidelberger Katechismus, mit dem das Extra calvinisticum traditionellerweise verbunden wird, bereits vorausgesetzt[50]. Erst sehr viel

---

[46] SC I, 137, 1—14. Die gleiche Frage von »Realität« oder »Bedeutung« taucht auch im Zusammenhang mit dem »atque si« in Melanchthons Loci von 1521 auf. Melanchthons Werke, II. I, ed. Hans Engelland, Gütersloh 1952, De Baptismo, S. 145—6. Siehe Ernst Bizer, Theologie der Verheißung. Studien zur Theologie des jungen Melanchthon, 1519—1524, Neukirchen 1964, S. 72.

[47] IV, 15, 6 OS V, 289, 28—30.   [48] II, 14, 2 OS III, 460, 9 f.

[49] Eine Darstellung der Vorgeschichte dieses Ausdrucks vom Consensus Tigurinus über die Colloquia von Maulbronn und Montbéliard bis zu dem »Extra calvinianum« (1621) von Balthasar Mentzer d. Ä. († 1627) bietet die ausgezeichnete Arbeit von E. David Willis, Calvin's Catholic Christology, Leiden 1966, S. 8—23. Hier (S. 144 ff.) ist bereits die Verbindung von Extra calvinisticum und etiam extra ecclesiam vermerkt worden.

[50] Angegeben als 17. Sonntag in der Ausgabe von Wilhelm Niesel, Bekenntnisschriften und Kirchenordnungen der nach Gottes Wort reformierten Kirche, Zürich o. J. (1954), S. 160. Frage und Antwort 48 lauten nach dem lateini-

später und, wie ich glaube, in Erwiderung auf die calvinistische Tendenz, die lutherische Christologie und besonders ihre Interpretation der communicatio idiomatum als »römisch« zu bezeichnen[51], haben auch römisch-katholische Theologen dem Extra calvinisticum ihre Aufmerksamkeit zugewandt und seine Beziehung zum Nestorianismus bemerkt. Heute wird dies normalerweise in sehr abgewogener Form ausgedrückt. So schreibt A. HULSBOSCH, O. E. S. A. im Jahr 1953: »Es ist deutlich, daß Calvin ganz entschieden die persönliche Einheit Christi bewahren wollte . . ., aber eine eingehendere Untersuchung der Kontroverse zwischen Cyrillus und Nestorius würde zeigen, daß der reformierte Theologe sich ungeachtet seines eigenen Protestes auf der Seite des Nestorius wiederfinden würde.«[52] Noch zurückhaltender ist die Formulierung von JOHANNES L. WITTE, S. J.: »Calvin hat einige wertvolle antiochenische Elemente der Christologie betont, welche zum depositum fidei gehören . . . Dies tat er in einer Weise, daß er mit den anderseitigen Bestimmungen der chalkedonischen Definition wenigstens formell[!] nicht in Widerspruch geriet.«[53] Diese Bewertung ist um so überraschender, wenn man sie mit der Feststellung des reformierten Systematikers F. W. A. KORFF vergleicht, der das »extra« leidenschaftlich kritisiert als »eine Schlußfolgerung aus der Lehre von der Unwandelbarkeit Gottes« und der sogar soweit geht, Calvin des Nestorianismus, reformierte Christologie des Ebionitismus und lutherische Christologie des Doketismus zu beschuldigen[54].

schen Text: »An vero isto pacto duae naturae in Christo non divelluntur, si non sit natura humana ubicunque est divina? Minime: Nam cum divinitas comprehendi non queat, et omni loco praesens sit, necessario consequitur esse eam quidem extra [!] naturam humanam, quam assumsit, sed nihilominus tamen esse in eadem eique personaliter unitam permanere«, Collectio confessionum in Ecclesiis Reformatis Publicatarum, ed. HERMANN A. NIEMEYER, Leipzig 1840, S. 440.

[51] Vgl. H. BAVINCK: »Beide, Luthersche en Roomsche Christologie, bergen hierdoor in zich een docetisch element . . .«, Gereformeerde Dogmatiek III[3], Kampen 1918, S. 337. Auch MAX THURIAN hat die gleiche Anschuldigung gegenüber Calvin erhoben: »Calvin n'est pas toujours exempt d'un certain docetisme . . .«, L'Eucharistie: Memorial du Seigneur, Neuchâtel 1959, S. 262. Genauer aber JAN KOOPMANS, Das altkirchliche Dogma in der Reformation, München 1955, S. 127.

[52] De Genade in het Nieuwe Testament, in: Genade en Kerk, ed. A. VAN STRAATEN u. a., Utrecht 1953, S. 24 ff.

[53] Die Christologie Calvins, in: Das Konzil von Chalkedon, ed. ALOYS GRILLMEIER, S. J. und HEINRICH BACHT, S. J., III: Chalkedon heute, Würzburg 1954, S. 529.

[54] Christologie. De leer van het Komen Gods I, Nijkerk 1940, S. 257, 262, 265.

Wenn wir uns nunmehr dem Extra calvinisticum zuwenden — der Lehre vom Wirken der zweiten Person der Trinität »etiam extra carnem« — und seiner Funktion innerhalb der Werke Calvins, so sollten wir zunächst beachten, daß Christus vorzugsweise »deus manifestatus in carne« (1. Tim. 3, 16) genannt wird[55]. Eine der aufschlußreichsten Illustrationen für den Ort der »Extra«-Dimension in Calvins Theologie findet man in dem Responsum ad Fratres Polones (1560), das von Calvin und anderen Genfer Theologen (»pastores et doctores«) verfaßt wurde: Das ewige Wort Gottes ist Mittler und Versöhner nicht erst seit der Inkarnation, sondern von den Anfängen der Schöpfung an, »quia semper fuit caput ecclesiae et primatum tenuit etiam super angelos et primogenitus fuit omnis creaturae«[56]. Der Ausdruck »Erstgeborener aller Kreatur« (Kol. 1, 15) verdient besondere Aufmerksamkeit, da das »deus manifestatus in carne« in der reformierten Tradition und ebenso in den Schriften ihrer Kritiker ein supranaturalistisches Christusbild befördert hat[57].

Von den beiden loci classici für das Extra calvinisticum in der Institutio (II, 13, 4 und IV, 17, 30) findet sich der erste in der endgültigen Ausgabe von 1559 und ist hier mit einer Verwerfung des Manichäismus verbunden, die bereits auf die erste Ausgabe von 1536 zurückgeht und 1543 erweitert wurde, um eine parallele Verwerfung der Marcioniten einzuschließen[58]. Calvin legt Wert darauf, die Lehre zurückzuweisen, nach der Christus in der Inkarnation lediglich einen himmlischen Leib angenommen habe. Auf das Argu-

---

[55] Diese Betonung findet sich stets bei Calvin; vgl. SC I, 193, 9—12: »Voila nostre Seigneur Iesus Christ qui est ung avec son Pere, car il est d'une mesme essence; mais oultre cela encores, il est ung, entant qu'en son humanité, il est appelé d'un costé Dieu et d'autre costé homme, mais en une seule personne, il est Dieu manifesté en chair.« Ferner ibid. 155, 9; 181, 3.

[56] »Unde colligimus non modo post Adae lapsum fungi coepisse mediatoris officio, sed quatenus aeternus Dei sermo est, eius gratia coniunctos fuisse Deo tam angelos quam homines, ut integri perstarent«, CO IX, 338; vgl. SC V, 156, 36 f. Siehe E. EMMEN, De Christologie van Calvijn, Amsterdam 1935, S. 30 und H. SCHROTEN, Christus de Middelaar bij Calvijn, Utrecht 1948, S. 109. Vgl. ALEXANDRE GANOCZY, Calvin Théologien de l'Eglise et du ministère, Paris 1964, S. 146 ff.

[57] Vgl. J. A. T. ROBINSON, Honest to God, London 1963, S. 66: »God almighty walking about on earth, dressed up as a man. Jesus was not a man born and bred — he was God for a limited period taking part in a charade. He looked like a man, he talked like a man, he felt like a man, but underneath he was God dressed up — like Father Christmas.«

[58] Vgl. OS I, 80 f. mit CO I, 519. Zum folgenden WILLIS, op. cit., S. 26—31.

ment, daß eine wirkliche Inkarnation eine Befleckung des Leibes
Christi einschlösse und Gott an die Begrenzungen eines gegebenen
Ortes fessele, erwidert er: »descendit Filius Dei, ut caelum tamen
non relinqueret ... ut semper mundum impleret, sicut ab initio.«[59]

Der zweite locus classicus findet sich in nuce bereits in der Ausgabe von 1536 und zeichnet sich ebenfalls durch die charakteristische Betonung der Wirklichkeit der Inkarnation aus: Christus ist
Fleisch von unserem Fleisch. Wenn man genauer untersucht, wie
Calvin im Jahre 1543 das Material von 1536 auf zwei Kapitel verteilt, neue Abschnitte anfügt und frühere Absätze ausarbeitet, so
entdeckt man, daß der marcionitische Doketismus verworfen wird,
weil er das vere deus auf Kosten des vere homo zu verteidigen
sucht und darum, wie Calvin es 1539 ausdrückt, zu einem »corpus
phantasticum« führt. 1543 wird eine ausdrückliche Erläuterung
für das Extra calvinisticum gegeben: »Cavendum est enim, ne ita
divinitatem astruamus hominis, ut veritatem corporis auferamus.«[60]
1559 wird das Extra calvinisticum weiter entfaltet durch einen der
wenigen positiven Verweise auf die »Scholastici« (in der französischen Ausgabe von 1560 werden sie ausdrücklich als »les Théolo-
giens Sorbonniques« bezeichnet): »C'est que Jesus Christ est par-
tout en son entier [totus], mais que tout ce qu'il a en soy n'est point
par tout [totum].«[61]

Es ist von außerordentlicher Bedeutung zu erkennen, daß der
Skopus des Extra calvinisticum nicht eine Verwerfung Cyrills mit
möglicherweise nestorianischen Konsequenzen ist. Es ist überhaupt
nicht einzuordnen in die Dimension der Alternativen Cyrill-Nesto-
rius, sondern es gehört in eine frühere Stufe christlichen Denkens,
in die Periode, deren entscheidende Alternativen Doketismus und
Adoptianismus waren. In Parallele zur Entwicklungsgeschichte der
frühen Dogmengeschichte muß Calvin in den späteren Ausgaben
der Institutio verdeutlichen, daß seine anfängliche Opposition gegen
den Doketismus nicht dem Nestorianismus die Tür öffnet[62]. Der
Genfer Reformator und seine ersten Schüler taten eben dies der
lutherischen Kritik gegenüber. Wir können in der Formulierung der
Frage 48 des Heidelberger Katechismus deutlich den Widerhall

---

[59] OS III, 458, 10—13.
[60] Vgl. OS I, 140 mit CO I, 1006.
[61] IV, 17, 30; ed. JEAN-DANIEL BENOÎT, Institution de la Religion Chréstienne,
Paris 1957, IV, 419. Vgl. OS V, 389, 16—19.
[62] Vgl. Inst. II, 14, 4, wo Calvin 1539 eine Warnung sowohl gegen Nestorius
wie gegen Eutyches eingefügt hat, OS III, 463, 18—25.

dieser Auseinandersetzung spüren, wo nämlich die Anklage auf
Nestorianismus vorausgesetzt und dann zurückgewiesen wird auf
Grund der Einheit der Person Christi, welche im Extra calvinisti-
cum nicht bedroht ist, sondern gerade zum Ausdruck kommt.

Der zweite locus classicus für das Extra calvinisticum muß
von der ersten Generation von Lesern der Institutio im Zusammenhang der Entwicklungen innerhalb der mittelalterlichen Mariologie verstanden worden sein, und er sollte daher von uns in diesem Lichte interpretiert werden. Der Kontext dieses Abschnittes
findet sich in der Ausgabe von 1536 in Caput IV, De Sacramentis,
welches später zu Buch IV der Institutio ausgearbeitet wurde. Der
Gedankengang bezieht sich auf die Weise, in der der Leib Christi
uns im Abendmahl gereicht wird. Wie wir gesehen haben, lautet
die Antwort: »vere et efficaciter«[63]. Es folgt ein Abschnitt, welchen
Calvin als »summa« bezeichnet; das wiederholte »vere« betont
die Wirklichkeit der Inkarnation als Grund der Hoffnung auf
unsere eigene leibliche Auferstehung: »Christus, ut veram nostram
carnem induit, cum e virgine natus est, in vera carne nostra passus est, cum pro nobis satisfecit; ita eandem veram carnem et resur-
gendo recepit et in caelum sustulit. Haec enim nobis nostrae resurrectionis et in coelum ascensionis spes est, quod Christus resur-
rexit et ascendit ... Porro, quam infirma et fragilis foret spes illa,
nisi haec ipsa nostra caro in Christo vere suscitata et in regnum
coelorum ingressa esset? Atqui haec est propria corporis veritas,
ut spatio contineatur, ut suis dimensionibus constet, ut suam faciem
habeat.«[64]

Es ist der entscheidende Punkt von Calvins Besorgnis, daß zu
viel Raum bleibt für eine Lehre von der Ubiquität, die das »Fleisch
von unserem Fleisch« durch die communicatio idiomatum unter-
gräbt, nach der nämlich die Eigenschaften der zwei Naturen

---

[63] OS I, 140; vgl. I, 142: ». . . dicimus vere et efficaciter exhiberi, non autem
naturaliter.«

[64] CO II, 1030; vgl. OS V, 386, 1—11. Man beachte, daß Calvins christozentrische Sicht nicht nur zur *mittelalterlichen* Mariologie in Gegensatz steht.
In der Constitutio dogmatica de Ecclesia des II. Vatikanum (Kap. VII, 5,
art. 68; LThK²: Das Zweite Vatikanische Konzil I, 1966, 346) wird die
Jungfrau Maria, »in caelis corpore et anima iam glorificata«, als »tamquam
signum certae spei et solatii« bezeichnet. Gegenüber der Meinung, eine
ekklesiotypische Mariologie sei für die protestantische Theologie akzeptabler
als ihr christotypisches Gegenstück, halte ich diese Verbindung von »Maria«
und »spes«, die Ausarbeitung des Themas »mater fidelium«, für einen ausreichenden Gegenbeweis.

direkt[65] ausgetauscht werden — im Gegensatz zu seiner eigenen
Auffassung, wonach dieser Wechsel *indirekt* geschieht, indem die
Eigenschaften der *einen* Person beigelegt werden. Das Extra calvinisticum dient dazu, den ewigen Sohn mit dem historischen Jesus
zu verbinden, den Mittler zur rechten Hand Gottes mit dem sakramentalen Christus, und dies derart, daß das »Fleisch von unserem Fleisch« sichergestellt ist. Das Extra calvinisticum soll nicht
göttliche Fähigkeiten verbergen, welche eine Trennung zwischen
dem inkarnierten Christus und dem gefallenen Menschen bezeichnen, sondern es soll viel eher dem Ausdruck sowohl der Wirklichkeit der Kenosis als auch der Wirklichkeit der Himmelfahrt
dienen. Das theologische Motiv ist die caro vera, das religiöse die
spes resurrectionis[66].

Zwei Thesen finden sich in der mittelalterlichen Entwicklung
der Mariologie, welche die Reformatoren im besonderen und leidenschaftlich zurückwiesen[67]. Die erste, welche wir hier nur im Vor-

---

[65] Das sog. genus auchematicum oder majestaticum. Von 1536 an erklärt Calvin,
daß die coniunctio zwischen den beiden Naturen — der Tropus, welchen die
veteres die communicatio idiomatum nennen — in der Schrift ausgedrückt sei:
»tanta religione ... ut eas quandoque inter se communicent.« II, 14, 1 OS
III, 459, 8 f. — Hier sei wenigstens noch angemerkt, daß diese christologische
Differenz zwischen Luther und Calvin nicht eine bloße »disputatio in scholis«
ist, die lediglich in den Bereich einer philosophischen Theologie gehört. In
seinem Sendbrief »Von der Freiheit eines Christenmenschen« läßt Luther die
Rechtfertigung des Sünders, die durch die bräutliche Vereinigung und daher
den Austausch zwischen Christus (iustitia) und dem Sünder (peccatum)
erfolgt, in der Verbindung der beiden Naturen in Christus begründet sein:
die communicatio idiomatum wird hier zu der communicatio proprietatum
in Beziehung gesetzt. Für die Kombination von Teilgabe und Anrechnung, die
in Luthers Verwendung des Bildes von der bräutlichen Vereinigung enthalten
ist, vgl. meinen Aufsatz »Iustitia Christi and Iustitia Dei«, art. cit., S. 25 f.
Demgegenüber hält Calvins stärkere Betonung des imputativen Moments
der Rechtfertigung mit der »doppelten Rechtfertigung« in der iustificatio
impii und der iustificatio iusti mehr den quasi-Charakter fest, der gerade für
die *indirekte* Aussage der Eigenschaften jeder der beiden Naturen in bezug auf
die Person Christi so bezeichnend ist. Vgl. oben bei und mit Anm. 46.

[66] Die Ursache dafür, daß dies in der Calvinforschung nicht deutlich gesehen
worden ist, muß in der irreführenden Nebelwand der Redensart »finitum
non capax infiniti« gesucht werden, worauf wir weiter unten eingehen
werden.

[67] Für die Nachweise vgl. mein Buch »Spätscholastik und Reformation« I,
Zürich 1965, bes. S. 291 ff. und meinen Aufsatz »Schrift und Gottesdienst:
Die Jungfrau Maria in evangelischer Sicht«, KuD 10 (1964), S. 219—245;
S. 235. Cf. G. C. BERKOUWER, Vatikaans Concilie en nieuwe theologie,
Kampen 1964, S. 309 ff.

übergehen erwähnen, besagte, daß das Königreich Gottes zur Zeit der Himmelfahrt Marias so aufgeteilt war, daß die Jungfrau Maria als »mater misericordiae« die Verantwortung für das regnum misericordiae übernahm, während Christus als der »iudex« für das regnum iustitiae verantwortlich wurde. Dieses Verständnis von iustitia ist es, welches Luther als iustitia Dei activa bezeichnet und verworfen hat[68]. Während diese erste These vor allem in der erbaulichen Literatur und der graphischen Kunst jener Zeit von Bedeutung war, spielt die zweite These, welche uns hier interessiert, eine differenziertere dogmatische Rolle. Die Bemühung geht hier dahin, die Jungfrau Maria als purus homo oder als pura creatura zu bezeichnen, nicht »purus« im Sinne von »frei von Sünde«, sondern in der Bedeutung »mit nur einer Natur«. In einer eindrucksvollen und oft zitierten Predigt formuliert Bernhard von Clairvaux diesen Punkt ausdrücklich: »Aber vielleicht fürchtest du auch in ihm [Christus] die göttliche Majestät, denn er blieb, obwohl er Mensch wurde, dennoch Gott. Wenn du einen Fürsprecher bei ihm haben willst, so wende dich zu Maria. In Maria ist nur reine Menschlichkeit, aber ›rein‹ nicht nur als ›unbefleckt‹, sondern auch ›rein‹ im Sinne von nur einer Natur.«[69]

Calvins Anliegen, das Wesen Christi als purus homo nicht nur in der Inkarnation, sondern auch in der sessio und in bezug auf die innere Beziehung dieser beiden Aspekte zu bewahren, wird verständlich im Lichte eines zweiten Zitates. Der einflußreiche spätmittelalterliche Theologe Gabriel Biel († 1495) verfolgte dies bernhardinische Thema auf verschiedenste Weise weiter, und in seiner

---

[68] Daß dies nicht lediglich eine mittelalterliche Fehlentwicklung, sondern von gegenwärtiger Relevanz ist, mag erhellen aus der Enzyklika »Mense Maio« von Papst Paul VI., 30. April 1965. Vgl. dazu Katholiek Archief 20 (1965), S. 586; Herder-Korrespondenz 19 (1965), S. 411. — Ein bisher unbeachtetes spätmittelalterliches Beispiel bei Gerson, Ars bene vivendi et moriendi, ed. Nik. v. Grünberg, Wittenberg 1513, II, 3 b iii[r]: »Salutet postmodum beatissimam virginem Mariam dicens: Regina celorum, mater misericordie, confugium peccatorum, reconcilia me unigenito filio tuo, eius clementiam pro me indigno interpella, ut ob amorem tui mea remittat crimina perducens in gloriam suam.«

[69] »Sed forsitan et in ipso maiestatem vereare divinam, quod, licet factus sit homo, manserit tamen deus. Advocatum habere vis et ad ipsum? Ad Mariam recurre. Pura siquidem humanitas in Maria, non modo pura ab omni contaminatione, sed et pura singularitate naturae«, Sermo in Nativitate B. V. M., in PL 183, 441 C. Für die parallele Definition von »pura creatura« vgl. St. Antoninus von Florenz, Summa Theologica IV, 15, 20.

viel gelesenen und oft gedruckten Canonis misse Expositio[70] zitiert er diesen Punkt ausdrücklich und geht ausführlich darauf ein. In knappster Form drückt er es einmal so aus: »Christus regiert zur rechten Hand des allmächtigen Vaters nicht nur als bloßer Mensch (homo purus), sondern als Gott-Mensch (homo deus). Denn wie könnte ein Mensch, aus Erde und Staub geschaffen und aus seinem irdischen Paradies ausgestoßen, es wagen, nach dem Himmel zu streben, würde er nicht wissen, daß in jemand anderem (der Jungfrau Maria) seine reine Natur ihm vorangegangen ist?«[71] An einer anderen Stelle überträgt er die Gegenüberstellung von Maria und Christus auf die leibliche Auferstehung: Auf Grund der hypostatischen Union der beiden Naturen in Christus erfahren wir aus der Auferstehung Christi »nicht eine ebenso vertrauensvolle Hoffnung (spei fiducia) auf unsere eigene zukünftige Auferstehung, wie sie uns durch die Auferstehung der Jungfrau zuteil wird, welche eine rein menschliche, d. h. nicht hypostatisch mit der Gottheit vereinigte Natur hatte«[72].

---

[70] Pars Prima, ed. OBERMAN-COURTENAY, Wiesbaden 1963, Lectio 32 B, S. 329.

[71] »Neque Christus enim homo purus, sed homo deus ad dexteram patris regnat omnipotentis. Quomodo enim homo, terra et pulvis, de terrestri paradiso extrusus, ad celestem adspirare auderet, si non in aliquo suam naturam puram precessisse cognosceret?«, Sermones de Festivitatibus B. V. M., Hagenau 1510, Sermo 25 A.

[72] »Quamvis enim scimus corpus domini corruptionem videre non potuisse, quia unitum est deitati, quod in nullo alio homine invenitur, idcirco nequaquam tantam spei sumimus fiduciam nostre resurrectionis future, quantam ex resurrectione virginis, que puram habet humanam naturam, i. e. deitati hypostatice non unitam.« Op. cit., Sermo 18 I. Siehe auch den volkstümlichen und oft nachgedruckten Weisheitskommentar von Robert Holcot, Lectura 35 C. Eustachius van Zichem O. P. († 1538), der erste holländische Gegner Luthers, den wir als einen Theologen der via antiqua einzuordnen haben, bietet eine interessante Parallele zu dieser Beziehung von Christologie, Mariologie und Abendmahl zu der vera caro. In seiner Sacramentorum Brevis Elucidatio, Lovanii 1523, G4ᵛ, beweist er die Notwendigkeit der Transsubstantiation: Da Christus den Himmel nicht verlassen kann, müssen die Substanzen der Elemente in Christus verwandelt werden. ».. . Sane non migrat e coelo Christus, qui non deserit patris dexteram [bis zu diesem Punkt stimmt Eustachius mit seinem Landsmann Hoen überein!], igitur nihil erit, quo iisce sub rebus claudi posset, nisi transmutata in se panis et vini substantia.« [Hoen arbeitet nur die innere Konsequenz dieses Argumentes heraus, wenn er die Elevation der Substanzen nicht auf halbem Wege zum Abschluß kommen läßt, sondern sie in den Himmel selbst versetzt!] Eustachius führt dann als weiteres Beispiel die Inkarnation an: Christus ist wirklich utero clauso von der Jungfrau Maria geboren, und obwohl er ihre Leibes-

Bekanntlich benutzte Calvin bei der Neubearbeitung der Ausgabe von 1559 für die Institutio-Stelle IV, 17, 20—34 Auszüge aus seinen Abhandlungen, die den Consensus Tigurinus gegen lutherische Angriffe, besonders die von Joachim Westphal verteidigten[73]. Der erste Entwurf dieser Abschnitte jedoch wurde 13 (!) Jahre vor dem Zustandekommen dieses Consensus veröffentlicht. Er war nicht gegen Luther und seine Anhänger, sondern gegen die mittelalterliche scholastische Tradition gerichtet. Obwohl es Calvin hier nicht um mariologische Probleme zu tun ist, verwirft er im Jahr 1536 implizit die Gegenüberstellung von »purus homo« und »deus homo«. Dies gilt in zweifacher Weise: »Das gleiche wirkliche Fleisch (d. h. unser menschliches) hat er bei der Auferstehung nicht nur beibehalten, sondern es auch zum Himmel getragen. Dies ist nun die Hoffnung für unsere eigene Auferstehung und unsere Auffahrt in den Himmel, daß nämlich Christus auferstanden und aufgefahren ist . . .«[74]

In gleicher Weise, wie wir das Insistieren Calvins auf Christus als purus homo im Lichte der voraufgehenden, mittelalterlichen Tradition verstehen müssen, so müssen wir auch das Extra calvinisticum interpretieren. In dieser Hinsicht steht die Calvinforschung hinter dem Studium der initia Lutheri zurück. Die Forschung hat sich in erster Linie mit Calvins Beziehungen zu Augustin, Luther, dem Humanismus und, in geringerem Maße, zu Zwingli befaßt. Aber Calvin selbst zeigt sich vertraut mit Anselm, dem Lombarden und Thomas von Aquin und als belesen in Bernhards Werken. Wahrscheinlich hat er im Collège de Montaigu mehrere Jahre — bis 1528 oder 1529 — unter dem gelehrten Johannes Major († 1550) studiert, einem Nominalisten mit starken scotistischen Neigungen und dem Pariser Herausgeber von Gabriel Biel[75].

---

frucht ist, »non tamen nisi commutato virginis sanguine«. Text bei F. Pijper, Primitiae Pontificae Theologorum Neerlandicorum Disputationes contra Lutherum, inde ab A. 1519 usque ad A. 1526 promulgatae, Hagae-Comitis 1905, S. 331 ff.

[73] Vgl. W. F. Dankbaar, De Sakramentsleer van Calvijn, Amsterdam 1941, S. 170 f.

[74] Loc. cit., OS V, 386, 2—5; vgl. 7—9.

[75] In einem neueren Aufsatz wird, kennzeichnend für den heutigen Forschungsstand, in etwas widersprüchlicher Weise behauptet, Calvin sei zugleich das Opfer einer »mangelhafte(n) scholastische(n) Bildung« und der ». . . Erstarrung des scholastischen Denkens seiner Zeit«, Johannes L. Witte, art. cit., S. 527. Die Beobachtungen von François Wendel über Calvins Beziehung zu Duns Scotus (in: Calvin, sources et évolution de sa pensée religieuse,

Auf Grund seiner Kenntnis dieser Autoritäten war Calvin in der
Lage festzustellen, daß das sogenannte »Extra calvinisticum« zumindest auch ein »Extra scholasticum« und, nach Untersuchung der
griechischen und lateinischen Kirchenväter, sogar ein »Extra christianum« genannt werden könnte. Wie üblich verweist Calvin in
seiner Institutio nicht namentlich auf Zeugen. Aber in seiner Ultima
Admonitio ad Ioachimum Westphalum (1557) beruft er sich auf
Petrus Lombardus »und die Sophisten, die ihm folgten«. Ein wenig
später fügt er hinzu: »Ac mirum est homines istos [Westphal c. s.]
tam proterve contra veteris ecclesiae consensum ferri.«[76]

In einem knappen Überblick über den Stand der Forschung
weist KARL BARTH mit Zitaten aus Athanasius, Gregor von Nyssa,
Johannes Damascenus, Augustin und Thomas nach, »daß die Reformierten dies nicht etwa als eine theologische Neuerung, sondern
in Fortsetzung der Tradition der ganzen älteren Christologie (mit
Einschluß der griechischen) gesagt haben«[77]. Wir sollten hier ausdrücklich anfügen: auch in Fortsetzung der neueren, d. h. scholastischen Christologie! Für Calvin ist freilich die Berufung auf den
Consensus der alten Kirche von grundsätzlicherer Bedeutung. Sein
Verweis auf die mittelalterlichen Kommentatoren der Libri quattuor sententiarum des Petrus Lombardus trägt alle Kennzeichen
einer »Manöverkritik«, durch welchen Westphal und seine lutherischen Anhänger aufmerksam gemacht werden auf die Tatsache,
daß sogar die »Sophisten« noch genug Verständnis hatten, um dies
Stück christlichen Erbes zu bewahren.

Für das Verständnis von Luthers Verhältnis zur Scholastik ist
es wichtig, diesen entscheidenden Unterschied zu betonen. Anderer-

Paris 1950, S. 92 ff.) könnten zur Weiterverfolgung dieser Untersuchungs-
richtung anregen.
[76] CO IX, 194 f. Dieses Zitat verdanke ich einem freundlichen Hinweis von
DR. WILLIS. Vgl. dazu die genau gleiche Betonung der Autorität der ecclesia
vetus in Melanchthons Loci communes, »De filio«, mit einer genauen Definition der communicatio idiomatum als der »praedicatio in qua proprietates
naturarum personae recte attribuuntur . . .«, in der Ausgabe von 1559 op.
cit. S. 200, 1—5 ausdrücklich bezeichnet als »forma loquendi in concreto«;
vgl. Anmerkung 78 dieses Aufsatzes. Für Belege bezüglich Calvins »Sophisten« siehe mein »Spätscholastik und Reformation« I, S. 244 ff. Man sollte
hier noch die Zitate und Diskussionen von Biel in seiner Canonis Misse Expositio, Lectio 65 A—D, hinzufügen; in der zitierten kritischen Ausgabe Bd. III,
1966, S. 70—73. Erasmus' Fassung der Communicatio idiomatum in Apologia
ad Iacob. Fabrum [1517], LB IX, 28 DE.
[77] KD I/2, S. 184.

seits wäre es natürlich eine zu starke Vereinfachung, Calvin zusammen mit der scholastischen Tradition Luther gegenüberzustellen. Calvins *indirekte* communicatio idiomatum — communicatio in concreto[78] —, welche von Luther verworfen wurde, weicht an einer wichtigen Stelle von der mittelalterlichen Tradition ab. Nach der kontinuierlich vertretenen These von Thomas, Scotus, Occam cum suis hätte sich Gott — de potentia absoluta — auch in einer creatura irrationalis »inkarnieren« können (Thomas), in einem Stein (Scotus), ja sogar in einem Esel (Occam). Scotus schreibt in einem Abschnitt, der von späteren Theologen oft wörtlich zitiert wird, zur Verteidigung dieser These, daß die Tatsache, daß eine irrationale Kreatur keine Person sei, kein Problem biete, da in jedem Fall eine Seinsstruktur oder ein Seinssubstrat vorhanden sei, d. h. eine hypostasis oder ein suppositum: »Die Unio findet nicht nur in der Person statt, sondern besonders in der hypostasis und dem suppositum.«[79]

Calvin weist diese Problemstellung scharf zurück, teils, weil er sie als »perversa curiositas« betrachtet, teils, weil die Vereinigung der beiden Naturen in Christus gerade in der Person stattfindet[80]. Die Inkarnation stellt nicht die Aufnahme (assumptio) eines Seinssubstrates dar, sondern ist das Handeln des Mittlers, der »Adae personam induit«, damit »communem naturam pignus esse nostrae cum Filio Dei societatis«[81]. Wenn auch das Extra scholasticum und das Extra calvinisticum der Form nach identisch erscheinen mögen, so führt doch ihre Anwendung auf das Abendmahl zu völlig unterschiedlichen Schlußfolgerungen in grundsätzlicher Übereinstimmung mit Calvins Akzentverschiebung von einer Naturen-Christologie zu einer Ämter-Christologie, welche zu einer Mittler-Theologie tendiert[82].

Wir haben bisher das Axiom »finitum non capax infiniti« nicht berührt. Aber wir hatten bislang keinen Anlaß, diese Formel zu erwähnen, aus dem einfachen Grund, weil sie in den Werken Cal-

---

[78] Die beste Übersicht über die spätmittelalterlichen Ansichten findet man bei JOH. ALTENSTAIG, op. cit., s. v. »Communicatio«, fol. 44r; noch ausdrücklicher s. v. »Idioma«, fol. 104v—105v. Die communicatio von abstracta, d. h. der zwei Naturen, wird generell verworfen; gebilligt wird nur die communicatio in concreto, d. h. mittels der Person.

[79] Ox. III d. 2 q. 1 art. 1; vgl. »Spätscholastik und Reformation« I, S. 238.

[80] Instit. II, 12, 5 OS III, 443, 24, 36.

[81] Inst. II, 12, 3 OS III, 439, 25; 440, 14 f.

[82] Vgl. Inst. II, 14, 3 OS III, 462, 6—9.

vins nicht erscheint[83]. Es ist freilich üblich geworden, das Extra calvinisticum mit diesem Axiom zu verbinden, entweder um seine
Bedeutung und Wahrheit zu erweisen oder um seine Unhaltbarkeit
aufzuzeigen. Der reformierte Theologiehistoriker ALEXANDER
SCHWEIZER beschreibt das »finitum non capax infiniti« positiv als
eine der fünf Eigenschaften calvinistischer Lehre[84]. FRIEDRICH
LOOFS geht für seine eigene Darstellung von SCHWEIZER aus, glaubt
aber, daß diese Eigenart die Grundlage der nestorianischen Tendenzen bei Calvin und in der calvinistischen Theologie bildet[85]. WER-
NER ELERT geht noch einen Schritt weiter, indem er dieses reformierte, unbiblische Prinzip, das »nur einem naiven Denken ein-
leuchten kann«, mit Nestorius selbst in Zusammenhang bringt[86].
Noch verbreiteter ist die Kritik, daß an dieser Stelle die Theologie
Calvins und seiner Schüler philosophischen Prolegomena zum Opfer
gefallen sei. Soweit ich sehe, ist dies nicht eine übelwollende lutherische Karikatur, da die reformierte Tradition selbst für die Vorstellung verantwortlich ist, das »non capax« sei wurzelhaft und typisch calvinistisch. Erst kürzlich konnte ein angesehener reformierter Theologe die Bedeutung des 18. Sonntags des Heidelberger
Katechismus mit der Behauptung verteidigen, das »finitum non
capax infiniti« sei »die eigentliche Grundlage reformierter Chri-

---

[83] Als eine mathematische These wird das »non capax« im Mittelalter mit
Selbstverständlichkeit akzeptiert: das Begrenzte (circumscriptum) kann unmöglich das Unbegrenzte (infinitum) enthalten. Dies kann allerdings nicht auf
die Anthropologie übertragen werden. So definiert Biel den Menschen als
creatura rationalis »dei capax«, Lectio 77 T; ed. cit. III, S. 293. Wyclif
bezieht sich auf die These: »infiniti ad finitum nulla est proporcio« als ein
erkenntnistheoretisches Axiom, aber er versteht es nicht als auf die Beziehung zwischen Gott und der Seele anwendbar, »cum inter deum et animam
sit optima proporcio creata, quia finita ad duo bona extrema«, De Trinitate,
Cap. X, ed. A. DUPONT BRECK, University of Colorado 1962, S. 117. Vgl.
Thomas, Exp. in 8 libros Physicorum, 3 c; de Veritate, 2, 9 c. — Vgl. Luther
(WA 1, 344, 18—24): »Et ideo hic latet radix totius verae humilitatis, scilicet
te comparando Christo et eius meritis et passionibus, et tunc, si omnium
sanctorum merita haberes, nihil haberes, quia, ut dixi, finiti ad infinitum
nulla proportio. Atque hinc magna nobis est fiducia, spes et nulla omnino
causa desperandi, quia ecce unica gutta sanguinis eius, immo una pars guttae
sufficit mihi pro omnibus peccatis meis, quanto magis tota passio!«
[84] Die Glaubenslehre der evangelisch-reformierten Kirche II, Zürich 1847,
S. 291 ff.
[85] RE[3] IV, Leipzig 1898, S. 54.
[86] »Über die Herkunft des Satzes ›Finitum infiniti non capax‹«, Festschrift
Carl Stange, ZSTh 16 (1939), S. 503. Die einzige Stellenangabe, aus einer
Übersetzung von Mercator, ist nicht überzeugend.

stologie, welche bis heute von sektiererischen oder humanisieren-
den Christen angegriffen wird«[87]!

Aber diese »eigentliche Grundlage« ist den Werken Calvins nicht
nur im wörtlichen Sinne fremd, sondern sie verfehlt völlig die Intentionen des Extra calvinisticum, mit dem sie so oft verbunden
wird. Würde es sich nur um ein rationales philosophicum handeln,
so würde man nicht einen Augenblick zögern, sich Luthers Bekenntnis restlos anzueignen: ». . . ego nullum, nec in coelo neque in terra,
Deum habeo aut scio extra hanc carnem, quae fovetur in gremio
Mariae Virginis.«[88] Wenn wir mit unserer Folgerung im Recht
sind, daß es Calvin in dem Extra calvinisticum um die caro vera
zu tun ist und dahinterstehend um die spes resurrectionis, dann
können wir uns keineswegs mit einer scharfen Zurückweisung der
»non capax«-These zufriedengeben, sondern wir müssen viel weiter gehen bis zu einer völligen Umkehrung: »infinitum capax
finiti«. Der vor dem Anfang der Welt zum Mittler eingesetzte
ewige Sohn hat bei der Inkarnation die Wirklichkeit unserer
Menschlichkeit nicht verdünnt oder kompromittiert; er hat sich
mit ihr identifiziert, indem er »Fleisch von unserem Fleisch« wurde.
Schon 1536 drückte Calvin den Gedanken in der kurzen Formel
aus: »Ea conditione carnem induit Christus, cui incorruptionem
quidem et gloriam dedit, naturam et veritatem non abstulit.«[89]
Während sich in der mittelalterlichen Theologie eine Symbiose
zwischen dem Extra scholasticum und der gefährlichen Gegenüberstellung von purus homo und deus homo als möglich erwies, richtete das Extra calvinisticum eine Barrikade zwischen den beiden

---

[87] Th. L. Haitjema, De Heidelbergse Catechismus als klankbodem en inhoud
van het actuele belijden onzer Kerk, Wageningen 1962, S. 124; vgl. S. 122.

[88] Scholion in Esaiam, cap. 4, 6; WA 25, 107, 7 f. Das theologische Motiv liegt
im Ausschluß der »Schwärmerei«; das religiöse Motiv ist die certitudo salutis.
Luther formuliert die Intention seines »non extra carnem« im Jahr 1537
in wenigen Worten: »Periculosum est, sine Christo mediatore nudam divinitatem velle humana ratione scrutari et apprehendere . . .«, WA 39 I, 389,
10—12. Karl Barth ist, sofern das überhaupt möglich ist, eher noch
radikaler in seiner Kritik des »extra«: »Post Christum aber, im Rückblick
auf die Inkarnation, kann diese Aussage nur eine Aussage des Unglaubens
sein«, Die christliche Lehre nach dem Heidelberger Katechismus, München
1949, S. 71. Obwohl Calvins Schlachtplan ein anderer ist, kämpft er *mit*
Luther gegen die theologia gloriae. L. G. M. Alting von Geusau verweist
zutreffend auf »die Bundestheologie . . ., die in ihrer Dynamik ein Gegengift
gegen einseitige Tendenzen zugunsten einer ›theologia gloriae‹ bedeutet . . .«,
Die Lehre von der Kindertaufe bei Calvin, Bilthoven/Mainz 1963, S. 199.

[89] OS I, 142.

auf, nicht durch eine philosophische negatio, sondern durch die theologische assertio: »infinitum capax finiti«.

IV
Etiam extra legem

Im Rückblick auf den Gang unserer Untersuchung können wir erkennen, daß das Extra calvinisticum nicht eine seltsame calvinistische Eigenheit in christologischen Fragen ist. Zunächst: das etiam extra carnem ist nicht ein der Theologie Calvins eigenes »extra«, sondern es ist von den doctores veteres et moderni (den »Sophisten«) gleichermaßen gelehrt worden. Im Gegensatz zu der üblichen Auffassung ist Calvin an dieser Stelle nicht »weniger mittelalterlich« als Luther und die lutherischen Vertreter der Ubiquitätslehre. Von größerer Bedeutung für uns ist ferner, daß das Extra calvinisticum kein isoliertes Phänomen darstellt, sondern, ähnlich der Spitze eines Eisberges, nur der umstrittenste Aspekt einer ganzen »Extra«-Dimension in Calvins Theologie ist: extra ecclesiam, extra coenam, extra carnem, extra legem und extra praedicationem[90]. Das Wort »etiam« ist von Bedeutung, da es die Tatsache unterstreicht, daß es zunächst und grundlegend um die ecclesia, coena, caro, lex und praedicatio selber geht. An diese Mittel der Offenbarung und Erlösung hat Gott sich selber gebunden, da er sie mit seiner Verheißung verknüpft hat. Hier steht Calvin wieder innerhalb einer scholastischen Tradition, die, verwurzelt in Augustin, von Johannes Duns Scotus entfaltet und dann das zentrale Thema der spätmittelalterlichen Theologie wurde in der Formulierung von Gottes Selbstverpflichtung an die Ordnung »de potentia ordinata«[91]. Dies Thema sollte von Calvin aus als Föderaltheologie über die Niederlande und England seinen Weg in das puritanische Neu-England finden.

[90] Wir können hier nicht auf Calvins Interpretation des concursus oder influxus generalis eingehen, weil dazu eine ausführliche Diskussion der mittelalterlichen Quellen erforderlich wäre. Während er den ganzen Kosmos als eine »machina« versteht (vgl. I, 16, 1 OS III, 188, 4; I, 17, 2 OS III, 204, 34 usw.), geschaffen und erhalten von Gott, schließt Calvins concursus, im Unterschied zu Thomas, Scotus oder den Nominalisten, ein erhaltendes Handeln, eine »providentia in actu« (I, 16, 4 OS III, 192, 20 f.) ein, »etiam extra machinam«: ». . . puerile cavillum est eam (gubernationem) includere in naturae influxu . . . Deum sua gloria fraudant . . . qui Dei providentiam coarctant tam angustis finibus . . .«, I, 16, 3 OS III, 190, 31—191, 3. Cf. »machina« bei Zwingli, Comm. Ez. I, 28, ZW XIV, 688, 24 f.

[91] Vgl. mein »Spätscholastik und Reformation« I, S. 163 ff. und passim.

Hier sollten wir allerdings den bedeutsamen Unterschied bedenken zwischen Gott als »exlex« und Gott als herrschend »etiam extra legem«. Die potentia ordinata ist in der spätmittelalterlichen Theologie der (ex puris naturalibus) unvorhersehbare, aber (wegen der Treue Gottes zu seinen Versprechungen) verläßliche Ausdruck von Gottes innerstem Sein, der Niederschlag seines Willens, seiner Gerechtigkeit und Güte. Im Gegensatz dazu umfaßt die potentia absoluta die ganze Reichweite von Möglichkeiten, welche Gott entschieden hat, nicht zu verwirklichen, den Bereich, in dem Gott exlex ist, weil ihre Grenzlinien nicht bestimmt werden durch die Unbegreiflichkeit von Gottes Willen, seiner Gerechtigkeit und Güte, sondern durch den Satz vom Widerspruch, welcher der menschlichen Vernunft nicht nur zugänglich, sondern geradezu ihr grundlegendes Axiom ist.

Calvin hat die Struktur der potentia ordinata als den Bereich von Gottes freier, aber verläßlicher Verpflichtung beibehalten, wenn er auch an wichtigen inhaltlichen Punkten abweicht, z. B. Erwählung, Rechtfertigung und Heiligung — überall hier steht er in viel engerer Beziehung als Luther zu Gregor von Rimini. Aber im Verständnis der potentia absoluta ergibt sich eine radikale Verschiedenheit. Während die potentia absoluta im späten Mittelalter zeigen sollte, daß es keine necessitas rei und daher auch keine necessitas dei für die Verpflichtungen de potentia ordinata gibt, weist die potentia absoluta im Verständnis Calvins nicht darauf hin, was Gott *hätte tun können*, sondern was er *wirklich tut*[92]. Für Calvin ist die potentia absoluta nicht der Bereich des deus exlex, sondern von Gottes Herrschaft etiam extra legem; es ist das »ius mundi regendi, nobis incognitum«[93]. Calvin betont eine Auffassung von Gottes Herrschaft, die diese als absolut und unerforschlich anerkennt: »Non illa quidem absoluta voluntas de qua garriunt sophistae, impio profanoque dissidio separantes eius iustitiam

---

[92] I, 17, 2 OS III, 205, 12—19. Vgl. FRANÇOIS WENDEL, op. cit., S. 92 f. und die dort angegebene Literatur.

[93] I, 17, 2 OS III, 205, 12 f.; vgl. »... quamvis nobis absconditae sint rationes«, ibid. 205, 19. »Vray est qu'il ne fait pas cela d'une puissance absolue, comme disent les Papistes«, SC I, 605, 19 f. »Deum enim exlegem qui facit, maxima eum gloriae suae parte spoliat, quia rectitudinem eius ac iustitiam sepelit. Non quod legi subiectus sit Deus, nisi quatenus ipse sibi lex est. Talis enim est inter potentiam eius ac iustitiam symmetria et consensus, ut nihil ab ipso nisi moderatum, legitimum et regulare prodeat«, CO VIII, 361; vgl. Predigt über Hiob 23, 2 CO XXXIV, 339. Cf. CO IX, 259.

a potentia.«[94] Gottes Herrschaft per legem und sein Herrschen etiam
extra legem sind beide gleichermaßen ein Ausdruck seines innersten
Wesens, seiner Macht und seiner Gerechtigkeit: »Der Wille Gottes
ist immer ›reiglee en toute perfection et droicture‹.«[95] Dies wird
auch von den mittelalterlichen Theologen ständig betont; aber sie
können das mit gutem Recht so behaupten, eben weil sie streng
daran festhalten, daß Gott de facto nicht »etiam extra potentiam
ordinatam« handelt.

Darüber hinaus ist für Calvin der Bereich extra legem gerade
durch die Tatsache charakterisiert, daß er der menschlichen Vernunft nicht zugänglich und daher ganz und gar nicht durch den
Satz vom Widerspruch bestimmt ist: »Wie könnten wir Gott ehren
(indem wir uns auf ihn verlassen), wenn er uns all seine Geheimnisse offenbaren würde und wir mehr wüßten als die Engel im
Paradies?«[96]

Wenn es auch deutlich ist, daß noch sehr viel zu tun bleibt, bevor das vielschichtige Verhältnis Calvins zur vorangehenden theologischen Tradition mit einem auch nur annähernden Grad von
Sicherheit und Genauigkeit festgestellt werden kann, so haben
doch die obigen Ausführungen die positive wie die negative Beziehung Calvins zu einem zentralen Thema der spätmittelalterlichen Theologie angedeutet. Calvins »Extra«-Dimension kann
weiterhin auch als Grundlage für eine vergleichende Gegenüberstellung mit Zwingli und Luther dienen. Diese Aufgabe liegt zwar
jenseits des Blickwinkels dieses Aufsatzes, aber eine Möglichkeit
im Verfolgen einer solchen Fragerichtung könnte darin liegen, zu
untersuchen, ob vielleicht Zwinglis Gebrauch der gleichen »etiam«-
Kategorien ein besonderer ist, weil ja bei ihm Calvins Betonung
des unerforschlichen Charakters von Gottes »extra«-Handeln fehlt,
was etwa in Zwinglis Lehre von der Vorsehung, seiner Ansicht von

---

[94] Ibid., S. 205, 15—17. Calvin gibt hier eine zutreffende Beschreibung des
    exlex-Charakters der spätmittelalterlichen potentia absoluta. Hier stimme
    ich der Interpretation von WENDEL nicht zu (op. cit., S. 93), der behauptet,
    daß die scotistische potentia absoluta »est limitée ... par la nature même
    de Dieu, c'est-à-dire par sa bonté«. Diese Begrenzung trifft vielmehr auf die
    potentia ordinata zu. Der Satz vom unmöglichen Widerspruch abstrahiert
    davon, was Gott in Wirklichkeit zu tun entschieden hat. Es ist daher nicht
    dies Prinzip, welches »empêche Dieu de décider le contraire de ce qu'il
    avait décrété précédemment«, sondern die Verläßlichkeit von Gottes Bund,
    Verheißungen, decreta, pacta.

[95] SC I, 605, 20 f.; vgl. ibid., 473, 5.

[96] SC I, 605, 22—24.

der Erwählung großer Heiden und in seiner optimistischeren Auffassung vom Staat zum Ausdruck kommt.

Beim Vergleich mit Luther müßte man jede der »etiam«-Kategorien einzeln untersuchen, um zu einer annähernd gültigen und unparteiischen Schlußfolgerung zu kommen. Die grundlegendste Beobachtung hier ist die, daß Luther so radikal mit den beiden ordines der spätmittelalterlichen Theologie bricht, daß er, während Calvin diese Tradition in seiner »Extra«-Dimension fortsetzt, »weniger mittelalterlich« ist als Calvin. Bezüglich des etiam extra legem könnte man den Unterschied vielleicht folgendermaßen bestimmen: die unerforschliche »Extra«-Dimension Calvins wird von Luther als das innerste Zentrum von Gottes Ordnung de potentia ordinata verstanden, wo Gott sich in Christus »sub contrario« offenbart.

Hinsichtlich des etiam extra ecclesiam hat offenbar Calvin eine »fortschrittlichere« oder modernere Sicht von Gottes Herrschaft, welche über das Herz des gerechtfertigten Sünders und über die Grenzen der Kirche hinausgreift und Staat, Gesellschaft und die ganze Schöpfungsordnung umfaßt. Da nun diese Auffassung letztlich verknüpft ist mit der Lehre von der sessio und dem etiam extra carnem, fragt man sich, ob sie nicht Rückwirkung hat auf Calvins Verständnis der Inkarnation. Wir haben versucht klarzumachen, daß das etiam extra carnem nicht mit dem Nestorianismus in Zusammenhang steht und daß es keine Bedrohung der Realität der Inkarnation bedeutet, sondern daß seine Funktion vielmehr darin besteht, zu betonen, daß der ewige Sohn Gottes wirklich »Fleisch von unserem Fleisch« wurde. Freilich, bei Luther ist die »Weihnachtsfreude« tiefer und überschwenglicher, denn in Christus hat Gott alle seine Verheißungen erfüllt und sein letztes Wort und sein tiefstes Sein offenbart. Bei Calvin begegnen wir stärker der mittelalterlichen Sicht, daß in Christus der Schatten des Alten Testamentes durch die Wahrheit des Neuen Testamentes ersetzt worden ist. Zum Teil haben sich Gottes Verheißungen erfüllt, aber viel mehr noch bedarf der Verwirklichung; Gott hat sich offenbart, aber bestimmte »Geheimnisse« dürfen noch nicht enthüllt werden bis zur endgültigen Manifestation Christi in Herrlichkeit.

Der großartige, umfassende Horizont, aber auch das substanzbedrohende Element der »Extra«-Dimension Calvins stellen eine solche Herausforderung dar, daß die gegenwärtige Theologie es sich keinesfalls leisten kann, diese Dimension einfach zu ignorieren oder völlig zurückzuweisen. Wir haben den Vorzug, in einer Zeit zu leben, die ein so offenes theologisches Diskussionsklima hervorge-

bracht hat, daß man nicht länger genötigt ist, sich durch konfessionelle Grenzen festlegen zu lassen; sondern man darf sogar als
reformierter Theologe — durchaus secundum mentem Calvini —
nach der Katholizität der Reformation fragen: »etiam extra opera
Calvini«!

DIE AUSGÄNGE DES EUROPÄISCHEN HUMANISMUS

von Heinz Liebing
(Nehren Kr. Tübingen, Johann-Conrad-Schneider-Straße 7)

Vitam mihi alienis dictis ac monitis ornare, fateor, est animus, non stilum . . .
(PETRARCA an BOCCACCIO, *Fam* XXII 2)

Ego mihi ita conscius sum, non aliam ob causam unquam τεθεολογηκέναι,
nisi ut vitam emendarem.
(MELANCHTHON an CAMERARIUS, CR I 722)

Disputatur non de via, qua ad Christum veniri possit, hoc est de vitae
correctione . . .
(CASTELLIO an CHRISTOPH Hz v. WÜRTTEMBERG, *De haereticis an sint perse-*
quendi, praefatio)

Die Bemühungen der evangelischen Kirchengeschichtsschreibung
in Deutschland um die Erforschung und das Verständnis des Humanismus waren seit je durch das reformationshistorische Interesse
geleitet und zugleich begrenzt. Die Bedeutung humanistischer Bil-
dungselemente für die *initia Lutheri,* die Stellung der deutschen
Humanisten zur evangelischen Bewegung, die Anklänge an humanistische Reformprogramme in den Schriften der Reformatoren,
die Auseinandersetzung Luthers mit Erasmus über das *liberum*
arbitrium — das sind die am häufigsten verhandelten, wenngleich
noch nirgends abschließend geklärten Fragen aus dem Themenbereich »Reformation und Humanismus«[1]. Hinzu kommen Untersuchungen über Melanchthon und die Wittenberger, Zwingli und
die Schweizer, über Täufer und Spiritualisten, über die wichtigsten
Gestalten und Vorgänge der altgläubigen Reform und über die
Reunionsversuche. Mit Erfolg wurde hier der Humanismus zur
Erhellung theologischer, politischer, pädagogischer und kirchen-
historischer Ereignisse und Konzeptionen, ihrer Genesis, ihrer Motive, ihrer Wirkungen und ihres Scheiterns herangezogen. Er teilt

---

[1] Die von W. PAUCK, The Historiography of the German Reformation du-
ring the Past Twenty Years, in: ChH 9, 1940, 15, erhobene Forderung,
Luthers Verhältnis zum Humanismus müsse neu untersucht werden, besteht
uneingeschränkt zu Recht; vgl. das Zitat bei L. W. SPITZ, The Religious
Renaissance of the German Humanists, Cambridge/Mass. 1963, 345, Anm. 1.

diese Rolle mit anderen zeitgenössischen Erscheinungen, mit dem Mönchtum und der Scholastik, der Frömmigkeit und den Institutionen, mit Gesellschaft, Wirtschaft, Recht, Kunst und Zivilisation.

So unbestreitbar richtig, ja notwendig und für die Reformationsgeschichte fruchtbar eine solche Befragung des Humanismus »von außen her« auch gewesen sein mag, so wenig hat sie dazu beigetragen, ihn als eine geschichtliche und — wenn man es darauf ankommen läßt — *kirchengeschichtliche* Größe zu verstehen, die ein selbständiges Interesse beanspruchen darf. Angesichts einiger neuerer Veröffentlichungen muß man in der Tat fragen, wie lange das Operieren mit einem völlig antiquierten Humanismus-Bild auf dem Felde der Reformationshistorie dieser selbst noch zuträglich sein kann[2]. Der Fragehorizont vieler Kirchenhistoriker reicht nicht über die deutschen Humanisten und Erasmus, über Lefèvre und Budé, Ximénez und Valla, die platonische Akademie in Florenz und die Buchdrucker hinaus; und selbst diese der deutschen und Schweizer Reformation so eng benachbarten Erscheinungen sind seit drei Jahrzehnten zur Domäne der angelsächsischen, hauptsächlich der amerikanischen, später auch der italienischen, schweizerischen und französischen Forschung geworden, wozu in Österreich und Deutschland noch ein paar Profanhistoriker und Neuphilologen kommen[3].

Damit ist nicht nur die vorreformatorische Entwicklung des außerdeutschen Humanismus aus dem Blickfeld der Kirchenhistorie gerückt, sondern auch das, was nach und neben seiner Berührung mit der Reformation aus ihm geworden ist. Selbst das Schicksal der deutschen Humanisten verliert in dem Augenblick an Interesse, in dem sie ihren Beitrag zur Geschichte der Reformation und Gegenreformation geleistet haben. Die Frage, was die Reformation für den Humanismus bedeutet hat, ist in deutscher Sprache seit langer Zeit nicht mehr erörtert worden. Der nachstehende Beitrag soll dazu vorerst nur Anregung und Diskussionsgrundlage sein.

---

[2] Die Geschichte des Humanismusbildes bei W. K. FERGUSON, The Renaissance in Historical Thought, Boston/Mass. 1948; dazu wesentliche Korrekturen von H. BARON, in: JHI 11, 1950, 493—510.

[3] Sehr eindrucksvoll schildern diese Entwicklung die Forschungsberichte von A. BUCK, in: AKultG 37, 1955, 105—122; 41, 1959, 107—132. In deutscher Sprache genügt unter den breiteren Darstellungen allen heutigen Anforderungen E. HASSINGER, Das Werden des neuzeitlichen Europa 1300—1600 (Geschichte der Neuzeit, 1), 1959.

I

Die Kontroverse zwischen Luther und Erasmus ging so aus, wie sie ausgehen mußte, weil beide Partner mit gänzlich verschiedenen Intentionen und Prämissen in die Debatte eintraten. Der zentrale Differenzpunkt, der *cardo rerum,* den Luther als das thema probandum aus der Diatribe des Erasmus herausarbeiten mußte, war das Verständnis des Menschen *coram Deo.* Ebenso schwer wog, wie sich sofort herausstellen sollte, die Differenz an dem anderen Angelpunkt, der sachlich mit dem ersten zusammenhängt: in der Auffassung von der Heiligen Schrift, von ihrem Wesen, ihrer Auslegung, ihrem Gebrauch, ihrer Gewißheit.

Um Schrift und Schriftauslegung war es primär auch bei der wohl härtesten und folgenreichsten innerprotestantischen Kontroverse gegangen, im Abendmahlsstreit zwischen Luther und Zwingli. Abgesehen von allen beiderseitigen Mißverständnissen ist diese Scheidung wiederum als Spezialfall der Konfrontation von Reformation und Humanismus zu deuten. Für Luther wenigstens lagen die Fronten insofern klar, als sich Zwingli am entscheidenden Punkt auf eine humanistische Rationalisierung der Exegese festgelegt hatte. Die Alternative zwischen seiner tropischen Auslegung der Einsetzungsworte und der grammatischen Auslegung Luthers wurde von beiden Seiten erkannt und ausgefochten[4].

Nichtsdestoweniger drängte sich schon manchem Zeitgenossen die Frage auf, ob die Alternative unausweichlich war und ob ihre kirchlichen Folgen total sein mußten. Machte die Feststellung der Differenz zwischen humanistischer und reformatorischer Hermeneutik alles das bedeutungslos, worin die Zürcher Reformation mit der Wittenberger einig ging? Trug nicht auch Luthers Reformation manchen humanistischen Zug, ohne daß darüber Luther selbst Humanist geworden wäre? Sollte es den tatsächlichen Verhältnissen entsprechen, daß man Luther und Zwingli, ja darüber hinaus Reformation und Humanismus nur von ihren letzten, äußersten Positionen her begriff und sie dann freilich einander kontradiktorisch entgegensetzte? Oder wäre es nicht wirklichkeitsgerechter, »realistischer«, das konsequente Entweder-Oder zu vermeiden, indem man etwa dem Humanismus das Seine ließ, ohne ihn zu dogmatisieren, und indem man anderseits sich die geschichtlichen, inner-

---

[4] H. Rückert, Das Eindringen der Tropuslehre in die schweizerische Auffassung vom Abendmahl, in: ARG 37, 1940, 199—221.

weltlichen Bedingtheiten der Reformation eingestand, ohne damit
das ihr »Wesentliche« zu neutralisieren?

Wie falsch oder richtig diese Fragen gestellt waren, das schien
nicht von vornherein ausgemacht; es ließ sich auch nicht bloß
pragmatisch — etwa im Namen einer größeren Einheitlichkeit und
Effektivität der evangelischen Bewegung — entscheiden. Ein histo-
risches Urteil ist vollends nur so zu gewinnen, daß man »den«
Humanismus und »das« Reformatorische bei allen einzelnen Personen analysiert, womit man erhebliche Interpretationsschwierig-
keiten auf sich nimmt[5].

Zwinglis evangelische Konzeption enthielt anscheinend *eine*
Möglichkeit, den Humanismus der Reformation dienstbar zu machen. Dabei kann offen bleiben, ob seine Lösung die beste oder gar
einzige war und ob sie nicht mit den besonderen Bedingungen
stand und fiel, die in einer kleinen Stadtrepublik gegeben waren.
Jedenfalls tritt uns in Zwinglis *Theologie* die wohl innigste, am
schwersten auseinanderzudividierende Synthese von Humanismus
und Reformation entgegen[6].

Versteht man Luthers entschiedene Absage an Erasmus und
Zwinglis ebenso entschiedene Rezeption humanistischer Elemente
als die beiden *extremen* Antworten der Reformation auf die Frage,
was ihr der Humanismus bedeute, so läßt sich zwischen ihnen,
zwischen Nein und Ja, eine breite Skala von Nuancen, eine reiche,
wenn auch faktisch endliche Fülle von Kompromissen nicht nur
denken, sondern empirisch aufweisen. Notwendigerweise bedingt
freilich jede Stellungnahme zwischen Luther und Zwingli eine Re-
lativierung dessen, was für Luther nicht relativiert werden durfte:
eine Einschränkung des klaren Nein zur humanistischen Auffassung von Gott, vom Menschen und von der Schrift. Alle Versuche,
die Gegensätze zu vermitteln, mußten aus der Perspektive des
streng festgehaltenen Ansatzes Luthers auf eine Ermäßigung der
Abgrenzung gegen Erasmus, letztlich sogar auf eine Revision des
Widerspruchs gegen Papsttum und »Schwärmer« hinauslaufen.

Der Streit um derartige Vermittlungen begann zu Zwinglis Lebzeiten, er dauerte bei Luthers Tod noch an und ist durch die ganze

---

[5] Man darf sich dabei freilich nicht auf die biographischen Einheiten beschränken. Vgl. zur Aufgabenstellung die grundlegenden, weithin immer noch nicht
berücksichtigte Desiderate formulierenden Aufsätze von G. RITTER und H.
BARON, in: HZ 127, 1923, 393—453 bzw. 132, 1925, 413—446, hier bes.
den letzten Absatz.

[6] Vgl. G. W. LOCHER, Art. Zwingli II, in: RGG³ 6, bes. 1960 f. (Lit.).

Neuzeit bis zur Gegenwart zu verfolgen. Er lebte mit auffallender Regelmäßigkeit immer wieder auf, wo innerhalb oder außerhalb der konfessionellen Theologie kräftige humanistische Impulse am Werke waren, angefangen bei den Religionsgesprächen um das Jahr 1540 über die Helmstedter Theologen des 17. Jahrhunderts, den niederländischen und englischen Nonkonformismus und Latitudinarismus, die Unionspläne Leibniz' oder des Großen Kurfürsten bis hin zur Programmatik der ökumenischen Bewegung unserer Zeit, die nicht zufällig dem angelsächsischen Kirchentum wesentliche Impulse verdankt. Die Unionen einiger deutscher Landeskirchen haben im 19. Jahrhundert mit dem Abbau des innerprotestantischen Konfessionalismus jene humanistischen Elemente zum Tragen gebracht, die von Anfang an in der reformierten Tradition mitgelaufen waren. Welches Gewicht dabei der konfessionellen Indifferenz des sogenannten Neuhumanismus zukommt, wäre noch zu untersuchen.

Über die Entscheidungen, die während des 16. Jahrhunderts zwischen Reformation und Humanismus gefallen sind, läßt sich an Hand des Bildes der bereits erwähnten »Skala« eine gewisse Übersicht gewinnen. An ihren Endpunkten stünden Luther und Zwingli. Auf der Skala wären die wichtigsten Nuancen durch die Positionen Bucers, Melanchthons und Calvins zu bezeichnen. Diese ganze Reihe weiß sich vom erasmischen Humanismus durch eine äußerste, im einzelnen Fall freilich verschieden angesetzte Grenze geschieden, die nicht überschritten werden darf, ohne daß damit die Reformation überhaupt preisgegeben wird. Jenseits der Grenze, »spätestens« aber jenseits der Position Zwinglis, stehen diejenigen Humanisten, die vom ganzen Protestantismus als nicht-reformatorisch abgelehnt werden. Die Ablehnung lag auf der Hand, und sie war wechselseitig, soweit es sich um Humanisten handelte, die wie Reuchlin und Beatus Rhenanus, Lefèvre und Budé, Fisher und Morus trotz mancher Sympathien für einzelne Reformatoren den Gehorsam gegenüber der Papstkirche niemals aufgegeben hatten, oder die sich wie Pirckheimer und Zasius nach anfänglicher Hinneigung zu Luther bald wieder den Altgläubigen zugewandt hatten. Erasmus galt — zu Recht oder zu Unrecht — als Repräsentant und geistiger Führer der jüngeren Generation unter diesen »katholischen« Humanisten. Das Konzil von Trient wußte ihm dafür keinen Dank[7].

---

[7] A. FLITNER, Erasmus im Urteil seiner Nachwelt, 1952, 33—46.

Jenseits der ganzen Skala sind aber noch andere Humanisten anzutreffen, die man weder Protestanten noch Katholiken *im konfessionellen Sinne* nennen darf. Sie distanzierten sich selbst von allen »sectae« und wurden von allen Religionsparteien angefeindet und verfolgt. Ihre Kritik an den Reformatoren unterscheidet sich substantiell nur wenig von der, die sie mit vielen früheren Humanisten an der spätmittelalterlichen Kirche üben; sie entspringt jedoch teilweise anderen, in sich uneinheitlichen, ja widersprüchlichen Motiven. Man kann hier weder von einer *Gruppe* sprechen noch eine überzeugende, alle Einzelphänomene berücksichtigende *Gliederung* vornehmen. Es lassen sich nur bestimmte Tendenzen aufweisen und gegeneinander abheben, die dann konkret in vielfältiger individueller Verbindung und Akzentuierung auftreten[8].

Einerseits wird *allen* Konfessionen vorgeworfen, sie hätten aus Mangel an Liebe, aus theologischem Radikalismus oder aus kirchenpolitischer Konsequenzmacherei die Einheit der Christen und der Nationen zerstört. Hinter dieser Anklage steht das irenische Pathos eines Moralismus, dem es allein auf die Besserung des christlichen »Lebens« ankommt. Er gibt sich konfessionell neutral oder indifferent. Die Lehren, um die gestritten wird, erscheinen ihm unerheblich oder dunkel. Die Notwendigkeit einer Entscheidung zwischen den Religionsparteien wird entweder prinzipiell bestritten oder faktisch umgangen. Diese Neutralität kam noch in den dreißiger Jahren des 16. Jahrhunderts einer praktisch kampflosen, wenn auch nicht immer stillschweigenden Hinnahme des Bestehenden, also im Ergebnis einer Option für die römische Kirche gleich. Trotzdem waren diese Humanisten, die wir vor allem in Frankreich unter den Schülern Lefèvres und des Erasmus, im Kreis des Bischofs Briçonnet und unter den Schützlingen der Margarete von Navarra, in jener nicht ganz klar abzugrenzenden Bewegung des französischen »évangélisme« finden, den Altgläubigen ebenso verdächtig wie den Reformatoren[9]. Es lag nahe, sie mit dem alten Ketzernamen der schon von Augustin bekämpften akademischen Skeptiker zu belegen. Neben die Bezeichnung »academici« traten bald die gleichbedeutenden Schimpfworte »nicodémites« und »libertins spirituels«; sie wurden für Männer wie Clément Marot, Étienne Dolet

---

[8] Vgl. den beachtlichen Versuch von L. W. Spitz (s. o. Anm. 1), im Schlußkapitel (»Conclusion«), 267—293.

[9] P. Imbart de la Tour, Les origines de la Réforme, 3. Band: L'Évangélisme, Paris 1914.

und Bonaventure Des Périers gebraucht[10]. In der ersten Phase der französischen Religionskriege erlangte der konfessionelle Neutralismus dadurch ein eigenes Gewicht, daß er sich unter dem Kanzler de L'Hôpital zwischen den Hugenotten und den Guise als dritte Partei der »politiciens«, der »bons français« etablierte. Diese »Mittelpartei«, die im Grunde nicht zwischen den Fronten, sondern jenseits der Auseinandersetzungen stand, bildete jeweils das Zünglein an der Waage; sie wurde von den beiden Gegnern weder bekämpft noch absorbiert, solange sie ihnen als das stabilisierende Element in der französischen Politik erschien. Ihre Anhänger mochten persönlich ebenso gute Katholiken und Protestanten sein wie die der kämpfenden Parteien; ihre politische Aktivität wurde dadurch nicht bestimmt. Sie argumentierten gegen den Religionskrieg im Namen der politischen Vernunft, des nationalen Gemeinwohls, der Würde der Krone und der Mäßigung, die dem gentilhomme geziemte. Den ausländischen Verbündeten der Streitenden mußten sie darum als unzuverlässig und unberechenbar gelten. Ähnliche Erscheinungen brachte der ebenfalls als Religionskrieg geführte Befreiungskampf der Niederländer hervor. Auf dem Hintergrund des Religionskrieges und im Kontrast zu seinen konfessionellen Frontbildungen ist die Privatisierung der persönlichen konfessionellen Haltung zu verstehen, die es Humanisten wie Guillaume Postel und Jean Bodin erlaubte, eine universale *Toleranz* zu proklamieren, die auch die nichtchristlichen Religionen einschloß. Zusammen mit Bodins Theorie des Absolutismus und seiner Souveränitätstheorie weist sie voraus auf die Autonomie des Politischen im nachkonfessionellen Zeitalter. Unter anderen theoretischen Voraussetzungen haben Michel de Montaigne und der von ihm beeinflußte Pierre Charron — ebenfalls für ihre *Person* entschiedene Katholiken — die Toleranzforderung aufgenommen. Sie wird hier durch einen Antidogmatismus motiviert, der sich von der pyrrhonischen Skepsis herleitet und in der Trennung von Glauben und Vernunft kulminiert.

Auf der anderen Seite ist das kritische Verhältnis zur Reformation bei einer Reihe von Humanisten *biographisch* begründet oder mindestens mitbestimmt. Sie alle haben die Reformation anfänglich, viele haben sie bis an ihr Lebensende bejaht; nach ihrem besten Wissen wollten sie nichts anderes sein als Anhänger und Mitarbeiter der Reformatoren. Ihre Absage an die Papstkirche

[10] E. Hassinger (s. o. Anm. 3), 176—179.

war so eindeutig und — von Ausnahmen abgesehen — endgültig, daß der Vorwurf des »Nikodemismus« nicht verfängt[11]. Ihre Einwände sind erst durch den tatsächlichen Verlauf der Reformation hervorgerufen worden, durch das Ungenügen an ihren praktischen Ergebnissen, das bereits Melanchthon und Bucer zu gewissen, wenn auch nicht so weitreichenden Konsequenzen gedrängt hatte. Die Kritik gilt den Halbheiten und Kompromissen, mit denen sich die Reformatoren abfanden, indem sie weder die Theologie noch die Institutionen so radikal »reformierten«, wie es den humanistischen Vorstellungen entsprach. Das Festhalten an der volkskirchlichen Struktur, an der Kindertaufe und an den mittelalterlichen Gottesdienstordnungen, die Beschränkung auf eine vermeintlich oder tatsächlich imputative Rechtfertigungslehre, der Verzicht auf die kritische Anwendung des *sola scriptura* gegenüber dem trinitarischen und christologischen Dogma der alten Kirche — dies sind Unzulänglichkeiten, an denen die wahre Reformation, die *restitutio Christianismi,* der völlige »Neubau« der Kirche nach den Normen des Neuen Testaments scheitern mußte. Noch schwerer wiegen die — oftmals durch eigene leidvolle Erfahrungen begründeten — Klagen über die Konfessionalisierung der Reformation, über die kirchentrennenden Auswirkungen innerevangelischer Kontroversen, insbesondere des Abendmahlsstreits, über den Zwangscharakter des Lehrkonsensus und -dissensus, aber auch über die für jeden Humanisten, vor allem für jeden Erasmianer ärgerliche Prädestinationslehre Luthers, Zwinglis und Calvins. Der Ruf nach einer »zweiten Reformation«, einer »Réforme de la Réforme«, fand in den Kreisen Widerhall, die man auf dem »linken Flügel der Reformation« zu lokalisieren und in Ermangelung eines besseren Ausdrucks unter dem Sammelnamen »Täufer und Spiritualisten« zusammenzufassen pflegt[12]. Auch umgekehrt ist den humanistischen

---

[11] Ebensowenig läßt sich z. B. Castellio »völlige kirchliche Ungebundenheit« nachsagen, wie B. Moeller, Geschichte des Christentums, 1965, 339, meint. Diese an Troeltsch anklingende These hat R. H. Bainton schon 1931 widerlegt (in: Persecution and Liberty. Essays in honor of G. L. Burr, 204 f.).

[12] H. Fast (Hrsg.), Der linke Flügel der Reformation (Klassiker des Protestantismus, 6. Sammlung Dieterich 269), 1962. Hier werden (VII—XIII) die Möglichkeiten der Zusammenfassung und Differenzierung erörtert. M. E. bleiben dennoch die Einwände gültig, die K. Holl, Ges. Aufs. 1, 424 f., Anm. 1, und H. Bornkamm, Mystik, Spiritualismus und die Anfänge des Pietismus im Luthertum, 1926, gegen E. Troeltsch, Soziallehren, 1912, 848 ff., erhoben haben.

Kritikern der Reformation um der Reformation willen manches Thema aus der Berührung mit täuferischen und »schwärmerischen« Gedanken zugewachsen. Die personellen und sachlichen Wechselbeziehungen sind erwiesen, wenngleich ihre Vielfalt und ihre Wirkungsgeschichte noch längst nicht erschöpfend untersucht worden sind.

Klare Abgrenzungen sind kaum möglich. Neben Humanisten, die täuferische Motive aufnehmen, stehen Täufer und »Schwärmer«, aus deren Schriften die Vertrautheit mit den studia humanitatis spricht. Von den Konfessionskirchen unterschiedslos verfolgt und mit dem odium der Häresie gebrandmarkt, sahen sich alle diese Nonkonformisten, wenn nicht in die Separation und in den Radikalismus abgedrängt, so doch zum Einzelgängertum, zu einem unsteten Wanderleben, zur Resignation und in ihrem Gefolge sogar vereinzelt zur Flucht in die äußerliche Konformität getrieben[13]. Als gemeinsames negatives Merkmal ist — bei den Täufern spätestens seit der Auseinandersetzung mit der Bewegung von Münster 1534/35 — das Fehlen sozialrevolutionärer Züge und der gänzliche Verzicht auf gewaltsame Verwirklichung der Reformprogramme zu konstatieren. Dem korrespondiert sehr oft, wenn auch nicht immer, ein Vertrauen auf den »Geist«, der schließlich die Widerstrebenden in alle Wahrheit führen wird. Er ist das Prinzip der Evidenz für alle Offenbarung und darum auch die sich unfehlbar durchsetzende Gestalt des göttlichen Willens, das Prinzip der Autorität. Der Geist kann *in* der Schrift, *hinter* oder *über* ihr am Werke sein, womit dieses Werk als Inspiration gedacht ist, als geschichtlich einmalige, abgeschlossene Offenbarung; er kann in der menschlichen Vernunft, im inneren Wort, im christlichen Leben, in der Geschichte — also auch gegenwärtig und zukünftig — wirken, *anläßlich* der Schriftauslegung oder *unabhängig* von ihr. Soweit die *Toleranzforderung* erhoben wird, ist sie nicht politisch-pragmatisch, sondern *theologisch* begründet, was freilich auch pneumatisch oder moralistisch heißen kann. Eine Argumentation beruft sich auf das Beispiel Luthers und Zwinglis in den Anfangsjahren der Reformation; eine andere knüpft an die Zweireichelehre Luthers an, interpretiert sie freilich als Zweigewalten- oder gar

---

[13] Über die Mischung der Motive und die Lebensläufe vgl. H. FAST, s. vorige Anm., XIII—XXXV und die Einleitungen zu den einzelnen Autoren, sowie D. CANTIMORI, Italienische Häretiker der Spätrenaissance, dt. v. W. KAEGI, Basel 1949, *passim* (Lit.).

Zweischwertertheorie[14]. Weit verbreitet ist der Schriftbeweis mit
dem Gleichnis vom »Unkraut unter dem Weizen«, Mt 13 24—30 [15].
Typisch humanistisch ist die Unterscheidung der *claritas* und der
obscuritas scripturae, der in der Schrift hinlänglich klar bezeugten,
weil nach dem Willen des *auctor scripturae*, des Geistes, heilsnot-
wendig zu »glaubenden« Lehren, die entweder direkt oder nach
Analogie des *scopus scripturae* durch tropische oder allegorische
Exegese erkannt werden, von solchen, die weder vom *verbum* noch
von der *res scripturae* her deutlich gemacht werden können und
darum dem Zweifel, dem Nichtwissen freizugeben sind. Aus der
Reduktion des Glaubens auf die *res Christianismi*, auf ein »Wesen
des Christentums«, das im Bereich der Reformationsgeschichte bei
Erasmus und Zwingli nachgewiesen ist, leiten Ochino, Castellio und
Acontius die Ablehnung jeder Ketzerverfolgung und das Recht auf
subjektiven Irrtum her[16]. Die Frage, *was* denn das »Wesen« des
Christentums sei, wird sehr unterschiedlich beantwortet; die Aus-
künfte reichen vom Moralismus der erasmischen *Philosophia Christi*
über den Enthusiasmus[17] der frühen und den rationalen Bibliz-
mus der späteren Antitrinitarier, über Coornherts Forderung, nach
dem »Geiste Christi« zu handeln, bis zum hochkirchlichen Latitudinarismus des 17. Jahrhunderts. Einzelgänger wie Servet und
Acontius, die »italienischen Häretiker der Spätrenaissance«[18], die
»Politiker« der niederländischen Befreiungskriege, aber auch die
mit Kirchenordnung und Bekenntnis konstituierten Gemeinden der
Sozinianer und Remonstranten finden in dieser Reihe ihren Platz.
Die Grenzen zur konfessionellen Indifferenz einerseits, zu einem
beinahe noch orthodoxen Calvinismus anderseits sind nur von Fall
zu Fall, teilweise unter erheblichen Schwierigkeiten zu ziehen. Um-

---

[14] Beispiele für die Berufung auf Luther und die Umbildung der Zwei-Reiche-
Lehre: L. Scharnschlager, bei H. FAST (s. o. Anm. 12), 117—130, sowie
der Abdruck von Luthers Schrift »Von weltlicher Oberkeyt« in Castellios
»De haereticis an sint persequendi«.

[15] R. H. BAINTON, The Parable of the Tares as the Proof Text for Religious
Liberty to the End of 16th Century, in: ChH 1, 1932, 67—89.

[16] Den Nachweis führte W. KÖHLER, Geistesahnen des J. Acontius, in: Festgabe für K. MÜLLER, 1922, 198—208; ihn vermag die Polemik von J. KÜHN,
Toleranz und Offenbarung, 1923, 345, Anm. 1, nicht zu erschüttern. Vgl.
jetzt E. HASSINGER (s. o. Anm. 3), 198—200.

[17] Vgl. die treffliche Charakteristik der Anfänge Servets im 6. Kapitel des
Buches von CANTIMORI (s. o. Anm. 13), 31—44.

[18] So der deutsche Titel (s. o. Anm. 13) für CANTIMORI, Eretici italiani del
Cinquecento, Florenz 1939.

gekehrt finden sich auch bei manchem »konfessionellen« Theologen, etwa bei Melanchthon oder bei Vertretern der katholischen Reform, die gleichen pragmatisch-moralistischen Gedanken, die den ganzen Humanismus seit Petrarca kennzeichnen, insbesondere *das* humanistische Leitmotiv der *correctio* oder *emendatio vitae,* wobei der Akzent auch auf der *emendanda ecclesia* liegen kann.

Alle diese Humanisten »jenseits der Skala« Luther-Zwingli — ob sie nun die Reformation aus Indifferenz oder um der Reformation willen kritisiert haben — übten auf ihre Zeit und auf die Nachwelt eine beträchtliche Wirkung aus[19]. Diese beruhte auf ihrer literarischen Produktivität. Sie konnte — aber mußte nicht — zugleich dadurch gefördert werden, daß ihnen als Predigern, Gemeindepfarrern oder Universitätslehrern ohnehin ein Mindestmaß an Öffentlichkeit sicher war, oder daß sie auf ausgedehnten Reisen, durch umfangreiche Korrespondenz, in Staats- und Hofämtern mit einflußreichen Personen in Verbindung traten, vereinzelt auch dank eigenen politischen Wirkens selbst zu den einflußreichen Kreisen gehörten. In jedem Falle verdanken sie die Dauerhaftigkeit ihrer Wirkung allein dem in lateinischer Sprache gedruckten Wort.

II

Die Reformation wurde das Schicksal des Humanismus. Dieser Satz ist zwar umkehrbar, doch soll seine Reichweite hier nur nach der ersten Fassung verfolgt werden. Je nachdem, wie sich die einzelnen Humanisten zur Reformation und zu der von ihr notwendig geforderten Alternative verhielten, so entschieden sie in eins damit auch über die fernere Geschichte des Humanismus. Im Blick auf diese fernere Geschichte rücken nun allerdings die beiden Entscheidungen, die der Alternative *entsprechen,* die sie vollziehen und damit als legitim akzeptieren, auf eine und dieselbe Ebene. Die Entscheidung für die Reformation und die für den gegenreformatorischen Katholizismus wirken sich auf die humanistische Bewegung im gleichen Sinne aus[20].

Alle drei »Bekenntnisse«, das lutherische, das reformierte und das tridentinische, tragen seither ein Stück Humanismus in sich, das zwar von Personen verschiedener geistiger Herkunft reprä-

---

[19] Vgl. z. B. H. R. GUGGISBERG, Sebastian Castellio im Urteil seiner Nachwelt vom Späthumanismus bis zur Aufklärung, Basel und Stuttgart 1956 (Lit.).

[20] H. VON SCHUBERT, Reformation und Humanismus, in: LutherJb 8, 1926, akzentuiert die Selbständigkeit der »katholischen« Entscheidung stärker.

sentiert wird und bereits bei der Ausbildung des konfessionellen Profils in unterschiedlichem Maße mitgewirkt hat, das aber nach seiner Thematik bei allen auffallend homogen ist. Dieses »Stück Humanismus« tritt überall primär als Pädagogik und sekundär — innerhalb des pädagogischen Konzepts — als Philologie oder besser als Grammatik in Erscheinung. Damit setzt sich gleichmäßig unter allen Antworten, die das 16. Jahrhundert auf die Frage »Humanismus oder Reformation?« gegeben hat, diejenige durch, die man unbeschadet etwa entgegenstehender Anciennitäten als die *melanchthonische* bezeichnen darf[21].

Dies gilt überall dort, wo überhaupt eine *konfessionelle* Lösung den vorläufigen Abschluß der Religionsstreitigkeiten bildete; also nicht im elisabethanischen England, wo die Uniformität der Staatskirche auf anderen Voraussetzungen beruhte. Die »Religionsparteien« sind konstituiert und gegeneinander abgegrenzt durch das (reichs)kirchenrechtliche Instrument der *confessio* oder *professio fidei*. Diese wird als die in Sätzen, in Thesen zusammengefaßte Summa der »reinen«, das heißt der biblischen oder katholischen Lehre verstanden. Die Vermittlung des Wissens von der reinen Lehre und des methodischen Zugangs zu ihr, die Pflege der Orthodoxie also, obliegt dem höheren Unterricht, den Lateinschulen und den Universitäten. Das evangelische Schulwesen wird im Sinne Melanchthons, Sturms, Calvins, ihrer Mitarbeiter und Schüler reorganisiert und — soweit das möglich ist — auf ganz Europa ausgedehnt. Die neuen Unterrichtspläne sollen das Miteinander von evangelischer Lehre und humanistischer Bildung verwirklichen; ihnen entsprechen neue Schulbücher, Florilegien und canones auctorum. Nahezu gleichzeitig entsteht auch in den altgläubigen Territorien des Reiches, in den katholischen Staaten Westeuropas und in Polen ein Schulsystem, das vom Jesuitenorden, dem Schöpfer einer katholisch-humanistischen Pädagogik, organisiert und beherrscht wird und von ihm die *Ratio Studiorum* erhält[22]. Dieser Humanismus, dem die drei Konfessionen auf Jahrhunderte eine gesicherte, unangefochtene propädeutische Funktion einräumten, hat Generationen guter Lutheraner, Reformierter und Katholiken zu Dienern der Kirche und des Staates erzogen, zu »durchschnitt-

---

[21] R. R. BOLGAR, The Classical Heritage and its Beneficiaries, Cambridge 1954, 329—369, hält bei allen Verdiensten Melanchthons und Joh. Sturms, die er näher an Erasmus heranrückt, Mathurin Cordier für den eigentlichen Repräsentanten dieses pädagogischen Humanismus.

[22] R. R. BOLGAR (s. o. Anm. 21), 357 ff.

lichen« Pfarrern oder Priestern, Richtern, Beamten und wiederum zu Schulmännern, deren Durchschnitt aber höher lag als zu irgendeiner früheren Zeit. Sie alle, denen die alten Sprachen geläufig, die antiken Autoren vertraut waren, bildeten bis zum Ende des *ancien régime* das vielleicht unauffällige, aber höchst wirksame und notwendige Fundament einer europäischen Gesellschaft, ohne das auch der Fortschritt, das »Moderne«, die Revolution und die Emanzipation nicht zu denken gewesen wären[23]. Im Schutz der Staats- und Landeskirchen, der nationalen und territorialen Institutionen, konnte es diese Bildung zu eigenen literarischen und wissenschaftlichen Leistungen bringen, deren Niveau sich über das für jedermann Selbstverständliche erhob. Aus ihrer grammatisch-philologischen Substanz erwuchs eine quellen- und textkritisch verfahrende Kirchengeschichtsschreibung und Patrologie, deren Bedeutung weit über ihre konfessionelle, dogmatisch-polemische Abzweckung hinaus feststeht. Unter der Ägide der Konfessionskirchen war die humanistische Bildung gut aufgehoben und auch materiell versorgt, soweit sie sich eben in ihre Rolle als »ancilla theologiae« zu schicken wußte. Das konnte sie allerdings nur um den Preis ihrer Ganzheit und ihrer Autonomie.

Eine der ersten Konzessionen, zu denen sich der verkirchlichte Humanismus bequemen mußte, war der Abbau seiner alten Animosität oder Gleichgültigkeit gegenüber denjenigen Disziplinen, die nicht unmittelbar der Rhetorik, der Poetik und der Moral »nützlich« erschienen. Er war genötigt, seinen Frieden mit der einst so hartnäckig bekämpften aristotelischen Wissenschaft, der Dialektik, Metaphysik und Physik zu machen, wie es die Theologen taten[24].

Die Entwicklung verlief am schnellsten im römischen Katholizismus, wo die Besinnung auf Thomas von Aquino, den »klassischen« Aristotelesinterpreten der mittelalterlichen Kirche, bereits Jahrzehnte vor dem tridentinischen Konzil in Gang gekommen war. Das Konzil hatte in seinen wichtigsten dogmatischen Entscheidungen einem modifizierten Thomismus vor allen »franziskanischen« Lehrmeinungen den Vorzug gegeben. Die letzten Jahre des 16. Jahrhunderts leiten dann — ungeachtet des fortdauernden Streites zwischen Dominikanern und Jesuiten um den »authen-

[23] Vgl. W. DILTHEY, Ges. Schr. 2, 162—167; P. JOACHIMSEN, Renaissance, Humanismus und Reformation, in: Zeitwende 1, 1925, bes. 424 f.
[24] Dazu und zum Folgenden: M. WUNDT, Die deutsche Schulmetaphysik des 17. Jahrhunderts, 1939, 1—45.

tischen« Thomismus — den Siegeszug der aristotelischen Metaphysik im gegenreformatorischen Unterrichtsbetrieb, ja in den konfessionellen Schulen des ganzen Europa ein. Ihr bedeutendster Erneuerer, der spanische Jesuit Francisco Suárez, gewann auch auf das deutsche Luthertum großen literarischen Einfluß.

An den lutherischen Universitäten war inzwischen die Saat Melanchthons aufgegangen. Der Praeceptor Germaniae hatte stets seine Hochschätzung der aristotelischen *Ethik* bekundet, womit er durchaus in der humanistischen Tradition stand. Darüber hinaus machte er die vermeintlich »formalen« Fächer, die *Dialektik*, die *Psychologie* und die *Physik*, in den Lehrplänen heimisch. Er glaubte mit dieser Begrenzung der unausweichlichen Konsequenz, der die Metaphysik einschließenden, vollständigen Aristotelesrezeption, entgehen zu können. Das war schon darum eine Selbsttäuschung, weil sich die Gesichtspunkte des Formalen und des Materialen nicht auf verschiedene Schriften des Aristoteles verteilen lassen und die Klassifizierung etwa der Logik als »formal« falsch ist. Aber auch der von Melanchthon eingeschlagene Weg hatte ein unumkehrbares Gefälle, an dessen Ende die Metaphysik als brauchbare Wissenschaftslehre für die positive Theologie in Anspruch genommen werden mußte. Diesen Schritt tat am Ende des 16. Jahrhunderts, noch ehe die Hauptschriften des Suárez in Deutschland zu wirken begannen, der Helmstedter Cornelius Martini[25].

Im Calvinismus konnte sich die von Pierre de la Ramée vertretene antiaristotelische Strömung, der »Ramismus« eine Weile behaupten. Die Zuspitzung gegen die Dialektik und Metaphysik geht auch hier auf ursprüngliche humanistische Motive, insbesondere auf Gedanken des Gianfrancesco Pico della Mirandola und des Lorenzo Valla zurück[26]. Der Ramismus, der auch unter den deutschen Reformierten Einfluß gewann, erlag schließlich der Polemik lutherischer und reformierter Aristoteliker. So setzte sich auch an den reformierten Schulen die Metaphysik durch[27].

In allen drei Konfessionen bildet eine aristotelische Schulphilo-

---

[25] Ebda., 46—69. 98—103, womit P. PETERSEN, Geschichte der aristotelischen Philosophie im protestantischen Deutschland, 1921, weitergeführt und korrigiert ist.

[26] Zur Vermittlung einer christlichen, notwendig antiaristotelisch pointierten »Skepsis« durch Gianfrancesco Pico vgl. D. CANTIMORI (s. o. Anm. 13), 5—8, und CH. B. SCHMITT, Who Read Gianfrancesco Pico della Mirandola? in: Studies in the Renaissance 11, 1964, 105—132.

[27] M. WUNDT (s. o. Anm. 24), Register s. v. Ramus; P. PETERSEN (s. o. Anm. 25), 127—143.

sophie, eine thomistische oder orthodox-protestantische Scholastik den Rahmen, in dem die humanistische Pädagogik und Philologie ihren unbestrittenen, aber begrenzten Platz angewiesen bekommt. Der Humanismus, der sich damit abfindet, kann das wenigstens insofern mit beruhigtem Gewissen tun, als der neue Aristotelismus längst »gezähmt« ist. Er trägt nicht mehr die inhumanen, skeptischen Züge der arabischen Kommentatoren; er ist auch dem Schulstreit der Naturphilosophen in Padua »entrückt«, und er steht im übrigen mittlerweile auf einer besseren griechischen Textüberlieferung. Er ist, wie der Humanismus selbst, konfessionalisiert.

In England hatte der Humanismus schon vor der Reformation eine sichere Position an den Schulen inne, die er mit dem Aristotelismus teilte. Sie wurde durch das Auf und Ab der königlichen Religionspolitik nicht beeinträchtigt. Die elisabethanische Staatskirche hütete das Erbe Bucers; ihre Theologie war niemals an prinzipiellen Auseinandersetzungen mit dem Humanismus interessiert und konnte diesen sich einigermaßen unverkürzt integrieren. Aus der Vorgeschichte, dem besonderen Charakter und dem Verlauf der englischen Reformation erklärt es sich, daß der Anglikanismus bei der Begründung seiner *Uniformität* — an der ihm gleichwohl sehr viel gelegen war — nicht den kontinentalen Weg der Konfessionalisierung einschlug. Ihm ging es nicht primär um die *confessio*, das formulierte Lehrbekenntnis, sondern um die Einheit des Kultus und der bischöflich-königlichen Kirchenverfassung. Deshalb blieb auch dem englischen Humanismus die *theologische* Alternative zwischen konfessioneller Bindung und Indifferenz letztlich erspart — oder sollte man sagen: vorenthalten[28]?

Wo die Konfrontation des Humanismus mit der Reformation in der dargestellten Weise verlaufen ist, kann man von einem *konfessionellen Ausgang* der humanistischen Bewegung sprechen. Der Ausgang führt in die Schule, in die Schule *zurück*, sofern das alte *vitae, non scholae* nun im Sinne von *vitae per scholam* verstanden werden muß. In den Gebieten des Abendlandes, in denen dies der einzige Ausgang war — was auf lange Sicht nur für Deutschland zutrifft —, eröffnete er der humanistischen Pädagogik eine dauerhafte, in festen Bahnen gehende Wirkung auf breite Schichten. Was die orthodoxe Schulwissenschaft an respektablen theologischen und literarischen Leistungen hervorgebracht hat, verdankt sie eben jenem »Stück Humanismus«, das in seiner schulmeisterlichen Spät-

---

[28] M. Schmidt, Art. England I. II, in: RGG³ 2, 475 f. 482 f. (Lit.).

form die härtesten Prüfungen überstanden hat, wie ein Blick auf die orthodoxe Dichtung und die evangelischen Schulgründungen nach dem Dreißigjährigen Krieg erkennen läßt. Diese alte Pädagogik ist es, die 1808 der bayerische Studien- und Oberkonsistorialrat Friedrich Immanuel Niethammer, der Fichteaner und Freund Schillers, gegen die aufgeklärte »Real«-Pädagogik des Philanthropinismus verteidigte und für die er in einem polemischen Wortspiel den Namen »Humanismus« prägte[29]. Der Appell des bayerischen Schulmannes kam in der Ära Montgelas eher einem Nekrolog auf den alten Humanismus gleich, der spätestens mit dem Heiligen Römischen Reich zugrundegegangen war. Der deutsche sogenannte Neuhumanismus hat von ihm den Namen, viele Institutionen und einige äußere Merkmale geerbt, ihn aber nur darin historisch fortgesetzt, daß er die akatholische Variante des Antimodernismus geworden ist. Dieser gräzisierende, mit antilateinischen Affekten aufgeladene Klassizismus stand — wie der alte Humanismus, wo er in eine »querelle des anciens et des modernes« verwickelt wurde — stets auf der Seite der »anciens«.

Die Kehrseite jener konzentrierten und breiten Wirkung des konfessionellen Humanismus ist eben darin begründet, daß er in Deutschland den einzigen Ausgang darstellte. Seit dem Sieg der melanchthonischen Lösung hat das deutsche Geistesleben eine eigene Geschichte gehabt, die es von Westeuropa tiefgehend unterschied und zeitweise abschloß. Charakteristisch dafür ist neben manchem anderen das Fehlen eines politischen Humanismus[30] und die vergleichsweise späte Entwicklung einer selbständigen, kontinuierlichen Nationalliteratur und deutschen Poetik. Stattdessen bot die anhaltende Monopolstellung des Lateinischen zwar eine Chance, aber nicht mehr die Gewähr dafür, daß das Gedruckte und Geschriebene auch überall gelesen wurde. Leibniz und Friedrich der Große schrieben für einen Leserkreis, der des Lateinischen zweifellos mächtig war, in französischer Sprache. Beide stehen freilich mit ihrem literarischen œuvre außerhalb der Schule und sind nach ihrer geistigen (und politischen) Physiognomie »Europäer«. Zwischen ihnen sah sich der Schulphilosoph Christian Wolff, der Begründer einer deutschen philosophischen Terminologie, dazu veranlaßt,

---

[29] W. Rüegg, Cicero und der Humanismus, Zürich 1946, 1—6; hier auch VII—XXXI zur nachstehenden Charakteristik des sog. Neuhumanismus.

[30] H. Plessner, Die verspätete Nation, [3]1962, dessen These auch dann beachtenswert bleibt, wenn man der Interpretation stärkere historische Nuancierung wünschen muß.

seine deutschen Werke ins Lateinische umzuschreiben. Etwa gleichzeitig begann die Flut der deutschen Übersetzungen englischer dei-
stischer Literatur — ein weiteres Indiz dafür, daß der konfessionelle Humanismus jetzt *nur* noch in der Schule lebte und sich über-
lebte.

III

Nicht überall ist der Ausgang des Humanismus in die konfessionelle Schulorganisation der *einzige* gewesen. Er blieb es in den
deutschen Territorien, und er war es für kürzere oder längere Zeit
in Spanien, in Portugal und in den Gebieten der Alten und der
Neuen Welt, die unter iberischem Einfluß standen. In den anderen
Teilen Europas, am frühesten in Frankreich und in den Niederlanden, dann aber auch in England und in der Republik Venedig,
stellt das Bündnis von Humanismus und Konfessionen, die scholastische Integration, soweit sie überhaupt stattgefunden hat, *eine*
Lösung neben anderen dar; sie war schließlich als Randerscheinung
auf die kirchlichen Schulen und Universitäten beschränkt.

Diese Differenzierung, die Eröffnung eines *zweiten* Ausgangs
neben dem konfessionellen und — in geographischer Abgrenzung — eines *doppelten* neben einem einzigen, bestimmt die fernere Geschichte des Humanismus, weil sich viele Humanisten nicht
auf die von der Reformation gestellte Entscheidungsfrage ein-
ließen, sei es, daß sie die Alternative schon in ihren Voraussetzungen
bestritten, sei es, daß sie den Konsequenzen, dem tatsächlichen Verlauf, dem Ergebnis, insbesondere der Konfessionalisierung der evangelischen Bewegung und der katholischen Reform nicht mehr zuzu-
stimmen vermochten. Beide Versuche, sich der Auseinandersetzung
überhaupt zu versagen oder wenigstens der konfessionellen Ausprägung der Fronten zu entgehen, laufen wiederum auf das Gleiche
hinaus. Sie bedeuten kaum eine planvolle, allenfalls eine reaktive,
sicher aber eine recht wirksame Einschränkung der Rolle, die das
konfessionell-humanistische Schulsystem im europäischen Geistesleben zu spielen beanspruchte. Sie entziehen dem konfessionellen
Streit Energien. Der unkonfessionelle Humanismus verzichtet auf
die Schule und auf das hohe Maß an Dauer, an Stabilität, das dem
konfessionellen zufällt. Damit schneidet er sich von seinen eigenen
Wurzeln insofern ab, als er ja auf keine andere Weise als eben
durch die Schule, durch heranwachsende Generationen, denen die
studia humanitatis auch in elementarer Weise zugänglich waren,
am Leben bleiben kann. Wo die Schule an den Rand des Geistes-

lebens rückte — was allerdings keine Frage der Quantität, sondern
der Geltung war —, starb der unkonfessionelle Humanismus als
selbständige Größe aus. Um den Preis der Unsicherheit und Kurz-
lebigkeit gewann er die Freiheit, seine Thematik selbst zu bestimmen, ohne sich auf propädeutische Dienstleistungen beschränken
zu lassen. Von Haus aus war er weder atheistisch noch unchristlich,
wenngleich mancher Humanist sein Christentum, ja gar seinen
Katholizismus auf den »Hausgebrauch«, auf die private Sphäre
reduzierte. Er wurde nur tatsächlich antiklerikal, in einem aggres-
siven Sinne laizistisch, wo ihm intransigente, durch ihr Bildungs-
niveau unzureichend ausgewiesene Ansprüche der Konfessionen
entgegentraten. Darin setzt er die antischolastische und antimona-
stische Haltung des frühen, von konfessionellen Problemen noch
nicht berührten Trecento- und Quattrocento-Humanismus fort,
wenn auch in einer grundlegend veränderten Situation. Auch in der
Thematik schließt er sich an den vorreformatorischen Humanismus
an. Sie ist breiter, vielseitiger als die des konfessionellen Humanismus, und sie birgt Gefährdungen in sich, die diesem fremd bleiben
mußten. Die vor- oder unkonfessionellen Elemente der bonae
literae, die lateinische Epistolographie und Historiographie, die
satirische Dichtung und Publizistik, die Traktatkunst und Poesie,
die einst der *imitatio* nicht des Stils, sondern der humanitas antiker
Autoren galten, werden noch gepflegt; sie haben jedoch den Ernst,
das Pathos verloren, das ihnen in einer unwiderruflich vergangenen
Zeit eigen war[31]. Der Zug zur republikanischen Freiheit, zur bür-
gerlichen virtus, zur gelehrten pietas ist einer gesellig-heiteren Un-
verbindlichkeit gewichen. Die strenge wechselseitige Beziehung von
Leben und Sprache, die die Originalität des früheren Humanismus
ausmachte, hat längst dem »Petrarkismus«, dem manierierten
Nachmachen lateinischer und vulgärsprachlicher »Muster« Platz
machen müssen. Nicht ohne wesentliche Förderung durch den
Humanismus, aber in eindeutiger Abkehr vom Petrarkismus beginnt die Besinnung auf die Möglichkeiten einer eigenen national-
sprachlichen Literatur, zuerst in Frankreich, bald in England,
schließlich auch in Spanien und Portugal[32]. Sobald diese zum Ziel

---

[31] E. GARIN, Der italienische Humanismus, Bern 1947; ders., Geschichte und
Dokumente der abendländischen Pädagogik, II: Humanismus (rde 250/1),
1966, 15—20.

[32] R. R. BOLGAR (s. o. Anm. 21), 317—329. Das materialreiche Buch von E. R.
CURTIUS, Europäische Literatur und lateinisches Mittelalter, [4]1963, sagt auch
dazu Wesentliches, obwohl ihm ein erweiterter, pragmatischer Humanismus-

gekommen ist, erscheint der Humanismus überflüssig. Das verspielte Artistentum verliert angesichts der französischen und niederländischen Religionskriege zwar nicht sofort sein Publikum, wohl aber den »Sitz im Leben«. Die bedeutenderen Humanisten werden von zwingenden Erfahrungen zu Sachproblemen geführt, die sie nicht mehr »moralphilosophisch«, sondern nur noch wissenschaftlich, rational, empirisch, traditions- und autoritätskritisch bewältigen können. Das Leben des Menschen bleibt zwar Thema und Gegenstand dieser Wissenschaft; es ist aber das Leben des natürlich-vernünftig denkenden und handelnden Menschen. Seine Geschichte ist aus den Quellen kritisch zu erheben und allein nach natürlichen Kausalitäten zu interpretieren. Sein Recht wird aus der moralischen und vernünftigen Menschennatur rekonstruiert und zum Kriterium alles positiven, kodifizierten Rechts und seiner dogmatischen Behandlung erhoben. Die Staatswissenschaft bedient sich historisch-empirischer Analysen, um politische Gesetzmäßigkeiten zu ermitteln. Wird in diesem »natürlichen System der modernen Geisteswissenschaften«[33] der humanistische Horizont und Personenkreis nur allmählich überschritten, so geschieht das beinahe in einem Sprung, wo die *scientia* alles bedeutet und die *sapientia* entweder abdanken oder zur rationalen Wissenschaftslehre werden muß, in der neuzeitlichen Naturwissenschaft. Sie macht den Humanismus und seinen alten Gegner, die aristotelische Naturphilosophie, mit einem Schlage zu historischen Erscheinungen der Vergangenheit. Das späte Bündnis beider vermochte ihren Untergang nicht mehr abzuwenden, als die neue, exakte Naturbeobachtung auch eine neue, exakte Naturerklärung forderte und in der Mathematik fand. Die Rationalität, die Abstraktion vom Zufälligen, sichert nun jeder Wissenschaft die ihr eigentümliche Strenge, die Notwendigkeit und Allgemeingültigkeit ihrer Erkenntnisse und die »Objektivität« ihrer Aussagen. Die Trennung von Wissen oder Bildung und Glauben wurde zum Entweder-Oder, als die neue Wissenschaft die »Einheit der Wahrheit« rational zu sichern begann. Sie entsprach mit dieser Parole zwar einem ursprünglichen Interesse des Humanismus, aber anders, als er es gemeint hatte.

Die These ERNST TROELTSCHS[34], daß Reformation und Renais-

---

begriff zugrundeliegt, der gegen seinen historiographischen Gebrauch indifferent erscheint.

[33] W. DILTHEY, Ges. Schr. 2, 90—296, *et passim*.

[34] E. TROELTSCH, Renaissance und Reformation, in: Ges. Schr. 2, 285.

sance »klar und deutlich als die Spaltung der europäischen Kultur in
ihre Hauptbestandteile« erscheinen, ist zu verändern und auf die Aus-
gänge des Humanismus anzuwenden: Der Humanismus ist in der
Begegnung mit der Reformation und in seinen Stellungnahmen zu
ihr auseinandergelegt worden, sowohl in seine Hauptbestandteile
als auch in die verschiedenen Geistesströmungen des neuzeitlichen
Europa. Die historische Relevanz des Humanismus war erfüllt, als
er das Grundproblem der europäischen Geschichte, die Frage nach
dem Verhältnis von Glauben und Bildung, von Christentum und
(lateinischer) Antike, aus der Schule ins Leben zurückgeholt und
mit seinem Programm einer *litterata devotio* als Lebensfrage zur
Diskussion gestellt hatte. Es war sein Schicksal, daß ihm die Reformation und die Gegenreformation — jede auf ihre Weise — mit
einer neuen, unendlich radikaleren Alternative gegenübertraten,
auf die er aus seinem Eigensten letztlich keine Antwort wußte[35].
So blieb ihm keine andere Wahl, als daß er seine Problematik in
die Konfessionskirchen einbrachte oder auf seine Frage verzichtete,
d. h. sie im Sinne einer Trennung von Glauben und Wissen entschieden sein ließ[36]. Wo er den zweiten Weg ging, ebnete er der
»Moderne« das Feld, um es ihr alsbald zu räumen. Wo er in den
Dienst der Konfessionen trat, schied er aus der europäischen
Diskussion aus, wenigstens auf den ersten Blick. Beide Wege haben
sich mehrfach gekreuzt und dabei ihre Fremdheit erkennen lassen,
wo nicht, wie bei Leibniz, eine überragende, nur von wenigen verstandene Konzeption beiden ihr Recht werden ließ. Dabei zeigte
sich nun, daß in dem humanistisch-aristotelischen Schulbetrieb, dessen Ende bereits besiegelt schien, etwas lebendig geblieben war, das
zur neuen Auseinandersetzung zwang. Es war das unverkümmerte
Bewußtsein, daß die Frage »Glaube und Bildung« bedrängende
Aktualität und Relevanz behalten hatte. Die Diskussion darüber ist
seit der deutschen Aufklärung, seit Lessing und Kant nicht mehr
abgerissen.

---

[35] L. W. Spitz (s. o. Anm. 1) kommt zu einem ähnlichen Urteil (290 f.), nachdem er den deutschen Humanisten (20—196) und Erasmus (197—236) in
scharfsinniger Interpretation Luther (237—266) gegenübergestellt hat.

[36] E. F. Rice jr., The Renaissance Idea of Wisdom, Cambridge/Mass. 1958;
dazu unentbehrlich: H. Baron, Secularization of Wisdom and Political Hu-
manism in the Renaissance, in: JHI 21, 1960, 131—150.

DIE RECHTFERTIGUNGSLEHRE BEI RICHARD HOOKER

von Martin Schmidt
(Mainz, Oberer Laubenheimer Weg 19)

1. Voraussetzungen

HANNS RÜCKERT hat in seinem tief eindringenden Erstlingswerk mit Recht hervorgehoben, daß die Mitte des paulinischen und reformatorischen Denkens über Gott und Mensch, die Rechtfertigungslehre, in der scholastischen Theologie nie einheitlich und zusammenhängend, sondern immer nur vereinzelt und zerstückelt zu Worte kommen konnte und daher nicht in der Lage war, ihre bestimmende Kraft zu entfalten, geschweige ihre eigentliche Zuspitzung gegen die menschliche Selbstgerechtigkeit zu erreichen[1]. Vielleicht ist dies die größte und epochemachende Wirkung der Reformation in der Theologie gewesen, daß sie diesen Zustand änderte und die Gegenseite zu einer Neuorientierung nötigte, ebenso wie ihre größte kirchenpolitische Leistung darin bestand, daß sie das Papsttum zu seiner eigentlichen Aufgabe zurückführte, der Fürsorge für die innere Gestalt der Kirche.

Die beherrschende Stellung der Rechtfertigungslehre im damaligen Denken läßt sich auch auf dem Boden beobachten, der sich nach allgemeinem Urteil dem Werke Luthers und seiner Nachfolger trotz gemeinsamer Ablehnung der römisch-katholischen Positionen eigentümlich entzogen hat: im südlichen Teil der britischen Inseln. Die Reformationsgeschichte Englands ist überaus verwickelt.

Vorbemerkung: Es ist dem Verfasser eine Freude, diese kleine Studie, die in den Zusammenhang eines Buches »Luthers Wirkung und das Lutherbild in England« gehört, dem verehrten Lehrer darzubringen, der als blutjunger Leipziger Ordinarius ihn für die von der Reformation Luthers her verstandene Gesamtkirchengeschichte gewann. Seine Vorlesungen, die in ihrer sachlich energischen, sprachlich geschliffenen Gestalt etwas Einzigartiges darstellen, entfalteten schon damals, in den Jahren 1928—1930, eine tiefe, nachhaltige Wirkung, so daß der Verfasser noch viele Formulierungen im Gedächtnis hat. Entscheidend jedoch war die Betrachtungsweise, die sich ihm als verpflichtende Mitgift einprägte.

[1] HANNS RÜCKERT, Die Rechtfertigungslehre auf dem tridentinischen Konzil (Arbeiten zur Kirchengeschichte, herausgegeben von KARL HOLL und HANS LIETZMANN, 3) 1925, 87.

Sie ist vordergründig und hintergründig zugleich. Kirchenrechtliche
Tendenzen, die sich mühelos dem nationalistischen und territoriali-
stischen Grundzug des späten Mittelalters einordnen lassen, liturgischer und sakramentaler Konservatismus, der sich an den Refor-
mationsversuch des Kölner Erzbischofs Hermann von Wied anschloß und mit der Agende Georgs des Gottseligen von Anhalt be-
freundete[2], schlichter Biblizismus, der nach der Bibel und der Predigt in der Volkssprache verlangte[3], schwer greifbare Nachwirkun-
gen der Wyclifie, frisches Einströmen des erasmischen christlichen
Humanismus sind daran ebenso beteiligt wie das machtpolitische
Bedürfnis des Renaissancefürsten nach der Sicherung der Erbfolge,
der dabei gleichwohl an die Zustimmung seines Parlaments gebunden blieb. Es ist fast symbolisch, daß der einzige wirkliche Schüler
Luthers, William Tyndale (1491 ?—1536), der in Wittenberg unter
seinem Katheder gesessen hatte und seine Übersetzung des Neuen
Testaments aufs engste an ihn anlehnte, britischen Boden nicht
wieder betrat, sondern in Antwerpen Märtyrer wurde, im burgun-
dischen Stammlande Karls V., das verbindend und hemmend zwischen seiner Wahlheimat, dem Ursprungslande der Reformation,
und seiner altkirchlich-humanistischen Geburtsheimat lag. Auf Hein-
richs VIII. kurvenreiche Religionspolitik folgten das kurze calvinistische Zwischenspiel unter der nominellen Regierung des Knaben
Edward VI., die der Protektor Edward Seymour, Herzog von So-
merset, führte, und die ebenso kurze Rückkehr zum römischen Katholizismus unter der Königin Mary Tudor. Erst unter der langen
Regierung Elizabeths I., die kirchlich von den harten theologischen,
propagandistischen und machtpolitischen Kämpfen zwischen den
Verfechtern einer konservativen und einer radikalen Reformation
verschiedener Spielarten erfüllt war, kam es zur Konsolidierung in
Verfassung und Theologie. Sie schlug sich in einem besonderen
Kirchenbewußtsein nieder, das seitdem die Glieder der Kirche von
England durchdrungen hat und eine selbstverständliche Brücke zwi-

---

[2] Vgl. FRANZ LAU, Georg III. von Anhalt (1507—1553), erster evangelischer
»Bischof« von Merseburg. Seine Theologie und seine Bedeutung für die Geschichte der Reformation in Deutschland, in: Wissenschaftliche Zeitschrift der
Karl-Marx-Universität Leipzig, 3. Jahrg. 1953/54, Gesellschafts- und Sprach-
wissenschaftl. Reihe Heft 2/3, 139—152, bes. 146 ff.

[3] Vgl. dazu besonders die beiden fast gleichzeitig erschienenen Biographien
Hugh Latimers, die englische (methodistische) von HAROLD S. DARBY, Hugh
Latimer 1953, bes. 60 ff.; 169 ff. und die nordamerikanische von ALLAN G.
CHESTER, Hugh Latimer, Apostle to the English, Philadelphia 1954, bes.
34 ff., 38 ff., 168 ff.

schen schlichtem Glauben und gelehrter, teilweise übergelehrter Theologie schlagen konnte und bis heute anhält. John Jewel (1522—1571) gab ihm als erster in seiner Apologia Ecclesiae Anglicanae (1562) Ausdruck. Diese knappe, gedanklich schlichte, an biblischen und patristischen Belegen reiche Schrift erkannte dankbar an, daß Luther und Zwingli von Gott gesandte Wiederentdecker der ursprünglichen christlichen Botschaft waren[4], wies aber sofort auch darauf hin, daß diese Botschaft sich durch die ganze Kirchengeschichte hindurch gegen die Angriffe heidnischer Gegner wie gegen die Entstellung eigener Häretiker mit Erfolg behauptet hatte[5]. Damit war unauffällig ausgesprochen, daß zu einer kirchlich-theologischen Heldenverehrung kein Anlaß bestand, und sie hat demgemäß auf anglikanischem Boden nie heimisch werden können. Auch auf die gegenwärtige Stunde war nach Jewel der alte — in Wirklichkeit erst durch den Humanismus bewußt gemachte — Grundsatz anzuwenden, daß Bibel und Kirchenväter in der christlichen Wahrheit übereinstimmten. Sie aber traten — das war der Kern seines Beweisganges — als Kronzeugen auf die Seite der evangelischen Bewegung[6]. Ihr gebührte darum der Ehrentitel »katholisch«, der in seinem Sinne stärker auf die Zeit als auf den Raum zu beziehen war, aber den ganzen Glanz und den vollen Anspruch der Definition des Vincentius von Lerinum in sich trug: »Katholisch ist das, was immer, was überall, was von allen geglaubt worden ist.«[7] Der Vorwurf der Neuerung, der nach seiner Meinung einen vernichtenden Tadel in sich schloß[8], konnte angesichts der festgehaltenen und gegenüber der römischen Entstellung berichtigten Grundlagen des Glaubens, wie sie die altkirchlichen Bekenntnisse endgültig ausgesprochen hatten, angesichts des Kirchenbegriffs, der Sakramentsauffassung und angesichts des Verhaltens zur weltlichen Obrigkeit im anglikanischen Raume gar nicht erhoben wer-

---

[4] JOHN JEWEL, Apologia Ecclesiae Anglicanae Pars IV cap. IV Div. 2, zit. nach der Ausg.: The Works of John Jewel ed. for the Parker Society, Cambridge 1848, vol. III p. 21.

[5] Ebda. Pars I a.a.O. (s. A. 4) 5—9.

[6] Ebda. Pars I cap. X Div. 2 a.a.O. (s. A. 4) 9; Pars III cap. I Div. 1 a.a.O. (s. A. 4) 15; Pars III Div. 3 a.a.O. (s. A. 4) 16; Pars IV cap. IX Div. 1. 2 a.a.O. (s. A. 4) 24; Pars V cap. XV Div. 1 a.a.O. (s. A. 4) 35; Pars VI cap. XVI Div. 1 a.a.O. (s. A. 4) 41; Pars VI cap. XVII Div. 1. 2 a.a.O. (s. A. 4) 42.

[7] Ebda. Pars I cap. II Div. 1 a.a.O. (s. A. 4) 6.

[8] Ebda. Pars V cap. I—VIII a.a.O. (s. A. 4) 29—32.

den[9]. Hingegen hatte die Vorwürfe der Gegner im Prinzip bereits Tertullian widerlegt[10]. Von welcher Seite man auch an die Kirche von England herantrat, die Jewel mit aller Schärfe gegen die auf dem Rücken der evangelischen Bewegung aufgekommenen Ketzer wie die Schwenckfelder, Wiedertäufer, Mennoniten und Libertiner abgrenzte[11], man mußte zugeben, daß sie die Einheit der Christenheit nicht aufgelöst oder die eine Kirche nicht verlassen hatte. Man hatte ja gar nicht die Kirche preisgegeben, sondern ihre Mißstände, und befand sich mit der wirklichen Kirche der apostolischen Überlieferung im Einklang[12]. Im übrigen war die kirchliche Einheit der Wahrheit und der Freiheit des an sie gebundenen Gewissens untergeordnet[13]. So ging es bei der Trennung von Rom tatsächlich um die urchristliche Entscheidungsfrage, ob man Gott mehr gehorchen müsse als den Menschen[14].

Der große, bleibende Erfolg dieser ersten Apologie des Anglikanismus, an die sich eine ausgedehnte literarische Fehde zwischen dem Verfasser und seinen römisch-katholischen Gegnern anschloß, nötigt zu der Feststellung, daß damit auch der Weg für die künftige Theologie gewiesen war, und daß somit hier, auf anglikanischem Boden, eine neue, gegenüber Wittenberg und Genf selbständige Gestalt der Auseinandersetzung mit dem angestammten römischen Katholizismus ins Leben trat[15]. Sie kreiste in anderer Weise, als das bei Luther und Calvin der Fall war, um die Kirche, so sehr sie sich Luthers aus Paulus geschöpften Grundsatz: »Prüfet alles und das

---

[9] Ebda. Pars III a.a.O. (s. A. 4) 10—15.

[10] Ebda. Pars I cap. VI Div. 2 bis cap. VIII Div. 1 a.a.O. (s. A. 4) 8 f.

[11] Ebda. Pars III cap. II Div. 1 cap. III Div. 1 a.a.O. (s. A. 4) 16 f.

[12] Ebda. Pars V cap. VII Div. 2 a.a.O. (s. A. 4) 34; Pars V cap. XV Div. 3 a.a.O. (s. A. 4) 35; Pars VI cap. XXIII Div. 1 a.a.O. (s. A. 4) 45.

[13] Ebda. Pars III cap. VI Div. 1 a.a.O. (s. A. 4) 18; Pars IV cap. IX Div. 3 a.a.O. (s. A. 4) 24; Pars V cap. XII Div. 2 a.a.O. (s. A. 4) 34; Pars V cap. XIII Div. 1. 2 a.a.O. (s. A. 4) 34.

[14] Ebda. Pars VI cap. I Div. 3 a.a.O. (s. A. 4) 36; Conclusio 46.

[15] Diese ist bisher noch nicht zusammenhängend untersucht und dargestellt worden. Einen Gipfel stellte die Auseinandersetzung mit Bellarmin dar, die ja überall geführt wurde, hier aber sich bezeichnend auf seine notae ecclesiae konzentrierte. Vgl. u. a. The Notes of the Church, as laid down by Cardinal Bellarmine examined and confuted in a Series of Tracts by Archbishop Tenison, Bishops Kidder, Patrick, Williams, Fowler, Stratford, Grove, Dr. Sherlock, Dr. Claggett, Dr. Scott, Dr. Thorpe, Dr. Payne, Dr. Linford, Dr. Resbury, Dr. Freeman, London 1687 — eine offenbar angesichts der Gefahr der Romanisierung unter Jakob II. veranstaltete offiziöse Stellungnahme des anglikanischen Episkopats.

Gute behaltet!«[16] zu eigen gemacht hatte. Kirche wurde hier je
länger desto mehr vom Traditionsbegriff, vom Sakrament, von der
Liturgie, von der Institution her verstanden, so sehr zunächst — wie
für Luther und Calvin — das reine Wort Gottes als Gabe und Aufgabe proklamiert worden war[17] und den inneren Ausgangspunkt
gebildet hatte.

In Jewels Apologie kam die Rechtfertigungslehre nicht vor, und
keine seiner Predigten galt ihr. Das wurde bei seinem Schüler
Richard Hooker (1554—1600), dem zweiten bedeutenden Wortführer des anglikanischen Kirchenbewußtseins, anders. Sein um-
fangreiches Hauptwerk[18], das sich — anders als Jewels Apologie —
ein durchaus begrenztes Thema stellte, nämlich die Bedeutung des
Gesetzes und der Gesetze in der Kirchenbildung und Kirchenordnung
aufzuzeigen, dies aber in einer nicht wieder erreichten Gründlichkeit
und Tiefe tat, baute freilich das reformatorische Zentralthema nicht
ein. Das wird man unter systematisch-theologischem Gesichtspunkt
beklagen müssen, und dieser Mangel wird im letzten das qualitative
Urteil bestimmen, zumal die Nachwirkung Hookers infolge der
Überlegenheit an Tiefe und Reichtum diejenige Jewels auf die
Dauer weit übertraf. Er bezog in einer wohl nirgends sonst geübten oder auch nur versuchten Offenheit den griechischen Kosmos-
begriff, der Ordnung, Schönheit und Weltall in sich vereinte, aus
dem platonischen Renaissancedenken in den biblisch-christlichen
Schöpfungsgedanken voll ein — offenbar durchdrungen von der
urkatholischen Überzeugung, daß dieser nichts Wertvolles außerhalb seiner selbst lassen könne und zugleich allem derartigen
überlegen sei. Gott war danach nicht nur der Gesetzgeber, sondern
auch Gesetzesempfänger. Er unterstand selbst als Schöpfer — und
Schöpfung bedeutete ja Selbstentäußerung, Selbstbegrenzung —
einem Gesetz, dem Urgesetz der Vollkommenheit, dem Gegenteil

[16] WA Br 1, 160, 17 (31. März 1518 an Staupitz); WA 12, 208, 8 (Formulae
missae et communionis 1523).
[17] Besonders durchgängig bei John Jewel, aber auch weithin noch bei Hooker,
erst recht in der Frühzeit bei den Calvinisten wie Thomas Becon, bei den
schlichten Biblizisten wie Hugh Latimer und Nicholas Ridley. Auch hier
wäre eine Spezialdarstellung am Platze, die den allmählichen Ersatz des
»Wortes Gottes« durch die Kirche als Kategorie zeigen müßte. Luthers
Formel ecclesia creatura verbi wird, soviel ich sehe, im Anglikanismus nicht
reproduziert.
[18] Of the Laws of Ecclesiastical Polity (1594/97). Das Werk stellt nicht nur
eine theologische Äußerung dar, sondern einen festen Bestandteil der allgemeinen Bildung.

der Willkür[19]. Der platonische, von Augustin und Thomas aufgenommene und weiterentwickelte Ordnungsgedanke als dem Urprinzip der Wirklichkeit wurde von Hooker als Deutungsmittel für die Bibel eingesetzt: Wenn es schon bei der Stiftung der Ehe, der ersten Institution auf Erden überhaupt, hieß: »Es ist nicht gut, daß der Mensch allein sei«, so lag in dem einleitenden Satz die Anerkenntnis des Guten als des bestimmenden Gesetzes, das allem vorgeordnet war[20]. Gott, so urteilte Hooker, tut nichts ohne Ursache, da er aber beständig im Wirken begriffen ist, läßt sich immer auch der Beweggrund für sein Handeln auffinden[21]. Zugleich tut Gott nichts ohne Maß, ja er bindet sich auch in mathematisch-technischer Weise an Maß, Zahl und Gewicht[22]. So eng ist die Verbindung zwischen ihm und der Vernunft gefaßt; ein rationales Gottesbild ergibt sich als Konsequenz, wenngleich nicht im flachen Sinne des späteren Rationalismus. Die Urforderung, eine maßvolle, nüchterne, beherrschte Haltung einzunehmen, gilt unter Berufung auf Tit. 2, 12 gerade auch für den Christen; das für das englische Leben und Denken, für englische Erziehung, Ethik und Politik so kennzeichnende Sobrietätsideal erhält den höchsten Adel vom Prinzipiellen[23].

[19] RICHARD HOOKER, Of the Laws of Ecclesiastical Polity (Everyman's Library 201) (1907) 1958, 150 (Book I, chap. II, 2).

[20] Ebda. 152 (Book I chap. II, 3).

[21] Ebda. God worketh nothing without cause. All those things which are done by him have some end; and the end for which they are done is a reason of his will to do them. Gottes Kausalität ist also ihrem Wesen nach Teleologie.

[22] Ebda. If therefore it be demanded, why God having power and ability infinite, the effects notwithstanding of that power are all so limited as we see they are: the reason thereof is the end which he hath proposed, and the law whereby his wisdom hath stinted the effects of his power in such sort, that it doth not work infinitely, but correspondently unto that end for which it worketh, even »all things (Sap. VIII, 1; XI, 20) in most decent and comely sort«, all things in Measure, Number, and Weight.

[23] Die fundamentale Bedeutung des Sobrietätsideals drängt sich allen tieferen, namentlich deutschen Beobachtern des britischen Wesens auf. Vgl. LEVIN LUDWIG SCHÜCKING, Die Familie im Puritanismus 1929, 6 ff. Im weiteren Sinne sind auch PAUL MEISSNER, England im Zeitalter von Humanismus, Renaissance und Reformation 1952, bes. 78 ff., 180 ff. und sein Schüler HELMUTH EXNER, Der Einfluß des Erasmus auf die englische Bildungsidee 1939, 64 ff., 78 ff. darauf gestoßen. Klassisch und volkstümlich wird die sobriety durch das am weitesten verbreitete Erbauungsbuch und praktische Moralhandbuch The Whole Duty of Man (zuerst 1659) repräsentiert, wo Tit. 2, 12 Leittext ist. Vgl. meine Untersuchung, Das Erbauungsbuch The Whole Duty of Man (1659) und seine Bedeutung für das Christentum in England, in: Theol. Viat. (Jb. d.

Die Größe »Gesetz« empfing durch Hooker einen Glanz und eine Würde, die dem reformatorischen Denken mit seiner Gegenüberstellung von Gesetz und Evangelium als einem grundsätzlichen Widerspruch völlig fremd war. Denn Gott redete nicht nur im Alten Bund, der die Wirklichkeit ins Leben rief, durch Gesetze, sondern auch im Neuen. Die Menschwerdung des Erlösers, die Erscheinung der einen wahren Kirche, die sie fortsetzt und für die nachfolgenden Geschlechter verbürgt wie zugänglich macht, sind ewig gültige, unveränderliche Ordnung Gottes[24].

2. Hookers Behandlung der Rechtfertigung

Wie nahm sich für einen solchen Denker die Rechtfertigung aus — sie, die die Rechtsordnung voraussetzte und sie doch im entscheidenden Freiheitsakt Gottes, dem begnadigenden Wort an den Sünder, der sie gebrochen hatte, zerbrach? Er widmete ihr eine eingehende Sonderbehandlung in einer ausgesprochen gelehrten Predigt am 28. März 1586.

Kirchl. Hochsch. Berlin-Zehlendorf) VIII (1961/62), 232—277. Samuel Wesley d. Ä., John Wesleys Vater, bezeichnete hoffnungsvolle jugendliche Männer, in denen er künftige Mitglieder seiner innerkirchlichen Gemeinschaft, der religious society in Epworth sah, am 7. Februar 1702 als »sober persons«, Archiv der SPCK London MSS Wanley p. 190. John Wesley definierte wie selbstverständlich »religion« zuerst durch sobriety als grundlegenden Bestandteil in The Doctrine of Original Sin (1757), The Works of John Wesley IX[3] 1830, 227: Are they men of religion, sober, temperate, fearing God and working righteousness, having a conscience void of offence toward God and man? Weitere Belege: Thomas Church (anglikanischer Pfarrer) an John Wesley, The Letters of John Wesley ed. JOHN TELFORD 1931 II, 252, 262, 263 (Juni 1746), John Wesley ebda. X II, 281 (Juni 1747) III, 260 (Februar 1750) III, 271 (Juli 1750). WILLIAM WARBURTON, The Doctrine of Grace or the Office and Operations of the Holy Spirit vindicated from the Insults of Infidelity and the Abuses of Fanaticism (1762), in: Works 1788—1794 vol. IV (1788), 642 (gegen Wesley). In der Elegie auf Wesleys Tod (An Elegiac Pastoral, occasioned by the death of the Reverend John Wesley who died March 2d, 1791, 12) heißt es:

> Many wonders we have seen
> Since our dear Father here to preach began;
> Many are godly who have wicked been,
> The drunkard is become a sober man.

Vgl. auch ROBERT HERRICK, Julia's Churching oder Purification Hesperides 898 (ed. A. POLLARD, Muses Library 1898, 106)

[24] HOOKER a.a.O. (s. A. 18), 201 ff. (Book I ch. XI). Wie beherrschend der Gesetzesgedanke auf die Leser wirkte, zeigt ein früher Druckfehler, daß gelegentlich statt Love »Law« steht.

Das erste, was auffällt, ist der gewählte biblische Text. Hooker behandelt das Thema, offenbar im Rahmen von Reihenpredigten über den Propheten Habakuk, unter dem Spruch 1, 4: »Der Gottlose übervorteilt den Gerechten; darum ergehen verkehrte Urteile«, den wahrscheinlich niemand zum Ausgangspunkt für die Darlegung der Rechtfertigung machen würde[25]. Auch er verläßt ihn alsbald, nachdem er ihm lediglich das Stichwort »gerecht« entnommen hat, und wendet sich der Sache, der Gerechtigkeit des Christen, zu. Den Abstand zum alttestamentlichen Wort macht er allein schon dadurch deutlich, daß er die Berechtigung der Bezeichnung »gerecht« für Menschen überhaupt in Zweifel zieht. Kein Mensch ist gerecht vor Gott — auch Maria nicht, die das irdische Werkzeug Gottes für die Erlösung wurde. Ihm liegt daran, die in einer angeblich altkirchlichen Predigt unter dem Namen des Eusebios von Emesa betonte Paradoxie, daß das am Kreuz vergossene Blut des Erlösers, das er aus ihrem mütterlichen Leibe empfing, auch für sie vergossen wurde[26], mit aller Kraft herauszustellen. Der Ungerechtigkeit aller Menschen ohne Ausnahme tritt die Gerechtigkeit Jesu Christi gegenüber: Er ist nach 1 Kor. 1, 30 Weisheit, Gerechtigkeit, Heiligung und Erlösung, er allein. Doch soll diese Isolierung aufgehoben werden: In der künftigen Welt werden die Erlösten eine glanzvolle Gerechtigkeit ihr eigen nennen. Hier auf Erden werden sie durch eine vollkommene

---

[25] RICHARD HOOKER, A Learned Discourse of Justification, Works, and how the Foundation of Faith is overthrown, HOOKER a.a.O. (s. A. 18), 14.

[26] Ebda. 15 f. Die lange Zeit Eusebios von Emesa (ca. 295—ca. 359) zugeschriebenen Homilien stammen wahrscheinlich von dem Parteigänger Gregors VII. und bedeutenden mittelalterlichen Exegeten Bruno von Asti/Segni (1045/49—1123), der 1079 Bischof von Segni, 1102 zugleich Mönch in Monte Cassino, 1107—1118 Abt dort wurde (unter Fortdauer seines Bischofsamtes). Sie sind Auszüge aus seinen Evangelienkommentaren, Migne Patr. Lat. 165, 747—864. Die nach der Angabe Hookers in der 2. Homilie zum 1. Weihnachtsfeiertag über Luk. 2, 15—20 befindliche Stelle, die für seine Beweisführung entscheidende Bedeutung besitzt, ist in dem bei Migne abgedruckten Text (MPL 165, 354—356 in Verbindg. mit MPL 165, 756) nicht enthalten, auch nicht in den anderen Weihnachtshomilien. Sie lautet: Spem terrarum, decus seculorum, commune omnium gaudium, peculiari munere novem mensibus sola possides: initiator omnium rerum abs te initiatur, et profundendum pro mundi vita sanguinem de corpore tuo accepit, ac de te sumpsit, quod etiam pro te solvat. A peccati enim veteris nexu per se non est immunis ipsa genitrix Redemptoris (HOOKER a.a.O. 16, A. 2). Es wäre aufschlußreich, sie im umfassenden mariologischen Zusammenhang zu untersuchen und festzustellen, ob sie einzig dasteht. Zur Verfasserfrage der Homilien vgl. MPL 165, 12—16 (Prolegomena) und den daran angelehnten Artikel DThCath V (1939) 1538: Eusèbe d'Émése von P. GODET.

Gerechtigkeit gerechtfertigt werden, die nicht zu ihrem Eigentum wird. Umgekehrt gilt, daß diejenige Gerechtigkeit, durch die sie geheiligt werden, ihnen zugehört, aber nicht vollkommen ist[27].

Durch dieses Beziehungsgefüge und seine Verschränkungen hat Hooker den Boden für die Auseinandersetzung mit der römisch-katholischen Theologie bereitet, die sich zentral um die Rechtfertigung bewegt. Die Verweigerung einer Sonderstellung für Maria und die entscheidende Einschränkung der heiligmachenden Gerechtigkeit dienten durch ihr Eingehen auf dort geläufige Vorstellungen und Begriffsbildungen diesem Ziel. Aber ehe er der Polemik ihren sachlichen Lauf läßt, hält er noch einmal inne und betont das gemeinsame Gut. Beide Seiten lehren, daß Gott allein die Seele des Menschen rechtfertigt, wie Hooker unter Berufung auf den tridentinischen Theologen Casal von Leiria ausdrücklich feststellt[28]. Beide Seiten halten fest, daß der Mensch nur durch das Verdienst, das Jesus Christus nach seiner menschlichen Natur vor Gott erworben hat, die Gerechtigkeit erlangt. Die anselmische Stellvertretungslehre verbindet reformatorisches und römisch-katholisches Denken. Beide Seiten sind sich schließlich darin einig, daß das objektiv vollbrachte Heil subjektiv angeeignet werden muß: Ein Heilmittel, das nur hergestellt ist, aber nicht angewandt oder eingenommen wird, tut keine Wirkung.

Soweit reicht die Übereinstimmung mit der Kirche von Rom nach Hooker. Aus der folgenden Erörterung ergibt sich, daß ihm am gemeinsamen Boden sehr viel liegt, denn er möchte über die sachliche Feststellung hinaus seinen Hörern die Sorge nehmen, ihre Vorfahren hätten unter dem Papsttum gar nicht zur ewigen Seligkeit gelangen können[29]. Man wird noch einen Schritt weitergehen dürfen und schon die Gesamtauffassung, als handle es sich beim Heil um ein Heilmittel — im sakramentalen Sinn des Ignatius von An-

---

[27] Ebda. 16 f.

[28] Ebda. 17. Zu Gaspar Casal de Leiria (1510—1584) seit 1557 Bischof von Leiria, 1579 von Coimbra, der bezeichnenderweise wie Staupitz und Luther Augustinereremit war und damit in der von ERNST WOLF (Staupitz und Luther 1927, 27 ff.) sichtbar gemachten augustinisch-thomistischen Tradition der Gnadenlehre stand, vgl. DThCath II (1932), 1820 und LThK. Hooker zitiert hier sein Hauptwerk De quatripartita justitia ... libri tres in quibus ... orthodoxa de justificatione nostra fides asseritur, Venetiis 1563, ²1565, damals die umfangreichste Darlegung der Rechtfertigungslehre von römisch-katholischer Seite.

[29] Ebda. 26 ff.

tiochien[30] —, als im tiefsten und ursprünglichen Sinn verbindendes Element anzusehen haben.

Aber trifft das wirklich zu? Gerade an diesem entscheidenden Punkte beginnt Hooker das Trennende aufzuweisen. Verschieden ist die innerste Natur, das Wesen, die Beschaffenheit der Gerechtigkeit, die im Geschehen der Rechtfertigung verliehen wird. Die römisch-katholische Seite, für die Thomas von Aquino und das tridentinische Rechtfertigungsdekret als die authentischen Zeugen herangezogen werden, sieht in ihr eine geistliche Qualität göttlicher Herkunft. Diese Qualität wird von der Seele aufgenommen, bringt dort die Wiedergeburt als Verwandlung zustande und verleiht dem Wiedergeborenen die Kraft, gottgemäße gute Werke zu vollbringen. Das geschieht in einer eindrücklichen und überzeugenden Analogie zum Schöpfungsakt, wo zunächst dadurch, daß die Seele mit dem Körper verbunden wurde, der Mensch in die Zahl der vernünftigen Geschöpfe eingereiht und dann mit dem Vermögen ausgestattet wurde, seine eigentümlichen Fähigkeiten richtig zu gebrauchen. Die geistliche Qualität göttlicher Herkunft macht sodann die Seele angenehm für Gott; deshalb wird sie mit Recht »Gnade« genannt. Sie wäscht alle Flecken ab, die von der Sünde stammen, und befreit die Seele so, unter Zuhilfenahme von Christi Verdienst, von der Verdammnis zum ewigen Tode. Solche »Gnade« als substantielle Qualität wird eingeflößt und verwandelt sich in ähnlicher Weise in einen Bestandteil seines Körpers wie die Körperwärme. So wie diese ihn gegen die Kälte schützt, so die Gnade gegen das Böse; freilich hat in beiden Fällen der Schutz seine Grenzen. Die Seele wird nach römisch-katholischem Verständnis gerecht durch eine zwar zunächst verliehene, dann aber innewohnende Gnade und diese kann, ja soll durch nachfolgende gute Werke gesteigert werden. Auf diese Weise ergibt sich eine erste, anfängerhafte, niedere und eine zweite, höhere Rechtfertigung. Das neuplatonische Stufendenken verschafft sich hier einen charakteristischen Ausdruck. Umgekehrt kann die Gnade durch läßliche Sünden wieder abnehmen, ja durch Todsünden ganz und gar verloren gehen. Das zieht die Notwendigkeit nach sich, sie sich immer neu einflößen zu lassen, und dies geschieht durch die Sakramente, in leichteren Fällen durch Weihwasser, Ave Maria-Gebete, Bekreuzigungen und päpstliche Segensspenden. Denen, die sie durch eine Todsünde eingebüßt haben, teilt sie das Bußsakrament von neuem mit, freilich mit gerin-

---

[30] Ignatius ad Ephesios 20, 2.

gerer Kraft, als es das Ursakrament der Taufe getan hatte. Möglicherweise hatte hier Luthers Protest gegen die Entwertung der Taufe zugunsten der Buße durch Hieronymus Eindruck gemacht und die Wiederherstellung der klassischen Rangordnung bewirkt[31]. Das im Vergleich zur Taufe eingeschränkte Vermögen des Bußsakraments besteht darin, daß es die ewige Strafe in eine zeitliche umwandelt, die notfalls im Fegefeuer zu Ende gebracht wird, aber auch durch Messen, Taten der Barmherzigkeit, Wallfahrten und Fasten verringert oder durch außergewöhnlichen Ablaß getilgt werden kann[32].

Soweit das komplizierte System der Rechtfertigung aus eingegossener Gnade Gottes nach römisch-katholischer Lehre. Man sieht ihm auch in dieser Fassung an, daß es aus Kompromissen hervorgegangen war und auf Additionen beruhte; es war kein Werk aus einem Guß. Hooker hat aus den tridentinischen Festsetzungen die thomistischen Töne als die beherrschenden herausgehört: Die Rechtfertigung stellte sich als ein Akt Gottes allein aus Gnade dar, der Anteil des Menschen war auf ein Minimum reduziert. Das war zwar eine unerlaubte Vereinfachung, aber aufs Ganze gesehen doch richtig: Denn die thomistische Linie der freien Gnade Gottes und ihrer Übermacht hatte sich auf dem Konzil entscheidend Bahn gebrochen, wenn sie auch auf die skotistische Fragestellung nach der rechten Vorbereitung des Menschen mehr Rücksicht hatte nehmen müssen, als ihr gemäß war[33].

Wenn Hooker an dieser Stelle seinen Gedankengang abbricht und darauf verzichtet, das vorgeführte System durch Prüfung und Auflösung seiner einzelnen Bestandteile zu entwurzeln, so hat er doch Wesentliches erreicht. Er hat als verbindende Aussagen zwischen katholischem und reformatorischem Denken die Rechtfertigung des Sünders durch Gott allein, die Alleinwirksamkeit der Gnade festgestellt. Den entscheidenden Punkt, ob die Gnade Gottes als einflößbare Substanz, die in den Menschen eingeht, richtig verstanden ist, hat er bis jetzt offen gelassen.

Er beschreitet nunmehr bewußt einen völlig anderen Weg — den biblischen. Im engen Anschluß an Paulus bietet er das evangelische Verständnis der Rechtfertigung dar und handelt damit durchaus im Sinne der reformatorischen Neuorientierung, insbesondere Luthers. Jedoch verfährt er nicht abrupt und beziehungslos, sondern

---

[31] WA 6, 527, 10; vgl. zu der Frage RÜCKERT a.a.O. (s. A. 1) 92 f.

[32] HOOKER a.a.O. (s. A. 18) I, 20.

[33] Vgl. RÜCKERT a.a.O. (s. A. 1) 106—190, bes. 177 ff., 183 ff., 260 f.

25*

läßt die Polemik gegen die römisch-katholische Lehre unmittelbar durch die positiven Aussagen des Neuen Testaments selber vollziehen. Nach den zentralen Aufstellungen von Phil. 3, 8. 9 und 2. Kor. 5, 21 ist die Gerechtigkeit des Christen, die von Gott stammt und im Glauben ergriffen wird, klar eine von *außen* kommende Größe. Eine Rechtfertigung durch eine dem Glauben eigentümliche Qualität wird von Paulus eindeutig abgelehnt. Blickt der Mensch auf sich selbst, so findet er nichts als Sünde. Er hat gesündigt und Gott hat gelitten, ja hat sich selbst zur menschlichen Sünde gemacht, damit der Mensch zur Gerechtigkeit Gottes würde. Der Rollentausch und die Stellvertretung müssen im Gegensatz zur römisch-katholischen Verwischung in ihrer Schärfe herauskommen.

Aber sofort, nachdem er betont hat, daß die Kirche von Rom die urchristliche Lehre verfälscht, bietet sich ihm wieder ein verbindendes Glied an. Das Neue Testament redet nach Hooker von zweierlei Gerechtigkeit, außer der der Rechtfertigung kennt es die der Heiligung. Diese ist nun in der Tat eine innewohnende Größe für den Menschen. Mit ihr überwindet Hooker den Gegensatz zwischen Paulus und Jakobus und den zwischen Paulus und dem 1. Johannesbrief: Jakobus und Johannes meinen die Heiligung, wenn sie auf dem gerechten Handeln des Menschen als einer Notwendigkeit bestehen, und Paulus selbst weist den Weg zu diesem Verständnis, wenn er Röm. 6, 22 Rechtfertigung und Heiligung unlöslich aneinander bindet: »Nun ihr aber seid von der Sünde frei und Gottes Knechte geworden, so habt nun eure Frucht, daß ihr heilig werdet!« Das klassische biblische Beispiel, der Erzvater Abraham, war in jeder Hinsicht gerecht. Er verwirklichte die erste Möglichkeit, die Gerechtigkeit des Glaubens, als er die beiden großen Verheißungen ernstnahm, den Zuspruch des gelobten Landes und den des späten Sohnes. Die zweite Art von Gerechtigkeit, die eines heiligen Lebens, beobachtete er, als er bereit war, den Sohn der Verheißung zu opfern[34].

Wenn Hooker jetzt wieder zu dem zugrundeliegenden Text aus Habakuk 1, 4 zurücklenkt, so gilt seine Aufmerksamkeit erneut dem Worte »gerecht«. Er faßt es als einen Ehrentitel auf, den Gott den Juden zuerkannte, obwohl er durch ihr Verhalten nicht gedeckt war, und leitet daraus die Mahnung ab, daß die Christen, entsprechend der apostolischen Anrede als die Heiligen, einander Ehrerbietung schulden. Im Grunde liegt darin eine Bekräftigung

[34] Hooker a.a.O. (s. A. 18) I, 37.

für die Gnade, der der Mensch alles verdankt: Nicht er legt sich
oder seinem Mitmenschen Würdebezeichnungen wie »gerecht« und
»heilig« bei, sondern Gott tut es. Wie wenig auch der gerechtfertigte
Glaubende dem Verlangen Gottes nach Reinheit und Vollkommenheit entspricht, wird nirgends deutlicher als beim Gebet, dem unmittelbar auf ihn gerichteten Akt, dem heiligsten, den der Mensch
überhaupt vollziehen kann. Wer müßte sich nicht eingestehen, daß
gerade da seine Gedanken allzu oft abirren, daß er sich der Majestät
seines Gegenübers und des eigenen Elends in keiner ausreichenden
Weise bewußt ist, ja daß er sich oft nur mit Mühe zum Anfangen
entschließt und froh ist, wenn er wieder aufhören kann, gerade als
hätte Gott mit der Aufforderung, ihn anzurufen, eine kaum trag-
bare Bürde auf seine Schultern gelegt[35]?

Erwägt man das, wie kann man dann dem Menschen verdienst-
liche Leistungen zutrauen[36]? Dient nicht vielmehr alles dazu, die
Grundbehauptung der allgemeinen Sündhaftigkeit, nicht nur Unzulänglichkeit, sondern Bosheit, zu bestätigen, so daß sich die erfolg-
lose Fürbitte Abrahams für Sodom und Gomorrha heute genau
so ereignen müßte wie damals[37]? Es kommt Hooker alles darauf
an, die Richtigkeit der reformatorischen Rechtfertigungslehre durch
ihre negative Voraussetzung zu erweisen. Damit, daß er hier die
andersartige römisch-katholische Auffassung durch die optimistisch
gehaltene Anthropologie begründet sein läßt, greift er ihr viel stärker an die Wurzel, als es in der theologisch orientierten Analyse
des Rechtfertigungsvorgangs selbst möglich war. Der Übereinstimmung in der Gotteslehre steht die Abweichung in der Sündenlehre
schroff und unversöhnlich gegenüber. Man wird fragen dürfen, ob
angesichts einer solchen Situation die Einflößung einer wunderbaren Substanz überhaupt in die Rolle eines echten Heilmittels
gelangen kann. Hooker selbst stellt freilich diese Frage nicht. Aber
er kommt dem durch und durch personalen Charakter der Erlösung
als einer frei geschenkten Versöhnung sachlich sehr nahe, und zwar
— bedeutungsvoll genug — durch den Rückgang auf die biblischen
Grundaussagen.

Doch ist das keineswegs das Ganze. Die ausführliche, man muß
schon sagen, über Gebühr ausgedehnte Behandlung der Frage, ob
die Väter durch ihr Verharren im römisch-katholischen Glaubens-

---

[35] Ebda. 24.
[36] Ebda. 25 f.
[37] Ebda. 24 f.

system ihr ewiges Heil verscherzt haben, stellt dem seelsorger-
lichen Verhalten Hookers ein vorzügliches Zeugnis aus, verschiebt
aber im folgenden die Sachfrage von der Rechtfertigung auf die der
Kontinuität im Glauben und in der Kirche. Das ist nun wieder bezeichnend für das anglikanische Denken überhaupt. Die Bindung
an die biblische, insbesondere die paulinische Grundlage konnte
dort eigentlich nie das einzige und ausschlaggebende Wort der
Kirche und der Theologie werden; es erklang immer neben dem
von der Tradition. Die Heiligung der Geschichte war ein mindestens
ebenso wichtiges Anliegen wie der Gewinn des Heils für den einzelnen. Man wird also nicht von einer pelagianischen oder semipelagianischen Einschränkung der Alleinwirksamkeit der Gnade
sprechen dürfen, sondern von ihrer Zurückdrängung durch das
majestätische Faktum einer gemeinsamen Geschichte. Gott kann
sich nicht widersprechen, sein Weg mit der Menschheit kann nicht
so verlaufen, daß er sein Werk durch herrschende Irrlehre gefährdet
oder gar preisgibt. Man trifft ihn überall an, gerade auch in der
römisch-katholischen Entstellung.

Das hat entscheidende Rückwirkungen auf die letztgültige Behandlung der Rechtfertigungslehre selbst. Daß sie die Mitte der
neutestamentlichen Botschaft darstellt, hat Hooker ausgesprochen
und kann es nicht zurücknehmen, ebenso, daß das Alte Testament
— prototypisch in der Gestalt Abrahams — darauf zielt. Die Aufgabe kann nun nur noch dahin gehen, nachzuweisen, daß auch das
römisch-katholische Verständnis die Grundlage, die entscheidende
Uraussage der Rechtfertigung, bewahrt und weitergibt.

Er macht es sich damit schwer, wenn er ausdrücklich bei der ge-
läufigen apokalyptischen Gleichsetzung von Rom und Babel beginnt[38]. Denn sie schließt nach Offb. 18, 4 die Pflicht ein, die bisherige Heimat zu verlassen, um nicht an ihren Sünden teilzuneh-
men, insbesondere an solchen, denen man sich gar nicht entziehen
kann, wenn man dazugehört. Gibt es derartige Sünden in Rom?
Die meisten werden mit einem entschiedenen Ja antworten; jedoch
Hooker selbst hält sich bemerkenswert zurück. Sicher ist die gleiche
Wertschätzung ungeschriebener Traditionen und der Heiligen Schrift
eine Sünde, ebenso die Erhebung des Papstes zum Haupte der gesamten Kirche, die Verwandlungslehre in der Messe wie ihre Steigerung zu einem sündentilgenden guten Werk, das zugleich menschliches Opfer sein will, weiterhin die Verehrung von Heiligen und

---

[38] Ebda. 27, 31.

Bildern. Aber, so fragt Hooker, ist damit die Grundlage des christlichen Glaubens verlassen oder angegriffen? Das verneint er. Die Grundlage des christlichen Glaubens ist die Überzeugung, daß Jesus Christus der einzige Erlöser und die einzige Quelle alles Lebens mit Gott und für Gott ist. Sie besteht weiter darin, daß die Belehrung darüber aus den biblischen Schriften erfolgt. Werden etwa diese Wahrheiten auf der römisch-katholischen Seite geleugnet? Keineswegs. Hooker unterscheidet zwischen den Urhebern der Ketzerei, ihren Verteidigern und ihren Mitläufern, die bloße, meist urteilsunfähige Empfänger falscher Lehren waren, und zieht zuletzt solche in Betracht, die die Grundlage des christlichen Glaubens, wenn auch schwach, trotz allen Irrlehren festhielten. Die Väter seiner Zuhörer befanden sich mit Sicherheit in den beiden letzten Kategorien[39].

Aber er geht in seinem versöhnlichen Urteil noch viel weiter. Sein Kernsatz lautet: Die christliche Grundaussage, daß Jesus Christus der einzige Erlöser ist, daß die Menschen unterschiedslos nur in ihm das Heil erlangen, ist eine *positive*, bejahende Aussage[40]. Ihre bejahende Kraft — das ist Hookers Grundüberzeugung, die er freilich nie mit dürren Worten ausspricht, sondern immer voraussetzt — kann durch nachfolgende Verneinungen nicht aufgehoben werden. Dahinter steckt ein tiefer Gedanke: Gottes Ja ist stärker als das menschliche Nein. Auch wenn dieses Nein zusammengeballt, vielfältig, verschlagen, direkt oder indirekt auftritt, kann es nicht gegen Gottes entgegengesetztes Wesen und den aus solchem Wesen folgenden Willen aufkommen. Wörtlich fragt er: »Sicher sind wir bereit, Gott zu verlassen, aber ist er bereit, uns zu verlassen?«[41] Der Untreue der Menschen steht die Treue Gottes gegenüber. Das, was die Rechtfertigung meint, ist kein zweiseitiger Vertrag zwischen Gott und den Sündern, sondern die Eröffnung eines neuen bleibenden Verhältnisses. Darum wäre es einseitig, nur punktuell und aktualistisch von der rechtfertigenden Gerechtigkeit zu reden. Nein: das Ganze ist ein Prozeß, ein Drama, wenn man so will, ebenso wie die Wiederherstellung der Gottesgemeinschaft von Gottes Seite her ein Prozeß und ein Drama war: Das Gesamtschicksal Jesu von der Inkarnation über die Kreuzigung bis zur Auferstehung und Aufnahme in die Herrlichkeit begründet das Heil. Ebenso gehört für die Empfänger nicht nur der Glaube dazu, sondern die Lebens-

---

[39] Ebda. 27—31.
[40] Ebda. 43.
[41] Ebda. 47 f.

gerechtigkeit, die den ganzen Menschen neu schafft, ihm ein anderes Ziel und einen anderen Inhalt für sein Dasein gibt, ihn mit göttlichem Leben erfüllt und in der Ewigkeit vollendet. In diesem Zusammenhang fällt bei Hooker, dem wegweisenden Denker der Kirche von England, das entscheidende Stichwort, das gewöhnlich auf die gottesdienstliche Haltung im Anglikanismus eingeengt wird: die Schönheit der Heiligkeit[42]. Abraham hatte beide Gerechtigkeiten, die des Glaubens bewies er, als er die Verheißung ernstnahm und dem Ruf in das fremde Land folgte, die des Lebens, als er bereit war, seinen Sohn zu opfern. Die wahre Gerechtigkeit besteht darin, daß die Glaubenden zu Tempeln des heiligen Geistes werden[43]. So glaubt Hooker, tiefer, lebendiger, biblischer als knapp hundert Jahre später George Bull in seiner Harmonia Apostolica, die scheinbar einander entgegenstehenden Rechtfertigungsanschauungen des Paulus und Jakobus miteinander versöhnen zu können[44]. Gerade das menschliche Versagen in dieser zweiten Phase, der Lebensgerechtigkeit, hebt die göttliche Zuverlässigkeit nicht auf. Haben nicht Petrus und der römische Bischof Marcellinus Christus verleugnet und sind trotzdem wieder angenommen worden[45]? Auch die Galater, die Paulus wegen ihrer Rückkehr oder ihrem neuen Beitritt zur Beschneidung so hart anließ, waren keineswegs hoffnungslos verloren. Wenn einer von ihnen gestorben wäre, bevor er seinen Irrtum eingesehen und bereut hatte, hätte ihm Gott die ewige Seligkeit nicht vorenthalten[46].

Das alles muß auf die Kirche von Rom angewandt werden. Sicher sind ihre Irrlehren so beschaffen, daß sie die alleinseligmachende Rolle Jesu außer Kraft setzen — freilich ohne das zu wollen, also indirekt und nachträglich. Trotzdem ist ihre Abweichung vom christlichen Glauben keine so fundamentale wie die der Galater. Denn die Beschneidung war durch Jesus Christus ausdrücklich aufgehoben. Wer sie übte, trat zu der neuen Erkenntnis, daß das Heil allen Menschen galt, nicht nur dem einen auserwähl-

---

[42] Der klassische englische Ausdruck lautet nach Ps. 29, 2; 103, 3: the beauty of holiness. In die gleiche Richtung weist die beliebte, auch für John Wesley gültige Gleichung: holiness is happiness. Vgl. a. Hookers Definition von Happiness in den Laws of Ecclesiastical Polity I, 203 f. (Book I chap. XI, 3). In dem hier zugrundegelegten Traktat über die Rechtfertigung 38: that holiness which afterwards beautifieth all the parts and actions of our life.

[43] Ebda. 37 f., 60.

[44] Ebda. 37 GEORGE BULL, Harmonia apostolica 1670.

[45] Ebda. 49.

[46] Ebda. 51 f.

ten Gottesvolke, in Widerspruch und schied sich vom christlichen Glauben. Ganz anders steht es mit der Einmengung der guten Werke in den Rechtfertigungszusammenhang, die die Kirche von Rom vollzieht. Gute Werke sind nicht von Jesus und Paulus unter Verbot gestellt worden wie die Beschneidung; im Gegenteil, beide haben sie gefordert. Sie liegen in der Verlängerung des Rechtfertigungsaktes, und die Kirche von Rom erkennt das insoweit auch an, als sie sie nicht aus dem natürlichen Vermögen des Menschen hervorgehen läßt, sondern aus der Gnade. Ihr Fehler ist ein anderer: Sie mißt ihnen rechtfertigende Kraft bei, verwechselt also die Reihenfolge[47]. Das ist trotzdem ein gewichtiger, verhängnisvoller Irrtum. Ja, Hooker geht anläßlich der römisch-katholischen Behauptung, daß die guten Werke aus der verliehenen Gnade stammen und deswegen das Heil begründen können, bis zu dem Satze, Paulus habe offenkundig vorausgesehen, daß die Kirche von Rom die Welt durch zweideutige Redeweise in der Heilsfrage irreführen werde, und sich deshalb so scharf und eindeutig ausgedrückt[48]. Davon kann man nicht abweichen: Ein Nachgeben kommt für die reformatorisch Überzeugten nicht in Frage; die Reformation kann für England nicht rückgängig gemacht werden[49].

Es geht allein um die doppelte Frage: Sind die Ahnen der heutigen Generation, die im Papsttum starben, selig geworden oder nicht? Ist ein Anhänger des römischen Katholizismus einfach deshalb, weil er die dortigen Irrlehren teilt, verdammt? Beide Fragen verneint Hooker entschieden aus den genannten Gründen. Er ist auch davon durchdrungen, daß die doketische und die ebionitische Christologie tiefer in die christliche Grundaussage eingreifen und sie in ihrem Gehalt zunichtemachen als die römisch-katholische Verdienstlehre[50]. Der Pelagianismus, auf den sie notwendig führt, stand sich selbst im Wege, urteilt Hooker. Denn indem er dem freien Willen des Menschen, den er gleichwohl von Gott herleitete, zuviel zutraute, wurde er zum Feinde der Gnade, der er doch die Ausstattung des Menschen mit dem freien Willen zuschrieb[51].

In solch verständnisvoller Weise setzte sich der anglikanische Theologe mit dem Gegner auseinander und erhob es ausdrücklich zum Grundsatz, nicht in der gleichen kindischen atomistischen Art

[47] Ebda. 57—59, 61 f.
[48] Ebda. 68.
[49] Ebda. 75.
[50] Ebda. 62 f.
[51] Ebda. 66.

gegen ihn zu polemisieren, wie es von ihm gegen die evangelische
Seite geschah[52]. Kann man sich nicht vorstellen, daß ein Kardinal,
ja ein Papst, erfüllt von seiner hohen Aufgabe, ganz zur Ehre Gottes
zu wirken und tief durchdrungen von seinem eigenen Versagen, von
seinen Sünden, seinen Irrtümern, auch bereit wäre, einer Belehrung
zum Besseren sich zu unterwerfen? Soll ein solcher Mann verdammt
sein? Ja, so sagt Hooker, es wird die Zeit kommen, wo wir Evangelischen glücklich sein werden, wenn unsere Sünden nur so groß
sind wie die der Päpste und Kardinäle. Auf den Einwand, es gehe
hier ja gar nicht um die Personen, die auf beiden Seiten gleichermaßen der göttlichen Barmherzigkeit bedürftig, aber auch würdig seien,
erwidert er: Wenn die entscheidende Sünde im theoretischen Meinen
liegt, dann wird die Aussicht auf das Heil noch gewisser[53]. Im
übrigen hatte er ja die Frage von vornherein als eine persönliche
gestellt, indem er sie auf das Schicksal der Ahnen richtete. Freilich
wäre es das Richtige, wenn der Papst seine jurisdiktionelle Gewalt
aufgäbe und auf seine Überordnung über die weltlichen Fürsten
verzichtete, wenn das ganze Machtgebaren der Kurie und ihrer Beauftragten verschwände und alle das sanfte Joch Jesu Christi auf
sich nähmen, wenn die römische Kirche alle Irrlehren abtäte und sich
allein auf das Heil in Jesus Christus ohne Werke verließe. Aber
auch solange dieser Wunsch nicht in Erfüllung geht, darf man ihr
den Charakter einer christlichen Kirche nicht absprechen[54]. Für die
von der Wahrheit der reformatorischen Grundauffassung Überzeugten gilt daher die Mahnung, Festigkeit in dieser Überzeugung mit
Gerechtigkeit gegen den Gegner zu verbinden, Überlegenheit in der
Liebe und im Verständnis anstatt rechthaberischer Verketzerungs-
sucht zu bewahren. Damit entläßt Hooker seine Hörer.

3. Folgen

Die Art, wie hier die Rechtfertigung behandelt wurde, hat die
weitere innere Geschichte der Kirche von England bestimmt. Ohne
Verzicht auf dogmatische Klarheit wird diese nicht als die letzte

---

[52] Ebda. 59.
[53] Ebda. 70 f.
[54] Ebda. 56 f. Bedeutsam ist, daß Hooker zur Unterstützung die wiederholt
vertretene Meinung anführt, daß auch die Heiden unbewußt die christlichen
Normen innehielten (ebda. 43) — ein weiterer Beweis für seine Auszeich-
nung des Gesetzesbegriffs. Denn was er als Vorzüge der Heiden anführt, ist
ihr moralisches Verpflichtungsbewußtsein, ihr Sinn für Lohn und Strafe, für
Güte und Bosheit.

Aufgabe angesehen, sondern sofort zu der Situation der Kirche, und zwar der Kirche in ihrem geschichtlichen Wandel, besser gesagt: auf ihrem geschichtlichen Wege, in Beziehung gesetzt. Diese Beziehung wird dadurch verstärkt und ins innere Glaubensdenken hinein gesteigert, daß die Kontinuität im Wandel zum persönlichen Anliegen des Menschen erhoben wird, der in der Geschichte steht, sie mitlebt, mitgestaltet, mitleidet. So erfolgt die für die anglikanische Kirche wie für kaum eine andere so kennzeichnende Heiligung der Geschichte, die um so stärker ist, weil sie nicht unter dogmatischen Kategorien, sondern unbewußt vollzogen wird. Sie machte es möglich, daß hier trotz der betont universalen »katholisch-altkirchlichen« Grundhaltung das nationale Element in einer Stärke auch ins Gesamtbewußtsein der Kirche einzog wie kaum anderswo in der Christenheit. Das ging soweit, daß sich eine Übertragung dieser Kirche in fremde Gebiete kaum bewerkstelligen ließ (abgesehen von den britischen Kolonien) — mit der einzigen, sehr merkwürdigen Ausnahme von Portugal, und daß andrerseits der Nationalismus sich kaum in seiner störenden Weise vordrängt. Eine nationalistisch-kirchliche Ideologie im deutschchristlichen Sinne hat er nicht erzeugt, auch wenn er von der Gerechtigkeit der britischen Politik im allgemeinen überzeugt war — freilich nur im allgemeinen. Wer die Geschichte der Kirche von England genauer kennt, weiß, daß es — auf anglikanischem Boden, durchaus nicht nur auf freikirchlichem — stets ebenso lautstarke ablehnende wie befürwortende Stimmen zu politischen Tagesentscheidungen gegeben hat. Das Nationale wird eben nicht als Ideologie und Programm, sondern als historische Gegebenheit genommen. Man bejaht es aus Ehrfurcht vor der Geschichte und ist darum im ganzen eher konservativ als revolutionär eingestellt, im äußersten Falle evolutionär.

Die Unausweichlichkeit der Rechtfertigungslehre im Reformationszeitalter ist durch die frühe Periode der englischen Reformation von 1530—1553 erwiesen, sie hat sich im Buch der Homilien, den reformatorischen Musterpredigten, ein bleibendes Denkmal geschaffen. Die Rechtfertigungslehre ist eine Weile Thema geblieben, aber gerade bei Hooker, dem einflußreichsten ihrer Denker, zeigt sich der Umbruch, daß sie zum Nebenkriegsschauplatz wurde. Ihre Funktion, die Betonung des sola gratia, solo Christo, sola fide, übernahm die Inkarnationslehre und die Versöhnungslehre. Das Thema der Rechtfertigung behandelte dann der Puritanismus, vor allem John Goodwin und John Owen, aber es gelangte nicht mehr in die Führung, bis John Wesley es wieder hervorholte und damit die methodistische Bewegung — in der anglikanischen Kirche! — eröffnete. Freilich erwies auch er sich darin als Schüler Hookers und des gesamten anglikanischen Geistes, daß er sofort zur Glaubensgerechtigkeit die Lebensgerechtigkeit fügte und das Zielbild des Christen in der Heiligkeit der vollkommenen Liebe zu Gott gipfeln ließ[55]. Immerhin war er es und seine Bewegung, die das reformatorische Grundthema kraftvoll wieder zur Geltung brachte.

[55] Welche inneren Schwierigkeiten er bei der Verhältnisbestimmung zwischen Rechtfertigung und Heiligung empfand, zeigt eindrücklich sein etwas schwankendes Urteil über ein beliebtes älteres Werk, das James Hervey (1714 bis 1778), sein einstiger Schüler und Freund, dann aber sein mehr oder weniger entschiedener Gegner, seit der 6. Auflage 1756 warm empfohlen hatte: Walter Marshalls Erbauungsbuch The Gospel-Mystery of Sanctification (1692). Es betonte stärker die Rechtfertigung als die Heiligung im Sinne der Verwandlung, die aus dem Sünder den vollkommenen Jünger Jesu machte. (Vgl. Herveys Recommendation in: The Gospel-Mystery of Sanctification. London [8]1765, p. VII f.: »As Faith is such a Persuasion of the Heart, and such a Reception of CHRIST, it assures the Soul of Salvation by its own Act; antecedent to all Reflection on its Fruits or Effects, on Marks or Evidences. It assures the Soul of Acquittance from Guilt, and of Reconciliation to GOD; of a Title to the everlasting Inheritance, and of Grace sufficient for every Case of Need. — By the Exercises of this Faith, and the Enjoyment of these Blessings, we are sanctified. Conscience is pacified, and the Heart purified. We are delivered from the Dominion of Sin; disposed to holy Tempers; and furnished for an holy Practice.
Here, I apprehend, our Author will appear singular. This is the Place in which he [p. VIII] seems to go quite out of the common Road.«)
John Wesley nahm in sein Tagebuch unter dem 20. November 1767 eine ausgesprochen kritische Äußerung eines seiner Korrespondenten über Marshalls Buch auf, ohne sich jedoch mit ihr zu identifizieren, aber auch ohne von ihr abzurücken (The Journal of John Wesley, ed Nehemiah Curnock [1909—1916] Bicentenary Edition 1938 V, 239 f.). Am 19. Januar 1782 schrieb er an Thomas Davenport (The Letters of John Wesley. Standard Edition by John Telford 1931 VII, 101 f.): »It is, I believe, near forty years ago that a friend recommended to me Mr. Marshall's Gospel Mystery of Sanctification. (p. 102). A few passages I found scattered up and down which I thought leaned towards Antinomianism. But in general I approved of it well, and judged it to be an excellent book. The main proposition, that inward and outward holiness flow from a consciousness of the favour of God, is undoubtedly true. And it is a truth that should always be before our eyes.«

ZUR ROLLE DES LUTHERTUMS IN DER GESCHICHTE DES DEUTSCHEN STÄNDEPARLAMENTARISMUS

von Wilhelm F. Bofinger
(Stuttgart, Ameisenbergstraße 80 a)

Es ist nachgerade zu einem Gemeinplatz geworden, dem lutherischen Obrigkeitsgedanken in seiner Verbindung mit der Zwei-Reiche-Lehre eine konstitutive Bedeutung zuzuschreiben für den monarchisch-obrigkeitlichen Zug der deutschen politischen Gesellschaftsentwicklung. Schon bei MAX WEBER führte die Kritik an den gesellschaftspolitischen Grundlagen der deutschen Reichseinheit von 1871 zu konfessionstypologischen Erklärungsversuchen. Das Luthertum rückte bei ihm in die Nähe des Islam. Beiden gemeinsam schien die Anfälligkeit für hierokratische Herrschaftsformen. Diesen Grundzug sah WEBER im Falle des Luthertums verankert in Martin Luthers Indifferenz gegenüber fürstlicher Diktatur und in seinem mangelnden Interesse an einer verfassungsmäßigen Abgrenzung von Kirche und Staat. Religionssoziologische Typisierungen dieser Art legen den Schluß nahe, es sei jetzt eine Erklärung für die politisch-sozialen Eigentümlichkeiten der deutschen Nationalstaatsära gefunden worden. Man übersieht dabei aber, daß man sich mit solchen Analysen immer noch auf dem Boden einer monarchisch-nationalen Geschichtsschreibung bewegt.

Angesichts der Kluft, welche sich im 19. Jahrhundert zwischen der großeuropäischen Gesellschaftsentwicklung und den eigentümlichen politischen Strukturen auf dem Boden des alten Reiches auftat, hatte diese Geschichtsschreibung versucht, jene Sonderexistenz mit dem Rekurs auf spezielle religiöse Traditionen zu sanktionieren, indem man das Bild von Thron und Altar zurückprojizierte in die Geschichte des 17. und 18. Jahrhunderts. Auch die Kirchengeschichte folgte diesem Muster und sah die deutschen Konfessionskirchen im Lichte des absolutistischen Landesherrentums. Man überging dabei einen anderen Tatbestand, der für die Entwicklung moderner politischer Strukturen gerade ausschlaggebend war: die Verflechtung der deutschen Kirchen mit der Ständeorganisation der alten Gesellschaft. Die Eigenart dieses monarchisch-nationalen

Geschichtsbildes ist heute selbst zu einem Geschichtsphänomen geworden, und man erkennt das darin enthaltene folgenschwere Moment einer Abwehrhaltung gegenüber dem Eindringen funktionaler staatlicher Rationalität in den vom Ordo-Denken und einer naturhaften, verobjektivierenden Staatsvorstellung geprägten Bereich des alten römischen Reiches. Auf der Suche nach dem »missing link« zu jener Entwicklung funktionaler staatlicher Rationalität ist man wieder auf den Dualismus gestoßen, der die Entwicklung des 17. und 18. Jahrhunderts auch in Deutschland durchzog, jenen Dualismus nämlich von Ständeregiment und absolutistischer Fürstenherrschaft. Man fragt wieder neu nach den Gründen für die unterbrochene Kontinuität der alten Landständetradition als eines neuralgischen Stranges politischer und verfassungsrechtlicher Vergangenheit, und das umso mehr, als sich die Revolution staatlicher Rationalität in der übrigen Welt teils direkt, wie im Falle des englischen Parlamentarismus, teils indirekt, wie beim Beginn der französischen Revolution, auf diese Entwicklungslinie der ständischen Repräsentation zurückführen läßt. Die neue Betrachtungsweise ist auch deshalb dringender geworden, weil die früheren Erklärungsversuche für den Niedergang dieser Tradition in Deutschland sich als fragwürdig erwiesen haben.

OTTO HINTZES Hinweis auf die Rolle der Reformation bei diesem Niedergang ist nämlich zu einseitig[1]. Gegen seine These spricht die Blüte der Landtage im 16. Jahrhundert, wie sie auch sichtbar wurde in ihrer Rolle bei der Verteilung des Kirchengutes. Gegenüber RACHFAHLS Einschätzung des 30-jährigen Krieges als der Krise, die zum Untergang deutscher Ständeherrschaft führte, stehen die Beispiele Cleve-Mark, Hessen-Kassel, Sachsen, Württemberg und Preußen[2]. HARTUNG und GIERKE wiesen auf einen inneren Zerfall nach 1648 hin, der sich wiederum an Brandenburg, Preußen und den Habsburger Landen nicht nachweisen läßt[3]. HINTZES Theorie vom Einbruch einer neuen Epoche durch die Institution der ste-

---

[1] O. HINTZE, Typologie der ständischen Verfassungen des Abendlandes, in: Staat und Verfassung, Ges. Abhandlungen zur allg. Verfassungsgeschichte, hg. von F. HARTUNG, Leipzig 1941, 128.

[2] F. RACHFAHL, Der dualistische Ständestaat in Deutschland, Jahrbuch für Gesetzgebung, Verwaltung und Volkswirtschaft im Deutschen Reich, XXVI, 1902, 1112—1114.

[3] F. HARTUNG, Deutsche Verfassungsgeschichte vom 15. Jahrhundert bis zur Gegenwart, 5. Aufl. Stuttgart 1950, 138, und: O. GIERKE, Rechtsgeschichte der deutschen Genossenschaft, Berlin 1868, 816.

henden Heere vereinfacht das Bild und kann sich am Phänomen Sachsen und Württemberg nicht bewähren, widerspricht auch gerade den großen Vorgängen in England und Schweden[4]. Zuletzt aber gilt es, jener These von der Unfähigkeit des Ständischen zur Anpassung an die Erfordernisse des »neuen Staates« das entgegenzuhalten, was die Hintergründe vieler jener Urteile am meisten betrifft: Man geht dabei schon von der Absolutsetzung eines Bildes vom Staate aus, in dem dieser moderne Begriff einseitig aus dem Fürstenregiment abgeleitet ist. Vor allem: wenn man die Geschichte der Landtage genauer betrachtet, dann zeigt sich, daß in einzelnen Fällen tatsächlich eine kontinuierliche Anpassung an die neuen Erfordernisse stattgefunden hat[5], daß in manchen Territorien durch Ausschußwesen und Verwaltungsreformen wesentliche Anforderungen der neuen Umstände wahrgenommen wurden. An den beiden eklatantesten Beispielen, Altpreußen und Württemberg, läßt sich, wenn auch in ganz verschiedenen Phasen des Wettstreites mit dem absolutistischen Regiment, ablesen, daß sich das Ständische mit einer Generation Verspätung den neuen Erfordernissen anpaßte. Es ist aber zu fragen, ob dieser Spielraum nicht größtenteils dadurch bedingt war, daß, wie z. B. beim Merkantilismus, das Neue sich in Form von Übergriffen und Rechtsbrüchen von Seiten der Fürsten einführte.

Man kann also feststellen, daß im Ganzen gesehen jene andere Seite der politischen Geschichte Deutschlands aus ihrer Dunkelheit herausgetreten ist, anscheinend abgeschlossene Fragenkreise sich wieder als durchaus offen erweisen und damit auch an die Kirchengeschichte die Frage zu stellen wäre, ob die Geschichte der konfessionellen Territorialkirchen und die Betrachtung des Verhältnisses zwischen Kirche und Staat, besonders aber die Rolle der lutherischen Obrigkeitslehre sich nicht auch von jenem anderen Aspekt her angehen ließe[6].

Ein Faktor ist im besonderen dafür verantworlich zu machen, daß sich das Bild des 17. und 18. Jahrhunderts so einseitig darstellte: Bei der Einführung der Reformation stand das ius reformandi der Fürsten im Mittelpunkt; abgesehen von den Städten und

---

[4] O. Hintze, aaO, 128 und 155. Derselbe, Staatsverfassung und Heeresverfassung, aaO, 59.

[5] Z. B. in Württemberg, s. A. E. Adam, Johann Jakob Moser als württembergischer Landschaftskonsulent 1751—1771, Stuttgart 1887, Anm. s. 100 f.

[6] Zum Ganzen: F. L. Carsten, Princes and Parliaments in Germany from the Fifteenth to the Eighteenth Century, Oxford 1959, 436 ff.

dem höchsten Ständeforum des Reiches, dem Reichstag, traten die deutschen Ständeparlamente hier nicht auffallend in Erscheinung[7]. Die Landtage wurden bei diesem entscheidenden Schritt nicht vorher gefragt[8]. Daß sie nachher an der Form der Durchführung in den meisten Fällen beteiligt waren, übersah man weitgehend. So blieb für den Historiker die spätere Rolle der Landtage stets im Schlagschatten jener Ereignisse des Reformationszeitalters. Im Vordergrund stand die Rolle der Fürsten, als ob das ius reformandi und die Formel »cuius regio eius religio« dann wirklich prototypischen Charakter für die folgenden Jahrhunderte gehabt hätten. Es war aber oft das Gegenteil der Fall. Man kann fast sagen: Jener Einschnitt der Reformation war die Ausnahme. Nachher erwies sich nämlich — in vielen Fällen bis zum Beginn der napoleonischen Ära — das territoriale Ständeparlament als Band der Kontinuität in der Religionsfrage.

Nur einige allgemeine Beobachtungen sollen hier für viele Einzelnachweise stehen: Der Dualismus von Fürsten- und Ständeregiment durchlief im 30-jährigen Krieg eine kritische Phase, sie führte aber bezeichnender Weise zum Fall der Landtagsrechte nur in denjenigen Territorien, in denen sich die neugläubigen Stände einem altgläubigen Landesherrn gegenüber sahen — die Landtage galten also als Schutzwall des Glaubensstandes. Es läßt sich dann weiter feststellen, daß überall dort, wo im Lauf des 17. und 18. Jahrhunderts in einem protestantischen Territorium die Konfessionszugehörigkeit des Fürsten sich änderte, der Kampf um das ius reformandi sich zuerst am Widerstand der Landtage entfachte. Eine letzte Feststellung weist in ausgreifendere Zusammenhänge: Es gilt mit wenigen Ausnahmen als verhängnisvoller Umstand des damaligen Verfassungslebens, daß die Landtage sich ohne breitere Unterstützung bei der Meinung des Volkes durchzusetzen hatten[9]. Anders aber stand es damit, wenn Glaubensfragen ins Spiel kamen. Hier fanden die Ständevertretungen oder deren Ausschüsse stets lebhaftes Echo in der Öffentlichkeit, bisweilen sogar mit fast revolutionär anmutenden Demonstrationen. Mochten die Gerechtsamen

---

[7] Der Ausdruck »Parlament« für die deutschen Landtage wird im ganzen Beitrag verwandt in Angleichung an den internationalen Sprachgebrauch in der wissenschaftlichen Literatur über die deutsche Ständeverfassung.

[8] Eine Ausnahme bildet Braunschweig unter Herzogin Elisabeth, weil hier der Thronfolger minderjährig war.

[9] Zu den Ausnahmen zählt hier vor allem Cleve-Mark, wo sich von jeher der Einfluß der Generalstaaten geltend gemacht hat.

der Ständeparlamente im Widerstreit zu den wachsenden fürstlichen Ansprüchen noch so sehr in den Hintergrund gedrängt worden sein — die eigentliche Domäne der Landstände blieb immer noch die Religionssache.

Hier deutete sich zuerst eine zukunftsweisende Bewegung an, die mit der Rolle eines Sprachrohres für das Landesganze, wie es die Stände in solchen Fällen darstellten, zusammenhängt. In dieser Funktion war das Parlament ja nicht mehr nur eine Vertretung auf Grund von Privilegien und Immunitäten; dieser alte Rahmen war gesprengt. Der Landtag stellte in neuer Form eine Repräsentation des Landesganzen dar, denn er handelte nun im Auftrage einer *öffentlichen Meinung.* Damit war im Keim schon jener Prozeß eingeleitet, der in anderen europäischen Gesellschaftskörpern die alte grundherrliche Auffassung des Fürsten oder Monarchen zur Erschütterung bringen sollte. Zuletzt muß nun aber noch auf einen nicht unwesentlichen Tatbestand hingewiesen werden. Mit der Reformation entfiel nämlich nicht in allen Territorien der erste Stand, den der Klerus innehatte. In manchen Fällen, wie z. B. in Württemberg, war die neugläubige Kirche selbst durch ihre Vertreter im Ständeparlament vertreten. In Kursachsen und Hessen war diese Beteiligung wenigstens indirekt gegeben, da hier kirchliche Stiftungen, Schulen, Hospitäler und Universitäten den fehlenden ersten Stand ersetzten.

Der das 17. und 18. Jahrhundert durchziehende Kampf zwischen Territorialherren und Ständeregiment kann also ohne die Dynamik, die sich aus dem kirchlichen Bereich heraus entwickelte, nicht verstanden werden. Der hier geltende Obrigkeitsgedanke enthielt eine Spannweite, die den späteren Vereinfachungen nicht entspricht. Zwar finden sich in der Tat Elemente in der lutherischen Obrigkeitslehre, die nicht unwesentlich dazu beigetragen haben, die Stellung des deutschen Souveräns zu festigen. Aber dies war nur *ein* Faktor unter anderen, wofür schon die gleichlaufenden Verhältnisse in den nicht-lutherischen deutschen Reichsteilen sprechen. Die Scheu vor letzten, revolutionären Schritten in der Opposition gegen den absolutistischen Herrscher, jener grundsätzlich antirevolutionäre Zug der deutschen Geschichte, ist nur zu einem Teil von hier aus zu erklären[10]. Immerhin macht diese Unantastbarkeit des legitimen Souveräns den einen Pol im Geltungsbereich dieses Obrig-

---

[10] Hier wäre an erster Stelle auf einen anderen Faktor hinzuweisen, nämlich den Zusammenhang zwischen territorialem Absolutismus und überterritorialer Reichsverfassung.

keitsbegriffes aus. Ihm entgegen steht aber die hier aufgewiesene andere Komponente. Sie stellt sich dar als ein Wesenszug, welcher der großen neuzeitlichen politisch-gesellschaftlichen Entwicklung ebenso offenstand wie gleichzeitige Vorgänge in den führenden Teilen Europas.

Unter zahlreichen Beispielen der sich im einzelnen vielfach unterscheidenden Schicksale deutscher Territorialparlamente soll im Rahmen dieses Beitrags nur *ein* eklatanter Fall ans Licht gezogen werden. Es ist dies die für das Schicksal des mitteleuropäischen Staatsdenkens so entscheidungsvolle Endphase des Ringens des altpreußischen Ständeregiments mit dem absolutistischen Herrschaftsanspruch des Brandenburgischen Hofes. Nicht nur, daß mit der Niederwerfung Altpreußens während der Regierungszeit des Kurfürsten Friedrich Wilhelm die am weitesten fortgeschrittene deutsche Ständestruktur, nämlich die Preußens, zu Grabe getragen wurde, nicht nur, daß dies auch für Brandenburg selbst das Ende der ständischen Opposition nach sich zog; diese Vorgänge sind vor allem auch deshalb so bedeutungsvoll, weil das Luthertum hier in auffallender Weise ins Blickfeld der politisch-gesellschaftlichen Umwälzungen des 17. Jahrhunderts tritt.

Das bedeutsamste Dokument in dieser Auseinandersetzung ist die Erklärung der gesamten Stände an die Oberräte vom 31. Januar 1663 während des großen preußischen Landtags von 1661 bis 1663[11]. Der wenig bekannte und für die deutsche Verfassungsgeschichte doch so denkwürdige Text soll hier im Anhang abgedruckt erscheinen[12]. Schon im Äußeren zeigt die Erklärung der Stände, in welch hohem Maß das Ringen um die Verfassungsfragen mit der Bekenntnisfrage verwoben ist. Dem Paragraphen über die Deduktion des geltenden Staatsrechtes folgt unmittelbar und darauf aufbauend die Begründung des Konfessionsstandes. Ständeregiment und orthodoxes Luthertum waren in der besonderen Situation dieses Entscheidungskampfes nicht mehr voneinander zu trennen. Dem »cuius regio eius religio« wurde vom Ständeregiment entgegengestellt:

---

[11] Originaltitel: »E. Ehrbaren Landschaft vor allen Ständen höchst nöthige Erinnerungen, auf das von denen Herren Ober- und Regiments-Räthen den 15. Januarii 1663 extracirte Project kurfürstlicher Assecuration, übergeben den 30. Januarii 1663«, zit. in: Urkunden und Aktenstücke zur Geschichte des Kurfürsten Friedrich Wilhelm von Brandenburg. 16. Band, 1. Teil. Ständische Verhandlungen III. Herausgegeben von K. Breysig, Berlin 1899, 329 ff.

[12] S. u. S. 415.

»Desgleichen können sie auch von der formula concordia anführen und behaupten, daß dieselbe von ao. 1579 her, zu einem Kirchbuch der preußischen Kirchen einhellig von der Herrschaft sowohl als von den Ständen angenommen worden«[13]. Da die Herrschaft in diesem Fall bestehendes Recht zu verletzen im Begriffe war, liegt im Duktus dieser Beweisführung durch den ganzen Religionsparagraphen hindurch der Ton auf jener rechtswahrenden Funktion der Stände. Angesichts der neuen Staatspraxis des Brandenburgers und ihrer neufeudalistischen Begründung ist es nun aber gerade ʾdie Frage, ob Verfassungstradition und Verfassungstheorie dieses altpreußischen Ständeregiments noch eine Berechtigung habe.

Der Inhalt des Dokuments spiegelt im Vergleich zum Luthertum innerhalb des Reichsverbandes die außergewöhnliche Entwicklung der preußisch-lutherischen Verhältnisse wieder[14].

Der Hintergrund soll hier kurz aufgewiesen werden: Im alten Ordensland hatte sich unter der strengen Herrschaft des Deutschen Ritterordens eine priviligierte Stellung der Stände erst spät herausgebildet. Um so schneller vollzog sich aber der Aufstieg einer Ständeherrschaft, als mit dem Zerfall des Ordens sich ständische Privilegien häuften. Dazu kam die Nachbarschaft zu Polen, dessen genossenschaftliche Struktur so ausgeprägt war, daß sein Regiment mehr den Charakter einer Adelsrepublik hatte. Der Einfluß dieses polnischen Genossenschaftswesens auf die preußischen Stände erwies sich im Lauf der Zeit als immer nachhaltiger. Noch weitere Umstände sind zu nennen. Die größeren Städte Danzig und Königsberg machten den wirtschaftlichen Niedergang vieler Städte im Reich nicht mit, sie blieben von der Verlagerung der großen Handelswege Europas relativ unberührt und ihre wirtschaftliche Schlüsselstellung verstärkte das ständische Selbstbewußtsein der Bürgerschaft. Auf dem Lande hatte sich ein Grundherrentum entwickelt, dem durch den kolonialen Charakter des Landes ein unverhältnismäßig großer Landbesitz zugefallen war. Die eigentlichen Träger des supremum dominium, die Ordensritter, waren stets fremdländisch, so daß dem Landesregiment nie der Charakter einer ansässigen und daher volkstümlichen Herrschaft zuwuchs. All diese Momente stärkten die Stellung der Stände. Der Gegensatz zum Orden und die eigene Machtposition war alsbald so weit gediehen, daß 1441 ein förmlicher Bund

---

[13] K. Breysig, aaO, 332.
[14] Zum Folgenden s. K. Breysig, Allgemeine Einleitung »Die Entwicklung des preußischen Ständetums von seinen Anfängen bis zum Regierungsantritt Friedrich Wilhelms« aaO, Bd. 15, 3 ff.

der Stände untereinander geschlossen wurde. Als dann 1454 ein Aufstand der vereinigten Stände ausbrach, wurde in kurzer Zeit die Stellung des Ordens zerschlagen. Ein Richtspruch von Kaiser und Reich verlief angesichts dieser machtvollen Stellung der Stände in Bedeutungslosigkeit. Die Eigenständigkeit des Bundes erwies sich nach allen Seiten hin und gründete sich von nun an vor allem auf ein Faktum, das sich im heutigen Bild der allgemeinen Geschichte als immer bedeutungsvoller herausstellt, nämlich auf das Traditionsbewußtsein, das sich aus einer einmal gelungenen Revolution herleitet. Im Prinzip war damit die mittelalterliche Bedeutung des supremum dominium wenn nicht aufgelöst so doch stark relativiert. Im Thorner Frieden unterstellte sich der Bund der Oberlehenshoheit der polnischen Krone, wobei eine Eigenstellung der Stände garantiert wurde. Damit war auch äußerlich ein Anschluß vollzogen an jenes Land, mit dem Preußen schon von lange her eine typenmäßige Gemeinsamkeit hatte: die der genossenschaftlich aufgebauten Herrschaftsform.

Ein Unterlehensverhältnis zum Orden blieb bestehen. Als der Hochmeister Johann Albrecht auf den Rat Luthers hin die Reformation einführte und das Ordensland säkularisierte, wurde im Vertrag von Krakau das ganze Gebiet zu einem Herzogtum unter polnischer Oberlehenshoheit. Wiederum stand nun aber auch bei diesem Umbruch der Bund der Stände nicht unbefragt am Rande. Am 9. April 1525 wurde der Vertrag von Krakau durch die Stände förmlich bestätigt[15]. Damit war der Grundstein gelegt zu jener Verkoppelung von Luthertum und ständischer Fundamentalverfassung[16].

Das zeigte sich nun gleich in der großen Auseinandersetzung des Bundes mit den Bestrebungen des neuen herzoglichen Landesherrn. Sowohl in der Bekenntnisfrage (Osiandrischer Streit) wie in der Frage des Kirchenregiments (bei der Besetzung der Bischofsstühle) stellten sich die Stände in Opposition. Sie bezwangen nach jahrelangen Verhandlungen schließlich 1566 die Position des Landesherrn. Der Berater des Herzogs, Oberhofprediger Funcke, ein Anhänger Osianders, wurde von den Ständen hingerichtet, mit ihm zwei herzogliche Räte. Charakteristisch ist, daß diese erste große Krise um Recht und Einfluß der Stände sich an der Religionsfrage

---

[15] Approbatio pacis perpetuae per proceres et incolas Ducatus Prussiae 9. April 1525. DOGIEL, Codex diplomaticus regni Poloniae IV, 1764, 231 ff.

[16] S. o. S. 400.

entzündete. Bemerkenswert ist dabei aber auch, daß sofort jenes
neue Faktum der modernen politischen Geschichte in Erscheinung
trat: die Rolle der öffentlichen Meinung. Prediger und Volk stellten
sich gegen den Landesherrn und verstärkten die Front des ständischen Parlaments. Eine epochemachende Neuerung zeigte sich dann
aber beim Abschluß, den das Parlament mit dem Herzog erzielte[17].
In drei Urkunden wurde das Staatsrecht neu festgelegt. Eine davon,
die formulierte Verfassung, war das Herzstück des Ganzen. Diese
Urkunde war aber nicht mehr, wie in früheren Fällen, als ein
Abschied des Herzogs formuliert, sondern trug das formale Ge-
wand einer Vereinbarung zwischen zwei Partnern. Dies war ein
so entscheidender Schritt im Gange der Landtagsgeschichte, daß der
Historiker schon zur Frage Anlaß fand, warum überhaupt die
Stände nicht gleich die Forderung nach einer reinen Republik ins
Auge gefaßt hätten[18]. Dieser Gedanke legt sich nämlich nahe, wenn
man die ab 1608 folgenden Verhandlungen des Landtages über die
Erbnachfolge des Hauses Brandenburg im Unterlehensverhältnis
zu Polen verfolgt. Seit 1608 gehört es schon zu den Zielen der
ständischen Verhandlungstaktik, den preußischen Bund auch an der
Außenpolitik und an der Gerichtshoheit zu beteiligen. Die Rolle
des Landesherrn war damit im Blickfeld des Ständeparlaments
weitgehend in eine so neuartige Perspektive geraten, daß sich
das Bild der holländischen Generalstaaten mit ihrer Spitze in
Gestalt eines nur noch dem Scheine nach landesherrlichen Statt-
halters als Vergleichsfall nahe legt. Preußen war in der Tat nahe
daran, mit ein Träger jener großeuropäischen Gesellschaftsentwicklung zu werden, aus der sich die universalen Formen der neuzeitlichen politischen Gesellschaft ableiten. Die Lage der Stände war
hoffnungsvoll. In der Frage des Kirchenregiments war ihre Position
so stark, daß eine Besetzung der Bischofsstühle ohne sie außer
Diskussion stand. Der zweite Pfeiler der sich herausbildenden
Staatsgesellschaft, das Beamtentum, stand auf seiten des Landtags.

Schließlich bestätigte das Dekret des Jahres 1609 eine alte Formel
der bündischen Forderungen, daß nämlich überhaupt keine Angelegenheit das Herzogtum betreffend mehr ohne Zustimmung der

---

[17] Confirmatio der Königl. Kommissarien über die Recessen E. E. L. von allen
Ständen erteilt, vom 5. Okt. 1566, Privilegia der Stände des Herzogthumbs
Preußen Bl. 60 a ff. (nach BREYSIGS Durchsicht des damaligen Geheimen Ber-
liner Staatsarchivs), BREYSIG, aaO, S. 39 Anm.

[18] So BREYSIG, aaO, 99.

Stände erledigt werden dürfe[19]. Eine andere Neuerung enthob das preußische Parlament einer Schwäche, die den ganzen deutschen Ständeparlamentarismus kennzeichnete: In den Versammlungen wurde nun nur noch die geheime Stimmabgabe gültig. Man führte einen neuen parlamentarischen Geschäftsgang ein. Als höchste beamtliche Vertreter des supremum dominium im Lande fungierten die Oberräte. Sie wurden aber als Diener der Stände angesehen. Auch hinter diesen Neuerungen stand ein Kräftewettstreit mit dem Landesherrn, der sich wiederum an den religiösen Privilegien des Landtages entzündet hatte[20]. Wie in vielen Fällen der Ursprungsgeschichte des modernen Parlamentarismus waren es vorwiegend die kirchlichen Streitfälle, die Stück um Stück zur Herausbildung jener parlamentarisch-politischen Regierungsform beitrugen. Das bestätigt sich auch in Preußen wieder und wieder, auch bei der nächsten Phase des ständischen Autonomierungens. Diese setzte ein im Anschluß an die Konversion des Kurfürsten Sigismund von Brandenburg zum Calvinismus. Die Geltung des »cuius regio eius religio« war damit für die Stände zum Fanal eines letzten Kräftewettstreits geworden. Die alte Rückendeckung durch Polen hatte in diesem Moment durch die voranschreitende Gegenreformation schon an Gewicht verloren. Der Diplomatie des Ständeregiments erwuchs eine äußerste Bewährungsprobe. Doch der Kampf um die lutherischen Grundlagen der Ständeautonomie endete nicht nur mit einem Sieg über die Religionspolitik des Brandenburgers, es wurde die Kontinuität der ständischen Gerechtsame auch noch durch eine öffentliche Demütigung des Fürsten unterstrichen.

Der Aufstieg des preußischen Ständestaates hatte also durch den Wechsel der Unterlehenshoheit an Brandenburg keine Einbuße erlitten. Auch der 30-jährige Krieg vermochte zunächst die Position der Stände im Fundament nicht zu erschüttern. Der eigentliche Einschnitt kam durch die Politik des *Kurfürsten Friedrich Wilhelm*, der im Frieden von Oliva von 1660 das Land aus der polnischen Oberlehenshoheit weitgehend herauslöste. Das einsetzende Ringen Preußens um sein gewachsenes Landesregiment war nun aber nicht mehr allein bestimmt durch die drei traditionellen Medien: Kirche, Beamtentum und geheiligte Rechtsgeltung. Ein

---

[19] Geheimes Berliner Staatsarchiv, Privilegia Bl. 102 a, Alinea »De facultate iudicandorum des Dekrets vom 13. Juli 1609«, BREYSIG, aaO, 116, Anm. 1.
[20] Zum Fall des Oberrats Fabian Dohnas, der des Calvinismus verdächtig war, s. BREYSIG, aaO, 98 f., 100 f., 109, 119 f.

neuer Faktor kam hinzu: die interne Eroberung in der Form des stillen Krieges, wie sie jetzt mit Hilfe eines stehenden Heeres möglich wurde. Damit drohte die Inkraftsetzung des ius absolutum, welches die ganze Rechtstradition wieder auf ihren Ausganspunkt zurückwarf. Die Person des Kurfürsten selbst stand gegenüber diesen Möglichkeiten in einem steten inneren Zwiespalt. Schon aber deutete sich an, daß die absolutistische »Revolution von oben« in Form der Heeresherrschaft eben doch sein letztes Mittel sein würde, um des fremdartigen preußischen Gesellschaftswesens Herr zu werden. Der große preußische Landtag von 1661—1663 zeigte in langen Verhandlungsgängen die Unerbittlichkeit der Stände. Hier bot sich noch einmal vor Beginn der Agonie des Ständeregiments das Bild einer klaren Konfrontation der beiden politischen Prinzipien. Beide waren noch nicht primär von Theorien bestimmt, sondern von dem Gang der politischen und rechtlichen Entwicklung her ausgestaltet. Die Stellung des ständischen Parlamentarismus wurde durch den Verlauf der Verhandlungen in die Lage versetzt, zum ersten Mal in einer umfassenden theoretischen Darlegung seine Grundlagen zu formulieren. Das geschah gegen Ende des großen Landtages. Die eben in aller Kürze wiedergegebene Geschichte der preußischen Landstände spiegelt sich darin wieder. Blicken wir auf die Hintergründe der großen Deklaration noch einmal zurück, und zwar unter dem besonderen Gesichtspunkt unserer Fragestellung, so kann man zu keinem anderen Schluß kommen, als daß das orthodoxeste Luthertum des 16. und 17. Jahrhunderts unter bestimmten politisch-sozialen Voraussetzungen zu eben der Ausgangsposition gekommen war, die anderorts, in den Pioniergesellschaften Europas, zur Ausbildung neuzeitlicher Staatlichkeit führen sollte: eben jener Form des Politischen, die unter Verzicht auf eine Hypostasierung der menschlichen und gerade auch kirchlichen Funktionen des Politisch-Gesellschaftlichen im Begriffe »Staat«, an dessen Stelle eine Vorläufigkeit bestehen läßt, ein Stück Empirie und Widersprüchlichkeit. Eben diese Offenheit trat nun auch hier in der Mitte des 17. Jahrhunderts überraschend ins Blickfeld[21].

[21] Von hier aus fällt ein Licht auf die Kontroverse zwischen W. NÄF und F. HARTUNG. Letzterer (Herrschaftsverträge und ständischer Dualismus in deutschen Territorien, Schweizer Beiträge z. allgem. Geschichte 10, 1952, S. 163 ff.) hebt hervor, daß die Stände nie zu einem den Staat mittragenden Faktor geworden seien. Sie blieben in der Rolle des »Hemmschuhes«. NÄF dagegen unterstreicht das Korrespondenzverhältnis im Dualismus von Fürsten und Ständen und sieht darin die Wurzel des modernen Staates. (W. NÄF, Frühformen d. »modernen Staates« im Spätmittelalter, HZ 171, 1951, S. 225 ff.) Der Gegensatz liegt m. E. im verschiedenen Staatsbegriff. HARTUNG versucht

Den alten Ständetraditionen stellte sich ein empirischer und später auch theoretischer Absolutismus entgegen, dem die Stände vergebens eine Ordnung gewordenen Rechts entgegenstellten. Hier im Verlauf des preußischen Landtages geschah es in Form einer geschichtlichen Deduktion ihrer Rechte, die im ganzen von jenem lutherischen Vorstellungskreis von weltlicher Obrigkeit getragen wurde. Bemerkenswert bei dieser Deklaration ist nun aber die Begrifflichkeit, in welcher die eben skizzierte Entwicklung des preußischen Standeswesens zusammengefaßt wurde.

Dazu ist wichtig, den Zusammenhang in den Landtagsverhandlungen zu sehen, in welchem die Deklaration im einzelnen stand: In der kurfürstlichen Assekuration vom 5. September 1662 war den Ständen im Nachhinein und formaliter zugestanden worden, daß der Vertrag von Oliva und die mit ihm verkoppelten Verhandlungen vor dem Reich nicht ohne den Landtag hätten abgeschlossen werden dürfen[22]. Dafür versicherte nun Brandenburg in einer nachträglichen Bestätigung den bisherigen Status der Stände auch unter dem neu geregelten Lehensverhältnis. Damit begnügten sich die Stände jedoch nicht. Sie blieben in Opposition, um zuerst einmal die Abschaffung der gravamina (stehendes Heer im Lande und unbegrenzte Kriegskontributionen) zu erlangen. Wichtige Punkte der kurfürstlichen Assekuration schienen ihnen zudem eine Verschleierungstendenz bezüglich ihrer alten Freiheiten zu enthalten. Sie erhoben also ein nochmaliges Bedenken mit der Forderung um Klarstellung dieser Punkte[23]. Dabei wurde herausgestellt, daß es vor allem um jene Freiheit ginge, in allen Angelegenheiten das Land betreffend zur Mitbestimmung herangezogen zu werden. Der im Vertrag von Oliva präjudizierte Übergang der Lehensoberhoheit an Brandenburg sollte im öffentlichen Landtage dadurch bestätigt werden, daß auch die Stände des Eides gegenüber den Kommissaren der polnischen Krone offiziell enthoben würden. Bevor ein Huldigungseid auf den Kurfürsten geleistet werden könne, sollte die

---

im Grunde nichts anderes, als aus der Entwicklung der deutschen Territorien eine spezifisch deutsche Form von Staatlichkeit zu postulieren. Ist schon sein Urteil über die württembergischen Stände fragwürdig, so zeigt nun hier das Beispiel Ostpreußens, wie umstritten die Typisierung »deutsch« bleiben muß, wenn man damit auf einen gesonderten Staatsbegriff als Entelechie einer deutschen Geschichte abhebt.

[22] Kurfürstliche Assecuration. Dat. Cölln a. d. Spree, 5. September 1662, BREYSIG, aaO, Bd. 16/1, 237 ff.

[23] Geeinte Erinnerungen aller Stände über die Assecuration und die confirmatio privilegiorum des Kurfürsten Praes. 12. December 1662, BREYSIG, aaO, 299 ff.

Formel bestätigt werden, daß er in Wahrheit bei aller Änderung seiner Position gegenüber Preußen nur jene Stellung einnehmen könne, die bisher die Krone Polen innehatte. An dieser Stelle mußte nun der tieferliegende Differenzpunkt zur Sprache kommen: Führte der mittelalterliche, vom Grundherrentum her abgeleitete Gedanke des supremum dominium in seinen zeitlichen Abwandlungen mehr in Richtung des polnischen Herrschaftsbegriffes, nämlich des der Vertragsschlüsse, oder ließ er sich in geradliniger Folgerichtigkeit auf das Prinzip absoluten Fürstenregiments auslegen?

In concreto stellte sich diese Frage bei den Verhandlungen des Landtages in der Form: Lag den Gerechtsamen des preußischen Landtages ein Vertrag zu Grunde oder waren sie vom supremum dominium des alten Ritterordens abzuleiten? Im großen Sieg der Stände von 1556 war schon ein Vorgang geschaffen worden. Damals sprachen sogar die Formalia dafür, daß der Vertragsgedanke als Grundlage zu gelten hätte. Jetzt im Gegenüber zum ausgereiften Absolutismus stellte sich aber das Problem aufs neue und in radikaler Schärfe. Dies wurde von den Ständen erkannt. Sie hoben hervor: »Hergegen bitten sie unterthänigst, die angemaßte jura des Ordens, welche mit ihrem hochbeschwerlichen dominio längst verloschen und abgelegt, in dieser gnädigsten Assecuration auszulassen, denn weil das supremum dominium dieser Lande, so lang es bei Königlicher Majestät und der Krone Polen gestanden, an gewisse pacta und leges fundamentales verbunden gewesen, welche nicht überschritten werden können ...«[24].

Es folgt dann ein Punkt die Religionsfrage betreffend. Man wollte hier die kurfürstliche Assekuration so korrigiert wissen, daß an Stelle eines verschwommenen Rekurses auf die Augsburgische Konfession in klaren Worten die Invariata herausgestellt würde.

Auf diese Korrekturvorschläge antwortet nun der Hof mit einem Rekurs auf den umstrittenen Punkt des Ganzen, welche Bedeutung nämlich für das Verständnis der ständischen Privilegien dem Deutschen Ritterorden zukäme.

Es haben »S. Ch. D. des Ordens nothwendig gedenken müssen, weiln sich die Stände selbst ihrer Privilegien halber auf den Orden berufen und bezogen, S. Ch. D. dessen bei dem vorgewesenen vasallagio albereit gnugsam berechtigt gewesen, die Stände sich auch nach Anweisung ihrer Erinnerung keines dessen befahren,

---

[24] BREYSIG, aaO, 301.

weiln S. Ch. D. in dero gnädigst ausgestellten Assecuration von keinem abusu, sondern von rechtmäßiger Gewalt reden und dieselbe anders nicht verstehen«[25].

Nachdem sich mit dieser Stellungnahme des Kurfürsten der eigentliche Widerspruch hinter den vordergründigen Gegensätzen herausgestellt hatte, entwarfen nun die Stände jene umfassende Erklärung mit einer Deduktion ihres Verständnisses der Privilegienableitung[26]. Aus dem Text geht deutlich hervor, daß das Schwergewicht auf dem Vertragsgedanken ruht. Das absolutum ius des Ordens spielt die Rolle eines Vorstadiums — durch seine Exzesse ungeeignet einem Rechtsgefüge irgendwelche Absicherung zu geben. Es hat den Charakter des ius victoris und wird schließlich gegen Ende des Rekurses im Zusammenhang mit dem Wort »Finsternüs« gebraucht. Nachdem sich die Stände in Abwehr dieses rechtlosen Zustandes in einem pact zusammengeschlossen, haben sie sich zur Absicherung gegen die Exzesse des ius absolutum vertraglich der Oberlehenshoheit der Krone Polen unterstellt.

Diese hat aber nichts vom ius absolutum des Ordens für sich in Anspruch genommen, vielmehr die Rechte der Stände bestätigt und diesen sogar neue Immunitäten hinzugefügt. Auch bei der Säkularisation des Landes sind dessen geistlichen Lehen als weltliche der Krone Polen unterstellt worden, ohne daß dabei eine Einschränkung der bisherigen ständischen Gerechtsame erfolgte. Den Schlüssel des Ganzen bilden die wiederholten Formeln »gewisse pactis«, »certis pactis«. Dahinter verbirgt sich die große Verschiebung des Rechtsfundaments, welche vom Polnischen her, aber wohl ebenso aus dem Geist jener eigenen traditionsreichen ständischen Territorialstruktur das alte Lehenssystem und die darin enthaltene Vorstellung vom Grundherrentum auf einen neuen Begriff gebracht hatte, nämlich den des Herrschaftsvertrages. Für ständisches Denken war ein Zurückgehen auf jene alte, ihnen barbarisch und rechtlos anmutende Ausgangsposition nicht mehr möglich. Der neuartige Anspruch des absolutistischen Herrschers mußte ihnen, so wird man interpretieren müssen, als ein Korrelat zu jenem finster anmutenden Urzustand des ius absolutum erschienen sein. Sie bestanden also darauf — und dahin zielt die ganze Argumentation —, daß der Kurfürst sich nur auf die Basis dieses Vertragsdenkens stellen

---

[25] Kurfürstliche Declaration. Dat. Königsberg 15. December praes. 16. December 1662, BREYSIG, aaO, 307.

[26] S. Anm. 11.

könne und sich allein *die* Rechte anmaßen dürfe, welche einst die Krone Polen innehatte. Diese Rechte allein waren den Brandenburgern auch im Vertrag von Oliva zugesprochen worden.

Wir haben hier das einzige Dokument aus der Geschichte des deutschen Landtagswesens vor uns, welches ständisches Recht auf der Grundlage der Vertragsidee entwickelt[27]. Dies ist überhaupt die einzige Stelle, wo es ein deutscher Landtag zur theoretischen Entwicklung seiner ständischen Rechtsgrundlage gebracht hat[28]. Freilich handelt es sich hier weniger um eine Theorie über den Staatsvertrag, als um eine Darlegung der Geschichte und Entwicklung des preußischen Ständeregiments mit seinen Vertragsgrundlagen, einer Geschichte allerdings, die ohne die besondere Stellung des Landes zwischen Polen und dem Reich nicht denkbar gewesen wäre. Auffallend ist, in welchem Maß diese Entwicklung der preußischen Fundamentalverfassung, wie sie damals dargelegt wurde, dem zeitgenössischen Naturrechtsdenken von der Entstehung des Staates entspricht. Im Speziellen ist es Pufendorfs System, das hier Parallelen nahelegt. Pufendorf setzt ja als ersten Schritt die Schaffung eines vertragsfähigen populus voraus, was nur durch Abschluß eines Vertrags der einzelnen untereinander geschehen kann. Dieses erste Stadium entspräche dem Bundesschluß der preußischen Stände untereinander. An zweiter Stelle kommt dann ein Vertrag des coetus, in dem dieser sich für eine zu wählende Regierungsform entscheidet. Diesem zweiten Vertrag entspräche der Beschluß der Stände, sich der Krone Polens zu unterstellen[29]. Der Abschluß zwischen der Krone Polens und dem Ständebund entspräche — formaliter, wenn auch nicht dem Inhalt nach — dem dritten Vertrag in Pufendorfs Aufriß[30], wonach der coetus sich in unbedingter Form dem Regiment unterstellt. Dieser auffallende Parallelismus weist darauf hin, in welchem Maß Vertragsidee und Ständestruktur zusammenhängen. Pufendorf nimmt wohl seine Beispiele aus der Bibel und der Antike,

[27] Zum ersten Mal wies darauf hin F. L. CARSTEN, aaO, 434 f.
[28] Auch hierfür ist die Stellung halb außerhalb des Reiches als Grund anzusehen. Gegen Fixierung und Publikation von staatsrechtlichen Details wandte sich im Reich die Praxis von Herrschaft und Ständen, das Staatsrecht als politisches Instrumentarium anzusehen, mit dem bei den Reichsgerichten das Spiel der Diplomatie ausgetragen wurde. Zu dieser Eigenart deutschen Staatsrechts s. R. RÜRUP, Johann Jakob Moser, Wiesbaden 1965, 104.
[29] SAMUEL VON PUFENDORF, De iure naturae et gentium Libri 8, I, Lund 1673; VII. 2.7.
[30] PUFENDORF, aaO, VII, 2, 8.

er wurzelt aber in viel unmittelbareren Überlieferungen. Schon seiner Herkunft nach war er ständisch geprägt[31]. Der Vertragsgedanke lag auch als Strukturform schon im mitteldeutschen Ständewesen, das seinen familiären Hintergrund bestimmte. Aber auch seine Abhängigkeit von Grotius weist auf ständische Zusammenhänge, denn die niederländische und hugenottische Linie der Vertragslehre hatte ihren Sitz im Leben der in den beiden Ländern gewachsenen ständischen Formen. Der genossenschaftlichen Struktur des Spätmittelalters schon war über die Scholastik die antike Vertragsidee zugewachsen[32].

Der Vergleich eines klassischen Beispiels hochentwickelten Ständewesens, wie es die Deklaration von 1663 wiederspiegelt, mit der zeitgenössischen Staatsphilosophie zeigt also, in welch hohem Maß auch die neue Schule der Staatstheoretiker des 17. Jahrhunderts auf ständischem Fundament aufbaute. Diese Traditionen waren im aufkommenden monarchischen Absolutismus noch immer stark genug, das neue Denken maßgeblich zu formen[33]. Als Pufendorf sein Hauptwerk schrieb (1673), hatte Kurfürst Friedrich Wilhelm den preußischen Ständestaat annähernd besiegt. Der absolute Staat, wie er Pufendorfs Vertragstheorie krönte, war dann in der Tat Geschichtsrealität geworden. Merkwürdig nur, daß 1688, als sich bei der englischen Revolution gegen Jakob II. eine ähnliche Situation wiederholte, Pufendorf nicht, wie zu erwarten gewesen wäre, für die Sache des Souveräns, sondern für die revoltierenden Stände im Parlament Stellung bezog[34]. Der Vergleich faktischer Vorgänge im Entwicklungsgang der Landtagsgeschichte jener Zeit mit den rationalistischen Konstruktionen der gleichzeitigen Staatstheoretiker erweist die Kluft zwischen Theorie und Praxis, erweist den hypothetischen Charakter der reinen Vernunftskonstruktion vom absolutistischen Staat in Gestalt eines souveränen Oberhauptes. Pufendorfs Beurteilung der englischen Revolution von 1688 wird, wie A. BLUM-

---

[31] Diesen Hintergrund zeigt auf: E. WOLF, Grotius, Pufendorf, Thomasius. Heidelberger Abhandlungen zur Philosophie und Geistesgeschichte 11, Tübingen 1927, 64.

[32] Über Johannes Althusius als Bindeglied zur Hugenottischen Staatsvertragstheorie vgl. O. GIERKE. J. A. und die Entwicklung der naturrechtlichen Staatstheorie, (1880) 3. Aufl. 1913.

[33] Bei Pufendorf umso naheliegender, als er im Gegensatz zu Grotius und Hobbes als Jurist immer auch vom bestehenden Recht her argumentierte.

[34] SAMUEL VON PUFENDORF, De rebus gestis Friderici III, electoris Brandenburgici, Berlin 1784, I, 94.

GART mit Recht vermutet[35], konfessionelle Gründe gehabt haben: Jakobs II. katholische Religionspolitik wog als Faktum für den reformierten Staatstheoretiker schwerer als alle seine Deduktionen und das Gewicht ihrer rationalen Evidenz. Warum aber, so möchte man fragen, erschütterten ihn nicht im selben Maß jene Vorgänge in Preußen, wo ja nun auch bestehendes Recht und religiöse Privilegien durch Vertragsbrüche des Souveräns mißachtet wurden[36]? Der reformierte Staatstheoretiker und der reformierte Souverän standen in diesem Fall auf einer Seite gegen die Front eines orthodox-lutherischen Ständeparlamentarismus.

Es ist hier nicht der Ort, um in jene Diskussion einzugreifen über Lebensfähigkeit und Zeitgemäßheit des deutschen Landtagswesens im 17. und 18. Jahrhundert. Im Blick auf unsere Fragestellung könnte man folgende Überlegung als berechtigt ansehen: Wenn es tatsächlich erwiesen sein sollte, daß orthodoxes Luthertum ebenso auch Hort einer »orthodoxen« Ständetradition sein konnte, wäre es dann nicht möglich, daß ein konservativer, revolutionsfeindlicher Zug des Luthertums nun dazu hätte beitragen können, daß das Landtagswesen sich im Vergleich mit den Zeiterfordernissen stagnierender erwies und retardierender als es nötig gewesen wäre? Gerade das preußische Beispiel zeigt nun aber, daß im Ständischen und in diesem Fall auch ausgesprochen Lutherisch-Ständischen eine Dynamik durchaus enthalten war. Die einzelnen Stadien der ständischen Auseinandersetzungen lassen, wie gezeigt, eine stete Entwicklung erkennen. Nicht nur im Ausbau der Privilegien und in der Modernisierung der Rechtsgrundlagen ist der Fortschritt sichtbar, der Landtag wußte sich auch die wachsende Rolle des Beamtentums zu eigen zu machen, ja verbesserte selbst seine eigenen Abstimmungsverfahren. Es blieb freilich noch jener entschei-

---

[35] A. BLUMGART, Pufendorfs Toleranzbegriff im Zusammenhang mit seinem Staatsbegriff, Diss. München 1925, 67.

[36] Als Hofchronist in Berlin entzog sich Pufendorf später sehr gewandt der Stellungnahme zu jener Auseinandersetzung des Kurfürsten Friedrich Wilhelm mit den Preußischen Ständen. Im Zusammenhang mit dem Vertrag von Oliva berichtet er von den beginnenden Meinungsverschiedenheiten zwischen Kurfürst und Ständen. Er erwähnt die Stellung des Kurfürsten, welcher im Vertrag mit Polen sein supremum et absolutum imperium begründet sieht, bezeichnet dann aber die Vorgänge als düster und schlüpfrig, und begründet dies mit den außenpolitischen Umständen, welche dem Kurfürsten keinen anderen Spielraum ließen. SAMUEL VON PUFENDORF, De rebus gestis Friderici Wilhelmi magni electoris Brandenburgici Commentatorium libri novendecim, Berlin 1695, 433 f.

dende Schritt zu tun: der vom Privilegiendenken und dem daraus erwachsenden Klassenegoismus zum neuen Gedanken einer Verantwortung für das Landesganze. Dieser Wandel bahnte sich aber an im letzten Stadium des ständischen Kampfes gegen Kurfürst Friedrich Wilhelm. Selbst in BREYSIGS monarchistischer Darstellung dieses Abschnitts nach 1663 wird zugestanden, daß hier ein neuer Geist in der ständischen Argumentation sichtbar wurde[37]. Man sah jetzt trotz allen Widerstreits gegen den Anspruch des Brandenburgers als gemeinsame Grundlage beider Parteien das Wohl des Landes. Es wurde jene Ebene erreicht, auf welcher der Antagonismus von Landtag und Landesherr fruchtbar und zukunftsweisend hätte werden können. Das wesenhaft »Staatliche« hätte im jeweiligen Kompromiß gelegen, wäre im Gegensatz zum theoretisierenden wie praktischen Absolutismus nie abschließend fixiert und verobjektiviert worden. Doch hier unterschied sich der Geist der Brandenburger vom Empirismus der Tudors. Die Möglichkeit, mit nackter Gewalt dem preußischen Ständestaat ein Ende zu bereiten, lag zu nahe. So konnte jene wahrhaft fruchtbare Revolution, nämlich die, das ständische Denken von innen her, aus sich selbst, vom engen Klassengeist hinweg zur Gemeinverantwortung zu bringen, nicht gelingen. Dieser für die Neuzeit grundlegende Prozeß konnte nie zur Reife kommen. Aus der politischen Empirie verlegte sich das Prinzip des »pacte social« ins rein Theoretische, in die philosophisch-ethische Ideenhaftigkeit, wie bei Friedrich II.[38]. Und als in der neuen Konstitutionsära des 19. Jahrhunderts nun die Versuche kamen, den verobjektivierten Staat der absoluten Monarchie wieder anzupassen an den großen Gang europäischer Staatspraxis, da zeigte sich gerade in Neu-Preußen das gefährliche Eigengewicht ständischen Interessendenkens, das wohl im Heeresdienst ausgerichtet erschien auf ein Gemeindenken, außerhalb davon sich jedoch als keineswegs aufs allgemeine Ganze hin integriert erwies[39]. Etwas vom altpreußischen Geist blieb aber am Leben und meldete sich in der Geschichte immer wieder zu Wort. Hier sei nur an ein spätes Beispiel erinnert. Noch 1866, als angesichts der preußischen Kriegs-

---

[37] BREYSIG, aaO, 16/2, Nachwort S. 1074 f.

[38] HINTZE, aaO, 378 ff.

[39] Mit am anschaulichsten in der Kritik Christian Carl Josias v. Bunsens (1842 bis 1854 preußischer Gesandter in London) im Vergleich zum englischen Parlamentarismus. S. CHR. C. J. v. B., Aus seinen Briefen und nach eigener Erinnerung geschildert von seiner Witwe, herausgegeben von F. NIPPOLD, 3. Bde., 1868—1871, Bd. 2, 282 f., 390 ff., 404 f., 418 f., 488 f.

vorbereitungen sich die Kirchen in den deutschen Territorien zum ersten Mal in heftiger Bewegung befanden und die Notwendigkeit erkannten, gerade aus kirchlicher Verantwortung eine Meinungsbildung gegen den Krieg zu fördern[40], da war es wieder eine Stimme aus Altpreußen, nämlich die des Königsberger Generalsuperintendenten Mohl, die zum Sprachrohr jener kritischen Stimmung in Deutschland wurde. Beim Empfang Wilhelms I., auf dem die Konsistorialpräsidenten und Generalsuperintendenten mit den Kriegsplänen der Regierung vertraut gemacht werden sollten, meldete der Königsberger seinem Monarchen die Opposition weiter Kreise der Geistlichkeit an, indem er darauf hinwies, daß die Lösung der deutschen Frage mit Hilfe eines Bruderkrieges nicht verantwortbar erscheine[41].

Anhang

Aus: Urkunden und Aktenstücke zur Geschichte des Kurfürsten Friedrich Wilhelm von Brandenburg, 16. Band, 1. Teil. Ständische Verhandlungen III.

Herausgegeben von Kurt Breysig, Berlin 1899.

(Originaltitel siehe oben Anm. 11).

[S. 329 ff.] »wann aber S. Ch. D. sich des Ordens Recht sine ulla expressione tanquam ex reservato anmaassen, so streitet solches ausdrücklich mit den Landesfreiheiten. Denn so viel den Orden und dessen Recht betrifft, so sind dieselben ganz exspiriret, haben auch umb folgender Ursachen Willen exspiriren müssen, denn 1. hat der Orden im Anfang kein sonderlich Recht außerhalb seiner Ordensregel in dieses Land gebracht, das aber, was er nach der Zeit sich angemasset, ist ex j. belli entstanden und hat über die heidnische und mit dem Schwert gewonnene Leute j. victoris i. e. absoluto geherrschet. Nachdem aber viel von deutschem Geblüte sowohl adeliche als bürgerliche Personen zu dem Orden ins Land kommen und häuslich sich niedergelassen, hat ihnen, nachdem sie sich entweder in die Städte oder aufs Land gesasset, der Orden unterschiedene Previlegia sowohl zu Cölm-als Lehn-Recht ex eodem absoluto jure verliehen, dieses absolute Regiment ist nachmals zu solchen Excess gerathen, dass der abusus so gross worden, dass den Belehnten und Berechtigten ihre Previlegia nicht gehalten und Land und Städte zur Verbündnis für ihre Freiheiten und zur Verein-

---

[40] S. Allgemeine Kirchenzeitung, hg. von E. ZIMMERMANN, 45. Jahrgang, Nr. 42 (26. Mai 1866), S. 335; Nr. 51 (27. Juni 1866), S. 400 und 407; Nr. 52 (30. Juni 1866), S. 415.

[41] Allgemeine Kirchenzeitung, 45. Jahrgang Nr. 47 (13. Juni 1866), S. 375.

barung mit der Kron Polen verursachet worden. Dahero hat die Löbl. Kron Polen jure supremi dominii die zu ihnen spontanea deditione ao. 1554 kommende Preussen nicht allein mit ihnen vom Orden bei guten Zeiten und ihnen zum besten verliehenen previlegiis angenommen, sondern sie noch darzu mit stattlichen anderen Beneficien und Immunitäten (womit des Ordens absolutum jus gehoben und das Land certis pactis unter das supremum dominium der Könige und der Kron Polen gekommen) begnadiget und hat sich die Kron Polen gar nichts von des Ordens Gewalt und Recht vorbehalten, sondern sich schlechterdings mit denen, was die spontanea deditio und reciproca sponsio ihr zugebracht bezeuget.

2. So hat auch der Orden eine geistl. Fundation auch geistl. Recht und Gewalt gehabt und alle Zeit den Bapst pro fundatore und den Röm. Kaiser pro protectore gehalten, ist auch in solcher Beschaffenheit bis an die Zeiten des Hochlöbl. Markgrafen Albrecht geblieben. Dieses geistl. Lehn und Orden hat dieser hochgedachte Markgraf gänzlich sine omni reservato abgethan und dasselbe hinwiederumb als ein weltlich Lehn ad secularem usum von der Löbl. Kron Polen angenommen, nach seinem seel. Absterben haben sich auch seine löbl. successores keinen andern und grössern Rechtens, als ihnen ihr primus acquirens ex prima concessione erworben, angemasset.

3. Der hochgedachte Markgraf Albr. selbst hat per expressum in pac. perpet: p. 35 f. 2. § »i quod dux« aller Rechten und Previlegien, die der Orden von den Bäpsten, Kaisern und Fürsten und Königen zu Polen für sich jemalen erlangt, bei der damaligen Secularisirung renunciiret und damit ja aus dem Grunde des Ordens Recht gehoben werde, so hat sich damalige Maj. Sigismundus I. gegen höchstgedachten Markgraf Albrechten und das Land solcher Gestalt verbunden, dass dafern in gedachten previlegiis nicht was enthalten quod duci Prussiae et terris occasione finium et aliorum jurium et previlegiorum necessarium esset debebit majestas regia ejusdem tenoris sub literis et sigillo Maj. Suae ea denuo concedere, welches auch kurz darauf ao. 1526 geschehen p. 38 f. 2. Ist also alle dasjenige, was S. Ch. D. von des Ordens Rechten zum Behuf Ihrer Hoheit / sich anmassen kann, allbereit in eine andere Form gegossen und die Regierung dieses Landes mit gewissen pactis, von der damaligen sowohl Ober- als Lehns-Herrschaft ohn einzigen reservat angenommen worden. Quo jure nun S. Ch. D. in das consolidatum et supremum dominium treten, eodem jure folgen ihr auch alle daran verbundene jura und pacta und darf

sich derselben Sr. Ch. D. nur vigore dicti previlegii de ao. 1526 sicher gebrauchen, welche sie auch durch Gottes Hilfe ohne einzigen Hinterzug auf die oblitera jura des Ordens bei I. Landesfürstl. Hoheit und das Land bei seiner Freiheit und Wohlfahrt zur Gnüge erhalten werden. Das diploma investiturae de ao. 1611, welches Kurfürst Johann Sigismund höchstmilder Gedächtnüs vom Könige Sigismundo tertio erhalten, gehet dahin, nicht dass es ihm ein mehrers Recht, als in pac. perpetua et subseq. renovatione abgehandelt worden, zueignen wolle, sondern es exprimiret nur distributive alle jura die vom Orden her in das vasallagium vigore pacis perpetuae et dictae renovationis geflossen sind und kann die clausula »sicut ejusmodi terras quondam magistri generales et ordo habuere« gar nicht ad non expressa in praejudicium der ältern Investitur, die vim contractus hat, und contra ipsum optimum legis interpretem gezogen und angeführet worden.

Dass aber die Stände sich auf die previlegia, so sie vom Orden haben, berufen, geschiehet mit gnädigst. Willen ihrer Hochlöbl. Herrschaft, welche allezeit in favorem ihrer getreuen Unterthanen in allen ihren confirmationibus von Markgraf Georg Friedrichen ao. 1565 an zu rechnen, derer Privilegien, welche diese Lande von den regierenden Honmeistern erhalten hat, gedenket. Wie nun E. E. L. das feste Vertrauen zu Sr. Ch. D. träget, sie werden hierinnen dero Hochlöbl. Vorfahren Fusstapfen nachsetzen und diese lege et usu firmatam clausulam nicht aufgeben und auslassen, 1. also bitten sie andern Theils unterthänigst und demüthigst S. Ch. D. geruhen ihnen und ihrer Posterität zum Schaden die ipso jure et facto erloschene jura des Ordens aus der Finsternüs nicht wieder herauszuziehen.«

PIETISMUS UND ORTHODOXIE

Überlegungen und Fragen zur Pietismusforschung

von Johannes Wallmann
(Bochum-Querenburg, Stiepelerstraße 82)

»Das Wesen des Pietismus verträgt eine schärfere Erfassung, als
in der Regel üblich ist. Insbesondere ist das Verhältnis zum älteren
Protestantismus eingehender Untersuchung bedürftig.« Seitdem
WILHELM GOETERS diese Worte schrieb — im Vorwort seiner noch
immer grundlegenden, bis heute nicht überbotenen Arbeit »Die
Vorbereitung des Pietismus in der reformierten Kirche der Nieder-
lande«[1] —, ist mehr als ein halbes Jahrhundert vergangen. In dieser
Zeit ist unsere *Kenntnis* des Pietismus durch eine Fülle historischer
Einzeluntersuchungen erweitert und bereichert worden[2]. Daß unser
Urteil über Ursprung und Wesen des Pietismus sich in gleichem
Maße befestigt habe, wird man dagegen kaum behaupten können.
So bleibt auch die Bestimmung des Verhältnisses, in dem der Pietismus zur voraufgehenden Orthodoxie steht, weiterhin schwan-
kend und umstritten. Hat der Pietismus seine Wurzeln in der alt-
protestantischen Orthodoxie oder ist er von fremdem Boden in die
Kirchen der Reformation verpflanzt worden? Zwischen diesen Extremen ergibt sich eine Spannweite von Auffassungen über Wesen
und Ursprung des Pietismus, die hier nicht aufgezählt zu werden
brauchen. Im folgenden soll auch keine neue Lösung dieser Frage
versucht werden. Es soll lediglich versucht werden, die sich aus
der heutigen Forschungslage ergebenden Ansatzpunkte zu finden,
von denen her die Frage nach dem Verhältnis von Pietismus und
Orthodoxie am sinnvollsten vorangetrieben werden kann. Dabei
wird sich ergeben, daß auch an die heutige Pietismusforschung selbst
eine Reihe von Fragen zu richten sind.

Im Rahmen dieses Aufsatzes beschränke ich mich auf die Frage
nach dem Verhältnis von *lutherischem* Pietismus und *lutherischer*

---

[1] W. GOETERS, Die Vorbereitung des Pietismus in der reformierten Kirche der
Niederlande bis zur labadistischen Krisis 1670, 1911, III.

[2] Zu verweisen ist hier auf die reichen Literaturangaben zum Artikel »Pietismus« in RGG[2] und RGG[3]. Von einigen neueren, dort noch nicht erwähnten
Arbeiten wird weiter unten zu reden sein.

Orthodoxie. Nur weil sie für die Forschungslage auf diesem Gebiet wesentliche Anregungen gebracht hat, wird auch die Arbeit von GOETERS erwähnt. Unter »Orthodoxie« wird dabei im folgenden nur die dem Pietismus *voraufgehende* Orthodoxie verstanden, nicht die Spätorthodoxie, die sich bekanntlich erst langsam ihres Gegensatzes zum Pietismus bewußt wurde. Die Frage nach dem Verhältnis des Pietismus zur voraufgehenden Orthodoxie muß streng geschieden werden von der Frage nach dem Verhältnis des Pietismus zu der ihm gleichzeitigen Spätorthodoxie. Dies allein schon deshalb, weil beide, Spätorthodoxie und Pietismus, sich als Erbe der orthodoxen Väter betrachtet haben und nicht vorschnell präjudiziert werden darf, wer und ob nur einer recht hat. Im übrigen sind die Positionen, die die Spätorthodoxie gegen den Pietismus eingenommen hat, ja keineswegs die Positionen der klassischen Orthodoxie — man denke nur an ihre Wertung der Bekenntnisschriften[3]. Unter »Pietismus« wird im folgenden ebenfalls nicht das vielschichtige Gesamtphänomen des Pietismus verstanden, sondern ich beschränke mich auf jene erste Gestalt des Pietismus, die sich während und auf Grund der Frankfurter Wirksamkeit Philipp Jacob Speners gebildet hat. Von Spener hat der deutsche kirchliche Pietismus in seiner hallischen wie seiner württembergischen Ausprägung die entscheidenden Anstöße empfangen, ja sogar der radikale, separatistische Pietismus reicht mit seinen Anfängen in die Frankfurter Jahre Speners zurück. Die Frage nach dem Verhältnis von Pietismus und lutherischer Orthodoxie hat sich deshalb zu Recht immer wieder auf die Frage nach dem Verhältnis Speners zur orthodoxen Tradition zugespitzt.

WILHELM GOETERS nahm die Frage nach dem Verhältnis des Pietismus zum älteren Protestantismus auf dem Gebiet der niederländisch-reformierten Kirche in Angriff. Bekämpfte er dabei einmal die Einschränkung des Begriffs »Pietismus« auf das Gebiet der lutherischen Kirche[4], so kam er gegenüber der älteren reformierten Forschung und gegenüber ALBRECHT RITSCHL nun seinerseits auch zu einer bedeutsamen Einschränkung in der Anwendung des Pietismusbegriffs[5]. HEINRICH HEPPE[6] und ALBRECHT RITSCHL[7] hatten den nie-

---

[3] Vgl. dazu E. HIRSCH, Geschichte der neuern evangelischen Theologie II, 1951, 123 f.

[4] AaO III.

[5] GOETERS erneuerte dabei weithin die Anschauungen von M. GOEBEL, Geschichte des christlichen Lebens in der rheinisch-westphälischen evangelischen Kirche (I—III, 1849—1860) II, 1852. GOEBELS begriffliche Unterscheidung

derländischen Präzisismus unter den Oberbegriff »Pietismus« sub-
sumiert und folglich Männer wie Gisbert Voetius, Willem Teellinck
und Jodocus van Lodensteyn zu »Pietisten« gemacht. GOETERS
meinte, differenzieren zu müssen. Er sprach hier nur von einer
»kirchlichen Reformpartei«[8] oder von der »Vorbereitung des Pietismus«[9]. Denjenigen »Typus protestantischer Kirchlichkeit ... den
man als Pietismus anzusprechen hat«, fand GOETERS erreicht erst
mit der Wirksamkeit Jean de Labadies in der niederländischen
Kirche (1666—1670)[10]. Labadie hat nach GOETERS den reformierten
Kirchenbegriff, der in sich die Tendenz hat, die sichtbare Kirche nach
den Prädikaten der unsichtbaren Kirche zu orientieren, in eine von
Anfang an in ihm angelegte Krisis gebracht[11]. Im Separatismus der
labadistischen Gemeinde kam sie zum offenen Ausbruch. Labadie
wird damit zum Urheber des Pietismus, der auch dort, wo er den
Separatismus ablehnt, von ihm abhängig ist. Auch auf den lutherischen Pietismus erstreckt sich der Einfluß Labadies. GOETERS erneuerte für diese Behauptung die schon von GOEBEL[12] vertretene
These, daß Speners »Pia Desideria« von Labadies »La réformation
de l'église par le pastorat« abhängig seien[13].

Fragt man von der heutigen Forschungslage aus, was sich von der
Konzeption GOETERS' durchgesetzt hat, so ergibt sich eine zweifache
Antwort. In der Zurücknahme des Begriffs »Pietismus« auf diejenigen Bewegungen, die sich gegen 1670 zuerst auf reformiertem, bald
danach auch auf lutherischem Boden bilden und um neue Formen
der Frömmigkeitsübung mühen, kann man heute — anders als noch
vor einem Menschenalter — eine zunehmende Übereinstimmung
mit GOETERS konstatieren[14]. Dagegen hat sich die These von der

   von (reformiertem) Labadismus und (lutherischem) Pietismus, die GOETERS
   nicht wieder aufnahm, lasse ich hier unberücksichtigt.
[6] H. HEPPE, Geschichte des Pietismus und der Mystik in der reformirten Kirche namentlich der Niederlande, 1879.
[7] A. RITSCHL, Geschichte des Pietismus I, 1880.
[8] AaO III.
[9] Vgl. den Titel des Werkes von GOETERS.
[10] AaO 237.
[11] AaO 268.
[12] AaO II, 1852, 204 Anm. I. 560. 568.
[13] AaO 171.
[14] Vgl. die Ansetzung bei M. SCHMIDT, Artikel »Pietismus« in RGG³ V, 370 ff.;
   Das Zeitalter des Pietismus (Klassiker des Protestantismus VI), 1965, XXXI
   und XXXVII; ferner K. ALAND, Kirchengeschichtliche Entwürfe, 1960, 528.
   543 ff; B. MÖLLER, Geschichte des Christentums in Grundzügen, 1965, 365.
   Dagegen zählt E. BEYREUTHER, Artikel »Pietismus« in EKL III, 216 ff., schon

Abhängigkeit Speners von Labadie nicht durchgesetzt. Zwar hat KURT DIETRICH SCHMIDT 1928 die Behauptung GOETERS' durch einen literarkritischen Vergleich zu beweisen gesucht[15], und so ist sie für einige Zeit in die maßgebenden Darstellungen eingedrungen[16]. Aber die Widerlegung SCHMIDTS durch KURT ALAND in den Spener-Studien (1943)[17] scheint doch weithin überzeugt zu haben, wenigstens wird diese Frage in der jüngsten Literatur nicht mehr verhandelt, oft nicht einmal mehr erwähnt[18]. Ob die Frage »Labadie und Spener« damit erledigt ist, wie das ALAND heute meint[19], wird man freilich bezweifeln müssen[20].

Neben die Arbeit von GOETERS trat für das Gebiet der lutherischen Kirche HANS LEUBES Darstellung der »Reformideen« des orthodoxen Luthertums[21]. LEUBE setzte sich mit GOETERS nicht auseinander, gab aber deutlich zu erkennen, daß er die Wurzeln des Pietismus Spenerscher Prägung nicht in der reformierten Kirche

---

den niederländischen Präzisismus zum Pietismus. Für die älteren Darstellungen vgl. vor allem J. VON WALTER, Geschichte des Christentums II, 1938, 537 ff., wo der Begriff »Pietismus« auch den englischen Puritanismus deckt. Dieser in der deutschen Forschung heute ungebräuchliche weite Begriffssinn von »Pietismus« dringt zur Zeit gerade in die nordamerikanische Forschung ein: F. ERNEST STOEFFLER, The Rise of Evangelical Pietism, 1965.

[15] K. D. SCHMIDT, Labadie und Spener, ZKG 46, 1928, 566—583.

[16] Z. B. Handbuch der Kirchengeschichte IV, hg. STEPHAN—LEUBE, 1931², 43; VON WALTER aaO 578.

[17] K. ALAND, Spener-Studien (AKG 28), 1943, 41 ff.

[18] Nach dem Urteil M. SCHMIDTS hat ALAND die von K. D. SCHMIDT im Anschluß an GOEBEL und GOETERS behauptete literarische Abhängigkeit der »Pia Desideria« von Labadie »umfassend und überzeugend widerlegt« (Speners Wiedergeburtslehre, ThLZ 76, 1951, 17 Anm. 2).

[19] K. ALAND, Kirchengeschichtliche Entwürfe, 1960, 547.

[20] Ich muß gestehen, von der Argumentation ALANDS nicht immer überzeugt worden zu sein. Die Behauptung, Spener »kennt Labadies Schriften, soweit sie in Frankreich geschrieben sind, die in Holland verfaßten kennt er dagegen nicht« (Spener-Studien, 44), ist jedenfalls nicht zutreffend und entspricht auch nicht den von ALAND selbst beigebrachten Zeugnissen. Spener sagt hier nur, daß er sie nicht so gut kennt wie die in Frankreich geschriebenen (von denen er ja 1667 eine übersetzt und zum Druck gegeben hat!). — Ich werde an anderer Stelle aus bisher unbenutzten Quellen nachweisen, welche engen Beziehungen zwischen führenden Gliedern des Spenerschen Kollegiums und Labadies Separatistengemeinde bestanden. Danach ist Labadies »La réformation de l'église« um die Wende der Jahre 1674/75 von den Labadisten nach Frankfurt geschickt worden und muß dort von den Freunden Speners sehr gründlich und aufnahmewillig studiert worden sein.

[21] H. LEUBE, Die Reformideen in der deutschen lutherischen Kirche zur Zeit der Orthodoxie, 1924.

suchte, sondern in dem — freilich mit den Gedanken Johann Arndts wie auch den Idealen puritanischer Frömmigkeit bereits reichlich getränkten — Boden der lutherischen Orthodoxie. Er folgte damit KARL HOLL, der einige Jahre zuvor in seinem Aufsatz »Die Bedeutung der großen Kriege für das religiöse und kirchliche Leben innerhalb des deutschen Protestantismus« im ausgesprochenen Gegensatz zu ALBRECHT RITSCHL die Herkunft des Pietismus aus der Orthodoxie behauptet hatte und in der Gruppe der nach dem Dreißigjährigen Krieg wirkenden Reformprediger Heinrich Müller, Großgebauer, Stenger und Scriver die Wegbereiter des Pietismus sah[22]. LEUBE hat mit großem Fleiß den Bereich der orthodoxen Reformbestrebungen quellenmäßig erschlossen und ein in der Lebendigkeit der Darstellung und der Kraft systematischer Stoffdurchdringung zwar hinter HOLL zurückbleibendes, dafür aber vollständigeres, die deutschen lutherischen Kirchen gleichmäßig erfassendes Bild vom Reformwillen und den Reformideen der Orthodoxie gezeichnet. Er suchte nachzuweisen, daß das Drängen nach Reform nicht bloß Sache Einzelner oder kleinerer Gruppen war, sondern daß es »Gemeingut aller kirchlich interessierten Kreise« gewesen ist[23]. LEUBES Konzeption lief darauf hinaus, daß der »Idee« nach in der lutherischen Kirche bereits all das vorgegeben war, was der Spenersche Pietismus mit seinem Reformprogramm schließlich in die »Tat« umsetzte[24].

LEUBES Arbeit könnte in Analogie zu dem Werk von GOETERS überschrieben werden »Die Vorbereitung des Pietismus in der deutschen lutherischen Kirche«. Vergleicht man nun aber die Ergebnisse beider Arbeiten, so muß auffallen, daß LEUBE nicht zu dem Begriff (und auch nicht zur Realität) einer vorpietistischen kirchlichen »Reformpartei«[25] geführt worden ist. LEUBE konnte zwar zeigen, daß die Reformideen an einigen Orten entschiedener und häufiger formuliert wurden, so daß er von »Mittelpunkten der kirchlichen Reformbestrebungen« sprach[26]. Die »Ausdehnung der Reformbewegung«[27] deckt sich nach LEUBE aber mit dem Umkreis der lutherischen Orthodoxie überhaupt. Eine Parteibildung oder gar einen Kirchenstreit um Reformforderungen, wie ihn GOETERS zwischen

[22] Ges. Aufs. III (Der Westen), 1928, 302—384.
[23] AaO 35.
[24] Vgl. das Vorwort.
[25] Vgl. oben bei Anm. 8.
[26] AaO 45.
[27] AaO 125.

Voetianern und Coccejanern beschrieben hatte[28], konnte LEUBE im Luthertum nicht feststellen. Die Anschauung, daß die führende Richtung der Orthodoxie die für die Reformbestrebungen wichtigen Ansichten Johann Arndts bekämpft habe und es einen Kirchenstreit um seine Bücher vom Wahren Christentum gab, meinte LEUBE als Trugbild entlarven zu können. »Alle berühmten Theologen des Luthertums haben sein Erbauungsbuch empfohlen. Einen Kirchenstreit über Arndts Buch hat es nie gegeben.«[29] Für die Frage nach dem Verhältnis des Pietismus zur Orthodoxie bedeutet das, daß nicht eine Partei, eine Strömung oder eine Richtung, sondern die lutherische Orthodoxie im ganzen als »die Vorbereitung des Pietismus« anzusehen ist. Sofern das herkömmliche Bild der Orthodoxie dieser Sicht entgegenstand, meinte LEUBE, daß sich aus seinen Forschungen »eine neue Wertung der lutherischen Orthodoxie ergeben« würde[30].

Fragt man, wiederum vom heutigen Forschungsstand aus, was sich von dem Werk LEUBES durchgesetzt hat, so muß die Antwort auch hier eine zweifache sein. Die *Tatsachen*, die LEUBE ans Licht gebracht hat, waren so gründlich nachgewiesen, daß sein Buch in dieser Hinsicht m. W. nirgendwo ernsthafte Kritik erfahren hat. Als Darstellung des inneren Lebens und des Reformwillens der Orthodoxie ist es bis heute unüberboten, für die Kirchengeschichtsforschung des 17. Jahrhunders hat es sich den Rang eines unentbehrlichen Standardwerks errungen. Trotzdem hat sich die *Konzeption* LEUBES nicht durchgesetzt. Als Grund hierfür muß man wohl vor allem angeben, daß zu der Zeit, als LEUBES Buch erschien (1924), das Interesse der Forschung sich von der lutherischen Orthodoxie verlagerte auf das lange vernachlässigte Feld der Mystik und des Spiritualismus. Damit trat für die Erforschung des 17. Jahrhunderts diejenige Tradition in das Blickfeld, die in der Reformationszeit bei Männern wie Thomas Müntzer und Schwenck-

---

[28] AaO 120 ff.

[29] H. LEUBE, Die Theologen und das Kirchenvolk im Zeitalter der lutherischen Orthodoxie (AELKZ 57, 1924, 243—247. 260—265. 276—282. 292—297. 310—314), 264. Diese Aufsatzserie, die nach den »Reformideen« geschrieben, aber vor deren Drucklegung publiziert wurde, läßt in ihrer freieren, für einen breiteren Leserkreis bestimmten Form die Konzeption LEUBES noch deutlicher erscheinen als das Buch. LEUBE führt die Anschauung von einem Kirchenstreit um Arndt auf die Darstellung bei WALCH zurück. »Nur Lukas Osiander der Jüngere hat als Theologe von Ruf gegen Arnd geschrieben« (ib.).

[30] Die Reformideen 35.

feld beginnend über Valentin Weigel und Jakob Böhme auf noch
wenig erforschten Wegen ins 17. Jahrhundert hineinwirkt und während des Dreißigjährigen Krieges und in den Jahren danach in Christian Hoburg, Paul Felgenhauer, Friedrich Breckling, um nur einige
ihrer Wortführer zu nennen, wieder zu stärkerem Durchbruch und
zu breiter literarischer Wirksamkeit kommt. EMANUEL HIRSCH deutete schon 1922 in einem Aufsatz über Schwenckfeld an, daß der
Pietismus von dieser Linie her begriffen werden müßte[31]. ERICH
SEEBERG wies 1923 an der Gestalt Gottfried Arnolds die umfassenden Zusammenhänge zwischen Pietismus und mystisch-spiritua-
listischer Tradition auf[32]. HEINRICH BORNKAMM sprach 1926 von
einer zweifachen Wurzel des Pietismus und nannte noch vor den Reformbestrebungen der Orthodoxie die protestantische Mystik[33].
Schließlich ist in jüngster Zeit MARTIN SCHMIDT in dieser Richtung
am weitesten fortgeschritten und hat den mystischen Spiritualismus
als die für die Entstehung des Pietismus schlechterdings entscheidende
Tradition bezeichnet, hinter der die Einflüsse aus der lutherischen
Orthodoxie als sachlich zweitrangig zurücktreten[34].

Es ist klar, daß damit die von HOLL und LEUBE vertretene Auffassung vom Ursprung des Pietismus in der Orthodoxie als unzureichend und einseitig angesehen werden mußte[35]. Wenn sich die
Forschungen LEUBES gleichwohl allgemeine Anerkennung verschafft
und diese auch dort behalten haben, wo man den mystischen Spiritualismus als wesentlichen Vorläufer des Pietismus betrachtet, so
spricht dies für ihre Solidität und Zuverlässigkeit; man muß auf der
anderen Seite jedoch sehen, daß ihnen im allgemeinen nur noch eine
beschränkte Gültigkeit zugewiesen wird. Es wiederholt sich gegenüber LEUBE gewissermaßen die Situation, die sich früher einmal gegenüber ALBRECHT RITSCHLS »Geschichte des Pietismus« ergeben
hatte und die HORST STEPHAN auf die Formel brachte: »Ohne eigentlich durch ein überlegenes Werk überwunden zu sein, wird sie

---

[31] E. HIRSCH, Zum Verständnis Schwenckfelds, Festgabe für KARL MÜLLER,
1922, (145—170), 169 f. Wieder abgedruckt unter dem Titel »Schwenckfeld
und Luther«, in: E. HIRSCH, Lutherstudien II, 1954, (35—67), 66 f.

[32] E. SEEBERG, Gottfried Arnold, die Wissenschaft und die Mystik seiner Zeit,
1923. [Neudruck 1964].

[33] H. BORNKAMM, Mystik, Spiritualismus und die Anfänge des Pietismus im
Luthertum, 1926, 15 f.

[34] S. unten S. 433 ff.

[35] Wenn M. SCHMIDT, Spener und Luther, LuJ 1957, 110 Anm. 19 a, schreibt,
nur ERICH SEEBERG habe die entscheidende Bedeutung des mystischen Spiritualismus geahnt, so ist darin die Kritik an HOLL und LEUBE impliziert.

allenthalben modifiziert und mehr als reiche Fundgrube von histo-
rischem Stoff ... verwertet.«[36]

Aber in dieser auf das Faktische beschränkten Rezeption des
Werks von LEUBE liegt eine Problematik, die von der Forschung
stärker beachtet werden sollte. Wenn HORST STEPHAN an der eben
zitierten Stelle fortfährt: »So befindet sich die wissenschaftliche Behandlung des Pietismus augenblicklich in einer sehr unsicheren
Lage«[37], so muß man heute sagen, daß ähnliches hinsichtlich unserer auf LEUBE angewiesenen Kenntnis der Reformwilligkeit der
lutherischen Orthodoxie gilt. Zwischen der Gesamtkonzeption LEU-
BES und den von ihm aufgewiesenen Tatsachen läßt sich ja nicht
so reinlich scheiden. Natürlich erscheinen die Tatsachen bei LEUBE
immer schon gefärbt vom Kolorit seiner Konzeption. Daß da, wo
sich eine andere Konzeption vorschiebt, die gleichen Tatsachen eine
andere Färbung erhalten, ist deshalb nicht verwunderlich. Wenn es
aber dabei zu widersprechenden Tatsachenbehauptungen kommt, so
entsteht wirklich eine für die Forschung im höchsten Grade unsichere
Lage. Um nur ein Beispiel zu nennen, so steht dem Satz LEUBES,
»Einen Kirchenstreit über Arndts Buch hat es nie gegeben«[38], heute
der Satz MARTIN SCHMIDTS entgegen, es habe sich »gegen das Ende
seines (sc. Arndt) Lebens und unmittelbar nach seinem Tode ein
theologischer Kirchenstreit um das Recht seiner Grundsätze« erhoben[39]. Welche Aussage entspricht dem historischen Sachverhalt besser? Streitigkeiten um Johann Arndt hat es ja auf jeden Fall gegeben, aber wir haben heute offenbar kein sicheres Urteil über ihr
Ausmaß und ihre kirchliche Bedeutung. Dabei ist die Frage nach
dem Ausmaß der Rezeption der Arndtschen Frömmigkeitsanschau-
ung für die Beurteilung der Orthodoxie des 17. Jahrhunderts und
die Bestimmung ihres Verhältnisses zum Pietismus zweifellos von
großer Wichtigkeit.

Die »sehr unsichere Lage« im Blick auf unsere Kenntnis der
Orthodoxie zeigt sich an einem anderen Punkt noch deutlicher. Während nämlich das Buch von LEUBE zunächst überall und auch noch
bei MARTIN SCHMIDT seiner Intention gemäß als eine Darstellung
des Reformwillens der lutherischen Kirche der Orthodoxie verstanden und in diesem Sinn ausgewertet wurde, findet sich neuerdings

---

[36] H. STEPHAN, Der Pietismus als Träger des Fortschritts in Kirche, Theologie
und allgemeiner Geistesbildung (SgV 51), 1908, 6.
[37] Ibid.
[38] S. oben bei Anm. 29.
[39] Das Zeitalter des Pietismus (Klassiker des Protestantismus VI), 1965, XXVII.

häufiger ein Verständnis, das die Ergebnisse Leubes nur noch von einem Teil der orthodoxen Kirche gelten läßt und die Reformbestrebungen nur noch in einer Strömung oder Richtung der Orthodoxie lebendig sieht. Symptomatisch für diese Auffassung ist das Vordringen des Begriffs »Reformorthodoxie« in der jüngsten Phase der Forschung.

Unter »Reformorthodoxie« wird heute freilich recht Unterschiedliches verstanden. Ich beziehe mich im folgenden nur auf jene Fassung des Begriffs, die den gesamten Bereich der von Leube ans Licht gebrachten Reformbestrebungen auf den Nenner »Reformorthodoxie« zu bringen sucht, daneben aber die Rede von der »Orthodoxie« für das Gros der lutherischen Theologie des gleichen Zeitraumes beibehält[40]. Wo das geschieht, werden die Ergebnisse Leubes nicht in den Begriff der »Orthodoxie« aufgenommen. Vielmehr wird durch die Bildung eines neuen, von Leube übrigens nicht verwendeten Begriffs[41] eine besondere Spezies der Orthodoxie geschaffen, die die Reformbestrebungen unter sich faßt. Um hierfür ein Beispiel zu nennen, so werden im Evangelischen Kirchenlexikon die orthodoxen Reformbestrebungen nicht (wie das die RGG³ tut) unter dem Artikel »Orthodoxie« aufgeführt, sondern es ist hierfür ein besonderer Artikel »Reformorthodoxie« gebildet worden. Hier liest man, daß »Reformorthodoxie« sich »als zusammenfassender Name für die innerkirchlichen Reformbestrebungen zur Zeit der lutherischen Orthodoxie eingebürgert« habe[42]. Wenn die Reformorthodoxie auch nicht eine »Gegenbewegung gegen die Orthodoxie« gewesen sei, so wird sie doch als »eine Strömung innerhalb ihrer selbst« bezeichnet[43]. Eine Strömung freilich, die »gelegentlich

---

[40] Ich habe im folgenden also nicht im Blick F. Lau, der (Artikel »Orthodoxie« in RGG³ IV, 1728) den Begriff »Reformorthodoxie« auf die Verfasser der bedeutendsten Erbauungsbücher einschränkt, und auch nicht W. Zeller, der (Der Protestantismus des 17. Jahrhunderts [Klassiker des Protestantismus V], 1962, LII) die orthodoxe »Theologengeneration« nach dem Dreißigjährigen Krieg »Reformorthodoxie« nennt. Laus Begriff deckt sich nicht mit den Reformbestrebungen, sondern ist sehr viel enger, Zellers Ausdehnung auf eine »Theologengeneration« läßt keinen Platz für eine daneben bestehende »Orthodoxie«. Beide recht unterschiedliche Fassungen des Begriffs vertragen sich durchaus mit der Arbeit Leubes.

[41] Die Herkunft des Begriffs »Reformorthodoxie« vermag ich nicht anzugeben. Holl und Leube gebrauchen ihn nicht. Ich habe ihn zuerst bei A. Schleiff, Selbstkritik der lutherischen Kirchen im 17. Jahrhundert, 1937, 175 gefunden. Eingebürgert hat er sich jedenfalls erst im letzten Jahrzehnt.

[42] EKL III, 546.

[43] Ibid.

bereits zum Pietismus gerechnet« werde[44]. Vom Pietismus indes unterscheide sie sich dadurch, daß sie nicht in einen Lehrgegensatz zur Orthodoxie gerät, sondern die reine Lehre unverkürzt bejaht[45]. HORST WEIGELT in seinen »Pietismus-Studien« hat im Anschluß an diese Formulierungen die »lutherische Reformorthodoxie« bestimmt als eine Reformbewegung innerhalb »der damals herrschenden Orthodoxie«[46]. Die Reformbewegung wird damit Sache einer bestimmten Richtung oder Partei, die »Anhänger« hat und der man

[44] Ibid.
[45] Ibid.
[46] H. WEIGELT, Pietismus-Studien I: Der spener-hallische Pietismus (Arbeiten zur Theologie II, 4), 1965, 23. — Die in diesem Werk enthaltene Spenerdarstellung ist nicht nur die neueste, sondern leider auch die schlechteste, die wir besitzen. Sie besteht zum größten Teil aus einer Kompilation von Exzerpten aus der Sekundärliteratur, die WEIGELT freilich nur flüchtig durchgelesen, die er aber weit über die von ihm gegebenen Nachweise hinaus ausgebeutet und bis in die Formulierungen und den Satzbau hinein ausgeschrieben hat. Verbleibende Lücken füllt er mit eigener Phantasie. So erfährt man (23), daß Spener mit seinen Straßburger Lehrern Johann Schmidt und Dannhauer »zeitlebens« in Briefwechsel stand. Nun starb der erstere schon während der Studienzeit Speners (1658), der letztere kurz nach dessen Weggang nach Frankfurt (1666). Es ist ganz ausgeschlossen, die Fehler und Unrichtigkeiten aufzuzählen, man kann nur Kostproben geben. Spener ist nicht als viertes Kind seiner Eltern geboren (29), sondern als erstes (P. GRÜNBERG, Philipp Jakob Spener III, 393); sein Vater starb nicht erst 1677 (29), sondern 1657 (GRÜNBERG I, 128); Speners theologische These über den Bindeschlüssel ist nicht »leider nicht mehr vorhanden« (31), sondern war schon GRÜNBERG bekannt (aaO III, 395) und wird seit Jahren im Nachdruck innerhalb der von K. ALAND besorgten Spener-Ausgabe angekündigt; Spener ging 1660 nicht »erst im Juni« auf seine große akademische Reise (31), sondern bereits im April und disputierte im Mai öffentlich in Basel (aaO III, 395); seine Frankfurter Antrittspredigt hat Spener nicht in »der heutigen Paulskirche« gehalten (33), diese steht nur an der Stelle der abgerissenen Barfüßerkirche, in der Spener predigte; der Katechismusunterricht war in Frankfurt bei Speners Kommen keineswegs als unwichtig erachtet worden (33), sondern im Gegenteil durch eine Ratsverordnung bereits ein Jahr vor Speners Ankunft neugeregelt und intensiviert worden (aaO, I, 169). Das Frankfurter Armenund Waisenhaus wurde nicht 1669 (36), sondern erst 1679 errichtet (aaO I, 196); die Berufung nach Dresden erhielt Spener 1686 (aaO I, 210), nicht 1684 (37). Ich breche ab. Diese Fehler sind nicht aus dem Buch zusammengelesen, sondern finden sich auf den wenigen Seiten 29—37. Dabei habe ich nur einen Teil der auf diesem Raum zu findenden groben äußerlichen Fehler aufgeführt und die inhaltlichen noch gar nicht berührt. Der Verlag gibt auf dem Umschlag an, das Werk sei aus »gründlicher historischer Quellenanalyse« gearbeitet, und er empfiehlt es als »ein geeignetes Nachschlagewerk für jeden, der sich eingehend mit dem Pietismus beschäftigen will«. Ein Kommentar dazu erübrigt sich.

»angehören« kann. Speners Straßburger Lehrer Dannhauer, Johann Schmidt und Sebastian Schmidt »gehörten der Reformorthodoxie an«[47]. Alle drei waren »überzeugte Anhänger der lutherischen Reformorthodoxie«[48]. Damit ist gesagt, daß Spener seine theologische Bildung in einer den Pietismus vorbereitenden Sonderrichtung der Orthodoxie empfangen haben soll, nicht aber in der für das 17. Jahrhundert typischen »herrschenden Orthodoxie«.

Mir scheint dieser heute offensichtlich gängig werdende Begriff der »Reformorthodoxie« im höchsten Grade problematisch zu sein. Nicht nur, weil er sich auf LEUBE beruft[49], ohne zu merken oder zu bedenken, daß das Nebeneinander von »Orthodoxie« und »Reformorthodoxie« den Forschungen LEUBES gerade entgegenläuft, sondern vor allem, weil er dazu führt, die Frage nach dem Verhältnis des Pietismus zur voraufgehenden Orthodoxie durch eine zu billige Unterscheidung zu simplifizieren. Die Frage kann ja mit den beiden Begriffen »Orthodoxie« und »Reformorthodoxie« scheinbar sehr leicht beantwortet werden. Der Pietismus hat dann seine Vorbereitung und eine seiner Wurzeln in der »Reformorthodoxie«, seinen Widerpart, gegen den er reagiert und den er zu überwinden trachtet, hat er dagegen in der »Orthodoxie«. Schwierig wird es nur, wenn man mit dieser Unterscheidung an die Quellen herangeht. Jedenfalls sollte es schon stutzig machen, daß man heute für die Jahrzehnte vor dem Pietismus in reichlicher Zahl Anhänger der Reformorthodoxie genannt bekommt, daß es offenbar aber sehr schwierig ist, die Vertreter der herrschenden Orthodoxie ausfindig zu machen. Ein Abraham Calov, der nach LEUBE für die Schäden der Kirche ein offenes Auge hatte[50], der in den Spenerschen »Pia Desideria« immerhin mehr zu Wort gekommen ist als Dannhauer[51], der schließlich als einer der ersten dem Spenerschen Programm seine Zustimmung gab[52], wird ja wohl mit dem gleichen Recht wie Dannhauer zur »Reformorthodoxie« gerechnet werden müssen. Wer aber gehört dann eigentlich zur »Orthodoxie«?

An der Gestalt von Speners Lehrer Johann Konrad Dannhauer wird die Problematik des Begriffs Reformorthodoxie vollends deutlich. Dannhauer war, wenn man auf den Katalog seiner

---

[47] AaO 30.
[48] AaO 23.
[49] AaO 28; Artikel »Reformorthodoxie« in EKL III, 548 (Lit.Verz.).
[50] Die Reformideen, 54.
[51] Pia Desideria, hg. K. ALAND (KlT 170), 1955², 69 f.
[52] LEUBE, aaO 54.

Schriften sieht, ein orthodoxer Streittheologe reinsten Wassers, un-
ermüdlich im Kampf für die Sache der lutherischen Lehre gegen
Papismus, Calvinismus, Synkretismus und Puritanismus[53]. Von
Männern wie Calov und Hülsemann unterscheidet ihn hier nichts.
Das schließt nicht aus, daß auch er sich für Reformen im kirchlichen
und theologischen Bereich einsetzte, z. B. für eine stärkere Heran-
ziehung des dritten Standes[54]. Wenn man die Gestalt Dannhauers,
den seine Zeitgenossen einen zweiten Augustinus nannten, beurteilen will, so muß man die ganze Spannweite seines Wirkens in den
Blick zu bekommen suchen, die von der geradezu begierig gesuchten
Polemik[55] bis hin zur Reformwilligkeit und zum Drängen nach
gottseligem Leben reicht[56]. Diese Spannweite wird aber zerbrochen
und die Gestalt Dannhauers wird verfehlt, wo man ihn festlegt
auf eine Zugehörigkeit zur »Reformorthodoxie«. Man verbaut sich
damit die Sicht für den Tatbestand, daß Dannhauer nicht nur als
Wegbereiter des Pietismus, sondern ebenfalls als Wegbereiter der
antipietistischen Spätorthodoxie angesehen werden kann. Zu seinen
Schülern zählte ja nicht nur ein Philipp Jacob Spener, sondern ebenfalls ein Johann Benedict Carpzov, den Spener als den Haupt-
macher der gegen ihn geführten Angriffe der Spätorthodoxie an-
sah[57]. Wenn Spener mit seinem Urteil über die Rolle Carpzovs recht
hat, so könnte man die pietistischen Streitigkeiten, soweit sie sich
an der Person und dem Wirken Speners entzündeten, cum grano
salis eine Auseinandersetzung innerhalb der Dannhauerschule nen-

[53] W. Horning, Johann Conrad Dannhauer, 1883. Darin 139—177 eine Wür-
digung von »Dannhauer als Polemiker« mit Auszügen aus den Streitschriften
Dannhauers. Grünberg I, 109: »Er (sc. Dannhauer) ist ebenfalls in erster
Linie Polemiker . . .«

[54] Leube, aaO 106.

[55] Der Dannhauerschüler und Spenerfreund Theophil Spizel schreibt: »Wenn
Dannhauer von der Warte seines Geistes irgend einen Gegner der Wahrheit
sich regen sah . . . so folgte er ihm wie der Jäger dem Wild . . . Und wie bei
Homer Achilles den Griechen gebietet, daß ja keiner von ihnen, sondern er
den Hector fälle . . . so forderte auch Dannhauer . . . daß der Kampf mit
den Fremdgläubigen, die sich je erheben möchten, ihm überlassen bleibe.«
(Spizel, Templum honoris reseratum, 1673, 288 f., zit. in der Übersetzung
von Horning, aaO 196.)

[56] Aland, Spener-Studien, 60 bei Anm. 18.

[57] Ph. J. Spener, Letzte Theologische Bedencken III, 1702, 565: »Den ich vor
den vornehmsten und denjenigen, der gleichsam die gantze partie diriget,
halte, ist Herr D. Joh. Benedict. Carpzovius, Prof. zu Leipzig. Mit diesem
hatte eine zeitlang studiret in Straßburg . . .« Vgl. auch ebendort S. 800.

nen[58]. Daß von diesen Zusammenhängen heute gar nichts in den Blick kommt, ist kaum zufällig, denn der Begriff »Reformorthodoxie« muß ja die Sicht auf die gemeinsame Herkunft von Pietismus und Spätorthodoxie verstellen.

Daran, daß sich zu Ende des 17. Jahrhunderts in Pietismus und Spätorthodoxie zwei verschiedene kirchliche Parteien und damit auch verschiedene Personengruppen gegenübergestanden haben, besteht nirgendwo Zweifel. Das ist ein evidenter historischer Sachverhalt. Wie weit die hier ans Licht tretenden Fronten in der vorpietistischen Orthodoxie möglicherweise ihre Präformationen haben, kann man natürlich fragen. Die Antwort auf diese Frage kann aber nicht am Leitfaden des Begriffs der Reform gesucht und an der Reformwilligkeit der orthodoxen Theologen abgelesen werden. Die spätere Gruppenbildung einfach nach rückwärts zu verlängern und in der klassischen, vorspenerischen Zeit die orthodoxe Streitbarkeit und das Reformstreben auf unterschiedliche Personengruppen zu verteilen, das ist ein Unterfangen, dem die historische Legitimation fehlt. Für die klassische Zeit der Orthodoxie des 17. Jahrhunderts ist vielmehr kennzeichnend, daß in allen bedeutenden Theologen die Spannung zwischen dem Kampf um die reine Lehre und dem Streben nach einer Besserung des Lebens ausgehalten und durchgehalten wird, auch wenn man — mit Luther — die puritas doctrinae für wichtiger hält als die puritas vitae[59]. Wenn das richtig gesehen ist, so dürfte es besser sein, den Begriff einer besonderen »Reformorthodoxie«, falls man ihn nicht mit FRANZ LAU auf die Gruppe

---

[58] Zu erinnern ist hier auch an die Tatsache, daß Speners »Pia Desideria« zwar überall in der lutherischen Orthodoxie, in Wittenberg ebenso wie in Tübingen, mit Beifall begrüßt wurden, daß ihnen aber die Straßburger Fakultät, in der die Freunde und Schüler Dannhauers saßen, als einzige die Zustimmung versagte (GRÜNBERG I, 157.178; vgl. ALAND, aaO 63 Anm. 10). Daraus darf man zwar nicht den Schluß ziehen, daß Speners Programm von der Straßburger Orthodoxie überhaupt nicht beeinflußt sei, wie das K. ZABEL tut (Die Einwirkung des englischen und des niederländischen Frühpietismus auf Ph. J. Speners Lehre von der Rechtfertigung und Heiligung, Theol. Diss. Masch. Rostock 1942, 95). Man sieht aber, daß von der Basis der Straßburger Orthodoxie aus der Weg nicht gradlinig auf den Pietismus hinführte. Ebensogut konnte er zu einer antipietistischen Position führen.

[59] Ähnlich wie Dannhauer ist auch Meyfart heute fast nur als Reformtheologe bekannt. Wie sehr aber auch er zunächst als normaler Streittheologe der Orthodoxie angesehen werden muß, kann man lernen aus der gründlich aus den Quellen gearbeiteten, aber wenig beachteten Arbeit von Ch. HALLIER, Johann Matthaeus Meyfart. Ein Beitrag zur Geschichte der lutherischen Orthodoxie (ZKGPrSa 25, 1929, 37—51 und 26, 1930, 52—74).

der orthodoxen Erbauungsschriftsteller einschränken will[60], wieder
aufzugeben und statt dessen einfach — mit LEUBE — von den
»Reformbestrebungen« der Orthodoxie zu reden. Wenigstens sollte
man das so lange tun, bis der von LEUBE versuchte Nachweis, das
Drängen nach Reform sei »Gemeingut aller kirchlich interessierten
Kreise« gewesen[61], durch umfassendere Forschungen korrigiert worden ist[62].

Mit dieser Klarstellung gewinnen wir nun den Boden zurück,
auf dem die Frage nach dem Verhältnis des Pietismus zur Orthodoxie wieder sinnvoll gestellt und zugleich der Anschluß an die Ergebnisse der jüngsten Pietismusforschung erreicht werden kann.
Hier hat sich in einigen neueren Arbeiten eine bedeutsame Wandlung gegenüber der älteren Forschung vollzogen, so daß man von
einer neuen Phase in der Erforschung des Pietismus sprechen muß.
Ich denke dabei, was Spener betrifft, einmal an die Darstellung, die
EMANUEL HIRSCH im zweiten Band seiner Theologiegeschichte Spener und dem Pietismus gewidmet hat[63], andererseits an die zahlreichen den Pietismus behandelnden Aufsätze von MARTIN SCHMIDT,
von denen an dieser Stelle die beiden grundlegenden über »Speners
Wiedergeburtslehre«[64] und »Speners Pia Desideria«[65] genannt wer-

---

[60] Oben Anm. 40.

[61] Oben Anm. 23.

[62] Für einen begrenzten Bereich des orthodoxen Kirchentums wird die Ansicht
LEUBES bestätigt durch die Arbeit von G. SCHRÖTTEL, Johann Michael Dil-
herr und die vorpietistische Kirchenreform in Nürnberg, 1962. SCHRÖTTEL
geht zwar in seiner Fragestellung aus von der oben angegriffenen Aufteilung
von Reformbewegung und Orthodoxie auf unterschiedliche Personengruppen.
Dabei fällt wieder einmal auf, daß eine ganze Reihe von Theologen als
Glieder der vorpietistischen Reformbewegung (von Reformorthodoxie redet
SCHRÖTTEL nicht) genannt werden (Johann Gerhard, Hülsemann, Dannhauer
u. a.), daß man aber aus der Gruppe der Theologen, die sich »den Reform-
kreisen bewußt fernhielten« (aaO 3), keine Namen erfährt. Am Ende seiner
Arbeit kommt SCHRÖTTEL aber faktisch zu einer Aufhebung dieser Unterscheidung, wenn er der Reformbewegung in Nürnberg eine Art kirchliche
Monopolstellung einräumen muß und mit einem nach LEUBE freilich etwas
anachronistischen Erstaunen konstatiert: »Die ›tote Orthodoxie‹, von der
man so oft redet, hat es jedenfalls im Nürnberg des 17. Jahrhunderts nicht
gegeben« (aaO 113). Leider wird von diesem Ergebnis der Ansatz der Fragestellung der ganzen Arbeit nicht korrigiert.

[63] E. HIRSCH, Geschichte der neuern evangelischen Theologie im Zusammenhang mit den allgemeinen Bewegungen des europäischen Denkens, II, 1951.

[64] M. SCHMIDT, Speners Wiedergeburtslehre, ThLZ 76, 1951, 17—30.

[65] M. SCHMIDT, Speners Pia Desideria, Versuch einer theologischen Interpretation, ThViat III, 1951, 70—112.

den müssen. In diesen Arbeiten richtet sich der Blick nicht mehr wie bisher auf die Reformbestrebungen, sondern konzentriert sich in einem früher nicht gekannten Maße auf die *pietistische Theologie*. Es ist das Gemeinsame zweier so verschiedener Forscher wie HIRSCH und SCHMIDT, daß sie mit dem lange geltenden Satz ALBRECHT RITSCHLS, Speners kirchengeschichtliche Bedeutung knüpfe sich nicht an seine Theologie[66], gebrochen haben und daß sie, wenn auch auf recht unterschiedliche Weise, das Neue und für die Folgezeit Bedeutsame des Wirkens Speners gerade von seiner Theologie her anzugehen suchen. Für HIRSCH versteht sich dieser Ansatz zwar aus dem seinem Werk vorgezeichneten Rahmen; er betont jedoch am Anfang seines Spener-Kapitels ausdrücklich, daß er mit der *Theologie* ein für die Geschichte des Pietismus *grundlegendes* Stück Arbeit zur Darstellung bringe[67]. SCHMIDT seinerseits kritisiert an der bisherigen Forschung, daß sie ihr Augenmerk zu sehr auf die Reformforderungen heftete[68]. Betont gab er seiner Analyse der »Pia Desideria« den Untertitel »Versuch einer theologischen Interpretation«.

Wenn sich heute die Anschauung durchsetzt, daß Speners Bedeutung nicht nur von seiner Reformtätigkeit, sondern in erster Linie von seinem theologischen Denken her erfaßt werden muß, so hat das zur Folge, daß die Frage nach dem Verhältnis zwischen Pietismus und Orthodoxie auf einer breiteren, die Theologie mitumfassenden Vergleichsebene gestellt werden muß. Statt auf irgendwelche an der Reformwilligkeit abgelesene Differenzierungen innerhalb der Orthodoxie zu achten, müßten künftig eher die theologischen Richtungen der Orthodoxie auf Nähe oder Gegensatz zum Denken Speners untersucht werden. Das ist eine Arbeit, die noch kaum angefaßt ist[69]. Die vordringlichste Aufgabe dürfte aber darin liegen, daß man erst einmal Klarheit bekommt, was überhaupt in der Theologie Speners als das Neue, aus der altlutherischen Orthodoxie Herausführende zu bestimmen ist. Hier herrscht heute

---

[66] Geschichte des Pietismus II, 1884, 125.
[67] AaO 93.
[68] Speners Pia Desideria, 71.
[69] Dadurch dürfte sicherlich auf manches ein neues Licht fallen. Ich meine z. B. zu sehen, daß in dem sogenannten ersten pietistischen Streit, dem sich auf das Problem der Hermeneutik zuspitzenden Streit zwischen Spener und Georg Conrad Dilfeld, sich Spener gar nicht gegen die genuin lutherische Orthodoxie (die sich einhellig für Spener erklärte), sondern gegen Anschauungen des Helmstedter Humanismus durchzusetzen hatte. Ich hoffe, dies an anderer Stelle begründen und belegen zu können.

durchaus keine Klarheit. Denn die Übereinstimmung zwischen HIRSCH und SCHMIDT reicht nur so weit, daß beide die Theologie Speners als die Grundlage seines pietistischen Wirkens ansehen[70]. In der entscheidenden Frage, was als das Zentrum der Theologie Speners anzusehen ist und ob Spener mit dem zentralen Gehalt seiner Theologie in der Linie des orthodoxen Luthertums bleibt oder nicht, divergieren die von HIRSCH und SCHMIDT gegebenen Antworten derart, daß man von zwei sich gegenseitig ausschließenden Interpretationen der Spenerschen Theologie reden muß.

MARTIN SCHMIDTS wiederholt vertretene These ist es, daß die *Wiedergeburtslehre* und nicht mehr die Rechtfertigungslehre die »innere Mitte« der Theologie Speners sei[71]. SCHMIDT hat diese These mit zahlreichen Quellenbelegen vor allem aus den sonst wenig beachteten späten Predigtsammlungen Speners zu erhärten gesucht und zugleich gemeint, daß diese Wiedergeburtslehre aus der Tradition der lutherischen Orthodoxie nicht ableitbar sei[72]. Während sie in der Orthodoxie nur *ein* Element des ordo salutis sei, werde bei Spener die Wiedergeburt zum »Urbegriff« für den gesamten Heilsprozeß[73]. Die Rechtfertigung sei aus ihrer beherrschenden Stellung verdrängt und »als Moment in die alles umfassende Wiedergeburt aufgenommen«[74]. Diese Überbietung der Rechtfertigung durch die Wiedergeburt weise ihrer Herkunft nach deutlich auf den Spiritualismus, für den Schwenckfeld den Typus der Wiedergeburtslehre begründet hat[75]. SCHMIDT sieht eine so große Ähnlichkeit zwischen der Spenerschen Wiedergeburtslehre und derjenigen Schwenckfelds, daß fast an unmittelbare Beeinflussung gedacht werden könnte[76]. Er konnte sich dabei auf Vermutungen HIRSCHS stützen, der in seinem frühen Schwenckfeldaufsatz eine Linie von Schwenckfeld über Christian Hoburg zu Spener gezogen hatte[77]. Zugleich hoffte er, diesen Vermutungen HIRSCHS »eine größere Bestimmtheit gegeben zu haben«[78].

---

[70] Abgesehen von der Übereinstimmung, daß beide Speners praktische Forderungen als Zusammenfassung der Reformwünsche der Orthodoxie betrachten. HIRSCH, aaO 92; SCHMIDT, Das Zeitalter des Pietismus, XXVIII.

[71] Speners Wiedergeburtslehre, 19.

[72] AaO 26.

[73] Ibid.

[74] AaO 20 Anm. 2.

[75] AaO 26.

[76] AaO 27.

[77] HIRSCH, aaO 169.

[78] AaO 26 Anm. 13.

Diese grundsätzliche Sicht hat SCHMIDT gleichzeitig auf die Interpretation der »Pia Desideria« übertragen. Den Kern ihres Programms sieht er in der Wiedergeburt: »Auf die Wiedergeburt des Einzelnen läuft alles hinaus«[79]. Die Wiedergeburtsanschauung der Pia Desideria steht nach SCHMIDT in enger sachlicher Nähe zu derjenigen Christian Hoburgs[80]. In dessen »Spiegel der Mißbräuche beim Predigtamt« von 1644 meint er das unmittelbare Vorbild für die Pia Desideria gefunden zu haben und damit das Bindeglied zu der von Schwenckfeld begründeten Tradition[81]. Schon in den Pia Desideria ist also deutlich, in welchem Maß Spener aus der orthodoxen Tradition ausgeschert ist und sich der mystisch-spiritualistischen Tradition und ihrer Wiedergeburtsanschauung angenähert hat[82]. Der mystische Spiritualismus wird zum entscheidenden theologischen Vorläufer des Spenerschen Pietismus[83].

Im gleichen Jahr 1951, in dem MARTIN SCHMIDT seine beiden grundlegenden Aufsätze über Spener veröffentlichte, erschien auch der wesentlich dem Pietismus gewidmete zweite Band der Theologiegeschichte von HIRSCH. Überraschenderweise zieht HIRSCH darin die früher vermutete Linie von Schwenckfeld über den Spiritualismus zum Pietismus nicht nach, sondern kehrt zur Pietismusauffassung KARL HOLLS zurück, der den Pietismus aus der Orthodoxie hervorgehen sah. Die ausführliche Spenerdarstellung HIRSCHS ist eine imponierende Verknüpfung der Ansicht HOLLS mit dem eigenen Anliegen, überall die Ansätze einer neuen, die altprotestantische Orthodoxie ablösenden Theologie zu beobachten. HOLL hatte gesagt, der Pietismus habe zu der ihm voraufgehenden orthodoxen Bewegung keine neuen Gedanken hinzugefügt, dafür aber neue Formen hervorgebracht[84]. Fast ist man geneigt zu sagen, daß HIRSCH diese Formel auf das Gebiet der Theologie überträgt, wenn er einerseits die lehrmäßige Übereinstimmung Speners mit der Orthodoxie

---

[79] Speners Pia Desideria, 76.

[80] AaO 106.

[81] M. SCHMIDT, Spener und Luther, LuJ 1957, 113. Hoburg nimmt also jetzt ungefähr dieselbe Stelle ein, die in der älteren Forschung Labadie zugemessen wurde. Vgl. M. SCHMIDT, England und der deutsche Pietismus (EvTh 13, 1953, 205—224), 211: »Sie (sc. die Pia Desideria) aber sind in ihrer Anlage nicht — wie Goebel und Goeters glaubten — von Labadies Réformation de l'Eglise par le Pastorat geformt, sondern von Christian Hoburgs ›Spiegel der Mißbräuche beim Predigtamt‹ (1644).«

[82] Speners Pia Desideria, 107; Spener und Luther, 113.

[83] Das Zeitalter des Pietismus, XXV f.

[84] Ges. Aufsätze III (Der Westen), 346 f.

immer wieder betont und darauf hinweist, daß die Abweichungen
von der Orthodoxie nirgendwo leicht zu fassen sind, andererseits
dann das Neue und Weiterführende nicht in inhaltlichen, sondern
formalen Elementen seiner Theologie findet: in der Herauslösung
der Theologie aus der scholastischen und konfessionalistisch einge-
engten Form der Orthodoxie, in der Anbahnung der Unterscheidung von Glaubenserkenntnis und theologischer Wissenschaft, in
der Überführung der traditionellen Lehrgehalte in eine freiere, der
biblischen Sprache und der individuellen Subjektivität gerecht werdende Form. Nur anhangweise und knapp erwähnt HIRSCH von
der orthodoxen Tradition abweichende »Sonderlehren« Speners,
von denen er allein seiner »Hoffnung besserer Zeiten« eine in die
Zukunft weisende Bedeutung zuerkennt[85].

Dagegen überrascht, mit welcher Schärfe HIRSCH alle Behauptungen, daß bei Spener der Rechtfertigungsglaube aus dem Mittelpunkt
der christlichen Frömmigkeit verdrängt werde, zurückweist. Er bezeichnet sie geradezu als »Mißverständnis oder Verleumdung«[86].
Die Mitte der Spenerschen Theologie ist nach HIRSCH die Rechtfertigung, und der Kern des pietistischen Programms besteht darin,
»den Rechtfertigungsglauben ... so tief in den Lebensgrund des
Einzelnen einzusenken, daß er den ganzen Menschen in allen seinen Äußerungen von innen her bestimmt und regiert«[87]. HIRSCH
betont die Übereinstimmung Speners mit der lutherischen Tradition so sehr, daß er selbst die Aussage Luthers, die Rechtfertigung
sei ein dauerndes Geschehen, bei Spener erreicht sieht[88]. Von einer
aus der orthodoxen Tradition ausscherenden besonderen Wiedergeburtslehre ist ebensowenig die Rede, wie es HIRSCH nicht für nötig
hält, irgendwelche Beeinflussungen durch den mystischen Spiritualismus zu notieren[89]. Der Anschluß an HOLL ist offenkundig, wenn

---

[85] AaO 151 ff.
[86] AaO 140.
[87] Ibid.
[88] AaO 146.
[89] Das wird man besonders beachten müssen, weil man den der älteren Forschung (z. B. LEUBE) gegenüber möglichen Einwand, man kenne nur die
Orthodoxie, aber nicht den mystischen Spiritualismus, gegenüber HIRSCH
jedenfalls nicht erheben kann. HIRSCH kennt den mystischen Spiritualismus
durchaus, führt diese bei Schwenckfeld beginnende und über Böhme zu
Hoburg laufende Tradition aber am kirchlichen Pietismus vorbei und sieht
sie nur im radikalen separatistischen Pietismus weiterwirken. Der radikale
Pietismus erscheint dabei im Unterschied zu SCHMIDT in einer vom kirchlichen Pietismus scharf abgehobenen Stellung. Hier im radikalen schwärme-

HIRSCH formuliert: »Soweit der Pietismus von Spener bestimmt wird, ist er eine Bewegung zur Erneuerung von Theologie und Kirche aus dem in individuell-persönliche Erfahrung überführten Rechtfertigungsglauben heraus.«[90]

Wir stehen also heute in der Spenerforschung vor einem fundamentalen Interpretationsproblem. Die beiden in jüngster Zeit vorgelegten Entwürfe der Spenerschen Theologie weichen nicht nur voneinander erheblich ab, sondern stehen in einem kontradiktorischen Gegensatz. Während HIRSCH behauptet, die Rechtfertigung bleibe die Mitte der Theologie Speners, wird dies von SCHMIDT bestritten. Und während SCHMIDT behauptet, daß an die zentrale Stelle der Rechtfertigung die Wiedergeburt tritt, wird dies von HIRSCH für falsch erklärt[91]. Hier liegen offene Fragen, die noch der Diskussion harren und an denen die künftige Forschung wird weiterarbeiten müssen[92]. Ich betone das, weil der zwischen HIRSCH und SCHMIDT bestehende Forschungsgegensatz, soweit ich sehen kann, bisher noch nirgendwo fixiert worden ist[93]. Wir werden aber in der Spenerforschung nur dann wirklich weiterkommen, wenn vom Gesamtforschungsstand ausgegangen wird und weitere Arbeiten in ihrer Fragestellung hieran anknüpfen. Es wäre deshalb zu wünschen, daß diejenigen Arbeiten, die sich der Position von MARTIN SCHMIDT anschließen, zu erkennen geben, daß sie sich einer bestimmten Spenerinterpretation anschließen, und daß sie sich mit anderen Interpretationen kritisch auseinandersetzen[94]. Umgekehrt

rischen Pietismus redet auch HIRSCH von einer »weitgehenden Verdrängung der Rechtfertigung durch die Wiedergeburt« (aaO 240).

[90] AaO 140.

[91] Der ausschließende Gegensatz zeigt sich darüber hinaus auch an anderen Stellen. Vgl. etwa HIRSCH, aaO 130: Speners Verständnis der Kirche »bedeutet keine Indifferenz«, mit SCHMIDT, Speners Pia Desideria, 91: Speners Kirchenbegriff »bringt ... die konfessionelle Indifferenz«.

[92] Ich habe vor, an anderer Stelle auf diese Fragen ausführlicher einzugehen. Hier möchte ich es bei einem möglichst unparteiischen Referat der Forschungslage belassen, weil ich bei einer so komplizierten Sachproblematik kaum Hoffnung habe, mit drei Sätzen schon Wesentliches zu ihrer Klärung beitragen zu können.

[93] Auch MARTIN SCHMIDT ist nach seiner anfänglichen Berufung auf den Schwenckfeldaufsatz von HIRSCH (oben bei Anm. 78) auf den später zutage tretenden Dissens nicht eingegangen. Nur in seinem Aufsatz: England und der deutsche Pietismus (s. oben Anm. 81) finde ich, 211 Anm. 25, die kurze kritische Bemerkung, daß HIRSCH die Bedeutung Speners zwar stärker als bisher betone, daß er ihn aber noch zu sehr an der Orthodoxie messe.

[94] Dieses Desiderat habe ich z. B. gegenüber der im übrigen überaus lehrreichen und gründlichen Arbeit von K. DEPPERMANN, Der hallesche Pietismus und

wäre zu wünschen, daß diejenigen, die SCHMIDTS Thesen ablehnen, dies in einer Auseinandersetzung mit seinen Arbeiten begründen[95]. Die Konzeption SCHMIDTS von der Wiedergeburt als der Mitte des Programms der Pia Desideria und der Beeinflussung derselben durch den mystischen Spiritualismus ist, was immer man im einzelnen einwenden mag, eine in sich geschlossene Konzeption. Einen wesentlichen Einfluß des mystischen Spiritualismus auf Speners Theologie wird man nur dann mit Fug bestreiten können, wenn man zugleich die Behauptung, der theologische Kern des Programms der Pia Desideria sei die Wiedergeburt, zu bestreiten vermag[96].

Abschließend möchte ich mich noch einer Frage zuwenden, die in der älteren Spenerforschung sehr vernachlässigt worden ist, die aber auch in der jüngsten Forschung noch nicht den ihr gebührenden Platz erhalten hat. Es ist dies die Frage nach der *Eschatologie* Speners, die Frage nach Herkunft und Bedeutung der ihm eigentümlichen Anschauung von der *»Hoffnung besserer Zeiten«*. Speners Biograph PAUL GRÜNBERG hat die Hoffnung besserer Zeiten beurteilt als eine sachlich belanglose Sonderlehre, die nur noch antiquarisches Interesse verdiene[97]. Nach seinem Urteil handele es sich hier »um theologische Spekulationen von gänzlich untergeordneter

der preußische Staat unter Friedrich III. (I.), 1961. DEPPERMANN hat sich in seinem ausführlichen Spenerkapitel (34—61) eng an die Interpretation von SCHMIDT angeschlossen, HIRSCH aber bedauerlicherweise nicht herangezogen. Vielleicht wären manche Formulierungen DEPPERMANNS dann vorsichtiger ausgefallen. Sein Satz »Die Wiederaufnahme der Predigt von der ›Wiedergeburt‹ bezeichnet Spener als das Wesen und den Ursprung des Pietismus« (35 f.) müßte nämlich belegt werden. Er geht noch über die Position von SCHMIDT hinaus. Der Satz ist aber in dieser Form sicherlich nicht zutreffend und nicht zu belegen.

[95] Ein wesentlicher Einfluß des mystischen Spiritualismus auf den Spenerschen Pietismus wird — übrigens ohne Nennung der Arbeiten von SCHMIDT — abgelehnt von K. ALAND, Kirchengeschichtliche Entwürfe, 546. E. BEYREUTHER, Der Ursprung des Pietismus und die Frage nach der Zeugenkraft der Kirche (EvTh 11, 1951/52, 137—144), bestreitet ihn ebenfalls, hat aber die Arbeiten von SCHMIDT wohl noch nicht berücksichtigen können.

[96] Dieser Satz dürfte nur dann bestritten werden können, wenn es gelänge, die von SCHMIDT dargestellte Wiedergeburtslehre aus der lutherischen Orthodoxie oder doch wenigstens einer anderen Tradition als der des mystischen Spiritualismus verständlich zu machen. Man kann aber nicht einfach, wie das WEIGELT tut, MARTIN SCHMIDTS These von der Wiedergeburt als Kern des Spenerschen Programms »treffend« nennen (aaO 35) und zugleich einen sachlichen Einfluß des Spiritualismus auf Spener bestreiten (aaO 23). Ob WEIGELT immer versteht, was er schreibt, wage ich freilich zu bezweifeln.

[97] AaO I, 470. Vgl. auch 303 ff.

Bedeutung«[98]. Man wird dieses merkwürdige Urteil nicht nur auf das Konto des bei GRÜNBERG nicht seltenen Mißverständnisses der Gedanken Speners buchen können[99], sondern wird daran denken müssen, daß es in der RITSCHLSCHEN Ära gefällt wurde. Gleichwohl ist damit ein ganz wesentlicher Mangel der Darstellung GRÜNBERGS bezeichnet, der auf Grund der Tatsache, daß sie für alle Beschäftigung mit Spener noch immer grundlegend ist, bis heute nachwirkt. Nun beurteilt HIRSCH im Gegensatz zu GRÜNBERG die Zukunftshoffnung Speners durchaus nicht als abwegig, sondern erblickt in ihr die ersten Wurzeln der optimistischen Kirchengeschichtsansicht der Aufklärung[100]. Sie ist für HIRSCH jedoch nur eine Sonderlehre Speners, die er anhangweise darstellen kann, weil sie »mit seiner Hauptansicht nur in loser Verknüpfung« steht[101]. In den pietistischen Neuansatz Speners gehört diese Anschauung also unmittelbar nicht hinein. Anders sieht es MARTIN SCHMIDT an. Er verknüpft Speners Zukunftshoffnung mit seiner Hauptabsicht sehr eng und setzt sie bei Bestimmung des theologischen Ansatzes von vornherein in Rechnung[102]. Während es bei HIRSCH so aussieht, als ob die Lehre von den künftigen besseren Zeiten der Kirche zu dem Reformprogramm noch dazu kommt, um die Spannung zu dessen Nichterfüllung in der Gegenwart erträglich zu machen[103], meint SCHMIDT zu erkennen, daß die auf die göttlichen Verheißungen sich stützende Zukunftshoffnung überhaupt erst der Ermöglichungsgrund des Reformprogramms ist und damit das sachlich Primäre, von dem alle Forderungen und Vorschläge a priori umgriffen sind. SCHMIDT prägte deshalb für die Pia Desideria die Formel: »Gott hat einen besseren Zustand der Kirche verheißen, darum ist er erreichbar«[104].

Die Frage ist wichtig genug, um weiter verfolgt zu werden. Es ist immerhin ein beachtenswerter Sachverhalt, daß Speners Hoffnung besserer Zeiten zur selben Zeit auftaucht wie sein Plan einer Besserung der Kirche und daß sie vorher nicht nachweisbar ist[105]. Liegt hier wirklich nur eine lose Verknüpfung vor? Um diese Frage

---

[98] AaO I, 470.
[99] Vgl. die kritischen Bemerkungen zu GRÜNBERG bei HIRSCH II, 143 Anm. 2.
[100] AaO 154.
[101] AaO 151.
[102] Speners Pia Desideria, 72 f.
[103] AaO 153.
[104] Das Zeitalter des Pietismus, XXXII.
[105] GRÜNBERG I, 304.

zu beantworten, wird man freilich noch über MARTIN SCHIMDT hinaus nach der Relevanz fragen müssen, die jener mittlere, in der Regel wenig beachtete Teil der Pia Desideria, der die Hoffnung auf einen besseren Zustand der gesamten Kirche darlegt und mit den nach Spener noch ausstehenden Verheißungen der Judenbekehrung und des endgültigen Falles Roms begründet, für den Gesamtentwurf des Kirchenverbesserungsprogramms besitzt[106]. Ist hier der Angelpunkt des Programms zu suchen? Liegt hier der Neuansatz, der aus der Orthodoxie herausführt? Viel zu wenig ist bisher beachtet worden, daß Spener bereits 1678 der lateinischen Ausgabe der Pia Desideria, 1680 auch der deutschen Neuauflage einen Anhang beigefügt hat, in dem er nicht etwa seine Reformforderungen, sondern seine Zukunftshoffnung zu untermauern für nötig hielt[107]. Offensichtlich wußte er, zu jener Zeit öffentlich noch nicht angegriffen von der Orthodoxie, sehr wohl, wie neu seine Meinung an diesem Punkt war und daß sie besonderer Sicherungen bedurfte. In diesem Zusammenhang möchte ich auch einmal das Augenmerk darauf lenken, daß alle Versuche, die Abhängigkeit des Spenerschen Entwurfs von bestimmten Schriften oder Traditionen nachzuweisen, regelmäßig allein schon am mittleren Teil der Pia Desideria scheitern. So hat KURT DIETRICH SCHMIDT, der die Abhängigkeit Speners von Labadie literarkritisch beweisen wollte, zugeben müssen: »Der ganze zweite Teil der Pia Desideria, der die Möglichkeit eines besseren Zustandes der Kirche schildert, hat bei Labadie kein Gegenstück«[108]. Auch MARTIN SCHMIDT, der die Gesamtanlage der Pia Desideria von Hoburgs »Spiegel der Mißbräuche« beeinflußt sieht, muß konstatieren, daß hier eine Entsprechung fehlt und Speners

---

[106] SCHMIDT hat (Speners Pia Desideria 72 f.) die eschatologische Bestimmtheit des Spenerschen Programms aus einer eindringenden Interpretation der Vorrede zur Separatausgabe vom Herbst 1675 erhoben. Diese Vorrede ist aber ein halbes Jahr später geschrieben als der Text der Pia Desideria, der im Frühjahr 1675 als Vorrede zur Neuauflage der Arndtschen Postille erschien. Spener stand im Herbst 1675 bereits unter dem ihn stark bewegenden Eindruck einer überwiegend positiven Aufnahme seiner Gedanken, hatte also, wie man einwenden könnte, von daher schon Grund zur Hoffnung. Methodisch wäre es geboten, zunächst aus dem Text der Pia Desideria selbst die eschatologische Bestimmtheit zu erheben, d. h. nach der Bedeutung des mittleren Teils im Ganzen des Entwurfs zu fragen. In seiner ausführlichen Interpretation der Pia Desideria hat SCHMIDT dann dem mittleren Teil keine besondere Aufmerksamkeit mehr gewidmet und die darin enthaltenen Anschauungen nur ganz kurz erwähnt.

[107] Vgl. ALAND, Spener-Studien, 7.

[108] AaO 576.

Zukunftshoffnung bei Hoburg nur eine pessimistische Verzweiflung als Gegenstück hat[109]. Schließlich hat auch der von KURT ALAND unternommene Versuch, Spener in der Nachfolge seines Straßburger Lehrers Dannhauer zu sehen, darin seine Grenze, daß für den ganzen zweiten Teil der Pia Desideria die Übereinstimmung mit Dannhauer nicht nachzuweisen ist[110].

Von woher Spener in seiner eigentümlichen Zukunftshoffnung bestimmt ist, sehen wir noch nicht[111]. Mit der Frage nach der Her-

---

[109] Das Zeitalter des Pietismus, XXIX.

[110] Vgl. Spener-Studien, 59—62, wo ALAND den Nachweis der Abhängigkeit der Pia Desideria von Dannhauer zu erbringen sucht anhand einer umfassenden Inhaltsangabe der 1677 anonym erschienenen Schrift »Eliä Send-Schreiben nach seiner Himmelfahrt: Das ist: Hn. D. Joh. Conrad Dannhawers CONSENSUS Der PIORUM DESIDERIORUM«. In dieser Schrift werden für viele der Spenerschen Gedanken Belege aus den Katechismuspredigten Dannhauers angeführt, für den ganzen mittleren Teil der Pia Desideria fehlen aber Belege. ALAND hat dieses Fehlen offensichtlich nicht für bemerkenswert gehalten, denn er übergeht es. Speners Schwager Horb, der Herausgeber des Buchs, hat dagegen dies im Vorwort ausdrücklich beklagt und dabei gewünscht, der Autor hätte noch andere Schriften Dannhauers durchsucht, weil er annahm, »daß der vortrefflichste consensus auch in sachen einer noch bevorstehenden glückseligern zeit der Christlichen Kirch ... sich darinn würde gefunden haben« (aaO bl. a 6 v). Man sieht hieraus sehr schön, daß der zweite Teil der Pia Desideria dem Leser im 17. Jahrhundert nicht im gleichen Maße zweitrangig gewesen sein kann, wie er es dem Interpreten des 20. Jahrhunderts ist.

[111] GOTTHOLD SCHRENK (Gottesreich und Bund im älteren Protestantismus vornehmlich bei Johannes Coccejus, 1923) hat das Hinüberwirken coccejanischer Einflüsse in die lutherische Kirche schon bei Spener nachzuweisen gesucht. Nachweisen konnte er aber in seiner die Zeugnisse sorgsam abwägenden Darstellung nur eine Einwirkung auf Speners späte Schrift »Behauptung der Hoffnung künftiger besserer Zeiten« von 1693. Für die Pia Desideria hat SCHRENK nur die Vermutung einer Mitbeeinflussung durch Coccejus äußern können. Diese Vermutung stützt sich auf eine 1677, also zwei Jahre (nicht ein Jahr, wie SCHRENK S. 305 schreibt) nach den Pia Desideria getane Äußerung Speners, er schätze Coccejus als Exegeten außerordentlich. Eine weitere Äußerung Speners aus dem Jahr 1678, wonach er die Apokalypse des Coccejus noch nicht gelesen habe, schränkt die Relevanz dieses Lobes für die Frage nach der Entstehung der Zukunftshoffnung allerdings erheblich ein (die Stellen sind bei SCHRENK aaO 305 zusammengestellt). Ich sehe nicht, wie man dieser sehr unsicheren Vermutung größere Bestimmtheit geben könnte und halte gegen SCHRENK die Meinung RITSCHLS, daß Coccejus auf die Entstehung des Spenerschen Chiliasmus vermutlich keinen Einfluß geübt habe, für die vorläufig noch begründetere. — Spener selbst hat übrigens für die Herkunft seiner Zukunftshoffnung, allerdings mit der Einschränkung »soviel mich erinnere«, auf seine Frankfurter Amtsbrüder Grambs und Emmel verwiesen, Theologische Bedencken III, 1715, 733.

kunft der Spenerschen Eschatologie, der Frage, ob sie für das pietistische Programm konstitutive oder nur begleitende Relevanz
hat, schließlich mit der Frage nach der Bedeutung der Spenerschen
Hoffnung besserer Zeiten für das Problem der Wende vom Alt-
protestantismus zum Neuprotestantismus sind Aufgaben bezeichnet,
an denen die Arbeit noch kaum begonnen hat. Wir können deshalb
nur fragen, ob das Problem des Verhältnisses von Pietismus und
Orthodoxie nicht von der im Pietismus ja weiterwirkenden Spenerschen Hoffnung besserer Zeiten angegangen werden muß, ob Pietismus und Orthodoxie sich also theologisch im Verständnis der
Eschatologie unterscheiden. Es liegt ja vor Augen, daß der Pietismus
ein neues Verhältnis zur Geschichte gewann, das ihm den Raum
freigab für jene planvolle, die ständischen wie die konfessionellen
Grenzen übersteigende kirchen- und missionsgeschichtliche Wirksamkeit, wie sie etwa bei August Hermann Francke oder dem
Grafen Zinzendorf begegnet. Und daß die in die ständischen und
konfessionellen Grenzen gebundene Orthodoxie des 17. Jahrhunderts von ihrem der aristotelischen Metaphysik verhafteten Denken
her keinen oder nur einen verengten Zugang zur Wirklichkeit der
Geschichte hatte, das ist oft genug herausgestellt worden. Aber mit
der Unterscheidung von geschichtlichem und metaphysischem Denken ist die theologische Differenz noch nicht erfaßt. Und es ist auch
noch nicht erkannt, wie sich der Übergang vom metaphysischen
zum geschichtlichen Denken eigentlich vollzogen hat und welche
Triebkräfte dabei bestimmend waren. Hier können wir nur durch
eindringlichere Erforschung und Beschreibung dessen, was im Übergang von der Orthodoxie zum Pietismus geschehen ist, vorankom-
men, also z. B. durch den Versuch einer genetischen Darstellung der
Theologie Speners, die merkwürdigerweise bis heute noch fehlt.
Die Herausstellung der theologischen Differenz zwischen Pietismus
und Orthodoxie, wenn sie in der Eschatologie anzusetzen wäre,
könnte darüber hinaus aber auch für die Frage nach dem Verhältnis
des Pietismus zur reformatorischen Theologie Martin Luthers wichtig sein. Denn so sehr man in der Befreiung der Theologie aus den
Fesseln der aristotelischen Metaphysik und in der Wiederentdek-
kung der Geschichte die vom Pietismus selbst intendierte Nähe zu
Luther verifizieren könnte, theologisch gesehen muß diese Nähe
doch wieder fraglich werden, wenn man von der Eschatologie her
urteilt. Spener hat den Gegensatz seiner Hoffnung besserer Zeiten
zur Eschatologie Luthers durchaus erkannt[112]. Noch befangen in den
Kategorien der Orthodoxie hat er diesen Gegensatz als Differenz

in einem einzelnen Lehrpunkt angesehen. Daß er tatsächlich ins
Zentrum der reformatorischen Theologie reicht, kann man vielleicht
nirgends deutlicher merken als an der gelegentlichen Äußerung
Speners, mit dem Hinfall seiner Hoffnung besserer Zeiten müßte
ihm die Gewißheit des göttlichen Wortes zugleich mit hinfallen[113].
Der Satz zeigt eine Distanz zu Luther an, die Spener in ihrer Weite
wohl kaum ermessen hat. Er macht es uns jedenfalls unmöglich, den
Pietismus Spenerscher Prägung einfach als die Wiederaufnahme von
Gedanken Luthers zu verstehen. Die Frage, ob der Spenersche
Pietismus, wenn man ihn mit der Orthodoxie vergleicht, zu Luther
zurück oder von Luther noch weiter weggeführt hat, ist noch offen.

[112] Vgl. Pia Desideria 44, 4 ff. (ALAND). — Unter der Eschatologie Luthers verstehe ich nicht bloß seine Vorstellung vom baldigen Ende der Welt, worin er
allerdings mit dem Gros der vorspenerischen Orthodoxie (vgl. hierzu LEUBE,
Die Reformideen 152 ff.: »Der Glaube an das Ende der Zeiten«) gegen den
Pietismus steht; sondern ich meine auch und vor allem die durchgehende
eschatologische Bestimmtheit seiner Theologie, wie sie etwa für die (von
Spener ja nicht angeeignete!) Zwei-Reiche-Lehre in der Erörterungen der
jüngsten Zeit aufgewiesen worden ist. Ich urteile deshalb aus einer anderen
Sicht als KARL BARTH, der am Pietismus gerade den Chiliasmus lobt und
dabei behauptet, der Pietismus habe »die eschatologische Frage ... wieder
gestellt und damit tatsächlich eine Erkenntnis wieder lebendig gemacht, die
das orthodoxe 17. Jahrhundert und sogar die Reformatoren zu ihrem Nachteil weniger bewegt hat« (Die protestantische Theologie im 19. Jahrhundert,
1952², 113).
[113] Theologische Bedencken III, 733 f.: »daß nicht leugne / ein grosses itzo darauf
zu setzen (sc. auf die erhoffte Bekehrung der Juden und Besserung der gesamten Kirche, siehe sieben Zeilen vorher im Text) / daß solche sache auch nim-
mermehr fahren lassen könte; also daß mir mit hinfallung derselben die
gewißheit des gantzen Göttlichen worts / so ferne seye / zugleich mit hinfallen müste.«

PHILIPP JAKOB SPENER UND DIE WÜRTTEMBERGISCHE KIRCHE

von Martin Brecht
(Tübingen, Herrenbergerstraße 14)

Die Geschichte der evangelischen Kirche Württembergs hat ihren tiefsten Einschnitt zwischen dem konfessionellen Zeitalter und der Epoche des Pietismus und der Aufklärung. Im Übergang vom 17. zum 18. Jahrhundert machte sich das vordem sehr bewußt lutherische Kirchentum mehr und mehr von seiner Tradition los und gewährte vor allem dem Pietismus einen erheblichen Einfluß. Über die Bedeutung des Vorgangs waren sich die Beteiligten wohl schwerlich im klaren. Es war auch nicht an dem, daß das Alte ausdrücklich verworfen worden wäre. Im Gegenteil. Das lutherische Erbe wirkt noch lange Zeit weiter. Aber zu einer Rückkehr zum Konfessionalismus konnte es später hier nicht mehr kommen. Vielmehr nimmt die württembergische Kirche von da an eine vermittelnde Stellung unter den deutschen Landeskirchen ein; man braucht nur auf ihr Verhältnis zu Zinzendorf oder auf ihre Rolle in der Evangelischen Kirche in Deutschland hinzuweisen. Die Frage, die hier gestellt werden soll, ist: Wie ist es zu diesem Einschnitt, der in manchem fast ein Bruch ist, gekommen? Man kann auf die damaligen Umstände hinweisen. Die Tübinger Orthodoxie war bereits schwächer als anderswo. Aber das würde noch nicht erklären, wie es von 1680 an auf vielen Gebieten des kirchlichen Lebens zu mehr oder weniger einschneidenden Neuerungen kommt. Diese sind eigentlich durchweg zurückzuführen auf Anregungen Speners. Er ist es gewesen, der das Gesicht der württembergischen Kirche umgestaltet hat. Es soll hier dargestellt werden, wie groß der Beitrag Speners in Württemberg gewesen ist, sowohl bei der Ablösung des Konfessionalismus als auch bei der Etablierung des Pietismus[1].

---

[1] Vgl. zu diesem Thema: CHR. KOLB, Die Anfänge des Pietismus und Separatismus in Württemberg, Stuttgart 1902; FR. FRITZ, Konventikel in Württemberg, Blätter für württ. Kirchengeschichte (BWKG) 49—54, 1949—1954; ders. Altwürttembergische Pietisten, Stuttgart 1950, S. 1—17. Die vorliegende Arbeit unterscheidet sich von den genannten vor allem durch die Blickrichtung.

I.

Für das Hereinwirken Speners nach Württemberg ist es von grosser Bedeutung gewesen, daß er schon früh engere persönliche Beziehungen nach Stuttgart und Tübingen hatte. Im Sommer 1662 ist er mit dem Grafen von Rappoltstein nach Stuttgart gekommen, wo er am Hof »viel Gnade« erfuhr. Eines seiner heraldischen Werke hat er dem württembergischen Fürstenhaus gewidmet[2], mit der Prinzessin Antonia hat er korrespondiert über pansophisch-kabbalistische Probleme. Zu dem mömpelgardischen Vizekanzler Forstner scheint er nähere Beziehungen gehabt zu haben. Spener war in Stuttgart mindestens kein Unbekannter mehr. »Nach hochfürstlicher Intention« sollte er 1662 für die Tübinger Universität gewonnen werden[3].

Nach dem Stuttgarter Besuch hat sich Spener vier Monate in Tübingen aufgehalten. Er hat zu der ganzen theologischen Fakultät ein gutes Verhältnis gehabt und widmete den Tübinger Theologen 1678 seine Bußpredigten. Von dem gelegentlich auch recht streitbaren Kanzler Tobias Wagner heißt es, er habe ihn wie einen Sohn geliebt. Mit dem nachmaligen Stiftspropst Wölfflin stand er in freundschaftlichem Verhältnis. Am engsten waren die Beziehungen zu Balthasar Raith, dem Magister domus des Stifts. Mit ihm zusammen las Spener Großgebauers Wächterstimme, deren Intentionen beide zustimmten. Raith sah später in den Pia Desideria nichts anderes als die Verwirklichung der Gedanken der Wächterstimme[4]. Er stellte später seinen Studenten Spener als das Vorbild christlichen Lebens hin[5]. Er hat darunter gelitten, daß »gelehrte teufel« Spener angriffen[6]. Spener hat 1678 nicht ohne Berechtigung geäußert, er trage zu den württembergischen Theologen ein gutes Vertrauen, sie werden das Gute befördern[7]. In Tübingen hat Spener im Haus des Juristen Joh. Andr. Fromann gewohnt. Auch er wußte sich mit Speners Programm einig, sah aber klar die aufbrechenden Widerstände von seiten der Geistlichen[8]. Fast ebenso wichtig wie die Theologen sollten die Juristen für den künftigen Einfluß Speners in

[2] P. Grünberg, Ph. J. Spener 1893 Bd. I, 154.
[3] Ph. J. Spener, Gründliche Beantwortung einer mit Lästerungen angefüllten Schrift . . . Frankfurt 1693, S. 15.
[4] A.a.O. S. 49; 1. März 1676.
[5] A.a.O. S. 49; 17. März 1677.
[6] A.a.O. S. 50.
[7] Ph. J. Spener, Theologische Bedenken 1712—1715, 3, 242; 13. März 1678.
[8] Gründliche Beantwortung S. 50; 6. Jan. 1676.

Württemberg werden. Wahrscheinlich hat Spener damals auch schon den nachmaligen Konsistorialdirektor Lauterbach kennengelernt, den er als gottseligen Mann rühmt[9].

Der Kreis derer, die schon sehr früh Beziehungen zu Spener hatten, muß aber noch größer gewesen sein, als auf den ersten Blick zu erkennen ist[10]. Hier ist vor allem Johann Andreas Hochstetter (1637—1717) zu nennen, der einst noch unter Joh. Val. Andreae Klosterschüler in Bebenhausen gewesen war[11]. Er vor allem sollte zum Vollstrecker von Speners Intentionen in Württemberg werden. Er war von 1659 bis 1668 Diakon in Tübingen, und so ist es mehr als wahrscheinlich, daß er Spener schon bei seinem Tübinger Aufenthalt kennengelernt hat. Als Hochstetter 1678 zum Magister domus des Stifts bestellt wurde, war er Spener bereits bekannt, denn dieser schreibt an einen unbekannten Adressaten, er erbitte für Hochstetters neues Amt an den Studenten des Himmels Gnade[12]. 1681 wurde Hochstetter Professor an der theologischen Fakultät, dann aber, völlig unerwartet, 1683 auf die Prälatur Maulbronn abgeschoben, womit allerdings die Ernennung zum Generalsuperintendenten, d. h. die Mitwirkung im Synodus, verbunden war. 1689 erhielt Hochstetter mit der ersten Prälatur des Landes, Bebenhausen, auch die erste Stimme im Synodus. Zu der Versetzung nach Maulbronn hat Spener Hochstetter geschrieben[13]. Dieser Brief ist es wert, näher betrachtet zu werden. Er tröstet Hochstetter über die Versetzung: Das Amt des Klosterschulvorstands sei nicht gering zu achten, indem man dabei die Schüler auf die Universität vorbereite. Ferner habe Hochstetter die Möglichkeit, auf die Geistlichen seines Sprengels einzuwirken. Vor allem aber könne er von seinem Amt im Synodus aus zusammen mit seinen Kollegen auf die gesamte württembergische Kirche einwirken. So sieht Spener in dem Gang der Dinge schließlich eine göttliche Fügung. Nachdem Hochstetter als Pfarrer und Professor in Tübingen die Schäden und Bedürfnisse der Kirche kennengelernt habe, sei er nun in der Lage, für die Gesamtkirche zu wirken. Spener wünscht, Hochstetter möge noch reifen sehen, was er jetzt mit sei-

---

[9] Theologische Bedenken 3, 242; 21. Mai 1678. Lauterbach war von Januar bis August 1678 Konsistorialdirektor, vorher Professor in Tübingen.
[10] Vgl. z. B. a.a.O.; Brief an einen Ungenannten.
[11] Fr. Fritz, Altwürttembergische Pietisten S. 1—17 bietet ein Lebensbild Hochstetters.
[12] Ph. J. Spener, Consilia et Iudicia Theologica 1709, 3, 263; 1678.
[13] Consilia 2, 188. Aus dem Brief geht hervor, daß zwischen 1681 und 1683 keine Briefe zwischen Spener und Hochstetter gewechselt worden sind.

nem Rat aussäe und sich einst freuen, de renovata Ecclesiae Würtenbergicae facie, wenn diese Kirche Überfluß habe nicht nur an gelehrten, sondern der Schrift mächtigen Männern, die predigen im Beweis des Geistes und der Kraft. Ausdrücklich wird es auch hier gesagt, daß die Wurzel des Schadens der Kirche im geistlichen Stand und in der Ausbildung der Theologen liege. Speners Wunschbild ist in einer erstaunlichen Weise Wirklichkeit geworden. Der Mann, den er hier in außerordentlicher Hellsichtigkeit mit der Durchführung seines Programms in Württemberg beauftragt hat, hat tatsächlich entscheidend mitgewirkt bei der renovatio ecclesiae und der Vollstreckung von Speners Willen.

Völlig zu Recht in dieser Hinsicht hat darum Aug. Herm. Francke Hochstetter als den württembergischen Spener bezeichnet. Hochstetter selbst hat geäußert, er wisse niemand auf Erden, den er mehr liebe als Spener[14]. Es ist dabei der Sache gerade zugut gekommen, daß Hochstetter, anders als Spener, nicht eigentlich schöpferisch gewesen ist. Es gibt von ihm keine nennenswerte literarische Hinterlassenschaft. Wo keine äußeren Anregungen vorlagen (vor allem von Speners Seite her), da hat Hochstetter auch nichts unternommen. Indem Hochstetter ausführendes Organ der Pläne Speners war, gab es hier keine hemmenden Spannungen innerhalb des beginnenden Pietismus. So erklärt es sich auch, warum der frühe württembergische Pietismus des eigenen Gesichtes weithin entbehrt. Hochstetter konnte und wollte es ihm nicht geben.

In seinem persönlichen Leben war Hochstetter streng, manchmal sogar eng. Treuer Gottesdienstbesuch, anhaltende Andachten und Gebete waren selbstverständlich. Hochstetter gab den Zehnten und leistete auch sonst viel für die Liebestätigkeit. Der Tauftag wurde besonders gefeiert. Der Erzieher der Klosterschüler übte häufig Kritik an »der heutigen Jugend«. In manchem scheint seine Frömmigkeit von der Mystik berührt zu sein. Gegenüber Francke klagte er 1717 über innere Dürre. Theologisch war Hochstetter wie Spener der Meinung, auf dem Boden der lutherischen Orthodoxie zu stehen. So ist die Konfirmation für ihn Katechismusprüfung und noch nicht Taufbunderneuerung. Von Ausnahmen abgesehen ist auch Hochstetter in Lehrfragen großzügig, immer bereit, die Pietas anstatt der rechten Lehre gelten zu lassen.

Ohne das Einverständnis der Juristen hätten die Theologen im Bereich der Landeskirche schwerlich für den Pietismus mit Erfolg

---

[14] Kolb, a.a.O. S. 5.

wirken können. In dem Konsistorialdirektor Kulpis[15] hat der frühe württembergische Pietismus neben Hochstetter seinen wichtigsten Förderer gefunden. Immerhin sechs Briefe Speners an ihn sind erhalten. Er hat Spener in wichtigen Dingen um Rat gefragt oder ihm Dokumente vorgelegt. Bestimmte Vorgänge wurden mit Wissen des Konsistoriums halbamtlich oder privat zwischen Spener und Kulpis erledigt[16]. Bedeutende Dokumente wie die Instruktion für das Tübinger Stift von 1688 oder das Pietismusedikt von 1694 tragen seinen Namen. Die beiden nächsten Nachfolger von Kulpis, Rühle und Joh. Osiander, haben die Sache des Pietismus ebenfalls unterstützt. Über Osiander klagt Joh. Wolfgang Jäger gelegentlich, er bliese immer in dasselbe Loch wie die Hochstetter[17].

II.

Die Aktionen der württembergischen Kirchenleitung zwischen 1680 und 1700 sind stark geprägt oder beeinflußt von Speners Programm. Vor allem im Bereich der Pädagogik waren die Voraussetzungen in Württemberg besonders günstig, indem angeknüpft werden konnte an die Bemühungen Joh. Val. Andreaes, den Spener selbst hoch geschätzt hat[18]. Hier gibt es an manchen Stellen eine Kontinuität zwischen der Reformorthodoxie und dem Pietismus in Württemberg.

Schon 1677 bejahte die Tübinger Fakultät Speners Vorschlag, Collegia Pietatis für Studenten einzurichten[19]. Hier wirkten sich deutlich seine guten Beziehungen zur Tübinger Fakultät aus. In den Visitationsrezessen für das Tübinger Stift machen sich von 1680 an die Bemühungen um die Reform des Studiums bemerkbar, die sich dann immer mehr verdichten. Z. B. beklagt der Rezeß von 1684 das Fehlen des Studium pietatis unter den Studenten. Zusammengefaßt wurden diese Bemühungen dann in der bedeutenden »In-

---

[15] Kulpis wurde 1686 Vizedirektor, 1694 Direktor des Konsistoriums. Er ist 1698 gestorben.

[16] Theologische Bedenken 4, 589; Letzte Theologische Bedenken 1721 2, 310.

[17] FRITZ, Altwürttembergische Pietisten S. 7 f.

[18] A. SCHÜLE, Aus den Anfängen der pietistischen Pädagogik in Württemberg, Stuttgart 1931, S. 16 und 40. Vgl. Theologische Bedenken 4, 273 und Consilia 3, 731.

[19] Consilia 3, 237: Veneranda Facultas Theologica Tubingensis programmate publico orationem solemnem indicens, consilium meum in desideriis illis propositum de pietatis collegiis cum theologiae studiosis instituendis laudat. Leider ließ sich das Programm bisher weder in Tübingen noch in Stuttgart auffinden.

struction wegen des Ordinis Studiorum« von 1688[20]. Dieses Dokument ist einer der Grenzsteine zwischen Orthodoxie und Pietismus in Württemberg. Zwar wird das Lehrgebäude der Orthodoxie grundsätzlich nicht angetastet, abgesehen von einigen unumgänglichen Verbesserungen, aber daneben macht sich allerhand Neues breit. Die Disziplinen der Kirchengeschichte und vor allem der Exegese bekommen größeres Gewicht. Auf die Lektüre der lutherischen Erbauungsschriftsteller von Luther selbst über Arndt bis Spener wird Wert gelegt. Der Hauptzweck des Studiums ist die Vorbereitung auf das künftige kirchliche Amt, wozu es nicht nur der Gelehrsamkeit, sondern auch des rechten Wandels und der Erleuchtung durch den Heiligen Geist bedarf. Darum wird das studium verae pietatis empfohlen und betont, daß die Theologie als habitus practicus ganz auf die praxis des Glaubens ausgerichtet werden soll. Es wird ausdrücklich gesagt, daß gottselige Studenten bessere Aufstiegsmöglichkeiten in der Kirche haben. Die Instruktion scheint es auch gewesen zu sein, die die Einrichtung der studentischen Erbauungsstunde im Stift angeregt hat, eines der ersten Collegia pietatis innerhalb der württembergischen Kirche. So ist das Desiderium der besseren Theologenausbildung ganz im Sinne Speners erfüllt worden. Die Auswirkungen waren bedeutend. Zwar wurde das Tübinger Stift nicht eine pietistische Ausbildungsstätte, aber von jetzt an gab es für lange Zeit ständig eine pietistische Gruppe unter den Studenten. Aus ihr gingen zum größten Teil die Führer des württembergischen Pietismus hervor. Repetenten des Stifts waren es, die dann 1703 die ersten kirchlichen Collegia pietatis für die Tübinger Weingärtner, also für die Gemeinde, gehalten haben. Die Problematik der von Spener ausgelösten Bewegung tritt einem hier freilich zugleich entgegen. Mit dem Pietismus kamen Heterodoxie und Separatismus und erfaßten nicht wenige der Theologiestudenten. Das erste Pietistenedikt von 1694, das sich vor allem mit Lehrfragen befaßte, wurde ausgelöst durch die Situation im Stift. Aus dem Stift gingen zeitenweise die Häupter des Separatismus hervor. Die in der Stiftsstunde gepflegten Vorstellungen von der Heiligkeit der Gemeinde machten später zwischen manchem Pfarrer und seiner Gemeinde die Gemeinschaft fast unmöglich.

Ganz persönlich hat Spener eine Neuerung in der Ausbildung der württembergischen Theologen mit veranlaßt, die viel einschneiden-

---

[20] Die Instruction ist abgedruckt bei M. LEUBE, Geschichte des Tübinger Stifts, Bd. I, 221—232. Vgl. M. BRECHT, Die Alte Bibliothek des Tübinger Stifts, BWKG 63, 1963, 41—55.

der war, als es sich zunächst erkennen läßt. Bisher waren die künftigen württembergischen Pfarrer nahezu ausschließlich in der Klausur des Stifts und der Tübinger Fakultät ausgebildet worden. Das hatte zweifellos mit der württembergischen Kirche ihre Geschlossenheit und Uniformität bewahrt, freilich auch zu einer gewissen geistigen Inzucht geführt. Wegen der Aufhebung dieser Einsperrung hat Kulpis im Oktober 1687 bei Spener angefragt[21]. Dieser trat sofort für das Studium der Württemberger an anderen Fakultäten ein und erbot sich persönlich, bei der Bewerkstelligung des Vorhabens behilflich zu sein. Die Abkapselung habe mehr Schaden als Nutzen gebracht. Die Württemberger kennten die anderen deutschen Theologen nicht. Die Begabten könnten beim Wechsel der Lehrer mehr lernen. Das ist richtig beobachtet. Durch ihre Abkapselung ist die Tübinger Orthodoxie in der zweiten Hälfte des 17. Jahrhunderts sehr zurückgeblieben. Es sei kein Wunder, wenn die Württemberger im Predigen nicht excellierten, wenn sie keine rechten Vorbilder hörten. Darum sollten die Begabtesten eine Akademische Reise unternehmen dürfen, und zwar mit freier Wahl des Studienorts. Dem Plan, ein württembergisches Internat an einer bestimmten Universität einzurichten — gedacht war sozusagen an ein zweites Stift in Straßburg — widerriet Spener. Jedoch sollte der Zweck der Reise, die Spezialisierung auf Exegese, Homiletik oder Kirchengeschichte, fixiert werden, wobei Spener vor allem auf die Notwendigkeit der Exegese hinwies und einer »alten zwar einfältig scheinenden aber gewißlich saftigen Theologie« das Wort redete.

In dem folgenden Brief vom Februar 1688[22] beschreibt Spener in interessanter Weise die deutschen Fakultäten, angefangen bei Wittenberg. Gelobt werden die Fakultäten, an denen Speners Richtung ihre Vertreter hat, also Leipzig mit dem Collegium philobiblicum und Kiel mit Kortholt und Francke, außerdem Straßburg mit dem Exegeten Sebastian Schmid. Die Vertreter der Orthodoxie dagegen werden nicht mehr ohne Einschränkung empfohlen. Am 29. Juni 1688 konnte Spener die Versendung der Stipendiaten begrüßen[23]. Aber das, was sich so gut angelassen hatte, erlitt bald einen gefährlichen Rückschlag. Kaum waren die ersten Württemberger nach Leipzig gezogen, unter ihnen Andreas Adam Hochstetter, der Sohn von Johann Andreas, und Johann Reinhard Hedinger, da berichteten

---

[21] Letzte Theologische Bedenken 1, 326. Es handelt sich um den ersten Brief von Kulpis an Spener.
[22] Letzte Theologische Bedenken 3, 346.
[23] Theologische Bedenken 4, 587.

sie schon nach Hause, Professor Carpzov habe in einer Predigt den alten christologischen Streit zwischen Tübingen und Gießen erörtert und sich — horribile dictu — auf die Seite der Gießener gestellt. Die Reaktion in Württemberg war nun: ... und das müssen die Ohren unserer Studenten hören. Spener hat alsbald beschwichtigend eingegriffen. In zwei Briefen vom Jahr 1690 rät er, doch wegen dieser Kontroverse die akademische Reise nicht aufzugeben[24]. Er scheint Gehör gefunden zu haben. Der Streit wurde in den Akten begraben. Das Lehrstück, das für Tübingen einst so wesentlich gewesen war, hatte an Bedeutung verloren.

In der Frage des Auswärtsstudiums erscheint Spener als der, der dazu hilft, eine eigentümliche württembergische Tradition, die Abkapselung, zu überwinden. Er hat offenbar sofort die Bedeutung des Auswärtsstudiums für den Pietismus erkannt. In der Tat läßt es sich überhaupt nicht abschätzen, welche Auswirkungen diese Maßnahme gehabt hat. Auf diese Weise kam über den jüngeren Hochstetter, Hedinger, S. Urlsperger und andere zunächst der Einfluß Franckes nach Württemberg herein. Bengel hat auf seiner Akademischen Reise wichtige Anregungen hinzubekommen. Über Oetinger und Steinhofer kommt es dann zu den bedeutendsten Beziehungen zwischen Zinzendorf und Württemberg. Freilich, wenig später haben dann die nachmaligen Vertreter der Aufklärungstheologie und der Kritik ebenfalls auf der Akademischen Reise ihre entscheidenden Anstöße bekommen.

Nicht nur in der Reform der Theologenausbildung ist man Spener gefolgt. Man war zugleich auch bemüht um eine Hebung des Pfarrstands, dessen Lebenswandel und weltliche Händel manchen Anstoß erregten. Seit 1678 ergingen mehrere diesbezügliche Reskripte und 1687 wurde dann die Cynosura ecclesiastica offiziell eingeführt. Sie war ursprünglich eine private Gesetzessammlung von Joh. Val. Andreae gewesen, die alles zusammengetragen hatte, was die Amtsführung der Pfarrer und die Kirchenzucht betraf. Auch hier knüpfte man also an ältere Ansätze an. Die Kirchenleitung hat auch versucht, das Predigtwesen zu verbessern. Faule Pfarrer wurden vorgeladen. Die Predigten sollten ad usum et aedificationem practicam ausgerichtet sein. J. A. Hochstetter forderte die besondere Berücksichtigung der applicatio. Als besonders unbefriedigend empfand man den Zustand des Beichtwesens. Der Versuch, wieder die persönliche Beichte durchzusetzen, scheiterte. In der Ablehnung

---

[24] Letzte Theologische Bedenken 3, 311 und 323.

der laxen Beichtpraxis kam vielmehr die Einzelbeichte in der bisher geübten Weise gerade unter pietistischem Einfluß ab. Über das Stadium der Anregung kamen die Vorschläge von Hausbesuchen oder der Einrichtung von Presbyterien, die ebenfalls auf Spener zurückgingen, zunächst nicht hinaus[25]. Manches wurde, wenn auch erst viel später, schließlich doch noch aufgenommen.

Der Katechismusunterricht vollzog sich im 16. und 17. Jahrhundert gegen die ursprünglichen Intentionen meist als Katechismuspredigt, an die sich dann ein mechanisches Abhören des Katechismusstoffes anschloß. Schon Joh. Val. Andreae hatte die Unzulänglichkeit des Verfahrens erkannt und Abhilfe gesucht. Aber es dauerte vierzig Jahre, bis Andreaes Forderungen verwirklicht wurden. Es war dann schließlich Speners Beispiel, dem man sich anschloß. Nach dem Vorbild von Speners Erklärung des lutherischen Katechismus verfertigte der Prälat Joh. Konrad Zeller 1680 im Auftrag des Konsistoriums kurze Sermone über den Brenz'schen Katechismus, deren Stoff in Frage und Antwort entfaltet wurde. Das so entstandene Opus von 665 Seiten zeichnete sich mehr durch guten Willen als durch Verwendbarkeit aus. Seinem Inhalt nach war es vielfach hochtheologisch mit komplizierten Fragestellungen. Es vertrat unverrückt die überkommene lutherisch-orthodoxe Haltung, wobei sich aber gelegentlich in der Warnung vor »üppigem Spaziergang« eine gewisse Enge bemerkbar machte. Die Nutzanwendungen der einzelnen Teile waren schematisch und mehr lehrhaft als praktisch gehalten. Abgesehen von der Neuerung selbst spürt man hier kaum etwas vom Eindringen des Pietismus. Aber in all dem unterschied sich Zellers Arbeit nicht wesentlich von der Speners. Dieser hat auch alsbald die Neuerung im württembergischen Katechismusunterricht begrüßt[26].

Es hat sich schnell gezeigt, daß Zellers Catechistische Unterweisung so nicht verwendbar war. Darum fertigte der Stuttgarter Professor Schellenbaur einen Auszug an, der schon einen deutlichen Fortschritt darstellte. Nunmehr war allerdings die Verwirrung in der kirchlichen Unterweisung groß: Teils wurde Zeller, teils Schellenbaur verwendet, zum größten Teil aber verblieben die Pfarrer bei den bequemeren hergebrachten Katechismuspredigten. Darum wurde bestimmt, daß ohne Lehrbuch katechisiert werden sollte. Damit aber waren die Pfarrer überfordert. Nach und nach erreichte

[25] FRITZ, Altwürttembergische Pietisten, S. 9.
[26] Theologische Bedenken 3, 454; 16. April 1681.

J. A. Hochstetter einige Verbesserungen. 1692 wurde der knappe
Brenz'sche Katechismus durch den lutherischen ergänzt. Ursprünglich hatte Hochstetter einfach Luthers Kleinen Katechismus übernehmen wollen, war aber damit nicht durchgedrungen. 1696 sah das
Konsistorium die Notwendigkeit eines katechetischen Lehrbuchs
wieder ein, und der Auszug Schellenbaurs kam aufs neue zu Ehren.
Er wurde zum direkten Vorläufer der württembergischen »Kinder-
lehre« und des Konfirmandenbüchleins, die für die Volksfrömmig-
keit bis herein in unser Jahrhundert größte Bedeutung hatten. Im
Anschluß an Spener hat Hochstetter schon 1692 auch die Einführung der Korfirmation als Abschlußexamen des Katechismusunter-
richts gefordert. Er hat sich aber damit gegen seine nicht-pietisti-
schen Kollegen nicht durchgesetzt, ebensowenig wie wenige Jahre
später Hedinger. Erst 1723 wurde die Konfirmation in Württemberg
eingeführt. Auch die Gründung eines Waisenhauses in Stuttgart
betrieb J. A. Hochstetter seit 1699 nach dem durch Spener in Berlin gegebenen Beispiel. Er wußte auch von der Anstalt Franckes in
Halle. Aber erst 1710 hat der Herzog die Errichtung eines Zucht-
und Waisenhauses, verbunden mit einer industriellen Manufaktur,
genehmigt. Die Leiter des Waisenhauses waren auch in Stuttgart
pietistisch gesinnte Pfarrer, aber durch die Bindung an den Staat
konnte sich die Anstalt nicht zum pietistischen Zentrum entwickeln.

III.

Der Einfluß Speners in der württembergischen Kirche erstreckte
sich nicht nur auf einzelne reformbedürftige Institutionen, er hat
sich vielmehr in der gesamten theologischen Atmosphäre bemerkbar gemacht. Hier hat er seine eigentliche Bedeutung erlangt. Das
zeichnete sich schon ab in der Instruktion für das Tübinger Stift
von 1688, in der sozusagen der orthodoxe Lehrbetrieb pietistisch
unterwandert wurde. Das wird alsbald besonders deutlich in dem
Verhältnis der Vertreter des kirchlichen Pietismus zur Heterodoxie.
Aufsehen erregten zunächst die beiden Pfarrer Brunnquell und Zimmermann. Brunnquell hat sich eschatologischen Schwärmereien hingegeben. Er besaß außerdem die Schriften Jakob Böhmes. 1679
mußte er entlassen werden. Spener war zwar nicht völlig einig mit
Brunnquell, aber er hat ihn geschätzt und ist bei seinen Kindern
Gevatter gestanden. Brunnquell habe den Glauben nie verletzt,
seine sonstigen Meinungen seien mit Geduld und Sanftmut zu tra-

gen. Oft werde wahre Gottseligkeit für Enthusiasterei ausgegeben[27]. Durch Brunnquell ist der bedeutendere Diakon Zimmermann aus Bietigheim angesteckt worden. Bei ihm traten die chiliastischen Ideen noch deutlicher heraus. Spener sah im Tod des Zimmermann feindlichen Bietigheimer Spezials ein Gottesgericht. Der Eifer für die reine Lehre werde zum Deckel der Affekte. Er habe nachgerade Mitleid mit allen Theologen, die wegen der Lehre in Schwierigkeiten gerieten[28]. Die hier sichtbar werdende Differenz zwischen Spener und der württembergischen Kirchenleitung hat allerdings zu keiner Entfremdung geführt. Hatte sich doch J. A. Hochstetter selbst »entschuldigt«, als 1685 von ihm eine Widerlegung Zimmermanns gefordert wurde. In den Kreisen am Rand der Kirche sind in Württemberg die ersten pietistischen Konventikel gehalten worden, etwa seit 1681[29]. Wo sie bekannt wurden, wurde gegen sie eingeschritten. Von diesen Anfängen her blieben die Collegia pietatis für lange Zeit verdächtig, und das mit einem gewissen Recht, denn selbst die Initiatoren der 1703 schließlich legitimierten Weingärtnerstunde in Tübingen glitten später in den Separatismus ab.

Daß durch Spener die Haltung in Lehrfragen aufgeweicht worden ist, bemerkt man auch an seinen Äußerungen über Jakob Böhme[30]. Sein Kontrahent war hier der Tübinger Kanzler Tobias Wagner, der sich kritisch über Böhme ausgelassen hatte. Zwar hat sich Spener selbst stets geschickt einer Stellungnahme über Böhme enthalten. Er kenne seine Schriften nicht und verstehe ihn nicht. Das hat ihn aber nicht gehindert, Wagner vorzuwerfen, er habe nur wenig und zum Teil auch Unechtes von Böhme gelesen und ihn ebenfalls nicht verstanden. Dieses Verhalten Speners kam einer indirekten Verteidigung Böhmes gleich. In den pietistischen Kreisen hat man sich mit Böhme auch gegen das Votum der Orthodoxie beschäftigt. Der Tübinger Pulvermüller hat Oetinger auf Böhme hingewiesen, und über ihn muß dann auch irgendwie Joh. Mich. Hahn mit den Gedanken Böhmes bekannt geworden sein. An dieser geistigen Vermittlung ist Spener also nicht unbeteiligt.

---

[27] Consilia 1, 161; Letzte Theologische Bedenken 3, 307.

[28] Theologische Bedenken 4, 587 ff. an Kulpis.

[29] KOLB, S. 42. Es ist anzunehmen, daß es schon vor Zimmermann Konventikel gab. Wahrscheinlich war es der oben genannte Johann Konrad Zeller, der schon ca. 1676 (!) in der Klosterschule Bebenhausen Collegia pietatis einrichtete. Consilia 3, 278 f. (Den Hinweis verdanke ich J. WALLMANN.) Neben J. A. Hochstetter scheint also auch Zeller für den frühen Pietismus in Württemberg von größerer Bedeutung gewesen zu sein.

[30] Consilia 3, 63; Letzte Theologische Bedenken 3, 134 und 345.

Es war nicht so, daß der Geist Speners sich völlig ungehemmt in der württembergischen Kirche ausbreiten konnte. Manche Programmpunkte Speners, z. B. Konfirmation oder Hausbesuche, konnte Hochstetter zunächst nicht durchsetzen. Es gab in der Tübinger Fakultät und im Konsistorium immer auch eine Gruppe, die sich den neuen Ideen mit mehr oder weniger Erfolg entgegenstellte. Im ganzen war es aber so, daß in der Auseinandersetzung sich die Interessen des Pietismus weithin durchsetzten. Einer der Hauptgegner des aufkommenden Pietismus war der Tübinger Professor Michael Müller, der 1692 ein Kolleg über die Kontroversen der Gegenwart las und dieses alsbald in Druck gab. Sobald das Konsistorium davon hörte, ließ es den Druck stoppen und kassierte die vorhandenen Exemplare. Von der Fakultät wurde ein Gutachten angefordert. Man wollte auf diese Weise vermeiden, daß der sächsische Pietismusstreit auf Württemberg übertragen wurde. Man wollte aber zweifellos zugleich Spener schonen. Dieser hat sich 1694 bei Kulpis für die Unterdrückung von Müllers Schrift bedankt[31]. Spener hatte ein Exemplar zu sehen bekommen und versicherte, daß er sich mit wenig Mühe dieses Gegners hätte erwehren können. Solch zuvorkommende Behandlung wie in Württemberg ist Spener in den deutschen Landeskirchen nicht oft widerfahren.

Müllers Vorstoß und die geistige Situation im Tübinger Stift haben dann dazu geführt, daß 1694 ein »Edikt betreffend die Pietisterey«, vor allem über die vom Pietismus angerührten theologischen Probleme erlassen wurde[32]. Wie das Vorwort sagt, sollte das Land vor Spaltung und Irrungen bewahrt werden und die reine Lehre erhalten bleiben. Hinsichtlich des Chiliasmus bezog man sich auf Confessio Augustana XVII. Darüber hinaus aber wurde festgestellt: Über die Frage der Bekehrung der Juden, den Fall Roms und die Hoffnung besserer Zeiten für die Kirche dürfe gesprochen werden, hierin dürfe man auch dissentieren. Denn das betrifft keine Fundamentalartikel. Der Dissentierende darf darum auch nicht als Ketzer bezeichnet werden. Hier wurde u. a. für Speners eigene Eschatologie unter dem Schutzmantel der Orthodoxie Raum geschaffen, und das mit Hilfe von Speners Unterscheidung zwischen fundamentalen und nicht-fundamentalen Artikeln. Mit einigem Geschick konnte man von nun an fast jede Art von Chiliasmus in Württemberg vertreten.

[31] Letzte Theologische Bedenken 2, 288; 17. Nov. 1694.
[32] A. L. Reyscher, Sammlung Württ. Gesetze, Bd. VIII Kirchengesetze, S. 470 bis 479.

Gegenüber einem Schwärmertum, das sich von der Schrift frei-
machen und auf die eigene Prophetie verlassen wollte, rekurrierte
man auf das sola scriptura, konzedierte jedoch, daß es in den letzten
Zeiten Weissagungen geben könne, doch seien sie meist dunkel und
könnten auch teuflisch sein. In den Sachen den Glauben und das
Leben der Christen belangend ist jedenfalls allein der Schrift an-
zuhangen. Auf sie sollen sich die Stipendiaten konzentrieren, nicht
nur um in der Polemik gewappnet zu sein, sondern auch, um im
wahren, lebendigen, tätigen Glauben zu wachsen. Wiederum ist
festzustellen, daß für das Phänomen neuer Prophetie auch innerhalb der Kirche immerhin Raum da ist.

Die Unterscheidung zwischen literalem und geistlichem Verstehen der Schrift, zwischen heuchlerischer und wiedergeborener Erkenntnis soll eingeschärft werden. Eine bloß verstandesmäßige Gotteserkenntnis ist noch nicht seligmachend, wenn das Herz dabei noch
an der Welt hängt. Das bedeutet für die Theologische Fakultät an
der Universität: Der Lehrbetrieb ist so einzurichten, daß neben dem
Wissen wahre Pietät und Gottseligkeit eingepflanzt werden. Das
Bildungsziel ist nicht nur die Gelehrsamkeit, sondern auch die Frömmigkeit. So nimmt das Edikt noch einmal ausdrücklich Speners Vorstellung von der Theologenausbildung auf.

Ein Herzstück des lutherischen Erbes berührt der Abschnitt de
Servatione Mandatorum Legis. Er zielt dahin, daß es im Christenleben bei aller anhaftenden Sündigkeit doch zu einer neuen Befolgung von Gottes Gebot kommt. Man lehnt die dem Mittleramt
Christi abträgliche Werkerei ab, wendet sich aber gegen die Maul-
christen. Wer gegen diese mit der Schrift auf die Werke dringt, darf
wiederum nicht der Ketzerei oder des Irrtums beschuldigt werden.
Der alte Joh. Val. Andreae hatte einst noch den Vorwurf des Majo-
rismus über sich ergehen lassen müssen. Künftig aber sollte es in der
württembergischen Kirche auch möglich sein, direkt und massiv auf
die Heiligung zu dringen. Das mußte die rechte Predigt von der
Rechtfertigung in Frage stellen.

Im folgenden wird der Gebrauch des Schimpfwortes Enthusiast
eingeschränkt: Mit ihm darf niemand belegt werden, der dabei
bleibt, daß Gott seinen Geist mit und durch das äußerliche Wort
gibt. Von der Theologia mystica wird unter Berufung auf Luther
festgestellt, daß sie nicht gegen die reine evangelische Lehre ist, obwohl es natürlich besser ist, aus den Evangelischen Lehrern zu schöp-
fen als aus solchen, denen noch papistische Fehler anhaften. Immerhin ist auch der Mystik ihre Heimstatt im evangelischen Bereich

zugestanden. In diesem Zusammenhang ist von Jakob Böhme die
Rede. Dabei kommt es auch hier zu keiner Verwerfung. Für seine
Person wird er dem Gericht Gottes überlassen. Seine Bücher werden
an manchen Stellen teils als dunkel und unverständlich, teils als
ärgerlich, ungereimt, ja gotteslästerlich bezeichnet. Die Studenten
sollen vor der Lektüre Böhmes gewarnt werden. Zu einem Verbot
konnte man sich nicht aufschwingen.

Der Bereich der Adiaphora wird eingeengt. Unnütze, närrische
Spektakel gehören nicht zu ihnen, sie könnten den Nächsten ärgern.
So dringt hier jene Haltung ein, die sich auch schon im Sabbathstreit
1673 ff. bemerkbar gemacht hat, in den Spener die Tübinger Fakultät hatte hineinziehen wollen[33]. Damals war es um die Zulässig-
keit der üblichen Sonntagsmärkte gegangen, die der Kanzler Tob.
Wagner und noch entschiedener Spener um des Feiertagsgebots willen abgeschafft wissen wollten. Dieser Rigorismus hatte sich aber
zunächst nicht durchgesetzt.

Am Schluß wird die Übereinstimmung des Edikts mit den Symbolischen Büchern festgestellt. Es seien keine neuen oder anderen
Lehren aufgebracht worden. Den zutage getretenen Intentionen des
Edikts folgend bedeutet das, daß die Decke der Rechtgläubigkeit
auch über den aufkommenden Pietismus gebreitet werden sollte.
Daß das eigentlich ein Ding der Unmöglichkeit war, daß diese
Decke wieder und wieder sich als zu kurz erwies, das stand auf
einem andern Blatt. Von nun an durfte ein großer Teil der pietistischen Vorstellungen sich in der württembergischen Kirche heimisch fühlen. In seiner Substanz stellte das Edikt darum nicht eine
Aktion gegen den Pietismus dar, sondern eher eine geschickte Maßnahme, um dessen Daseinsrecht zu sichern. Spener hatte darum
allen Grund, den »preiswürdigen Eifer für das wahre Christentum«, der sich in dem Edikt gezeigt hatte, zu rühmen. Er konnte
nur wünschen, daß andre diesem Exempel nachfolgten[34].

Von nun an war Speners Person in Württemberg unangefochten.
1702 wurde zwar noch einmal versucht, den nunmehrigen Tübinger
Kanzler Michael Müller in der Frage des Gnadentermins gegen Spener scharf zu machen. Aber Spener schrieb an den Konsistorialdirektor Rühle, er hoffe, daß auch dieses Mal sein Gegner vom Kon-

---

[33] Consilia 3, 57; 3. Juni 1673, und Letzte Theologische Bedenken 2, 41; 8. März
1675. Vgl. Fr. Fritz, Die württ. Pfarrer im Zeitalter des dreißigjährigen
Kriegs, BWKG 31, 1927, 179 ff.
[34] Letzte Theologische Bedenken 2, 287.

sistorium zurückgehalten werde[35]. Man entsprach seinen Erwartungen. Dem 1704 an sie gestellten Ansinnen, Speners Schriften als häretisch zu verdammen, wichen die Württemberger aus. Selbst der Professor Joh. Wolfgang Jäger, der eigentlich auf seiten der Kritiker des Pietismus stand, stellte fest, daß Speners spes meliorum temporum unschuldig (innoxia) sei[36]. Jäger hat auch sonst seinen Respekt vor Spener selbst ausgesprochen. Er war aber skeptisch, ob dessen Charisma der Erneuerung übertragbar wäre[37].

Daß eine neue Zeit im Anbrechen war, wird nicht nur im Verzicht der Württemberger sichtbar, ihren Standpunkt in der Christologie gegenüber Leipzig zu behaupten. Es zeigte sich auch daran, daß das Bedürfnis nach einem neuen, für das Land verbindlichen Lehrbuch der Theologie sich jetzt durchsetzte. Das alte offizielle Compendium von Hafenreffer war 1600 erschienen. Die Anregung, ein neues Kompendium zu schaffen, ging 1699 vom Konsistorium aus. Die Tübinger Fakultät konnte sich nicht sofort entschließen, wiewohl die Möglichkeit, die neuen Irrlehren, darunter auch den Pietismus, zu verdammen, verlockend war. Die Abfassung hat schließlich Joh. Wolfgang Jäger übernommen. Er kann, wie gesagt, nicht als Repräsentant des Pietismus bezeichnet werden. Aber er vertrat auch nicht mehr die Orthodoxie im alten Sinne. Das Compendium Theologiae positivae, das 1702 eingeführt wurde, ist vorher vom Synodus durchgesprochen und gutgeheißen worden. Zwar hatte man gewünscht, daß nach jedem Artikel monita pietatis eingeführt werden. Jäger kam dem insofern entgegen, als er die größeren Abschnitte in frommen Meditationen oder Gebeten enden läßt. J. A. Hochstetters Wunsch, einen Anhang über die Theologia moralis hinzuzufügen, ist nicht berücksichtigt worden. Die eigenwilligste und folgenreichste Neuerung Jägers, die Aufnahme der Foederaltheologie in eine lutherische Dogmatik, ist vom Synodus nicht beanstandet worden[38]. Durch die Foederaltheologie wurde der Biblizismus des württembergischen Pietismus nachhaltig geprägt. So war es zwar keine eigentlich pietistische Dogmatik, die jetzt eingeführt wurde, aber eine durch den Pietismus veranlaßte, diesem nicht allzu fern stehende und das Alte überholende Theologie. Die Aus-

---

[35] Letzte Theologische Bedenken 3, 371.
[36] J. W. JÄGER, Historia Ecclesiastica, Hamburg 1717, II, 2 S. 231 ff.
[37] KOLB S. 46.
[38] CHR. KOLB, Die Kompendien der Dogmatik in Württemberg, BWKG 51, 1951, vor allem S. 42 ff.

wirkungen des Pietismus waren viel größer als sein unmittelbarer
Einfluß.

Schließlich sei noch auf einen Punkt hingewiesen, an dem Spener
selbst wiederum direkt auf die Württembergische Kirche eingewirkt
hat. Seit 1687 wurde über die Aufnahme der Waldenser im west-
lichen Württemberg verhandelt. Eine Schwierigkeit lag in der Bekenntnisfrage. Die Waldenser standen zweifellos dem reformierten
Bekenntnis näher. Spener ist mehrfach gegenüber Kulpis für die
Aufnahme der Piemontesen eingetreten. Es seien Laien, die man
nicht mit einem korrekten Bekenntnis überfordern dürfe[39]. Daß
damit die konfessionelle Integrität des Landes aufgegeben wurde,
ist symptomatisch.

IV.

Beim Synodus 1702 konnte J. A. Hochstetter befriedigt feststellen, die meisten Generalpunkte hätten ihre Richtigkeit bekommen[40].
In der Tat war in einem Zeitraum von zwanzig Jahren sehr viel
von Speners Programm verwirklicht worden. Der Pietismus hatte
sich im Konsistorium und an der Tübinger Fakultät eine verhältnismäßig feste Position schaffen können. Er ist es gewesen, der seit
1680 das kirchliche Gesetzgebungswerk fast völlig bestimmt und die
theologische Diskussion beherrscht hat. Es war dem Pietismus zu
keiner Zeit später mehr möglich, so ungestört zu wirken wie in den
ersten beiden Jahrzehnten, in denen die Kräfte der Aufklärung sich
noch nicht bemerkbar machten. Zwar begegneten ihm auch damals
Widerstände, aber fast nur als Reaktion des Alten. Die neue Bewegung war es, die die Entwicklungen anstieß und vorantrieb.
Durch die besonderen persönlichen Verhältnisse in Württemberg
kam es dahin, daß Spener selbst ganz stark unmittelbar und mittelbar seinen Einfluß geltend machen konnte.

Die außerordentliche Bedeutung Speners auch für den Bereich der
württembergischen Kirche ist somit schärfer als bisher sichtbar geworden. Die durch ihn ausgelöste Entwicklung hat dem 120 Jahre
alten »Zustand« der Orthodoxie in Württemberg ein Ende gemacht
in vielen Bereichen des kirchlichen Lebens und Denkens. Daß eine
Erneuerung damals notwendig war, kann schwerlich bestritten
werden. Die Kirche der Orthodoxie war vielfach ein morsches Ge-

---

[39] Theologische Bedenken 4, 589; Letzte Theologische Bedenken 1, 328 f. und
3, 346.
[40] FRITZ, Altwürttembergische Pietisten S. 12.

bilde. Dabei ist nicht in erster Linie an die Theologie zu denken, sondern an die kirchlichen Verhältnisse. Die religiöse Volksunterweisung war gänzlich unzureichend, die Theologenausbildung wies mindestens Mängel auf, die Schäden im Pfarrstand waren nicht abzustreiten. Hier hat der Pietismus eine Belebung und Erneuerung der Kirche gebracht, die dringend nötig war und die in dieser Weise seit der Reformation einzigartig war. Dem, was der Pietismus abgelöst hatte, brauchte man nicht nachzutrauern.

Die Prägung, die die württembergische Kirche in einzigartiger Weise durch Spener erfahren hat, erwies sich auf die Dauer auch als Belastung. Der Preis, der für die Erneuerung der Kirche gezahlt worden ist, war hoch. Er bestand darin, daß das reformatorische Erbe zum Teil preisgegeben wurde, daß schwärmerische und gesetzliche Elemente in der Kirche rezipiert wurden. Das geschah nicht in offener Verantwortung der Modifizierung des Bekenntnisses sondern heimlich. In der württembergischen Kirche kam von da an der Pluralismus kirchlicher Gruppen auf, der zwar eine große Weite zuläßt, der aber zugleich Zwiespältigkeit, Spannungen und Unsicherheit mit sich brachte. Es ist bis heute nicht ausgemacht, ob die württembergische Kirche die klärende Auseinandersetzung mit dem Pietismus nicht doch noch führen muß[41].

---

[41] Die Auswirkungen des Pietismus sind allerdings noch vielfältiger, als hier ausgeführt ist. Erwähnt sei z. B. die durch den Pietismus erfolgte Beförderung der Aufklärung oder die Auflösung der Kirche in den Konventikel einerseits und die Säkularisation andererseits.

GRUNDZÜGE DER THEOLOGISCHEN AUFKLÄRUNG IN DEUTSCHLAND[1]

von Klaus Scholder
(Tübingen, Untere Schillerstraße 4)

Unterschiedlicher Charakter der Aufklärung in Deutschland und Westeuropa

Wer in Deutschland über die Aufklärung schreibt oder spricht, der pflegt ebenso regelmäßig wie selbstverständlich seinen Kant zu zitieren:

»Aufklärung ist der Ausgang des Menschen aus seiner selbst verschuldeten Unmündigkeit. Unmündigkeit ist das Unvermögen, sich seines Verstandes ohne Leitung eines anderen zu bedienen ... Sapere aude! Habe Mut, dich deines eigenen Verstandes zu bedienen! ist also der Wahlspruch der Aufklärung.«[2]

Diese Sätze sind mit Recht berühmt geworden als Definition dessen, was die Aufklärung als europäische Bewegung bedeutete. Ob sie mit demselben Recht auch für ihre Geschichte in Deutschland beansprucht werden dürfen, scheint freilich zweifelhaft. Man vergißt zu leicht, daß die im September 1784 niedergeschriebene Abhandlung Kants, aus der sie stammen, ja nicht am Anfang der deutschen Aufklärung steht, sondern ihr Schwanengesang ist. Und man verschweigt, daß der Autor selbst die prinzipielle Gültigkeit dieser Sätze entscheidend einschränkte, wenn er am Schluß seiner Abhandlung alle radikalen Konsequenzen ausdrücklich verwarf und das Grundgesetz des friderizianischen Preußen pries: »Räsonniert, soviel ihr wollt, und worüber ihr wollt; nur gehorcht!«[3]

Tatsächlich findet sich in den vier Jahrzehnten zwischen 1740 und 1780, in denen man von einer Herrschaft der Aufklärung in Deutschland sprechen kann, gerade vom Pathos des »Sapere aude!«

---

[1] Als öffentliche Antrittsvorlesung am 7. Februar 1966 an der Universität Tübingen gehalten. Der Text wurde unter Beibehaltung des Vortragscharakters für den Druck leicht überarbeitet und um Quellen- und Literatur-nachweise ergänzt.

[2] »Beantwortung der Frage: Was ist Aufklärung?« Werke, hg. v. W. Weischedel, VI, 1964, 53.

[3] AaO, 61

überraschend wenig. Das gilt in politischer Hinsicht, wo die Aufklärung — wie PAUL JOACHIMSEN zutreffend festgestellt hat —
»nur konservierend auf die Zustände der Gesamtverfassung«
wirkte[4]. Das gilt ebensosehr, ja vielleicht noch auffallender, für den
Bereich des geistigen Lebens überhaupt. So wie die Sätze Kants
da stehen, bestimmen sie die Aufklärung als den Prozeß der Emanzipation des denkenden Individuums. Emanzipation wovon? Doch
wohl vor allem von Theologie und Kirche, die als Dogma und Institution das Individuum jahrhundertelang ihrem Anspruch unterworfen hatten. Aufklärung wäre demnach ein Vorgang, der, ausgelöst durch die Besinnung auf die Möglichkeiten und Fähigkeiten
der Vernunft, sich im Wesentlichen in der kritischen Auseinandersetzung mit der Tradition und Autorität der Kirche vollzogen hätte.
Sie wäre damit ein theoretischer Prozeß und jedenfalls grundsätzlich etwas anderes als eine praktische Reformbewegung. So hat Kant
die Aufklärung verstanden, und wer ihre Entstehung und Entwicklung in Westeuropa betrachtet, der wird dieses Verständnis vielfach bestätigt finden.

Hier, in Westeuropa, haben wir in Verbindung mit den theoretischen Grundschriften tatsächlich zugleich eine Fülle kritischer Auseinandersetzungen mit der christlichen Tradition und Kirche: Spi-
noza und Pierre Bayle, die Deisten in England, die radikalen Cartesianer in Holland, Voltaire und der Kreis um die Große Enzy-
klopädie in Frankreich — sie alle vertraten, wenn auch auf verschiedene Weise, das Prinzip der Kritik an der christlichen Tradition
als das vornehmste Recht der ihrer selbst bewußt gewordenen Vernunft. Der Gegensatz von Vernunft und Offenbarung ist in Westeuropa sehr schnell — zum Teil schon in der ersten Generation der
Cartesianer — als Grundproblem begriffen worden. Und eine Entscheidung zugunsten der theoretischen Vernunft gegen die Offenbarung war in diesen Kreisen jedenfalls nicht ungewöhnlich.

Werfen wir dagegen einen Blick auf die Entwicklung in Deutschland, so zeigt sich, daß hier offenbar entschieden andere Voraussetzungen im Spiele sind. Das wird schon an den beiden großen
Theoretikern der deutschen Aufklärung deutlich: an Leibniz und
Christian Wolff. Im Mittelpunkt ihres Denkens steht nicht der kritische Gegensatz von Vernunft und Offenbarung, sondern die spekulative oder logisch-rationale Begründung ihrer vollkommenen

---

[4] P. JOACHIMSEN, Vom deutschen Volk zum deutschen Staat. Eine Geschichte
des deutschen Nationalbewußtseins. Bearb. und bis in die Gegenwart fort-
ges. von J. LEUSCHNER, ³1956, 33. Zur Sache siehe unten S. 481 ff.

Harmonie. Entsprechend fehlt hier die prinzipielle Kritik an Christentum und Kirche so gut wie ganz. Gewiß, auch Deutschland hat im 18. Jahrhundert seine radikalen Kritiker gehabt. Aber die Bahrdt, Edelmann und Lorenz Schmidt blieben nicht nur geistig, sondern (was weit charakteristischer ist) auch gesellschaftlich Aussenseiter, deren Stimme nicht ins Gewicht fiel[5]. Reimarus wußte sehr wohl, was er tat, als er seine »Schutzschrift« so sorgsam hütete, ebenso wie Lessing, der die Auszüge aus ihr nur als »Fragmente eines Ungenannten« zu veröffentlichen wagte. Tatsächlich hat sich die Aufklärung, soweit sie zwischen 1740 und 1780 im protestantischen Deutschland wirksam geworden ist, weithin nicht *gegen* Theologie und Kirche, sondern *mit ihr* und *durch sie* vollzogen.

Diese Tatsache ist zwar längst bekannt, aber es scheint nun doch, als sei sie in ihrer Bedeutung bisher noch nicht recht gewürdigt worden. Denn wenn die Aufklärung in Westeuropa ihre kritische Kraft vor allem im Kampf gegen die Vorherrschaft von Theologie und Kirche gewann, so ist es zumindest höchst merkwürdig, daß sie sich in Deutschland mit eben diesen Kräften so eng verbinden konnte. Und die Frage legt sich nahe, ob die deutsche Aufklärung möglicherweise gar nicht die theoretische Bewegung gewesen ist, die Kant mit seinen Sätzen im Auge hatte. Schärfer formuliert: Hat in Deutschland eigentlich überhaupt eine Aufklärung im westeuropäischen Sinne stattgefunden? Oder handelt es sich hier um eine Bewegung, die — selbstverständlich in der engsten Beziehung auf und in ständiger Verbindung mit der gesamteuropäischen Entwicklung — in ihrem Kern durchaus eigentümlichen Charakters gewesen ist?

In der Tat bin ich der Überzeugung, daß die deutsche Aufklärung, soweit sie als theologische in unser Blickfeld kommt, nicht in erster Linie als ein theoretischer Prozeß, sondern als eine praktische Reformbewegung verstanden werden muß. Den Nachweis für diese These will ich — so gut es die Kürze der Zeit erlaubt — im folgenden zu führen versuchen.

[5] So auch W. MAURER, Aufklärung, Idealismus und Restauration, Studien zur Kirchen- und Geistesgeschichte in besonderer Beziehung auf Kurhessen 1780—1850, I, 1930, 99: »Die wenigen Gebildeten, die meist unter den radikalen Einflüssen der französischen Aufklärung den völligen Bruch mit Kirche und Christentum vollzogen hatten, fallen zunächst noch gar nicht ins Gewicht.« Die Außenseiterrolle der radikalen Kritik in Deutschland wird eindrucksvoll deutlich auch in der neuen Bahrdt-Biographie von ST. G. FLYGT, The Notorious Dr. Bahrdt, Nashville/Tenn. 1963.

Neue Aufgaben der Theologie in Deutschland

Unter den Fragen, die die deutsche Theologie in der zweiten Hälfte des 18. Jahrhunderts beschäftigten, nahm die nach dem Sinn und der Notwendigkeit von Religion überhaupt eine besondere Stellung ein. Schon die Frage selbst verriet ja eine neue Situation, der sich die Theologie gegenübersah. Bisher waren die theologischen Auseinandersetzungen im Abendland gewissermaßen immer nur innerchristlicher Natur gewesen; es stand das richtige Verständnis, nicht aber die Existenz des Christentums selbst auf dem Spiel. Nun aber hatte sich eine Partei erhoben, die im Namen der autonomen Vernunft der christlichen und darüber hinaus überhaupt jeder Religion entschlossen ihr Existenzrecht absprach. Hatten die neuesten Forschungen nicht erwiesen, daß die Kirchengeschichte tatsächlich nur ein »Mischmasch von Irrtum und Gewalt« war? War die ganze christliche Dogmatik etwas anderes als ein Haufen alter Vorurteile? Stand die Kirche nicht als gewaltiges Hindernis vor jeder Entwicklung zum Fortschritt und zur Freiheit? Stellte die Religion überhaupt nicht bloß ein gigantisches Betrugsmanöver dar, erfunden von herrschsüchtigen Priestern zur Unterdrückung der Menschen[6]?

Diese und ähnliche Fragen, die seit der zweiten Hälfte des 17. Jahrhunderts in Westeuropa kräftig rumorten, hatten in Deutschland zunächst zwar noch kaum ein Echo gefunden. Hier war es die Auseinandersetzung zwischen Orthodoxie und Pietismus, die die theologische Diskussion beherrscht und die Ohren für andere Stimmen taub gemacht hatte. Aber um das Jahr 1740 änderte sich diese Situation. Wir verzeichnen von dieser Zeit ab das Eindringen eines sich ständig verbreiternden Stromes radikaler westeuropäischer Literatur, die die Kritik am Christentum fast über Nacht auch in Deutschland bekannt machte. Das war die Situation, die eine neue theologische Generation auf den Plan rief.

Sie mußte dabei von Anfang an in einen Zwei-Fronten-Kampf geraten. Denn wenn sie ihre Hauptstoßrichtung auch gegen die radikale Kritik richtete, so hatte sie doch zugleich gewissermaßen im Rücken Orthodoxie und Pietismus, die beide, von den Voraussetzungen des 17. Jahrhunderts ausgehend, die neue Fragestellung

---

[6] Es sei hier nur an Voltaires Position und seine Parole »Écrasez l'Infâme« erinnert, die sich wie ein Leitmotiv durch sein ganzes Werk zieht und auch in seinem Briefwechsel mit Friedrich d. Gr. eine entscheidende Rolle spielt. Vgl. dazu W. Mönch, Voltaire und Friedrich d. Große ... Eine Studie zur Literatur, Politik und Philosophie des XVIII. Jahrhunderts, 1943, insbes. 315 ff.

noch kaum begriffen hatten. Johann Jakob Griesbach hat diese Situation in der Vorrede zu seiner 1779 erschienenen »Anleitung zum
Studium der populären Dogmatik« treffend gekennzeichnet: »Wer
in unseren Zeiten eine Dogmatik schreibt«, so heißt es da, »kann
mit Gewißheit voraussehen, daß ein Teil der Leser über die An-
hänglichkeit des Verfassers an alte Orthodoxie mitleidig die Achseln
zucken wird, während dem ein anderer Teil über vermeinte Hetero-
doxien (Neologie nennt mans itzt) bedenklich den Kopf schüttelt.
Dem ist nun einmal nicht abzuhelfen; und, die Wahrheit zu sagen,
es wäre nicht gut, wenn es für itzt anders wäre.«[7] Hier wird deutlich, wie klar die Aufklärungstheologie ihre Situation zwischen den
Parteien sah und zugleich wie bewußt sie ihre Aufgabe verstand
und in Angriff nahm.

Diese Aufgabe aber hieß: einer Zeit, die an der Existenzberech-
tigung des Christentums überhaupt zu zweifeln begann, den Sinn
und die Notwendigkeit der christlichen Religion zu beweisen. Der
Weg, den die Neologie zur Lösung dieser Frage beschritt, war überall und einhellig derselbe. Er lautete, auf eine kurze Formel gebracht: Den Beweis für Sinn und Notwendigkeit der christlichen
Religion kann nicht die Lehre, sondern nur das Leben, nicht die
theologische Reflexion, sondern nur die praxis pietatis, nicht der
Glaube, sondern nur die Heiligung erbringen.

Dieser Zug zum praktischen Christentum ist überall mit Händen
zu greifen.

Religion als Mittel und Weg zum besseren Leben

Eine Kernstelle in Friedrich Wilhelm Jerusalems berühmten
»Betrachtungen über die vornehmsten Wahrheiten der Religion«
lautet: »Dies ist unsere Religion; die Liebe Gottes, die sich in einer
allgemeinen Wohltätigkeit und Menschenliebe deutlich macht.«[8]
Denn was wäre eine Religion, die den Menschen nicht zum Guten
bewegte und veränderte? Jerusalem gibt die Antwort: »Denn eine
Religion, die uns nicht in unserem Berufe redlich, in unsern Verbindungen getreu, gegen die Obrigkeit gehorsam, gegen Niedrige lieb-
reich, gegen Elende mitleidig, gegen unsere Beleidiger sanftmütig,
gegen Schwache gelinde, gegen alle wohltätig macht; eine Reli-

---

[7] J. J. GRIESBACH, Anleitung zum Studium der populären Dogmatik besonders
   für künftige Religionslehrer, Jena ²1786. Vorrede, unpag.
[8] F. W. JERUSALEM, Betrachtungen über die vornehmsten Wahrheiten der
   Religion, I. Teil, Frankfurt und Leipzig ⁴1772, 323.

gion, die ... die Liebe unseres Nächsten nicht zur einzigen Probe unserer Liebe Gottes macht; eine solche Religion ist nichts als Enthusiasmus, ... der die weisesten Absichten Gottes in der Natur zerstört, die Würde des Menschen erniedrigt, die heiligsten Bande des gesellschaftlichen Lebens trennt ... und die Altäre entweder zu Schaubühnen der Eitelkeit, oder zu den schrecklichsten Mordgerüsten macht.«[9]

Das ist die Grundüberzeugung aller dieser Theologen, daß die Religion eine durchaus praktische, eine durchaus auf die Verbesserung des Menschen und seiner Welt angelegte Veranstaltung Gottes sei. Wilhelm Abraham Teller hat diese Grundüberzeugung am Ende des Jahrhunderts in seiner »Religion der Vollkommnern« noch einmal zusammengefaßt: Die Religion der Vollkommnern — der Begriff ist im Anschluß an 1. Kor. 13, 10 gebildet — ist danach »durchaus praktisches Wissen von Gott, seinen Wohltaten, seinem Willen und allen seinen Veranstaltungen zur Glückseligkeit der Geschöpfe wie des Menschen, welches in lauter gute Tätigkeiten übergeht ...«, sie ist keine »Gedächtnissache«, sondern »Herzensangelegenheit«[10]. Denn — kurz gesagt — die Religion ist »nicht um Gottes willen da, daß ihm damit gedient, und das ist, genützt werde; sondern um des Menschen willen, daß dem dadurch geholfen werde.«[11]

Wir würden es uns zu leicht machen, wenn wir in diesen Aussagen lediglich den sattsam bekannten allgemeinen Moralismus und Utilitarismus der Aufklärung zu finden meinten, der hier nur eben ins Christliche transponiert sei. Gewiß hat der Eifer, Sinn und Notwendigkeit des Christentums gegenüber seinen Kritikern zu beweisen, jene Theologen oft genug zu Formulierungen verführt, die das Wesen der christlichen Religion allein in ihren gegenwärtigen und zukünftigen Nutzen zu setzen schienen oder auch tatsächlich setzten. Aber man wird sich nun doch vor Verallgemeinerungen hüten müssen. Es ist ja nicht so, als würde der Vorwurf des bloßen Moralismus erst heute erhoben. Vielmehr registriert schon Joh. Joachim Spalding 1772 den »teils klagende(n), teils verachtende(n) Tadel«, »daß auf diese Art nur Moral gepredigt und dadurch das teure Evangelium Jesu Christi unverantwortlich heruntergesetzt

---

[9] AaO, 308.

[10] W. A. TELLER, Die Religion der Vollkommnern ... als Beylage zu desselben Wörterbuch und Beytrag zur reinen Philosophie des Christentums, Berlin 1792, 26.

[11] AaO, 39.

werde.«[12] Er verweist dagegen darauf, daß doch »die ganze Religion auf die Wiederherstellung des göttlichen Ebenbildes gehet, daß ein neuer, nach Gott gesinnter Mensch, dadurch hervorgebracht werden soll«[13], und daß ebendies deshalb auch die Absicht und der Inhalt der christlichen Predigt sein müsse.

Ausgemacht also war und blieb, daß der Sinn der Religion allein in der faktischen Veränderung des Menschen und der Welt zum Besseren, Reicheren, Vollkommeneren bestehen konnte. Das hieß, theologisch gesprochen: das Ziel des Handelns Gottes, von dem jene Theologen ja durchaus auch etwas wußten, lag nach ihrer Überzeugung allein in der Heiligung des Menschen. Ihr sind Schöpfung und Erlösung untergeordnet, ihr haben sie in allem zu dienen. Das leuchtet für die Schöpfungslehre unmittelbar ein, die deshalb als natürliche oder vernünftige Religion im System der Neologen einen breiten Platz einnahm. Das gilt aber nun auch für die Erlösungslehre, und mit welcher Konsequenz hier vorgegangen wurde, mag aus einer Abhandlung Joh. Gottlieb Töllners deutlich werden, die 1769 unter dem Titel: »Wahre Gründe, warum Gott den Glauben an Jesum Christum will«, erschien.

»Ich erkenne aus der Heiligen Schrift aufs deutlichste«, so schreibt Töllner, »daß Gott den Glauben ... aus keinem anderen Grunde will, als weil ohne denselben die vielen Bewegungsgründe zur Heiligung verloren gehen, welche das Erlösungswerk in sich faßt: daß Gott den Glauben aus keinem andern Grunde will, als weil erst vermittelst desselben das Erlösungswerk zugleich ein Heiligungswerk, oder das in Christo gestiftete Begnadigungsmittel zugleich ein Heiligungsmittel wird.«[14]

Wenn Gottes Wille allein auf die Heiligung des Menschen zielt — und die Neologen scheuten keine Mühe, dies vor allem aus den paulinischen und johanneischen Schriften nachzuweisen —, so mußte auch das Erlösungswerk in ihrem Dienst stehen: Gott will, so sagt Töllner, »den Glauben bloß um des Gehorsams willen«[15]. War der Glaube damit entwertet? Nach Töllners Überzeugung zweifellos nicht: Denn so gewiß der Gehorsam des Christen darin besteht, »daß er vornehmlich um Christi willen gehorsam ist«, das heißt

---

[12] J. J. Spalding, Über die Nutzbarkeit des Predigtamtes und deren Beförderung, Frankfurt und Leipzig 1772, 196.
[13] AaO, 201.
[14] J. G. Töllners kurze, vermischte Aufsätze, II. Band, 2. Sammlung, Frankfurt/O. 1769, 223.
[15] AaO, 243.

daß sein Gehorsam »eine Folge von aus dem Erlösungswerke und lebendiger Erkenntnis desselben erwachsener Furcht, Liebe und Vertrauen gegen Gott ist«[16], so gewiß bleibt der Glaube der unaufhebbare Grund des Christentums, von dem »die ganze rechtmäßige Beschaffenheit eines Christen ... abhängt«[17]. Was Töllner bestreitet, ist lediglich dies, daß der Glaube an sich schon die »eigentliche Sache« sei, »die Gott in dem Menschen will, und zur Seligkeit des Menschen in ihm will«[18]: diese »eigentliche Sache« ist vielmehr allein und ausschließlich die Heiligung.

Ich muß es mir versagen, die Linien nachzuziehen, die von diesem Verständnis des Erlösungswerkes zur melanchthonischen Fassung der Rechtfertigungslehre zurückführen. Es ist gewiß kein Zufall, daß die Neologen mit Vorliebe Melanchthon, und hier wieder vor allem den berühmten Satz aus der Vorrede zu den Loci von 1521 zitieren: »hoc est Christum cognoscere, beneficia eius cognoscere; non, quod isti docent, eius naturas, modos incarnationis contueri.« Der praktische Akzent, den diese Vorrede im Gegensatz zur bloß theoretischen Scholastik zu setzen schien, bestärkte unsere Theologen in ihrer Überzeugung, mit ihrem Verständnis des Christentums durchaus genuine Nachfolger der Reformation zu sein[19].

Das also ist die Grundüberzeugung der ganzen theologischen Aufklärung in Deutschland: »Die christliche Religion oder der christliche Glaube ... das heißt der Inbegriff der im Neuen Testament enthaltenen Dogmen und moralischen Wahrheiten, ist durchaus praktisch ...«[20]. Oder, um noch einmal Töllner zu Wort kommen zu lassen: das Wesen der Religion liegt »nicht im Glauben, sondern im Leben, nicht in der Erkenntnis, sondern in Handlungen«[21].

Um doch wenigstens auch noch anzudeuten, wie dieses Verständnis der Religion im Leben und Fühlen dieser Generation praktisch aussah, sei hier eine Stelle aus dem Tagebuch Christian Fürchtegott Gellerts zitiert, von dem man gemeint hat, wer ihn kenne, der kenne »den durchschnittlichen deutschen Menschen zwischen 1740 und 1760«[22]: »Ach, ich muß die heilige Schrift fleißiger und herz-

---

[16] AaO.
[17] AaO, 244.
[18] AaO, 243.
[19] So etwa SPALDING, aaO, 132 f.
[20] GRIESBACH, aaO, 25.
[21] Im Aufsatz »Das Wesentliche in der Religion«, aaO, 263.
[22] W. MAHRHOLZ, Deutsche Selbstbekenntnisse. Ein Beitrag zur Geschichte der Selbstbiographie von der Mystik bis zum Pietismus 1919, 172.

licher lesen und forschen, meiner Eitelkeit mehr wehren, und auch
meiner unheiligen Traurigkeit, sie ist ja große Sünde und nichts als
Undank gegen Gott. — Weniger Caffee und Taback sollte ich auch
gebrauchen, warum tue ich mir diese Gewalt nicht an? — mehr
Pflichten des Berufs ausüben und die kostbare Zeit seliger nützen.
Herr laß deine Barmherzigkeit mein Herz heiligen und zum Guten
willig machen.«[23] So ernsthaft betrachtete man damals weithin das
Leben, und so voller Vertrauen war man zu Gott, daß man es mit
seiner Hilfe zu bessern vermöchte[24]. —

Das praktische Verständnis des Christentums war die Antwort
auf die bewegende Frage nach dem Sinn der Religion überhaupt.
Aber es war mehr als nur diese Antwort; es war nach der Überzeugung dieses Zeitalters zugleich die Wiedergewinnung des ursprünglichen Sinnes der heiligen Schrift als der Offenbarung des
Willens Gottes[25].

Wir halten diese Tatsache zunächst einfach fest und versuchen,
an zwei Punkten die theologischen Konsequenzen dieses Verständnisses deutlich zu machen. Es sieht ja auf den ersten Blick so aus,
als hätte das alles mit dem, was wir gemeinhin unter Aufklärung
verstehen, herzlich wenig zu tun. Aber es wird sich zeigen, daß
auch in diesem Ansatz kritische Prinzipien verborgen lagen, die
freilich nur indirekt zum Zuge kamen.

Entwertung der Dogmatik

Das läßt sich zunächst am Verhältnis der Neologen zur dogmatischen Tradition zeigen. Spalding hat dieses Verhältnis gele-

---

[23] Zitiert nach Mahrholz, aaO.
[24] Zur lebendigen Frömmigkeit dieser Zeit vgl. etwa auch den Abschnitt
»Frömmigkeit und kirchliches Leben in Hessen-Kassel zur Zeit der ausgehenden Aufklärung« bei W. Maurer, aaO, 64 ff.
[25] So sieht es auch eine der ersten zusammenfassenden Darstellungen unserer
Epoche, Joh. August Heinrich Tittmann's Pragmatische Geschichte der
Theologie und Religion in der protestantischen Kirche während der zweyten
Hälfte des 18. Jahrhunderts, I. Teil, Breslau 1805. Da heißt es (319 f.):
» . . . unverkennbar ist in dieser Periode wenigstens das Bestreben, die Religionslehre zu ihrer eigentlichen Gestalt zurückzuführen, um endlich ein System derselben ganz im Geiste Christi zu errichten. Dieses Bestreben, das
wesentlich zum Charakter protestantischer Theologen gehört . . . mußte in
dieser Periode umso glücklichern Fortgang haben, je freyer man bei dem
immer mehr sinkenden Ansehn der Dogmatik zu werden anfing; je mehr
es herrschender Grundsatz ward, — was man seit zwey Jahrhunderten fast
vergessen zu haben schien, daß die Bibel allein die Quelle der christlichen
Religionslehre, und die einzige Richterin in derselben sey.«

gentlich folgendermaßen charakterisiert: »Wenn wir aber darin einig sein sollten, daß unsere Arbeiten hauptsächlich auf die Besserung und Gottseligkeit ... der Menschen gehen müssen, so bedarf es dann doch wieder einer gleichmäßigen sorgfältigen Prüfung, was für Lehren wir zu diesem Ende zu treiben haben, was für Erkenntnisse und Betrachtungen im Grunde dazu dienen, daß unsere Christen das werden, was sie sein sollen.«[26] Spalding bestreitet, daß die einfache Wiederholung der christlichen Glaubenslehren schon genug sei, und daß man sich dabei beruhigen dürfe, daß »das schon seine guten Früchte bringen« werde[27]. Er verlangt vielmehr eine sorgfältige Prüfung der ganzen Dogmatik unter dem Gesichtspunkt: »Was muß ich meinen Zuhörern sagen, damit sie gute Christen werden? Was für Vorstellungen und Betrachtungen muß ich in ihren Gemütern lebendig machen, um sie zu einer tätigen Liebe Gottes und der Tugend zu bringen?«[28] Unter diesem Gesichtspunkt aber scheinen Lehren wie die von der Trinität oder den zwei Naturen Christi wenig Nutzen zu stiften: die Gemeinde kann und wird sie nicht richtig verstehen und am Ende nicht erbaut, sondern verwirrt sein[29]. Es ist wichtig festzuhalten, daß Spalding keineswegs — etwa mit rationalen Argumenten — die Wahrheit der Zentraldogmen überhaupt in Frage stellt. Was er bezweifelt, ist lediglich ihr Nutzen für Lehre und Verkündigung. Das wird insbesondere an der Rechtfertigungslehre deutlich, wo er das »Daß« über das »Wie« stellt: Gott »verspricht mir Vergebung durch Christum; mehr brauche ich nicht.«[30] Diese Erklärung und Versicherung von dem wahrhaften Gott, daß er mir vergeben will, ist mir ungleich nötiger zu wissen, als die Art, wie er es macht, daß er mir vergeben kann ...«[31].

Tatsächlich hat die theologische Aufklärung in Deutschland so gut wie nirgends die Wahrheit der traditionellen dogmatischen Lehrstücke unmittelbar bestritten. Selbst bei denen, die als Erzrationalisten galten, finden wir kaum je direkte Kritik, sondern nur ein immer stärkeres Zurücktreten der Dogmatik gegenüber den sogenannten praktischen Lehren des Christentums. Wilh. Abraham Teller etwa, von dem die RGG vermerkt, daß er sich »immer mehr

[26] SPALDING, aaO, 109 f.
[27] AaO.
[28] AaO, 113.
[29] AaO, 126 f.
[30] AaO, 137.
[31] AaO, 138.

dem reinen Rationalismus« zugewandt habe[32], gibt 1792 in seiner
»Religion der Vollkommnern« dem durch eine staatlich geforderte
Orthodoxie angefochtenen Prediger den ungemein charakteristischen Rat: »Ich würde sagen: ›Freund, das Dogma gehört eigentlich
nicht auf die Kanzel ... Also berühre es bei Gelegenheit und erinnere die Gemeinde daran; mildre die rohen Begriffe, die sich mancher davon macht ... Dann gehe gleich zu dem über, was wahre
christliche Gesinnung ist. Predige so durchs ganze Jahr praktisches
Christentum, tätige Religion. Hebe so den Verstand deiner Zuhörer,
daß sie deutlich einsehen, Religion sei eine Sache des Herzens und
Lebens, und nicht eines sich in tiefen Betrachtungen verlierenden
Verstandes, oder eines mit Formeln und Ausdrücken vollge-
pfropften Gedächtnisses.«[33]
Hier wird die eigentümliche Frontstellung der deutschen Aufklärung besonders deutlich. Sie lautet nicht etwa: Vernunft gegen
Offenbarung, sondern vielmehr: Herz und Leben gegen Verstand
und Gedächtnis. Diese Frontstellung beherrscht die gesamte theologische Literatur der Zeit. Sie ist besonders eindrucksvoll bei den
Theologen, die von Hause aus ein starkes Interesse an systematischen Fragestellungen mitbringen, wie beispielsweise Töllner.
Wenn dieser scharfsinnige Systematiker etwa den »Entwurf eines
neuen Beweises für die von den lutherischen Gottesgelehrten ange-
nommene Auslegung der Einsetzungsworte« vorlegt[34], so versäumt
er nicht, zunächst in aller Ausführlichkeit zu erklären, daß die Diskussion »über den Sinn der Einsetzungsworte, und über die Art der
Gegenwart des Leibes und Blutes Christi in dem Abendmahle, in
der Verbindlichkeit und in dem Nutzen desselben so wenig, als in
der zur Empfänglichkeit des damit zugedachten Segens nötigen
Gemütsverfassung ... das geringste verändert. Blos der Gottes-
gelehrte«, so fährt er fort, »gedenkt sich bei dieser heiligen Anordnung nach dem lutherischen Lehrbegriffe mehr, und wird damit
vielleicht zu einer erhabnern, zusammengesetztern Andacht bei
demselben geschickt.«[35] Töllner unterläßt es fast niemals, zu Begriffen wie »theologische Wahrheiten«, »theologische Sätze«, »Lehr-
bestimmungen« oder »Lehrpunkte« das Wörtchen »bloß« hinzuzufügen. Die ganzen dogmatischen Unterscheidungen, die für die
Kirchen der Reformation mehr als anderthalb Jahrhunderte Heil

[32] RGG³, VI, 678.
[33] TELLER, aaO, 109 f.
[34] Kurze vermischte Aufsätze, I. Bd., 2. Samml., Frankf./O. 1766, 173—236.
[35] AaO, 174.

oder Verdammnis bedeuteten, sind für diese Generation — wie Griesbach erklärt — nur noch »bloße, obgleich nicht unnütze, gelehrte Spekulation über Religionswahrheiten«, die »von dem Inhalt der populären Dogmatik« jedenfalls »ausgeschlossen« bleiben müssen[36]. Ausgeschlossen nicht deshalb, weil sie der Vernunft widersprechen, sondern weil sie »in keinem nahen Zusammenhang mit der moralischen Beglückung der Menschen« stehen[37], weil sie die Heiligung nicht befördern, sondern hindern.

Es liegt auf der Hand, daß aus dieser Frontstellung keine Polemik, sondern viel eher ein entschiedener Wille zur Reform erwächst. Tatsächlich hat die deutsche Aufklärungstheologie ihre Kräfte keineswegs an eine Bestreitung der traditionellen Dogmen gewandt, sondern vielmehr versucht, einen neuen, zeitgemäßen Typ einer Dogmatik zu schaffen, die »praktische Dogmatik« (Gottfried Leß, 1779), oder auch die »populäre Dogmatik« (Griesbach, 1779). Hier sollte »ein Unterricht vom Christentum gegeben« werden, der, wie Leß sagt, den »Bedürfnissen unserer Zeit angemessen wäre«[38], ein Unterricht, der die Dogmatik in unmittelbare Verbindung mit dem christlichen Leben bringen und deshalb »die Dogmen geflissentlich von der Seite« vorstellen sollte, »von welcher sie Menschen zu bessern oder zu beruhigen am wirksamsten sein können.«[39]

Daß dieser Versuch, die Wahrheit des Christentums für ihre Zeit neu zu formulieren, grundsätzlich weniger Spott und Verachtung verdiente, als ihm schon von der nachfolgenden Generation zuteil wurde, sollte für den Kirchenhistoriker nicht zweifelhaft sein. Andererseits wird man nun doch auch nicht übersehen dürfen, daß mit dem Kriterium der »Praxis« zugleich ein entschieden rationalistischer Zug in die ganze Theologie kam. Denn praktisches Christentum, das hieß ja verständliches Christentum. Was nicht verständlich war, konnte auch nicht praktisch sein oder werden. Verständlich aber war für dieses Zeitalter bloß, was zugleich auch vernünftig war. Und so hielt die Vernunft, wenn auch indirekt auf dem Umweg über die Praxis pietatis, nun eben doch ihren Einzug in Theologie und Kirche. Und der Schritt von hier zu einer humanistischen Philosophie war tatsächlich nur noch klein und leicht zu vollziehen.

---

[36] GRIESBACH, aaO, 2.
[37] AaO.
[38] G. LESS, Christliche Religionstheorie fürs gemeine Leben, oder Versuch einer praktischen Dogmatik, Göttingen 1797, IX.
[39] GRIESBACH, aaO, 2.

Praktisches Verständnis der Schrift

Dieselben Beobachtungen können wir auch an dem zweiten Problemkreis machen, dem wir uns jetzt zuwenden wollen: dem Verhältnis zur Schrift.

Man wird hier zunächst, entgegen einer weitverbreiteten Meinung, ein ungewöhnlich starkes und ernsthaftes Interesse der Neologie am Alten und Neuen Testament feststellen müssen[40]. Ob allgemeine oder spezielle theologische Fragen erörtert werden, ob es um Dogmatik, Ethik oder Homiletik geht, fast immer wird der Bezug zur Schrift gesucht und auch gefunden. Die Theologie der Aufklärung fühlte sich zweifellos auch darin als Erbe der Reformation, daß sie am Schriftprinzip unbedingt festzuhalten entschlossen war. So bestimmt Töllner in der Auseinandersetzung um die Verbindlichkeit der symbolischen Bücher den Begriff der Orthodoxie als »Übereinstimmung der Erkenntnis mit der heiligen Schrift« : »Das ist und bleibt auf immer die einzige wahre Regel und das einzige wahre Merkmal der Orthodoxie.«[41] Und für Gottfried Leß ist es »Hauptstück einer praktischen Dogmatik«, »ein Dolmetsch der Bibel« zu sein[42]. Dolmetschen freilich setzt Verstehen voraus. Und so ist es denn kein Zufall, daß in diesen Jahrzehnten ein neues und intensives Bemühen um das richtige Verständnis der alt- und neutestamentlichen Texte zu beobachten ist. Dieses Bemühen wird zum ersten Mal sozusagen wissenschaftlich betrieben; das heißt unter Berücksichtigung aller historischen und kritischen Gesichtspunkte, die dem Zeitalter zugänglich waren.

Als Beispiel für diese Bemühung diene uns Wilh. Abraham Tellers »Wörterbuch des Neuen Testaments zur Erklärung der christlichen Lehre«, 1772 in erster, noch 1806 in sechster Auflage erschienen — seiner Intention nach zweifellos der erste Vorläufer unseres »Kittelschen Wörterbuchs«.

»Es kommt«, so erklärt sich Teller in der Vorrede zur Absicht seiner Arbeit, »zum richtigen Verständnis eines jeden Schriftstellers ungemein viel darauf an, ihm seine Sprache in ihren Hauptwörtern und vornehmsten Wendungen abzulernen.« Für die klassischen Schriftsteller sei dies längst bekannt, wo man solche Wörterbücher

---

[40] Eine ausführliche Darstellung der neologischen Arbeit an der Bibel und ihrer Ergebnisse findet sich bei K. ANER, Die Theologie der Lessingzeit, 1929, insbes. 202—220 und 311—325.

[41] TÖLLNER, aaO, I. Bd., 3. Sammlung, 158.

[42] LESS, aaO, X.

mit Recht den »Schlüssel zu ihren Werken genannt« habe: »weil sie gleichsam den Zugang zu ihrer ganzen gelehrten Denkungsart eröffnen.«[43] Eben das aber will Teller nun auch für die Schriften des Neuen Testaments besorgen. Es ist nicht weniger als eine grundsätzliche Reform der Auslegung, die Teller hier im Auge hat, mit den Mitteln und auf der Basis, die allein eine solche Reform sinnvoll und fruchtbar erscheinen lassen : der historischen und philologischen Analyse der Texte und Begriffe.

Entscheidend aber ist, daß nun auch diese Reform ganz im Dienst der praktisch-theologischen Interessen der Zeit steht: Ich bin »mit dem Vorsatz zu Werke gegangen ... das Meinige dazu beizutragen, mehr Klarheit und Reinigkeit in den Lehrbegriff zu bringen, die Religion Jesu von Menschensatzungen... zu scheiden, und uneingenommenen Gemütern im Lehrstande es immer wichtiger zu machen, die Religion nicht als eine gelehrte Wissenschaft zu behandeln, und ihr Studium derselben nicht auf Spitzfindigkeiten des Verstandes oder Spiele der Einbildungskraft, sondern auf ihre heilsame Anwendung bei ihren Gemeinen zu richten. Hierzu steht nun aber kein anderer Weg offen, als daß man selbst die Schrift verstehe, nach der man andere zur Glückseligkeit anweisen soll.«[44] Praktisches Interesse und wissenschaftliche Arbeit am Text stehen in einem genauen Zusammenhang, den Teller ganz modern formuliert: »So sollten wir... uns nur als berufene Dolmetscher der Reden Christi und der Vorträge seiner Apostel betrachten, die in dem zu jeder Zeit gültigen Deutsch ihren Zuhörern sagen sollen, was der damaligen Welt in ihrer Sprache zuerst verkündiget worden...« Und eben das sei nur möglich durch eine »Wortanalyse«, die den ursprünglichen Gebrauch der Begriffe so gut als möglich zu erheben versuche[45].

Auch hier also, ähnlich wie im Verhältnis zur dogmatischen Tradition, findet sich keinerlei unmittelbare Kritik am Neuen Testament, sondern im Gegenteil ein Bemühen, den Text richtig, das heißt in seiner ursprünglichen Absicht, zu verstehen und dieses Verstehen der Verkündigung dienstbar zu machen.

Diese Feststellung wird bestätigt durch die überraschende Tatsache, die eigentlich schon längst in ihrer Bedeutung hätte gesehen werden müssen, daß die Wunderfrage in der deutschen Aufklä-

[43] Hier zitiert nach der 4. Auflage von 1785, S. 1.
[44] AaO, 5.
[45] AaO, 6.

rungstheologie kaum eine Rolle spielt. Während überall dort, wo sich in Westeuropa unter dem Einfluß des Cartesianismus die Kritik gegen die Bibel wandte, Anerkennung oder Bestreitung der biblischen Wundergeschichten zum Schibboleth der streitenden Parteien wurde, tritt dieses Problem in Deutschland ganz zurück. Wir haben zwar eine ausgebreitete Auseinandersetzung um Wesen und Wirkung des Teufels[46], aber das lag ja nur ganz am Rande des Neuen Testaments. Von den Wundern selbst spricht Teller ganz unbefangen als von »den außerordentlichen Taten«, »durch welche Christus und die Apostel ihre göttliche Sendung zur Anrichtung des Christentums bestätigen« — eine Formulierung, die in ihrer Blässe und Allgemeinheit das Desinteresse des Verfassers an diesem Problem deutlich genug bekundet[47].

Man wird nun freilich auch hier nicht verkennen dürfen, wie viel an destruierender Kraft mittelbar im praktischen Prinzip verborgen lag. Es läßt sich das ebenfalls schon an Tellers Wörterbuch zeigen, wenn es etwa gewisse Begriffe einfach verschweigt, andere nur unter praktischen Gesichtspunkten erwähnt.

Viel wichtiger ist in diesem Zusammenhang allerdings ein anderer Name: Johann Salomo Semler. Auch für ihn ist Aufgabe und Ziel seiner theologischen Arbeit »die wahre und folglich leichtere Anempfehlung der christlichen Lehre und eignen Religion unter unsern Zeitgenossen.« So jedenfalls schreibt er in der Vorrede zu seiner wohl wichtigsten Arbeit, der »Abhandlung von freier Untersuchung des Canon«, in vier Teilen 1771—75 erschienen[48]. Semlers Maßstab für die Beurteilung der kanonischen Bücher ist ihr Gehalt an »moralischem Unterricht« zur Besserung. Es ist von diesem Standpunkt aus nur konsequent, wenn er — ähnlich wie die auf-

---

[46] Vgl. ANER, aaO, 234 ff.

[47] TELLER, Wörterbuch aaO, 486. Ähnlich unentschiedene Äußerungen von Joh. Friedr. Gruner, Joh. Christoph Döderlein und Friedr. Germanus Lüdke bei K. ANER, aaO, 306 ff. Daß es sich dabei nur um Konzessionen der »beati possidentes« gehandelt habe, scheint mir wenig wahrscheinlich; wird übrigens bei ANER, der (aaO, 305 f.) diese Möglichkeit andeutet, auch nirgends begründet.

[48] (1. Teil) Halle 1771, Vorrede, unpag. (a 5 verso). G. HORNIG (Die Anfänge der historisch-kritischen Theologie. Joh. Salomo Semlers Schriftverständnis und seine Stellung zu Luther, 1961) bekommt in seiner modernisierenden, den historischen Kontext souverän vernachlässigenden Darstellung Semlers diesen m. E. entscheidenden Gesichtspunkt gar nicht in den Blick. Vgl. dagegen W. SCHMITTNER, Kritik und Apologetik in der Theologie J. S. Semlers (ThEx, NF. 106) 1963, insbesondere den Abschnitt »Moralische Bedeutsamkeit als Kriterium«, 36 ff.

geklärten Systematiker gegenüber der dogmatischen Tradition —
eine Überprüfung der einzelnen kanonischen Schriften fordert und
zu dem Schluß kommt: »Wenn aber in Büchern oder ihren Teilen
keine dergleichen Lehren oder Anleitungen zu innerer geistlicher
Ausbesserung vorkommen, sondern bloß menschliche Handlungen
und Historien: so stecken sie zwar unter dem Namen scriptura
sacra; aber nun gehören sie deswegen nicht zu dem principio cognoscendi . . .«[49].

Mit anderen Worten: Das Verständnis des Christentums als einer
Lehre, die allein auf die Besserung des Menschen gerichtet ist, er-
zwingt die Unterscheidung von Wort Gottes und Heiliger Schrift.
Denn da eine ganze Reihe kanonischer Schriften zu diesem End-
zweck des Christentums in keiner oder nur einer losen Beziehung
stehen, so können sie schlechterdings nicht Gottes Wort sein. Was
aber sind sie dann? Die Antwort, die Semler auf diese Frage gibt,
hat, obwohl sie keineswegs neu war, in der Theologiegeschichte
Epoche gemacht. Diese Schriften nämlich kann und soll man nicht
als Gottes Wort, sondern bloß als historische Quellen lesen und verstehen. Semler exemplifiziert das etwa am Buche Ruth, das ihm
so voll kleiner, unerheblicher Einzelzüge ist, daß es für niemand,
der »moralische Vollkommenheit« sucht, irgendeine Bedeutung haben kann. Es geht in diesem Buch nirgends um »praktische moralische Wahrheiten«. Und Semler weiß auch, warum: weil wir hier
nur ein Bruchstück »einheimischer Landeshistorie«, nämlich einen
Beitrag zur »Genealogie Davids« vorliegen haben[50].

Die Unterscheidung zwischen Wort Gottes und Heiliger Schrift,
die sich natürlich gegen die orthodoxe Lehre der Identität von verbum dei und scriptura sacra richtete, hatte schon Töllner behauptet.
Und er hatte dieselben Konsequenzen daraus gezogen wie Semler:
nämlich daß für die »gemeinen Christen« eine Auswahl aus den
biblischen Schriften getroffen werden müsse[51]. Für den Systematiker
Töllner ist die Frage damit erledigt. Für den Historiker Semler
beginnt sie erst. Denn er unternimmt es nun, den historischen Beweis für das Recht dieser Unterscheidung zwischen Heiliger Schrift
und Wort Gottes anzutreten. Und so entsteht ihm unter der Hand
die erste kritische Geschichte der Entstehung des Kanons. Sie soll

---

[49] SEMLER, aaO, Vorrede, unpag.
[50] SEMLER, aaO, § 8, 34 ff.
[51] Kurze vermischte Aufsätze, I. Bd., 2. Sammlung, Frankfurt/O. 1766: »Der
    Unterschied der heil. Schrift und des Wortes Gottes«, 112.

lediglich dem Nachweis dienen, daß dem Kanon keineswegs die Verbindlichkeit zukommen kann, die ihm die Orthodoxie beigelegt hat;
ein Nachweis, der notwendig ist, um das praktische Verhältnis zur
Schrift zu rechtfertigen, das Semler mit allen seinen neologischen
Zeitgenossen teilt. Seine Arbeit bleibt also ganz im Rahmen der
Vorstellungen der theologischen Aufklärung — und sie stellt nun
doch zugleich der theologischen Arbeit des 19. Jahrhunderts eines
ihrer großen Themen.

Wer der merkwürdigen und bewegenden Frage nachgeht, wieso
in Deutschland — anders als in Westeuropa — die Aufklärung von
einer historischen Schule abgelöst werden konnte, der wird in erster
Linie ihren praktisch-moralischen Charakter berücksichtigen müssen, der schon durch das Moment der Subjektivität, das hier entscheidend mit im Spiele war, dem historischen Verstehen Bahn gebrochen hat.

Der Christ in der Welt

Die theologische Kritik der Aufklärungstheologie ist heute so
allgemein und von den gegenwärtigen Voraussetzungen her ja
auch so einleuchtend, daß wir sie uns hier ersparen zu können glauben. Zudem tut gerade der Kirchenhistoriker gut daran, mit dem
theologischen Richtschwert besonders vorsichtig umzugehen. Wir
wollen uns stattdessen noch einem anderen Problem zuwenden, das
sich unmittelbar aus dem bisher Ausgeführten ergibt. Wenn die
theologische Aufklärung in Deutschland, wie wir zu zeigen versuchten, das Christentum vor allem als eine praktische Lehre verstand, wenn sie sein Wesen nicht so sehr im Glauben als vielmehr
im Tun erblickte, so legt sich die Frage nahe, wie dieses Tun denn
eigentlich inhaltlich bestimmt wurde, wie sich also, anders gefragt,
der Christ in der Welt nach dem Verständnis dieser Theologen zu
verhalten hatte, um Gottes Willen zu erfüllen. Hier, so dürfen wir
annehmen, werden wir die Aufklärung von der Seite zu sehen bekommen, von der sie selber gesehen zu werden wünschte, und es
scheint nicht mehr als ein Akt historischer Fairness, wenn wir dieser
Frage im folgenden noch nachgehen.

Man hat sich, übrigens ja nicht nur in der Theologiegeschichte,
angewöhnt, das Zeitalter der Aufklärung pedantisch, platt und
philiströs zu finden und insbesondere seine Theologie unter Zitierung bestimmter Predigtthemen der Lächerlichkeit preiszugeben. In
der Tat ist damals über die Blatternimpfung und den Scheintod

gepredigt worden, über »Die Bedenklichkeit der Holzvergeudung durch Abschneiden frischer Zweige« und den »Schaden, welche die Unmäßigkeit im Essen und Trinken unter uns anzurichten pflegt«, »Über die Abhärtung der Hirten und Warnung vor dem Gebrauch der Pelzmützen« (dies am ersten Weihnachtstag) und »Wie eine geschickte und reinliche Hausfrau viel dazu hilft, daß ihre Leute gesund bleiben und ein hohes Alter erlangen«[52]. Gewiß — das mutet uns heute lächerlich an und hat sich ja auch von Gegenstand und Auftrag der christlichen Predigt weit entfernt. Aber man sollte nun doch nicht übersehen, daß auch noch in der skurrilsten dieser Predigten ein sozialethischer Impuls lebendig war, eine Leidenschaft, die Lage der diesen Predigern anvertrauten Menschen und insbesondere eben die Lage der bäuerlichen Bevölkerung zu verbessern.

Spalding hatte in seiner »Nutzbarkeit des Predigtamtes« auf den allgemeinen Schaden hingewiesen, »daß Gottesdienst, Andacht, Frömmigkeit lediglich in die Kirche, oder höchstens mit in die häusliche Betstunde eingesperret wird«, und gefordert, daß »die Religion zu einer Führerin des wirklichen, gewöhnlichen Lebens gemacht« werde, »daß wir sie gleichsam in die Häuser, in den Umgang, in das tägliche Gewerbe der Menschen herabbringen und diese lehren, ihr Christentum mit den Pflichten ihres Berufs und ihrer verschiedenen Verbindungen auf Erden zusammen zu knüpfen«[53]. Ganz ähnlich hatte Leß die Aufgabe der praktischen Dogmatik dahin bestimmt, die Religionstheorie aus der Schule »in die Studierstube des Gelehrten, in die Werkstatt des Handwerkers, in die Säle der Gesellschaften, an das Lager des Kranken und Sterbenden« zu führen[54].

Diese ganze Generation war tief davon überzeugt, daß der Sinn des Christentums unmöglich in der Bewahrung einer sogenannten reinen Lehre liegen könne, sondern daß es dazu bestimmt sei, auf alle nur denkbare Weise in die Welt hineinzuwirken — und sei es auch durch eine Aufklärung der furchtsamen und abergläubischen Gemeinde über den Segen der Blatternimpfung. Und so kommt denn eine vor kurzem erschienene Untersuchung über die Predigt der späten deutschen Aufklärung zu dem Schluß: »Die Prediger

---

[52] P. Graff, Geschichte der Auflösung der alten gottesdienstlichen Formen in der evangelischen Kirche Deutschlands, II, 1939, 124 f; und R. Krause, Die Predigt der späten deutschen Aufklärung (1770—1805). Arb. zur Theologie, II. Reihe, Bd. 5, 1965, 139 und 116 ff.

[53] Spalding, aaO, 226.

[54] Less, aaO, XV.

der Aufklärungszeit haben ein Interesse und eine Aufgeschlossenheit für die Stellung des Christen in der Welt, für die Probleme in Haus und Familie, Beruf und Staat, wie es uns seit den Zeiten der Reformation innerhalb der evangelischen Kirche nicht mehr in gleichem Maße begegnet[55].«

Ansätze zu einer Sozialethik

Entscheidend ist, daß diese Aufgeschlossenheit — und hier kommt nun tatsächlich etwas ganz Neues ins Spiel — nicht eine Individual-, sondern eine Sozialethik hervorbringt: die erste im protestantischen Deutschland überhaupt. Charakteristisch für diesen Neuansatz ist die Bedeutung, die der Begriff der menschlichen Gesellschaft in der theologischen Literatur dieser Zeit gewinnt[56].

Für Jerusalem etwa ist das Herzstück der christlichen Ethik die »Wohltätigkeit«. Aber diese Wohltätigkeit ist nun eben nicht mehr bloß das Almosen, das dem Armen gereicht wird, nicht mehr ein privater Akt der Nächstenliebe, sondern sie ist auf die ganze menschliche Gesellschaft gerichtet; sie ist »der sich beständig gleiche wirksame Trieb, alle unsere Fähigkeiten und Kräfte, nach der Absicht Gottes, dem gemeinen Besten der Welt zu widmen, und zur Beförderung der Wahrheit, der Tugend und Zufriedenheit unter den Menschen, so viel wir können, behilflich zu werden . . .«[57]. Auch Spalding spricht von einer Verantwortung für die Gesellschaft und fordert, »unsere Christen nicht allein Andacht, sondern auch Bürgerpflicht zu lehren; und wenigstens solche Gesinnungen in ihre Herzen zu pflanzen, aus welchen hernach alles, was sie der Gesellschaft schuldig sind, natürlich und von selbst fließet.«[58] Am prägnantesten aber findet sich diese soziale Bestimmung des Menschen in der

---

[55] R. Krause, aaO, 88.

[56] Auch diese ethische Reflexion auf die Gesellschaft hängt, wie so vieles andere, selbstverständlich eng mit den allgemeinen Gedanken und Bestrebungen der Zeit zusammen. Vgl. etwa C. Gebauer, Geistige Strömungen und Sittlichkeit im 18. Jahrhundert 1931, 138: »Die Meinung der Aufklärung war, daß die Wohlfahrt der ganzen Gesellschaft auf das engste mit der Wohlfahrt aller Glieder des Gemeinwesens zusammenhinge, und daß deshalb jedes Glied der Gemeinschaft im Interesse des Ganzen nicht nur sein eigenes, sondern auch der übrigen Glieder Wohlergehen auf jede mögliche Weise zu fördern habe.«

[57] Jerusalem, aaO, I, 328 f.

[58] Spalding, aaO, 69 f.

»Christlichen Moral« von Gottfried Leß: »Das Leben hier auf der Erde ... ist ein Geschenk Gottes, welches er jedem Menschen in jedem Augenblick, da Er es ihm verleihet, dazu gibt, daß es zum Nutzen der menschlichen Gesellschaft angewendet werde.«[59]

Wer also mit Ernst Christ sein wollte, der konnte es nach der Überzeugung dieser Zeit gar nicht anders sein als so, daß er zugleich an seinem Teil auch eine Verantwortung für die menschliche Gesellschaft als ganze mitübernahm.

Es scheint mir von großer Bedeutung, daß hier zum ersten Mal — über den Nächsten hinaus — die Gesellschaft als Gegenstand und Aufgabe einer christlichen Ethik in den Blick der Theologie kommt, eine Bedeutung, die wir vielleicht erst heute ganz begreifen. Sicher ist jedoch, daß das 19. Jahrhundert weit weniger Grund hatte, über diese bürgerliche Ethik zu spotten, als es meinte. Denn sie enthielt nun auch in ihren materialen Bestimmungen eine Fülle positiver Forderungen und Einsichten, die mit dem Schlagwort »platter Moralismus« kaum zureichend gekennnzeichnet sein dürften.

So finden wir schon hier etwa die uneingeschränkte Verurteilung des Sklavenhandels[60], dessen Abschaffung 1783 im englischen Parlament bekanntlich noch vergeblich beantragt wurde. Wir finden die Ablehnung des Duells[61] und den Einsatz für eine vernünftige Rechtsprechung und einen menschenwürdigen Strafvollzug, wonach die Todesstrafe zwar noch für notwendig gehalten, sie aber »wo irgend möglich ... in Gefängnis und gemeinnützige Arbeit zu verwandeln« gefordert wird[62]. Torturen werden verworfen, ebenso »infamierende Leibesstrafen«, weil »auch in dem Missetäter ... der Christ die Menschheit ehren« soll[63]. Selbstverständlich ist auch die Forderung der Gewissensfreiheit als eines menschlichen Grundrechts, die allen Theologen der deutschen Aufklärung gemeinsam ist.

Zwei Punkte scheinen in diesem Zusammenhang noch besonders erwähnenswert, weil sie gerade im Hinblick auf das 19. Jahrhundert wichtig geworden sind: das Verhältnis zum Krieg und das Problem der Nationalität.

---

[59] G. LESS, Christliche Moral, Göttingen 1777, 240.
[60] AaO, 260 f.
[61] C. C. TITTMANN, Christliche Moral, Leipzig 1783, 210.
[62] LESS, Moral, aaO, 261.
[63] AaO, 261 f. Das Wohl der Gesellschaft setzt auch die Norm für das Strafrecht: »Der Einfluß in das gemeine Wohl (nicht aber blos die innere Natur des Verbrechens) bestimmt die Proportion zwischen Strafe und Verbrechen.« (aaO, 262).

Was die Kriege betrifft, so sind sich unsere Theologen darin einig,
daß sie »notwendige Übel der verderbten Menschheit« und nichts
anderes »als eine gewaltsame Notwehr der Staaten« darstellen. Sie
sind zwar nicht absolut verboten, sie dürfen jedoch nur als gerechte
und nur »mit großmütiger Menschenliebe« geführt werden[64].
Grundsätzlich aber ist jeder Krieg ein Zeichen der Unvollkommenheit und Verderbtheit des menschlichen Geschlechts und der
Religion und jedenfalls in keiner Hinsicht und unter keinen Umständen gottgewollt.

Und Einigkeit herrscht nun auch in der Beurteilung des in jenen
Jahrzehnten sich langsam herausbildenden Nationalbewußtseins.
Gottfried Leß warnt hellsichtig »vor dem elenden Patriotismus,
welcher habsüchtig alles in seinen Winkel einschließen und den
fremden Nationen entreißen will!«[65] Der wahre Patriotismus — so
sagt Carl Christian Tittmann — ist vielmehr »Eifer für das allgemeine Beste der Welt«, verwirklicht in »edlen Gesinnungen und
guten Taten« gegen jedermann[66]. »Denn das Vaterland des Christen
ist nicht der Winkel, wo er geboren worden, nicht das Reich, worin
er wohnt, sondern — die ganze Welt: diese Familie Gottes.«[67]
Auch die Aufklärungstheologie kannte selbstverständlich besondere
Verpflichtungen gegenüber der Sozietät, der der einzelne angehörte,
aber diese Verpflichtungen waren der Verantwortung für die ganze
menschliche Gesellschaft unter- und nicht übergeordnet.

Man muß diese nüchternen Urteile über Krieg und Nationalität
im Ohr haben, um zu ermessen, welcher Abstand diese Generation
von der der Befreiungskriege trennt, die sich mit leidenschaftlicher
Begeisterung in den heiligen Krieg fürs Vaterland warf. — Der
Zug ins Weltbürgerlich-Humanitär-Soziale, den wir hier beobachtet
haben, ist zweifellos ein Kennzeichen der Aufklärung überhaupt.
Aber er ist nun doch für die deutsche Aufklärungstheologie besonders bemerkenswert, weil hier nur wenige Jahrzehnte später der
Wahnsinn der nationalen Predigt beginnen wird[68].

[64] Less, aaO, 350. Fast wörtlich gleichlautend Tittmann, Moral, aaO, 227:
»Doch muß jeder Krieg, wozu ein Regent befugt sein will, rechtmäßige und
sehr wichtige Ursachen haben, und mit aller nur möglichen Schonung der unschuldigen Menschen geführt werden.«
[65] Less, aaO, 128.
[66] Tittmann, aaO, 250.
[67] Less, aaO, 127 f.
[68] Zur Entstehung des Nationalprotestantismus im 19. Jhdt. vgl. K. Scholder,
Die evangelische Kirche und das Jahr 1933, in: Geschichte in Wissenschaft
und Unterricht, 1965, 701 ff.

Der Christ als Bürger und Untertan

Werden wir in ihrem sozialethischen Ansatz wie auch in vielen einzelnen Forderungen der theologischen Aufklärung unseren Respekt nicht versagen können, so hat diese ganze Geschichte nun doch auch noch eine Kehrseite. Sie hängt wiederum unmittelbar mit dem Charakter der deutschen Aufklärung als einer praktischen Reformbewegung zusammen und ist insbesondere für den Fortgang der deutschen Geschichte von entscheidender Bedeutung geworden.

So gewiß die Aufklärung in Westeuropa die Selbständigkeit des Bürgertums auch politisch begründet hat, so gewiß hat ihre theologische Spielart in Deutschland das Verständnis des Bürgers als Untertan eher verstärkt als erschüttert. Im Grunde wiederholt sich hier im Bereich der speziellen politischen Ethik nur, was wir auch auf anderen Gebieten beobachtet haben: Der Neologie fehlt jede radikale, theoretische Position; sie will die Reform, nicht die Revolution[69]. Das hat — im Zusammenhang mit den gerade auf diesem Gebiet besonders starken traditionellen Bindungen[70] — dazu geführt, daß die deutsche Aufklärungstheologie in ihrer politischen Ethik die Herrschaftsform des aufgeklärten Absolutismus als unmittelbare göttliche Ordnung vertrat.

So kann etwa Carl Christian Tittmann feststellen: »Die bürgerliche Gesellschaft besteht aus Regenten und Untertanen; und ist, sie mag ihren Ursprung haben, wie sie will, dennoch Gottes Ordnung ... und bei der gegenwärtigen Lage des menschlichen Geschlechts unentbehrlich.«[71] Hier liegt der Schluß nahe, daß das Ver-

---

[69] In diesen Zusammenhang gehören beispielsweise die Beobachtungen, die P. M. ROEDER an den Schullesebüchern der deutschen Aufklärung gemacht hat: »Das durchschnittliche Lesebuch des 18. Jahrhunderts stand weniger im Dienste der Aufklärung im philosophischen und politischen Sinne als im Dienste einer fast bedingungslosen Frömmigkeit und christlichen Moral. Nur in deren Grenzen wurde auch aufklärerisches Gedankengut lebendig in den Beiträgen zur Frage der Erziehung und dem Versuch einer allgemeinen Bürgerbildung, aus der allerdings der politische Aspekt ... fast völlig ausgeschaltet wurde.« (Zur Geschichte und Kritik des Lesebuchs der höheren Schule, 1961, 50).

[70] »Weil man den Staat noch unter dem Ordnungsauftrag Gottes weiß, erübrigt sich für den protestantischen Bürger dieser Jahrzehnte die Notwendigkeit, das gesellschaftliche Ganze zu demokratisieren.« H. E. BAHR, Demokratische Öffentlichkeit als Horizont der Verkündigung, Theol. Habil. Schrift Hamburg 1965 (masch.), 272.

[71] TITTMANN, Moral, aaO, 225.

hältnis von Regent und Untertan, wie es der aufgeklärte Absolutismus entwickelt hatte, göttlich sanktionierte Ordnung ist, die
zu achten für den Christen eine heilige Pflicht bedeutet. Wirklich
heißt es auch wenig später: »Denn der obrigkeitliche Stand ist eine
Ordnung und eine der Welt sehr heilsame Verpflichtung Gottes,
dem wir selbst gehorchen, wenn wir diese Pflichten beobachten.«
Daraus folgen ganz konsequent die Pflichten der Untertanen als
Pflichten gegen Gott: »Untertanen, das ist, alle und jede Glieder
eines gemeinen Wesens außer dem Fürsten, sind verbunden, ihre
Regenten und Obrigkeiten zu ehren, ihren rechtmäßigen Befehlen[72]
ohne Ausnahme willig zu gehorchen, ... auch das Unrecht, das
ihnen als *einzelnen Gliedern* widerfährt, willig erdulden, ihre Liebe
und Sorgfalt aber mit Dank erkennen und für sie beten; und das
alles ohne Rücksicht auf ihren Charakter, ihre Religion und Regierung, bloß aus Pflicht und Gehorsam gegen Gott[73].«

Während Tittmann nur die Pflichten der Untertanen kennt, weiß
Leß auch etwas von ihren Rechten: Jeder Untertan hat nach ihm
das Recht. »1) von seiner Obrigkeit zu fordern, daß sie ihn schütze
und beglücke ... Thut sie das nicht; so hat er 2) das Recht, jedes
Mittel zu brauchen, welches die Rechte des Landes gestatten: Vorstellungen, Processe, und dergl. 3) Sind auch diese vergebens;
so kann er emigrieren. Aber sich zur Wehre setzen, und zu gewalt-
samen Mitteln greifen; das darf er nicht. Sondern — dulden, groß-
müthig dulden, ist alsdenn seine Pflicht.«[74]

---

[72] Das »rechtmäßig« bezieht sich hier zweifellos nur auf die Vollmacht, nicht
auf den Inhalt.

[73] TITTMANN, aaO, 228 f.

[74] LESS, Moral, aaO, 346. Es soll wenigstens darauf hingewiesen werden, daß
sich diese Auffassung genau mit derjenigen Kants deckt. In seiner Abhandlung
von 1793 »Über den Gemeinspruch: das mag in der Theorie richtig sein, taugt
aber nicht für die Praxis« reflektiert er zwar über den Gesellschaftsvertrag,
erklärt ihn jedoch für »eine bloße Idee der Vernunft«, wenn auch mit »unbe-
zweifelte[r] (praktischer) Realität.« Tatsächlich jedoch ist diese »praktische«
Realität nur theoretisch, insofern sie »nur für das Urteil des Gesetzgebers,
nicht des Untertans« gilt: »Wenn also ein Volk unter einer gewissen itzt wirklichen Gesetzgebung seine Glückseligkeit einzubüßen mit größter Wahrscheinlichkeit urteilen sollte: was ist für dasselbe zu tun? soll es sich nicht wider-
setzen? Die Antwort kann nur sein: es ist für dasselbe nichts zu tun, als zu
gehorchen.« (Werke, hg. v. W. WEISCHEDEL, VI, 153 f.) Und dieses Gebot
ist so unbedingt, daß — wie Kant sagt — selbst dort, wo der Regent »so
gar den ursprünglichen Vertrag verletzt und sich dadurch des Rechts, Gesetzgeber zu sein, nach dem Begriff des Untertans, verlustig gemacht« hat, »dennoch dem Untertan kein Widerstand, als Gegengewalt, erlaubt bleibt.« (aaO,
156).

Die Pflichten des einzelnen Untertans gegenüber dem Regenten sind also praktisch unbegrenzt; seine Rechte enden beim leidenden Gehorsam. Umgekehrt sind die Pflichten des Regenten zwar durch das allgemeine Sittengesetz und die Zehn Gebote bestimmt, seine Rechte enden aber erst dort, wo die Gewissensfreiheit seiner Untertanen bedroht ist[75]. Nur über die Religion selbst und die Gewissensfreiheit der Untertanen, so sagt Tittmann, erstreckt sich die — im übrigen absolute — Macht der Regenten nicht; denn Intoleranz oder Religionsverfolgung »ist unvernünftig, ungerecht, grausam, der Religion hinderlich, dem Staate schädlich, ganz unchristlich, den Absichten und Verfahren Jesu und seiner Apostel gerade zuwider.«[76]

So sehr also der aufklärerische Geist dieser Theologie in ihrem allgemeinen sozialethischen Engagement zum Ausdruck kommt, in ihrer Leidenschaft für die Verbesserung des Menschen und der Welt, so wenig wirkt er sich in der speziellen politischen Ethik aus. Die Neologie ist — politisch gesehen — nur in einem einzigen Punkt wirkliche Aufklärung, nämlich in der Forderung der Gewissensfreiheit und Toleranz. Im übrigen aber tritt diese Theologie für das unverkürzte Recht des absolutistischen Systems ein. Die Freiheiten des einzelnen sind ausschließlich sittlicher Natur, und kein Gedanke liegt hier ferner als der, diese Freiheiten politisch zu verstehen und sie etwa durch die Rechtskonstruktion einer Verfassung sichern zu wollen.

Auf diesem Hintergrund aber wird man nun auch die sozialen Tugenden sehen müssen, die die Aufklärung nicht müde wurde zu predigen. Es sind nach Spalding: »Bereitwilligkeit zu helfen, Redlichkeit im Gewerbe, Fleiß im Dienste anderer, Gehorsam und Treue gegen die Regierenden, Ertragung schwerdrückender Lasten ...«[77]. Wenn dies die Tugenden waren, die die christliche Predigt weitergab, so wird man freilich nicht anders urteilen können, als daß dieser Katalog eine geradezu klassische Sammlung von Untertanentugenden darstellte. Hilfsbereitschaft, Redlichkeit, Dienstwilligkeit, Gehorsam, Treue und Geduld — das waren in der Tat die Idealtugenden, die eine absolutistische Obrigkeit von ihren Untertanen erwartete. Und eben darum — weil die Obrigkeit solche Tugenden tatsächlich erwartete — nahm sie die Prediger wirklich in ihren Dienst. Eine ganze Reihe uns heute so merkwürdig erscheinender

---

[75] TITTMANN, Moral, aaO, 225.
[76] AaO, 227.
[77] SPALDING, aaO, 65, Vgl. auch 77.

Predigtthemen geht auf unmittelbare Anweisungen der Obrigkeit zurück[78]. So entstand der Eindruck, als sei der eigentliche Herr von Kanzel und Predigt nicht Gott, sondern der Landesherr, oder auch umgekehrt: als sei der Landesherr Gottes Stellvertreter auch in seinem Recht an Kanzel und Predigt.

Die evangelische Predigt geriet hier in ein höchst gefährliches Fahrwasser, ohne es freilich zunächst zu merken. Zunächst — und das gilt jedenfalls für die Zeit bis etwa 1780 — schienen dem evangelischen Prediger Gottes Gebot, landesherrlicher Befehl und seine eigene Predigt weithin übereinzustimmen in demselben Ziel: der Verbesserung der allgemeinen Wohlfahrt; und in demselben Weg: der Aufklärung der beschränkten, abergläubischen und zurückgebliebenen Menschen. Der Grund für diese bedenkliche Identifizierung aber lag zweifellos mit in jenem unbedingten Willen der deutschen Aufklärungstheologie zur praktischen und öffentlichen Wirksamkeit des Christentums. Er führte dazu, daß schließlich doch der öffentliche Nutzen und damit indirekt die »gesunde Vernunft« zur Norm der christlichen Ethik wurde, mit dem Unterschied, daß diese Norm hier — im Gegensatz zur historischen und systematischen Theologie — keinerlei kritische Konsequenzen in sich barg. Insofern ist es nicht allzu erstaunlich, daß von diesem ganzen ethischen Neuansatz am Ende bloß die Sanktionierung des Absolutismus den Umbruch am Ausgang des Jahrhunderts überdauerte.

Aufklärung und Pietismus

Der Versuch, die eigentümliche Gestalt und Entwicklung der Aufklärung in Deutschland im größeren Zusammenhang der deutschen Geschichte zu begreifen, führt zu jener Bewegung, die am Ende des 17. Jahrhunderts das Erbe der Orthodoxie übernahm: zum Pietismus. Die Parallelen sind so zahlreich, daß ein Zufall ausgeschlossen ist[79]. Hier wie dort finden wir vor allem die Betonung der Praxis pietatis, den Vorrang des Lebens vor der Lehre, das praktische Verhältnis zur Schrift, die sozialen Impulse. Auch biographisch lassen sich die Zusammenhänge nahezu lückenlos be-

---

[78] R. Krause, aaO, 119 und passim; W. Maurer, aaO, I, 97 f.
[79] Über die Zusammenhänge im einzelnen siehe H. Laag, Der Pietismus ein Bahnbrecher der deutschen Aufklärung, in Th. Bll. 3. Jgg (1924), Sp. 269 bis 277. Laag kommt zu dem Schluß: »Dadurch, daß die deutsche Aufklärung im Pietismus wurzelte, ist sie eine religiöse Bewegung geworden und konnten Männer wie Voltaire nicht tonangebend werden.« (Sp. 277).

legen: anstatt vieler anderer sei nur an Sigmund Jakob Baumgarten erinnert, der an beiden Bewegungen gleichen Anteil
hat. Gewiß, auch die Unterschiede sind nicht zu verkennen.
Zum Herzstück der pietistischen Frömmigkeit, zur Lehre von
Sünde, Gnade und Wiedergeburt, hatte die Aufklärung schlechterdings keinerlei Verhältnis mehr. Die Wandlung des Lebensgefühls
ganz allgemein ist mit Händen zu greifen. Und doch gibt es nun
kein erstaunlicheres Zeugnis für die Kraft und Tiefe der pietistischen Frömmigkeit als dies, daß sie noch ihren Erben und Gegnern
den unverwechselbaren Stempel ihres Geistes aufzuprägen vermochte. Damit aber wird der Pietismus zu einer der wichtigsten
Bewegungen der neueren europäischen Geschichte überhaupt. Daß
er es war, der die Herrschaft der Orthodoxie in Deutschland gebrochen hat, daß hier praktische Frömmigkeit und nicht, wie in
Westeuropa, theoretische Kritik den Sieg über das traditionelle
Dogma davontrug, das hat die Sonderentwicklung Deutschlands im
18. und 19. Jahrhundert entscheidend mitbestimmt.

Was die deutsche Aufklärungstheologie Originelles besaß, das
entstammte weitgehend dem Erbe des Pietismus, der sich unter dem
Einfluß westeuropäischer Strömungen zur Neologie wandelte. Dieser Zusammenhang erklärt die ungewöhnliche Verzögerung, mit
der die Aufklärung in Deutschland begann. Er erklärt aber auch
ihre merkwürdige Schwäche, die sie schon in der nächsten Generation und dann fast das ganze 19. Jahrhundert hindurch zur meistverachteten und meistverspotteten Bewegung werden ließ. Diese
Schwäche lag nicht etwa in einem Übermaß an Kritik, sondern im
Gegenteil in dem fast völligen Mangel an kritischer Reflexion —
jedenfalls im Bereich ihrer sozialen und gesellschaftlichen Theorien
und Vorstellungen. Wo sie kritische Impulse entbunden hat, wie
etwa auf dem Gebiet der systematischen und der historischen Theologie, da bleiben diese bis weit ins 19. Jahrhundert hinein wirksam.
Die große kritische Schule der deutschen Theologie ist ohne die
Vorarbeit der Neologie nicht zu denken. Aber dort, wo sie selbst
ihren Auftrag sah und ihre eigentliche Kraft entfaltete, eben im
Bereich des Ethischen, Sozialen und Gesellschaftlichen, da sind ihr
Erfolg und Nachwirkung versagt geblieben. An die Stelle der
Sozialethik, die im deutschen Luthertum ohnedies wenig Tradition
hatte, trat sehr bald eine ausgeprägte Individualethik — Gegenstück zu Geist und Kultur der Klassik und Romantik. Und an die
Stelle des weltbürgerlich-humanitären Geistes — ebenfalls in
Deutschland ohne eine tragfähige Vorgeschichte — trat die Idee

der Nation als der höchsten Schöpfungsordnung. Übrig blieb allein die Sanktionierung der absolutistischen Herrschaftsform, und zwar merkwürdigerweise vielfach in jener ideologisch überformten Gestalt, die im Verhältnis von Obrigkeit und Untertan eine Ordnung Gottes verwirklicht sah.

Die Frage nach dem Schicksal der Aufklärung in Deutschland wird heute von vielen Seiten gestellt. Es scheint, als liege hier eine der wichtigsten Voraussetzungen zum Verständnis der neueren deutschen Geschichte überhaupt. Einen Schlüssel zur Beantwortung dieser Frage aber wird gerade auch die Kirchengeschichte zu liefern vermögen.

Luthers Werke in Auswahl

Unter Mitwirkung von ALBERT LEITZMANN, herausgegeben von OTTO CLEMEN. 8 Bände. Oktav. Ganzleinen DM 144,—
Band 1—4. Schriften von 1518—1520 / Band 5. Der junge Luther
Band 6. Luthers Briefe / Band 7. Predigten / Band 8. Tischreden

Fides, Spes und Caritas beim jungen Luther

Unter besonderer Berücksichtigung der mittelalterlichen Tradition. Von REINHARD SCHWARZ. Groß-Oktav. VIII, 444 Seiten. 1962. DM 42,—
(Arbeiten zur Kirchengeschichte 34)

Luthers Auslegungen des Galaterbriefes von 1519 u. 1531

Ein Vergleich. Von KARIN BORNKAMM. Groß-Oktav. XVI, 404 Seiten. 1963. DM 54,— *(Arbeiten zur Kirchengeschichte 35)*

Geschichte der deutschen evangelischen Theologie seit dem deutschen Idealismus

Von HORST STEPHAN. 2., neubearbeitete Auflage von MARTIN SCHMIDT. Groß-Oktav. XV, 393 Seiten. 1960. Ganzleinen DM 26,—
(Sammlung Töpelmann Reihe 1, Band 9)

Lutherischer Glaube im Denken der Gegenwart

Von ERICH KLAMROTH. Groß-Oktav. 162 Seiten. 1953. Ganzleinen DM 14,50

Luther

Von FRANZ LAU. 2., verbesserte Auflage. 153 Seiten. 1966. DM 3,60 *(Sammlung Göschen Band 1187)*

Melanchthon

Von ROBERT STUPPERICH. 139 Seiten. 1960. DM 3,60 *(Sammlung Göschen Band 1190)*

Paulus

Von MARTIN DIBELIUS. Nach dem Tode des Verfassers herausgegeben und zu Ende geführt von WERNER GEORG KÜMMEL. 3., durchgesehene Auflage. 156 Seiten. 1954. DM 3,60 *(Sammlung Göschen Band 1160)*

Jesus

Von MARTIN DIBELIUS. 4. Auflage, mit einem Nachtrag von WERNER GEORG KÜMMEL. 140 Seiten. 1966. DM 3,60 *(Sammlung Göschen Band 1130)*

Sören Kierkegaard

Leben und Werk. Von HAYO GERDES. 134 Seiten. 1966. DM 3,60 *(Sammlung Göschen Band 1221)*

Geschichte des Pietismus

Von ALBRECHT RITSCHL. 3 Bände. 1880—1886. Nachdruck 1966. Ganzleinen DM 160,—

WALTER DE GRUYTER & CO · BERLIN 30

Luther und Müntzer

Ihre Auseinandersetzung über Obrigkeit und Widerstandsrecht. Von CARL HINRICHS. 2., unveränderte Auflage. Groß-Oktav. VIII, 187 Seiten. 1962. DM 19,80 *(Arbeiten zur Kirchengeschichte 29)*

Spener-Studien

Von KURT ALAND. (Arbeiten zur Geschichte des Pietismus I.) Groß-Oktav. 213 Seiten. 1943. DM 21,— *(Arbeiten zur Kirchengeschichte 28)*

Hauptfragen christlicher Religionsphilosophie

Von EMANUEL HIRSCH. Oktav. VIII, 405 Seiten. 1963. Ganzleinen DM 19,80 *(Die kleinen de Gruyter-Bände 5)*

Das Wesen des reformatischen Christentums

Von EMANUEL HIRSCH. Oktav. VI, 270 Seiten. 1963. DM 18,—

Natürliches und gepredigtes Gesetz bei Luther

Eine Studie zur Frage nach der Einheit der Gesetzesauffassung Luthers mit besonderer Berücksichtigung seiner Auseinandersetzungen mit den Antinomern. Von MARTIN SCHLOEMANN. Oktav. VII, 137 Seiten. 1961. DM 16,— *(Theologische Bibliothek Töpelmann, Heft 4)*

Luthers Konzilsidee in ihrer historischen Bedingtheit und ihrem reformatischen Neuansatz

Von CHRISTA TECKLENBURG JOHNS. Oktav. 214 Seiten. 1966. Ganzleinen DM 28,— *(Theologische Bibliothek Töpelmann, Heft 10)*

Meister Eckharts Buch der göttlichen Tröstung und Von dem edlen Menschen

(Liber „Benedictus") Unter Benutzung bisher unbekannter Handschriften neu herausgegeben von JOSEF QUINT. Oktav. XX, 142 Seiten. 1952. DM 9,80 *(Kleine Texte für Vorlesungen und Übungen, Heft 55)*

Urkunden und Aktenstücke zur Geschichte von Martin Luthers schmalkaldischen Artikeln 1536-1574

Unter Mitarbeit von HEINRICH ULBRICH, herausgegeben und erläutert von HANS VOLZ. Oktav. 234 Seiten. 1957. DM 19,50 *(Kleine Texte für Vorlesungen und Übungen, Heft 179)*

Philipp Jakob Spener, Pia Desideria

Von KURT ALAND. 3., durchgesehene Auflage. Oktav. IV, 91 Seiten. 1964. DM 5,80 *(Kleine Texte für Vorlesungen und Übungen, Heft 170)*

Kirchenkampf in Deutschland 1933-1945

Religionsverfolgung und Selbstbehauptung der Kirchen in der nationalsozialistischen Zeit. Von FRIEDRICH ZIPFEL. Mit einer Einführung von HANS HERZFELD. Groß-Oktav. XVI, 571 Seiten. 1965. DM 38,— *(Veröffentlichungen der historischen Kommission zu Berlin, Band 11)*

WALTER DE GRUYTER & CO · BERLIN 30